1 MONTH OF
FREE
READING

at

www.ForgottenBooks.com

By purchasing this book you are eligible for one month membership to ForgottenBooks.com, giving you unlimited access to our entire collection of over 1,000,000 titles via our web site and mobile apps.

To claim your free month visit:
www.forgottenbooks.com/free1028071

ISBN 978-0-331-20929-7
PIBN 11028071

Forgotten Books is a registered trademark of FB &c Ltd.
Copyright © 2018 FB &c Ltd.
FB &c Ltd, Dalton House, 60 Windsor Avenue, London, SW19 2RR.
Company number 08720141. Registered in England and Wales.

For support please visit www.forgottenbooks.com

er

tädteverfaſſun

in

Deutſchland.

Von

Georg Ludwig von Maurer,

itglied der Akademien der Wiſſenſchaften in München und in Berlin, der königl
ocietät der Wiſſenſchaften in Göttingen, der gel. Geſellſchaften in Jaſſy, Darm
ſtadt, Wetzlar, Wiesbaden u. a. m. und Ehrenvicepräſident jener in Athen.

Dritter Band.

Erlangen.

Verlag von Ferdinand Enke.

1870.

Schnellpressendruck von C. H. Kunstmann in Erlangen.

Vorwort.

Ich übergebe hiemit den dritten Band meines Buches dem Deutschen Volke. Der vierte und letzte Band wird bald nachfolgen und mit einem Register über alle vier Bände versehen sein.

Das Buch ist gut aufgenommen und in öffentlichen Blättern bereits mehrmahls empfohlen worden, zuletzt noch in der neuen Preußischen Kreuzzeitung vom 12. Juli 1870, Beil. zu Nr. 159. und in der Beilage zur Augsburger allg. Zeitung vom 6. August 1870, Nr. 218. Auch Herr Professor Hegel hat es besprochen in der historischen Zeitschrift von Sybel. XXIV, 1—21.

Wiewohl es nun nicht in meiner Art ist auf solche Anzeigen zu antworten. Ich pflege sie zwar zu berücksichtigen, und wenn ich es für nothwendig halte, gelegentlich zu besprechen. Auf eine directe Antwort habe ich mich aber bisher nicht eingelassen. Im vorliegenden Falle muß ich jedoch hinsichtlich Hegels von meiner Regel eine Ausnahme machen, theils wegen der Bedeutung des Mannes, der als Hauptkenner des Städtewesens gilt, theils wegen der Art und Weise wie er mein Buch angezeigt hat.

Herr Professor Hegel bespricht nämlich mein Buch, d. h. den I. Theil, der nur noch die Einleitung enthält, in einer offenbar gereizten Stimmung, welche ich wenigstens nicht veranlaßt habe.

Denn ich habe von ihm bei jeder Gelegenheit immer nur mit jener Achtung und Verehrung gesprochen, wie es sich bei einem Gelehrten von seiner Bedeutung schickt, und wie ich es einem alten Freund schuldig war.

Nach seiner Darstellung soll ich nun nichts weiter gethan und gesagt haben, als: „Die Stadtverfassung, das ist der Anfang und „das Ende der ganzen Ausführung des Autors, ist allein aus der „Dorfmarkverfassung entstanden und aus den Markvorstehern ist, „wie in den Dörfern der Dorfvorstand, so in den Städten der „Stadtvorstand und Stadtrath hervorgegangen." (p. 10.) Dann wirft er mir, und zwar zu wiederholten Malen vor, daß ich seine Abhandlung in der Kieler Monatsschrift und auch die Sammlung der Deutschen Städtechroniken nicht berücksichtiget habe. (p. 9 u. 14.) Was nun seine Abhandlung in der Kieler Monatsschrift betrifft, so muß ich leider bekennen, daß ich sie nicht gekannt habe, und ich bezweifle nicht, daß ich daraus Vieles hätte lernen können. Indessen ist denn doch diese Unkenntniß für den vorliegenden Fall kein so großes Unglück gewesen, wie Hegel meint, indem er ja selbst sagt, daß er meiner Meinung sei und mir nur vorwirft, daß ich mit feinen Waffen seine frühere irrige Ansicht, nur etwas weniger vollständig, widerlegt habe. Wobei ich mich nur gegen die Beschuldigung verwahren muß, daß ich dieses mit feinen Waffen gethan habe. Denn ich pflege niemals mit fremden Waffen zu kämpfen und habe es im vorliegenden Falle um so weniger gethan, als ich seine Abhandlung heute noch nicht gelesen habe, also seine Waffen heute noch nicht kenne. Was aber die Benutzung der Städtechroniken betrifft, so ist der gemachte Vorwurf völlig ungegründet. Denn ich habe die sehr tüchtigen Arbeiten von Hänselmann, Frensdorff und von Hegel selbst sämmtlich benützt, wie die folgenden Citate beweisen, die mir gerade in die Hand kommen, z. B. über Braunschweig (B. II, p. 28, 121, 141, 646 ff., III. p. 532 u. 535), über Augsburg (II, 561 ff.), über Nürnberg (II, 644.) und auch über Straßburg, wiewohl ich das Buch erst erhalten habe, nach=

dem ich mein Mpt. schon zum Druck abgegeben hatte. Daß aber
Hegel bei der Besprechung des I. Bandes (der Einleitung) schon
über das ganze Werk abspricht ist nicht meine Schuld. Auch war
der 2. Band, wie ich weiß, bereits schon gedruckt, als seine Anzeige
noch ungedruckt dalag. Er hätte demnach möglicher Weise noch
sein Urtheil ändern können. Es beweist dieses eben nur, zu meinem
großen Bedauern, die gereizte Stimmung meines Freundes. Und
weiter wollte ich hiemit auch nichts sagen.

Was nun die Hauptsache betrifft, so behauptete ich und be=
haupte es noch, daß die Städte aus Dörfern hervorgegangen sind
und daher die Grundlage der Verfassung bei beiden ursprünglich
dieselbe, nämlich eine Markenverfassung, gewesen ist. Ich behaupte
nicht, wie mir Hegel in den Mund legt, daß die Dorfverfassung
der Städteverfassung als Vorbild gedient habe. (p. 4.) Denn die
Anfänge der Ortsverfassung, bei den Dörfern wie bei den Städten,
reicht nachweisbar bis in die fränkischen Zeiten zurück. Es kann
demnach weder die Stadtverfassung der Dorfverfassung noch umge=
kehrt die Dorfverfassung der Stadtverfassung als Vorbild gedient
haben. Da jedoch beide dieselbe Verfassung zur Grundlage gehabt
haben, so hat offenbar derselbe Grund bei den Einen wie bei den
Anderen zu demselben Resultate geführt. Auch die alten Städte
hatten nämlich schon zur fränkischen Zeit eine Stadtmark, welche
theils unter die Einwohner getheilt, theils in ungetheilter Gemein=
schaft, als gemeine Mark, besessen worden ist. Jede gemeine Mark
mit den damit verbundenen Marknutzungen setzt aber als Grund=
lage der Verfassung nothwendiger Weise eine Markgemeinde (eine
Markgenossenschaft) voraus, wie wir sie in früheren und späteren
Zeiten bei allen ungetheilten gemeinen Marken, bei den großen wie
bei den kleinen Marken, insbesondere auch schon zur fränkischen
Zeit in Straßburg, Worms, Mainz, Köln, Regensburg, und in
anderen alten Städten finden. (I p. 200, 202, 208, 211 u. 214.)
Auch gibt Hegel die Analogie von Dorf und Stadt und die
Identität der ursprünglichen Dorf= und Stadtmarkverfassung im

Allgemeinen zu. Er will sie jedoch nur als Erstlingsgestalt des Städtewesens und nur so weit die Dorfverfassung durch die gemeinsame Feld=, Weide= und Waldwirthschaft bedingt wurde, gelten lassen. (p. 3—5, 10—11 u. 20.) Allein mehr ist ja auch von mir nicht behauptet worden. Denn auch die alten Dorfmarkgemeinden hatten keine größere Kompetenz. Es entsteht demnach nur die Frage, wann und wie die Städte die alte Markenverfassung, welche bei den Dörfern dieselbe war wie bei den alten Städten, weiter fortgebildet und so nach und nach eine neue Grundlage ihrer Verfassung erlangt haben.

In dieser Beziehung wird nun von Hegel behauptet, daß keine strenge Scheidung zwischen genossenschaftlichen oder Gemeinde= angelegenheiten und zwischen Gemeindebeamten und öffentlichen Beamten bestanden habe, und daß die Schultheise und Decane bei den Langobarden, wie die Schultheise oder Tribunen bei den Franken Ortsvorsteher, zu gleicher Zeit aber auch königliche d. h. öffentliche Beamte gewesen seien. (p. 5.) Allein diese Behauptung steht in Widerspruch mit aller Geschichte und mit den Grundideen der germanischen Genossenschaften. Die Gemeinden hängen nämlich mit den ersten Ansiedelungen der Germanen zusammen. Und die Grundlage der germanischen Gemeinden war ungetheilte Gemeinschaft von Grund und Boden, also Markgemeinschaft. Die öffentliche Gewalt dagegen ist erst später entstanden. Denn ursprünglich war ja alle Gewalt bei dem Volke. Eine wahre von dem Volke unabhängige königliche Gewalt, die man sodann die öffentliche Gewalt genannt hat, hat sich erst seit der Eroberung der römischen Provinzen gebildet. Und die Grundlage dieser öffentlichen Gewalt war keine Markgemeinschaft, vielmehr eine Schutz= und Schirmgewalt, oder eine Vogtei. Die Annahme, daß keine strenge Scheidung zwischen Gemeinde= und öffentlichen Angelegenheiten bestanden habe, widerspricht demnach den Grundideen der germanischen Genossenschaften und der germanischen Rechtsgeschichte. Auch ist es unrichtig, daß die Schultheise, Decane und Tribunen bei den

Langobarden und Franken zwar Ortsvorsteher, zu gleicher Zeit aber
auch königliche d. h. öffentliche Beamte gewesen seien. Denn man
kann nachweisen, daß die Schultheiße, die Decane und auch die Tri=
bunen, so oft dieselben als Ortsvorsteher königliche Beamte ge=
nannt werden, in königlichen Grundherrschaften oder auf Fronhöfen
des Königs angestellt, also wohl königliche Beamte, d. h. grund=
herrliche Beamte des Königs, aber keine öffentliche Beamte wa=
ren. (vergl. z. B. L. Langob. I, 9, c. 16, I, 25, c. 20. I, 34, c.
1. II, 9, c. 2, II, 17, c. 1., II, 52, c. 14. Capit. von 782, c. 7
bei Pertz, p. 43. Meine Gesch. der Fronhöfe, I, 231—232.) Es
muß nämlich auch bei dem König die doppelte Eigenschaft eines
Inhabers der öffentlichen Gewalt und eines Grundherrn unterschie=
den werden. Denn als Grundherr hatte er die Rechte eines jeden
anderen Grundherrn. Er konnte demnach auch die Ortsvorsteher
in seinen Grundherrschaften ernennen. Diese waren aber sodann
bloß grundherrliche und keine öffentliche Beamten. In jenen Grund=
herrschaften dagegen, in welchen der König die Grundherrschaft
nicht selbst hatte, konnte er auch keinen Ortsvorsteher ernennen.
Schon Eichhorn hat die Gemeindevorsteher für öffentliche Beamte
gehalten. Den Nachweis ist er uns aber schulbig geblieben. (Mein
Buch I, p. 162.) Die Ortsvorsteher waren vielmehr, so weit die
Geschichte reicht, entweder genossenschaftliche oder grundherrliche,
niemals aber öffentliche Beamte. Auch in späteren Zeiten noch
hat es in den Städten nur herrschaftliche Richter und in manchen
Städten einen Stadtmarkrichter, was jedoch meistentheils der Ge=
meindevorstand selbst war, und nur sehr selten einen eigenen öffent=
lichen Richter gegeben, der aber nirgends der Ortsvorstand war.
(III, 324 u. 546.) Auch die Schultheiße Decane und Tribunen
bei den Langobarden und Franken waren in den ersten Zeiten keine
öffentlichen Beamten und daher auch keine Stellvertreter der Gra=
fen. Erst unter Karl dem Großen, nachdem sich bereits Vieles geän=
dert hatte, hat sich auch dieses geändert, wie ich dieses Alles in einer
Geschichte der öffentlichen Gewalt weiter auseinander zu setzen gedenke.

Hegel behauptet ferner, erstens daß im 8. und 9. Jahrhundert Straßburg, Köln, Mainz, Worms, Regensburg u. a. bedeutende Handelsplätze geworden seien, an eine bloße Dorf= oder
Stadtmarkverfassung also nicht mehr zu denken sei (p. 10—11.);
dann, daß die neuen Stadträthe und Bürgermeister nicht, wie ich
glaube, mit den alten Ortsmarkvorstehern zusammenhängen, daß
vielmehr lange bevor die neuen Stadträthe ins Leben traten, schon
eine andere Verfassung, die nicht mehr die alte Stadtmarkverfassung war, bestanden habe, die alten Ortsvorsteher von jeher, seit
aus den Dörfern wirklich Städte geworden, nichts anderes als untergeordnete Localbeamte gewesen seien; und daß durch meine Auf-
fassung die historische Continuität in der ganzen Entwickelung (die
Zwischen = und Uebergangsstufen) verloren gehe. (p. 10 — 12.)
Wogegen ich mir jedoch Folgendes zu bemerken erlaube.

Was zuerst die alten Handelsplätze, welche in Bardowik, Erfurt, Forchheim, Magdeburg, Regensburg, Lorch u. a. m. bis ins
7. Jahrhundert hinaufreichen (I, 282 ff.), und die Ansiedelungen
fremder Kaufleute seit dem 8. und 9. Jahrhundert in Speier,
Worms, Mainz, Köln, Soest, Bremen, Lübeck, Regensburg
u. a. m. betrifft, so habe ich von ihnen weitläufig gehandelt (I,
403—409), und auch bemerkt, daß die alten Städte öfters selbst
Marktorte und Kaufstädte genannt worden sind. (I, 292.) Allein
Einfluß auf die Ortsverfassung haben die ersten Ansiedelungen der
fremden Kaufleute und die alten Handels= und Marktplätze nirgends
gehabt. Die fremden Kaufleute (die Friesen, Fläminger, Walen,
Wälschen, Romanen, Lombarden, Slaven u. a. m.) siedelten sich
nämlich seit dem 9. Jahrhundert, wie später die freien Zünfte, in
einer und derselben Straße oder in demselben Stadttheile an, und
gaben der Straße oder dem Stadttheile, in welchem sie beisammen
wohnten, ihren Namen. Daher die Friesenstraßen, Wälschstraßen,
die Slavenstraßen, die Fremdenviertel (vici hospitum), die Juden-
gassen und Judendörfer in den alten Städten, und in den bömischen

und mährischen Städten die Deutschenstraßen (vici teutonicorum), anderwärts die Deutschen Viertel, und in Regensburg der Römling. Wie andere Ansiedler so erhielten auch diese fremden Kaufleute öfters Freiheiten und das Recht von ihren eigenen Landsleuten gerichtet zu werden. Sie durften auch eigene Genossenschaften bilden. Und in Wien wurden die Fläminger sogar ins Bürgerrecht aufgenommen. (II, 24 — 30, 254 ff., 268 ff. und 273 ff.) Einfluß auf die Umgestaltung der Ortsverfassung erhielten sie aber in den ersten Zeiten ihrer Ansiedelung nirgends, so wenig wie die freien Zünfte und die Judengemeinden. Sie standen vielmehr, wie diese, unter dem Ortsvorstande, welchen die Stadt, in welcher sie sich niedergelassen hatten, entweder althergebracht oder neu gebildet hatte. Wenn nun die fremden Kaufleute keinen Einfluß auf die Umgestaltung der Verfassung der alten Städte gehabt haben, so können sie auch keine Zwischen= und Uebergangsstufe, wie Hegel will, gebildet haben.

Dasselbe gilt aber auch von seiner weiteren Behauptung, daß lange bevor die neuen Stadträthe ins Leben getreten seien, schon eine andere Verfassung, die nicht mehr die alte Stadtmarkverfassung war, bestanden habe, und daß die alten Ortsvorsteher, seitdem aus den alten Dörfern wirkliche Städte geworden, nichts Anderes als untergeordnete Localbeamte gewesen seien, welche zuerst unter den öffentlichen Beamten, den Grafen und deren Stellvertretern, den Vögten und Schultheißen, gestanden und so einen Zwischenzustand zwischen der alten und der späteren Stadtverfassung gebildet haben. Allein diese Ansicht ist offenbar unrichtig. Denn solche Zwischen= und Uebergangsstufen haben nirgends bestanden. Schon den Anfang und das Ende dieser angeblichen Zwischenstation (—„ seitdem „aus den alten Dörfern wirkliche Städte geworden" —) nachzuweisen, dürfte Hegel sehr schwer werden. Wie denkt sich denn Hegel diese von den alten Dörfern verschiedenen wirklichen Städte? An welchen Merkmalen erkennt man diese von den alten Dörfern verschiedenen wirklichen Städte? Wie unterscheiden sie sich von

den alten Dörfern? Wie und wann sind sie entstanden und sodann
— da sie eine bloße Zwischenstation bildeten — wieder verschwun=
den? Und welche Grundlage hatte denn die Verfassung dieser in
der Zwischenstation liegenden wirklichen Städte? Und wie unter=
scheidet sich ihre Verfassung von der vor und nach der Zwischen=
station entstandenen alten und neuen Verfassung? Ich wenigstens
kann mir dieses Alles nicht klar machen.

Die Heimburger, Burrichter, Burmeister, Centner u. a. m.
haben vielmehr von je her als Ortsvorsteher unter den öffentlichen
Beamten und in den grundherrlichen und gemischten Orten ganz
oder wenigstens theilweise unter den höheren grundherrlichen Be=
amten gestanden. (I, 201, III, 546.) Seit der Vereinigung mehre=
rer Ortsgemeinden und Vorstädte mit der Altstadt, und seit dem
Steigen der Gewalt der Landes= und Grundherrn in den Städten,
was zu Mal in den Bischofsstädten der Fall war, wurde aber die
Gewalt der Ortsmarkbeamten beschränkt. Und so sanken denn
diese in ihrer Kompetenz beschränkten Ortsmarkbeamten meistentheils
zu untergeordneten Localbeamten, hin und wieder sogar zu bloßen
Boten herab, wie ich dieses von Straßburg (I, 200—201), Worms
(I, 203—205), Speier (I, 205), Trier (I, 209—211 u. 547),
Mainz (I, 208 u. 547), Köln (II, 97 ff.), Soest, (II, 91 ff.) u.
a. m. nachgewiesen habe. Ganz in derselben Weise, wie dieses spä=
ter auch bei den öffentlichen und grundherrlichen Beamten in der
Stadt zu geschehen pflegte, indem z. B. in Augsburg dem Burg=
grafen der Zutritt zum Stadtgerichte ganz untersagt, dem Vogte
aber seine Gerichtsbarkeit fast auf Nichts reducirt worden ist (III,
413 u. 414), und wie in Köln und Worms der Greve (der alte
Stadtgraf) und in Basel der Vogt zu einem unbedeutenden Voll=
zugsbeamten herabgedrückt, und in Basel die Stelle des Vogtes
zuletzt ganz abgeschafft worden ist. (III, 411 u. 549.) In anderen
Städten sind die alten Ortsmarkvorsteher gesunken oder verschwun=
den, ohne daß bis jetzt das Wann und das Wie nachgewiesen wer=
den kann. Der Grund ihrer Beseitigung und ihres Verschwindens

ist aber offenbar derselbe gewesen wie bei den vorhin erwähnten Städten. (I, 547—550, 565 u. 566.)

Meistentheils fällt nämlich die Umgestaltung des alten Stadt=markvorstandes in die Zeit der Vereinigung mehrerer um die Alt=stadt herumliegender Dorfgemeinden oder Vorstädte mit der Alt=stadt, oder in die Zeit des Steigens der Gewalt der Grundherrn in den Städten, zu Mal in den Bischofsstädten, in welchen die Inhaber der öffentlichen Gewalt (die Bischöfe) ihre grundherrlichen Rechte auszudehnen und damit auch das Recht der Ernennung des Stadtraths an sich zu bringen suchten. Aber weder in dem einen noch in dem anderen Falle kann ein längerer Zwischenzustand zwischen einer angeblich alten und späteren Stadtverfassung nach=gewiesen werden. Bei der Vereinigung mehrerer früher getrennter Dorf= oder Bauerschaften und Vorstädte mit der Altstadt war näm=lich die Art und Weise der Vereinigung entscheidend. Wenn die früher getrennten Gemeinden zu einer einzigen Stadtgemeinde ver=einiget, der Altstadt also incorporirt wurden, dann war für die incorporirten Gemeinden kein eigener Ortsvorstand mehr nöthig. Dieser wurde daher abgeschafft oder er hat sich ohne ausdrücklich abgeschafft worden zu sein, stillschweigend verloren, wie dieses in München (II, 84), in Heidelberg (II, 85, 111 u. 131), in vielen mit der Altstadt Köln vereinigten Geburschaften (II, 100) und in anderen Städten der Fall war, in welchen die alten Heimburger, Burmeister, Burrichter u. a. m. spurlos verschwunden sind. In anderen mit der Altstadt vereinigten Bauerschaften und Vorstädten behielt man den alten Vorstand der Bauerschaft oder der Vorstadt als untergeordneten Beamten bei und beschränkte nur seine Kom=petenz, z. B. in Wien (II, 87), Soest (II, 92 ff.), Köln (II, 96—110 u. 112), Grottkau (II, 85), in mehreren Städten der Mark Brandenburg (II, 85) u. a. m., vielleicht auch schon in Straßburg bei der Vereinigung der neuen Stadt mit der Altstadt (I, 200), in Speier bei der Vereinigung von Altspeier und von drei anderen Vorstädten mit der Altstadt (I, 205), und in Worms bei der Ver=

einigung der vier Dorfschaften (Pfarreien) zu einer einzigen Stadt
(I, 203). In manchen Städten, in welchen die alten Ortsvor=
ficher zu Boten herabgedrückt worden sind, ließ man ihnen auch
noch eine sehr beschränkte Gerichtsbarkeit in geringfügigen Sachen
(III, 584, 585 u. 596. Fronhöfe, IV, 475—476). Jedenfalls hat
jedoch auch die steigende Gewalt der Bischöfe in den Bischofsstädten
mitgewirkt, indem diese ihre in einzelnen Theilen der Stadt erwor=
bene Grundherrschaft über die ganze Stadt auszudehnen suchten,
wie dieses schon seit dem 11. Jahrhundert in Köln, Worms, Straß=
burg, Basel, Augsburg u. a. m. versucht worden ist (I, 72 ff. 78 ff.).
Wie in anderen Grundherrschaften, so fingen nämlich die Bischöfe
auch in Straßburg, Speier, Worms, Basel u. a. m. an die Vor=
steher der Markgemeinde (den Stadtrath) selbst zu ernennen. Dies
führte aber, in allen diesen Städten zum Kampfe mit der Stadt=
gemeinde, welche sich das Recht den neu eingesetzten und an die
Stelle der ganz oder theilweise beseitigten alten Ortsvorsteher ge=
tretenen Stadtrath zu wählen nicht nehmen lassen wollten. In
Straßburg, in Worms und in Basel fingen die Bischöfe auch wirk=
lich an den Stadtrath zu ernennen. Ihr Recht dazu ward aber
von den Stadtgemeinden bestritten, und nach kurzem Kampfe haben
auch die Bischöfe wieder das Wahlrecht der Stadtgemeinden aner=
kannt und nur gegen die völlige Unabhängigkeit der Stadtgemein=
den und gegen die ohne ihre Zustimmung vorgenommenen Raths=
wahlen weiter gekämpft (I, 173—177, 201—205 u. 601—604).
Am interessantesten war dieser Kampf in Worms. In dieser
Stadt ist nämlich der erste Stadtrath aus den Heimburgern der
vier vereinigten Bauerschaften (Pfarreien) hervorgegangen. Und
noch am Anfang des 12. Jahrhunderts bildeten die 16 vereinigten
Heimburger den Gemeinderath. Der Bischof führte den Vorsitz,
drückte aber schon im Laufe des 12. Jahrhunderts die Heimburger
zu bloßen Boten herab und fing an den Gemeinderath selbst zu
ernennen. Denn auch er wollte sich zum Grundherrn der Stadt
aufwerfen. Dies führte denn auch in Worms zu fortwährenden

Streitigkeiten der Stadt mit dem Bischof. Um nun die in der Stadt gestörte Ruhe wieder herzustellen, griff der Kaiser bereits im 12. Jahrhundert selbst ein, setzte die Stadt unter seinen unmittelbaren Schutz und setzte zur Handhabung des Stadtfriedens ein aus Stadtmarkgenossen bestehendes Friedensgericht nieder, aus welchem sodann der Stadtrath hervorgegangen ist (I, 203—205 u. 602—603). Bei allen diesen Umgestaltungen des alten Stadtmarkvorstandes in einen Stadtrath war aber weder von einem längeren Zwischenzustande zwischen einer alten und einer späteren Stadtverfassung, noch überhaupt von einer Umgestaltung der Stadtverfassung selbst die Rede. Die Umgestaltung und der damit zusammenhängende Kampf bezog sich vielmehr nur auf die Vorstandschaft und auf das Recht die neuen Vorstände zu ernennen oder zu wählen. Die Grundlage der Stadtverfassung kam dabei gar nicht in Frage. Diese blieb vielmehr nach wie vor die Stadtmarkverfassung, wie ich dieses durch eine Menge Stadtrechte und Urkunden nachgewiesen habe (II, 191—221, 765—875, III, 1 ff.). Die Grundlage der Stadtverfassung selbst (die Stadtmarkverfassung) wurde erst später bei dem Kampfe der Zünfte (der Gemeinde) mit den alten Geschlechtern (mit der Altbürgerschaft) angegriffen. Daher hörte die Stadtmarkverfassung erst seit dem Siege der Zünfte auf die Grundlage der Stadtverfassung zu sein (II, 723 ff.). Ehe ich jedoch weiter hievon rede, muß ich zuvor noch Einiges über die in den Städten vorgegangenen Veränderungen bemerken.

In den alten Städten hat die Marktfreiheit und der damit verbundene freie Verkehr nach und nach zu großen Veränderungen, zur persönlichen und dinglichen Freiheit und zu allen anderen Freiheiten geführt, durch welche die Städte sich von den Dörfern unterscheiden, wie ich dieses im ersten Bande dieses Buches umständlich auseinandergesetzt habe. Die ersten städtischen Freiheiten, welche nach und nach zu einer von der Dorfverfassung verschiedenen städtischen Verfassung geführt haben, reichen schon in sehr frühe Zeiten hinauf. Eben so auch die ersten Anfänge einer eigenthümlichen Städteverfassung. Denn sie reichen bereits ins 11., vielleicht sogar schon bis ins 10. Jahrhundert hinauf. Und bei diesem Uebergang der Dorfverfassung in eine erweiterte Verfassung der Städte kam es in vielen Städten, zu Mal in den Bischofsstädten, schon seit dem 11. Jahrhundert zum Kampfe (I, 171—177 u. 579--582). Die Grundlage der alten Verfassung (die Dorfmarkverfassung) wurde aber durch alle diese großen Veränderungen und Kämpfe nirgends verändert. Die Grundlage der Verfassung blieb vielmehr in allen Städten die Markverfassung. Die städtische Verfassung hörte freilich auf eine Dorfmarkverfassung zu sein. Die alte Dorfverfassung wurde vielmehr zu einer städtischen Verfassung erweitert. Eine Markenverfassung blieb sie aber nach wie vor. Die städtische Verfassung ist demnach ganz naturgemäß aus der Dorfverfassung hervorgegangen, ohne daß von einem längeren Zwischenzustand zwischen einer alten und einer späteren Stadtverfassung die Rede sein kann. Der freie Verkehr in den Städten, der zu so großen Veränderungen geführt hat, hat nämlich auch zu Veränderungen in den städtischen Angelegenheiten, und sodann auch zu einer erweiterten Stadtverfassung geführt. Eine n e u e Grundlage ihrer Verfassung erhielten aber die Städte dadurch nicht. Die Grundlage ihrer Verfassung blieb vielmehr eine Markenverfassung. Ich habe daher diese, wenn man will, n e u e Verfassung, um sie von der alten Dorfverfassung zu unterscheiden, eine S t a d t m a r k v e r f a s s u n g genannt.

Zu den großen Veränderungen, zu welchen der freie Verkehr geführt hat, gehören insbesondere auch die Ansiedelungen der Künstler und Handwerker, welche durch den freien Verkehr angezogen sich in den aufblühenden Städten angesiedelt hatten (I, 408—411). Auch sie ließen sich, wie die fremden Kaufleute, in eigenen Straßen nieder (II, 31—36), bildeten eigene Genossenschaften mit eigenen Vorstehern (II, 362 ff.), hatten jedoch eben so wenig wie die fremden Kaufleute Einfluß auf die Fortbildung der städtischen Verfassung. Denn die hörigen Zünfte standen unter ihrer Herrschaft und die freien Zünfte unter dem Stadtrath, indem auch sie bloße Hintersassen entweder der einzelnen Stadtbürger oder der Stadt selbst waren (II, 226—228, 239, 322 ff., 428—435). Auf die Grundlage der Stadtmarkverfassung hatten demnach auch die An= siedelungen der Zünfte keinen Einfluß.

Dasselbe war der Fall bei den neu sich bildenden Vorstädten. Die Vorstädte sind nämlich theils aus neuen Ansiedelungen vor der Altstadt theils aus der Vereinigung von bereits bestehenden Dörfern, Städten, Höfen, Stiftern und Klöstern mit der Altstadt hervorgegangen. Diese neuen Ansiedelungen und die mit Altstadt vereinigten Dörfer und Städte u. s. w. wurden nun entweder der Altstadt incorporirt oder es wurde ihnen eine mehr oder weniger selbständige Verfassung unter der Vorstandschaft der Altstadt ge= lassen (II, 73—146). Die incorporirten Ansiedelungen, Dörfer und Städte pflegten zu einer einzigen Markgemeinde mit der Altstadt vereiniget und öfters auch noch durch Mauern mit derselben zu einem Ganzen verbunden zu werden. Sie hatten demnach keinen eigenen Vorstand mehr nöthig. Der alte Markvorstand ist demnach in den der Altstadt einverleibten Vorstädten verschwunden. Er wurde entweder ausdrücklich abgeschafft oder hat sich stillschweigend verloren. In den der Altstadt nicht einverleibten Vorstädten da= gegen ist denselben nach wie vor ihrer Vereinigung mit der Altstadt eine mehr oder weniger selbständige Verfassung geblieben. Sie blieben nach wie vor, nun aber der Altstadt untergeordnete, Mark= gemeinden. Sehr viele von ihnen behielten sogar ihre alten nun jedoch untergeordneten Markvorsteher, wie dieses zu Mal in Soest und in Köln der Fall war. In anderen Vorstädten wurde der alte Markvorstand dem jedesmaligen Localbedürfnisse entsprechend umgestaltet. Markgemeinden blieben aber die Einen wie die An= deren (II, 83—112 u. 603). Jede Stadt hat eben ihre eigene Geschichte. Bei Allen findet sich aber dieselbe Grundlage. Darum ist die Bearbeitung gründlicher Städtegeschichten so wichtig und so dringend geboten (I, 187 u. 553).

Auch in jenen Städten endlich, in welchen die aus den Ge=
schlechtern bestehende Altbürgerschaft sich zunftartig abgeschlossen
hat, blieb die Grundlage der Verfassung eine Markverfassung. Dies
war der Fall bei der Richerzeche in Köln (I, 180—182, II, 521),
bei der Hausgenossenschaft in Speier (I, 182, II, 521), bei den
alten Geschlechtern in München, Straßburg, Frankenberg, Wetzlar,
Erfurt, Frankfurt, Lübeck u. a. m. (I, 182, 183, 646, II, 521—
522 u. 726). Von den Geschlechtergenossenschaften Alt Limburg
und Frauenstein in Frankfurt und von der Junker Compagnie in
Lübeck ist es zwar nicht nachgewiesen, daß sie ursprünglich allein
die Altbürgerschaft gebildet haben. Es ist jedoch sehr wahrscheinlich,
daß auch sie, wie in Straßburg die Mühlheimer und Zorne (II,
664), das Stadtregiment allein geführt haben, denn sonst hätten
sie ihre Trinkstube nicht auf dem alten Rathhause haben, und auch
in späteren Zeiten noch keine Vorrechte, insbesondere kein Vorrecht
bei der Besetzung der Raths= und Senatoren=Stellen in Anspruch
nehmen können, wie dieses in Frankfurt der Fall war (II, 522,
528—529 u. 530—531). In manchen alten Städten gingen in=
dessen die alten Geschlechter (die Altbürgerschaften) noch einen Schritt
weiter. Sie schieden mit einem mehr oder weniger großen Theile
der alten gemeinen Stadtmark oder auch, wie in mehreren Dorf=
schaften, mit der ganzen ungetheilten Mark aus der Bürgerschaft
aus und behielten die ausgeschiedene gemeine Mark zwar in unge=
theilter Gemeinschaft unter sich, aber als Privatgut. Dieses war
in Iserlon (II, 725—726), in Mehldorf (II, 601, 602 u. 726),
in Frankfurt (I, 183, II, 522) und später auch in Köln der Fall
(I, 183). Und man nannte diese ausgeschiedenen Altbürgerschaften
und Geschlechter, wie die in den Dörfern ausgeschiedenen Dorf=
markgenossen, Realgemeinden oder auch Ganerbschaften
(I, 183, II, 97, 100 u. 522. Dorfverfass. I, 164—171, II, 249 ff.).
Zwar hält dieses Hegel (p. 13) für eine ganz unzuläßige Ver=
wechselung der verschiedenartigsten aristokratischen Corporationen
oder Geschlechterverbindungen mit der alten Stadtgemeinde. Allein

Hegel übersieht, daß auch die Realgemeinden und die Ganerb=
schaften, wie die Stadtmarkgemeinden, ungetheilte Gemeinschaften
geblieben sind, die sich von den Stadtgemeinden nur dadurch unter=
schieden, daß sie bloße Privatgemeinheiten geworden sind,
während die Stadtgemeinden auch das Stadtregiment zu führen,
also die Gemeindeangelegenheiten zu besorgen hatten, und in so fern
auch einen öffentlichen Charakter gehabt haben, daß demnach die
Realgemeinden und Ganerbschaften durch Ausscheidung des Eigen=
thums an der gemeinen Mark sehr wohl als Privatgemein=
heiten aus der Stadtmarkgemeinde hervorgehen konnten. Auch
sind jene aristokratischen Corporationen oder Geschlechterverbindun=
gen selbst aus der Altbürgerschaft hervorgegangen. Daher hat es
in den meisten alten Städten nur eine einzige Geschlechter=
stube und zwar auf dem Rathhause gegeben (II, 522—536).

Die Grundlage der Stadtgemeinden ist demnach nach wie
vor die Markverfassung geblieben. Zwar hat sich in den alten
Städten, seitdem sich fremde Kaufleute, Künstler und Handwerker
in denselben niedergelassen, der freie Verkehr zu den städtischen
Freiheiten und zu Handel und Wandel geführt hatte, sehr Vieles
geändert. Es ist in den Städten ein ganz neues Leben entstanden,
welches man natürlich in den alten Dörfern gar nicht gekannt hat.
Allein daß dadurch aus den Dörfern wirkliche Städte geworden
und lange bevor die neuen Stadträthe ins Leben getreten, eine
andere Verfassung, die nicht mehr die alte Stadtmarkverfassung
war, entstanden sei, und daß auf diese Weise sich Zwischen= und
Uebergangsstufen gebildet haben, welche sodann in die spätere
Stadtverfassung übergegangen seien, wie Hegel behauptet (p. 10—
12), beruht auf einer ganz irrigen Ansicht, auch davon abgesehen,
daß seine Theorie höchstens auf einige Bischofstädte Anwendung
finden könnte, auf alle übrigen Städte aber gar nicht paßt. Was
sich nämlich durch das in den Städten entstandene neue Leben ge=
ändert hat, das war nicht die Grundlage der Verfassung, diese blieb
nach wie vor die alte. Was sich geändert hat, das war vielmehr

v. Maurer, Städteverfassung. III. **

die Beschäftigung der Einwohner, und diese führte sodann weiter
zur Vermehrung der Geschäfte der städtischen Behörden, und diese
Geschäftsvermehrung zur Umgestaltung der städtischen Behörden
selbst. Die Hauptbeschäftigung der alten Stadtbürger bestand näm=
lich, wie in den Dörfern, in Ackerbau und Viehzucht. Seit dem
Emporkommen des Handels und des Gewerbswesens wurde aber
der Ackerbau und die Viehzucht mehr und mehr in den Hintergrund,
und das Gewerbswesen in den Vordergrund gedrängt. Die städti=
schen Angelegenheiten, früher bloß Markangelegenheiten, wurden
daher nun mehr und mehr Gewerbs= und Verkehrsangelegenheiten,
und dadurch wurde auch die Kompetenz der städtischen Behörden
bedeutend vermehrt und verändert. Die alten Behörden genügten
demnach nicht mehr, und dies führte sodann zur Umgestaltung der
Behörden selbst (I, 409—411, 551—552, 646, III, 4 ff. u. 8 ff.).

Die Geschichte der Umgestaltung der alten Behörden in einen
Stadtrath ist nun aber einer der schwierigsten Puncte in der Ge=
schichte des Städtewesens, worüber daher die Meinungen sehr aus=
einander gehen. Ich habe eine neue Ansicht aufgestellt und ver=
diene jedenfalls nicht den Vorwurf, den mir Hegel macht, daß ich
die streng historische allein richtige Methode nicht befolgt, vielmehr
nur daran gedacht habe, die Wahrheit meiner Grundansicht von
dem Ursprung der Stadtverfassung aus der Dorfverfassung zu be=
weisen (p. 11). Allein schon ein flüchtiger Blick auf mein Buch
wird jeden Unbefangenen überzeugen, daß mein Werk aus Einzeln=
forschungen hervorgegangen ist, und erst das Resultat meiner Ein=
zelnforschungen zu meiner Grundansicht geführt hat. Ich habe
nur unterlassen, was leider heut zu Tage so oft geschieht, meine
ganze Mühe und Arbeit und den Gang meiner Untersuchungen
dem Publicum mitzutheilen. Den Gang meiner Geistesarbeit habe
ich vielmehr für mich behalten und dem Publicum nur das Resultat
meiner Forschungen mitgetheilt. Und ich habe dabei, um die Sache
dem Leser so leicht und so klar als möglich zu machen, meine durch
die Einzelnforschungen gewonnene Grundansicht natürlich Oben

hingestellt und aus meinen Einzelnforschungen die nöthigen Beweise entlehnt, wie es, wie ich glaube, jeder gründliche Historiker thun sollte.

Jedenfalls ist es sehr schwer die Umgestaltung der alten städtischen Markvorsteher in Stadträthe und Bürgermeister, und in anderen Städten die erste Entstehung der Stadträthe auf gewisse allgemeine Regeln zurückzuführen. Denn jede Stadt hat ihre eigene Geschichte, welche je nach dem Localbedürfnisse an den verschiedenen Orten zu einem verschiedenen Resultat geführt hat. In vielen Städten kann jedoch die erste Gestaltung der Stadträthe und in anderen Städten die Umgestaltung der alten städtischen Behörden in Stadträthe und Bürgermeister nachgewiesen werden (I, 552— 567). Bei den meisten Städten fehlen aber die Nachweise. Sehr wahrscheinlich hat sich aber auch bei ihnen der Stadtrath auf dieselbe Weise gebildet oder umgebildet. Dafür spricht wenigstens alle Analogie. Allenthalben hängen nämlich, wie ich glaube, die ersten Anfänge der neuen Stadträthe und vieler Bürgermeister mit den alten Ortsmarkvorstehern zusammen in der Art, daß dieselben entweder aus ihnen hervorgegangen oder wenigstens vollständig an ihre Stelle getreten sind (I, 173, 550 ff. u. 564).

Aus den alten Ortsmarkvorstehern ist der Stadtrath hervorgegangen, z. B. in Worms der erste Stadtrath aus den Heimburgern der vier vereinigten Dorfschaften (I, 203—204), in Lübeck aus den alten vier Dorfvorstehern (I, 251—252, 550 u. 554), in Köln aus den zwölf Vorstehern der Richerzeche (I, 219—223 u. 550). In vielen grundherrlichen Städten, in welchen die Hofverfassung mit der Markverfassung verschmolzen war, der Ortsvorstand also aus hörigen Schöffen bestanden hat (I, 148, 556. Dorfverf. I, 16—20 u. 92—96), ist der Stadtrath aus den hörigen Schöffen hervorgegangen, z. B. in Hörter (I, 262—263), in Haltern (I, 556 f.), in Winterberg (I, 557), in Trier (I, 209—210, 557—559), in Oehringen, Kellheim u. a. m. (I, 555). Auch in den gemischten Städten, in welchen die Gemeinde das Wahl-

* *

recht zu haben pflegte, ist der Stadtrath öfters aus einer Ver=
mehrung der alten Bauermeister, Bauerrichter oder Dorfpfleger
hervorgegangen, aus den alten Bauermeistern z. B. in Zürich (I,
270—271), Wesel (I, 555) und wahrscheinlich auch in Magdeburg
(I, 247—248), in Hamburg (I, 272 u. 273) u. a. m., und aus
den alten Dorfpflegern in München (I, 555). Anderwärts ist der
Stadtrath aus den alten Dorfsechsern hervorgegangen, z. B. in
Meldorf (I, 255—256 u. 554 f.), in Crempe (I, 555) u. a. m.,
oder auch aus den Dorfvierern, z. B. in Genf, Möllen (I, 554)
und, wie bereits bemerkt worden ist, in Lübeck, oder aus den Dorf=
achtern z. B. in Dürkheim, oder aus den Dorfdreiern z. B. in Elgg
(I, 554). In manchen Städten sind zwar nicht die Stadträthe,
wohl aber die Bürgermeister aus den alten Dorfvorstehern
hervorgegangen, z. B. in Soest aus dem Bauerrichter (I, 250,
549 u. 559), in Seligenstadt aus dem Heimburger (I, 266, 549,
555—556) und in Augsburg aus den alten Dorfvierern oder Dorf=
pflegern (I, 209, 560 u. 622).

In vielen anderen Städten ist der Stadtrath zwar nicht aus
den alten Ortsmarkvorstehern hervorgegangen, er ist aber vollstän=
dig an ihre Stelle getreten. Die Vorsteher der Dorfmarkgemeinden
hatten nämlich alle gemeinsamen Angelegenheiten des Dorfes zu
besorgen. Sie hatten nicht bloß die wirthschaftlichen Angelegen=
heiten, sondern auch noch alle übrigen Angelegenheiten, welche mit
der Markgemeinschaft zusammenhingen, welche also Gemeindeange=
legenheiten waren, zu besorgen. Zu ihnen gehörten aber außer
den eigentlich wirthschaftlichen Angelegenheiten auch noch die Bau=,
Feuer= und Dorfpolizei, und seitdem auch in den Dörfern Märkte
und Gewerbe entstanden waren, die Gewerbspolizei, die Markt=
polizei und die Straßenpolizei, kurz das gesammte Dorfregiment.
(Dorfverf. II, 10 ff. u. 45—60). Darum waren aber doch die
Dorfgemeinden noch keine politische Gemeinden in unserem
heutigen Sinne des Wortes, wie dieses Gierke (Genossenschaft I,
81 ff.) u. a. annehmen. Die Dorfgemeinden hatten zwar in so

fern, als das gesammte Dorfregiment zu ihrer Kompetenz gehört
hat, einen öffentlichen Character. Denn sie waren keine bloße
Privatgemeinden im heutigen Sinne des Wortes. Auch waren bei
ihnen allzeit die wirthschaftlichen Angelegenheiten mit den übrigen
Gemeindeangelegenheiten verbunden, die Dorfmarkgemeinden also zu
gleicher Zeit auch wirthschaftliche Gemeinden. Politische Gemeinden sind sie jedoch erst später, und zwar erst unter dem
Einflusse des römischen Rechtes und der neuen Theorien geworden.
Dann hörten aber auch die Dorfgemeinden auf Markgemeinden
zu sein. (Dorfverfass. II, 220 ff., 247 ff. u. 266—269). Ganz
dieselbe Kompetenz, wie die alten Dorfmarkvorsteher, hatten nun
auch die alten Stadträthe, welche nicht aus den alten Ortsmark=
vorstehern hervorgegangen sind (I, 198 ff., 247—248, 254 u. 551,
III, 177). Die Stadträthe sind demnach auch in diesen Städten
vollständig an die Stelle der alten Gemeindebehörden getreten. Erst
seit der Vermehrung des Verkehrs in den Städten hat sich auch
die Kompetenz der Stadträthe vermehrt und sogar wesentlich ge=
ändert, indem das Gewerbs= und Verkehrswesen mehr und mehr
in den Vordergrund, die Markangelegenheiten aber in den Hinter=
grund getreten sind. Ganz verschwunden sind aber die wirthschaft=
lichen Angelegenheiten auch späterhin nicht (I, 410, 551—552, III,
4 ff., 7 ff., 178—184 ff.). Auf die Grundlage der Stadtverfassung
hatte aber auch diese Kompetenzvermehrung keinen Einfluß. Diese
blieb vielmehr nach wie vor die alte.

In diesen Städten nun, in welchen der Stadtrath nicht aus
den alten Gemeindevorstehern hervorgegangen ist, ist der Stadtrath
entweder durch eine Ernennung des Stadtraths von dem Grund=
herrn der Stadt oder durch freie Wahl der Stadtgemeinde ent=
standen, wie dieses übrigens auch schon bei jenen Städten der Fall
war, welche aus den alten Gemeindevorstehern hervorgangen sind.

In den freien Dörfern wurden nämlich die Gemeinde=
vorsteher von der Dorfmarkgemeinde gewählt (I, 589—590. Dorf=
verf. II, 34, 38—40). Eben so in den gemischten Dörfern

(Dorfverf. II, 34—35, 40—41), und auch in vielen grundherr=
lichen Dörfern (I, 590—591. Dorfverf. II, 35—38, 41—43).
In vielen grundherrlichen Dorfgemeinden wurden aber die
Gemeindevorsteher von der Grundherrschaft ernannt oder auch die
Gemeindeangelegenheiten von den grundherrlichen Beamten besorgt
(Dorfverf. II, 38 u. 43). Dasselbe war nun nach aller Analogie
auch in den alten Städten der Fall, ehe sich noch die neuen Stadt=
räthe gebildet hatten (I, 591—592). In den freien Städten wurde
der Stadtrath von der Gemeinde gewählt, z. B. in Köln die 12
Vorsteher der Richerzeche und wahrscheinlich auch in Worms der
erste aus den 16 Heimburgern bestehende Stadtrath. Auch in den
gemischten Städten wurde der Stadtrath von der Gemeinde ge=
wählt und die Anzahl der Gemeindevorsteher vermehrt, z. B. in
Zürich, Magdeburg, Hamburg, München u. a. m., wahrscheinlich
auch in Lübeck, wo jedoch Heinrich der Löwe den Stadtrath er=
weitert und umgestaltet hat. In den grundherrlichen Städten end=
lich wurden die hörigen Schöffen, aus welchen der Stadtrath her=
vorgegangen ist, theils von den Grundherrn ernannt, theils von
der grundherrlichen Markgemeinde gewählt.

Ganz in derselben Weise haben sich nun aber auch die neuen
Stadträthe in jenen Städten gebildet, in welchen die Stadträthe
nicht aus den alten Gemeindevorstehern hervorgegangen sind. In
den freien Städten verstand sich das Wahlrecht der Gemeinde
von selbst (I, 592—593). Eben so in den gemischten Städten
(I, 593—594). Zwar machten in vielen Bischofsstädten, welche
später meistentheils gemischte Städte geworden waren, die Bischöfe
den Versuch die Stadträthe zu ernennen. Dies führte jedoch allent=
halben zum Kampfe, aus welchem die Städte siegreich hervorge=
gangen sind, worauf sodann ihr Wahlrecht auch von den Bischöfen
anerkannt worden ist, z. B. in Basel, Straßburg, Speier, Worms,
Köln u. a. m. (I, 173—177, 594, 601 ff., 642—646). In den
grundherrlichen Städten endlich pflegte der Grundherr den
Stadtrath oder die hörigen Schöffen, welche zu gleicher Zeit Stadt=

räthe waren, zu ernennen, z. B. in St. Gallen, Saalfeld, Freiburg, Jßni, in vielen schlesischen Städten u. a. m. (I, 600—601). Seitdem sich jedoch an der Seite der grundherrlichen Beamten ein genossenschaftlicher Ausschuß aus der Gemeinde, also ein Stadtrath gebildet hatte, seitdem wurde auch dieser von der grundherrlichen Gemeinde gewählt (I, 562—563, 594 ff.). Und auch in den übrigen grundherrlichen Städten wurde mit der steigenden Freiheit das freie Wahlrecht mehr und mehr zur Regel und auch von den Grundherrn selbst anerkannt (I, 595). Erst seit dem 14. Jahrhundert pflegte jedoch das freie Wahlrecht auch aus freiem Antrieb von den Grundherrn ertheilt zu werden (I, 595—596 u. 600).

Die Zeit der Entstehung dieser neuen Stadträthe kann in den meisten Städten nicht nachgewiesen werden. Die meisten Stadträthe haben sich im Laufe der Zeit an einem Orte früher am anderen später je nach dem Bedürfnisse des Ortes gebildet (I, 578—582). Ihre erste Entstehung hängt meistentheils mit der Erweiterung der Stadt, z. B. in Köln (I, 228—231, II, 105), in Soest (II, 91—96) und in Basel mit der Vereinigung Kleinbasels mit der Altstadt (II, 88) oder auch mit der Erweiterung der Kompetenz der Gemeindevorsteher zusammen (I, 579). Sehr häufig erhielt auch die Stadt gleich bei der Erhebung des Dorfes zu einer Stadt von dem Grundherrn selbst einen Stadtrath, z. B. Kleinbasel (II, 87—88), Ens, Wien (I, 561), Freiburg im Breisgau und im Uechtlande, in Burgdorf (I, 561—562, 564—565), in Höxter, Schwaney, Coesfeld u. a. m. (I, 262 f. u. 596).

Da jedoch alle Stadtgemeinden unter der öffentlichen Gewalt und die grundherrlichen Städte außerdem auch noch unter den Grundherrn, die gemischten Stadtgemeinden aber wenigstens theilweise unter den grundherrlichen Behörden standen, so war zur Wahl des Stadtraths lange Zeit noch die Zustimmung der öffentlichen Gewalt und der Grundherrn nothwendig. (I, 596 — 600), was in vielen Städten, zu Mal in den Bischofsstädten, ebenfalls zu Kämpfen mit dem Landes- oder Grundherrn geführt hat, (I,

173—177, 642—646), bis zuletzt auch in ihnen die Freiheit und mit ihr auch das freie Wahlrecht gesiegt hat.

Auch die neuen Stadträthe sind demnach entweder aus einer Ernennung des Stadtraths durch den Grundherrn der Stadt, oder aus freien Wahlen. hervorgegangen. Es sind zwar sehr viele gründliche Forscher, unter ihnen auch Hegel, der Ansicht, daß der Stadtrath, wenn auch nicht in allen, doch in vielen Städten aus der Immunität und aus dem Schöffenthum der öffentlichen Gerichte hervorgegangen sei. Und auch in der Anzeige meines Buches sucht Hegel wieder diese Ansicht zu rechtfertigen. (p. 14—19.) Er macht sich aber den Nachweis sehr leicht, indem er mir eine Ansicht unterschiebt, welche ich niemals gehabt habe. Er hätte sich sogar seinen Nachweis gänzlich ersparen können, wenn er nicht übersehen hätte, was ich an verschiedenen Stellen ausgeführt und mit vielen Beweisstellen belegt habe. (I, 623 ff., 633—634 u. 635 ff.) Hegel nimmt nämlich an, daß ich die öffentlichen Schöffen immer für bloße Urtheilsfinder in den öffentlichen Gerichten halte, welche nichts mit der Verwaltung zu thun gehabt haben. Ich sage aber gerade das Gegentheil, daß die öffentlichen Schöffen die öffentlichen Angelegenheiten, die Fronhofschöffen die Fronhofangelegenheiten und die Rathmannen die Angelegenheiten der Stadtmarkgemeinde zu besorgen gehabt haben. (I, 632.) Von einem bloßen Urtheilfinden der öffentlichen Schöffen habe ich nirgends geredet, auch I, p. 158 nicht. Denn ich sage auch dort, daß die öffentlichen Schöffen bloß mit der öffentlichen Gerichtsbarkeit und mit den damit zusammenhängenden öffentlichen Angelegenheiten zu thun gehabt, also in anderen Angelegenheiten, weder in Fronhofangelegenheiten noch in den Angelegenheiten der Dorf- und Stadtmarken Gewalt gehabt haben. Nach meiner Ansicht, die ich an verschiedenen Stellen weitläuftig entwickelt habe, (I, 158 — 160, 623—627, 631—638, III, 576 f.), war nämlich bei den Altgermanen die Gerichtsbarkeit von der Verwaltung noch nicht getrennt. Die Trennung erfolgte in den Städten, wie wir sehen werden, erst später. (§. 618.) Die öffentlichen Beamten und mit ihnen auch die öffentlichen Schöffen besorgten daher alle öffentlichen Angelegenheiten, die Justiz ebensowohl wie die Verwaltung. Dasselbe war aber auch bei den Fronhöfen und bei den Stadtmarkgemeinden der Fall. Auch bei ihnen war die Verwaltung von der Justiz noch nicht getrennt. Die grundherrlichen Beamten und Gerichte besorgten vielmehr die Eine und die Andere, wie dieses in Markangelegenheiten auch die Markgemeinden und die Gemeindebehörden gethan haben. Da nun die öffentliche Gewalt eben sowohl wie die Grundherrschaft und die Stadtmarkgemeinde mit ganz verschiedenen Genossenschaften zusammenhingen, die genossenschaftlichen Angelegenheiten aber nur von Genossen besorgt werden durften, so durfte sich keine Genossenschaft und auch keine genossenschaftliche Behörde in die Angelegenheiten der anderen Genossenschaft mischen. Die öffentliche Gewalt stand zwar über den übrigen Genossenschaften, hatte sie zu schützen, und zu schirmen, und daher auch in ihnen alle öffentlichen Angelegenheiten zu besorgen Ihre Kompetenz war aber beschränkt auf die öffentlichen Angelegenheiten. In die Angelegenheiten der grundherrlichen oder hörigen Genossenschaften und der Stadtmarkgenossenschaften durften sich daher auch die öffentlichen Beamten und insbesondere auch die öffentlichen Schöffen nicht mischen. Denn in dieser Beziehung hatten sie keine Kompetenz. Die Rathsherrn können demnach nicht aus den öffentlichen Schöffen hervorgegangen sein. Denn sie können von ihnen keine Kompetenz erhalten haben, welche diese selbst nicht gehabt haben. (I, 159—160). Sogar der König durfte und pflegte sich in seiner Eigenschaft als Inhaber der öffentlichen Gewalt in die Angelegenheiten der Stadtgemeinden nicht mischen. Er sollte zwar auch die Stadtgemeinden, die freien wie die grundherrlichen und gemischten, schützen und schirmen. Er durfte daher die von den Stadtgemeinden gewählten Stadträthe anerkennen, selbst gegen den Willen der Bischöfe, in die Angelegenheiten der Stadtgemeinden selbst, also auch in die Bildung der Stadträthe durfte er sich aber nicht mischen. Nur in den reichs-

grundherrlichen Städten hatte auch der König dieselben Rechte wie
jeder andere Grundherr. (I, 550 u. 592.) Nur ein Mal, bei der
Bildung des Stadtraths zu Worms, hat es den Schein, aber
auch nur den Schein einer Einmischung des Königs. Um näm=
lich den fortwährenden Kämpfen ein Ende zu machen und die öfters
gestörte Ruhe wieder herzustellen, nahm Friedrich I im Jahre 1156
die Stadt Worms unter seinen unmittelbaren Schutz und setzte zur
Aufrechthaltung des Stadtfriedens eine Art von Friedensgericht ein,
wozu er jedoch als Schirmherr des Reiches berechtiget war. Und
aus diesem Friedensgerichte ist sodann der Stadtrath hervorgegan=
gen. Allein auch Friedrich I nahm die Mitglieder dieses Friedens=
gerichtes sämmtlich aus den Stadtmarkgenossen und mischte sich
später nicht weiter in die inneren Angelegenheiten der Stadt, über=
ließ vielmehr der Stadtgemeinde selbst ihr Wahlrecht gegen den
Bischof durchzukämpfen. (I, 602 ff.)

Es gab jedoch auch in den Städten Angelegenheiten, welche
nicht bloß Stadtmarkangelegenheiten waren, welche vielmehr zu glei=
cher Zeit auch noch die öffentliche Gewalt angingen. Und in sol=
chen gemischten Angelegenheiten pflegten sodann auch die öffentlichen
Schöffen von den Rathsherren beigezogen zu werden, indem in
solchen Angelegenheiten weder die Einen noch die Anderen allein
kompetent waren. In manchen Städten wurden nun die Schöffen
häufiger beigezogen, als in den anderen, in manchen Städten bloß
für einzelne Fälle, in anderen Städten aber auf längere Zeit oder
sogar für immer. Und in dem letzten Falle bildete sich sodann eine
eigene Schöffenbank in dem Stadtrath. (I, 623, 631—636, II, 566,
567, 597 und viele andere Stellen.) Aus dieser Beiziehung der
Schöffen in den Stadtrath kann aber natürlich nicht gefolgert wer=
den, daß die Rathsherren aus den Schöffen oder umgekehrt die
Schöffen aus den Rathsherren hervorgegangen seien, so wenig als
man aus dem Umstande, daß einzelne Handwerker oder auch schon
einzelne Zünfte längst vor dem Siege der Zünfte, z. B. in Basel
(II, 568 u. 569), in Halle (II, 597), in Breslau (II, 598 ff.) u.

a. m. in den Stadtrath gezogen worden sind, folgern wird, daß die Stadträthe daselbst schon vor dem Siege der Zünfte aus den Zünften hervorgegangen sind. Gegen das Hervorgehen der Stadträthe aus den öffentlichen Schöffen spricht übrigens auch schon die von jener der öffentlichen Schöffen verschiedene Anzahl und Benennung der Stadträthe, indem bei den Gerichtsschöffen die Zahl sieben als Regel gedient hat, diese Anzahl sich aber bei den Rathsherren fast nirgends findet, und die Rathsherren, ausgenommen in den grundherrlichen Städten, nirgends Schöffen genannt werden. (I, 582—585.)

Nichts desto weniger bleibt auch jetzt noch Hegel bei seiner alten Ansicht, und bezieht sich zu dem Ende auf die Schöffen in den flandrischen Städten, auf die Schöffen in Köln und auf die Schöffen in einigen grundherrlichen Städten. (p. 17 u. 18—19.) Was nun aber zuerst die Schöffen in den grundherrlichen Städten betrifft, so habe ich über sie bereits das Nöthige bemerkt. Und wenn Hegel meint, daß schlechterdings nicht abzusehen sei, warum nicht eben so gut auch die freien Schöffen in anderen Städten zugleich die Gemeindeangelegenheiten mit besorgt haben könnten, (p. 19), so hat derselbe offenbar in dem Augenblick als er dieses niederschrieb nicht an das germanische Genossenschaftswesen gedacht. Was aber die Schöffen in Köln betrifft, so habe ich schon früher bemerkt, daß zwar die Erzbischöfe von Köln die Behauptung aufgestellt haben, daß Köln ursprünglich durch Schöffen regirt worden sei, daß dieses jedoch von Seiten der Stadt zurückgewiesen worden sei. (I, 159.) Und wiewohl Hegel diese meine Ansicht für ein Mißverständniß erklärt (p. 17), so entscheidet der Text des Schiedsspruchs von 1258 dennoch zu meinen Gunsten. In dem Schiedsspruch wird nämlich in Nr. 43 von dem Erzbischof die Behauptung aufgestellt, daß Köln ursprünglich durch Schöffen regirt worden sei, und in einem späteren Nr. 43 kam darauf die Antwort von Seiten Stadt (Ennen, Quellen, II, 385 u. 395. Lacomblet, II, 247 u. 251. Nr. 43.) In der Antwort heißt es aber wörtlich: dicimus, quod ab hiis,

quorum intererst, de antiqua consuetudine de communitate civium quidam probi et prudentes assumi possunt ad
consilium civitatis —. Das heißt also mit anderen Worten, die
Kölner Bürger leugnen das ausschließliche Regiment der Schöffen
und behaupten, daß von Alters her rechtschaffene und verständige
Bürger zum Stadtrath zugezogen worden seien. Bestätigt wird
aber diese Behauptung der Bürger auch noch durch eine Urkunde
von 1276, nach welcher das Regiment in der Stadt (regimen) in
den Händen der Bürgerschaft (majores suos civitatis Col. providos utique gubernatores reip. dedignantes), also nicht
in den Händen der Schöffen gelegen hat. (III, 1.) Zu welchem
Allem noch der weitere Umstand hinzukommt, daß wir ja die ältesten Stadträthe, die 12 Vorsteher der Richerzeche und auch den späteren engen und weiten Rath kennen, welche sämmtlich keine
Schöffen waren, (I, 219 ff. u. 231 ff.), daß demnach für ein
Schöffenregiment gar kein Raum mehr vorhanden war. Aus welchem Grunde aber Hegel hier auch noch Nr. 23 des Schiedsspruchs
von 1258 beigezogen hat, begreife ich eigentlich nicht. Denn aus
der Niedersetzung einer aus Schöffen, Zunftmitgliedern und anderen Bürgern bestehenden Commission folgt ja doch noch kein Zunftregiment. Eher noch folgt daraus das Gegentheil. Denn wenn
die Zünfte allein regirt hätten, wäre die Beiziehung der Schöffen
zu den Zünften und zu den anderen Bürgern nicht nothwendig gewesen. Uebrigens habe ich auch von dieser Commission am gehörigen Orte geredet. (II, 543.)

Was endlich die Schöffen in den flandrischen Städten betrifft,
so scheint Hegel durch Warnkönig zu einem offenbaren Irrthum
verleitet worden zu sein. Warnkönig hat nämlich in seiner flandrischen Rechtsgeschichte ein sehr großes Material zusammengehäuft,
dieses aber mit sehr weniger Einsicht gesichtet. Man braucht nur
einen flüchtigen Blick auf dasjenige zu werfen, was er über die
Grundlagen des geselligen Verbandes in den Städten und über die
Grundlagen der Verfassungsgeschichte der flandrischen Städte gesagt

hat, (Warnkönig, I, 332 ff. 366 ff., II, 139 ff.), um sich zu über=
zeugen, daß er keine klare Ansicht von dem Entstehen der städtischen
Verfassung gehabt hat. Eben so unklar ist aber auch seine Dar=
stellung über das angebliche Regiment der Schöffen. Wenn man
jedoch mehr auf die von ihm angeführten Beweisstellen, als auf
seine Darstellung sieht, so wird man sich bald überzeugen, daß auch
in den flandrischen Städten, wie in den Deutschen, die gemisch=
ten Angelegenheiten (die Verwaltung und Gesetzgebung), nicht von
den Schöffen allein, vielmehr gemeinschaftlich mit den Stadträthen
besorgt worden sind, (Warnkönig, I, 367 ff., 377 ff., II, 56 ff.,
140 ff., 200—202), daß demnach auch in jenen Städten kein Schöf=
fenregiment bestanden hat. Auch leitet Warnkönig selbst die Stadt=
räthe nicht, wie Hegel will, von den freien Schöffen ab. Er hält
sie vielmehr für Ueberbleibsel der unfreien Schöffen in der frü=
her unfreien Gemeinde. (Warnkönig, I, 367, 368, II, 142.)
Er sagt also gerade das Gegentheil von dem, was Hegel durch ihn
beweisen will.

Wenn es nun nachgewiesen ist, daß die Stadträthe nicht aus
der öffentlichen Gewalt und nicht aus den öffentlichen Schöffen
hervorgegangen sind, so können sie auch nicht aus der Immunität
von der öffentlichen Gewalt hervorgegangen sein. Nichts desto we=
niger bleibt Hegel auch in dieser Beziehung bei seiner alten Ansicht.
Die Art, wie er jedoch von der Immunität redet und die Behaup=
tung, daß die Immunität nur eine Folge des besonderen Schutz=
verhältnisses zu dem Könige, so wie der Ueberlassung öffentlicher
Rechte an die Grundherrn gewesen sei, (p. 7—8), beweißt, daß
Hegel meine Ansicht gar nicht begriffen und von der Immunität
selbst keinen Begriff hat. Der Grund, warum man von dem Im=
munitätswesen so unklare Begriffe zu haben pflegt, liegt darin, daß
man die sehr verschiedenartigen Immunitäten nicht gehörig unterschei=
det, und wenn man von ihnen redet, bald diese bald jene Immu=
nität im Sinne hat, wie es übrigens auch mir selbst manchmal
begegnet ist. Die erste und älteste Immunität, von welcher man

insgemein gar nicht redet, war nämlich die Freiheit von der Feld=
und Markgemeinschaft. Sie entstand durch Abmarkung der Dörfer
und Städte, und durch Einzäunung der Häuser und Höfe in den
Dörfern und Städten. Mit dieser Immunität hängt der Dorf= und
Stadtmarkfrieden und der Haus= und Hoffrieden zusammen. Und bei
dieser Immunität ist ursprünglich von einem besonderen Schutzver=
hältnisse zu dem Könige gar keine Rede. Diese Immunität reicht ihrem
Ursprung nach in sehr frühe Zeiten, sogar schon in Zeiten hinauf,
in denen es noch gar keine öffentliche oder königliche Gewalt ge=
geben hat. (I, 437 ff., 447 ff., III, 587. Dorfverf. I, 351 ff., II,
17 ff., 168 ff. Fronhöfe, IV, 246 ff.) Die von dieser Immuni=
tät wesentlich verschiedene Immunität von der öffentlichen Gewalt
ist aber ebenfalls wieder von sehr verschiedener Art, je nachdem
dem Immunitätsherrn gar keine öffentliche Gewalt übertragen, den
öffentlichen Beamten vielmehr nur der Zutritt in das befreite Ge=
biet versagt, oder nur ein Theil der öffentlichen Gewalt oder der
gesammte Comitat übertragen worden war. Und auch in den bei=
den ersten Fällen dieser Immunität war meistentheils von keinem
besonderen Schutzverhältnisse zu dem Könige die Rede. Die Im=
munitäten blieben vielmehr nach wie vor unter dem Schutze des
Gaugrafen, in den Stiftern Worms und Fritzlar, in der Abtei
Stablo, im Rheingau u. a. m. sogar bis ins 11. Jahrhundert.
(Fronhöfe, IV, 419 ff.) Nur hatte der Gaugraf keinen Zutritt
in das befreite Gebiet, oder er hatte vielmehr erst dann Zutritt,
wenn ihm der Immunitätsherr nicht gehorchen, ihm die Missethäter
nicht ausliefern und sie auch nicht vertreten, und den übrigen Kö=
nigsdiensten nicht Folge leisten wollte. (Fronhöfe, I, 282 ff., 505
ff., IV, 246 ff., 387 ff.) Wenn aber der gesammte Comitat über=
tragen worden ist, was meistentheils erst seit den Ottonen zu ge=
schehen pflegte, dann war ohnedies von einer eigentlichen Immuni=
tät nicht mehr die Rede. Ich habe über dieses Alles in meinen
früheren Werken und auch im vorliegenden wieder ausführlich
gehandelt, und kann mich daher darauf beziehen, muß jedoch

bitten, das von mir Gesagte auch lesen, und zwar genau lesen zu
wollen.

Ursprünglich hat es in den alten Städten nur einen einzigen
und zwar aus Geschlechtern bestehenden Rath, den sogenannten
engen, kleinen, innern oder rechten Rath gegeben, welcher
späterhin auch der regirende Rath genannt worden ist, weil er
die laufenden Geschäfte und die minder wichtigen Angelegenheiten
allein zu besorgen, also das Regiment in der Stadt zu führen
hatte. Bei wichtigeren Angelegenheiten mußte er jedoch die gesammte
Gemeinde beiziehen z. B. in Zürich, Ulm, Frankfurt, Insbruck u.
a. m. (I, 270, 563 — 564, 592, 594 — 595, II, 574, III, 1 ff. u.
211 ff.) Seitdem jedoch die Bürgerschaft zahlreicher geworden war,
und der vermehrte Verkehr zu vermehrten Geschäften geführt hatte,
seitdem ist, in vielen Städten schon vor dem Siege der Zünfte, ein
Ausschuß an die Stelle der Gesammtbürgerschaft getreten, welchen
man einen großen Rath oder einen weiten oder einen äußeren
Rath genannt hat. (III, 211 ff.) Und auch diese bereits vor dem
Siege der Zünfte entstandenen großen weiten Räthe, welche be=
stimmt waren die Stadtgemeinden bei den Verhandlungen über die
städtischen Angelegenheiten zu vertreten, hatten noch die Stadtmarkver=
fassung zur Grundlage. Denn alle Rechte und alle Verbindlichkeiten,
auch das Stadtregiment selbst, ruhten nach wie vor auf Grund und
Boden und auf der Markgemeinschaft. (II, 94—96, 178—180, 767—
873.) Sogar der Name einer Stadtgemeinde (communio, communio
civitatis, communitas, commune, commune civitatis, Gemeinschaft,
Gemeinsami, die Gemein, die Gemeinheit, die Gemeinde u. f. w.) (I,
153, II, 191—193) und der Name der Gemeindegenossen (Gemeiner,
gute Gemeiner, gute Leute, boni viri, Herren, domini, erbgesessene oder
geerbte Bürger u. f. w.) (II, 217 — 220) beruhte noch auf einer
Gemeinschaft der ungetheilten gemeinen Mark. Die Aufnahme in
das Bürgerrecht war ursprünglich sogar nichts anderes als eine
Aufnahme in diese Markgemeinschaft. (II, 746 — 748.) Die nicht
in die Markgemeinschaft aufgenommenen Leute waren daher bloße

Bei= oder Hinterſaſſen, aber keine Bürger. (II, 221—240). Sie
hatten deshalb auch, da ſie keine Stadtmarkgenoſſen (keine Bürger)
waren, keinen Antheil an dem Stadtregiment und auch weder die
Rechte noch die Verbindlichkeiten der Bürger. (II, 221—240, 792
— 793, III, 561—563.) Hegel, wenn er wirklich glauben ſollte,
daß auch die Armen und Unfreien (das heißt auch diejenigen, welche
keinen Grundbeſitz hatten, und nicht in die Markgemeinſchaft auf=
genommen waren) Theil an der Markgenoſſenſchaft genommen ha=
ben, (p. 13 a. E.), würde demnach gar keinen Begriff von einer
altdeutſchen Gemeinde haben, indem dieſe allzeit eine Markgemein=
ſchaft vorausſetzt.

Erſt ſeitdem ſich die Anzahl der Bei= und Hinterſaſſen be=
deutend vermehrt hatte, und ſeitdem dieſe durch ihren Gewerbfleiß
reich und mächtig geworden waren, ſich gegenüber der Bürgerſchaft
(der Stadtmarkgemeinde) mehr und mehr als Geſammtheit (als
Gemeinde) zu fühlen und politiſchen Einfluß zu üben begonnen
hatten, erſt ſeit dieſer Zeit begannen auch ſie Antheil an dem Stadt=
regiment zu begehren. „Sie wollten,“ wie ſie in Speier ſagten,
„auch zu den Alten in den Rath, daß ſie auch wüßten, wie die mit
„der Stadt Gut umgingen.“ Sie verlangten in Augsburg die
Einführung des Zunftregiments, „weil des Ungelts und Steuren
„kein End ſeyn wollte, und wüßten doch nicht wo ſolch Guth und
„Geld hinkäme, dieweil die Schulden der Stadt nicht ab, ſondern
„nur zunehmen.“ In Frankfurt forderten ſie eine Vertretung
im Stadtrath, „weil ſie um der Stadt Geſchäfte wiſſen wollten,
„wohin der Stadt Gut und Gefälle gekommen wären und kämen.“
Eben ſo in anderen Städten. Und da die alten Geſchlechter (die
Stadtmarkgenoſſen) ſich in den meiſten Städten nicht entſchließen
konnten, durch freiwilliges Aufgeben eines Theiles ihrer Gewalt
die gerechten Anſprüche der Zünfte und der übrigen Gemeinde zu
befriedigen, ſo kam es eben faſt allenthalben zum Kampfe, und zwar
nun zum Kampfe mit der Grundlage der alten Verfaſſung ſelbſt.
(II, 513—522, 540 ff., 604 ff.) Und ſeit dem Siege der Zünfte

hörten sodann die Stadtgemeinden auf Markgemeinden zu sein. Denn sie wurden nun persönliche oder politische Gemeinden. (II, 723 ff.) Aber auch jetzt noch sind nicht alle Spuren der alten nun untergegangenen Markenverfassung verschwunden. Wir stehen vielmehr heute noch mit einem Fuße in der alten Verfassung, mehr als in den Städten aber noch in den Landgemeinden. (II, 729 f.)

Ich glaube demnach meine Grundansicht über den Ursprung der deutschen Städteverfassung gehörig nachgewiesen zu haben. Es war zwar zu jeder Zeit schwer sich von alten Gewohnheiten und liebgewordenen Ansichten zu trennen. Die Wahrheit hat jedoch allzeit gesiegt. Und so hoffe ich denn, daß auch dieses Buch einen ähnlichen Erfolg, wenn auch weniger schnell, haben werde, wie meine vor bald 50 Jahren erschienene Preisschrift über die Geschichte des altgermanischen öffentlich mündlichen Gerichtsverfahrens. Diese meine Preisschrift ist im Herbst 1823 erschienen, wiewohl auf dem Titel das Jahr 1824 steht. Sie fiel in eine Zeit, in welcher ganz Deutschland das öffentlich mündliche Verfahren für ein französisches Machwerk hielt und mit dem größten Nachdruck die alsbaldige Abschaffung dieses Restes einer verhaßten Herrschaft begehrte. In diesem Geiste wurde nun anfangs auch mein Buch aufgenommen. Ein Herr von Miller (Joseph von Miller, Rapsodien über des Herrn Georg Ludwig Maurer Geschichte des altgermanischen Gerichtsverfahrens, München. 1824) behandelte es sogar als ein revolutionäres Buch. Denn er schließt seine Abhandlung p. 16 mit folgenden merkwürdigen Worten: „Der Troccatero ist längst ge- „nommen, Cadix gefallen, Spanien beruhiget, Frankreich fester als „je im gemäßigt monarchischen Princip begründet, die heilige Al- „lianz — und so mögen sie (die Freunde dieses Princips) einmal „ihre Plane aufgeben, durch die Oeffentlichkeit und Mündlichkeit „des gerichtlichen Verfahrens die Prinzen des Hauses — und den „gesammten Adel, wie jeden Gebildeten in die Gesellschaft das nied- „rigsten Pöbels herabzuziehen, und sie dessen Spotte und Geläch- „ter zu überliefern." Sehr bald trat jedoch ein Umschwung in

v. Maurer, Städteverfassung. III.   ⁎ ⁎ ⁎

der öffentlichen Meinung ein.   Und heute haben wir in ganz
Deutschland wieder unser altgermanisches öffentlich mündliches Gerichtsverfahren.

München, den 25. August 1870.

                              v. Maurer.

Inhaltsverzeichniß.

***

VI. Die Grundherrschaft in den Stadtmarken.

VIII. Stadtgerichte.

V. Das Stadtregiment.

1. Im Allgemeinen.

§. 399.

Markgemeinschaft war, wie wir gesehen, die Grundlage der Verfassung und des Regimentes, in den großen Marken ebensowohl wie in den Dorfmarken und in den Stadtmarken. Das Stadt=regiment war demnach ein Stadtmarkregiment, und zwar nicht bloß hinsichtlich der Personen, welche Antheil daran hatten, sondern auch in Beziehung auf die Angelegenheiten, welche unter jenem Regiment standen. Wie nämlich in den großen Marken und in den Dorfmarken alle Gewalt in Markangelegenheiten in den Hän=den der Markgemeinde und der Dorfgemeinde gelegen hat [1]), eben so lag auch in den Stadtmarken die oberste Gewalt in den Händen der Stadtgemeinde. Die Stadtgemeinde hatte das Gebot und das Verbot (den Gemeindebann) (§. 388) mit der damit verbundenen Autonomie. Das Regiment in der Stadt (regimen) lag daher in den Händen der Bürgerschaft, in früheren Zeiten also in den Hän=den der Altbürgerschaft, z. B. in Köln [2]).

Unter dem Vorsitz des Gemeindevorstehers besorgte jede Ge=meinde ursprünglich alle Angelegenheiten der Stadtmark selbst, spä=terhin aber wenigstens noch die wichtigeren Angelegenheiten der

---

1) Meine Gesch. der Markenverfassung, p. 269 ff. Meine Gesch. der Dorfverf. II, 18 f. u. 76.
2) Urk. von 1276 bei Clasen, Schreinspr. p. 66 und Quellen, I, 323. — quod fraternitates et populares civitatis Col. majores suos civitatis Col. providos utique gubernatores reip. dedig= nantes solitoque eorum regimini subesse nolentes.

Gemeinde. Ehe sich nämlich ein Stadtrath an der Seite des herr=
schaftlichen oder genossenschaftlichen Ortsvorstehers gebildet hatte,
besorgte dieser gemeinschaftlich mit der gesammten Bürgerschaft die
Angelegenheiten der Stadtmark. Dies gilt von den freien und ge=
mischten Stadtgemeinden ebensowohl wie von den grundherrlichen,
z. B. in Ulm, Eßlingen, Reutlingen, Insbruck, Sempach, Winter=
thur, Zürich, in den Schlesischen Städten u. a. m. Daher heißt
es in früheren Zeiten gewöhnlich scultetus et universitas civium [3]),
scultetus et universi cives [4]), minister et universitas civium [5])
u. s. w. Allein auch, nachdem sich bereits ein Stadtrath gebildet
hatte, besorgte dieser doch nur die laufenden und minder wichtigen
Geschäfte. Denn bei allen wichtigeren Angelegenheiten mußte auch
von dem Stadtrath noch die gesammte Bürgerschaft beigezogen
werden. Daher heißt es so oft scultetus consules et universitas
civium, oder scultetus consules et universi cives, oder consules
totumque commune, oder consilium et universi cives, consilium
et universitas civium, oder consilium et commune civium
u. s. w. [6]). Späterhin hat sich nun zwar auch an der Seite die=
ses Stadtrathes wieder eine Repräsentation der Gesammtbürger=
schaft gebildet, welche zum Unterschiede von dem bereits schon be=
stehenden Rathe, den man sodann einen kleinen oder engen Rath
zu nennen pflegte, den Namen großen oder weiten Rath erhal=
ten hat, und welcher bei wichtigeren Geschäften statt der Ge=
sammtgemeinde beigezogen werden mußte. Allein auch dann
noch sollte, wie wir sehen werden, in den aller wichtigsten Ange=
legenheiten die Gesammtgemeinde beigezogen werden. Denn alle
Machtvollkommenheit ruhte nach wie vor in der Gemeinde.

Auch die Geldbußen, in so fern sie nicht der Herrschaft
gehörten, fielen der Stadtgemeinde ganz oder theilweise zu. Eben
so fiel in Ermangelung successionsfähiger Verwandten in der Stadt
der erblose Nachlaß ganz oder theilweise an die Stadtgemeinde,

---

3) Urk. aus 13. sec. bei Kopp, Gesch. II, 564.
4) Urk. von 1225 bei Böhmer, Frankf. Urkb. I, 44.
5) Urk. von 1240 bei Jäger Ulm, p. 721. vergl. oben §. 71, 145, 146
u. 151.
6) Deecke, Grundlinien, p. 37. vergl. oben §. 151.

z. B. in Freiburg [7]), in Bern [8]), in Dieſſenhofen [9]), in Freiſing [10]), in Lüneburg [11]), in Altenburg [12]) u. a. m. Eben ſo alles va=
kante Gut, z. B. in Speier [13]). In ſehr vielen Landſtädten fiel jedoch der erbloſe Nachlaß an den Landesherrn, z. B. in Nihem im Stifte Paderborn [14]), in Ens und Wien [15]) u. a. m.

Endlich waren die Stadtgemeinden auch noch die Quelle aller ſtädtiſchen Aemter und Würden. Denn ſie hatten die Bürgermei=
ſter und Stadträthe und alle übrigen ſtädtiſchen Beamten zu wäh=
len. Die Bürgermeiſter und Rathsherren und die übrigen Beam=
ten und Diener waren demnach ſammt und ſonders Gemeinde=Be=
amte und Diener, welche im Namen und aus Auftrag der Ge=
meinde zu handeln hatten.

Zwar ſtanden auch die Stadtgemeinden, wie die Dorfgemein=
den und die Markgemeinden überhaupt, unter der öffentlichen Ge=
walt und in den grundherrlichen und gemiſchten Stadtmarken auch noch ganz oder theilweiſe unter der Grundherrſchaft. Allein die öffentlichen Beamten durften ſich in die Markangelegenheiten gar nicht und die grundherrlichen Behörden nur ſo weit miſchen, als die Grundherrſchaft bei einer markgenoſſenſchaftlichen Verfügung be=
theiliget war. Wenn demnach ſchon die Markgemeinden und die Dorfgemeinden alle ihre Gemeindeangelegenheiten ſelbſt beſorgen, ſich im eigentlichen Sinne des Wortes ſelbſt regieren durften [16]) ſo war dieſes um ſo mehr bei den Stadtgemeinden der Fall, da dieſe gleich von Anfang an mit dem freien Verkehr auch eine freiere und unabhängigere Stellung erhalten hatten, mit dieſer aber noth=
wendiger Weiſe auch ein freieres und ſelbſtändigeres Regiment (ein

---

7) Stadtrodel §. 24.
8) Handfeſte von 1218 §. 51.
9) Handfeſte von 1260 §. 2 bei Schauberg, II, 53.
10) Ruprecht von Freiſ. II, 3.
11) Altes Stadtrecht bei Kraut, p. 19. vergl. oben §. 383.
12) Walch, III, 88 f.
13) Lehmann, p. 276.
14) Urk. von 1280 bei Schaten, III, 2. p. 102.
15) Stadtrecht von Ens, §. 16 u. 17. und von Wien §. 45 u. 46. bei Gaupp, II, 220 u. 248.
16) Meine Geſch. der Markenverfaſſung, p. 269 ff., 364 u. 400 ff. Meine Geſch. der Dorfverf. II, 18 u. 19.

Selbstregiment) verbunden sein mußte. Daher bestand auch
die Ertheilung des Stadtrechtes meistentheils in nichts Anderem,
als in dem Zugestehen des Rechtes sich durch eine selbstgewählte
genossenschaftliche Behörde selbst zu regieren, wie dieses unter An=
derem im Jahre 1344 bei Ertheilung des Stadtrechtes von dem
Bischof von Paderborn und von den Rittern von Herse, als den
Landes= und Grundherren (domini terrae), dem Orte Schwaney
zugestanden worden ist [17]).

Auch die Angelegenheiten der Stadtgemeinden sind ursprüng=
lich, wie bei den großen Marken und bei den Dorfmarken, nichts
anderes als Markangelegenheiten gewesen. Durch den den
alten Städten gewordenen freien Verkehr wurden aber auch sie sehr
bald zu etwas ganz Anderem.

Dieses Alles soll nun im Einzelnen behandelt und nachge=
wießen werden. Und ich beginne mit den Angelegenheiten der
Stadtgemeinde.

2. Gemeindeangelegenheiten.

§. 400.

Die Angelegenheiten der Stadtgemeinden waren ursprünglich
bloße Markangelegenheiten, wie dieses auch bei den Dorf=
marken der Fall war [1]). Auch blieben die Stadtmarkangelegenhei=
ten nach wie vor Angelegenheiten der Stadtgemeinden, nachdem
die Gemeindeangelegenheiten, wie wir sogleich sehen werden, mehr
und mehr erweitert, und ihrer Wesenheit nach wahre Gewerbs=
und Verkehrs Angelegenheiten geworden waren. Zu den
Angelegenheiten der Stadtgemeinde gehörten demnach in früheren
wie in späteren Zeiten die Erhaltung und Benutzung der Gemein-
waldungen und Weiden, die Anlegung und Unterhaltung der Stra=
ßen und öffentlichen Plätze, der Wege und Stege, der Brücken
u. s. w., die Benutzung des Gemeinen Wassers zur Fischerei, zur

17) Urk. von 1344 bei Wigand, Archiv, I, 4 p. 99. — jus municipale
quo se regere et de cetero gaudere debent — concedimus et
donamus.
1) Meine Gesch. der Dorfverf. II, 1 ff.

Schiffahrt, zum Holzflößen, zum Waschen, zur Anlegung von Mühlen u. f. w., überhaupt alles, was zur Forst=, Bau=, Feld=, Waffer=, Markt= und Victualien Polizei gerechnet zu werden pflegt. (§. 144, 381 u. 382). Die Stadtgemeinde und in ihrem Namen der Stadtrath hatte demnach die Aufsicht über die Erhaltung und Benutzung der gemeinen Stadtmark. Die Gemeinde sollte den gemeinen Nutzen besichtigen („und sullen den gemeinen nutz besehen") [2]. Ohne Zustimmung der Gemeinde durfte sich niemand Gemeinland aneignen, es also auch nicht roden, und nicht darauf bauen, ohne Erlaubniß weder Brenn= noch Bauholz holen, ohne vorhergegangene Besichtigung kein neues Gebäude aufführen, nur unter der Aufsicht der Gemeinde die Marktplätze, die Gewerbsbuden und Gewerbshallen benutzen, was frühe schon zu einer städtischen Forst=, Feld=, Bau=, Gewerbs=, Markt= und Victualien Polizei geführt hat. (§. 144, 381 u. 382). Zur Verfügung über die Gemeinländereien und Almenden war daher einzig und allein die Gemeinde oder in ihrem Namen der Stadtrath berechtiget. Denn nur die Gemeinde oder der Stadtrath durfte die Gemeinländereien veräußern, gegen einen jährlichen Grundzins ebensowohl wie auch als Sondereigen. Auch durfte sie nur allein das Gemeinland theilen, und es zur Anlegung von Wegen und Stegen oder auf sonstige Weise benutzen [2a]. Namentlich war dieses in Regensburg [3], in Worms [4], in Basel [5], in Speier [6] und auch in Straßburg der Fall. In Straßburg hatte zwar Friedrich II. der Bürgerschaft die Verfügung über die Gemeinde Almende verboten [7]. Dieses Verbotes und des Widerspruchs des Bischofs ungeachtet fuhr jedoch der Stadtrath und die Gemeinde daselbst fort über die städtischen Al-

---

2) Kaiserrecht, II, 56.
2a) Kaiserrecht, II, 73.
3) Urk. von 1318 bei Gemeiner, I, 544.
4) Urk. von 1277 bei Guden, syl. p. 270. vergl. oben §. 225.
5) Rathsordnung von 1496 bei Ochs, V, 60 u. 61.
6) Arg. Urk. von 1284 bei Lehmann, p. 271—272.
7) Urk. von 1214 bei Schoepflin, I, 326. pro terris illis in civitate sive extra, quae vulgo nuncupantur Almende, quod nullus hominum illas terras habere debeat, vel sibi ex eisdem aliquid vendicare, nisi de manu episcopi, qui ipsas terras ab imperio et de manu nostra se tenere recognoscit.

menden im Interesse der Stadt zu verfügen[8]). Und schon in dem bekannten Revers vom Jahre 1263 wurde dem Stadtrath und der Gemeinde auch von Seiten des Bischofs dieses Recht zugestanden[9]). Auch hatten die Stadtgemeinden die Aufsicht über die Grenzen der Stadtmark. Und es wurden zu dem Ende, wie in den großen Marken und in den Dorfmarken, regelmäßige Markumzüge gehalten. (§. 222).

Zu den Angelegenheiten der Stadtmarkgemeinde gehörten jedoch nicht bloß die Angelegenheiten der gemeinen ungetheilten Mark, sondern auch die Angelegenheiten der getheilten Mark oder der Feldmark. Ursprünglich wurde es in dieser Beziehung auch in den Städten offenbar eben so gehalten, wie in den Dorfmarken[10]). Und in vielen Städten ist es auch in späteren Zeiten noch so geblieben. So verfügte in München die Bürgerschaft über den Anbau der zur Stadt gehörigen Felder und über die Art ihrer Bewirthschaftung, über die Einzäunung der Felder, über die Zeit wann das Vieh auf die Felder getrieben werden durfte, über die Zeit wann der Mist ausgeführt werden mußte u. dergl. mehr[11]). Eben so wurden Anordnungen getroffen über das Vieh Halten, insbesondere auch über das Halten von Schweinen und über die Schweinetrift[11a]), dann über das Hüten des Viches auf den Feldern, über das Aehrenlesen, über das Pfänden auf den Feldern, über den von dem Vieh auf den Feldern angerichteten Schaden u. dergl. m., von der Bürgerschaft und dem Stadtrath in Speier[12]), in Zürich[13]), in Alstedt, Jlm, Teuchel[14]), in Neustadt Ebers-

---

8) Urk. von 1261 bei Schoepflin, I, 434. Ad hec almendas in civitate predicta et ejus banno sitas ecclesie nostre per imperialem sententiam dudum adjudicatas privatis suis usibus applicant.

9) Revers von 1263, art. 6 bei Schilter zu Königshoven, p. 730. „Sie „sullent öch ir Allmenden besezen und entsezen ane menliches wie- „derrede nach iren willen." Sunebrief von 1263 bei Wencker, von Außburgern, p. 24. vergl. Bestätigungs Urkunden von 1264, eod. p. 26 u. 27.

10) Meine Gesch. der Dorfverf. II, 3 ff.

11) Stadtrecht, art. 312—314 bei Auer, p. 120.

11a) Stadtrecht von Straßburg c. 86 u. 87 bei Grandidier, p. 77.

12) Gemeindebeschluß von 1328 §. 17—20 bei Lehmann, p. 285.

13) Rathserkenntniß bei Bluntschli, I, 148. Note 67.

walbe [15]) u. a. m. In Monßingen bestimmte der Stadtrath, wann und wie geackert und gepflügt; Bäume gepflanzt, die Brache bebaut, die Reben geschnitten, geheftet, gelaubt und mit Pfählen versehen, die Weinberge ganz ausgehauen werden sollten u. dergl. m. [16]). Auch in Würzburg gehörte es zur Zuständigkeit der Stadtgemeinde Anordnungen zu treffen über das Lesen der Weinberge, über das Hüten der Felder und der Weinberge, über das Stoppeln in den Weinbergen, über die Viehweide, über das Wegführen des in den Gaffen liegenden Mistes, Holzes u. dergl. m. [17]). In der Stadt Elgg machte der Stadtrath Verordnungen über die Erndtezeit und über das Besuchen der Weinberge, über die Baumpflanzungen und über die Benutzung des auf der gemeinen Mark wachsenden Obstes, über die Weide auf den Feldern, in den Baumgärten und in den anderen Einfängen [18]). Auch in Rotenburg am Neckar bestimmte der Stadtrath gemeinschaftlich mit den herrschaftlichen Beamten jedes Jahr die Herbst= und Erndtezeit und machte sodann die von ihm erlassene Herbst= und Erndteordnung bekannt [19]). In den meisten Städten sind jedoch mit dem Ackerbau und mit der Viehzucht auch die Anordnungen darüber verschwunden. Und die Gemeinbeangelegenheiten nahmen sodann mehr und mehr den Charakter von Gewerbs= und Verkehrsangelegenheiten an.

---

14) Statute bei Walch, V, 131—134, 186, VI, 210.
15) Fischbach, Städtebeschreibung der Mark Brandenburg, I, 37 u. 38.
16) Altes Gerichtsbuch bei Koenigsthal, I, 2. p. 55—57. vergl. oben §. 52.
17) Grimm, III, 606.
18) Herrschaftsrecht von 1535, art. 67, 68 u. 69 bei Pestaluß, I, 374, 375, 376 u. 377.
19) Ungedruckte neue Ordnung der Herrschaft Hohenberg von 1541 art. 2 p. 41 u. 42. „Herpst vnnd Erndt=Ordnung wie die järlich verkhund werden sollen. „Demnach ist solchs gepots halben dermaffen betedingt vnnd abgeredt „worden, das nu hinfuro kainer lesen soll on erlaupnus der ver= „ordneten von der obrigkait, vnnd ainem ersamen Rat „zu Rottemburg, vnnd wann oder zu welcher herbsts zeiten durch die „obrigkait vnnd ainen Rat oder derselben verordneten zugelaffen. ver= „gunnbt vnnd erlaupt wurdet abzulesen, alßdann soll ain yeder der „auffer seinem guet oder weingarten ainiche Lanndtgarben gibt. nit „lesen oder ablaffen. er hab dann dem grundtherren o jenman oder „derselben beuelhhaber zu rechter gepurlicher zeit zuuor verkhunndt.“

§. 401.

Seitdem der freie Verkehr zu Handel und Wandel geführt hatte, der Handel und Wandel aber zur städtischen Nahrung geworden war, die Städte selbst also Sitze des Gewerbswesens geworden waren, seitdem traten die Marktangelegenheiten mehr und mehr in den Hintergrund und die städtischen öffentlichen Angelegenheiten drehten sich nun mehr oder weniger um das Gewerbs- und Verkehrswesen herum. (§. 108 u. 144.)

Der mit der Marktfreiheit und dem freien Verkehr entstandene Handel und Wandel hatte nämlich frühe schon Marktplätze, Kaufhäuser, Gewandhäuser, Gewerbshallen, Gewerbs Lauben, Gewerbs Buden und Bänke und Börsen nothwendig gemacht, theils zur bequemeren Aufstellung theils zur besseren Beaufsichtigung der zum Verkaufe bestimmten Waaren und zur Erleichterung des Verkehres überhaupt. Seit dem 10., 11., 12. und 13. Jahrhundert sehen wir daher alle emporstrebenden Städte mit der Anlegung und Errichtung solcher Marktplätze, Kauf- und Gewerbshäuser, Hallen, Buden, Bänke und Börsen beschäftiget. (§. 186, 187—191). Zur Erleichterung des Verkehres wurden die Gewerbshallen und Buden meistentheils an den Marktplätzen oder um diese herum angelegt, z. B. in Köln, Worms, Speier, Eßlingen, München, Wien, Magdeburg, Goldberg, Witstock u. a. m., oder es wurden sogar eigene Märkte für gewisse Gewerbszweige angelegt, z. B. in Köln ein Heumarkt, ein Finkenmarkt, Buttermarkt, Fischmarkt, Hühnermarkt, Salzmarkt und ein Eisenmarkt; in Speier außer dem Hauptmarkt noch ein Korn-, Holz-, Roß-, Obst-, Kraut-, Brod-, Semmel- und Ledermarkt; in München außer dem Hauptmarkt, auf welchem die Frucht-, Fisch- und Victualien Märkte gehalten zu werden pflegten, auch noch ein Rindermarkt, ein Pferdemarkt, ein Schweinemarkt und ein Heumarkt; in Eßlingen außer dem Hauptmarkt noch ein Obst-, Kraut-, Fisch-, Roß- und Hafenmarkt; in Wetzlar ein Korn-, Eisen- und Käse- oder Buttermarkt u. f. w. (§. 186 u. 187).

Zur Erleichterung und zur Vermittelung des Verkehrs wurden städtische Wein- und Bierkeller und in Coesfeld ein sogenanntes Gruthaus angelegt. Sie dienten nicht bloß zum geselligen Verkehr, sondern öfters auch als Waarenniederlagen, z. B. in München, und als Versammlungsorte zur Verhandlung über die städtischen Angelegenheiten, z. B. in Coesfeld. Daher waren die Rathskeller meistentheils mit den Rathhäusern verbunden [1]).

§. 402.

Zur Erleichterung des Verkehrs wurden auch städtische Wirthshäuser und sogenannte Herbergen angelegt. In früheren Zeiten gehörte die Beherbergung und Verpflegung der Fremden zur Pflicht der Gastfreundschaft [1]). Es dürfte daher nicht leicht ein Fronhof oder ein Kloster gefunden werden, in welchen nicht zur Bewirthung und zur Beherbergung der Gäste und Reisenden Vorsorge getroffen worden wäre. Solche Herbergen findet man daher schon seit den Fränkischen Zeiten und später sogar sehr häufig. Auch pflegten die geistlichen und weltlichen Grundherren zu dem Ende eigene Wirthschaften anzulegen, in welchen die Gäste und Reisenden theils umsonst theils gegen eine geringe Vergütung beherbergt und verpflegt werden sollten [2]). So sollte im Kloster Altenmünster der herrschaftliche Wirth die Gäste umsonst beherbergen („unser Taefennar sol — uns unser gest legen") [3]). Und in den beiden Wirthshäusern (Wirthhöfen) des Klosters Chiemsee sollten außer den herrschaftlichen Beamten auch die fremden Reisenden gegen eine geringe Vergütung beherbergt und verpflegt werden. („Es soll auch ieglicher wirth of wein und kost haben in seinem „haus durch daz ganz jar in solicher beschaiden, wer durch das land „zug, er rit oder gieng, dem soll er geben umb seinen pfening, ob „er ein begert, wein, brot, und ander kost, und darzu häu und „fueder") [4]). Auch in den alten Städten wurden solche herrschaftliche Wirthshäuser errichtet und das Recht Wirthschaft zu treiben, wie jedes andere Gewerbsamt von der Herrschaft übertragen. In Augsburg und Straßburg war noch nach den alten Stadtrechten das Recht Wirthschaft zu treiben ein Amt (anbaht, officium),

---

1) Sökeland, p. 25, 26, 65, 66 und 68 und oben §. 190.
1) Meine Einleitung zur Gesch. der Mark- 2c. Verf. p. 165 ff. Meine Gesch. der Markenverfassung, p. 193 u. 194.
2) Meine Gesch. der Fronhöfe, I, 134, II, 139 u 318 f.
3) Weisthum n. Mon. Boic. X, 369.
4) Grimm, III, 677.

welches von dem Burggrafen empfangen werden mußte [5]). Auch
pflegten die Fremden in manchen Städten einen Gastfreund
(hospes) zu haben, bei welchem sie, so oft sie in die Stadt kamen,
ihr Absteigquartier nahmen. Einen solchen Gastfreund hatte z. B.
ein Herr von Heideck in Nürnberg, dessen Sohn er bei dem im
Jahre 1348 entstandenen Aufstand nebst mehreren anderen ange=
sehenen Bürgern, und zwar, wie er spottweise sagte, um ihn aus=
zuzeichnen (gratiam tibi singularem faciam), etwas höher als die
anderen aufhängen ließ [6]). Auch der Meister Klingsor wohnte, als
er nach Eisenach kam, in dem Hofe eines reichen Bürgers (— „yn
„eynes richin borgers hoff — in eines borgers hoff der gastunge
„phlag“). Und Wolfram von Eschenbach nahm daselbst bei einem
anderen Bürger seine „Herberge“ [7]). Selbst die Kaiser verschmäh=
ten es nicht bei solchen Gastfreunden einzukehren und sich von ihnen
bewirthen zu laffen, wie dieses in Augsburg, Nürnberg und Werth
öfters der Fall war. (S. 174). Auch die fremden Handelsleute
pflegten bei ihren Geschäftsfreunden einzukehren und die Wohnun=
gen der Handelsleute, z. B. in Köln, zur Beherbergung der reisen=
den Handelsleute eingerichtet zu sein. (submercatores et qui hospites recipere solent) [8]).

Diese Art der Beherbergung genügte aber nicht mehr, seitdem
die Städte Sitze des Handels= und des Gewerbswesens geworden
waren und die Fremden nun von allen Seiten in Masse herbei=
strömten. In den meisten Städten gingen seit Abschaffung der
Hörigkeit die alten Wirthshausämter in freie Zünfte über und es
wurde sodann die Wirthschaft wie jedes andere Gewerbe betrieben.
(S. 262). Und die Aufsicht über die Wirthshäuser, Bier= und
Weinhäuser und Weinkeller und über die Spiele darin ging sodann
auf den Stadtrath über, z. B. in Breslau, Brieg und Grottkau [9]),

---

5) Augsburg. Stadtr. bei Freyberg, p. 116 u. 117. „vnde sol auch nie=
　„men schencken ern enphahe daz ampt von dem burggrafen.“ Straß=
　„burg. Stadtr. c. 44 bei Grandidier, II, 60.
6) Meisterlein bei Ludewig, rel. Mpt. VIII, 120 u. 121. vergl. noch
　Rebdorf ad 1348 bei Freher, I, 635 u. 636.
7) Chron. Thuring. bei Schoettgen et Kreysig, I, 89. und Mencken,
　II, 1698 u. 1700.
8) Urk. von 1247 in Quellen, I, 336.
9) Urk. von 1324 §. 11 bei T. u. Stenzel, p. 506.

in Pabberg, Werl u. a. m. in Westphalen [10]). In Straßburg findet man schon zur Zeit des alten Stadtrechtes solche offene Wirthshäuser und Fremden Herberge (peregrinorum hospicia oder „der offenen wirte huser") [11]), welche von den erwähnten herrschaftlichen Wirthshäusern verschieden gewesen zu sein scheinen. Jedenfalls spricht aber Königshofen zum Jahre 1365 von solchen nicht herrschaftlichen offenen Herbergen und Wirthshäusern in Straßburg [12]). In Basel wird im Jahre 1340 und nachher noch öfter einer Herberge für fremde Kaufleute gedacht. Der damalige Wirth wurde Schnabel genannt. Und von ihm hat sodann das Wirthshaus selbst den Namen Schnabel erhalten und auch späterhin behalten. Andere Wirthshäuser werden genannt im Jahre 1339 der Thurm ze Rin, 1424 die rothe Herberg auf dem Kolenberg, um 1433 das Wirthshaus zum Blumen, zum Luft, zum Thor, zum Ingber, zum Rößlin, zur Summerow, zum Hasenclav, zum rothen Löwen, zum großen Keller, zum Hüwe, zum Rowen, zum Rosgarten, zum Pfauen an der Rheinbrücke, zum niedern Pfauen, zum Affen, zum Roß, 1439 zum Schiff, 1450 zum Strauß, 1455 zur Krone und 1477 zum Meerschwein [12a]). In Lübeck wurde im Jahre 1358 dem heiligen Geist Hause gegenüber eine neue Frembenherberge gebaut und sodann ein Almosenstock öffentlich aufgestellt, um Gaben für dieselbe zu sammeln. Es ist jedoch wahrscheinlich, daß diese neuerbaute Frembenherberge mit jener geistlichen Stiftung zusammenhing, also selbst eine geistliche Anstalt war [12b]). Jedenfalls findet man aber bereits im 13. Jahrhundert eigentliche Wirthshäuser in Freiburg im Uechtlande. Denn die im Stadtrecht mehrmals erwähnten hospites, zumal die bürgerlichen hospites (hospites bürgenses) sind offenbar Gastwirthe gewesen [12c]). Auch in

---

10) Seiberb, Rechtsgesch. von Westfalen, III, 739.

11) Stadtr. c. 91 bei Grandidier, II, 79. vergl. noch Stadtr. von 1249 §. 11 bei Mone, Anzeiger, VI, 24. und bei Strobel, I, 550 §. 6.

12) Königshoven, p. 290. — „gon gen Strosburg in die beste wurtes- „hüsere — das bozumole ein genge herberge was."

12a) Basel im 14. Jahrhundert, p. 60.

12b) Urk. von 1358 bei Pauli, Lüb. Zustände im 14. Jahrh. p. 217. — truncum, in quo si aliquid in usum hospitalis novi constructi ad hospitandum peregrinos — dari contingat, posuerunt.

12c) Handfeste von 1249, §. 80, 81 u. 93 bei Gaupp, II, 97.

Eichstädt gab es im 14. Jahrhundert schon offene Wirthshäuser [12d]).
In Frankfurt hat bereits im Jahre 1364 das Gasthaus zur golde=
nen Wage und im Jahre 1429 die Herberge zum Lindwurm be=
standen [12e]). In Soest findet man bereits im Jahre 1295 ein
Weinhaus (domus vinaria) [12f]) und in Büren im Jahre 1248 einen
Gastwirth (caupo) [12g]). Weinhäuser, sogenannte Weinstubenhalter,
gab es in Köln im Jahre 1441 schon 248 [12h]). In anderen
Städten nahmen die Stadtgemeinden selbst die Beherbergung und
Verpflegung der Fremden in die Hand und errichteten zu dem
Ende städtische Wirthshäuser, in welchen die Reisenden theils um=
sonst theils gegen eine mäßige Vergütung Aufnahme fanden. In
Bremen findet man seit dem Anfang des 14. Jahrhunderts ein
städtisches Gasthaus und etwas später noch ein zweites. Jedes
von beiden wurde von zwei Rathsherren verwaltet [13]). In Coes=
feld gab es seit dem Jahre 1445 ein städtisches Gasthaus, in wel=
chem die Reisenden für eine Nacht unentgeltliches Unterkommen
fanden und im Erkrankungsfalle auch längere Zeit verpflegt wer=
den sollten [14]). Die meisten Fremdenherbergen dieser Art waren
jedoch für fremde Reisende bestimmte Armen= und Krankenhäuser,
von denen gleich nachher die Rede sein wird. In Mainz wurde
noch im Jahre 1492 ein eigener Judenwirth zur Beherbergung der
reisenden Juden angenommen und ihm die Judenherberg zum kal=
ten Bad gegen einen jährlichen Zins verpachtet [15]). Auch in Frank=
furt a. M. hatten die Juden ein eigenes Wirthshaus, das soge=
nannt Heckhaus der Juden [16]). Nach und nach haben sich je=
doch auch diese städtischen wie die herrschaftlichen Wirthshäuser ver=
loren, und die Verpflegung der Fremden ging sodann allenthalben

---

12d) Urk. von 1358 in Mon. Boic. X, 275. — „ze Eystet, in eins offen
„Wirtes Huf."
12e) Battonn, II, 217 u. 241.
12f) Urk. 1295 bei Seibertz, II, 1. p. 562.
12g) Urk. 1248 bei Seibertz, II, 1. p. 321.
12h) Ennen, Gesch. H, 604.
13) Stat. von 1303 bei Oelrichs, p. 29—30. Donandt, I, 340.
14) Söfeland, p. 39 u. 40.
15) Urk. von 1492 bei Schaab, Geschichte der Juden in Mainz, p. 134—
137.
16) Kriegf, Bürgerzwiste, p. 445.

in die Hände von Gewerbsleuten über, welche auch dieses Geschäft wie jedes andere Gewerbe, meistentheils als ein zünftiges Gewerbe betrieben (§. 290).

§. 403.

Der größere Verkehr führte auch zum Verkehr und zum Handel mit auswärtigen Gewerbs- und Handelsleuten, zu Handelsgesellschaften mit fremden Kaufleuten, und zu Gewerbs- und Handelsverbindungen mit anderen Städten und diese sodann zu Gewerbs- und Handelsverträgen und zu Städtebündnissen. Der Handel und die Handelsverbindungen von Regensburg, Magdeburg, Bardewik, Erfurt u. a. m. reichen schon in die Zeiten Karls des Großen und noch weiter hinauf (§. 75, 248 u. 249), die Handelsverbindungen von Augsburg mit Köln wenigstens bis ins 12. Jahrhundert (§. 247). Späterhin wurden bekanntlich Augsburg und Nürnberg Sitze des Handels mit Venedig und mit dem Orient. Auch Wien, Ulm, Lübeck, Bremen, Hamburg, Köln, Soest, Dortmund, Braunschweig u. a. m. trieben jedenfalls schon seit dem 12. und 13. Jahrhundert bedeutenden Handel mit dem Orient, mit Rußland, Liefland, Dänemark, England und mit anderen Ländern [1]. Die Handelsverbindungen führten auch zu Gewerbsverbindungen und zu Verträgen mit fremden Städten über das Gewerbswesen. Solche Verträge über das Gewerbswesen schlossen aber nicht bloß die Zünfte mit den Zünften fremder Städte (§. 282), sondern auch die Stadträthe selbst namens der Zünfte und in ihrem Interesse. So z. B. die Stadträthe von Lübeck mit den Räthen von Hamburg, Rostock, Stralsund, Stettin, Greifswald, Wismar u. a. m. [2]. Die Nothwendigkeit für die Handelsleute ihren Handel auswärts persönlich zu betreiben und doch zu gleicher Zeit auch ihre Platzgeschäfte gehörig wahrzunehmen führte zu Handelsgesellschaften von zwei und mehreren Kaufleuten, z. B. in Lübeck seit dem 13. und 14. Jahrhundert [3]. Die Handelsverbindungen mit fremden Städten führten zu Niederlassungen der Einheimischen

---

1) Hüllmann, I, 203—206. Jäger, Ulm p. 686 ff.
2) Urk. von 1321, 1354 u. 1376 bei Wehrmann, Lüb. Zunftrollen, p. 176, 225 u. 226.
3) Pauli, Lüb. Zustände im 14. Jahrhundert, p. 139—142.

in der Fremde und umgekehrt auch wieder zu Niederlassungen der
Fremden in den deutschen Städten (§. 242).

Die Handelsverbindungen hatten aber auch politische Ver=
bindungen (Städtebündnisse) zur Folge. Die Conjurationen, Con=
föderationen und Colligationen der Städte begannen schon im 12.
Jahrhundert. Denn sie wurden bereits in den Jahren 1158, 1226
und 1231 von den Deutschen Königen verboten⁴). Sie dauerten
aber nach wie vor fort. Denn es entstanden noch im Laufe des
13. Jahrhunderts jene Städtebündnisse zur gegenseitigen Unter=
stützung und zur Erhaltung des für den Handel so nothwendigen
Landfriedens (pax generalis), der Bund der Rheinischen Städte
im Jahre 1254⁵), der Bund der Herren und Städte in der
Wetterau im Jahre 1265, der Bund mehrerer Städte am Rhein
und in der Wetterau im Jahre 1273, der Bund mehrerer Land=
herren mit 17 Städten im Elsaß, am Rhein und in der Wetterau
im Jahre 1278, der Bund einiger Städte in der Wetterau im
Jahre 1285⁶), die Städtebündnisse von Freiburg, Villingen, Rott=
weil u. a. m. im Breisgau im 14. Jahrhundert⁷), die Bündnisse
der Städte Basel und Straßburg unter sich und mit den schwäbi=
schen und rheinischen Städten im 14. und 15. Jahrhundert⁸) u.
a. m., insbesondere auch der hanseatische Städtebund, welche Bünd=
nisse mehr oder weniger von Handelsverbindungen ausgegangen
sind und vor Allem den Schutz des Handels und Wandels und
daher einen allgemeinen Landfrieden zum Gegenstand hatten. Noch
in den Jahren 1308 und 1396 schlossen 14 märkische Städte, Bran=
denburg und Berlin an ihrer Spitze einen Bund wider die räuberi=
schen Edelleute als Feinde des Vaterlands zu fechten⁹). Die
Bundesangelegenheiten waren deshalb mehr oder weniger selbst
Handels= und Gewerbsangelegenheiten. Wenigstens drehte sich ein

---

4) Pertz, IV, 112, 258 u. 279.

5) Pertz, IV, 368 ff. Urkunden von 1254 bis 1256 bei Boehmer, Frankf.
     Urkb. I, 93, 97 u. 100—114.

6) Boehmer, p. 134, 162, 185 u. 218.

7) Schreiber, Gesch. von Freiburg II, 128 u. 227 f.

8) Heusler, Stadtverf. von Basel, p. 349—354.

9) Fischbach, Städtebeschreibung der Mark Brandenburg, I, 6. vrgl. oben
     §. 128 u. 129.

großer Theil der auswärtigen Verhältnisse der Städte um das Ver= kehrs= und Gewerbswesen herum.

Eine Hauptangelegenheit der Stadtgemeinden war jedoch das Verkehrs= und Gewerbswesen selbst und dessen Beaufsichtigung, um dadurch die Gewerbe und den Handel möglichst zu heben.

Gewerbspolizei.

§. 404.

Die Gewerbspolizei lag zwar zunächst in den Händen der Zünfte (§. 275). Darum waren aber die Stadtgemeinden und die Stadträthe nicht von ihr ausgeschlossen. Denn die Zünfte standen unter der Aufsicht des Stadtraths. Die Anordnungen der Zünfte mußten dem Stadtrath zur Bestätigung vorgelegt werden. Oefters wurden diese Verordnungen sogar von den Stadträthen allein ohne Zuziehung der Zünfte oder auch gemeinschaftlich mit ihnen erlassen (§. 272 u. 283). Dasselbe gilt von der Ernennung oder Bestätigung der Zunftvorsteher (§. 270). Allenthalben hatten jedoch die Stadträthe und die Gemeinden das Recht in Gewerbs= angelegenheiten einzuschreiten und mit oder auch ohne Zuziehung der Zünfte Anordnungen zu treffen und Verordnungen zu machen. In Nürnberg geschah dieses bereits im 14. Jahrhundert. Der Stadtrath machte daselbst Verordnungen über die Anzahl der Mei= ster und der von jedem Meister anzunehmenden Lehrknechte und Lohnknechte, sodann über die Meisterwerke, über die Blech= und Eisenschmiede, über die Eisenhammer u. a. m. Auch ward ver= ordnet, daß niemand zwei Handwerke neben einander treiben solle [1]). In Köln standen die Zünfte bis ins 14. Jahrhundert unter der Richerzeche und diese setzte aus ihrer Mitte jeder Zunft einen Obermeister vor zur Oberaufsicht über die Zunft [2]). In Mün= chen machte der Stadtrath seit dem 13. und 14. Jahrhundert eine Menge Verordnungen über die verschiedenen Arten von Gewerben und über die Ausübung dieser Gewerbe. Und um auch für den gehörigen Vollzug dieser Anordnungen zu sorgen, wurden für jedes

---

1) Die Rathsordnungen aus 14. sec. bei Siebenkees, Materialien, IV, 679—688.
2) Ennen, I, 543, II, 598 u. 599. vergl. oben §. 283.

einzelne Gewerbe den Obermeistern in Köln ähnliche Aufseher, geschworne Pfleger, bestellt, welche die Gewerbe beaufsichtigen, sie von Zeit zu Zeit besichtigen und dem Stadtrath und dem Stadtrichter melden und rügen sollten, was sie bei der Besichtigung Strafbares gefunden [3]. Auch in dem Stadtrecht von Augsburg vom Jahre 1276 findet man schon eine Menge Verordnungen über alle Arten von Gewerben [4]. Viele Rathsordnungen über das Gewerbswesen aus dem 14. Jahrhundert in Ulm [5]), in Regensburg u. a. m., in Regensburg z. B. eine Rathsordnung von 1244 und 1315 über die Schuster (Chuberwaner), Gademer und Schreiner, eine andere von 1259 und 1314 über die Tücherbereitung, eine weitere Verordnung von 1303 über das Silberbrennen u. s. w. [6]). Dabei wurde kein Gewerbsmann vergessen, unter Anderen auch nicht die Schneider. Sie sollten keinen Handel mit Tuch u. dergl. treiben und die Befolgung der Kleiderordnungen beschwören, z. B. in Ulm [7]), in Regensburg [8]), in Basel [9]), in Brünn [10]) u. a. m. Auch in Frankfurt a. M. erschienen seit dem 13. und 14. Jahrhundert viele Rathsordnungen zum Schutze des Publikums gegen Beeinträchtigung der Bäcker, Schmiede, Zimmerleute, der Unterkäufer u. s. w. [11]). Auch die Trinkstuben standen unter der Aufsicht des Stadtrathes und ohne Wissen und Willen des Rathes sollte keine neue Trinkstube errichtet werden [12]).

Eine Hauptaufgabe der Stadträthe war die Aufsicht über die

---

3) Stadtrecht, art. 439, 443 u. 447. von Sutner, über die Verfassung der älteren Gewerbspolizei in München in histor. Abhl. der Bair. Akad. der Wiss. II, 482—495 u. 504 ff.

4) Stadtrecht bei Freiberg, p. 28—89 u. 115—126. von Stetten, Kunst= und Gewerbsgeschichte, p. 5 ff.

5) Rothes Buch bei Jäger, Mag. III, 500 u. 518.

6) Bei Freyberg, V, 89—98. vergl. noch p. 1—29.

7) Jäger, Ulm, p. 630.

8) Gemeiner, III, 683.

9) Ochs, V, 138.

10) Schöffensatzung bei Rößler, p. 389.

11) Urk. von 1284 bei Böhmer, p. 214. Statut von 1352, c. 5, §. 1, c. 7 u. 8 bei Senckenberg, sel. I, 12, 14, 15.

12) Verordnung von 1353 bei Senckenberg, sel. I, 23.

Bearbeitung gewiſſer Rohſtoffe und über die Fabrikation mancher Waaren. Um nämlich die gehörige Verarbeitung zu überwachen und dadurch den Abſaß der Waaren zu ſichern, wurde eine Beſichtigung der Fabrikate, ſowohl während ihrer Bearbeitung als nach ihrer Vollendung eingeführt und verordnet, daß jede Waare mit den Zeichen der Zunft oder des Meiſters ſelbſt und mit dem Stempel oder Zeichen der Stadt verſehen ſein ſolle, z. B. in München [13]), in Köln [14]) und in Lübeck wenigſtens bei den Goldſchmieden [15]). Die Bezeichnung der Waaren mit dem Zeichen der Zunft oder des Meiſters war auch im 14. und 15. Jahrhundert noch vorgeſchrieben in Regensburg [16]), in Nürnberg [17]), in Ulm, Baſel u. a. m. In Ulm beſtanden dieſe Zeichen in einem Ring, in einem Ochſenkopf mit dem Stern, in einem Löwen, Eſel, Hund u. drgl. m. [18]), und in Baſel in einem Ochſen, Löwen, Wagen, Sattel, Agnus Dei u. a. m. [19]). In Nürnberg und Regensburg ſcheint damals noch jeder Bürger ſein eigenes Zeichen gehabt zu haben. Denn es iſt öfters von dem Zeichen der Bürger die Rede, welches offenbar urſprünglich die Hausmarke war [20]). In Frankfurt hatte die Zunft der Gewandmacher bereits im 14. Jahrhundert ein eigenes Siegel, mit welchem die Tücher beſiegelt zu werden pflegten [21]). Mit dem Zeichen der Stadt, d. h. mit dem Stadtwappen („der ſtat

---

13) von Sutner, a. a. O. II, 509, 511, 535 u. 536.
14) Urk. von 1369 in Quellen, I, 400.
15) Rolle von 1492 bei Wehrmann, p. 215. — „ſo ſhal eyn jewelik „golbſmit ſyn werck, dat he maket, tekenen laten mit der ſtabt „tekenn vnde ſyn egene teyken dar by ſlan" —
16) Rathsordnung von 1303 bei Freyberg, V, 97. — „vnd ſol der purger „zaichen vnd ſein ſelbers zaichen dar an legen." Gemeiner, I, 456.
17) Siebenkees, I, 117.
18) Jäger, Ulm, p. 635, 640 u. 655.
19) Ochs, III, 190.
20) Rathsordnung aus 14. sec. bei Siebenkees, I, 117. — „ſie ſein benn „gezaichent mit der Burger zaichen —." Rathsordnung von 1303 bei Freyberg, V, 97. u. Gemeiner, I, 456. „Es ſoll jeder, der brennen „will, vor Rath kommen, und ſein Zeichen vorlegen —." vergl. Michelſen, die Hausmarke, p. 64 ff.
21) Urk. von 1355 bei Böhmer, I, 635.

schilt") mußten aber die Waaren allenthalben gestempelt werden,
z. B. in Nürnberg [22]), in Ulm [23]), in Eßlingen [24]), in Soest [25]),
in St. Gallen [26]), in Baireuth u. a. m., insbesondere auch im
nördlichen Deutschland. Die zur Probe, daß sie echt sei, gestempelte
Waare nannte man daselbst Staal, und daher das zur Niederlage von solchen gestempelten Waaren dienende Gebäude einen
Stalgaden oder Stalhof (§. 338). In Baireuth sollten die
Tücher am einen Ende mit einem Stempel und am anderen Ende
mit einem angehefteten Stückchen Blei versehen werden, auf welchem
ein Adler gezeichnet war [27]). Das Stempeln der Waaren mit dem
Stadtwappen geschah insgemein erst nach vorgenommener Schau.
Darum nannte man öfters das Stadtzeichen selbst ein Schau-
zeichen, z. B. in Ulm. [28]). Und es mußte dafür ein sogenanntes
Zeichengeld entrichtet werden, z. B. in Baireuth [29]).

Am frühesten kommen die Tuchschaue vor. Die Tuchbereitung und der Handel mit Tüchern war eine der frühesten und
ergiebigsten Quellen der städtischen Nahrung und daher frühe schon
Gegenstand der Vorsorge für die Gewerbsgenossen ebensowohl wie
für die Stadträthe. Die Wollenweber oder Tuchmacher, die Ge-
wandschneider und Kaufleute bildeten die ersten Zünfte und Gilden
(§. 267 u. 268). Und die Stadträthe machten frühe schon Tuchordnungen und Wollweberordnungen und ordneten Tuchschaue an, um die Tuchbereitung gehörig zu überwachen und dadurch für den Kredit der Tücher zu sorgen und ihren Absatz zu
sichern. Die frühesten Anordnungen dieser Art finden sich in den
Niederlanden und in England, dann aber in Deutschland [30]).

---

22) Siebenkees, I, 117. — „das ander Eysen hat ein kron vff der stat
   „schilt. Damit sol man zaichen." —
23) Jäger, Ulm, p. 639, 654, 655 u. 662.
24) Pfaff, p. 706.
25) Urk. von 1260 bei Seibertz, II, 1. p. 394 u. 395. — signum civitatis —.
26) Simler, p. 597 u. 598.
27) Lang, Gesch. von Baireuth, I, 58.
28) Jäger, Ulm p. 639.
29) Lang, I, 58.
30) Hüllmann, I, 253—257.

Allenthalben findet man Vorschriften über die Länge und Breite und über die Güte der einzelnen Stücke nach den verschiedenen Gattungen der Tücher, öfters auch über ihre Farbe. Und zur Ueberwachung der gehörigen Bereitung wurden Tuchschaue eingeführt und verordnet, daß jedes Stück Tuch mit dem Zeichen des Meisters und mit dem Stadtzeichen versehen sein, d. h. mit dem Stadtwappen gestempelt werden solle. Solche Tuchordnungen und Tuchschaue finden sich nun in Regensburg seit dem Jahre 1259 [31]), in Soest seit dem Jahre 1260 [32]), in Köln längst vor dem Jahre 1230 [33]), und auch in München seit dem 13. und 14. Jahrhundert [34]). Die ältesten Tuchordnungen und Schauordnungen von Ulm sind aus dem 14. und 15. Jahrhundert. Im 15. Jahrhundert hatte die Ulmer Schau bereits einen sehr großen Ruf wegen der Strenge mit welcher sie gehandhabt worden ist. Denn je strenger die Schau, desto größer der Ruf und der Absatz der Tücher, wie dieses die Handelsgeschichte von Ulm und auch von Eßlingen beweist [35]). Neben der eigentlichen Tuchschau, bei welcher das Schaugericht aus zwei Webern, einem Tuchscheerer und aus einem Färber bestand, kommt in Ulm auch noch eine Lodenschau für die Marner oder Loderer und eine Barchentschau für die Barchentweber vor. Und die Färber standen daselbst unter der Aufsicht eigener Schauer, die Schwarzfärber unter den Schwarzschauern und die Rothfärber unter den Rothschauern [36]). Solche Tuchschaue kommen auch in Eßlingen vor und neben ihnen noch Grobgrünschaue für die Grobgrünweber [37]). Eben so eine Tuchschau in Frankfurt [38]), in St. Gallen [39]), in Baireuth [40]), und eine Schürlitzertuchschau in Ba-

---

31) Gemeiner, I, 381.
32) Urk. von 1260 bei Seibertz, II, 1. p. 394 u. 395. — examinatio pannorum cum signo civitatis.
33) Urk. von 1230 bei Ennen, Quellen, II, 122.
34) von Sutner, a. a. O. II, 489—491, 511, 512, 535 u. 536.
35) Jäger, Ulm, p. 639. Pfaff, p. 685 u. 686.
36) Jäger, Ulm, p. 634—649.
37) Pfaff, p. 685 u. 690.
38) Urk. von 1355 bei Böhmer, I, 635.
39) Simler, p. 597 u. 598.
40) Lang, I, 58.

2 *

sel [41]). Eine eigene Tuchschau war auch die Fuggersche Schau in Weißenhorn [42]). —

Aehnliche Anordnungen wie bei der Tuchbereitung wurden seit dem 14. und 15. Jahrhundert auch über die Verfertigung anderer Waaren getroffen und allzeit damit auch eine Besichtigung (Schau) während ihrer Bereitung und nach ihrer Vollendung verbunden. Anordnungen über die Verfertigung der Leinwand verbunden mit einer Leinwandschau z. B. in Frankfurt [43]), in St. Gallen [44]), in München [45]), in Stendal [46]) und in Ulm, wo die Leinwandschau im Gölschenkeller vorgenommen wurde [47]). Anordnungen über die Verfertigung der Gürtel verbunden mit einer Gürtelschau, z. B. in Nürnberg [48]), Anordnungen über die Bearbeitung des Leders mit einer Lederschau, z. B. in Ulm [49]), in München und in den übrigen Bairischen Städten [50]). Eine mit der Lederschau verbundene Schau der fertigen Schuhe z. B. in Bamberg [51]). Anordnungen über die Bearbeitung des Silbers und des Goldes, z. B. in München [52]), in Eßlingen [53]) und in Ulm, wo zwei früher von der Zunft erwählte, später aber von dem Stadtrath ernannte Goldschauer die Gold- und Silberschau vorzunehmen hatten [54]). Anordnungen über die Bearbeitung des Bleies und Zinns zu Kannen, Glocken u. dergl. m., z. B. in Ulm [55]), in Eßlingen [56]) und in München [57]). An-

---

41) Rathsordnung von 1409 bei Ochs, III, 190.
42) Jäger, Ulm, p. 652.
43) Kirchner, I, 240.
44) Simler, p. 596 u. 597.
45) von Sutner, II, 511.
46) Urk. von 1309 bei Lenz, I, 181 u. 182.
47) Jäger, Ulm p. 638. Schmid, schwäb. Wörtb. p. 238.
48) Rathsordnung aus 14. sec. bei Siebenkees, IV, 683—685.
49) Jäger, p. 631 u. 632.
50) Urk. von 1394 in Mon. Boic. 35, II, p. 182.
51) Stadtrecht §. 423 u. 428 bei Zoepfl, p. 117 u. 118.
52) von Sutner, II, 511 u. 512.
53) Pfaff, p. 706.
54) Jäger, p. 654, 655, 660 u. 661.
55) Jäger, p. 663 u. 664.
56) Pfaff, p. 706.

ordnungen über die Bearbeitung der Senſen, der Sicheln, der Zie=
gel, der Handſchuhe, der Hoſen u. ſ. w., und über deren Beſchau
durch eigene Beſchauer oder Pfleger, z. B. in München [58]). Eine
Menge Anordnungen in Lübeck über die Art und Güte der Ar=
beit, über das Arbeitsmaterial, über die Arbeitszeit u. dergl. m.,
verbunden mit einer Beaufſichtigung der Arbeiten und einer Prü=
fung und Beſichtigung zumal jener Waaren, welche für den Han=
del beſtimmt waren, „dat de kopman nicht bedrägen werde“ [59]).
Die Aelterleute der einzelnen Zünfte ſollten zu dem Ende von Zeit
zu Zeit die Werkſtätten beſuchen und die fertigen Arbeiten und
Waaren beſichtigen. Und ehe ſie beſichtiget und für gut erklärt
worden waren, ſollten ſie nicht verkauft werden [60]). Wie in Lübeck
ſo wurde auch in Bremen und in Köln die Güte der Arbeit und
das Arbeitsmaterial von den Zunftvorſtehern ſtreng überwacht.
Schuhe, Stiefel und Pantoffel, welche auswärts verkauft werden
ſollten, mußten zuvor von den Vorſtehern der Zunft geprüft wer=
den [60a]). Lohgerber, welche ſchlechtes Leder auf den Markt brach=
ten, wurden geſtraft, wenn die Vorſteher der Zunft bezeugten, daß
es ſchlecht ſei. Eben ſo wurden diejenigen geſtraft, welche ihr Leder
an einem anderen Orte als in dem von dem Rathe beſtimmten
Hauſe verkauften (in domo, quam ad hoc consules deputarint) [60b]).
Auf manchen Märkten wurden ſogar, offenbar wegen der verlang=
ten Aufſicht der Zunftvorſteher, nur die Mitglieder einer Zunft mit
ihren Waaren zugelaſſen, was die Pantoffelmacher zu Bremen
noch am Ende des 16. Jahrhunderts veranlaßt hat, ſich ebenfalls
zu einer Zunft zu vereinigen [60c]).

Um die Bürger vor Uebervortheilung zu bewahren und zu
ſchützen wurde ſogar der den Gewerbsleuten und Handwerkern
ſchuldige Taglohn ſchon ſeit dem 13. und 14. Jahrhundert be=
ſtimmt, z. B. in Nürnberg der Lohn der Zimmerleute, Steinmetzen,

---

57) von Sutner, II, 511 u. 512.
58) von Sutner, II, 511 u. 512.
59) Rolle der Reper (Reiſſchläger, Seiler) von 1390 bei Wehrmann, p. 384.
60) Wehrmann, p. 129, 130, 141—149.
60a) Böhmert, p. 17, 22, 71 u. 83. Ennen, Geſch. II, 686 ff.
60b) Rolle von 1305 u. 1444 bei Böhmert, p. 73 u. 77.
60c) Rolle von 1589 bei Böhmert, p. 82.

Maurer, Dachdecker, Tüncher und der Klaiber, die in Lehm und in anderen schmierigen Sachen zu arbeiten hatten[61]). In Regens=burg der Lohn der Zimmerleute, Steinmetzen, Ziegeldecker und an=derer Tagwerker[62]). In Ulm der Lohn der Zimmerleute, Maurer, Mörtelmacher, Mörtelträger, Klaiber, Decker, Taglöhner, und sogar der Lohn der Knechte und Mägde[63]). In München der Lohn der Zimmerleute, Maurer und Decker. Sogar der F r a ch t l o h n der Flößer war daselbst im Interesse der damals wegen des Handels mit Italien so wichtigen Floßfahrt auf der Isar gesetzlich be=stimmt[64]). Eben so der Arbeitslohn der Schneider[65]). In Basel der Lohn der Lehrknechte, der Zimmerleute, der Maurer und Decker, sodann noch der Lohn der Fuhrleute zu Wasser und zu Land[66]).

§. 405.

Eine Hauptangelegenheit der Stadtgemeinden war auch die Marktpolizei (§. 83) und die damit verbundene Aufsicht über alle jene Gewerbe, welche die Lebensmittel zu bereiten oder herbeizu=schaffen hatten, die sogenannte Victualienpolizei (que perti-nent ad uictualia)[1]). Daher findet man allenthalben schon seit dem 12., 13. und 14. Jahrhundert Rathsordnungen über die Beaufsichtigung der Bäcker, Metzger, Müller, Mehlhändler oder Melber, der Fischer, Wirthe, Brauer u. a. m., z. B. in Hagenau[2]), in München[3]), in Augsburg[4]), in Frankfurt[5]), in Ulm[6]), in

---

61) Siebenkees, IV, 681. Ueber das Wort Klauber vergl. Schmeller, H, 349.
62) Gemeiner, II, 143.
63) Jäger, p. 613—616, 665 u. 666.
64) von Sutner, II, 489, 493, 510 u. 513.
65) Bair. Annalen von 1833, p. 851.
66) Ochs, III, 202 u. 203.
1) Stadtrecht von Medebach von 1165, §. 20 bei Seibertz, II, 1. p. 75.
2) Stadtrecht von 1164 §. 26 bei Gaupp, I, 100.
3) von Sutner, II, 482 u. 511 ff.
4) Stadtr. von 1276 bei Freyberg, p. 115—124.
5) Statut aus 14. sec. bei Senckenberg, sel. jur. I, 6—11, 20—23 u. 39—41. vergl. Gewohnheiten der Handwerker von 1355 bei Boehmer, I, 635 ff.

Regensburg [7]), in Eßlingen [8]), in Basel [9]), in Meran [10]), in Nürn=
berg u. a. m. Eine Nürnberger Brodordnung aus dem 15. Jahr=
hundert enthält weitläuftige Vorschriften über die verschiedenen
Sorten von Brod und über die Art ihrer Bereitung [11]). Auch war
es daselbst, wenn es an Brod mangelte, den auswärtigen Bäckern
und Mehlhändlern gestattet, an gewissen Wochentagen Brod und
Mehl in die Stadt zu bringen [12]). Allenthalben waren Besich=
tigungen, Brodschaue, Fleischschaue, Fischschaue, Müh=
len= und Mehlschaue, Weinschaue, Bierschaue und soge=
nannte Victualienschaue angeordnet [13]). Die Zuwiderhand=
lungen gegen die gesetzlichen Anordnungen wurden strenge gerügt
und bestraft. Besonders streng war man gegen die Bäcker. Sie
sollten nicht bloß an Geld gestraft, sondern auch noch z. B. in
Augsburg, Regensburg u. a. m. geschuppt oder in die Schnelle
gesetzt, und das nicht gewichtige oder unrichtig gebackene Brod
weggenommen und unter die Armen vertheilt werden. Die Bäcker
sollten die verschiedenen Getreidearten nicht mischen, wenigstens nicht
ohne Erlaubniß des Stadtraths mischen. Der Weitz, Roggen,
Haber und die Gerste sollte besonders gebacken, also verschiedene
Brodsorten, z. B. in Augsburg sechserlei Brode gebacken werden.
Auch die Weinwirthe und die Leitgeben standen unter stren=
ger Aufsicht. Sie sollten die Weine nicht mischen, weder mit Wasser,
Milch, Biern= oder Aepfelmost, noch auch geringere Weine mit
besseren, z. B. in Nürnberg [14]), Ulm [15]), Regensburg [16]), Augs=

---

6) Jäger, p. 619—630.
7) Gemeiner, I, 463, 480, 508—510 u. 519.
8) Pfaff, p. 673 ff.
9) Ochs, III, 196 ff. u. 202. Basel im 14. Jahrhundert, p. 45.
10) Stadtrecht §. 3—9 bei Haupt, Zeitschrift, VI, 415 ff.
11) Siebenkees, III, 31—36.
12) Siebenkees, III, 21—23.
13) Vgl. z. B. Bamberger Stadtr. §. 424 u. 428 u. Nr. 91 bei Zöpfl,
p. 118 u. 157. Lang, Gesch. von Baireuth, I, 57.
14) Siebenkees, IV, 719.
15) Jäger, p. 458.
16) Gemeiner, I, 508.

burg [17]), Basel [18]) u. a. m. In Köln wurden die Weinfälscher
strenge bestraft, zuweilen sogar auf beiden Backen und im Nacken
gebrandmarkt [19]). In Frankfurt sollten die bei einer Kellervisita-
tion bei den Wirthen gefundenen mit gefälschtem sogenannten
stummen Wein gefüllten Fässer vor den Römer geführt und ihnen
daselbst in feierlicher Weise von dem Scharfrichter (Stücker) der
Boden ausgeschlagen, der Wein in den Main laufen gelassen, und
außerdem die Wirthe noch an Geld gestraft werden [19a]). Auch
das sogenannte Weinmachen, das „Wyne machen" und das
„Weingemecht" war allenthalben verboten, z. B. in Nürn=
berg [20]), in Frankfurt, in Ulm, München u. a. m. In Frankfurt
war insbesondere auch das Weinmachen mit gebranntem Wein
(Branntwein) verboten [21]), und in Basel das Weinmachen und
Wein Arznen „es sey mit Waydasche, Schwefel, Scharlachkraut,
„Eyern, Milch, Salz, Kalch oder sonsten, denn es sollte ein
„jeder Win bliben, als ihn Gott hat wachsen las=
sen" [22]). In München nannte man den gemachten Wein einen
ungerechten Wein [23]), und das Weinmachen wurde daselbst als
Fälschung bestraft [24]). Auch sollte man die Weine nicht unter
einem falschen Namen verkaufen, z. B. in Nürnberg die Franken=
weine nicht für Elsäßer oder gar für Rheinweine ausgeben [25]).
Und die Weinfälschungen selbst wurden allenthalben mit großer
Strenge bestraft, z. B. in Frankfurt [26]), in Nürnberg [27]), in Ulm [28])
u. a. m.

Wie die Weinwirthe, so standen auch die Bierwirthe und

---

17) Freyberg, p. 118.
18) Ochs, III, 195.
19) Ennen, Gesch. II, 603. Bodmann, Rheing. Alt. I, 409.
19a) Lersner, Chron. von Frankfurt, I, 493.
20) Siebenkees, IV, 718.
21) Rathsordnung von 1361 bei Senckenberg, I, 44 u. 45.
22) Ochs, III, 196, V, 141.
23) Stadtrecht bei Auer, p. 125 u. 148.
24) Rathsbeschluß von 1420 in Bair. Annalen von 1833, p. 850.
25) Siebenkees, IV, 722 u. 723.
26) Rathsordnung von 1366 bei Senckenberg, I, 39.
27) Siebenkees, IV, 718 u. 720.
28) Jäger, p. 458 u. 459.

die **Bierbrauer** unter sehr strenger Aufsicht. In Nürnberg ließ man das schädliche Bier in die Pegnitz auslaufen [29]). Besonders streng war man aber in den altbairischen Städten. Und dieser strengen Bierpolizei verdankt das Bairische Bier seinen europäischen Ruf. Da diese strenge Bierpolizei aber auf landesherrlichen Verordnungen und Mandaten, nicht auf Rathsordnungen beruht hat, und heute noch beruht, so ist hier nicht der Ort von ihr weiter zu reden. Merkwürdig ist auch die Rathsordnung von Regensburg vom Jahre 1401. Nach einem alten Herkommen durfte nämlich in Regensburg jeder Bürger sein Bier für seinen eigenen Bedarf selbst brauen [30]). Im Jahre 1401 wurden aber die kleineren Brauhäuser abgeschafft und nur noch die größeren beibehalten, in welchen nun die übrigen Bürger brauen lassen sollten. Es wurde zu dem Ende der Braulohn sowohl für den Brauer als für den Braumeister bestimmt und verordnet, daß der Braumeister für den erhaltenen Lohn alle Auslagen bestreiten und für jedes ihm gebrachte Schaff Gerste acht Eimer süßes und sechs Eimer bitteres Bier liefern müsse [31]).

Auch die **Lebensmittel** wurden frühe schon von den Stadträthen **taxirt**. Daher findet man schon seit dem 12., 13. und 14. Jahrhundert **Brodtaxen**, z. B. in Soest [32]), in Augsburg [33]), in Regensburg [34]), in Frankfurt [35]), in Nürnberg [36]) u. a. m., sodann **Fleischtaxen**, z. B. in Nürnberg und Regensburg [37]), **Weintaxen**, z. B. in Nürnberg [38]), in Regensburg [39]), in Basel [40]), in Landshut [41]), in Stendal [42]) u. a. m., und **Biertaxen**

---

29) Siebenkees, III, 30.
30) Privilegium von 1230 §. 19.
31) Gemeiner, II, 350.
32) Stadtr. von 1120 §. 38 bei Seibertz u. Schraae §. 106 bei Emminghaus, p. 169 u. 234.
33) Stadtr. bei Freyberg, p. 120.
34) Gemeiner, I, 509.
35) Statut bei Senckenberg, I, 7, 41; 60 u. 61.
36) Siebenkees, III, 31 ff.
37) Siebenkees, III, 24, IV, 688. Gemeiner, I, 509.
38) Siebenkees, III, 23.
39) Gemeiner, I, 508, II, 122 u. 247.
40) Ochs, V, 142.

z. B. in Nürnberg [43]). In München waren bereits im 13. und 14. Jahrhundert alle Lebensmittel taxirt, außer Brob, Fleisch, Wein und Bier auch noch Met, Mehl, Schmalz, Oel, Hühner, Eier u. a. m. [44]), und in Regensburg sogar die Rebhühner, Hasen und das übrige Wildpret [45]). In Basel waren seit dem Anfang des 15. Jahrhunderts auch schon die Arzneien taxirt [46]).

Wie die übrigen Gewerbe so wurden insbesondere auch die immer wichtiger werdenden Wechselgeschäfte beaufsichtiget (§. 78). Sie standen z. B. in Ulm unter der Aufsicht mehrerer aus den Bürgern gewählten geschwornen Wechslern [47]). Und auch in Zürich findet man im Richtebrief Verordnungen über den Geldwechsel [48]).

Handelspolizei.

§. 406.

Auch in den Handel und Wandel, sowohl nach Außen als in den gewöhnlichen Verkehr in der Stadt selbst, griffen die Stadt= räthe ein und erließen darüber seit dem 13. und 14. Jahrhundert polizeiliche Verordnungen. Ueber den Handel mit Waid, einem Färbestoff, der vor dem Bekanntwerden des Indigos ein wichtiger Handelsartikel war, erschien in Nürnberg im Jahre 1377 eine Rathsordnung, wonach derselbe von einem geschwornen Messer, dem Waidmesser, gemessen und auf dem gemeinen Hause der Bürger aufbewahrt werden sollte [1]). In Regensburg wurde im Jahre 1306 eine Saffranschau angeordnet, um zu verhindern, daß falscher Saffran eingeführt und verkauft werde [2]). In München

---

41) Stadtr. von 1279 §. 21 bei Gaupp, I, 155.
42) Urk. von 1285 bei Lenz, I, 129.
43) Siebenkees, IV, 734.
44) von Sutner, II, 478, 479 u. 480.
45) Gemeiner, I, 510.
46) Ochs, III, 203.
47) Jäger, p. 600.
48) Bluntschli, I, 161.
1) Siebenkees, IV, 694—696.
2) Gemeiner, I, 462.

erschien eine Verordnung über den Handel mit fremden Tüchern[3]),
in Augsburg eine Verordnung über den Handel mit fremden Tü=
chern, mit Oel, mit Häringen, Feigen und mit Fischen [4]), in Brünn
eine Satzung über den Handel mit fremden Tüchern [5]). In Nürn=
berg machte man im 14. und 15. Jahrhundert Verordnungen über
den Handel der Hafner und der Kesselschmiede mit den von ihnen
selbst verfertigten Waaren [6]). Auch über den Handel mit den
nothwendigsten Lebensbedürfnissen erschienen allenthalben seit dem
13. und 14. Jahrhundert Verordnungen. In München wurde
bereits im 13. und 14. Jahrhundert für den Getreidehandel ein
bestimmter Schrannentag und zwar ein gewöhnlicher Markttag be=
stimmt und verordnet, daß von den Bäckern, Brauern und Wirthen,
weil zunächst für das Bedürfniß der Bürger gesorgt werden sollte,
wöchentlich nicht mehr als ein Schaff Korn, Weitzen, Gerste und
Haber gekauft werden dürfe [7]). Auch wurde der Holzhandel in
ähnlicher Weise, wie in den großen Marken, beschränkt [8]). In
München und in Augsburg sollte niemand Holz kaufen, um es
wieder zu verkaufen, jeder Bürger vielmehr nur so viel Holz kaufen,
als er selbst zum Verbrennen und zum Verzimmern nothwendig
hatte [9]). In Regensburg durften die Brauer, Bader, Bäcker und
Zimmerleute keinen Holzhandel treiben, vielmehr nur so viel Holz
kaufen, als sie für ihre Gewerbe nothwendig hatten [10]). Auch über
den Handel mit Fischen, Krebsen, mit Wildpret u. a. m., auf den
Märkten und außer den Märkten, erschienen allenthalben Verord=
nungen, z. B. in Augsburg [11]), in Regensburg [12]) u. a. m. Ins=
besondere war auch der Kauf von Schmalz, Käs, Rüben, Hühnern,
Eiern, Gänsen, Fischen, Wildpret und anderen Lebensmitteln außer

---

3) Stadtr. art. 324.
4) Stadtr. von 1276 bei Freyberg, p. 29, 30 u. 125.
5) Rathsordnung von 1328 bei Rößler, p. 404—406.
6) Siebenkees, IV, 682; 691 u. 692.
7) von Sutner, II, 478.
8) Meine Gesch. der Markenverf. p 120.
9) von Sutner, II, 492. Augsb. Stadtr. bei Freyberg, p. 35.
10) Gemeiner, I, 511 u. 512.
11) Freyberg, p. 36.
12) Gemeiner, I, 510 u. 511.

dem Markte, um sie in oder außer der Stadt wieder zu ver=
kaufen, der sogenannte Vorkauf, allenthalben, öfters sogar schon
seit dem 13. und 14. Jahrhundert verboten, z. B. in München[13]),
in Augsburg[14]), in Eßligen[15]), in Jßny[16]), in Landshut[17])
u. a. m.

Da jedoch der Zwischenhandel im Interesse der Bürgerschaft
selbst nothwendig war, so wurden zu dem Ende allenthalben Un=
terhändler, sogenannte Unterkäufer und Mäkler von den
Stadträthen selbst angestellt und beeidiget und ihnen vorgeschrieben,
in welcher Weise sie diesen Zwischenhandel betreiben sollten und
durften. In Frankfurt hatte jedes Gewerbe seinen eigenen Unter=
käufer, der von dem Bürgermeister beeidiget sein mußte und selbst
keine Kaufmannschaft, d. h. keinen Handel und auch kein Hand=
werk treiben durfte[18]). Auch in Köln mußten die Unterkäufer be=
eidiget werden und sie durften zu einem schädlichen Kauf nicht
mitwirken, und auch zu keiner „Fynancie"[19]). Es scheint dem=
nach, daß die Finanzgeschäfte damals nicht im aller besten Rufe
gestanden haben. Auch in Eßlingen wurden die Unterhändler, die
sogenannten Vorkäufler und Vorkäuflerinnen, vom Stadt=
rath ernannt und beeidiget. Sie hatten den Zwischenhandel zu
besorgen. Der Vorkauf von Lebensmitteln war ihnen aber ver=
boten[20]). Dasselbe gilt von den Unterkäuflern und von den Käuf=
lerinnen in Ulm[21]) u. a. m. Die Käufler und Käuflinne waren
nämlich in Ulm, München, Augsburg, Nürnberg u. a. m. Dasselbe
was anderwärts die Unterkäufer, Unterhändler und Zwischenhänd=
ler waren. Sie hatten aber außer dem Zwischenhandel auch noch
den Trödelhandel zu besorgen. Auch sie wurden vom Stadtrath

---

13) von Sutner, II, 478 u. 479. Stadtr. bei Auer, p. 167.
14) Stadtr. bei Freyberg, p. 36 u. 37.
15) Pfaff, p. 721.
16) Statut §. 27 bei Jäger, Mag. II, 119.
17) Stadtr. von 1279 §. 20 bei Gaupp, I, 154.
18) Statut bei Senckenberg, I, 8, 12, 61—64, 69 u. 70.
19) Kölner Statute Nr. 73 u. 74, p. 46 u. 47 in meiner Handschrift.
    vergl. Hüllmann, IV, 95 u. 96.
20) Pfaff, p. 721 u. 722.
21) Jäger, p. 600, 685 u. 686.

beeibiget. Und in München werden sie auch Täntler ge=
nannt [22]).

Auch durch den Erwerb eines Niederlagsrechtes (Ein=
lagerrechtes, jus emporii) oder eines Stapelrechtes suchten die
Stadträthe für ihre Mitbürger und für die bürgerliche Nahrung
der Städte zu sorgen. Daher findet man frühe schon fast alle her=
vorragende Städte an der Donau und am Rhein, an der Weser,
Elbe und an der Ober und an ihren Nebenflüssen, z. B. in Bres=
lau seit dem Jahre 1274 [23]), mit diesen Rechten begnadiget. Auch
München an der Isar hat bereits im 13. Jahrhundert ein, ur=
sprünglich jedoch bloß auf Holz beschränktes Stapelrecht und ein
Niederlagsrecht für Korn und Salz erhalten [24]). Dieser Nieder=
lagszwang und Stapelzwang verwickelte jedoch die berechtigten
Städte selbst in Streitigkeiten ohne End, z. B. die Stadt Köln
schon im 12. Jahrhundert in Streitigkeiten mit Gent [25]). Auch
waren jene Rechte mehr ein Hinderniß des freien Verkehrs als ein
Mittel den Handel und Wandel zu heben, der nur bei völlig freier
Bewegung zu gedeihen vermag.

Für den freien Verkehr weit förderlicher waren demnach die
Bemühungen der Stadträthe um Abschaffung des Faust=
rechtes und des eben so lästigen Strand= und Grundruhr=
rechtes. Denn ohne Sicherheit der Land= und Wasserstraßen
konnte natürlich kein Handel gedeihen. Die Abschaffung des Faust=
rechtes ging daher hauptsächlich von den Städten aus, durch den
Erwerb des Geleitrechtes und durch dessen kräftigere Handhabung,
durch die Einigungen der Städte theils unter sich theils mit den
Landesherrn zu den vertragsmäßigen Landfrieden, und durch die
Zerstörung der Raubnester und Burgen (§. 87, 169 u. 403). Aber
auch das Begehren um Abschaffung des Strand= und Grundruhr=
rechtes ging von den Städten aus und wurde von den Kaisern
und Landesherrn zu ihren Gunsten ertheilt, im Jahre 1230 der

---

22) Stadtr. von München bei Auer, p. 18 u. 145. vergl. Schmeller, I,
448, II, 284 u. 285. Stadtr. von Augsburg bei Freyberg, p. 136.
Nürnberg. Rathsordn. aus 14. sec. bei Siebenkees, IV, 689—691.

23) Grünhagen, Breslau, p. 98 f.

24) von Sutner, II, 478, 479 u. 489. Bair. Annalen von 1833, p. 827.

25) Ennen, Gesch I, 494—495.

Stadt Regensburg [26]), im Jahre 1237 der Stadt Wien [27]), im Jahre 1262 Straßburg [28]), im Jahre 1270 der Stadt Neuß [29]), im Jahre 1314 Köln [30]), im Jahre 1316 den Städten München [31]) und Ingolstadt [32]), im Jahre 1329 der Stadt Augsburg [33]), um dieselbe Zeit der Stadt Frankfurt [34]), im Jahre 1347 der Stadt Speier [35]). Und zumal Ludwig der Baier glänzt auch in dieser Beziehung in den Annalen der Geschichte.

Maß und Gewicht.

§. 407.

Der größere Verkehr, die Aufsicht über den Handel und das Gewerbswesen und die Bestimmung des Preises der Lebensmittel machte die Regulirung des Maßes und Gewichtes nothwendig. Daher waren auch Anordnungen über das Maß und Gewicht und über deren Handhabung Gegenstand der städtischen Verwaltung. Schon im 12. Jahrhundert erschienen in Soest und in Medebach Bestimmungen über das unrechte Wein= und Oelmaß, über das unrechte Gewicht und über die, wahrscheinlich statt der Elle gebrauchten Schnüre (funiculi) oder Reise („Reyp") [1]). Eben so in Hamburg Bestimmungen über das falsche Maß beim Bier, Brod

---

26) Privilegium von 1230 bei Hund, I, 160. und Gaupp, I, 170.

27) Urk. von 1237 bei Hormayr, Wien I, 2. Urkb. p. 29. Urk. von 1237 u. 1278 bei Lambacher, II, 13 u. 160.

28) Urk. von 1236 bei Wencker, von Außburgern, p. 8. Urk. von 1262, 1310 u. 1323 bei Schoepflin, I, 443, II, 91, 92 f. u. 129.

29) Urk. von 1270 bei Lacomblet, II, 351.

30) Urk. von 1314 u. 1355 bei Lacomblet, III, 106 u. 456.

31) Urk. von 1316 bei Bergmann, II, 64. vergl. meine Einleitung zur Gesch. der Mark= 2c. Verf. p. 120 u. 121.

32) Urk. von 1316 bei Hübner, I, 42.

33) Gassar. annal. ad 1329 bei Mencken, I, 1480. von Stetten, Gesch. I, 93.

34) Kirchner, I, 167.

35) Urk. von 1347 bei Lehmann, p. 699.

 1) Soester Stadtr. von 1120 §. 36 und Medebacher Stadtr. von 1165 §. 20 bei Seibertz p. 53 u. 75. Schraae, §. 104 u. 105 bei Emminghaus p. 168.

und Fleisch [2]). Im 13. Jahrhundert erschienen in Wien Bestimmungen über unrichtiges Maß, unrichtige Elle (injusta ulna) und
unrichtiges Gewicht [3]). In München Verordnungen über Maß
und Gewicht und über deren Beaufsichtigung (Beschauen) durch
sogenannte Anwieger und Angießer, welche die Waaren nach-
wiegen und nachmessen mußten, um sich von der Richtigkeit des
gebrauchten Maßes und Gewichtes zu überzeugen [4]). Eben so in
Bamberg sogenannte Angießer, Messer, Eicher und andere
geschworne Schauer [5]). In Straßburg Verordnungen über das
Salz-, Wein-, Oel- und Kornmaß. Jedes Maß sollte daselbst von
dem Zöllner mit einem glühenden Eisen gezeichnet werden [6]). In
Kolmar Bestimmungen über Maß und Gewicht und über deren
Beaufsichtigung durch den Schultheiß und durch zwei von dem
Rath ernannte Bürger [7]). In Augsburg Bestimmungen über unrechtes Maß und Gewicht und über deren Beaufsichtigung durch
den Burggrafen [8]). Eben so in Freiburg [9]). Im 14. Jahrhundert
erschienen ähnliche Verordnungen, z. B. in Nürnberg eine Rathsordnung über das Getreidemaß. Merkwürdig war darin die Bestimmung, daß jedes Maß oben mit Eisen beschlagen, mit dem
Zeichen der Bürger, offenbar mit ihrer Hausmarke gezeichnet („ge-
„zaichent mit der Burger zaichen") und mit einem Eisen das Stadtwappen („der stat schilt") eingebrannt werden solle [10]). In Regensburg Verordnungen über das Wiegen des Goldes und Silbers
auf der Fronwage und über das Wiegen der Wolle von zwei zu
dem Ende von dem Stadtrath verordneten Bürgern [11]). Auch in

---

2) Urk. von 1189 bei Lappenberg, Hamb. Urkb. I, 253.
3) Stadtr. von 1278 bei Lambacher, II, 157.
4) Stadtrecht art. 329 u. 338. von Sutner, II, 478 u. 479.
5) Bamberg. Stadtr. §. 4, 427 u. 428. u. Nr. 91 bei Zöpfl, p. 6 Not.,
118 u. 157.
6) Stadtr. c. 56 u. 57 bei Grandidier, II, 65.
7) Stadtr. von 1293 §. 28 bei Gaupp, I, 119.
8) Stadtr. von 1276 bei Freyberg, p. 127.
9) Stadtr. von 1120 bei Dümge, p. 124. und Stadtr. von 1275 bei
Schreiber, I, 1. p. 82.
10) Siebenkees, I, 117.
11) Gemeiner, I, 478 f.

Eßlingen [12]), in Ulm u. a. m. findet man seit dem 14. Jahrhun=
dert Bestimmungen über Maß und Gewicht. Eine Ulmer Ellen=
maß= und Gewichtordnung von 1446 ist leider verloren gegangen.
Meistentheils hatten die Städte eigene Mustermaße oder soge=
nannte Fronmaße, nach welchen die Käufer sich richten muß=
ten, z. B. in Ulm [13]), München [14]) u. a. m., in Straßburg ein
eigenes Weinmaß, Ellenmaß, Fruchtmaß und eigene Stadtwerk=
schuhe [15]), in Frankfurt a. M. ein Normalmaß für das Längen=
maß, welches an der Hauptkirche angebracht war [16]). Auch
Stadtwagen, sogenannte Fronwagen oder Greden, bestan=
den allenthalben. Alles Gold und Silber und was das Gewicht
von 25 Pfund überstieg sollte auf ihnen gewogen werden, z. B.
in Ulm [17]), Augsburg [18]), München [19]), Regensburg u. a. m.
In Regensburg kam im 14. Jahrhundert noch eine eigene Brod=
wage und Fleischwage hinzu [20]) und in Nürnberg im 16.
Jahrhundert noch eine eigene Mehlwage, auf welcher alles
Mehl gewogen werden sollte [21]). In manchen Städten waren so=
gar alle Winkelwagen verboten, z. B. in Ißny. Daher sollten
daselbst alle Waaren auf der öffentlichen Stadtwage gewogen
werden [22]).

Bauwesen und Baupolizei.

§. 408.

Auch das Bauwesen wurde mehr und mehr eine städtische
Angelegenheit, seitdem der vermehrte Handel und Wandel zur Er=
weiterung der Städte geführt, seitdem der größere Verkehr Kauf=

---

12) Pfaff, p. 224.
13) Jäger, p. 601.
14) von Sutner, II, 479.
15) Schilter zu Königshoven, p. 1103, u. 1167—1169.
16) Kriegk, p. 320.
17) Jäger, p. 598 u. 599.
18) Stadtr. bei Freyberg, p. 28 u. 32.
19) Bair. Annalen von 1833, p. 831.
20) Gemeiner, II, 310.
21) Siebenkees, III, 13 ff.
22) Statut §. 29 bei Jäger, Mag. II, 120.

häuser, Gewerbshallen, Lauben, Gewölbe, Laden, Kammern u. bergl. m. nothwendig gemacht, seitbem der vermehrte Verkehr zur Vermehrung der städtischen Beamten und ihrer Geschäfte geführt, diese aber geräumigere und gegen das Wetter geschützte Berathungs= und Versammlungsorte (Rathhäuser) nothwendig gemacht, seitbem der größere Verkehr und das verbesserte Gewerbswesen zu Reich= thum und dieser unter Anderem auch zur Verschönerung der Städte und zu Prachtbauten geführt hatte. (§. 172 u. 187—191). Denn hatte das Bedürfniß schon in den alten großen Marken zu einer Baupolizei geführt [1]), so mußte das weit größere Bedürfniß in den Städten noch viel weiter führen. Bereits seit dem 14. Jahrhun= dert erschienen daher in fast allen Städten Bauordnungen, in welchen auf das aller Genaueste vorgeschrieben wurde, wie gebaut werden solle. So schreiben mehrere Bauordnungen von Ulm aus dem 14. und 15. Jahrhundert vor, daß jedes Haus drei Stockwerk hoch (drei Gabmer) gebaut und jeder Stock mit einem auf die Straße hinausgehenden Ausschuß versehen werden dürfe. Wollte jemand noch höher als drei Gabmer bauen, so war dieses zwar ge= stattet, jedoch ohne weiteren Ausschuß. Auch über die Anlegung der Dachrinnen und über den Bau der Rauchfänge, der Bretter= wände, der Giebel u. a. m. enthielten jene Bauordnungen genaue Vorschriften [2]). Eben so findet man in der Bauordnung von Mün= chen von 1489 Bestimmungen über den Bau und die Reparatur der Wohn= und anderen Gebäude, insbesondere auch über den Bau der Häuser von Holz (der Zimmer), daß sie nicht mit Schindeln und Brettern, sondern mit Ziegeln gedeckt werden sollten u. bergl. m., sodann Vorschriften über den Bau von Vordächern über den Verkaufsladen („dächel ob läden, ob krämen in allen gassen"), über den Bau und die Ausbesserung von Altanen (althänen), von Er= kern und Ausladungen auf die Straße, über die Anlegung von Fenstern, Kaminen, Dachrinnen, Abtrittgruben u. s. w. [3]). Wegen der Neubauten wurde im Jahre 1467 in Eßlingen vorgeschrieben, daß niemand ohne Erlaubniß des Bürgermeisters und Raths ein

---

1) Meine Gesch. der Markenverfassung, p. 130—132 u. 308.
2) Jäger, Ulm, p. 437—439.
3) Bauordnung von 1489 bei Auer, p. 200 ff. und Einleitung, p. 98 ff.

Gebäude abbrechen dürfe, es sei denn, daß er sogleich ein anderes
baue [4]).

Bei diesen Bauvorschriften wurde insbesondere auch auf die
Feuersgefahr Rücksicht genommen, z. B. in Regensburg [5]), in
Ulm [6]), in Frankfurt a. M. [7]), in München [8]), in Seligenstadt [9])
u. a. m. Aus diesem Grunde sollten in vielen Städten auch die
hölzernen Ueberhänge und Ueberschüsse abgebrochen werden. (§. 193.)

Aber auch für die Bequemlichkeit und für die freie
Passage auf den Straßen wurde gesorgt. Darum sollten in Ulm
die Kellerhälse und die Gänge vor den Häusern, durch welche die
Straßen verengt und die freie Passage gehemmt wurde, abgebrochen
und keine mehr aufgebaut werden [10]). Um Menschen und Thiere
vor Schaden zu bewahren sollten in München die Kellerfenster,
welche das Pflaster berührten oder in dasselbe hervorstanden, mit
eisernen Gittern versehen und die Brunnen und Gruben gehörig
verwahrt werden [11]). Aus demselben Grunde sollten in München
Altane nur noch mit Erlaubniß des Stadtraths, und Erker und
Ausladungen auf die Straße nur in gewissen Distanzen angelegt
werden [12]), anderwärts aber gar keine Ueberzimmer, Ueberhänge
und Vorbaue mehr geduldet, und die bereits vorhandenen abgebrochen werden, in Augsburg sogar von Amts wegen auf Betreiben
der Stadtpfleger oder der Baumeister [13]). Endlich wurde auch für
die Schönheit der Straßen gesorgt und daher z. B. in Eßlingen
bereits im 16. Jahrhundert verordnet, daß die Gebäude „nach
der Schnur" gebaut werden sollten [14]).

Um diesen Zweck zu erreichen wurden obrigkeitliche Besichtigungen der Baue und der Bauplätze, sogenannte Bauschaue,

---

4) Pfaff, p. 103 Note.
5) Gemeiner, I, 465.
6) Jäger, p. 434 u. 439.
7) Kriegk, Bürgerthum, p. 267 ff.
8) Stadtrecht, art. 509. Bauordnung, §. 31, 34, 57 u. 61.
9) Grimm, I, 508.
10) Jäger, p. 436 u. 437.
11) Bauordnung, §. 22, 40 u. 59.
12) Bauordnung, §. 43, 44 u. 61—63.
13) Stadtrecht §. 231 bei Walch, IV, 233. vergl oben §. 193.
14) Pfaff, p. 160.

eingeführt. In Ulm bestanden bereits seit dem 14. Jahrhundert solche Bauschaue unter der Oberaufsicht des Stadtraths. Und ohne vorhergegangene Besichtigung durch die geschwornen Bauschauer durfte kein neues Gebäude aufgeführt und kein schadhaftes ausgebessert werden [15]. Auch in München mußten alle Neubauten und alle Bauveränderungen den geschwornen Baumeistern vorgelegt und von ihnen geprüft werden [16]. Eben so in Eßlingen [17] u. a. m.

Zur Beaufsichtigung des städtischen Bauwesens wurden allenthalben ben in den Residenzstädten bestehenden Hofbauämtern (§. 292) ähnliche städtische Bauämter errichtet, bestehend in Augsburg [18] und in Rotenburg aus zwei Baumeistern [19], in Zürich aus fünf Bauherren [20], in Ulm aus mehreren geschwornen Bauherren [21], in München aus einigen geschwornen Baumeistern [22], in Eßlingen aus einem Oberbaumeister und einem Unterbaumeister [23], und in Basel aus fünf erbaren Leuten (den Fünfern über der Stadt Bau), ursprünglich aus 1 Ritter und 4 Bürgern, später aus 1 Ritter, 2 Bürgern und 2 Handwerkern (einem Maurer und einem Zimmermann), und seit dem Jahre 1385 aus 1 Ritter und 4 Zunftgenossen ("einen zimberman und einen murer von der „zimberluten und murer zunft und zwene ander erber manne von „anderen zünften") [24]. Die Oberaufsicht über das Bauwesen und die Entscheidung der Baustreitigkeiten gehörte aber zur Kompetenz des Stadtraths, z. B. in Breslau [25], in Büren [26] u. a. m.

---

15) Jäger, p. 288 u. 437—440.
16) Bauordnung, §. 13 u. 67.
17) Pfaff, p. 160.
18) Stadtr. §. 94 u. 231. bei Walch, IV, 118 u. 234.
19) Bensen, p. 322 u. 323.
20) Richtebrief, IV, 45.
21) Jäger, p. 440.
22) Bauordnung §. 13.
23) Pfaff, p. 133.
24) Verordn. von 1360, 1381 u. 1385 in Rechtsquellen, I, 29, 39 u. 42. Heusler, p. 185—186.
25) Urk. von 1306 bei T. u. St. p. 479.
26) Stadtrecht aus 14. sec. bei Wigand, Arch. III, 3 p. 30.

Feuerpolizei.

§. 409.

Schon in den alten großen Marken hat eine Feuerfolge bestanden [1]). Die aus Holz gebauten, mit Stroh oder Schindeln gedeckten, in engen Straßen beisammen stehenden Häuser, unter denen sich in den gewerbreichen Städten viele feuergefährliche Ge= werbs=Buden und Gebäude befanden, hatten fortwährende Brände zur Folge, welche seit dem 12. und 13. Jahrhundert ganze Städte, und Straßburg, Worms, Regensburg, Magdeburg u. a. m. sogar mehrmals vernichteten [2]). Diese Unglücksfälle führten seit dem 14. Jahrhundert zur Verbesserung der Löschanstalten, zu Feuer= ordnungen und zu einer geregelten Feuerpolizei.

Eine der ältesten Feuerordnungen ist jene von Regensburg vom Jahre 1308 und noch eine andere von 1366. Nach ihnen sollten bei entstandenem Feuerlärm alle Steinmetzen, Zimmerleute, Küfer, Bader, Schröter, Ohmer und Messer mit ihren Knechten zu Hilf eilen [3]). Eben so in Rotenburg nach einer Feuerordnung von 1382 und einer anderen Verordnung von 1411 die Steinmetzen, Zimmerleute, Weinzieher, Bader, Dachdecker und alle Karrenleute und Taglöhner [4]). In Eßlingen die Weinzieher und Zimmerleute mit ihren Knechten, nach einer Feuerordnung aus dem 15. Jahr= hundert [5]). In Stralsund die Zimmerleute, die Maurer, Schorn= steinfeger, Schopenbrauer, Fuhrleute und Träger [6]). In Köln hatte der Stadtrath eine eigene Löschmannschaft errichtet, bestehend aus 13 Zimmerleuten, 13 Schmieden und 13 Dachdeckern. Vier von ihnen hatten Kesselhüte, alle die nöthigen Löschgeräthe. Und beim Ausbruch eines Brandes mußten Alle bei Strafe auf die Brandstätte eilen, auf welcher sich auch zur Aufrechthaltung der Ordnung die Bürgermeister und der Grefe einfinden mußten [7]).

---

1) Meine Gesch. der Markenverf. p. 188.
2) Arnold, II, 221—225.
3) Gemeiner, I, 469, 470, II, 143.
4) Bensen, p. 301 u. 331.
5) Pfaff, p. 161.
6) Fabricius, p. 17, 19, 88 u. 89.
7) Ennen, Gesch. II, 507.

In Frankfurt mußten die Zunftmeister aller Handwerke und alle
Zimmerleute und Steindecker mit den Löschgeräthschaften auf der
Brandstätte erscheinen. Die übrigen Bürger hatten für die Sicherheit der Stadt zu sorgen und durften daher beim Feuer gar nicht
erscheinen [8]). In Basel und Ulm mußten im 14. und 15. Jahrhundert noch alle Geschlechter und Zünfte auf die Brandstätte
eilen und nach Kräften löschen helfen [9]). Auch bestanden allenthalben Vorschriften über das Halten und Herbeischaffen von Feuer-
eimern, Feuerleitern und Feuerhacken, über das Herbeischaffen von
Fässern und Zübern und über das Herbeiführen des nöthigen Wassers, z. B. in Regensburg [10]), Breslau [11]), Rotenburg [12]), Ulm [13]),
Speier [14]), Frankfurt [15]), Eßlingen [16]) u. a. m. Und in Basel
mußte der Schüler des Stadtschreibers auf die Brandstätte eilen,
und alle diejenigen notiren, welche müßige Zuschauer waren, um
sie dem Rath zur Bestrafung anzuzeigen [17]). In Freiburg und
Frankfurt mußten sogar die Klostergeistlichen auf der Brandstätte
erscheinen und Wasser tragen [18]) und in Rotenburg jedes Kloster
zwei Wagen zum Wasserführen stellen [19]).

Um zur Vorsicht zu nöthigen sollten diejenigen, in deren
Wohnung durch Nachläßigkeit Feuer ausbrach, selbst bestraft wer-
den, z. B. in Wiener Neustadt und Haimburg [20]) und in Wien [21]).
In Meran wurde jeder Hausbesitzer, in dessen Hause Feuer aus-

---

8) Kriegk, Bürgerthum, p. 276—278.
9) Basel im 14. Jahrhundert, p. 47. Jäger, p. 434.
10) Gemeiner, I, 469.
11) Grünhagen, p. 88.
12) Bensen, p. 301 u. 331.
13) Jäger, p. 435.
14) Rau, II, 8.
15) Kriegk, Bürgerthum, p. 271—276.
16) Pfaff, p. 161 u. 162.
17) Basel im 14. Jahrhundert, p. 47.
18) Schreiber, Gesch. von Freiburg, II, 204. Kriegk, Bürgerthum, p. 277.
19) Bensen, Rotenburg, p. 301.
20) von Würth, Stadtrecht von Wiener Neustadt, c. 59 p. 83. Stadtr.
von Haimburg §. 7 bei Senckenberg, p. 280.
21) Stadtr. von 1221 §. 53 bei Gaupp, II, 249. und von 1278 bei Lambacher, II, 157.

brach, gestraft, wenn er nicht die Thore öffnete und Feuerlärm machte [22]). In einigen Schlesischen Städten sollten sehr zweck=mäßig auch diejenigen schon gestraft werden, welche ihre Wohnun=gen ausräumten, ehe sie das Geschrei erhoben und Feuerlärm ge=macht hatten [23]). Und in Bremen sollten die Bewohner eines in Brand gerathenen Hauses gestraft werden, wenn sie denjenigen, der den Brand veranlaßt, nicht vorbrachten [24]). Um den nur zu häu=figen Bränden vorzubeugen wurden in Ulm bereits seit dem 15. Jahrhundert Kaminfeger zur Reinigung der Rauchfänge ange=stellt und diejenigen, welche keinen Kaminfeger bekommen konnten, angehalten ihre Kamine und Rauchfänge selbst zu fegen [25]). Daß die Baupolizei bei ihren Anordnungen auch auf die Feuersgefahr Rücksicht nahm, ist bereits bemerkt worden. Aus demselben Grunde sollten in Rotenburg die feuergefährlichen Bretterschuppen u. dergl. m. abgebrochen werden [26]). Auch wurden in Regensburg die feuer=gefährlichen Fackeltänze („das Raien mit Kerzen") im Jahre 1320 verboten [27]). In Meran durfte kein Licht („kein vackellieht") außer in einer Laterne („an aleine in der laterne") über die Straße ge=tragen werden [28]). Und allenthalben wurden regelmäßige Feuer=beschaue angeordnet, in Rotenburg bereits seit dem Jahre 1382 [29]) und auch in München schon seit dem 14. Jahrhundert [30]).

Straßen- und Reinlichkeitspolizei.

§. 410.

Auch die größere Reinlichkeit in den Städten wurde seit dem 14. Jahrhundert Gegenstand der städtischen Verwaltung. Die

---

22) Stadtr. aus 14. sec. §. 11 bei Haupt, Zeitschrift, VI, 424. „in swes „huse ouch baz fiwer uf kumpt, der sol sin tor uf werfen und niht „verfperren und sol ouch schrien fiwer! fiwer! baz man rette."

23) Urk. von 1324 §. 26 bei T. u. St. p. 508.

24) Stat. von 1303 bei Oelrichs, p. 41.

25) Jäger, p. 434.

26) Feuerordnung von 1382 bei Benfen, p. 301.

27) Gemeiner, I, 515.

28) Stadtrecht §. 12 bei Haupt, VI, 424.

29) Benfen, p. 301.

30) Stadtrecht, art. 487 bei Auer, p 184.

bis dahin sehr schmutzigen Straßen sollten gepflastert werden.
(§. 185). Allenthalben wurde verboten Mist oder anderen Unflat
auf die Straße oder in das durch die Stadt fließende Wasser zu
werfen und daselbst liegen zu lassen, oder Häute zum Trocknen auf
die Straßen zu hängen u. dergl. m., seit dem 14. Jahrhundert in
Nürnberg [1]), in Straßburg [1a]), in Regensburg [2]), in Trier [3]), in
München [4]), in Rotenburg [5]), in Seligenstadt [6]), in Meran [7]), in
Breslau [8]), in Ratibor, Schweidnitz u. a. m. [9]), seit dem 14. und
15. Jahrhundert in Frankfurt a. M., wo zu dem Ende ein eigenes
Dreckmeisteramt eingesetzt worden ist [10]), und seit dem 16.
Jahrhundert in Eßlingen [11]). In Ulm wurde im Jahre 1410 ver=
boten gemästete Schweine Tag und Nacht auf der Straße herum=
laufen zu lassen. Vormittags von 11 bis 12 Uhr durften sich aber
die Schweine nach wie vor in den Straßen ergehen [12]). Eben so
wurde im Jahre 1428 in Basel verboten seine Schweine auf der
Straße herumlaufen „und vor der Welt spazieren" gehen zu las=
sen [13]). Auch in Frankfurt a. M. erschien erst im Jahre 1421
das Verbot die Schweine in den Straßen umherlaufen zu lassen.
Und im Jahre 1481 wurde das Halten von Schweinen in der
Altstadt gänzlich verboten [14]). Da jedoch die Bäcker ihre Schweine
in den Main oder aufs Feld zu treiben pflegten, so ereignete es
sich dennoch öfters, daß die Schweine an den Häusern stehen blie=

---

1) Siebenkees, II, 678—680, IV, 731.
1a) Stadtrecht, c. 82 bei Grandidier, p. 75.
2) Gemeiner, II, 142 u. 143.
3) Weisthum aus 14. sec. §. 6 bei Lacomblet, Archiv, I, 260. vergl. oben
§. 54.
4) Stadtrecht bei Auer, p. 121, 138 u. 286.
5) Bensen, p. 301.
6) Grimm, I, 608.
7) Stadtrecht §. 12 bei Haupt, VI, 424.
8) Grünhagen, p. 87.
9) Urk. von 1293 §. 14 und von 1328 §. 33 bei T. u. St. p. 421 u. 524.
10) Kriegk, p. 291—292.
11) Pfaff, p. 160 u. 161.
12) Jäger, p. 441.
13) Ochs, III, 188.
14) Kriegk, p. 243, 290 u. 524.

ben und „die Lude irstencken" [15]). Auch in Köln liefen noch
lange Zeit die Schweine und das Federvieh in den Straßen herum
und suchten in dem dort aufgehäuften Koth ihre Nahrung. Und
mehrere Wasserleitungen und Abzugskanale reichten nicht hin um
über den kolossalen Schmutz völlig Herr zu werden [16]). In
Straßburg wurde das Halten von Schweinen wenigstens be=
schränkt [16a]). In Nürnberg sollte seit dem 14. Jahrhundert auch
das durch die Stadt fließende Wasser gereiniget und die Bach ge=
putzt werden [17]). Eben so sollten heimliche Gemächer, sogenannte
Privete oder heimliche Gruben, angelegt und dieselben ge=
hörig gereiniget werden, seit dem 14. Jahrhundert in Rotenburg [18]),
in Nürnberg [19]), in Frankfurt a. M., wo dieselben Privete,
Profeien und Heimlichkeiten genannt worden sind [20]), und
seit dem 15. Jahrhundert auch in Eßlingen [21]), in München [22])
u. a. m. Die Nachtarbeiter nannte man in Nürnberg seit dem
14. Jahrhundert, wahrscheinlich weil sie aus Pappenheim waren,
die Pappenheimer [23]). Für die Freihaltung der Straßen end=
lich hatte schon die Baupolizei, wie wir gesehen, gesorgt. In Mün=
chen war es aber außerdem auch noch verboten Stöcke, Plöcke,
Schragen oder Bänke auf die Straße zu stellen um darauf feil
zu haben, oder daselbst Schweineställe zu bauen oder andere ähn=
liche Anlagen zu machen, wodurch die freie Passage gesperrt oder
gehindert werden könnte. Nur während der Jahr= oder Wochen=
märkte und zu den heiligen Zeiten durfte man auf dem Pflaster
feil haben. Der Verkäufer mußte jedoch den Schragen, auf wel=
chem er feil gehabt, jeden Abend wieder entfernen [24]). Und in

---

15) Statut c. 2 §. 1 bei Senckenberg, sel. jur. I, 7.
16) Ennen, Gesch. I, 681—682.
16a) Stadtrecht, c. 86 bei Grandidier, p. 77.
17) Siebenkees, II, 680.
18) Bensen, p. 301.
19) Siebenkees, II, 679.
20) Kriegk, p. 292 u. 525.
21) Pfaff, p. 161.
22) Bauordnung von 1489 art. 48 bei Auer, p. 216.
23) Siebenkees, II, 680.
24) Bauordn von 1489 art. 20 bei Auer, p. 208 f.

Frankfurt a. M. sollten die sogenannten Schoppen oder Vorkrämen nur fünf Fuß zwei Zoll in die Straße hinausreichen [25]).

Armen- und Krankenpflege und Sorge für die Findelkinder und Waisen.

§. 411.

Die Armen- und Krankenpflege und die Sorge für die verwaisten Kinder lag ursprünglich, wie anderwärts bereits nachgewießen worden ist, in den Händen der Familien und der Gemeinden. Sie kam jedoch frühe schon in Deutschland in die Hände der Geistlichkeit [1]). Und so finden wir sie denn auch in den alten Städten in den Händen der Geistlichen und der Klöster. In Münster stiftete im Jahre 1184 der Bischof das Magdalenen Hospital für die Armen (ut pauperum necessitati sollerter prospiciamus) [2]). Das Siechenhaus zum Kinderhaus in Münster (domus leprosorum oder leprosorium tor Kynderhus) wurde zwar von dem Bürgermeister und Stadtrath im Jahre 1342 gestiftet. Allein auch diese Stiftung blieb noch mit der Pfarrei und dem Kloster Ueberwasser in der Art verbunden, daß der von dem Bürgermeister und Rath zu präsentirende Pfarrer zu gleicher Zeit auch der Vorsteher des Siechenhauses sein sollte (rector specialis leprosorum domus) [3]).

Da der Ursprung der Siechenhäuser noch im Dunkeln liegt, so erlaube ich mir hier Einiges darüber zu bemerken. Der Aussatz (wahrscheinlich die schwarzen Blattern oder die Pocken) war schon zur fränkischen Zeit bekannt und eine so gefürchtete Krankheit, daß man die damit Behafteten aus der menschlichen Gesellschaft ausstieß und sie behandelte als wären sie nicht mehr unter den Lebenden [4]). Sogar aus dem Schooße ihrer Familie mußten

---

25) Kriegf, p. 282 u. 523. vergl. oben §. 191.
1) Meine Gesch. der Dorfverf. I, 340—347.
2) Urk. von 1184 bei Wilkens, p. 45 u. 99.
3) Urk. von 1342 bei Wilkens, p. 45 u. 150.
4) L. Rothar, c. 179. leprosus — expulsus sit a civitate vel a casa sua — quando a domo expulsus est, tamquam mortuus habetur. Capit. von 789 c. 20 bei Pertz, III, 69. De leprosis, ut se non intermisceant alio populo.

sie scheiden. Denn durch jene Krankheit wurden alle Bande der menschlichen Gesellschaft, also auch die ehelichen und elterlichen Bande gelößt. Daher fiel auch das Vermögen eines Aussätzigen bei lebendigem Leibe an seine Erben, z. B. in Lübeck noch im 14. Jahrhundert [5]). Erst seit dem 12. und 13. Jahrhundert begann eine menschlichere Behandlung dieser unglücklichen Wesen. Und es ist das Verdienst der Geistlichen dieses zuerst gethan zu haben. Sie errichteten eigene Hospitäler für dieselben, zwar noch fern von den bewohnten Orten auf freiem Felde, weshalb so oft von den Siechen auf dem Felde [6]) oder von leprosi in campis die Rede ist [7]). Auch die St. Georgs Capelle mit dem Aussätzigen Hause in Lübeck lag noch im 14. Jahrhundert vor dem Mühlenthor. Ein schmaler Fuß= weg führte dahin, an welchem die Unglücklichen (die „elenden Sü= ken" und die exules leprosi) in ihren grauen Mänteln saßen und mit dem Klang der Schelle die Herannahenden warnten [8]). Die Siechen erhielten jedoch in diesen Hospitälern schon einige wenn auch sehr dürftige Pflege. Das erste Siechenhaus in Deutsch= land ist, meines Wissens, jene in einer Urkunde von 1109 erwähnte curtis leprosorum auf dem Johannisberg im Rheingau [9]). Nach= her kommen sie aber öfter vor, zumal in den Städten, allenthalben jedoch außerhalb der Stadt selbst. Denn noch bis ins 15. Jahr= hundert wurden sie vor den Stadtmauern erbaut und jede Berüh= rung mit anderen Menschen sorgfältig vermieden, z. B. noch bei der Errichtung eines solchen Hauses, des sogenannten Gutleuthofes, in Heidelberg im Jahre 1430 [10]). Sogar in dem gottesfürchtigen Basel wurde noch im 13. und 14. Jahrhundert für die Siechen

---

5) Urk. von 1362 u. 1383 bei Pauli, Lüb. Zustände, p. 196 u. 197. vergl. über die Behandlung der Aussätzigen den Armen Heinrich von Hartmann von der Aue, herausgegeben von den Gebrüdern Grimm, p. 160 ff.

6) Urk. von 1272 bei Schreiber, I, 1. p. 69. Neumann, Gesch. von Gör= litz, p. 673.

7) Urk. von 1285 bei Guden, II, 248.

8) Pauli, Lüb. Zustände, p. 35.

9) Urk. von 1109 bei Guden, I, 40.

10) Urk. von 1430 bei Mone, II, 263. basilicam extra muros opidi nostri Heidelberg, domui leprosorum vicinam, — ut le= prosorum extra communionem aliorum hominum degentium.

sehr wenig gesorgt. Man hatte zwar seit dem 13. Jahrhundert auch schon in Basel ein Siechenhaus weit vor der Stadt am St. Leonhardsberge, welches später um 1265 noch weiter von der Stadt nach St. Jakob verlegt worden ist. Die dort untergebrachten Aus=sätzigen hießen daher „die Siechen an der Birs" oder „die armen Kinder an der Birs" oder die Sondersiechen zu St. Jakob. Die Anstalt war jedoch sehr klein. Daher wurden die meisten Kranken, um die Ansteckung zu verhindern, aus der Stadt weggewiesen, und weiter nichts für sie gethan. („und wie „wohl die heilige Geschrift nit hat, daß man sie alle von der Welt „scheiden solle, so sind sie doch alle ze schützende. — Und soll man „dieselben Lüte, wo man sie weiß, von der Stadt heißen gan, umb „daß die andern, die gesunt sind, nit denselben Gebresten ent= „phachent")[11]. Man sorgte demnach durch das Wegweisen der Kranken wohl für die Gesunden. Die Kranken selbst überließ man aber ihrem Schicksal.

Die Erzbischöfe von Mainz stifteten in Mainz selbst in den Jahren 1145 und 1236 ein auch für die fremden Armen (super-venientibus egenis) bestimmtes Spital (hospitale pauperum)[12], und in Miltenberg im Anfang des 14. Jahrhunderts ein Hospital für die Kranken (hospitale pro infirmis)[13]. In Speier war noch im 13. Jahrhundert das alte Spital bei St. Stephan im Deutschen Hause, dann das Haus der Aussätzigen („die armen veltsiechen des hufes ufswendig unserre statt") und das Heiliggeist= almosen in den Händen der Geistlichen[14]. Eben so in Freiburg im Breisgau noch im 13. Jahrhundert und noch später das Spital zum hl. Geist und das Siechenhaus (domus pauperum leprosorum oder die siechen Lüte an dem Velde)[15], in Wetzlar noch im 13. und 14. Jahrhundert das Hospital für Arme und Kranke (hospi-tale pauperum et infirmorum) und das Haus der Aussätzigen

---

11) Ochs, II, 453. Basel im 14. Jahrhundert, p. 72—74.
12) Urk. von 1145 u. 1236 bei Guden, I, 167, 168 u. 537 ff.
13) Testamentum von 1319 bei Guden, III, 164.
14) Zeuß, Speier, p. 17, 18 u. 31. Mone, I, 139.
15) Stadtrodel §. 78. Urk. von 1250 u. 1272 bei Schreiber, I, 56 u. 69. Schreiber, Gesch. von Freiburg, I, 46 u. II, 30.

auf dem Felde (leprosis infirmis in campis) [16]), zu Oberehenheim das im Jahre 1314 für die Armen und Kranken gestiftete Hospital (ad usus pauperum infirmorum synodochium seu hospitale) [17]), in Augsburg die von einigen Geschlechtern im 12. und 13. Jahrhundert gestifteten Hospitäler zum heiligen Kreuß und zum heiligen Geist [18]), in Basel das Spital bei St. Leonhard und das neue Spital an den Schwellen, beide bereits seit dem 13. Jahrhundert [19]), in Straßburg das im 14. Jahrhundert von Geschlechtern gestiftete Krankenspital für wenigstens 10 arme Leute [20]), in Konstanz das Armenspital und das außerhalb der Stadt liegende Aussatzhaus [21]), in Nürnberg die beiden außerhalb der Stadtmauer liegenden Pilgerhäuser zum heil. Kreuß und zu St. Martha [22]), und in Köln mehrere Kirchspielsspitäler [23]).

Auch die weit verbreiteten sogenannten Seelhäuser, z. B. in Regensburg [24]) und die Beginenhäuser, z. B. in Köln [25]), Basel [26]) und in Coesfeld [27]) waren, wenn auch von reichen Bürgern gestiftet, geistliche Anstalten. Und die Seelfrauen oder Beguinen (Beghinen, Beginnen oder Begginnen) hatten außer der leiblichen Pflege der Kranken auch noch für ihr Seelenheil zu sorgen und für die Verstorbenen zu beten. In den Händen der Geistlichen waren sehr wahrscheinlich auch das alte Spital und das Spital zur elenden Herberge zu Worms [28]), dann das Armenspi-

16) Urk. von 1279 u. 1397 bei Guden, II, 205, V, 264. vergl. noch Urk. von 1326 u. 1332 eod. V, 182 u. 325.
17) Urk. von 1314 bei Schoepfflin, II, 114.
18) von Stetten, Gesch. I, 68 u. 76.
19) Basel im 14. Jahrhundert, p. 29, 30 u. 71.
20) Herzog, Elsaß. Chron. B. VIII, p. 106.
21) Urk. von 1299 u. 1374 bei Mone, I, 141 u. 142.
22) Urk. von 1385 bei Siebenkees, III, 286 u. 287.
23) Clasen, Schreinspraxis, p. 33.
24) Gemeiner, I, 460, II, 153 u. 187.
25) Clasen, Schreinspr. p. 33 u. 68.
26) Basel im 14. Jahrhundert, p. 60 ff.
27) Söfeland, p. 42.
28) Chron. Worm. ad 1221 bei Ludewig, II, 111. usque ad hospitale, quod tum dicitur antiquum hospitale. Bei Böhmer, font. II, 158. heißt es bloß usque ad hospitale. Ungedrucktes Weisthum von

tal (hospitale pauperum) zu Straßburg und Kolmar [29]), das um das Jahr 1233 für Arme, Kranke und Waisen gestiftete Spital zu Eßlingen [30]), das im 13. Jahrhundert für die Armen gestiftete Hospital zum heil. Geist und das für die Aussätzigen ("Siechen vf deme Velde") bestimmte St. Jakobs Hospital zu Görlitz [31]). Das Hospital in der Stadt Brandenburg gehörte noch im 13. Jahrhundert zur Kathedralkirche, und ein Domherr war dessen Vorstand (magister hospitalis) [32]). Eben so sorgten in Basel u. a. m. die Klöster für die Armen. Daher wurde daselbst eines der Gotteshäuser selbst das Almosen genannt [33]).

§. 412.

Allein früher als auf dem Lande, wo dieses erst seit der Reformation zu geschehen pflegte, ging die Armen- und Krankenpflege von der geistlichen auf die weltliche Verwaltung über. Und das in den Städten emporgekommene Gewerbswesen selbst hat dazu geführt. Das Gewerbswesen hatte nämlich viele Handwerker und Künstler und andere Fremde, unter ihnen auch viele arme und unbemittelte Leute angezogen, und dadurch ein bis dahin unbekanntes Proletariat in die Städte gezogen. Für die Verpflegung und Unterstützung der Armen und Kranken reichten daher die geistlichen Anstalten allein nicht mehr hin. Die gegenseitige Unterstützung war aber, wie wir gesehen, Pflicht der einzelnen Bürger und der gesammten Bürgerschaft. Daher fiel nun

---

Mörgstatt (heute Merstatt) im Lagerbuch: "Spital zur elenden Herberg "zue Wurmbs." Und diese Stelle steht zwischen den Gefällen des Stiftes zu unser l. Frauen und des Stiftes zu St. Martin zu Worms. Jene elende Herberg war demnach wahrscheinlich selbst ein geistliches Spital.

29) Urk. von 1288 bei Schoepflin, II, 39. Wenigstens stand an der Spitze des im Jahre 1311 zu Straßburg für die Armen Kranken (ad usus pauperum infirmorum) gestifteten Spitals (synodochium seu hospitale infirmorum) ein Priester. Urk. von 1311 bei Schoepflin, II, 95.

30) Pfaff, p. 67, 68, 248 u. 249.

31) Neumann, p. 670—673.

32) Urk. von 1217 u. 1230 bei Gerden, Stiftshistorie, p. 421 u. 434.

33) Ochs, V, 176.

das Armen= und Krankenwesen von selbst, wenigstens theilweise, an die Gemeinden. In Speier stand das neue Spital bei der St. Georgen Pfarrkirche, das sogenannte Georgenspital, schon im 13. Jahrhundert unter dem Stadtrath, und seit dem 14. auch das Heiligengeistalmosen [1]). In Straßburg hatten der Bürgermeister und Rath schon im Jahre 1263 Gewalt über das Spital und über die Spitalpfleger und diese zu ernennen [2]). Außer dem Spital, dem sogenannten Mehren Spital, gab es daselbst auch noch seit dem 14. Jahrhundert zwei andere Spitäler und ein Fremden Spital (eine Ellend Herberg) und seit dem 15. Jahrhundert noch ein Blatternhaus („blaterhaus") [3]). In Augsburg wurde das Hospital zum heil. Geist im Jahre 1252 gestiftet und bereits im 14. Jahrhundert stand dasselbe unter weltlichen Spitalpflegern und unter dem Stadtrath [4]). In Mainz stand bereits im 13. Jahrhundert die weltliche Verwaltung (administratio temporalis) des Spitals unter dem Stadtrath und unter den von ihm ernannten Bürgern [5]). Eben so in Hagenau das im 14. Jahrhundert von einem Schöffen gestiftete und der Stadt geschenkte neue Hospital für arme notdürftige Leute [6]). In Köln standen schon im 13. Jahrhundert mehrere Kirchspielsspitäler für einheimische Kranke und für fremde Pilger (elendige Pilgrammen) unter der Aufsicht der Kirchspiels Amtleute [7]). In Freiburg stand das Siechenhaus bereits im Jahre 1272 unter einem weltlichen von der Geistlichkeit unabhängigen Pfleger [8]). In Frankfurt a. M. findet man bereits seit dem 13. Jahrhundert mehrere Spitäler, welche anfangs unter einer aus Geistlichen und Weltlichen bestehenden gemischten Verwaltung, seit dem 14. Jahrhundert aber unter dem Stadtrath gestanden hat.

---

1) Zeuß, p. 17, 18 u. 29.
2) Revers von 1263 §. 11 bei Schilter, Königsh. p. 730. „Der Spital „soll öch in irre gewalt sin, und soll der Meister und der Rat Pfleger „darüber geben."
3) Handschrift aus 16. sec. bei Mone, I, 151. Hermann, I, 44 u. 45. Urk. von 1311 bei Schoepflin, II, 95. Herzog, B. VIII, p. 107.
4) von Stetten, Gesch. I, 76 u. 106.
5) Urk. von 1244 Nr. 15 bei Guden, I, 581.
6) Herzog, Elsaß. Chron. B. IX p. 158.
7) Clasen, Schreinspr. p. 32, 33, 68 u. 70.
8) Urk. von 1272 bei Schreiber, I, 1, p. 69.

Die weltlichen Verwalter wurden rectores, provisores, procuratores, magistri, Spitalmeister oder die Pfleger oder Vormünder des Spitales genannt, und jedes Jahr aus den Rathsherren von dem Stadtrath ernannt [9]). In München wurde das heil. Geiftspital im 13. Jahrhundert errichtet. Es stand anfangs unter den geistlichen Spitalherren oder heil. Geiftbrüdern, seit dem 14. Jahrhundert aber unter weltlichen Spitalpflegern und unter dem Stadtrath [10]). Auch das etwa zu derselben Zeit errichtete Spital der armen Siechen auf dem Gasteich stand anfangs unter geistlicher, seit dem Anfang des 14. Jahrhunderts aber unter weltlicher Verwaltung und unter dem Stadtrath. Im Jahre 1570 erhielt dasselbe eine sehr merkwürdige Satzung und Ordnung [11]). In Nürnberg gab es bereits im 15. Jahrhundert vier sogenannte Siech= kobel, in denen alte Männer und Frauen unentgeltlich Koft und Wohnung erhielten, von denen jedenfalls der Siechkobel zu St. Jobst schon im 14. Jahrhundert exiftirt hat. Auch sie standen unter dem Stadtrath [12]). In Basel stand das Spital an den Schwellen bereits seit dem 14. Jahrhundert unter der Aufsicht des Stadtraths und seit dem Anfang des 15. unter zwei und später unter vier von dem Rath gesetzten Spitalpflegern oder Spitalmeistern und unter dem Stadtschreiber [13]). Seit dem 14. Jahrhundert findet man daselbst auch eine Fremben Herberg (eine elende Herbrig) für arme Reisende und Pilger [14]). In Frankfurt a. M. findet man seit dem 14. Jahrhundert drei unter dem Stadtrath stehende Elendenherberge [15]). Solche Elenden Herberge für Fremde findet man auch in Bruchfal u. a. m. [16]). In Ulm wurde das heilige

---

9) Kriegk, Bürgerthum, p. 81 ff.

10) Stadtr. bei Auer, p. 181. von Bauer, Grundzüge der Verfassung von München, p. 210 ff.

11) von Bauer, p. 200 ff. Satz und Ordnung von 1570 im Oberbairischen Archiv, XIII, 74—78.

12) Alte Gesetze aus 14. sec. bei Siebenkees, II, 414 ff. u. III, 239. Urk. von 1450 in Mon. Boic. 25 p. 64.

13) Basel im 14. Jahrhundert, p. 30 u. 31. Protokoll von 1413 bei Ochs, III, 226 u. V, 174.

14) Basel im 14. Jahrhundert p. 32. Ochs, III, 224 u. 559.

15) Kriegk, Bürgerthum, p. 155—159.

16) Mone, I, 161—163.

Geist Hospital im Jahre 1183 für Arme und fremde Pilger ge=
gründet [17]) und neben ihm im 14. Jahrhundert noch mehrere
Siechenhäuser. Aber erst im 15. Jahrhundert kamen sie unter
den Stadtrath [18]). In Coesfeld wurde im 13. oder 14. Jahrhundert
das Hospital und das Armenhaus zum großen oder reichen heil. Geiste
gegründet. Die Aufsicht und die oberste Verwaltung hatten zwei Raths=
glieder, welche den Titel Verwahrer des heil. Geistes führten.
Auch fremde Arme und Kranke wurden darin aufgenommen, bis
im Jahre 1445 ein eigenes Gasthaus für Fremde errichtet worden
ist. Im Jahre 1350 wurde ein zweites Armenhaus gegründet,
das Armenhaus zum kleinen heil. Geist. Und darin hatten zwei
aus dem Rath verordnete Schöffen die Verwaltung zu besorgen [19]).
Auch in Berlin standen schon seit dem 14. Jahrhundert das heilige
Geist= und das Georgen Hospital unter einer von dem Stadtrath
eingesetzten und ihm rechnungspflichtigen Verwaltung [20]). In Salz=
wedel hatte bereits in der Mitte des 13. Jahrhunderts der Stadt=
rath die Verwaltung der Güter des Aussatzhauses [21]). In Görlitz
wurde das Hospital zum heil. Geist, das sogenannte Neißhospital,
seit dem 15. Jahrhundert unter der Aufsicht des Stadtraths durch
Spitalmeister und Unterverweser verwaltet. Eben so stand das
im Jahre 1489 für Pilger, Wallfahrer und andere Reisende ge=
stiftete Hospital zu U. L. Frauen, welches auch das hospitale pe-
regrinantium genannt worden ist, und das im Anfang des 16.
Jahrhunderts errichtete Hospital zum neuen Hause, das Franzosen=
haus, unter städtischer Verwaltung [22]). In Bruchsal stand im 15.
Jahrhundert das Armenspital unter der Aufsicht des Stadtraths [23]),
und die für fremde arme Pilger gestiftete Elenden Herberg („ellen=
den herberig") unter einem gemeinschaftlich mit dem Stadtpfarrer

---

17) Urk. von 1183 bei Jäger, Ulm p. 461. domus hospitalis pauperum refocillatio et asylum peregrinorum —.
18) Jäger, p. 476 ff. u. 482 ff.
19) Söfeland, p. 36—38 u. 40.
20) Fidicin, III, 100.
21) Urk. von 1268 bei Lenz, I, 57 u. 58. ipsa bona committimus pro-
curationi consilii veteris civitatis Saltwedele.
22) Naumann, p. 671, 673 u. 674.
23) Urk. von 1452 u. 1472 bei Mone, I, 159 u. 160.

ernannten Pilgerwirth („bilgerinwürt") oder Pfleger[24]). In
Bretten sollte das im Jahre 1463 gestiftete Spital unter Aufsicht
des Stadtraths und der herrschaftlichen Beämten von Spitalmeistern
verwaltet werden[25]). In Kempten kam das unter städtischer Verwaltung stehende heil. Geiftfpital in der Mitte des 15. Jahrhunderts zu Geld- und Grundbesitz[26]). In Augsburg stifteten im
Jahre 1519 die Fugger in der St. Jakobsvorstadt die heute noch
bestehende sogenannte Fuggerei, bestehend aus 106 kleinen für
arme Bürger bestimmten Häusern, und nahe dabei noch ein Haus
für mit Blattern behaftete Fremde[27]). Und keine Stadt blieb zurück bei dieser Sorge für die Armen und Kranken.

§. 413.

Die Armen- und Krankenpflege erstreckte sich jedoch nicht
bloß auf die in den Armen- und Krankenhäusern aufgenommenen
Armen und Kranken, sondern auch auf die sogenannten Hausarmen und auf die übrigen einer Unterstützung bedürftigen Leute.
Für sie pflegte durch Vertheilung von Nahrungsmitteln
und Kleidern und von Geld gesorgt zu werden. Und es
wurden auch zu dem Ende frühe schon eigene Stiftungen gemacht
Die Vertheilung von Naturalien nannte man Spenden (Uß-
spenden, Spannen oder largae) und die Geldvertheilung insgemein
eleemosyna, Armusen, Almusen oder Almosen[1]). In
der weiteren Bedeutung wurden indessen auch die Spenden zuweilen Almosen genannt, z. B. in den alten Rechten des Klosters
Geisenfeld aus dem 13. Jahrhundert. Es ist daselbst zwar öfters
von Korn-, Roggen- und Bierspenden (von „spentkorn, spentrock,
„spentpier") und von Spenden anderer Naturalien die Rede. Def-

---

24) Urk. von 1501 bei Mone 1, 161.
25) Urk. von 1463 bei Mone, 1, 155 –157.
26) Haggenmüller, 1, 363.
27) von Stetten I. 284
  1) Konstanzer Urk. von 1536 — „oise spend und armusen" —. Bettel-
     vogtordnung von Baden von 1528 §. 2. — „soll der bettelvogt alle
     „almusen und spennen" —. Speirer Urk. von 1433 — „uß-
     „spende in unsers stiftes crützgange" bei Mone, 1, 132 ff., insbeson-
     dere p 137, 139 u 157.

ters wird jedoch auch das Wort Spentte mit elemosina übersetzt
und es werden sodann beide Worte als völlig gleichbedeutend ge=
braucht (ad spenttam sive elemosinam) [2]). Solche Spenden und
Almosen kommen nun auch in den alten Städten sehr häufig vor,
z. B. in Basel, Speier, Konstanz, Freiburg, Bruchsal, Weißenburg
u. a. m. [3]). In früheren Zeiten waren auch diese Stiftungen mit
Kirchen und Klöstern verbunden. So war z. B. in Köln mit
dem St. Georgstifte eine jährliche Spende für 13 Armen [4]) und
mit der St. Lupus Kapelle eine Spende für 12 arme Laienbrüder
verbunden [5]). Und man nannte diese Armen da, wo ihre Anzahl
bestimmt war, matricularii, weil sie in eine Matrikel eingetragen
zu werden pflegten [6]). Nach und nach sind jedoch diese Stiftungen,
und zwar schon lange Zeit vor der Reformation, in die Hände
weltlicher Behörden gekommen. In Köln ist bereits in einer Rech=
nung von 1375 von solchen an die Armen gespendeten Almosen
die Rede [7]). In Nürnberg wurde im Jahre 1388 das große Al=
mosen, das sogenannte Kirchhof= oder Fleisch= und Brodalmosen
gestiftet und verordnet, daß drei Rathsherren die Pfleger sein soll=
ten [8]). In Basel hat bereits im 15. Jahrhundert ein weltliches
Almosenamt bestanden, welches auch die Verwaltung der Opferstöcke
der Kirchen unter sich hatte [9]). Und auch in Frankfurt a. M.
datirt der bürgerliche Almosenkasten schon aus dem 15. Jahrhundert.
Er stand unter einem von dem Stadtrath ernannten Almosen=
pfleger [10]).

Besondere Armen= und Kranken=Anstalten bestan=
den in manchen Städten für arme Handwerker und Kind=
betterinnen. In Regensburg wurde im Jahre 1419 ein Bru=
derhaus für 12 alte arme Handwerker gestiftet, welches von den

---

2) Quellen zur Bair. Geschichte, I, 414, 415, 420, 421, 422 u. 423.

3) Mone, I, 131 ff. Zeuß, Speier, p. 29 ff.

4) Urk. von 1188 bei Lacomblet, Urkb. I, 356f.

5) Urk. aus 10. sec. bei Lacomblet, Archiv, II, 60 ff.

6) Urk. von 947 bei Lacomblet, Urkb. 1, 57. Gregor. Tur. VII, 29.
  form. Sirmond. 11.

7) Ennen, Gesch. II, 540.

8) Urk. von 1388 bei Johannis ab Indagine p. 521 u. 522.

9) Ochs, V, 176.

10) Kriegt, Bürgerthum, p. 163—176.

Nachkommen des Stifters und bei ihrem Abgang vom Stadtrath verwaltet werden sollte [11]). Eine ähnliche Versorgungsanstalt für arme Handwerker bestand bereits im 14. Jahrhundert in Nürnberg [12]). In Basel unterhielten die Brüderschaften der Weberknechte, der Gärtner, der Grautücher und der Rebleute eine Anzahl Betten im Spital zur Pflege ihrer kranken Genossen [13]). In Königsberg besaßen mehrere Gewerke Krankenstuben im Hospital zur Verpflegung der kranken Gesellen [14]).

Auch bestand in Nürnberg frühe schon ein Almosen für arme Kindbetterinnen, an dessen Spitze zwei Pflegerinnen standen, denen der Stadtrath im Jahre 1461 ein Ewiggeld von 15 Gulden als Besoldung zusicherte [15]).

Auch der Bettel von Haus zu Haus war in manchen Städten schon längst vor der Reformation verboten, z. B. in Kolmar bereits im Jahre 1363 [16]). In Rotenburg wurde im Jahre 1414 verordnet, daß sogar die Bettelmönche nicht mehr ohne Erlaubniß des Bürgermeisters Almosen von Haus zu Haus einsammeln durften [17]). Auch in Basel mußte der Stadtrath bereits im Anfang des 15. Jahrhunderts einschreiten. Denn es war daselbst so weit gekommen, daß junge und alte Frauen die erbaren Leute auf der Straße anfielen und denselben den Hut, Kugelhut oder ein anderes Pfand abnahmen, wenn sie ihnen kein Almosen reichten [18]).

Endlich wurde auch für die armen Waisen und für die Findelkinder frühe schon in den Städten gesorgt. Der Stadtrath von Basel sorgte bereits seit dem 14. und 15. Jahrhundert für die Findelkinder und Waisen. Die Waisen wurden bei Hausmüttern, und die Findelkinder auf Kosten der Stadt theils bei Frauen in der Stadt, welche man Findlerinnen nannte, theils

---

11) Gemeiner, II, 430 f.
12) Hüllmann, IV, 73. Not.
13) Basel im 14. Jahrhundert, p. 31.
14) von Baczko, Gesch. von Königsberg, p. 233.
15) Urk. von 1461 bei Siebenkees, III, 93—96.
16) Mone, Zeitschr. XIX, 160.
17) Bensen, p. 302.
18) Basel im 14. Jahrh., p. 112.

im Spital untergebracht, wo eine eigene Kindmutter für sie zu sorgen hatte [19]). Hier in München wurden seit dem 15. Jahrhundert im heiligen Geistspital in einer eigenen Stube die Findelkinder und die armen Waisen aufgenommen und verpflegt [20]). In Ulm kennt man schon seit dem Jahre 1386 ein eigenes Findelhaus, an dessen Spitze zwei von dem Stadtrath gesetzte Pfleger (Fundelkinderpfleger) standen [21]). In Eßlingen bestand bereits im 15. Jahrhundert ein Fundenkinderhaus, welches unter einigen vom Rath abhängigen Pflegern stand [22]). In Augsburg wurde im Jahre 1471 ein Findel= und Waisenhaus errichtet [23]). In den meisten Städten wurden aber erst seit dem 16. Jahrhundert eigene Findel= und Waisenhäuser errichtet, eigene Findelhäuser z. B. in Nürnberg im Anfang des 16. Jahrhunderts [24]), ein Waisenhaus aber z. B. in Basel erst im Jahre 1665 [25]). Sehr merkwürdig ist es auch, daß die Waisenhäuser seit dem gepriesenen 18. Jahrhundert öfters — wer sollte es glauben! — mit den Zucht= und Arbeitshäusern verbunden worden sind, z. B. in Basel [26]) und in Eßlingen [27]).

Nur für die Geisteskranken wurde noch nirgends gesorgt. In Basel behandelte man die tobsüchtigen Narren noch im 14. Jahrhundert als vom bösen Geiste besessene Leute und ließ sie sogar von dem Scharfrichter auspeitschen [28]).

§. 414.

Wiewohl nun die Armen= und Krankenpflege und die Sorge für die Waisen lange Zeit vor der Reformation in die Hände des Stadtraths und der städtischen Behörden gekommen war, so war

---

19) Basel im 14. Jahrh. p. 33. Ochs, V, 175—176

20) von Bauer, Grundzüge, p. 238 f

21) Jäger, Ulm, p. 485—487.

22) Pfaff, p. 241 u. 245, vergl. 772.

23) Jäger, Augsburg, p 154.

24) Malblant, Gesch. der peinl. Gerichtsordnung, p. 49.

25) Ochs, VII, 376—379.

26) Ochs, VII, 378.

27) Pfaff, p. 772.

28) Basel im 14. Jahrhundert, p. 32 u. 33.

dennoch auch in den Städten die Reformation von ganz unend-
lichem Einfluß. Fast allenthalben wurde das Vermögen der eingezogenen Stifter und Klöster der Armen- und Krankenpflege zugewendet oder als Almosen verwendet. In Straßburg wurden
im Jahre 1529 die eingezogenen Klöster theils für das große Spital, theils für das Blatternhaus, theils für das Waisenhaus, theils
auch für das gemeine Almosen verwendet [1]). In Magdeburg
wurde das Vermögen der im Jahre 1524 aufgehobenen reichen
Bruderschaft zu St. Annen dem gemeinen oder Gottes Kasten
überlassen und im Jahre 1525 das Augustiner Kloster in ein
Hospital verwandelt [2]). In Basel wurde im Jahre 1526 das
Schwesterhaus der Nonnen zum rothen Haus verkauft und der
Erlöß den armen Leuten zugewendet, und im Jahre 1527 auch
noch ein großer Theil des Vermögens der übrigen Stifter und
Klöster für die Armenpflege verwendet [3]). In Eßlingen wurde im
Jahre 1564 das Findelhaus ins Prediger Kloster verlegt [4]). Auch
in Augsburg u. a. m. wurden die eingezogenen Klostergüter großen-
theils für die Armenanstalten verwendet [5]).

Allenthalben blieben die alten Armen- und Krankenhäuser,
und die Findel- und Waisenhäuser, und wurden nun aus dem
Vermögen der eingezogenen Stifter und Klöster neu und besser als
bisher dotirt. Oefters kamen zu den alten auch noch neue Anstalten hinzu. In Augsburg wurde im Jahre 1538 ein zweites
Findelhaus und ein Nothhaus für preßhafte mit Geschwüren ge-
plagte Leute errichtet, im Jahre 1572 ein Waisenhaus und im
Jahre 1699 noch ein anderes evangelisches und katholisches Waisenhaus [6]). In Straßburg wurde das große Spital, das sogenannte
Mehren Spital, dann das Blatterhaus und das Waisenhaus nun
aus den Klostergütern besser dotirt und es kam zu ihnen späterhin
noch ein Findelhaus hinzu [7]). Auch in Basel wurde nun das

1) Alte Handschrift aus dem 16. sec. bei Mone, I, 151.
2) Rathmann, III, 379 u. 380.
3) Ochs, V, 553 u. 575.
4) Pfaff, p. 772
5) Jäger, Augsburg, p. 154
6) Jäger, p. 154.
7) Mone, I, 151. Hermann, II, 249 ff.

Spital mit Klostergütern botirt und in der alten Spitalordnung
von 1527 verordnet, daß nur diejenigen spitalfähig sein sollten, „die
„bettrysen und die Steg und Weg nicht mehr brauchen können,
„und nur durch Unglück und nicht durch liederliches Haushalten,
„Prassen und Schwelgen in Armuth gerathen" [8]). Eben so blieb
in Eßlingen das Spital nach wie vor die Haupt Wohlthätigkeits
Anstalt und das Seel= und Siechenhaus wurde, nachdem das alte
abgebrannt war, wieder aufgebaut und neu organisirt. Zu den
alten Wohlthätigkeits Anstalten kamen aber noch ein Findelhaus
und ein Armenhaus hinzu [9]). Auch hier in München kamen zu
dem heiligen Geistspitale und zu dem Spitale der armen Siechen
auf dem Gasteig in den Jahren 1615, 1625 und 1742 noch drei
Waisenhäuser, das Hof= und Stadtwaisenhaus und das Waisen=
haus ob der Au und mehrere Krankenhäuser hinzu [10]).

Allenthalben wurde der Straßenbettel abgeschafft und
für die Armen auf andere Weise gesorgt. Die wirklich Armen
sollten mittelst vertheiltem Almosen unterhalten, oder auch in den
Armen= und Krankenhäusern verköstiget, beherbergt und verpflegt
werden. Die Straßenbettler dagegen sollten gestraft und in Arbeitshäusern zur Arbeit angehalten werden. In Straßburg wurde
bereits im Jahre 1523 der Straßenbettel abgeschafft und für die
Armen theils durch Almosen theils durch ihre Verköstigung in der
Elenden Herberg gesorgt. Zu dem Ende wurde ein gemeines
Almosen (das gemein almusen) errichtet, und für dieses in allen
Kirchen gesammelt und daselbst Almosenkisten aufgestellt, an ge=
wissen Wochentagen auch in den Häusern gesammelt, theilweise auch
das eingezogene Klostervermögen dazu verwendet. Die fremden
und einheimischen Straßenbettler sollten aber in der Elenden Her=
berg untergebracht, die Kranken daselbst gespeist, verpflegt und be=
herbergt, und die gesunden Armen zur Arbeit angehalten werden.
(„daß auch alle zu arbeyten und vermeydung des müssiggangs mit
„allem fleiß angehalten werden sollen" [11]). In Augsburg wurde

---

8) Ochs, VIII, 72.
9) Pfaff, p. 771 ff.
10) von Bauer, p. 168 ff. u. 227—231.
11) Handschrift aus 16. sec. bei Mone, I, 151—155.

der Straßenbettel schon im Jahre 1522 abgeschafft und ein Colle=
gium von sechs Seckelherren eingesetzt, welches das Armen= und
Bettelwesen zu besorgen hatte. Die wirklich Bedürftigen sollten
Almosen erhalten oder auch in einer Versorgungs Anstalt unter=
halten werden, zum Unterschiede von den muthwilligen Bettlern
aber ein gewisses Abzeichen tragen, die muthwilligen Bettler da=
gegen im ehemaligen Dominicaner Kloster zur Arbeit angehalten
und beschäftiget werden [12]). In Nürnberg wurde der Straßen=
bettel im Jahre 1478 beschränkt [13]), und im Jahre 1525 ganz ab=
geschafft und ein Almosenamt errichtet, in welches die Bürgerschaft
beisteuern mußte. Die Armen erhielten ein Almosen, mußten aber
ein Zeichen von Messing an ihrer Kopfbedeckung tragen, „damit
„nicht so gar viel Leute in das Allmosen sich würfen."
In den Jahren 1582 und 1626 wurde zwar das Verbot des Bet=
tels nochmals erneuert und eine Wochenbüchse zum Einsammeln
des Almosens eingeführt. Der Bettel dauerte aber nach wie vor
fort und wurde, wie ein gleichzeitiger Bericht sagt, am Ende des
17. Jahrhunderts „recht zu einem Handwerk und freyer
„Kunst." Erst im Jahre 1699 gelang es dem Stadtrath Herr
über den Bettel zu werden. Es wurde nicht bloß der Straßen=
bettel selbst, sondern auch das Geben von Almosen auf der Straße
verboten. Eine Büchse wurde von den angesehensten Bürgern von
Haus zu Haus herumgetragen und jeder Bürger aufgefordert eine
bestimmte Beisteuer zu entrichten. Dabei wurde es zwar einem
jeden überlassen, wie viel er beisteuern wolle, allein, „so fey nd
„doch," — wie es in dem gleichzeitigen Bericht heißt — „an
„einen und andern, die sich gar zu wenig angreiffen
„wollen, gute und bescheidene erinnerung geschehen."
Und vier Almosenpfleger sorgten für die gerechte Vertheilung des
Almosens unter die Armen und gebrechlichen Leute [14]). Auch in
Frankfurt a. M. wurde der Straßenbettel im Jahre 1488 be=
schränkt, aber erst im Jahre 1627 ganz abgeschafft [15]). In Basel
wurde im Jahre 1527 eine allgemeine Armenanstalt, das Almosen=

---

12) Jäger, Augsburg, p. 155.
13) Kriegk, Bürgerthum, p. 145 u. 540.
14) Die Relation bei Siebenkees, III, 146—172.
15) Kriegk, Bürgerthum, p. 144, 146 u. 540.

amt, eingesetzt und diese Anstalt theils aus dem Ertrage der Opfer=
stöcke in den Kirchen und aus jährlichen Beiträgen, theils auch aus
dem Vermögen der eingezogenen Stifter und Klöster dotirt. An
der Spitze dieses Almosenamtes standen einige Rathsherren als
Pfleger und ein Schaffner. Muthwillige und fremde Bettler er=
hielten kein Almosen. Sie wurden auf die elende Herberg gewießen
und daselbst beschäftiget. Nur die in der Stadt angesessenen Haus=
armen sollten Almosen erhalten. Jeder Arme, welcher Unterstützung
erhielt, mußte ein Zeichen, einen Schild, am Arm tragen. Die
Vorsteher der Zünfte und der Gesellschaften sollten die sich um das
Almosen Bewerbenden prüfen und sie sodann entweder den Pfle=
gern zur Unterstützung empfehlen oder an die Arbeit weißen. Das
Almosen bestand theils in Geld theils in vertheiltem Tuch, theils
in Muß und Brod. Die sogenannte Mußglocke gab das Zeichen
zum Abholen des Mußes, welches aus einer nahrhaften mit etwas
Fleisch vermischten Suppe bestand. Im Jahre 1758 wurde von
dem großem Rathe verordnet, daß das vom Almosenamte zu ver=
theilende Tuch von gelber Farbe sein und auch von den Armen
getragen werden solle. Denn, wer keine gelbe Kleidung tragen
wolle, solle auch kein Almosen beziehen [16]). In Magdeburg wurde
im Jahre 1524 ein gemeiner Kasten, ein sogenannter Gotteskasten,
zur Unterstützung der Hausarmen und der hilfsbedürftigen Kranken
errichtet, und derselbe theils aus dem Ertrage der Almosenkasten in
den Kirchen, theils aus den Almosensammlungen, theils aus dem Vermö=
gen der aufgehobenen Stifter dotirt. Vier aus dem Stadtrath genom=
mene Armenvorsteher hatten das Armenwesen zu besorgen. Die Bettler
sollten bestraft und die fremden Bettler aus der Stadt ausgewießen wer=
den [17]). In Eßlingen wurde zur Besorgung des Armenwesens im Jahre
1528 eine Almosendeputation errichtet, und die Armenanstalt theils
aus dem Ertrage der Kirchenkasten, theils aus dem Wochenalmosen
unterhalten, wozu später noch eine Armensteuer hinzukam. Zur
Einsammlung des Wochenalmosens wurde jede Woche in früheren
Zeiten ein Almosenkarren in der Stadt herumgefahren, späterhin

---

16) Verordnung über das Almosenamt von 1530 u. 1758 bei Ochs, V,
575, VI, 39—41, VIII, 72 u. 73.
17) Rathmann, III, 356, 357, 369, 370 u. 380.

aber eine Hauscollecte veranstaltet. Der Straßenbettel war ver=
boten. Die Hausarmen erhielten aber außer Geld auch noch Holz,
Brob, Schuhe, Lichter u. f. w. Daher ist daselbst von einem Holz=
almosen, Brobalmosen, Schuhalmosen, Lichtalmosen u. f. w. die
Rede [18]).

Die unmittelbare Aufsicht über die nicht in den Armenhäusern
befindlichen Armen hatten allenthalben untergeordnete Gemeinde=
biener, sogenannte Büttel u. a. m. Sie hatten das eigentliche
Bettelwesen unter sich und wurden daher öfters auch Bettel=
vögte, z. B. in Baden, Eßlingen, in der Pfalz am Rhein u. a.
m. [19]) oder Bettelmeister, z. B. in Frankfurt a. M. ge=
nannt [20]).

Unterrichtswesen, Kunst und Wissenschaft.

§. 415.

So wie der freie Verkehr zum Handel und dieser zur Ver=
besserung des Armen= und Krankenwesens geführt hat, so hat auch
die durch das Gewerbswesen und durch den Verkehr mit der Fremde
hervorgerufene geistige Thätigkeit wieder weiter —, zur Verbesserung
des Unterrichtswesens geführt.

Ursprünglich lag nämlich auch das Unterrichtswesen in den
Händen der Geistlichen. Die ersten Schulen in den Städten waren
demnach Domschulen oder Klosterschulen oder Pfarr=
schulen. Denn in jenen Orten, in denen es keine Dom= und
Klosterschulen gab, sollte der Pfarrer die Kinder seiner Gemeinde
wenigstens das Glaubensbekenntniß und das Gebet des Herrn
lehren, wenn nicht in der lateinischen doch in der Landessprache [1]).
Diese Schulen waren allenthalben nach Vorschrift Karls des Gro=

---

18) Pfaff, p. 245—247 u. 768—770.
19) Ordnung des Bettelvogts zu Baden von 1528 bei Mone, I, 157.
  Pfaff, p. 768. Rathmann, III, 370. Pfälzer Allmusen Ordnung von
  1600, §. 14 u. 15 bei Janson, Materialien zu einem Gesetzbuch, I,
  46 u. 47. Urf von 1552 u. 1601 bei Mone, XIX, 162.
20) Urf. von 1491 bei Kriegf, Bürgerthum, p. 540 u. 145.
 1) Concil Mogunt. von 813, c. 45. bei Hartzheim, I, 412.

ßen eingerichtet ²). In den größeren Klöstern bestanden insgemein
zwei Schulen neben einander, eine im Kloster selbst für diejenigen,
welche sich dem geistlichen Stande widmeten (schola intraria, schola
claustri oder claustralis), und eine andere am Eingang oder im
Vorhofe des Klosters für die Laien (schola exterior oder cano-
nica) ³). Und an diese äußeren Schulen haben sich offenbar die
späteren Stadtschulen, so wie ursprünglich auch die Universitäten,
angeschlossen und sind gewissermaßen aus ihnen hervorgegangen.
(S. 250). Sehr merkwürdig ist es auch, daß bereits zur Zeit der
Ostgothen in Rom an den Schulen für freie Künste Vorträge über
das Recht gehalten worden sind, daß demnach damals schon in
Rom eine Rechtsschule bestanden hat ³ᵃ).

In Augsburg hatte die Domschule schon im 9. und 10. Jahrhundert einen großen Ruf. Denn der heilige Ulrich kam dahin
von St. Gallen, um daselbst seine Bildung zu suchen. Und er hat
sie dort auch wirklich erhalten. Aber auch in den einzelnen Pfarreien wurden frühe schon Schulen errichtet. Und die zu St. Ulrich,
St. Afra, St. Moritz und St. Georg erhielten eine Zeit lang
einigen Ruf. Seit dem 14. Jahrhundert waren aber alle diese
Schulen wieder verödet. Im 15. Jahrhundert hat sich jedoch die
Schule zu St. Ulrich wieder etwas gehoben ⁴). Auch in Münster
bestand seit alten Zeiten eine mit der Kathedralkirche verbundene
Domschule, zu welcher im 12. Jahrhundert noch eine mit der St.
Martinskirche verbundene Schule hinzukam ⁵). In Regensburg
bestand beim Kloster St. Emmeran schon seit Karl dem Großen
eine berühmte Schule, weshalb Regensburg schon im 11. Jahrhundert das zweite Athen (secunda Athene) genannt worden ist ⁶).
Außerdem bestand daselbst im 14. Jahrhundert noch eine Schule

---

2) Capit. 1 von 789 bei Baluz. c. 70 bei Pertz c. 71.
3) Ekkehard, casus St. Galli bei Pertz, II, 78—79. scholae claustri.
— Exteriores autem, id est, canonicae.
3a) Cassiodor, Var, I, 21. — scholae liberalium literarum, tam gramm-
maticus, quam orator, nec non et juris expositor.
4) Jäger, Augsburg, p. 172.
5) Wilkens, p. 14, 48 u. 108
6) Gemeiner, I, 136 u. 137.

bei dem Dom und bei der alten Capelle [7]). Auch in Fulda bestand
seit dem 9. Jahrhundert eine Klosterschule unter der Vorstandschaft
eines Mönches [8]). In Ulm hatten im 14. und 15. Jahrhundert
die Dominikaner und die Augustiner im heiligen Geist Hospital eine
Schule [9]). In Worms kommen frühe schon Schulmeister (magistri
scolarum oder rectores scolarum) vor, und die ältesten Schulord=
nungen sind von den Jahren 1260 und 1307 [10]). In Speier be=
stand die Domschule wenigstens schon seit dem 13. Jahrhundert
und an ihrer Spitze stand ein magister scolarum [11]). Die Dom=
schule in Basel war gleichfalls sehr alt. Die oberste Leitung der
Schule hatte ein Domherr, welcher den Titel scolasticus führte [12]).
Außerdem war aber auch noch mit jeder Kirche z. B. mit St. Leon=
hard und St. Peter eine Schule verbunden [13]). Seit dem 8. Jahr=
hundert hatte auch Freising eine berühmte Domschule, auf welcher
sogar Könige (Ludwig der Deutsche, Ludwig das Kind und Hein=
rich II.) ihre Bildung erhielten. Und unter Otto von Freising
war Freising sogar einer der Lichtpunkte in Deutschland. Auch in
Hamburg war die Domschule bei St. Maria die älteste Schule in
der Stadt und ein scholasticus oder magister scholarum stand
an ihrer Spitze [14]). In Lübeck wurde in der Mitte des 13. Jahr=
hunderts neben der alten Domschule auch noch eine Schule zu St.
Jakobi errichtet, welche aber ebenfalls unter dem Domkapitel
stand [15]). Auch in Magdeburg war mit dem alten Moritzkloster
eine Schule verbunden, aus welcher später, seit der Errichtung des
Erzstiftes, die Domschule hervorgegangen ist. Der Geschichtschrei=
ber Ditmar von Merseburg und andere sind aus dieser berühmten

---

7) Anonymus ad 1357 bei Oefele, II, 508. „Das kains irer Kind auf
   den Thuemb oder in die alte Capellen in die Schuel gehen solt."
8) Urk. von 849 bei Schannat, hist. Fuld. p. 56. monacho, qui prae-
   est scolaribus in monasterio Sancti Bonifacii Fuldae.
9) Jäger, Ulm, p. 588 u. 589.
10) Urk. von 1106, 1160, 1260 u. 1307 bei Schannat, II, 62, 81, 128 f.
    u. 160.
11) Mehrere Urk. aus 13. u. 14. sec. bei Zeuß, Speier, p. 30—32.
12) Basel im 14. Jahrhundert, p. 16.
13) Basel im 14. Jahrh. p. 70 u. 96.
14) Lambecius, rer. Hamb. II, 67--69.
15) Deecke, Grundlinien, p. 47 f.

Schule hervorgegangen. Späterhin ist jedoch mit der Klosterzucht auch diese Schule wieder in Verfall gerathen [16]). Später kamen noch einige Kloster= und Pfarrschulen hinzu Das ganze 15. Jahr= hundert hindurch bis zum Anfang des 16. lag noch das Schul= wesen in den Händen der Geistlichen und der Erzbischof Friedrich suchte seit der Mitte des 15. Jahrhunderts zu dem Ende die Klö= ster und die Klosterschulen zu reformiren. Luther selbst ging noch als Knabe von 14 Jahren bei den Franziskanern zu Magdeburg in die Schule [17]). Ueberhaupt scheinen die Franziskaner daselbst ihrer Zeit weit vorausgeeilt gewesen zu sein. Denn schon im Jahre 1417 war auf ihr Betreiben das Weihen der Kühe und der Wiesen, das sogenannte Kuckweihen (Kuhweihen) und das so= genannte Blicken (das Wiesen=, Blöcke= oder Wiesenflecke=Weihen) abgeschafft worden [18]). In Eßlingen bestand seit 1279 eine latei= nische Schule und im Jahre 1326 wurde an das Steinhaus der Predigermönche noch eine Kinderschule angebaut [19]). In München war die älteste Deutsche Schule bei der Kirche zu St. Peter und als im Jahre 1271 die Pfarrei St. Peter getrennt und die Pfarrei U. L. Frau gegründet worden war, erhielt auch diese Kirche ihre eigene Schule [20]). In Heidelberg waren die ältesten Schulen Klo= sterschulen. Seit der Errichtung einer Universität kamen dazu noch einige mit dieser eng verbundene Bursen= oder Contuber= nial Schulen, in welchen junge Leute auf die academischen Studien vorbereitet werden sollten. Zu dem Ende hatte jedes Contubernium seinen eigenen Knabenlehrer („seyn eygen Peda= gog") [21]). Auch in Berlin und in Köln an der Spree war der Schulunterricht in den Händen der Mönche. Erst seit dem 15. Jahrhundert kamen auch noch einige Pfarrschulen hinzu, in Berlin selbst die Nicolai= und Marien=Pfarrschule, und in Köln die Petri=

---

16) Rathmann, I, 375 ff.
17) Rathmann, III, 115—118, 126—130, 147 f., 154 f., 167, 296 u. 424.
18) Rathmann, III, 44.
19) Pfaff, p. 233.
20) von Bauer, Grundzüge, p. 127.
21) Annal. Universit. Heidelberg. VI, 432. vergl. Hautz, Geschichte der Neckarschule in Heidelberg, p. 2—8. Hautz, Lycei Heidelberg. ori= gines, p. 36 und oben §. 255.

schule [22]). In Breslau standen neben der Domschule, welche wahr=
scheinlich ebenso alt wie das Bisthum selbst ist, noch drei sogenannte
Trivialschulen bei den beiden Stiftern zu St. Vincenz und unserer
lieben Frauen auf dem Sande, und an der Kreuzkirche. Seitdem
aber Breslau eine Deutsche Handelsstadt geworden war, seitdem
genügten die alten Schulen nicht mehr. Es entstand vielmehr das
Bedürfniß eigene Schulen in der Stadt selbst zu haben. Die
ersten Klagen der Bürger wurden im Jahre 1266 laut. Sie führ=
ten im Jahre 1267 zur Gründung einer neuen Schule an der
Magdalenenkirche. Weitere Klagen führten im Jahre 1293 zur
Errichtung einer zweiten Schule an der Elisabethkirche. In beiden
Schulen sollten die Knaben Unterricht in der Religion, im Gesang
und im Latein erhalten. Da jedoch auch diese beiden Pfarrschulen
unter der Oberaufsicht des Bischofs blieben, so fehlte es nicht an
Streitigkeiten mit den Bürgern [23]). In Coesfeld findet man seit
dem 14. Jahrhundert eine Schule, an deren Spitze ein rector
scholarum stand. Die Rectoren waren daselbst öfters, was ich
sonst nirgends gefunden habe, auch kaiserliche Notare und Stadt=
secretäre [24]). Auch in Kempten wurde im 14. Jahrhundert an dem
Gotteshaus außerhalb der Stadt für Knaben und Kleriker eine
Schule gehalten, welche der Abt mit einem Schulmeister besetzte [25]).

§. 416.

Der in diesen Dom=, Kloster= und Pfarrschulen ertheilte Un=
terricht war meistentheils sehr dürftig. Er genügte daher den in
die Höhe strebenden Städten nicht mehr. Der freie Verkehr in den
großen Handelsstädten setzte Kenntnisse voraus, welche man in
jenen Schulen nicht erlangen konnte, ohne welche man aber mit
den anderen Städten keine Konkurrenz halten konnte. Daher ent=
stand frühe schon das Bedürfniß neuer von der Geistlichkeit unab=
hängiger Schulen, welchem jedoch erst nach einem heftigen Kampfe
mit der Geistlichkeit und anfangs gleichfalls nur nothdürftig Ge=
nüge geleistet werden konnte. Als im Jahre 1261 in Lübeck eine

---

22) Fidicin, III, 103.
23) Grünhagen, Breslau, p. 112 u. 113.
24) Söteland, p. 43.
25) Haggenmüller, Gesch. von Kempten, I, 219.

eigene Stadtschule angelegt werden sollte, setzte sich die Geistlichkeit
dagegen. Denn sie hielt dieses für einen Eingriff in ihre Rechte.
Erst nach heftigen Kämpfen kam ein Vergleich zu Stand, nach wel=
chem jedoch die Bürgerschaft nur im Deutsch Lesen und Schreiben
Unterricht ertheilen lassen durfte [1]). Eben solche Kämpfe entstanden
im Jahre 1281 in Hamburg und bald nachher in Magdeburg, in
den Jahren 1267 und 1293 in Breslau, im Jahre 1319 in Nord=
hausen, im Jahre 1358 in Kempten, in den Jahren 1390 und 1403
in Stettin, im Jahre 1395 in Leipzig und in den Jahren 1413
bis 1420 in Braunschweig [2]). Meistentheils siegte das weltliche
Bedürfniß über das geistliche Monopol, wenn auch erst nach lang=
jährigen heftigen Kämpfen. So dauerte z. B. in Hamburg der
Kampf mit dem Domscholaster acht volle Jahre. Daher konnte die
im Jahre 1281 von den reichen Hamburgern gegründete sogenannte
neue Schule, die Kirchspielsschule zu St. Nikolai, erst im Jahre
1289 ins Leben treten. Sie wurde unter die Aufsicht der Kirch=
geschwornen zu St. Nikolai, also unter die Kirchengemeinde gestellt,
mußte jedoch um ins Leben treten zu können eine Oberaufsicht des
Domscholasters anerkennen [3]). In Stendal, wo der Bischof von
Halberstadt für die Anlegung einer Stadtschule, das Erzstift Mainz
aber dagegen war, erhielten die Bürger erst im Jahre 1351 von
dem Landesherrn die Erlaubniß eine solche Schule (eine neue
Schule) anlegen zu dürfen [4]). In Braunschweig dauerte der
Kampf mit der Pfarrgeistlichkeit, der sogenannte Papenkrieg, sieben
volle Jahre. Auch in jener Stadt hatten sich die Pfarrer dem Ver=
langen der Gemeinde neben den Stiftsschulen städtische Schulen zu
gründen, aus Furcht vor den Folgen der Aufklärung widersetzt und

---

1) Urk. des Stadtraths von 1262 bei Lünig, spicileg. eccles. Th. II,
    p. 313.
2) Ruhkopf, Gesch. des Schul= und Erziehungswesens in Deutschland, I,
    85. Rathmann, I, 377 II, 201 u. 202. Haggenmüller, I, 220.
    Hüllmann, IV, 342—346.
3) Lambeccius ad an. 1281 u. 1289, II, p. 69, 70 u. 73.
4) Urk. von 1328 bei Würdtwein, subs. dipl. V, 176—179. Urk. von
    1351 bei Gercken, diplomat veteris marchiae, I, 103. „Det wille
    „wi vse getruwe Borger tu Stendal ewichlik beholden — bie oer
    schule bie sie — gebuwet hebben."

sogar· den Bann über bie Stabt verhängt. Die Standhaftigkeit
bes Stadtrathes führte aber auch bort im Jahre 1420 zum Sieg [5].
In Kempten konnte die neue Stadtschule bei Sanct Mang, beren
Errichtung im Jahre 1462 beschlossen worden war, erst im Jahre
1463 eröffnet werden. Die Bürger ließen aber sobann auch ihre
Kinder nicht mehr die Pfarrschule besuchen [6]. In Wien hatten,
nach einem alten Herkommen, bie Landesherrn bas Recht bie Schule
ber Pfarrei zu St. Stephan zu verleihen und ben Schulmeister zu
ernennen (magistro, qui Vennae per Nos ad scholarum regimen
assumetur) [7]. Schon im Jahre 1296 verliehen sie aber jene
Schule der Stadt und dem Stadtrathe, mit dem Rechte den Schul=
meister zu ernennen. Die Schule warb bemnach nun eine städtische
Anstalt. Unter dem städtischen Schulmeister zu St. Stephan und
unter seiner Gerichtsbarkeit sollten auch die übrigen in der Stadt
befindlichen Schulen stehen. Der Schulmeister durfte jedoch gegen
die Schüler nur den Besen (die Ruthe) gebrauchen ("der Maister
"sol rihten mit starchen pesem slegen"). Höhere Strafen ("baz da
"get an ben tot vnd an bie lem") gehörten vor ben Stadtrichter.
Daher sagte man, die Schulen und die Schüler stehen unter bem
Besen ("ein schuler, der vnder dem pesen ist") [8]. Bei der Schule
eingerissene Unordnungen führten im Jahre 1446 zu einer neuen
Schulordnung, nach welcher vier Schulen in der Stadt bestehen
sollten, bei St. Stephan, bei St. Michael, im Spital und bei ben
Schotten. An ber Spitze einer jeden Schule sollte ein Schulmei=
ster und an ber Spitze ber Schule bei St. Stephan ein Oberster
Schulmeister (obrist Schulmaister) stehen. Der oberste Schulmeister
wurde vom Stadtrath, die übrigen Schulmeister vom Obersten Schul=
meister ernannt. Auch hatte der oberste Schulmeister bei St. Ste=
phan die Aufsicht über bie brei anderen Schulen und sie viermal
im Jahre zu visitiren. Unter dem obersten Schulmeister standen in
der Schule bei St. Stephan noch brei sogenannte Oberste Locaten,

---

5) Barthold, Geschichte ber beutschen Städte, IV, 243.

6) Urk. von 1462 bei Moser, reichsstädt. Hanbb. II, 50. Haggenmüller,
I, 337.

7) Urk. von 1237 u. 1278 bei Lambacher, II, 12, 13 u. 160 bei Senckenberg, sel. jur. IV, p. 445

8) Stadtrecht von 1296 §. 10—14 bei Senckenberg, visiones, p. 286.

welche unter seiner Leitung die Aufsicht über die Schüler hatten. Außerdem durfte jeder Schüler noch einen eigenen Schullehrer oder einen sogenannten Pädagogen (pedigogen) haben, der in der Schule neben ihm saß, mit ihm zu Tisch ging und ihm stets an der Seite war. Jede Schule war nach dem Alter der Schule in drei Theile (in drei Classen) getheilt. Auch war genau vorgeschrieben was und wie in jeder Klasse gelehrt werden solle. Auch gezüchtiget werden durften die Schüler, aber nur mäßig mit 6 bis 8 Ruthenschlägen. An den Kopf und mit Fäusten sollten sie nicht geschlagen werden. („Item es sullent auch die kinder messicklichen geczuchtigt werden mit sechs oder mit acht messigen gertenslegen, vnd nicht umb die heubt, noch mit den fewsten") [9]). Wie in Wien so hatte auch in Wiener Neustadt die Bürgerschaft schon nach dem alten Stadtrechte aus dem 13. Jahrhundert das Recht den Schulmeister (scholasticus) zu ernennen und dieser dieselbe Gerichtsbarkeit wie der Schul=meister zu Wien [10]). Auch in Ulm hat, wie es scheint, schon seit dem 13. Jahrhundert eine Stadtschule bestanden. Jedenfalls hatte die Stadt schon im 14. Jahrhundert das Recht den Schulmeister zu ernennen und dieser bereits eine sehr unabhängige Stellung [11]). In Freiburg im Breisgau hatte der Stadtrath schon im Jahre 1316 das Recht den städtischen Schulmeister zu ernennen. Der Kirchherr sollte ihn aber noch in sein Amt einweisen. Die Abhängigkeit von der Geistlichkeit war indessen nicht mehr sehr groß. Denn wenn der Kirchherr ihm sein Amt nicht leihen wollte, so blieb er dennoch Schulmeister („dem sol der kilchherre das ammet lihen, teti er des „nüt, so sol er doch schuolmeister sin") [12]). Auch waren die Schul=meister in Freiburg frühe schon Bürger und Grundbesitzer in der Stadt, also wohlhabende Leute, was anderwärts nicht immer der Fall war [13]). Die Stadt sorgte für gute Lehrer. Schon im Jahre 1303 stand ein Magister Waltherus an der Spitze der Stadtschule. Auch späterhin waren die Schulmeister meistentheils Meister der freien Künste. Und im Jahre 1496 erhielt diese Stelle der be=

---

9) Schulordnung von 1446 bei Hormayr, Wien, 1, 5, Urk. p. 176—184.
10) Stadtr. c. 115 bei von Würth, p 110.
11) Jäger, Ulm, p. 589 u. 590.
12) Vertrag von 1316 bei Schreiber, I, 209
13) Urk. von 1334 bei Schreiber, I, 307.

rühmte Ulrich Zasius. Daher hatte diese Schule einen sehr großen Ruf [14]). In Heidelberg war die Neckarschule die älteste Stadtschule, welche von ihrer Lage am Neckar ihren Namen erhalten hat. Sie reicht bis ins 12. Jahrhundert hinauf und wurde von dem Stadt=rath errichtet und großentheils auch von ihm unterhalten. Heidel=berg ist demnach die erste Stadt, welche ihrer Schule bestimmte Einkünfte zugewießen und ihre Schullehrer besoldet hat. Nach Heidelberg kommt Nördlingen. Dort findet man aber erst seit 1443 eine Schullehrer Besoldung [15]) In Wismar erhielten die Raths=herren bereits in den Jahren 1279 und 1331 den Patronat über die Schulen (patronatum scholarum) mit dem Rechte den Rector zu ernennen [16]). In Leobschütz in Schlesien hatten die Bürger schon im Jahre 1270 Antheil an der Verleihung der Schule und in Brieg im Jahre 1324 gemeinschaftlich mit dem Stadtpfarrer den Schulmeister zu ernennen („zu kysen eynen Schulemeystir") [17]). In Berlin nahm sich der Stadtrath seit dem Anfang des 15. Jahrhunderts der Schulen an. Er machte Verordnungen über den Besuch der Schulen und über die Schulzucht. Auch erhielten die Schulmeister von der Stadt ihren Gehalt [18]). In Hannover gab es im 13. bis ins 14. Jahrhundert nur eine Schule. Der Schul=meister (magister scholae) wurde von dem Herzog nach dem Vor=schlage der Bürger und Burgmänner ernannt. Im Jahre 1315 erlaubten die Herzoge die Anlegung einer Schule neben der St. Georgen und Jakobskirche (Marktkirche). Und im Jahre 1358 übertrugen sie das gesammte Schulwesen dem Stadtmagistrat [19]). In München bewilligte der Stadtrath bereits im 14. Jahrhundert die Erhebung eines Schulgeldes, an jedem Quatember vier Mal im Jahre („zu den vier chotempern vier stund in dem iar"), be=stehend in 12 Pfennigen. Und der Schulmeister durfte deshalb seine Schüler sogar in der Schule selbst pfänden [20]). Ob auch im

---

14) Schreiber, Gesch. von Freiburg, II, 232 u. 233.

15) Hautz, Gesch. der Neckarschule, p. 8 u. 14.

16) Urk. von 1279 u. 1331 bei Senckenberg, sel. jur. II, 471 f. u. 499.

17) Urk. von 1270 §. 9 und von 1324 §. 3 bei T. u. St. p. 373 u. 505.

18) Fidicin, I, 49 u. 256, III, 103.

19) Andreae, Chronik der Residenzstadt Hannover, p 46.

20) Stadtr. art. 80 bei Auer, p. 285.

Uebrigen die Schulen in München damals schon unter dem Stadt=
rath gestanden haben, wissen wir nicht. Jedenfalls war dieses aber
im 15. Jahrhundert der Fall. Denn nach einer Urkunde von 1469
sollten die Schullehrer („Lermeister“) ihre Schreibkunst vor dem
Stadtrath beweißen. Ein in dieser Beziehung angegriffener Schul=
lehrer bei U. L. Frau, Albertus Hösch, wendete sich daher, um Ge=
nugthuung zu erhalten, an den Stadtschreiber und an den Stadt=
rath [21]). Auch in Frankfurt a. M. fing der Stadtrath im 15.
Jahrhundert an für die Schulen zu sorgen. Dem Schulmeister zu
St. Leonhard wurde ein Schulhaus gebaut und dem Rector zu
St. Bartholomäi eine Pfründe versprochen [22]). In Nürnberg be=
standen vor der Reformation schon vier lateinische Schulen, die
Schule bei St. Sebald seit 1337, die Schule bei St. Lorenz seit
1362, die Schule im neuen Spital zum heiligen Geist seit 1333
und die Klosterschule bei St. Egydien seit 1428 oder 1446. Die
drei Ersten standen unter den Pröbsten. Denn wie die beiden
Pfarreien zu St. Sebald und St. Lorenz, so hatte auch das neue
Spital seinen Probst. Diese drei Schulen standen aber auch unter
dem Stadtrath. Denn der Rath setzte die Schulmeister und prä=
sentirte sie den Pröbsten und besoldete sie. Auch hatte der Rath
das Recht der Aufsicht über diese drei Schulen und das Recht Ver=
ordnungen über dieselben zu machen und sie, wenn es nöthig war,
zu reformieren. Sie waren demnach vor der Reformation schon
Stadtschulen. Die Klosterschule bei St. Egydien stand jedoch einzig
und allein unter dem Abte und war daher noch keine Stadtschule.
Erst seit der Reformation wurde sie zu einem Gymnasium erwei=
tert [23]). Auch in Bamberg standen die Deutschen Schulmeister und
die Schulfrauen unter dem Stadtrath. Im Jahre 1491 machte
der Stadtrath eine neue Ordnung für sie. Die Zuwiderhandlun=
gen wurden vom Stadtrath bestraft und bis zum Jahre 1550 muß=
ten die Deutschen Schulmeister jene Schulordnung beschwören [24]).

Diese Stadtschulen waren von zweierlei Art. Die Einen

---

21) Urk. von 1469 im Oberbair. Archiv, XIII, 43 u. 44.
22) Kirchner, I, 564.
23) Die Urkunden und anderen Beweisstellen bei Siebenkees, I, 269—288.
24) Bairische Annalen vom December 1834, p. 2102 u. 2103.

waren für den Unterricht im Deutschen Lesen und Schreiben be=
stimmt. Diese sogenannten Deutschen Schulen waren die
eigentlichen Volksschulen und sie kommen zumal in den Handels=
städten frühe schon vor, in Lübeck, Hamburg, Magdeburg, Wismar,
Wien u. a. m., wie wir gesehen, schon seit dem 13. Jahrhundert.
Die Anderen waren gelehrte Schulen, sogenannte Trivial=
schulen. Denn das sogenannte Trivium sollte in ihnen gelehrt
werden (§. 250). Auch die Neckarschule in Heidelberg war eine
solche Trivialschule. Der Hauptunterricht daselbst bestand in Latein,
d. h. im Lesen einiger Römischer Classiker, dann in etwas Rechnen
und im Einüben der in den Kirchen üblichen Lieder. Man nannte
daher diese Schulen auch lateinisch = Schulen und späterhin
Gymnasien. Der Name Trivialschule hat sich jedoch lange Zeit
auch in der amtlichen Sprache, hie und da sogar bis auf unsere
Tage erhalten. Auch in der Stiftungsurkunde des Gymnasiums
zu Bensheim vom Jahre 1686 kommt er noch vor [25]).

§. 417.

Der Unterricht in diesen deutschen und lateinischen Stadt=
schulen war zwar anfangs ebenfalls sehr dürftig. Er war jedoch
gleich von Anfang an dem neu entstandenen Bedürfnisse entspre=
chender und daher besser, als der alte in den Dom=, Kloster= und
Pfarrschulen ertheilte Unterricht. Auch führte er sehr bald weiter
— zu einer geistigeren und wissenschaftlicheren Thätigkeit. Die na=
tionale Kunst und Wissenschaft, welche früher auf den Höfen und
Burgen ihren Sitz gehabt hatte, zog nun, seitdem die Burgen ge=
brochen waren, in die freien Städte. Schon der bei dem Sänger=
feste auf der Wartburg erschienene Heinrich von Ofterdingen (von
Aftirbingin) war nicht mehr ein Ritter, sondern ein Bürger von
Eisenach [1]). Daher begann nun, als der Minnegesang auf den
Höfen und Burgen verstummte, der Meistergesang in den Städten
Zwar wurde die Kunst und Wissenschaft anfangs wie jedes andere
Handwerk betrieben. Dies gilt, wie wir gesehen, von den Volks=

---

25) Urk. von 1686 bei Dahl, Lorsch, II, 102.

1) Chron. Thuring. bei Mencken, II, 1697 und Schöttgen et Kreysig,
I, 88.

schulen wie von den Volksärzten, von den Mahlern wie von dem
Gesang (§. 291). Allein mit dem voranschreitenden Bedürfnisse
hob sich auch das Handwerk sehr bald zu einer Kunst und zur
Wissenschaft. Aus den Gilden und Zünften der Mahler gingen
Kunstschulen, aus den Sängergesellschaften Sängerschulen hervor.
So entstanden die berühmten Mahlerschulen in Köln, Nürnberg,
Augsburg, Ulm, Straßburg, Basel u. a. m. Eben so die Sängerschulen in Straßburg, Ulm, Eßlingen, Nürnberg, Augsburg u. a. m.
Alles was sich durch Bildung auszeichnete zog sich in die Städte
oder wurde von den Städten selbst durch Ertheilung des Bürger-
rechtes oder durch ertheilte Steuerfreiheit u. dergl. m. angezogen.
(§. 369). Im Jahre 1494 wurde der berühmte Jurist Doctor
Sebastian Brand nach Basel berufen mit dem Auftrage in Poësi
zu lesen. Und im Jahre 1495 gab er daselbst die berühmte Sa-
tyre auf seine Zeit, das Narrenschiff, heraus [2]). Aber auch in
Nürnberg, in Augsburg, in Straßburg, in Heidelberg u. a. m.
glänzten damals gelehrte Männer als Sterne erster Größe. Die
Städte wurden auf diese Weise die geistigen Lichtpunkte, welche
alles Licht an sich zogen und von denen wieder alles Licht ausströmte. Von Nürnberg, Mainz, Freiburg und Straßburg gingen
die folgenreichsten Erfindungen und Entdeckungen der Neuzeit aus.
In Mainz wurde bereits im Anfang des 12. Jahrhunderts eine
Weltkarte für Heinrich V. verfertiget [3]). Und so wurden denn die
Städte die Sitze einer neuen von der Klosterbildung verschiedenen Bildung, welche die Reformation vorbereitet und ihr Ge-
lingen möglich gemacht hat. Eine Bildung, unter deren Einfluß
wir heute noch stehen und die uns abermals von der Gefahr einer
neu aufkeimenden Mönchsbildung retten wird.

§. 418.

So viel nun aber auch in manchen Städten schon vor der
Reformation für das Unterrichtswesen geschehen war, so viel blieb
doch allenthalben noch zu thun übrig. Daher macht die Reformation auch in dieser Beziehung Epoche. Luther selbst hatte auf

---

2) Ochs, V, 164 f.
3) Schunk, Beitr. zur Mainzer Gesch. I, 102.

die beſtehenden Mängel aufmerkſam gemacht und ſich zu dem Ende
vorzugsweiſe an die Bürgermeiſter und Rathsherren der Städte
gewendet. Im Jahre 1524 ſchrieb er ihnen: „Der gemeine Mann
„thut hie nichts zu, kann auch nicht, will's auch nicht, weiß auch
„nicht. Fürſten und Herren ſollten's thun; aber ſie haben auf
„dem Schlitten zu fahren, zu trinken und —. Darum will's euch,
„liebe Rathsherren, allein in der Hand bleiben: ihr habt auch Raum
„und Fug dazu, beſſer denn Fürſten und Herren" [1]). Und im
Jahre 1525 gab Luther den Rath, wenn das Vermögen der Gemeinden nicht zureiche, die Kloſtergüter zur Aushülfe zu verwenden [2]). In allen Städten wurde nun für den Volksunterricht und
insbeſondere auch für den gelehrten Unterricht geſorgt. Die bereits
vorhandenen Stadtſchulen wurden verbeſſert und hie und da zu
Gymnaſien erweitert. In anderen Städten, in welchen ſolche Anſtalten fehlten, wurden ſie aber neu errichtet. Allenthalben wurden
die Lehrer nun beſoldet und, wenn ſie bereits beſoldet waren, beſſer
beſoldet als bisher, meiſtentheils aus dem Vermögen der eingezogenen Stifter und Klöſter, z. B. in Magdeburg [3]), in Eßlingen [4]),
in Augsburg [5]) u. a. m. In Regensburg wurde im Jahre 1505
eine Poetenſchule, ein ſpäter berühmt gewordenes poetiſches
Gymnaſium errichtet [6]). In manchen Städten wurden ſogar Hoch-
ſchulen von den Stadtgemeinden, wie anderwärts von den Landesherrn errichtet, oder die bereits beſtehenden reformiert und verbeſſert. So erhielt nun im Jahre 1560 auch Straßburg eine
Univerſität, welche lange Zeit geblüht hat [7]). Die Univerſität zu
Baſel aber wurde im Jahre 1532 durch weſentliche Reformen
gleichſam von Neuem gegründet und dadurch ihr ſpäterer Glanz
vorbereitet und möglich gemacht [8]). Im Jahre 1539 wurde daſelbſt ſogar die Kirche mit der Univerſität vereiniget. Denn es

---

1) Luthers Werke, ed. Walch, X, 533.
2) Vergl. A. Menzel, neuere Geſch. I, 45, 123—125 u. 351.
3) Rathmann, III, 356.
4) Pfaff, p. 234.
5) Jäger, Augsburg, p. 173.
6) Gemeiner, IV, 98.
7) Hermann, II, 286 u. 287.
8) Ochs, VI, 63—71.

sollten nun nur noch Professoren der reformierten Confession angestellt werden und auch die Geistlichen unter der Universität stehen [9]). Sonderbarer Weise blieben jedoch die Bischöfe nach wie vor bis auf unsere Tage Kanzler der Universität. In ihrem Namen wurden daher die Doctoren und Magister, sogar die Doctoren der reformierten Theologie creirt. Dieses geschah, um den Doctoren auch in den katholischen Ländern Zutritt zu verschaffen [10]). Ganz vorzüglich wurde aber für die Volksschulen und für das gelehrte Schulwesen von den Städten gesorgt.

In Heidelberg bestand die Neckarschule nach wie vor fort und in den Jahren 1521 bis 1540 hat sie unter ausgezeichneten Rectoren, unter Wendalin Schelling und Johannes Benz, ihre höchste Blüthe erreicht. Die Bedeutung einer Schule beruht jedoch auf der Tüchtigkeit ihrer Lehrer. Daher gerieth jene Anstalt in Verfall, als den bedeutenden unbedeutende Männer nachfolgten. Um dem Unterrichtswesen wieder aufzuhelfen wurde im Jahre 1546 neben der Neckarschule noch eine gelehrte Schule, das Pädagogium, errichtet, im Jahre 1558 mit der Neckarschule vereinigt, im Jahre 1560 aber wieder von ihr getrennt und als selbstständige Schule hergestellt. Seit dem Jahre 1622 wurde das Pädagogium zuweilen auch Gymnasium genannt. Und seit der Mitte des 18. Jahrhunderts blieb ihm dieser Name allein [11]). In Magdeburg wurden im Jahre 1524 die vielen kleinen Kloster- und Pfarrschulen, in denen nur ein sehr dürftiger Unterricht ertheilt worden war, in eine einzige Stadtschule zusammengezogen und diese, was die Hauptsache war, mit ausgezeichneten Lehrern besetzt. Diese Stadtschule wurde anfangs in der alten Stephanskapelle am St. Johannskirchhofe gehalten und, als diese für die herbeiströmenden Schüler nicht mehr hinreichte, in das Augustiner Kloster verlegt. Allein schon im Jahre 1529 mußte ihr das noch geräumigere Franciskaner Kloster eingeräumt werden, wo sie auch bis zur Zerstörung Magdeburgs (1631) geblieben ist [12]). Schon wenige Jahre nach diesem fürchterlichen Ereignisse, im Jahre 1634, ward wieder eine

---

9) Verordnungen von 1539 bei Ochs, VI, 130—143.
10) Ochs, VI, 409—411.
11) Hautz, Neckarschule, p. 27 ff. u. 105.
12) Rathmann, III, 423—425, IV, 2 p. 31—43.

Schule, eine kleine Knabenschule, errichtet, und diese im Jahre 1636 ins Augustiner Kloster und im Jahre 1638 ins Franciskaner Kloster verlegt. Erst seit dem Jahre 1644 erhielt sie jedoch einen Rector und mehrere Lehrer. Daher kam diese Stadtschule erst nach und nach wieder in Flor. Im Jahre 1674 ward auch die Domschule wieder eröffnet. Sie zählte jedoch anfangs nur wenige Schüler und kam eigentlich erst im 18. Jahrhundert wieder in Aufnahme [13]). In Nürnberg wurde im Jahre 1526 die Kloster- schule zu St. Egydien zu einem Gymnasium erweitert, welches heute noch besteht und florirt. Philipp Melanchthon erhielt im Jahre 1525 von dem Stadtrath den Auftrag, die Einrichtung zu besorgen. Und er sorgte für die ausgezeichnetsten Lehrer. Die Ersten waren Eobanus Heß und Joachim Cammerarius. Neben dem Gymnasium bestanden auch die drei Trivialschulen zu St. Se- bald, St. Lorenz und im Spital noch fort. Sie wurden aber nun bei Gelegenheit der Errichtung des Gymnasiums gleichfalls refor- miert und verbessert [14]). In Augsburg machte schon im Jahre 1506 ein berühmter Meister, Hans Maber, den Versuch eine von der klösterlichen Aufsicht unabhängige Schule zu gründen. Er unterrichtete die Knaben in der Grammatik und in anderen Kün- sten, und war dafür steuerfrei. Im Jahre 1531, als die Mönche des St. Annen Klosters dieses Kloster verließen, errichtete daselbst der Stadtrath das Gymnasium zu St. Anna und stellte den ge- lehrten Birk als Rector an seine Spitze. Im Jahre 1539 wurden Knaben und Mädchen getrennt und die Schule erweitert. Um den Einfluß dieser Anstalt, welchen sie auf die Volksbildung hatte, zu neutralisiren, setzten ihr die Bischöfe ein Jesuitencollegium zur Seite. Das Gymnasium zu St. Anna hat jedoch, auch in den Zeiten des 30jährigen Krieges noch, den Kampf mit den Jesuiten rühmlichst bestanden. Und heute noch besteht jene trefflich einge- richtete Anstalt als protestantisches Gymnasium fort. Das durch den gelehrten Domcapitular Stark berühmt gewordene Observato- rium ist mit demselben verbunden. Ein katholisches Gymnasium

---

13) Rathmann, IV, 2. p. 334—341.

14) Siebenkees, I, 333—338, II, 719 bis 736. Taschenbuch von Nürnberg von 1819, I, 150.

besteht daselbst erst seit dem Jahre 1828 [15]). In Eßlingen be=
gann der verbesserte Unterricht an der lateinischen Schule im Jahre
1525 mit dem Eintritt des berühmten Alexander Markoleon (Märk=
lin). Im Jahre 1533 wurde die Besoldung der Schullehrer er=
höht, im Jahre 1536 eine eigene Mädchenschule errichtet und im
Jahre 1548 auch die lateinische Schule reformiert. Die Einführung
des Interims verhinderte jedoch das Gedeihen dieser Schule. Da=
her kam sie erst nach Abschaffung des Interims wieder besser in
Gang, eigentlich aber doch erst seit dem Jahre 1599, seitdem Lukas
Osiander an die Spitze des Schulwesens gestellt worden war [16]).
In Basel ward die Reform des Unterrichtswesens im Jahre 1529
vom Stadtrath beschlossen [17]). Von den gemeinen Stadtschulen
(Trivialschulen) ließ man noch drei bestehen, die Schule beim Mün=
ster, die bei St. Peter und die bei St. Theodorn [18]). Zum Un=
terricht in den alten Sprachen und in der Grammatik wurde aber
im Jahre 1544 ein sogenanntes Pädagogium errichtet und dieses
im Jahre 1589 mit dem damals gegründeten Gymnasium ver=
einigt [19]). In Frankfurt wurde schon seit 1521 von Nesenus,
einem Schüler des Erasmus, eine verbesserte lateinische Schule
errichtet, welche später in das Barfüßer Kloster verlegt worden ist.
Es dauerte jedoch, da der Stadtrath die Kosten scheute, lange Zeit
bis das Unterrichtswesen völlig in Gang kam [20]). In Straß=
burg wurde im Jahre 1538 ein Gymnasium errichtet [21]). In
Reutlingen wurde im Jahre 1548 eine lateinische Schule errich=
tet und die Deutsche Knabenschule von der Mädchenschule getrennt [22]).
In Speier wurde im Jahre 1538 eine gelehrte Schule errichtet,
welche im Jahre 1612 zu einem Gymnasium erweitert worden ist.
Der sehr ausgedehnte Retscherhof wurde zu dem Ende verwendet
und eingerichtet. Im Jahre 1671 wurde an ihn auch noch ein

---

15) Jäger, Augsburg, p. 102 u. 173.
16) Pfaff, p. 233—238 u. 742—758.
17) Verordnung von 1529, c. 20 bei Ochs, V, 722.
18) Ochs, VI, 430—432.
19) Ochs, VI, 412—414 u. 421—428.
20) Kirchner, II, 9, 10 u. 445 ff.
21) Hermann, II, 286 u. 291.
22) Gayler, I, 618, II, 120.

Theater angebaut, zunächst für die damals sehr beliebten Auffüh=
rungen der Schüler, für die actus comicos und tragicos oder für
die dramatischen Spiele der Schüler des Gymnasiums. Allein
schon seit dem Jahre 1680 wurde jenes Theater auch schon öffent=
lichen Schauspielern (im Jahre 1680 „chursächsischen Com=
„mödianten") von dem Stadtrath überlassen. Und gerade jene
Verwendung des Gebäudes hat sich am lebendigsten in der Erin=
nerung des Volkes erhalten. Denn bis auf unsere Tage wurden
die Ruinen des Retscherhofes das alte Comödienhaus ge=
nannt [23]). In München wurde das Volksschulwesen in den
Jahren 1564 und 1595 und dann wieder im Anfang des 17. Jahr=
hunderts von Maximilian I geordnet. Neben den deutschen Schu=
len blieben die beiden lateinischen Pfarrschulen bei St. Peter und
bei U. L. Frau, bis der gelehrte Unterricht in die Hände der Je=
suiten kam. Das Volksschulwesen lag jedoch das ganze 16. und
17. Jahrhundert hindurch noch gar sehr im Argen. Die Schul=
meister bildeten eine Zunft und betrieben ihr Geschäft wie jeder
andere Handwerker (§. 291). Nach einem Bericht von 1615 fand
man keinen einzigen Schulmeister bei seinen Kindern und von einem
Unterricht war vollends keine Rede. („bey ihren Khindern nit be=
„funden; vielweniger daß sie ihre Lernkhinder gehörig vnderweisen
„vnd halten"). Nach einem anderen Bericht von 1615 entschul=
digte sich eine Wittwe, welche nach dem Tod ihres Mannes die
Schule übernommen, bei welcher aber die Knaben nichts gelernt
hatten, daß sie selbst nichts davon verstehe, denn „sy hab in Leb=
„zeiten jres Manns nur auf ir Haussarweit Achtung
„geben." Auch war es den Kindern selbst überlassen, ob sie außer
dem Lesen und Schreiben auch noch Rechnen lernen wollten. Denn
das Rechnen war noch kein nothwendiger Lehrgegenstand. Wegen
der Erhebung des Lehrgeldes war daher in den Sätzen von 1595
und 1622 verordnet, daß die Schulmeister alle Quatember von
jedem Kind 17 Kreutzer nehmen dürften, wenn das Kind bloß lesen
und schreiben lernen wolle, 34 Kreutzer aber dann, wenn es auch
noch rechnen lernen wolle. Würde aber das Kind auch noch die
welsche Praktik lernen wollen, so durfte der Schulmeister sodann

---

23) Rau, Retscherhof und Königspfalz, p. 16, 20 u. 31 ff.

48 Kreutzer nehmen. Um nun jeden Mißbrauch bei der Erhebung des Schulgeldes zu verhindern wurde den Schulmeistern verboten die Kinder zu nöthigen, außer dem Lesen und Schreiben auch noch rechnen zu lernen. („es sollen auch die Schuelmaister niemandt „nötten, daß man die Khünder, neben dem lesen vnnd schreiben, „Rechnen sollt Lernen lassen, damit Sy desto mehr Quattember= „gelt fordern mögen"). Merkwürdig ist auch die Verordnung, daß „die Schuelmaister — mehr mit Sanfftmuth, gedult, offentlichen „Lob der Bleißigen, alß mit straichen aufmuntern, sonderlich „aber des schlagens zum Khopf und Rückhen — sich genzlich ent= „halten" sollten [24]), während anderwärts noch das Brügelregiment galt, und daher den Lehrern bei ihrer Einführung ins Amt eine Ruthe, gleichsam als ihr Scepter, feierlich übergeben zu werden pflegte [25]).

Mit der Verbesserung des Schulwesens ging es indessen nicht bloß in München sehr langsam. Auch in anderen Städten ging es nicht viel schneller. Die Eltern wollten die Wichtigkeit des Unterrichtes nicht einsehen und schickten daher ihre Kinder nicht in die Schule. Schon Luther klagte, „ja, weil der fleischliche Haufe „sieht, daß sie ihre Söhne, Töchter und Freunde nicht mehr sollen „oder mögen in Klöster oder Stifte verstoßen, und aus dem Hause „und Gute weisen und auf fremde Güter setzen, will Niemand mehr „lassen Kinder lernen noch studiren. Ja, sagen sie, was soll man „lernen lassen, da sie nicht Pfaffen, Mönche und Nonnen werden „sollen? Man lasse sie so mehr lernen, daß sie sich ernähren" [26]). In Eßlingen klagten die Prediger noch im Jahre 1547, daß die Eltern ihre Kinder so wenig zum Schulbesuch anhielten, sondern sprächen: „Mein Kind kann kein Pfaffe, kein Mönch, keine Nonne „mehr werden, auch keine fette Pfründe mehr erhalten, warum soll „ichs in die Schule schicken? Reich soll es werden und sehen, „wie ein Pfenning drei gewinne." Auch begehrten sie dringend eine bessere Besoldung für die Lehrer, damit sie nicht gezwungen

---

24) Die Säz der Schuelhalter von 1595 u. 1622 und die Schuelordnung vom Ende des 16. sec. nebst vielen anderen interessanten Notizen von Hefner im Oberbair. Archiv, XIII, 44 bis 52.

25) Hautz, Neckarschule, p. 20 ff.

26) Luthers Werke, ed. Walch, X, 529.

feien, von den Schülern Martinswein, Ostereier, gutes Neujahr und anderes „papstliches Bettelwerk" zu begehren [27]). Aehnliche Klagen hörte man im Jahre 1546 in Reutlingen [28]). In Frankfurt scheute der Stadtrath noch im Jahre 1519 die Ausgaben für den Unterricht so sehr, daß er beschloß, „nach einem redlichen, „geschickten, gelerten vnd von Mores geschickten Gesellen zu trach-„ten, der die junge Kinder in der Lehr anhalten, vnd demselben „jahrs zu Besoldung, als einem Soldner zu geben, doch „eins Soldener minner zu halten." Aber schon im Jahre 1537 wollte man dem berühmten Jakob Micillus die damals sehr bedeutende Besoldung von 150 Gulden geben und so viele Wellen als er im Winter zur Erwärmung der Stuben nothwendig habe [29]). Im Kempten kam die lateinische Schule sogar erst im 17. Jahrhundert zu einiger Blüthe [30]).

Stadtbibliotheken und Buchhandel.

§. 419.

Hand in Hand mit den Unterrichts Anstalten ging auch die Errichtung der Stadtbibliotheken und die Entstehung eines Buchhandels. Die Stadt Basel erhielt mit der Universität auch eine Bibliothek. Seit der Reformation wurden die Klosterbibliotheken mit ihr vereiniget. Auch ward im Jahre 1550 verordnet, daß dem Rector jährlich zehen Gulden zur Anschaffung neuer Bücher gegeben werden sollten [1]). Eben so erhielt Straßburg gleichzeitig mit der Universität auch eine Bibliothek [2]). Dasselbe war in Heidelberg bereits im 14. Jahrhundert der Fall. Die berühmte Heidelberger Bibliothek war jedoch keine städtische Bibliothek. Sie verdankte ihre reichen Schätze der kein Opfer scheuenden Vorsorge der Pfalzgrafen, insbesondere den Kurfürsten Philipp, Otto Heinrich und Friedrich IV, bis diese Schätze in dem

---

27) Pfaff, p. 234 u. 235.
28) Gayler, II, 120—121.
29) Lersner, Chron. II, 107.
30) Haggenmüller, II, 199.
 1) Ochs, VI, 419.
 2) Hermann, II, 373.

unglücklichen Jahre 1622 vom Herzog Maximilian I Deutschland
entfrembet und, statt nach München, über die Alpen nach Rom
gebracht worden sind [3]). In Ulm wurde in der Mitte des 15.
Jahrhunderts von einem des Geschlechtes der Neithard eine Liberei
eingerichtet, welche in dem Thurm des Frauenmünsters aufgestellt
werden und nach dem Aussterben des Mannsstamms an die Stadt
fallen sollte. Und im Anfang des 16. Jahrhunderts wurde die
Stadt Liberei noch durch andere Vermächtnisse vermehrt [4]). In
Nürnberg wurde die Stadtbibliothek im Jahre 1525 aus den
Bibliotheken der aufgehobenen Klöster errichtet. Sie befand sich
zuerst im Auditorium bei St. Egydien, seit dem Jahre 1538 aber
im ehemaligen Dominikaner Kloster [5]). Die Bibliothek der Stadt
Frankfurt datiert vom Jahre 1527 [6]), jene vom Eßlingen vom
Jahre 1533 [7]) und die Stadtbibliothek von Augsburg vom Jahre
1536. Der Rath setzte jährlich 50 Gulden aus zur Anschaffung
von Büchern. Im Jahre 1537 wurden die besten Bücher aus den
von den Mönchen verlassenen Klöstern gesammelt und mit der
Bibliothek vereinigt, und diese späterhin noch durch die Bücher= und
Manuscriptensammlungen Welsers, **Dr. Schröcks** u. a. m. er=
weitert [8]). Königsberg erhielt bereits in den Jahren 1534 bis
1540 durch die Vereinigung mehrerer Klosterbibliotheken eine
Schloßbibliothek. Eine Stadtbibliothek erhielt es aber
erst später durch die testamentarischen Verfügungen des Pfarrers
Poliander, des Rathsherren Lohmöller und des Vicebürgermeisters
Bartsch [9]).

Das wissenschaftlichere Treiben in den Städten zog die Buch=
drucker, die Schriftgießer, die Buchbinder und die Pa=
pierer, d. h. die Papierfabrikanten an und führte sodann zu
einem bedeutenden Buchhandel, z. B. in Ulm schon seit dem

---

3) Häusser, Gesch. der Rhein. Pfalz, I, 204, II, 407 ff.

4) Jäger, Ulm, p. 591 u. 592.

5) Nürnberger Taschenbuch von 1819, p. 164.

6) Kirchner, II, 450.

7) Pfaff, p. 238 u. 741.

8) Jäger, Augsburg, p. 174 u. 175.

9) Baczko, p. 345, 349 u. 350.

Ende des 15. Jahrhunderts [10]), in Basel seit dem Jahre 1524 [11]), in Nürnberg etwa um dieselbe Zeit [12]), eben so in Frankfurt am Main [13]) u. a. m.

Sorge für arme Schüler.

§. 420.

Das Loos der armen Schüler war vor der Reformation eben nicht beneidenswerth. Die ständigen armen Schüler erhielten zu ihrer Unterstützung meistentheils nur Brod. Sie wurden daher scolares panenses genannt, oder auch scolares habentes panes, oder pauperes scolares recipientes panem. Oefters erhielten sie indessen auch noch andere Speise, und dann nannte man sie scolares pauperes ad scutellam comedentes oder in pane et aliis comestibilibus. Dafür mußten sie aber auf dem Chor singen. (scolares pauperes chorum frequentantes, — choro et scolis deservientes — scolares choro ligati —), z. B. in Speier, Konstanz, Basel u. a. m. seit dem 13. und 14. Jahrhundert [1]). Sie durften auch vor den Häusern singen und betteln, wie dieses bekanntlich noch Luther und Zwingli gethan haben. Die wandernden oder fahrenden Schüler (vagi scholares — faren schüler — pauperes scolares intrantes civitatem) wurden nur vorübergehend unterstützt, z. B. in Speier u. a. m. [2]). Diese fahrenden Schüler nannte man auch Bachanten. Sie wanderten von einer Schule zur anderen, wie die wandernden Handwerksgesellen ihrem Gewerbe nachgehend. Unter ihnen standen jüngere ihrer Obhut anvertraute Schulknaben, welche Schützen oder auch Abcschützen genannt worden sind. Jede Schule bildete nämlich eine Art Innung oder

---

10) Jäger, Ulm, p. 592—594.
11) Ochs, V, 752.
12) Siebenkees, I, 303—309.
13) Kirchner, II, 451—455.
1) Viele Urkunden bei Mone, I, 135, 136 u. 140. und bei Zeuß, Speier, p. 30.
2) Concil. von 1274, c. 16 und von 1284, c. 26 bei Harzheim, III, 642, 677 u. 678. Urkunden aus 13. sec. bei Mone, I, 131 u. 136. Zeuß, p. 30. Almosenordnung von 1470 §. 13 bei Mone, I, 148.

Zunft, bestehend wie jede andere Innung aus Meistern (Schul=
meistern), aus Gesellen (Bachanten) und aus Lehrjungen (Schü=
tzen), welche die Bachanten in derselben Weise wie die Lehr=
jungen die Gesellen bedienen und ihnen nöthigenfalls durch
Betteln und Singen ihren Unterhalt verschaffen mußten. Und
dieses scholarische Unwesen dauerte das ganze 14. und 15. Jahr=
hundert hindurch bis ins 16.[3]). Nur in wenigen Städten wurden
mit den lateinischen Schulen, wie mit den Hochschulen, auch Bur=
sen verbunden, z. B. in Köln die Bursa Montis und die Bursa
Magistri Laurentii[4]). Und in Basel machte bereits in der Mitte
des 14. Jahrhunderts ein altes Geschlecht, die Berber, eine Stif=
tung, nach welcher jedes Jahr den ärmsten Schülern der Dom=
und Klosterschulen graues Tuch zu einem Rock vertheilt werden
sollte[5]). Meistentheils fing man jedoch erst seit der Reformation
an auf eine würdigere Weise für die armen Schüler zu sorgen.

In Straßburg wurde im Jahre 1564 das Singen und
Betteln der armen Schüler vor den Häusern abgeschafft. Hundert
arme Knaben sollten theils in einer öffentlichen Anstalt unterhalten,
theils bei den Bürgern untergebracht, für die übrigen aber ein Al=
mosen gesammelt und unter sie vertheilt werden[6]). Auch in
Frankfurt wurde das Singen und Betteln abgeschafft, aber schon
im Jahre 1567 wieder den armen Schülern bei den Barfüßern er=
laubt, in der Stadt umherzuziehen und sich ihr Almosen zu sam=
meln[7]). In Augsburg wurde seit dem Jahre 1545 in der An=
toniuspfründe statt der alten Leute sechs arme Studierende aufge=
nommen[8]). In Eßlingen mußten die armen Schüler noch das
ganze 16. Jahrhundert hindurch in der Stadt herumsingen und bet=
teln. Noch im Jahre 1549 wurde ihnen befohlen, beim Herum=
ziehen in der Stadt künftig Deutsche Lieder zu singen, daß man sie
auch verstehe. Im Spital bekamen sie Brod und was vom Ge=
sindeessen übrig blieb. Daher trugen sie an ihrem Gürtel ein höl=

---

3) Ersch und Gruber, v. Bachanten und Abschützen. Hautz, a. a. O. p. 22
u. 23.

4) Clasen, Schreinspraxis p. 70. vergl. oben §. 255.

5) Basel im 14. Jahrhundert, p. 40.

6) Handschrift aus 16. sec. bei Mone, I, 151, 152 u. 155.

7) Lersner, II, 108.

8) Jäger, Augsburg, p. 173.

zernes Gefäß, von welchem sie den Namen Häfelins Buben er=
hielten. Erst ganz am Ende des 16. Jahrhunderts wurde besser für
sie gesorgt. Auf den Antrag Osianders wurde im Jahre 1598 ein
Alumneum oder Collegium Alumnorum errichtet und in dem=
selben acht arme Schüler der lateinischen Schule unterhalten. Aber
auch jetzt noch durften sie jede Woche zwei Mal vor den Wohnungen
der Vornehmen und in den Weinachtsferien vor allen Häusern
Musik machen und die erhaltenen Gaben unter sich vertheilen 9).
In Basel wurde im Jahre 1533 ein Collegium Alumnorum
oder Sapienzhaus errichtet, zur Erziehung armer Knaben,
welche studieren wollten. Dieses Collegium wurde unter einen Pä=
dagogen gestellt, welchen man später den Probst genannt hat. Es
befand sich anfangs im Prediger Kloster, wurde aber im Jahre
1537 in das untere und in das obere Collegium getheilt,
und das letzte in das Augustiner Kloster verlegt. Erst im Jahre
1624 wurden beide Collegien wieder und zwar im Augustiner
Kloster vereinigt. Daher wurde das Collegium auch die Augu=
stiner Burs genannt 10). Auch erhielten in Basel seit dem 16.
Jahrhundert 20 arme Schüler der lateinischen Schule Muß und
Bröd und jedes Jahr ein Kleiblein und ein Paar Schuhe. Und
am Lukastage wurden an alle armen Schüler sogenannte Luxtücher
oder Schultücher für die sogenannten Luxröcke vertheilt 11). Auch
in Heidelberg wurde im Anfang des 16. Jahrhunderts mit der
Neckarschule ein Alumneum verbunden zur Erziehung armer ta=
lentvoller Schüler. Sie erhielten ihren Unterhalt theils von der
Stadt, theils von dem kurfürstlichen Hofe, theils aus der Gottes=
pfennigsbüchse. Das Meiste mußten sie sich aber selbst verdienen
durch Singen vor den Häusern und bei Leichen. Die Stadt lie=
ferte nämlich das für die Anstalt nöthige Holz und die Betten.
Außerdem erhielt jeder arme Neckarschüler jährlich ein „Röcklein"
aus dem Almosen. Bei Hof erhielten sie täglich zwei Mal „Sup=
„pen, Fleisch, Gemüße und Wein." Einige Schüler muß=
ten dieses jeden Tag selbst bei Hof holen. Sie gingen zu dem
Ende Morgens nach 6 Uhr an den kurfürstlichen Hof und erst

---

9) Pfaff, p. 238 u. 751 ff.
10) Ochs, VI, 77—79 u. 429. vergl. oben §. 255.
11) Basel im 14. Jahrhundert, p. 41.

nachmittags um ein Uhr kamen sie wieder zurück. Schon um vier Uhr mußten sie aber wieder bei Hof sein. Denn sie mußten „den „Saal auskehren — das Gebet vor dem Tisch halten „und Abends um vier Uhr wieder bei Hof sein und auf= „warten." Und dieses unwürdige und Zeit raubende sogenannte Hofbesuchen dauerte bis zum Jahre 1578. Denn erst der Pfalz= graf Johann Casimir hat es in diesem Jahre abgeschafft und hat eine Geld= und Naturalien Unterstützung an dessen Stelle gesetzt. Das Singen auf der Straße und bei Leichen dauerte aber nach wie vor fort. Durch die am Ende des 16. Jahrhunderts erschiene= nen Neckarschulgesetze wurde es nur dahin regulirt, daß nicht mehr alle Schüler herumlaufen, das Einsammeln des Almosens vielmehr immer nur von einigen Schülern besorgt werden solle.[12]). Im Jahre 1555 wurde daselbst auch noch ein Sapienz Collegium für 60 bis 80 talentvolle unbemittelte Jünglinge errichtet und mit der Universität verbunden. Kurfürst Friedrich III. gab aber diesem Collegium eine andere Bestimmung. Er machte es zu einem Pre= diger Seminarium. Im Jahre 1773 wurde es jedoch von Karl Theodor mit der Neckarschule vereinigt[13]). Neben diesen beiden Anstalten dauerte aber das Singen und Betteln der armen nicht in dieselben aufgenommenen Schüler nach wie vor fort. Es wurde zwar im Jahre 1600 verboten[14]), allein, wie es scheint, ohne allen Erfolg. Denn das Betteln der armen Schüler dauerte fort bis ins 18. Jahrhundert. Eben so wurde auch hier in München und in anderen Bairischen Städten noch am Ende des 18. Jahrhun= derts von den armen Schülern vor den Häusern gesungen und ge= bettelt. Ein später sehr hochstehender Mann, Ministerialrath von Stürzer, hat dieses, wie ich es von ihm selbst weiß, in seiner Ju= gend selbst noch gethan.

Von diesem Singen und Betteln verschieden war der Dienst des kirchlichen Gesangs, welchen die Schüler der lateinischen Schu= len in vielen Städten in den Kirchen auf dem Chor und bei Lei= chenbegängnissen in den Straßen zu besorgen und dafür gewisse

---

12) Verordnung von 1578. Neckarschulgesetze §. 29—33 und einige andere Verfügungen bei Hautz, Neckarschule, p. 24, 25, 52, 53, 61 u. 62.

13) Hautz, p. 36 ff. u. 163.

14) Almusen Ordnung von 1600, c. 12 bei Janson, Materialien, I, 44.

Emolumente zu beziehen hatten. Diesen Dienst leisteten auch nach
der Reformation noch die Schüler der drei lateinischen Schulen
von St. Sebald, St. Lorenz und der heil. Geist Kirche in Nürn=
berg bis ins 19. Jahrhundert. Einzelne Schüler blieben sogar in
fortwährender Verbindung mit Kirche und Schule, und dienten
nicht bloß beim Gesang, sondern auch noch als sogenannter Famulus
des Geistlichen bei den kirchlichen Schreibereien, und blieben so,
wenn auch alt geworden, bis zu ihrem Tode, doch immer
Schüler [15]).

Die meisten milden Stiftungen und Stipendien zur Versor=
gung und Unterstützung junger Studirender findet man wohl in
Königsberg. Landesherrliche Stiftungen dieser Art findet man
dort drei, das Alumnat, das Convictorium und die freie Wohnung
auf dem Collegium Albertinum. Eine Privatstiftung dieser Art ist
die kypkesche Stiftung. Auch dort erhielten die Studirenden freie
Wohnung. Dazu kommen noch 117 verschiedene Stipendien, welche
theils die Universität, theils die Stadt, theils einzelne Familien zu
vergeben haben [16]).

Luxusgesetze.

§. 421.

An das Armen=, Kranken= und Schulwesen reiht sich die
Sorge der Städte für die Erhaltung der guten Sitten. Mit
dem freien Verkehr war nämlich Handel und Wandel und Reich=
thum, mit diesem aber auch Liebe zu größerem Aufwand, zur Pracht
und zum Luxus entstanden. In Bremen hatte der Welthandel
schon im 11. Jahrhundert zu großem Luxus geführt (§. 107). In
den anderen durch ihren Handel reich gewordenen Städten war es
aber nicht anders. Daher entstand schon seit dem 14. Jahrhundert
das Bedürfniß, dem übermäßigen Aufwand und Luxus gewisse
Schranken zu setzen. Dies führte zu Kleiderordnungen und zur
Beschränkung des Aufwandes bei Gastmahlen und bei anderen
Festlichkeiten, zumal bei Hochzeiten, Kindtaufen und Leichen.

---

15) Lochner, die Stadt Nürnberg im Ausgang ihrer Reichsfreiheit, p. 28.
16) Baczko, p. 412—457

v. Maurer, Städteverfassung. III.   6

In Frankfurt a. M. sollten nach einer im Jahre 1356
erschienenen Verordnung die Männer und Frauen keine Edelsteine,
keine Perlen und kein Geschmeide von Gold oder Silber und nicht
mehr als zwei Fingerringe tragen. Der Schnitt der Röcke, der
Mäntel und der übrigen Kleider war auf das Genaueste bestimmt,
für Männer ebensowohl wie für Frauen. Eben so die Beschaffen-
heit der Gürtel, der Kogeln u. s. w. bis auf die Form der Schuhe,
welche keine Schnäbel haben sollten. („seyne Snebile abir Spytzen
„an sinen Schuhen") [1]. Im Jahre 1453 wurde den Dienstboten
und Handwerksgesellen untersagt „geferbte Schuhe oder Spitzen oder Schnäbel daran" zu tragen. Und im Jahre 1468
wäre es fast zu einem Aufstand gekommen, weil die Schneiderge-
sellen „in einer Gesellschaft angefangen getheilte Schuh zu tragen,
einen weiß den andern schwartz" [2]. In Nürnberg waren nach
einer Rathsordnung von 1480 alle unsittlichen Trachten verboten.
Die Mäntel und Röcke durften daher nicht zu kurz und nicht zu
weit ausgeschnitten sein und nicht offen gelassen werden. („nit zu-
„weyt außgeschnitten noch offen gelassen werden, damit einem jg-
„lichen sein scham bedeckt vnd nit vntzüchtig darinn erfunden
„werde" [3]. Späterhin ward auch noch die hoffärtige Kleiderpracht
der Dienstmägde beschränkt. („vill vberflussiger Kostlichait vnnd
„Hochfart jne jrenn claibungen"). Sie sollten keine Kleider von
Sammet und Seide und keine Gold- und Silberborden mehr tragen, hievon jedoch die Jungfrauen, die in den Kramen dienten,
ausgenommen sein. Denn die Kramjungfrauen („Kram junck-
„frawen") sollten sich wie die Handwerksfrauen kleiden [4]. Auch in
Ulm und in Basel wurde das Tragen üppiger Kleider im 15.
Jahrhundert verboten [5]. In Ulm durften nur die Ritter lange
Schuhspitzen tragen. Die Schuhspitzen der Bürger und Bürgers-
frauen aber durften nicht länger als zwei Glied lang sein. („zwai-
„ger lidgelaich") [6]. In Magdeburg, wo die Kleiderpracht schon

---

1) Verordn. von 1356 bei Senckenberg, sel. jur. I, 35—39.

2) Lersner, I, 249.

3) Rathsordn. von 1480 bei Siebenkees, IV, 602—604.

4) Rathsordn. von 1568 bei Siebenkees, I, 98—100.

5) Jäger, Ulm p. 516. Ochs, V, 179.

6) Rothes Buch bei Jäger, Magazin, III, 513 u. 514.

im 14. Jahrhundert ſo groß war, daß die Gemahlin des Kaiſers
Karl IV im Jahre 1377 erklärte, die Frauen und Töchter der
Bürger ſeien wie Kaiſerinnen gekleidet —, in Magdeburg erſchienen
in den Jahren 1505, 1544, 1560 u. 1570 ebenfalls Kleiderordnun=
gen, in welchen ganz genau beſtimmt war, wie ſich die Frauen
des vornehmen Standes, die Frauen der Kaufleute und Handwer=
ker, und die Dienſtmägde und Jungfern vom niedrigen Stande
tragen ſollten [7]). Auch in Görlitz, wo die Hoffahrt in den Klei=
dern zu vielem Aergerniß und zur Sittenloſigkeit geführt hatte,
wurde im Jahre 1440 der Aufwand in den Kleidungsſtücken be=
ſchränkt [8]). Nach der Kleiderordnung von Rotenburg vom Jahre
1396 ſollten die Frauen keine ſeidene, halbſeidene oder baumwollene
Schleier tragen [9]). Sehr intereſſant ſind auch die Kleiderordnun=
gen von Ulm aus dem 14. Jahrhundert und von 1411, 1420
und 1426 [10]), von Speier von 1356 [11]) und von Wien von 1542
und 1566 [12]).

Am aller merkwürdigſten war jedoch die Kleiderordnung von
Regensburg vom Jahre 1485. Auch in ihr wurde die Tracht
der verſchiedenen Stände von einander unterſchieden. Bevorzugt
vor Allen waren die Rathsherren und ihre Familien, ſodann die
ehrbaren Geſchlechter und nach ihnen kam erſt die übrige Gemeinde.
Keine Mannsperſon ſollte Perlen „weder auf Hüten, Kappen,
„Wämſern, Hoſen, Röcken noch Mänteln" tragen. Eben ſo wenig
Kleider „von Sammet, Damaſcat, Atlas, noch von anderer Seite."
Auch waren „alle Arten von Geſchmuck, Geſticke oder geheſte Klei=
„der verboten." Wer aber dennoch „einen Perlenrock oder ſammtne
„und geſtickte Mäntel oder Koller in Beſitz hatte", der ſollte ſie
gewiſſerhaft verſteuern, „obwohl er ſie innerhalb der Stadt
„Gebiet zu tragen nie wagen durfte." Auch ſollte niemand goldene
oder ſilberne Ringe tragen, mit Ausnahme eines Daumenrings.

---

7) Rathmann, II, 411 u. 485, III, 286 u. IV, 2 p. 16—21.

8) Neumann, p. 313 u. 314.

9) Benſen, p. 305.

10) Jäger, Ulm, p. 509—515.

11) Zeuß im Anzeiger für die Kunde der Deutſchen Vorzeit von 1856,
Nr. 6 u. 7 p. 174 ff. u. 201 ff.

12) Bei Hormayr, Wien, I, 5. Urk. p. 234—246.

Eben so wenig „Gürtel noch Messer, Schwert oder Degen, die mit
„Silber beschlagen sind." Nur die Rathsherren und ihre Söhne
waren ausgenommen. Denn sie durften Sammetkleider und auch
gestickte Kleider und außer dem Daumenring auch noch zwei Fingerringe, dann silberne Gürtel, Schwert und Messer tragen.
Uebrigens war auch ihnen vorgeschrieben, welche Stoffe sie tragen
durften und wie ihre Kleider verbrämt und gestickt werden sollten.
Sogar das Futter der Röcke, Mäntel und Hüte war nicht vergessen und hinsichtlich der Schuhspitzen verboten, „längere Spi-
„tzen an den Schuhen zu tragen, als zwei Finger Glied lange."
Noch umständlicher wurde die Garderobe der Frauen und Töchter behandelt und bei ihnen noch weit strenger die verschiedenen
Stände unterschieden. Es war ganz genau vorgeschrieben, wer
seidene Zöpfe und Locken tragen dürfe und wie sie geschmückt
werden sollten. Eben so wer Kronen oder Kränze von Gold und
Perlen oder Perlenbänder und Haarbänder, „Kleinode, Heftlein,
„Kettlein, Kreuzlein, Halsband, Ring, Gürtl, Gesperre" u. dergl. m.
tragen dürfe, und wie viele. So durften z. B. die Frauen und
Jungfrauen der Rathsherren „drei Gürtel von seidenen oder gol-
„denen Börtlein, Schinen und Riemeln, jeder von 4 Gulden am
„Werth" tragen, die Frauen und Jungfrauen der ehrbaren Geschlechter aber nur einen Gürtel, der nicht über 4 Gulden kosten durfte, und die Frauen und Jungfrauen von der Gemeine gar
keinen Gürtel. Eben so war es den Frauen der Rathsherren gestattet außer ihrem „Vermählring" von 15 Gulden
im Werth noch mehrere andere Ringe bis zu einem Werth von
24 Gulden zu tragen, den ehrbaren Frauen dagegen außer
ihrem Gemahlring nur noch drei andere Ringe im Werthe von
drei Gulden, und den Frauen von der Gemeine gar kein
Ring. Auch der Stoff der Kleidung und ihre Verbrämung, und
wie sie gefüttert werden sollten, war vorgeschrieben, und wie sich
z. B. die geflügelten Röcke [13]) der vornehmen Damen von
jenen des geringeren Standes unterscheiden sollten. Eben so die

---

[13]) In Frankfurt trugen auch die Ritter und Bürger Röcke, die „geflie-
„gelt hinden und neben" waren, nach Lersner, I, 248. Eben so wurden auch in Ulm Röcke mit Flügeln oder offenen Aermeln getragen,
nach Jäger, Ulm, p. 511.

Zahl der Kleidungsstücke. Denn während die Frauen und Jungfrauen der ehrbaren Geschlechter 8 Röcke, 6 lange Mäntel,
drei Schleier und drei Tanzpfaite oder Sommerpfaite besitzen durften, sollten die Frauen und Jungfrauen der Gemeine nur 4
Röcke, 3 lange Mäntel und einen Schleier und einen Sommer-
pfait haben. Sogar der Schnitt und die Länge der Kleider und
Schuhe war bestimmt. „Die langen Schwänze (Schleppen)
„an den Röcken, Mänteln, Pfaiten und dergleichen Kleidern" sollten bei den Frauen und Töchtern der ehrbaren Geschlechter
„nicht über eine halbe Elle lang" sein, und bei den Frauen und
Töchtern von der Gemeine nur „ein Viertheil hiesiger Stadt-
„elle." Und „lange Spitzen an den Schuhen und Sockeln"
sollten sie gar keine mehr tragen. Wenigstens sollten sie, wenn
man sie gar nicht entbehren könne, nicht „länger als ein Finger-
„glied lang" sein [14]).

Ganz besonders merkwürdig waren auch die Kleiderordnungen
von Straßburg. Nach den Kleiderordnungen von 1628 und
1685 war die Bürgerschaft zu dem Ende in 6 Klassen (6 Grade)
und mehrere Klassen (Grade) wieder in 2 bis 3 Unterabtheilungen
(Staffeln) eingetheilt und für jeden Grad und jede Staffel der
Schnitt und Stoff der Kleidung und die Art, wie sie getragen
werden solle, ganz genau vorgeschrieben [15]). Nach der Vereinigung
Straßburgs mit Frankreich erließ der Rath bereits im Jahre 1685
eine neue Kleiderordnung, in welcher zumal den Frauen die Ab-
legung der Deutschen Tracht und die Annahme der Französischen
(die „Aufsätze, Hauben, Leibstücke, mantaux, Röcke u. s. w. auff
„die Französische Manier") anempfohlen wurde. In demselben
Jahre verordnete auch der Königliche Intendant die Annahme der
Französischen Trachten. Die Bürger ignorirten jedoch diese Verordnungen und blieben auch in dieser Beziehung nach wie vor
Deutsche. Erst zur Schreckenszeit im Jahre 1793 wurden sie durch
eine Proklamation der berüchtigten Volksrepräsentanten St. Just
und Lebas bewogen von der Deutschen Tracht zu lassen und die
Französische anzulegen [16]). Bis dahin war demnach Straßburg

---

14) Kleiderordnung von 1485 bei Gemeiner III, 679—684.
15) Kleiderordnungen von 1628 u. 1685 bei Heitz, Zunftwesen, p. 84—94.
16) Alle diese Verordnungen bei Heitz, p. 11, 12, 94—99.

dem Character nach eine Deutsche Stadt. Und heute noch macht
sie auf den Reisenden den Eindruck einer Deutschen Reichsstadt.

§. 422.

Außer der Kleiderpracht wurde auch der übermäßige
Aufwand bei Gastmahlen beschränkt. In Nürnberg wur=
den die kostbaren Mahlzeiten und die übermäßigen Gastereien gänz=
lich verboten („Verpot der costlichen Maltzeit vnnd Gastungen").
Wenn ein Bürger seine Freunde bewirthen wollte, sollten nicht
mehr als vier einfache Gerichte oder Speisen („nit mer
„dann vier ainfacher gericht oder eßen") und, wenn man Fische
aufsetzen wollte, sogar nur drei Speisen, außer Salat und
Suppe oder Zugemüß noch Fische („gepachenn Gruntl, Kugelhaube
„Lachs Lorchenn oder Gretln") gegeben werden. Nebenschüs=
seln, bestehend in Vögeln oder Wildpret waren gänzlich verboten.
Auch durfte immer nur ein einziger Braten („ein gepratens") ge=
geben und in der Regel kein Vorhan oder Vorhenne, kein Birkhan
oder Birkhenne, kein Vaßhan (Fasan) oder Vaßhenne, kein Indian
(„jndianisch hannen oder hennen") und auch kein Pfau aufgesetzt
werden. Von Getränken waren Rheinweine, Frankenweine und
Neckarweine und eine Sorte welschen oder anderen guten Weines,
aber kein Malvasier erlaubt [1]. In Basel wurden die, hier in
München heute noch üblichen, Aschermittwochessen in so fern
beschränkt, als es verboten ward jemand zu zwingen, an diesem
Tage in einem Zunft= oder Gesellschaftshause zu zehren [2].
Wenn in Regensburg eine Jungfrau ins Kloster ging,
durften nur drei Frauen mitgehen und sonst niemand mitfahren
oder reiten [3]. In Magdeburg aber durften zur Einkleidung
einer Nonne so viele Personen eingeladen werden, als zu einer
gewöhnlichen Hochzeit [4]. Auch in Rotenburg waren die Einladun=
gen zu geistlichen Hochzeiten beschränkt [5].

---

1) Verpot von 1570 bei Siebenkees, I, 51—54.
2) Rathsordnung von 1488 bei Ochs, V, 180. III, 539.
3) Gemeiner, I, 515.
4) Rathmann, III, 286.
5) Bensen, p. 304.

·Zumal bei Hochzeiten war der Aufwand insgemein sehr
groß. Man hielt es für eine Ehrensache an diesem Festtage eine
recht zahlreiche Verwandtschaft und Freundschaft um sich zu ver=
sammeln und sie reichlichst zu bewirthen, wie dieses auf dem Lande
hier in Altbaiern heute noch Sitte ist. Daher erschienen seit dem
14. Jahrhundert in fast allen Städten Verordnungen in Menge,
welche diesen Aufwand möglichst beschränkten.

 · In Regensburg, wo man es liebte mit einem recht gro=
ßen Gefolg und Gepräng in die Kirche zu ziehen und zu dem Ende
Hochzeitkleider vertheilte, wurde im 14. Jahrhundert die Vertheilung
solcher Brautgewande verboten [6]). Auch sollte bei den Hoch=
zeiten nichts mehr zu essen, sondern nur noch zu trinken gegeben
werden. Und wenn der Bräutigam mit seiner Braut ins Bad
ging, sollte er nur noch 24 seiner Genossen und die Braut acht
Frauen mitnehmen [7]). Im 15. Jahrhundert ward auch noch vor=
geschrieben, wie viele Leute zur Hochzeit selbst eingeladen werden
durften. Kein Theil sollte über 12 Personen einladen. Es durften
demnach nur 24 Personen eingeladen werden, und zum Kirchgang
nach der Hochzeit sogar nur 8 Personen, und ins Bad vor und nach
der Hochzeit nur zwei Männer und zwei Frauen. Hinsichtlich des
Essens ward aber nun vorgeschrieben, daß bei namhaften (vor=
nehmen) Hochzeiten des Morgens 6 Essen und beim Nachtmal
5 Essen und zwei Mal Sulzfische gegeben werden dürften, bei den
Hochzeiten der Handwerker und des gemeinen Volkes
aber des Morgens nur 5 Essen und des Nachts 4 Essen und keine
Fische [8]). In Lüneburg durften bei einer Hochzeit drei Mahl=
zeiten (commessationes) gehalten und bei der ersten 15 Schüsseln
(schüttelae), bei der zweiten 60 und bei der dritten Mahlzeit 20
Schüsseln aufgetragen und nur vier Spaßmacher (joculatores) bei=
gezogen werden [9]). In Brieg und Grottkau durften bei einer

---

6) In Oberbaiern muß auf dem Lande z. B. in Beiharting heute noch
   die Braut jedem ihrer zur Hochzeit geladenen Verwandten ein Hemd,
   ein Halstüchelchen und ein Paar Schuhe schenken, was bei zahlreicher
   Verwandtschaft das Heirathen gar sehr vertheuern müßte, wenn nicht
   eben so viel und noch mehr als Gegengeschenk gegeben werden müßte.
7) Gemeiner, I, 515 u. 516.
8) Hochzeitpot von 1484 bei Gemeiner, III, 678.
9) Stadtrecht bei Kraut p. 28. bei Dreyer, Nbf. p. 402.

Hochzeit 30 Schüsseln aufgesetzt und vier Spielleute beigezogen, in Schweidnitz aber nur vier Gerichte und ein Mues gegeben werden [10]). In Amberg durften bei Hochzeiten und bei Verlobungen („Vestigungen") [11]) zum Kirchgang und Tanz so viele Menschen eingeladen werden, als man wollte, zum Hochzeitsessen aber nur 36 Personen, ohne den Bräutigam und die Braut, und ohne die Spielleute. Zwei Mahlzeiten mußten die Brautleute (das Brautvolk) geben. Zu einer dritten waren sie aber nicht verbunden. Wollten sie aber auch noch eine dritte Malzeit geben, so durften sie sodann keinem Gast eine Nachzeche machen. Jeder eingeladene Gast mußte nämlich bei den beiden ersten Malzeiten, wie heute noch bei den Bauernhochzeiten in Altbaiern, seine Zeche selbst zahlen. Bei jeder Malzeit durften indessen des Morgens nur vier Essen und des Nachts drei Essen gegeben werden [12]). In München durften zur Hochzeit nur 24 Frauen, zu einer Verlobung („Veste") aber und zum Bade nur 12 Frauen eingeladen, auch nur in München angesessene Spielleute bezahlt, d. h. keine fremde Spielleute genommen werden [13]). Auch im 15. Jahrhundert wurde die Zahl der Hochzeitsgäste und der Hochzeitmahle nochmals beschränkt. Dagegen versäumte der Stadtrath nicht jedem ansehnlichen Mann an seinem Hochzeitstage einige Kannen Wein als Ehrentrunk zu schicken [14]). In Frankfurt sollten zur Hochzeit nur 20 Personen geladen und keine Spielleute gehalten oder diesen wenigstens nichts gegeben und auch zum Kirchgang keine Spielleute beigezogen werden [15]). Aehnliche Vorschriften findet man seit dem 14. Jahrhundert in Nördlingen [16]), in Rotenburg [17]), in Ulm [18]), in Berlin, in Prenzlau u. a. m. [19]), in Görlitz [20]), auch in Augsburg in

---

10) Urk. von 1324 u. 1379 bei T. u St. p. 506.
11) vergl. Schmeller, I, 576
12) Amberger Stadtrecht von 1554, p. 20—22.
13) Stadtrecht § 59—61 bei Auer, p. 282.
14) Bairische Annalen von 1833, p. 874.
15) Statut bei Senckenberg, sel. jur. I, 30
16) Stadtr. von 1318 §. 54—57 bei Senckenberg, vision. p. 364.
17) Bensen, p. 304.
18) Jäger, Ulm, p. 516—519.
19) Zimmermann, I, 128 u. 129.
20) Neumann, p 311 u. 314.

ben Jahren 1403 und 1404 [21]) und weitläuftige Vorschriften über den bei Hochzeiten zuläßigen Aufwand in Magdeburg von den Jahren 1505, 1544, 1560 und 1570 [22]). In Basel sollte an den drei hohen Festtagen keine Hochzeit mit Tanzen und üppigem Gefräß gehalten werden [23]). Besonders feierlich waren daselbst die Hochzeiten der Zunftgenossen. Die Zunft der Gerber z. B. gab ihrem heirathenden Zunftbruder ein Hochzeitsgeschenk (ein Geschenk „zu Bruten"). Sie lieferte ihm ferner Holz, Kohlen, Salz, Schiff und Geschirr, und gewährte ihm, wenn er es begehrte, „offene Schenke." Auch verordnete die Zunft zu einem solchen Brutlouf aus ihren Zunftbrüdern zwei Tischdiener und zahlte dem Bräutigam die Uerte des ersten Imbis. Die übrigen Mahlzeiten an den folgenden Tagen mußten die Gäste selbst zahlen. Nach Tisch wurde vor der Zunftlaube auf der Straße getanzt [24]). Ganz besonders interessant sind aber die Rathsordnungen von Nürnberg. Daher werde ich bei ihnen noch etwas verweilen.

Nach einer Rathsordnung von 1340 sollten gar keine Hochzeitsmahle gehalten, also keine Gäste zum Essen und Tanzen eingeladen und sogar dem Hausgesinde nur das gewöhnliche Essen vorgesetzt werden. Erst 14 Tage nach der Hochzeit durften die Freunde eingeladen werden. Auch sollten keine Brautgeschenke gemacht und nur 6 Männer und 6 Frauen zu dem Kirchgang eingeladen werden. Allein schon im Jahre 1352 mußte man erlauben, daß wenigstens die nächsten Verwandten sammt und sonders zur Hochzeit und zum Kirchgang eingeladen werden dürften. Auch durfte die Braut 6 Jungfrauen einladen, einen sogenannten Jungfrauhof („einen Hof mit junkfrawen") halten, welchem aber keine Frau beiwohnen durfte. Ins Bad endlich durfte die Braut nur vier Frauen mitnehmen [25]). Meistentheils wurden jedoch diese Vorschriften nicht beachtet oder umgangen. Glänzende Hochzeitsfeste gehörten nun ein Mal zur herrschenden Sitte jener Zeit. Um die Gesetze zu

---

21) von Stetten, I, 140 u. 151.
22) Rathmann, III, 284 – 286, IV, 2 p. 14—16.
23) Ochs, VI, 377.
24) Basel im 14. Jahrhundert, p. 65 u. 66.
25) Die Rathsordnungen bei Siebenkees, II, 395—402, III, 371—375. Ueber den Jungfrauenhof vergl. Schmeller, II, 157.

umgehen hielt man die Hochzeitsfeste in den Klöstern, zu welchen die weltliche Macht keinen Zutritt hatte. Die durch diesen Umweg entstandenen Mißbräuche führten nun zu jenem für die Sittenge= schichte äußerst merkwürdigen Hochzeitbüchlein, welches im Jahre 1485 verfaßt, im Jahre 1526 erneuert und lange Zeit auch beobachtet worden ist. Nach diesem Hochzeitbüchlein sollten jene Feste nirgends anders mehr, als entweder im Hause der Braut oder auf dem Rathhause, in keinem Falle aber in einem Wirths= hause, bei einem Kochwirth oder in einer Trinkstube gehalten wer= den. Auch war daselbst bis aufs aller Kleinste bestimmt, wie es bei den Verlobungen, bei den Hochzeiten, bei den Kirchgängen und bei den anderen Festlichkeiten, und wie es hinsichtlich der Hochzeits= geschenke gehalten werden solle. Bei den Verlobungen (Laut= merungen) durften nur 16 Manns= und 16 Weibspersonen einge= laden werden. Nach der Verlobung durfte der Bräutigam mit 7 Freunden zu seiner Braut gehen, um ihr Glück zu wünschen, und die Braut zum Empfange des Bräutigams vier Jungfrauen ein= laden. Außerdem durften noch 24 Frauen bei der Braut erschei= nen, um ihr Glück zu wünschen. Am Abend der Verlobung durfte der Bräutigam bei seiner Braut mit zwei Freunden essen und die Braut zu dem Ende zwei Frauen oder Jungfrauen einladen. Des Nachts durfte der Braut mit den Stadtpfeifern hoffiert, das heißt wohl ein Ständchen gebracht, den Hoffierern aber nichts als Obst, Käs und Brod und Frankenwein oder Rheinwein vorgesetzt werden. Den Frauen war es aber verboten des Nachts auf der Straße herumzuwandeln um zu hoffieren („bey nacht auff der gas= „sen nicht Hofieren noch sunst versammelt wandeln"). Das Hof= fieren der Stadtpfeifer nannte man auch ein „Hoffrecht ma= „chen." Zwischen dem Tage der Verlobung und der Hochzeit durf= ten die Freunde der Brautleute sie ein Mal mit noch fünf Anderen einladen, ihnen aber nichts als Obst, Käs und Brod und Wein vorsetzen, sie „vereren mit obs kess vnnd prot vnnd Franncken= „wein." Zur Hochzeit selbst pflegte feierlich eingeladen zu werden. Die Hochzeitlader oder Tanzlader ritten zu dem Ende in der Stadt herum in Begleitung eines Knechtes in einerlei Farbe (in Livree) und des Hegelein, der den Spruch zu sprechen hatte [26]). Zu

---

26) Diese Spruchsprecher wurden auch Schlenkerlein, insgemein aber

dem Kirchgang durften von jeder Seite nur 24 Männer und 24 Frauen, also im Ganzen 48 Personen eingeladen werden, zum Hochzeitsmahle aber nur die nächste Verwandtschaft. Auf jedem Tisch durfte nur ein gebratener Kapaun („gepraten koppawn"), aber kein Rephun, kein Haselhun, Baßhun (Fasan), Vorhan, Birkhenne oder Pfau und auch kein Fisch aufgetragen werden. Eben so wenig durfte man Trisanet (ein Gemisch von allerlei Specerei mit Zucker)[27], Confect oder Rotwein (wahrscheinlich ein gemachter künstlicher Wein) geben. Das Getränk sollte in Frankenwein und in Rheinwein bestehen. Nach Tisch durfte man zum Tanz oder zur Braut einladen, wen und so viele Leute man wollte. Es durfte jedoch nur Obst und Confect gegeben und Frankenwein oder Rheinwein vorgesetzt werden. Am Morgen nach der Brautnacht durften 20 Frauen von den jungen Eheleuten zum Eierkuchen eingeladen, ihnen aber nichts als Eierkuchen, Fladen oder Speckkuchen und Wein vorgesetzt werden. Außerdem durften noch am Tage nach der Hochzeit in dem Hochzeitshause zwölf Personen zum Frühmal und zum Nachtmahl eingeladen, dann aber ein halbes Jahr lang kein Hochzeithof mehr gehalten werden. Auch die Hochzeitgeschenke waren beschränkt. Nach der Verlobung durfte der Bräutigam seiner Braut nur ein Heftlein (eine silberne Hafte) oder eine Kette von Gold und einen Jungfrauring (juncfrawring) verehren, bei dem Kirchgang aber noch einen Ehering (mahelrinck) mit einem Stein darin, und dann nach der Brautnacht noch einige andere Geschenke. Die Braut durfte niemand beschenken als den Bräutigam, die Brautführer (preutfürer) und die Tanzlader. Der Bräutigam sollte aber nichts weiter als ein Mannshemd und ein Badhemd, und jeder Brautführer und Tanzlader ein Kränzlein erhalten. Auch das zu gebende Trinkgeld war reguliert und insbesondere verboten Hochzeitskleider zu geben, um ein recht zahlreiches Gefolg zu erhalten[28].

Hängelein oder Vorhängelein genannt von den Schildern, mit welchen sie in ihrer Amtstracht behängt waren. Sie standen unter dem Rugamt. vergl. Siebenkees, II, 458 u. 700 ff.

27) Schmeller, I, 500. vergl. Scherz, p. 1663.
28) Hochzeitbüchlein bei Siebenkees, II, 449—486.

§. 423.

Auch bei Kindtaufen war der Aufwand sehr groß. Er ward daher seit dem 14. Jahrhundert allenthalben beschränkt. Es pflegte vorgeschrieben zu werden wie viele Personen zur Kindtaufe eingeladen, und wie dieselben bewirthet werden sollten. Pathen= geschenke und Kindbettergeschenke waren meistentheils auf ein be= stimmtes Maß beschränkt, öfters sogar gänzlich verboten, z. B. in Nürnberg [1]), in Regensburg [2]), in Basel [3]), in Magdeburg [4]), in Rotenburg [5]), in Augsburg, Ulm, Amberg u. a. m. Auch in Köln durften nur 10 Frauen mit zur Kirche gehen. (zu eyme Kynt- kirsten gayn zu Kirchgen) [6]). Im 15. Jahrhundert durften in München nur zwölf Frauen das Kind in die Kirche zur Taufe tragen und höchstens zehen Männer mit dem glücklichen Vater zum Wein gehen, um auf das Wohl des neuen Ankömmlings zu trin= ken [7]). Eben so wurden die Besuche der Wöchnerinnen nach der Taufe und die Versammlungen bei ihnen auf ein gewisses Maß beschränkt. Diese sogenannten Kindbetthöfe durften nur ein Mal gehalten und dazu in Amberg nur jene 6 bis 8 Frauen, welche der Kindtaufe beigewohnt hatten, eingeladen, und ihnen nichts als eine Suppe und ein Fischessen oder ein Braten (ein ge= bratens) vorgesetzt werden [8]). In Nürnberg durften zu einem Kindbetthöflein nur 12 Frauen eingeladen und dabei nicht getanzt werden [9]). In Ulm wurden die Kindbetthöfe im Jahre 1411 ganz abgeschafft. Nur zu einem Bade durfte die Kindbetterin ein Mal drei Frauen einladen [10]). In Görlitz waren die Ver=

---

1) Rathsordnungen aus dem 14. und 16. sec. bei Siebenkees, I, 47, 48, 174 ff. II, 401.
2) Gemeiner, II, 122, III, 679.
3) Ochs, III, 181 u. 538.
4) Rathmann, III, 287 u. IV, 2 p. 14.
5) Bensen, p. 305.
6) Eibbuch von 1341 §. 153 in Quellen, II, 36
7) Bairische Annalen von 1833, p. 874.
8) Amberger Stadtrecht von 1554, p. 20.
9) Rathsordnung aus 14. sec. bei Siebenkees, I, 47.
10) Rothes Buch bei Jäger, Magazin, III, 515 u. 516. vergl noch Jäger, Ulm, p. 519 u. 520.

sammlungen bei Sechswöchnerinnen und das Mitbringen von Back=
werk und Confect und Geschenke aller Art verboten [11]).

Noch größer als bei den Kindtaufen war der bei Leichen
gemachte Aufwand. Daher erschienen auch darüber beschränkende
Rathsordnungen. Die weit verbreiteten Leichenschmausereien
wurden frühe schon ganz abgeschafft oder wenigstens beschränkt,
z. B. in Worms im 13. Jahrhundert die Leichenmahle in der
Wohnung des Gestorbenen [12]) und in Basel im 15. Jahrhundert
die Leichenmahle in den Zunfthäusern und Geschlechterstuben [13]).
In Augsburg sollten bei diesen Leichenmahlen wenigstens die Geist=
lichen keinen Lärm machen, nicht ungebührlich lachen, keine eitlen
Fabeln erzählen oder singen und zeitlich nach Haus gehen [14]). Auch
die Anzahl und Größe der Kerzen, der sogenannten Leid=
kerzen oder Wandelkerzen, und der übrigen Opfer und der
Leichenzüge überhaupt wurde beschränkt, z. B. in Basel [15]), in
Nürnberg [16]), in Ulm [17]) und in Köln, wo nur noch sechs Män=
ner und sechs Frauen mit der Leiche gehen sollten [18]).

Volksbelustigungen.

§. 424.

Auch die geselligen Vergnügungen, die Tänze,
Spiele und anderen Volksbelustigungen wurden als Ge=
meindeangelegenheiten betrachtet und geregelt.

Von den Schützenfesten ist bereits die Rede gewesen.
(§. 137). Eben so von den Jahresfesten der Zünfte zu
Ehren ihrer Schutzheiligen (§. 277) und von den Zunfthäu=
sern, Geschlechterstuben und Trinkstuben, in welchen
man sich auch zum geselligen Vergnügen zu versammeln pflegte (§. 273

11) Neumann, p. 312.
12) Rathsordnung von 1220 bei Moriz, II, 155.
13) Ochs, III, 181 u. 538.
14) Jäger, Augsburg, p. 166.
15) Ochs, III, 182, 537 u. 538.
16) Siebenkees, I, 205 u. 206.
17) Jäger, Ulm, p. 520.
18) Eidbuch von 1341 §. 152 in Quellen, II, 35. Hüllmann, IV, 163.

u. 303 ff.), und welche man daher öfters auch Tanzhäuser ge=
nannt hat. In Augsburg, Frankfurt, Heidelberg, Landau u. a. m.
errichtete man im 14. und 15. Jahrhundert eigene Tanzhäuser,
und unterhielt außerdem noch in Frankfurt zwei Plätze im Freien
zum Tanzen, welche man den Tanzplan oder Tanzrain ge=
nannt hat [1]. In Frankfurt gab es sogar Tanzschiffe [2]. Ander=
wärts tanzten die ärmeren Leute auf der Straße, die Vornehmeren
aber auf dem Rathhause, z. B. in der Mark Brandenburg [3]. In
München befand sich zu dem Ende auf dem Rathhause ein großer
Tanzsaal [4] und auf dem Rathhaus zu Wetzlar ein offener Tanz=
boden [5]. In Basel tanzten auch die Geschlechter zuweilen auf der
Straße. So tanzte im Jahre 1388 die Tochter des Bürgermei=
sters auf der Gasse vor der Zunftlaube. Und im Jahre 1508
wurde auf dem Petersplatz zur Ehre fremder Gäste „ein ehrlicher
„Tanz gehalten" [6]. In Skeuditz und Delizsch tanzten die Adeligen
einen besonderen adeligen Tanz [7] und die Handwerksgesellen in
Frankfurt, Nürnberg, München u. a. m. einen Schwerttanz, einen
Fahnentanz, einen Reiftanz oder einen anderen besonderen Tanz.
(§. 284). Auch in Nürnberg tanzten die Bäcker=, Messerer=, Metz=
ger=, Rothgerber=, Rothschmiede=, Zirkelschmiede= und Schneider=
Gesellen zur Fastnachtzeit auf der Straße ihre „offenen Gas=
sentänze [8]. Und heute noch tanzen die Schäfflergesellen in
München alle sieben Jahre auf der Straße vor den Häusern der
vornehmen Leute. In Ulm waren jedoch die offenen Abendtänze
auf den Gassen nach Pfeifen, Lauten oder nach Saitenspiel ver=
boten [9]. Auch waren alle üppigen Tänze verboten, z. B. in
Isny alle üppigen und leichtfertigen Tänze [10], in Basel die üp=

---

1) Kriegk, Bürgerthum, p. 415—418.
2) Kriegk, p. 419.
3) Zimmermann, I, 128 u. 133 u. III, 196 u. 197.
4) Likowsky, Urgeschichte von München, II, 38.
5) von Ulmenstein, II, 258.
6) Ochs, II, 316 u. V, 271.
7) Haltaus, p. 16.
8) Siebenkees, III, 195, 199, 202, 208, 209, 213 u. 219.
9) Jäger, Ulm, p. 560.
10) Statut §. 24 bei Jäger, Magazin, II, 116.

pigen Reyentänze (die Raien) und alle anderen ärgerlichen
Tänze, insbesondere auch die ſogenannten Kilbinen oder Kirch=
weihtänze 11). In Ulm war das Tanzen „je zway und zway mit
„ainander" und das Tanzen aneinander („änainder"), offenbar das
Walzen als ein unanſtändiger Tanz verboten 12). In Augsburg
wurden die Geſellentänze um Kränze und Hahnen, die ſogenannten
Geſellen=, Kranz= und Hahnentänze im Jahre 1512 verboten 13).
Und in Amberg und Nürnberg ſollten die Mansperſonen nit in
„bloſſen Hoſen und Wammes tanzen, darzu ſich des Vmbbrehens
„oder Vmbſchwingens gentzlich enthalten" 14). Allein nicht bloß die Tänze, ſondern auch die übrigen Volks=
beluſtigungen wurden von dem Stadtrath überwacht und jeder Un=
fug verboten. So wurde z. B. in Braunſchweig den am Weih=
nachtsfeſte verkleidet herumlaufenden ſogenannten Schauteufeln
(Schoeduvel) die größt .möglichſte Freiheit geſtattet. Sie durften
jedoch niemand verletzen und keine Kirche und keinen Kirchhof be=
treten 15). In Nürnberg waren die Raien und Umzüge durch die
Stadt mit oder ohne Pfeifer verboten und nur an den Faſtnacht=
tagen erlaubt 16). Berühmt ſind daſelbſt auch die Faſtnachtsbe=
luſtigungen der Metzgerzunft geweſen, welche wegen der damit ver=
bundenen Vermummungen das Schönpartlaufen, eigentlich
Schembartlaufen genannt worden ſind, von Schem, d. h. Larve,
Maske, alſo Schembart die Geſichts=Larve oder Maske 17). In
Straßburg hielten die Zimmerleute zur Zeit der Faſtnacht einen

---

11) Ochs, VI, 376 u. 377. Die Kilbinen hatten ihren Namen offenbar
von Kilbi, d. h. Kirmſe oder Kirchweihe. vergl. Stalder, II, 99.

12) Rathsordnung von 1406 bei Jäger, Magazin, III, 518. Auch in
Frankfurt hielt man ſolche Tänze für unanſtändig. Kriegk, Bürger=
thum, p. 422 u. 583.

13) von Stetten, Kunſt= und Gewerbsgeſch. II, 162. vergl. über die Hah=
nentänze Kriegk, Bürgerthum, p. 422.

14) Amberger Stadtrecht, p. 23. Nürnberger Rathsordnung aus 16. sec.
bei Siebenkees, I, 172 u. 173.

15) Ordnungsbuch des Raths (Ordinarius) von 1408, c. 144 bei Leibnitz,
scriptor. Bruns. III, 481.

16) Rathsordn. aus 14. sec. bei Siebenkees, II, 676 u. 677. Ueber die
Raien vergl. Schmeller, III, 79.

17) Siebenkees, IV, 674 – 679. vergl. Schmeller, III, 362 u. 591.

Umgang in der Stadt. Am Schlusse desselben wurden die Lehr=
jungen zu Gesellen geschlagen und dann in der Zunftstube ge=
zecht [18]). Auch in Eßlingen hatten mancherlei Fastnachtslustbar=
keiten statt. Die Fischer pflegten ein Fischerstechen und einen Um=
zug mit Musik in der Stadt zu halten. Die Metzger feierten
unter Trommelschlag und Pfeifenklang ihren Reiftanz und stachen
nachher auf dem Markt Kränzlein und erhielten dafür zwei Imi
Wein aus dem Kastenkeller. Die Küfer verfertigten unter Tanz
und Gesang auf dem Markt ein Faß für den Bürgermeister und
erhielten dafür vier Imi Wein. Eben so hielten auch die Wein=
gärtner ihren Tanz und Umzug mit Fahnen und wurden mit zwei
Imi Wein beschenkt [19]). In Basel sangen die armen Schüler in
der Adventzeit des Nachts vor den Häusern Adventlieder, klopften
an den Thüren und verkündeten die Ankunft des Herrn, oder
wünschten Glück zum neuen Jahr, oder verkleideten sich auch als
Bischöfe oder als Könige und bettelten um eine Wurst und dran=
gen sogar in die Kirchen während des Gottesdienstes ein, so daß
der Stadtrath im Jahre 1420 gegen diesen Unfug einschreiten
mußte [19a]). In Regensburg waren bereits im 14. Jahrhundert
alle Vermummungen und die Umritte am Weihnachtsfeste den er=
wachsenen Leuten verboten und nur den Kindern erlaubt. Später=
hin, im Jahre 1357, wurden aber auch noch die Umritte der
Schüler mit ihrem Kinderbischof verboten [20]). Eben so hatte in
Köln im Jahre 1431 der Stadtrath alle Mummereien zu Fuß und
zu Pferd in und außer der Fastenzeit verboten [21]). Auch in Ulm
und Eßlingen suchte man seit dem 16. Jahrhundert die Mumme=
reien, das sogenannte Buzengehen oder das verkleidet als Buzen=
mann Herumgehen, dann das Singen um Lebzelten, das Küchlein=
holen und besonders die Fastnachtslustbarkeiten zu beschränken, in=
dem zumal die Fastnachtreigen mit Leichtfertigkeiten aller Art ver=
bunden zu sein pflegten [22]). Eben so würden in Braunschweig

---

18) Heitz, p. 73.
19) Pfaff, p. 164.
19a) Basel im 14. Jahrhundert, p. 71 u. 97.
20) Gemeiner, I, 467, 468, II, 102 u. 103. Oefele, II, 508.
21) Hüllmann, IV, 170 f.
22) Jäger, Ulm, p. 521—525. Pfaff, p. 164 u. 165.

und in Lüneburg seit 1542 und 1543 die Umzüge der Junggesellen und Jungfrauen zur Feier des Fastelabends auf Betreiben der protestantischen Geistlichkeit verboten [23]). Auch in Augsburg wurden die Mummereien und Fastnachtsluftbarkeiten im Jahre 1628 verboten [24]). Aeußerst merkwürdig ist auch das Edict des großen Kurfürsten von 1659 wegen Abschaffung der Fastnachtsspiele, der Aufzüge, Mummereien, Gaukeleien und Prozessionen mit Musik über die Straßen, und die Sollicitirung von Geld, von Bratwürsten, Schinken und anderen Victualien, wodurch nur die Arbeit versäumt, großes Aergerniß gegeben, und mit dem epikurischen und heidnischen Leben und dem sündlichen Wesen der Zorn Gottes gereizt werde [25]).

Ohne Musik und Tanz gab es keine Volksbelustigungen. Auch waren bei feierlichen Auf- und Umzügen Spielleute nothwendig. Daher pflegten die Städte Pfeifer, Trompeter und andere Spielleute zu halten und zu besolden. In Basel unterhielt die Stadt bereits im 15. Jahrhundert besoldete Pfeifer und Trompeter. Und nach den Stadtrechnungen von 1460 erhielten sie die für jene Zeiten nicht unbedeutende Summe von 109 Pfund [26]). In Ulm gab es seit dem 14. Jahrhundert Stadtpfeifer, Trompeter und Posauner, welche ihre Bestallung vom Stadtrath erhielten [27]). Auch in Augsburg hatte die Stadt Fiedler, Geiger, Stadtpfeifer und Stadttrompeter in Sold [28]). Eben so in Breslau, Brieg, Grottkau und Schweidnitz [29]), in München, Nürnberg, Frankfurt [30]), Heilbronn, Köln u. a. m. Sie hatten bei Hochzeiten und Kindtaufen, aber auch bei anderen feierlichen Aufzügen, z. B. bei dem feierlichen Eintritt des Erzbischofs in Köln, und auch in der Kirche

---

23) Havemann, II, 556 u. 557.
24) von Stetten, Kunstgesch. II, 165.
25) Mylius, I, 2, p 69—72.
26) Ochs, V, 112. Basel im 14. Jahrh. p. 119.
27) Jäger, Ulm, p. 586 f.
28) Jäger, Augsburg, p. 166.
29) Urk. von 1324 §. 14. und von 1328 §. 47. bei T. u. St. p. 506 u. 525. Von den Stadtpfeifern und Musicanten in Breslau im 16. sec. spricht auch: Reisen Hans Ulrich Kraffts. ed. Dr. Haszler p. 406.
30) Kriegk, Bürgerthum, p. 413.

v. Maurer, Städteverfassung III.

zu muſiciren [31]). Die Stadt Halle unterhielt bis ins 18. Jahr=
hundert 6 Stadtpfeifer und eine Bande Kunſtgeiger. Und
wenn es nothwendig war durfte auch noch der Hausmann oder
Thürmer aber nur mit Trommeln und Pfeifen muſiciren [32]).
Für das Pfeifergericht zu Frankfurt mußte bis ins 16. Jahrhun=
dert jede der drei Städte Bamberg, Nürnberg und Worms einen
eigenen Stadtpfeifer unterhalten. Seit dieſer Zeit unterhielt ſie
aber Nürnberg allein. Die beiden anderen Städte (Bamberg und
Worms) mußten jedoch Unterhaltsbeiträge leiſten [33]). In Ulm
hatten die Stadtpfeifer bei den Hochzeiten der Geſchlechter und der
Zunftgenoſſen zu blaſen und am Neujahrstage den Bürgermeiſtern
und den Rathsherren das neue Jahr anzublaſen [34]). In Nürn=
berg blieſen die Stadtthürmer noch in der erſten Hälfte des 19.
Jahrhunderts jeden Morgen und jeden Abend, um das Anbrechen
des Tages und der Nacht zu verkünden, dann an Weihnachten
eine Stunde vor Tag, und gegen ein gutes Trinkgeld auch noch
an Hochzeiten, Leichen und am Neujahrstage [35]). Und hier in
München blaſen die Stadttrompeter heute noch an allen Sonn=
und Feſttagen ſchöne Weiſen auf dem Thurme der St. Peterskirche
des Morgens um 5 Uhr. In Regensburg ſtanden die Spielleute
unter der Aufſicht eines Spilgrafen [36]) und in Lübeck unter
dem geſchwornen Raths Spielgräven. Dieſer Spielgräv hatte
bei den Hochzeiten und bei den anderen Feſten der Geſchlechter die
Muſik zu ordnen und mit ſeinem Comitat, d. h. mit den Stadt=
muſikanten vor den Geſchlechtern oder Junkern herzuziehen [37]).

Auch eigene Poſſenreiſer und Stadtnarren wurden
von einigen Städten unterhalten. Utrecht z. B. unterhielt einen
eigenen Stadtgecken, welcher eine Narrenlivree trug, beſtehend in

---

31) Beſchreibung des Einritts von 1488 bei Lacomblet, Archiv, II, 183.
     Dreyhaupt, Beſchr. des Saalkreiſes, II, 340. vergl. oben § 79.
32) Dreyhaupt, II, 340.
33) Fries, Pfeifergericht, p. 162 ff.
34) Jäger, Ulm, p. 532.
35) Lochner, die Stadt Nürnberg im Ausgang ihrer Reichsfreiheit, p. 23 f.
36) Statute aus 14. sec. bei Freyberg, V, 19
37) Dreyer, Einleitung in Lüb. Verordn. p. 92 u. 93. Ueber die Spiel=
     grafen vergl. Meine Geſch. der Fronhöfe, II, 406 ff.

einem von der Stadt gegebenen Tabbert (einem langen Rock oder Talar) und in einer Gecks Kovel (einer Kappe, einer Art Mönchs= kappe). Die von der Stadt gegebene Livree bestand demnach in einem Narrentalar und in einer Narrenkappe [38]). Auch Basel unterhielt und besoldete im 14. und 15. Jahrhundert einen Stadt= narren. Er erhielt außer dem Gehalt auch noch einen Narrenrock und eine Narrengippe [39]). In Lübeck kommt noch im 14. Jahr= hundert ein besoldeter comes joculatorum vor [40]). In manchen Städten unterhielten auch die Geschlechtergesellschaften, vielleicht auch einzelne Geschlechter, eigene Narren, z. B. in Lübeck die Jun= ker Compagnie noch im 17. Jahrhundert [41]). Unter diesen Stadt= narren befanden sich zuweilen auch Geistliche trotz des Verbotes der Kirche. Daher mußte einmal der Stadtrath zu Lübeck in Er= mangelung anderer Geistlichen den Kirchendienst durch Joculatoren und Histrionen versehen lassen [42]). Gegen die Zudringlichkeit der fahrenden Gaukler und Possenreißer (joculatores, histriones aut garciones), so wie der Gauklerinnen (joculatrices) und Spiel= weiber, erschienen aber hie und da, z. B. in Worms, Straf= mandate [43]).

Mit dem größeren Verkehr kam auch das Spielen mehr und mehr in Aufnahme. Fremde, bis dahin unbekannte Spiele, zumal Glücksspiele verbreiteten sich und verbreiteten großes Unglück. Denn nicht bloß Männer, selbst Frauen und Kinder er= gaben sich dem Spiel. In Ulm z. B. hielten die Frauen eigene Karthöfe [44]). Und manches Vermögen ward dadurch ruinirt. Daher erschienen seit dem 14. Jahrhundert allenthalben Verbote des Spielens überhaupt oder wenigstens der Glücksspiele und des. Spielens um Geld. In Basel wurde das daselbst seit 1377 be= kannte Kartenspiel in den Jahren 1386 und 1388 bei Strafe

---

38) Urk. von 1523 bei Matthaeus, de nobilitate, p. 1134.

39) Basel im 14. Jahrh. p. 119.

40) Urk. von 1334 u. 1338 im Lübisch. Urkb. II, 518 u. 1081.

41) Dreyer, Einleitung, p. 93.

42) Pauli, Lüb. Zustände im 14. Jahrhundert, p. 98 u. 99.

43) Urk. von 1220 bei Moritz, II, 155. Meine Gesch. der Fronhöfe, II, 401—402.

44) Jäger, Ulm, p. 539

des Augen Ausstechens verboten [45]). Späterhin (im Jahre 1495) wurde jedoch das Kartenspiel (das „schlechtlich Karten"), das Brett= spiel („im Brett") und das Thurmspiel („im Thurm"), wahrschein= lich das Schachspiel, erlaubt, wenn es „mehr um Kurzweil als „um Gewinn" und nicht höher als um zwei Heller gespielt wurde. Die eigentlichen Glücksspiele dagegen (das Wurfspiel, das Karten Bocken, das Karten Schlagen, das sogenannte Mutten u. a. m.) waren in den Zunft= und Wirthshäusern bei einer Geldstrafe ver= boten, aber auch diese Spiele in der Herrenstube erlaubt [46]). Auch in Seligenstadt waren alle Spiele um Geld verboten und nur das Brettspiel in Erbarkeit und Freundschaft erlaubt [47]). In Regens= burg war das Spielen in den Häusern, insbesondere auch das Kartenspiel („spielen mit der quarten") und das Würfelspiel ver= boten. Erlaubt war jedoch das Schießen mit Kugeln auf Tischen („schiezzen auf der tafel, pozzen oder scheiben mit den chugeln"), offenbar das Billard, und das Brettspiel („spil im pret"). In den Leithäusern und schlechten Häusern (Ruffian) war aber auch das Brettspiel verboten [48]). In Augsburg war das Spielen in den Gasthäusern und auf den Schießstätten verboten, das Kartenspiel und Wurfspiel in den Zunfthäusern aber erlaubt [49]). Auch war daselbst das Spielen mit hohlen oder mit gefüllten Würfeln, wel= ches man das Geviertäten oder Gevierharten nannte, bei Strafe des Handabschlagens verboten, und das Kegeln, das Riemenstechen und das Häufeln gewissen Beschränkungen unterworfen [50]). In Frankfurt a. M. waren das Brettspiel, das Kartenspiel und das Schachspiel (der Schachzabel) die erlaubten Spiele. Um sie jedoch unschädlich zu machen erschienen seit dem 14. Jahrhundert viele Verordnungen, welche den Einsatz beim Spielen beschränkten [51]).

---

45) Ochs, II, 451.
46) Ochs, V, 179, 160, 188, 189 u. 424 f. vergl. über das Kartenspiel bei Safran. oben §. 273.
47) Grimm, I, 508.
48) Gemeiner, II, 188, 189 u. 301. Ueber das Wort Ruffian vergl. Schmeller, III, 62.
49) von Stetten, Gesch. I, 140, 168, 537 u. 576.
50) Stadtrecht bei Freyberg, p. 76 u. 77. und Stadtrecht bei Walch' §. 207 —210.
51) Kriegk, Bürgerthum, p. 423—434.

In Rotenburg war das Spiel mit Karten und Würfeln in den Häusern verboten und nur in der Spielhütte oder auf offenem Markt erlaubt, daselbst aber natürlich beaufsichtiget[52]). Auch in Eßlingen hatte man einen eigenen Spielplatz, welchen die Stadt verpachtete. Der Spielplatzmeister hatte die Aufsicht über die Spiele und die unerlaubten Spiele zu rügen. Unerlaubt waren aber alle Spiele, auch die im Schach, im Brett und mit den Karten, wenn sie höher als um einen Pfenning gespielt wurden[53]). Eben so hat es in München bis zum Jahre 1433 einen eigenen Spielplatz gegeben. In diesem Jahre wurden aber alle Spiele mit Würfeln, mit Karten und mit Kugeln (das Kegelschieben) um Geld verboten, und das Brett- und Kartenspiel nur noch zur Kurzweil erlaubt[54]). In Landshut waren auch das Häufeln und das Riemstechen und alle betrügerischen Spiele verboten[55]). In Straßburg, wo die beiden Geldspiele Königreich und Kolben (wahrscheinlich Hazardspiele) in allen Stuben und Wirthshäusern verbreitet und für die Familien sehr verderblich waren, wurden zwar die Spiele selbst nicht verboten, den Wirthen und Gasthaltern jedoch bei Strafe verboten, den Spielenden etwas zu Essen oder zu Trinken zu geben. („denen die solich kunigreich, kolben oder gesellschafft offtreiben, „weder essen oder trincken geben sollen")[56]). Zumal aber in Ulm waren sehr viele Spiele im Gebrauch, die uns zum Theil ganz unbekannt sind, z. B. das Münzeln, Ginnen, Ratten, Messerlen, Bupapen, Scholdern, Kegeln, das Spielen im Brett oder das Brettspiel, das Spielen mit Karten, mit Würfeln u. a. m. Sie wurden bei der überhandnehmenden Spielsucht öfters verboten, öfters aber auch wieder erlaubt und sodann nur die Spiele um Geld verboten. Das Schachzabel oder Schachzagel scheint jedoch immer erlaubt geblieben zu sein[57]). Das Schachspiel, vielleicht auch das ihm nachgebildete Kartenspiel[58]), stammt aus dem Orient.

---

52) Bensen, p. 303.

53) Pfaff, p. 165 u. 166.

54) Urk. von 1433 in Mon. Boic. 35, II, p. 306 bis 308 u. 311. vergl. Münchner Stadtrecht §. 143, 343, 345 u. 506.

55) Stadtr. von 1279 §. 19 bei Gaupp, I, 154.

56) Rathsordnung von 1537 bei Heiz, Zunftwesen, p. 170.

57) Jäger, Ulm, p. 538 bis 544.

58) Hüllmann, I, 381, IV, 253.

Daher wird der König Schach und das Spiel selbst Schachspiel, oder Schachzabel, Schachzagel oder Scahzabel genannt von Zabel, d. h. Tafel oder Brett, auf dem gespielt ward [59]), weshalb denn das Spiel auch Schachtafelspiel genannt worden ist [60]). Davon verschieden, aber ebenfalls sehr verbreitet, war das Wurf= zabel, ein Brettspiel mit Würfeln [61]) und das Schafzagel, Schafzaigel oder Schafzal, welches ein Mühlenspiel war [62]).

Oeffentliche Anstalten für das Spielen hat es nur in wenigen Städten gegeben. Dahin gehört unter Anderen die Spielhütte in Rotenburg. Sie stand unter dem Platzmeister. Und nur in seiner Gegenwart durfte mit Würfeln und Karten gespielt wer= den [63]). Auch in Eßlingen stand der Spielplatz unter einigen Spielplatzmeistern, welche aufs Spielen getreulich warten sollten, damit Niemand etwas Ungleiches geschehe mit Würfeln oder An= derem. Und die Spielplatzmeisterei wurde jährlich verpachtet [64]). In München stand der Spiel= oder Scholderplatz unter den vier Richtersknechten und unter dem Züchtiger oder Scharfrichter, und der Ertrag des Spieles war ihr Gehalt (war ihnen „zu „solde“). Im Jahre 1433 machte aber der Stadtrath die Herzoge Ernst und Wilhelm auf das große Unheil aufmerksam, welches durch diese „Spil Scholdrei vnd solich püberei“ zu entstehen pflege, und erwirkte von ihnen die Abschaffung des Rechtes einen Spiel= platz in der Stadt zu halten, und daß dem Züchtiger und jenen Knechten eine regelmäßige Besoldung bestimmt wurde. („vnd das „die Richters knechte, auch die Zuchtiger mit ainem solb fürsehen

---

59) Codex Falckenstein. an. 1180 in Mon. Boic. VII, 502 Elefantei lapides — ad Scahzabel pertinentes. Urk. von 1433 in Mon. Boic. 35, II, 308. — „den Sachzagel“ —. Schmeller, III, 315 u. IV, 215.

60) Limburger Chron. p. 53.

61) Urk. von 1332 — „weder Wurfzabel noch dhain ander Spil umb „Gelt“ — Codex Falckenstein. an* 1180 — Elefantei lapides tam ad Wurfzabel — pertinentes in Mon. Boic. VII, 238 u. 502. vergl. Schmeller, IV, 152 u. 215.

62) Schmeller, III, 334. Gemeiner, II, 301.

63) Bensen, p. 303.

64) Pfaff, p. 166.

„werden") [65]. Eben solche Spielplätze waren offenbar auch die
Spielhäufer, welcher öfters erwähnt wird. Und ein eben solches
Spielhaus war denn auch die sogenannte Spielbank in Frank=
furt a. M. Es ist demnach nicht richtig, wenn man in Frankfurt
glaubt, daß keine andere Stadt im Mittelalter eine ähnliche An=
stalt gehabt habe. Das Spiel, welches auch in Frankfurt ein
Würfelspiel war, führte von dem Hause, in welchem gespielt wer=
den durfte, den Namen des „Speles uff dem Heissenstein." Das
Haus wurde gemiethet und das Spiel an Frankfurter Bürger ver=
pachtet. Späterhin (im Jahre 1396) übernahm der Stadtrath selbst
den Betrieb jener Anstalt. Er ließ das Spiel auf dem Heissenstein
durch die städtischen Rechenmeister bestellen und leiten. In den Jah=
ren 1409 und 1410 ließ jedoch der Stadtrath ein eigenes Haus
für dieses Spiel bauen. Und das neue Spielhaus erhielt nun den
Namen des neuen Heissenstein. Anfangs sollte nur zur Meß=
zeit gespielt werden, späterhin auch noch so oft ein Reichs= oder
Fürstentag in Frankfurt gehalten wurde. Aber schon im Jahre 1432
wurde die Anstalt ganz abgeschafft oder, wie es heißt, „der Heissen=
„stein abgethan" [66].

Fahrende Frauen und Frauenhäufer.

§. 425.

Der freie Verkehr hat aber nicht bloß zur Spielsucht, er hat
auch zur Ueppigkeit und zur Wolluft, z. B. in Bremen schon im
11. Jahrhundert zu den zügellosesten Ausschweifungen geführt
(§. 107). Um nun die ehrbaren Frauen und Töchter vor Miß=
handlungen zu bewahren, mußten die Stadträthe öffentliche Dirnen
und Frauenhäufer dulden, in vielen Städten sogar selbst solche An=
stalten errichten. Man war jedoch allenthalben bestrebt sie möglichst
unschädlich zu machen.

Die öffentlichen Dirnen nannte man insgemein gemeine
Frauen, mulieres communes [1], gemeine offenbare

---

65) Urk. von 1433 in Mon. Boic. 35, II, 306, 307 u. 311. vergl.
Schmeller, I, 340, III, 354, IV, 247.
66) Kriegk, Bürgerzwiste p. 345—353. Derselbe, Bürgerthum, p 423,
1) Wiener Stadtr. von 1278 bei Lambacher, II, 152.

Weiber (de gemeinen openbahren wiber), z. B. in Braunschweig [2]), gemeine Töchter oder gemeine Töchterlein, z. B. in Nürnberg und München [2a]), sodann freie Frauen, freie Töchter oder Freitöchter z. B. in Nördlingen [2b]), fahrende Frauen oder fahrende Töchter, z. B. in Basel [3]) und fahrende Fräulein (varende freulin) z. B. in Augsburg [4]), wandernde Frauen („wanderne wiff") [5]), öffentliche Bübinnen (apentliche Bofynnen) z. B. in Otterndorf [6]), Frauenhäuserinnen, wenn sie sich in einem Frauenhause aufhielten, z. B. in Nürnberg [7]), Hupscherinnen oder Hubslerinnen, d. h. Courtisanen, z. B. in Augsburg [8]), anderwärts auch Buhlerinnen [9]), und üppige Frauen [10]) und unehrliche Weiber [11]). Ihre Anzahl war in allen größeren Städten sehr groß, und zur Zeit der Messe oder wenn ein Reichstag viele vornehme Herren versammelte, so kamen zu den einheimischen auch noch viele fremde Dirnen hinzu. So in Frankfurt a. M. zur Zeit jeder Messe [12]), und zu dem im Jahre 1394 daselbst gehaltenen Reichstage strömten ihrer 800 herbei [13]). Am zahlreichsten fanden sie sich aber auf dem Concil zu Basel ein.

Um nun diese feilen Dirnen möglichst unschädlich zu machen, ward ihnen fast allenthalben vorgeschrieben, sich so wenig als mög-

---

2) Ordinarius senatus Brúnw. von 1408, c. 91.

2a) Nürnberg. Rathsordn. von 1470 bei Siebenkees, IV, 597 u. 600. Oberbairisch. Archiv, XIII, 27 u. 28.

2b) Frauenhausordnung von 1472 bei Reynitzsch, über Truhten, Anlage. p. 29—31.

3) Rathsordn. von 1384 bei Ochs, II, 451 u. 452.

4) Stadtr. bei Freyberg, p. 47.

5) Golar. Rechtsschreiben bei Bruns, Beiträge zum Deutsch. R. p. 239.

6) Stadtr. bei Pufendorf, II, 184.

7) Siebenkees, IV, 587 u. 588.

8) Stadtrecht §. 359 bei Walch und bei Freyberg, p. 115. vergl. Schmeller, II, 142.

9) Lersner, II, 1. p. 685 u. 687.

10) Ochs, V, 177.

11) Reichspolizei Ordnung von 1530, art. 20.

12) Lersner, II, 1. p. 680.

13) Lersner, I, 1. p. 327. — „item 800 Huren, die dieser Herren Höfen „gefolget seynd."

lich auf den Straßen zu zeigen, z. B. in Nürnberg, Frankfurt
u. a. m. [14]). In Onolzbach ſollten ſie im gemeinen Haus und
nirgends anders eſſen trinken und ſchlafen und wenn ſie das Eſſen
und Trinken nach Haus trugen, auf der Straße nicht ſchreien,
ſingen, fluchen oder ſchwören, damit niemand geärgert werde [15]).
Oeffentliche Aufzüge zu machen oder paarweiſe durch die Straßen
zu ziehen, wie ſie es im Jahre 1554 in Nürnberg verſucht hatten,
war daher um ſo weniger erlaubt [16]). Und ſo oft ſie ſich auf der
Straße zeigten, um in die Kirche oder anderswohin zu gehen,
ſollten ſie in einer eigenen Tracht, in ganz kurzen Mänteln, in
Schleiern u. ſ. w. erſcheinen, z. B. in Baſel [17]), in Nürnberg [18]),
in Frankfurt [19]), in Berlin [20]) u. a. m. In Mainz durften die
fahrenden Fräulein keine Gürtel und keine Schleier tragen [21]). In
Meran durften die gemeinen Fräulein („gemeine fröuwele") keine
Frauenmäntel und keine Kurſen, keine Federn und kein Silber=
geſchmeide („ſilbergeſmide") tragen und auch nicht zum Tanz an
Orte gehen, wo Bürgerinnen und andere ehrbare Frauen waren [22]).
Und in Lübeck wurde im Jahre 1530 genau beſtimmt, welcher
Schmuck und welche Kleidung den loſen Frauen verboten ſein
ſollte [23]). Ganz unbegreiflich iſt es demnach, daß man ihnen nichts
deſto weniger geſtattete bei öffentlichen Gaſtmahlen und Tänzen zu
erſcheinen, z. B. in Nürnberg bei den Tänzen auf dem Rathhauſe,
insbeſondere auch im 15. Jahrhundert und ſogar noch im 16. bei
den Hochzeiten und Tänzen der Patricier [24]), und in Frankfurt bei
den öffentlichen Mahlzeiten, bei den ſogenannten Hirſcheſſen, bei
welchen ſie Blumenſträuße überreichen und ihren Antheil an dem

---

14) Siebenkees, IV, 589 u. 591. Lerſner, II, 1. p. 684.
15) Gebot von 1531 bei Reyniţſch, p. 38.
16) Siebenkees, IV, 592.
17) Ochs, V, 177.
18) Siebenkees, IV, 589 ſ.
19) Lerſner, II, 1. p. 685.
20) Fidicin, II, 293.
21) Bodmann, II, 675—76
22) Stadtrecht aus 14. sec. §. 13 bei Haupt, Zeitſchrift, VI, 425.
23) Hach, p. 148.
24) Siebenkees, IV, 586 u. 587.

Eſſen holen durften, eine Sitte oder Unſitte, welche erſt im Jahre
1529 abgeſchafft worden iſt [25]).   In Wien mußten ſie ſogar den
feierlichen Einzügen des Kaiſers beiwohnen, ihm entgegen ziehen
und Blumenſträuße überreichen und vertheilen.   Auch ſollten ihre
Wohnungen bei der Durchreiſe hoher Herrſchaften zum Empfang
bereit ſein.   Und bei allen öffentlichen Feſtlichkeiten, bei den jähr=
lichen Wettrennen wie bei den bachantiſchen Tänzen der Handwerks=
geſellen ſpielten die blumenbekränzten freien Töchter die Hauptrolle.
Zur Ehrung der hohen Herrſchaften wurden ſie öfters ſogar pracht=
voll, ſelbſt in Sammet, auf ſtädtiſche Koſten gekleidet.   Und erſt in
den Jahren 1524 bis 1534 haben ſich dieſe alten Vorrechte der
freien Töchter nach und nach verloren oder ſind auch durch die
Regierung ſelbſt abgeſchafft worden [26]).

In faſt allen Städten nöthigte man jedoch die öffentlichen
Frauen in Frauenhäuſern beiſammen zu wohnen, und man verlegte
dieſe in entlegene Theile der Stadt, z. B. in Frankfurt [27]), und in
Nürnberg [28]).   Anderwärts wurden ſie nur in den Vorſtädten ge=
duldet, z. B. in Baſel [29]), Wien u. a. m.   Aber auch in den Vor=
ſtädten wurde ihnen öfters eine beſtimmte entlegene Gegend für ihr
Unweſen angewieſen, z. B. in Nürnberg [30]).   In Speier ſollte
der Stadtrath nach einem Beſchluß der kaiſerlichen Kommiſſion von
1512, den leichtfertigen Frauen eine oder zwei Straßen zu ihrer
Unterhaltung anweiſen [31]).   Es iſt jedoch nirgends vollſtändig ge=
lungen, alle feilen Frauen einer Stadt in den öffentlichen Häuſern
zu vereinigen.   Neben den Frauenhäuſerinnen blieben vielmehr
allenthalben noch einzeln oder bei anderen Wirthen wohnende
Frauen in mehr oder weniger großer Anzahl, welche man zum
Unterſchiede von jenen heimliche Frauen oder auch Buhlerin=
nen zu nennen pflegte.   In Nürnberg wurden in einer Beſchwerde=

---

25) Lerſner, II, 1. p. 671. Kirchner, I, 594.

26) Schlager, Wiener Skizzen, p. 350—353, 364, 365 u. 379.

27) Lerſner, II, 1. p. 680, 683, 684 u. 687.

28) Siebenkees, IV, 585 u. 591.

29) Ochs, III, 609, V, 178. Baſel im 14. Jahrh. p. 116. und oben
§ 196.

30) Rathsordn. von 1480 bei Siebenkees, IV, 601 u. 602.

31) Rau, I, 19.

schrift an den Stadtrath vom Jahre 1492 über 18 Häuser mit ihrem Namen genannt, in welchen sich solche, wie man sagte, unberechtigte Dirnen in mehr oder weniger großen Anzahl aufhielten [32]). In Basel, wo zur Zeit des Conciliums über 700, nach Anderen sogar über 1500 Frauen in den Frauenhäusern beschäftigt waren, befanden sich noch so viele heimliche Frauen, daß man sie nicht alle zählen konnte, sie nicht einmal alle zu zählen, den Muth hatte [33]). Da nun die Frauenhäuserinnen ihr Geschäft gewerbsmäßig, zuweilen sogar zunftmäßig betrieben (§. 290), und für die erhaltene Erlaubniß zur Betreibung dieses Gewerbes eine Abgabe entrichtet werden mußte, so thaten sie öfters Einsprache gegen dergleichen Gewerbsbeeinträchtigungen, oder gegen solche Pfuschereien und Stümpeleien, wie sie jene Eingriffe in ihr Gewerbe nannten. In Frankfurt verlangten sie im Jahre 1456, daß diesen nicht zünftigen heimlichen Frauen und Buhlerinnen inhibirt werden solle, „dieweil sie ihnen grosen Eintrag thäten." Und im Jahre 1505 wurde daselbst geklagt, „die offenbahrlichen Frauen „könten sich vor denen heimlichen nicht mehr ernehren" [34]). In Nürnberg beschwerten sich im Jahre 1492 die armen Töchter, wie sie sich nannten, bei dem Rath, daß auch andere Wirthe Frauen halten, „die bey Nacht auf der Gassen gehen und Ehe= und andere „Männer beherbergen," und die es „viel gröber halten als sie in „dem gemeinen Tochterhaus." Sie bitten, „solches um Gottes „und der Gerechtigkeit willen nicht länger zu gestatten." Denn, wenn es so fortgehe, „müsten sie Hunger und Kummer leiden" [35]). Auch in Eßlingen klagten die Frauenwirthe über die vielen heimlichen Frauen, welche für sich das Gewerbe trieben und deren es fast in allen Gassen einige gebe. — Es sei ihnen deßwegen nicht mehr möglich, sich ehrlich zu ernähren und ihre Abgaben zu zah=

---

32) Beschwerdeschrift der Töchter im Frauenhaus von 1492 bei Reynitzsch, p 33—35.

33) Ulrich Reichenthal und Eberhard Dacher in ihrer Beschreibung jenes Concils bei Siebenkees, IV, 578 u. 579.

34) Lersner, II, 1. p. 683 u. 689.

35) Supplik von 1492 bei Malblank, Gesch. des peinl. Gerichtsordn. p. 50 —52. Beschwerdeschrift von 1492 bei Reynitsch, Truhten, Anlage. p. 33 —36.

len [36]). Und in Nürnberg machten die Frauenhäuserinnen sogar mehrmals Gebrauch von dem jeder Zunft zustehenden Rechte der Selbsthilfe. Sie stürmten nämlich in den Jahren 1505 und 1538 die Häuser dieser Pfuscherinnen und machten so diesen Stümpeleien selbst ein Ende. Im Jahre 1505 geschah dieses mit Erlaubniß des Rathes, im Jahre 1538 aber auch ohne jene Erlaubniß. Auch wurde im Jahre 1543 ein abermaliger Sturm nur dadurch verhindert, daß ihnen der Stadtrath versprach selbst einschreiten zu wollen [37]).

In sehr vielen Städten wurden sogar von den Stadträthen selbst oder auch von den Landesherrn solche Frauenhäuser errichtet, theils um größerem Schaden und größerem Uebel vorzubeugen und zuvorzukommen, wie es in einer Eingabe der Eßlinger Frauenwirthe und in der nördlinger Frauenhausordnung von 1472 heißt [38]). Auch in München wurde ein Frauenhaus für die „ge„meinen Dochterlein" errichtet, „das dardurch uil übels an frawen „vnd juncffrewen vnderstanden (verhütet) werde" [39]). Eben so errichtete der Stadtrath von Lübeck im Jahre 1442 ein solches Haus pro utilitate civitatis et causa reipublice [40]). Theils aber auch bloß um aus dem Laster Nutzen zu ziehen und die städtischen Einkünfte zu vermehren. Denn die Vorsteher der Frauenhäuser mußten einen nicht unbedeutenden Pachtzins oder eine andere Abgabe an die Stadtkasse, oder an gewisse städtische Beamten entrichten, z. B. in Wien [41]), in Konstanz [42]), in Preßburg [43]) u. a. m. Auch scheinen die Frauenhäuser z. B. in Konstanz als öffentliche Trinkstuben und Weinhäuser zur geselligen Unterhaltung [44]), anderwärts z. B. in Wien die städtischen Rathskeller für Zusammenkünfte mit

36) Pfaff, p. 167.
37) Siebenkees, IV, 587 u. 588. vergl. oben §. 282.
38) Pfaff, p. 167. Not. Reynitsch, p. 29.
39) Urk. von 1433 in Mon. Boic. 35, II, p. 311.
40) Urk. von 1442 bei Pauli, Lüb. Zustände, p. 200.
41) Schlager, p. 374 ff. u. 388 ff.
42) Bestandbrief von 1413 bei Schlager, p. 394.
43) Mehrere Rechnungen von 1445, 1447 u. 1450 bei Schlager, p. 400 u. 401.
44) Brief von 1413 bei Schlager, p. 394.

ben freien Töchtern benußt worden und dadurch ſelbſt offene Frauen=
häuſer geworden zu ſein, weshalb in Konſtanz den Vorſtehern der
Frauenhäuſer das Weinſchenken und in Wien den freien Töchtern
der Beſuch der Rathskeller verboten und ihnen nur noch vor dem
Hauſe zu ſißen erlaubt worden iſt [45]).

Die Frauenhäuſer waren daher öffentliche unter öffent=
lichem Schuße ſtehende Anſtalten, und die Vorſteher jener
Häuſer von dem Stadtrath ernannte und auf ihr Amt be=
eidigte ſtädtiſche Beamte. So war es in Frankfurt [46]), in
Ulm [47]), in Eßlingen [48]), in Baſel [49]), in Nördlingen [50]), in Kon=
ſtanz [51]), in Preßburg [52]), in Nürnberg [53]), in Regensburg [54]), in
München [55]), in Magdeburg, wo das Frauenhaus im Jahre 1466
gleichſam zum Hohn des Erzbiſchofs in der Nähe des Biſchofs=
hofes errichtet worden iſt [56]), und in Mainz, wo der Erzbiſchof
ſelbſt die Gebühren, welche für die Erlaubniß zum Betrieb jenes
ſchönen Gewerbes entrichtet werden mußten, in Anſpruch nahm
und ſich daher im Jahre 1442 beſchwerte, daß ihm die Stadt Ein=
trag thue „an den gemeinen Frauen vnd töchtern,“ und „an der
„Bulerey“ [57]). In Wien waren ſogar zwei Frauenhäuſer landes=
herrliche Lehen. Und auch in Würzburg hatten die Grafen
von Henneberg das Frauenhaus von dem Hochſtifte zu Lehen [58]).

Die Vorſteher dieſer öffentlichen Häuſer nannte man insge=

---

45) Urf. von 1403 bei Schlager, p. 354, 355 u. 391.
46) Lerſner, II, 1. p. 680.
47) Der Frawen wirt aid vnd Ordnung bei Jäger, Magazin, II, 205—
219. Jäger, Ulm, p. 546 ff.
48) Pfaff, p. 167.
49) Baſel im 14. Jahrh. p. 116.
50) Frauenhausordnung von 1472 bei Reynißſch, p. 29 u. 32.
51) Brief von 1413 bei Schlager, Wiener Skizzen, p. 393 u. 394.
52) Urf. von 1445, 1447 und 1450 bei Schlager, p. 400 u. 401.
53) Siebenkees, IV, 586 u. 589.
54) Gemeiner, II, 89.
55) Urf. von 1433 in Mon. Boic. 35, II, p. 311. Frauenwirths Ordnung
von 1563 in Oberbair. Archiv, XIII, 26 ff.
56) Chron. Magd. bei Meibom, II, 366.
57) Urf. von 1422 bei Senckenberg, meditationes juris, p. 483.
58) Schlager, p. 357—359, 395—398. Reynißſch, p. 270 u. 271.

mein Frauenwirthe und Frauenwirthinnen, z. B. in München, Basel, Nördlingen, Ulm, Nürnberg u. a. m. ober auch bloß
Wirthe und Wirthinnen z. B. in Braunschweig [59]), sodann
Meisterinnen z. B. in Basel [60]), Frauenmeisterinnen z. B.
in Wien [61]), Frauenmeister z. B. in München [62]), Aufma-
cherinnen z. B. in Augsburg [63]), zuweilen auch Aebtissinnen
z. B. in Avignon [64]), wahrscheinlich auch in Toulouse, indem man
baselbst das Frauenhaus die große Abtei genannt hat [65]) und Königinnen in Genf (§. 290). Die Rechte und Verbindlichkeiten dieser
Frauenwirthe und Frauenwirthinnen waren in den Rathsordnungen bestimmt, z. B. in der Frauenwirths Ordnung von München
u. a. m., am ausführlichsten in der Frauenwirths Ordnung von
Ulm [66]). Sie mußten daselbst unter Anderem eidlich versprechen,
nicht weniger als 14 „taugliche und geschickte, saubere und gesunde
Frauen" zu unterhalten [67]). Merkwürdig ist auch die Bestimmung
in den Raths- und Frauenhaus Ordnungen von Nürnberg und
Nördlingen, daß die gemeinen Frauen wegen ihrer Schulden von
dem Frauenwirth verkauft und verpfändet oder versetzt oder zurück-
gehalten werden durften [68]). In der Nördlinger Frauenhausordnung
von 1472 [69]) wurde jedoch jener Gebrauch abgeschafft. Auch in
Konstanz wurde die Verpfändung der öffentlichen Frauen nicht
mehr gebuldet [70]). Und in Ulm durften sogar dem Frauenwirth
selbst Frauen und Mädchen von ihren Ehemännern und Eltern

---

59) Ordinarius sen. Bruusv. c. 91.

60) Ochs, III, 609.

61) Urf. 1435 u. 1441 bei Schlager, p. 384, 399 u. 400.

62) Oberbair. Archiv, XIII, 26 u. 27.

63) Stadtrecht §. 358 bei Walch.

64) Hüllmann, IV, 267.

65) Urf. von 1389 in Hist. gen. de Languedoc, IV, preuv. p. 379. —
filles de joye du bordel de nostre ville, dit la grant abbaye.

66) Jäger, Magazin, II, 209 ff. Jäger, Ulm, p. 546 ff.

67) Jäger, Mag. II, 211.

68) Nürnberg. Rathsordn. von 1470 bei Siebenkees, IV, 597 u. 598.

69) Bei Repnitzsch, p. 30 u. 31.

70) Brief von 1413 bei Schlager, p. 393.

verſetzt werden, mit ihrem Willen immer und unter gewiſſen Be=
ſchränkungen ſogar gegen ihren Willen [71]).

Die gemeinen Frauen und Frauenhäuſer und die Frauen=
wirthe und Frauenwirthinnen ſtanden unter der Aufſicht der ſtädti=
ſchen Behörden, zunächſt unter der unmittelbaren Aufſicht und
unter dem Schutze der Rathsknechte z. B. in Baſel [72]), oder der
Stadtknechte z. B. in Nürnberg [73]), oder der Bettelknechte
z. B. in Ulm [74]) oder der Scharfrichter oder Henker z. B. in
Augsburg [75]), in Braunſchweig [76]) und in Goslar [77]), oder der
Sticker, Stucker oder Stocker z. B. in Frankfurt [78]), und in
letzter Inſtanz unter dem Stadtrath. Und die gemeinen Frauen
oder die Frauenwirthe mußten faſt allenthalben an jene Scharf=
richter, Stadtknechte und Sticker für den erhaltenen Schutz eine
gewiſſe Abgabe entrichten.

Der Stadtrath hatte nicht nur das Recht Verordnungen über
die fahrenden und gemeinen Frauen zu machen, ſondern auch noch
das Recht und die Pflicht die Frauenhäuſer ſelbſt zu überwachen.
Daher findet man in allen größeren Städten Rathsordnungen
und Frauenwirths Ordnungen, öfters ſogar in nicht geringer An=
zahl in einer und derſelben Stadt, z. B. in Baſel, wo die üppigen
Frauen, die öffentlichen und die heimlichen Frauen, während des
Conciliums dem Stadtrath ſehr viel zu ſchaffen machten [79]). Mit
der Aufſicht über die Frauenhäuſer waren insgemein einige Raths=
herren beauftragt. In Ulm nannte man dieſe Rathsherren die
Bettelherren oder auch die Herren im Häuslin. Sie ſoll=
ten von Zeit zu Zeit die Frauenhäuſer durchgehen („alle quatem=
„ber ainmal ain durchgehende Rechtfertigung in yedem Frawnhawſs

---

71) Frauenwirthsordn. bei Jäger, Mag. II, 215. Jäger, Ulm, p. 550.
72) Ochs, III, 609 u. 610, V, 177.
73) Beſchwerde von 1492 bei Reynitzſch, p. 35.
74) Jäger, Mag. II, 208.
75) Stadtrecht bei Freyberg, p. 115.
76) Ordinarius sen. Brunsv. c. 91.
77) Bruns, Beiträge, p. 239.
78) Lerſner, II, 1 p. 680, 683 u. 684. Thomas, Oberhof, p. 426 u. 427.
vergl. Rechte von Trier aus 14. sec. §. 8 bei Lacomblet, Archiv, I,
261. — cui officiatus ad cippum, dictus volgariter stocker.
79) Ochs, III, 608—610.

„halten") und sogar selbst Besichtigungen vornehmen, was doch,
wie ein Frauenwirth in einer Beschwerdeschrift vom Jahr 1531
meinte, keinem Mann zustehe, sich vielmehr nur für Frauen und
Hebammen schicke [80]). In den Reichsstädten standen die unzüch=
tigen Frauen unter dem Schutze des Reichs Erbmarschalls von
Pappenheim. Und für diesen Schutz mußten sie ihm bis zum Jahre
1614 ein Schutzgeld entrichten [81]). In Basel hatte während des
Conciliums der Herzog von Sachsen in seiner Eigenschaft als
Reichsmarschall die Aufsicht über die Frauenhäuser und über die
öffentlichen Frauen. Er ließ die Frauenhäuser untersuchen und
fand darin über 700 Frauen und zu seinem großen Erstaunen
außerdem noch weit mehr heimliche Frauen [82]). In Wien dagegen,
und wahrscheinlich auch in anderen Hof= und Residenzstädten stan=
den jene Häuser und jene Frauen unter dem landesherrlichen Hof=
marschall. In Wien standen nämlich die freien Töchter nicht unter
dem Scharfrichter, sondern unter einem eigenen Frauenrichter und
in letzter Instanz unter dem Hofmarschall. Der Hofmarschall hatte
den Frauenrichter und auch die Vorsteherin des Frauenhauses, die
Frauenmeisterin, zu ernennen und die in dem Frauenhause entstan=
denen Streitigkeiten in letzter Instanz zu entscheiden.. Der Frauen=
richter, der die unter den Bewohnerinnen eines solchen Hauses ent=
standenen Streitigkeiten in erster Instanz zu entscheiden hatte, war
demnach selbst ein Hofbeamter. Er gehörte, wie eine Urkunde von
1476 sagt, „mit der Oberkait (d. h. mit der Gerichtsbarkeit) gen
„Hof vnd in vnser Hofmarschalich ambt", und wurde auch vom
Hofe besoldet. Er bezog jedoch außerdem auch noch ein sehr bedeu=
tendes Einkommen aus den Erträgnissen des Frauenhauses, welches
in einer Urkunde von 1548 auf jährlich mehr als 500 Pfund
taxirt worden ist. Auch der Hofmarschall erhielt als oberster
Schirmherr des Frauenhauses aus den Erträgnissen desselben einen
Vogthaber und für das Einsetzen einer Frauenmeisterin, für das
„Wirthinsetzen", gewisse Taxen. Seitdem unter Ferdinand I
die Frauenhäuser abgeschafft worden waren, seitdem verschwanden
natürlich auch die Frauenrichter und die sehr bedeutenden Bezüge

---

80) Jäger, Magazin, II, 207—209, 214 u. 217 f.
81) Siebenkees, IV, 583. Vergleich von 1614 bei Lehmann, p. 955.
82) Siebenkees, IV, 578 u. 579.

aus den Erträgnissen jener öffentlichen Häuser [83]). In Baireuth standen die Frauenhäuser unter dem Schutze des Stadtvogtes und mußten ihm dafür einen jährlichen S ch u t z h a b e r, ·den sogenann= ten H u r e n h a b e r liefern. Und auch nachdem die Frauenhäuser abgeschafft worden waren, fuhren die Stadtvögte noch bis ins 18. Jahrhundert fort, sich jenen Hurenhaber unter allerlei Vorwänden entrichten zu lassen [84]). Selbst die mit dem Heere herumziehenden gemeinen Frauen pflegten unter einem Schirmvogte zu stehen, z. B. die 800 Frauen, welche im Jahre 1298 dem Heere des Kaisers Albrecht folgten, standen unter einem eigenen Amtmann, welcher sie zu schützen und dafür eine gewisse Abgabe zu beziehen hatte [85]).

Die öffentlichen Frauen wurden demnach geschützt und ge= schirmt, und sie hatten sogar sehr große Freiheiten. Die Frauen= häuser waren nämlich befriedete Häuser, und standen als solche unter einem ganz besonderen Schutz [86]). Dafür hatte man aber auch ganz besonders harte Strafen für diese Frauen. In Augs= burg sollte ihnen die Nase aus dem Kopf geschnitten werden, wenn sie sich an den heiligen Tagen sehen ließen [87]). Und in Basel ließ der Rath im Jahre 1486 drei fahrende Frauen, welche in Manns= kleidern in die Klöster gegangen waren, in einem Käfig (Käfih) zur Schau ausstellen [88]). Uebrigens sollten nicht bloß die öffent= lichen Frauen, sondern insbesondere auch die in einem Frauenhause gefundenen Eheleute und Priester streng gestraft, z. B. in Nörd= lingen in einem Narrenhaus untergebracht [89]), in Soloturn aber und in Wien in hohe Geld= und Gefängnißstrafen verurtheilt wer= den. In Wien wurde im Jahre 1548 der Betrag der jährlich

---

83) Urk. von 1422, 1435, 1441, 1476, 1482, 1488 u. 1548 bei Schlager, p. 380, 382, 384—387, 397, 399, 400, 401 u. 404. vergl. Meine Ge= schichte der Fronhöfe, II, 343.

84) Reynitzsch, p. 275.

85) Closener, p. 48. „In dem Here worent ouch wohl 800 frouwen, do „iegelich alle wochen 1 ₰. gab eim ambahtman, der daruber gesetzet „was, daz er sii beschirmen solte for gewalte." vergl. Königshoven, p. 122.

86) Jäger, Ulm, p. 552 u. 553.

87) Stadtrecht, §. 359 bei Walch.

88) Ochs, V, 177.

89) Frauenhausordnung von 1472 bei Reynitzsch, p. 32.

v. Maurer, Städteverfassung. III. 8

von den in den Frauenhäusern ergriffenen Ehemännern erhobenen Geldstrafen auf die damals sehr bedeutende Summe von mehr als 500 Pfund taxirt [90]). In Augsburg endlich ließ der Stadtrath auch einmal, es war im Jahre 1499, vier lasterhafte geistliche Herren, gegen welche der Bischof nicht einschreiten wollte, an Händen und Füßen gebunden in einen am Perlachthurm aufgehängten hölzernen Käfig setzen, sechs Tage lang bis zum Tod hungern und sodann am Galgenberge einscharren [91]).

Auch an die Rettung der gefallenen Mädchen ward schon in den Städten gedacht. Nach kanonischem Recht war es bekanntlich ein Werk der Liebe, öffentliche in Frauenhäusern befindliche Frauen zu heirathen [92]). Und auch in den Städten hatte diese Lehre der Kirche Eingang gefunden. In Halle machte im 15. Jahrhundert ein Bürger eine Stiftung für „fromme Gesellen, die „in der Liebe Gottes verursacht würden, eine arme Sünderin aus „dem gemeinen Hause zur Ehe zu nehmen“ [93]). In München verheirathete der Herzog Albert V selbst, als er die Frauenhäuser aufhob, die Einen und steuerte sie aus, während sieben Andere ins Kloster gingen [94]). Und in Magdeburg war sogar, bei den in den Jahren 1279 und 1387 veranstalteten Ritterspielen und Schützenfesten, der Preis für den Sieger ein solches Mädchen [95]). Aber auch eigentliche Rettungshäuser kommen schon vor. In Speier errichtete bereits im Jahre 1302 ein reicher Bürger eine solche Anstalt, in welcher er öffentliche Frauen aufnahm, ernährte und kleidete [96]). Dasselbe und noch weit mehr that ein Scholar von Kolmar im Jahre 1303. Er errichtete nicht bloß in Kolmar, sondern auch in mehreren anderen Städten solche Rettungshäuser, in welchen er 10 bis 20 öffentliche Mädchen aufnahm und verwahrte (claudebat), kleidete und ernährte, und mit milden Beiträgen die

90) Soloturner Rathsverordnung von 1532. Wiener Urkunden von 1548 bei Schlager, Wiener Skizzen, p 389, 390, 404 u. 405.

91) Gassari annales ad 1499 bei Mencken, I, 1548.

92) c. 20 X, de sponsalibus et matrimoniis (IV, 1).

93) Dreyhaupt, Beschreibung des Saalkreises, im Auszuge von Stiebritz, I, 835. Urk. von 1515 bei Dreyhaupt, Beschr. des Saalkreises, I, 948.

94) Oberbair. Archiv, XIII, 25 u. 28.

95) Rathmann, II, 143—145, 436 u. 437.

96) Annales Colmar. ad 1302 bei Boehmer, font. II, 41.

Kosten bestritt (per mendicationem necessaria ministrávit) [97]). Auch in Straßburg wurde im Jahre 1309 eine solche Anstalt für reuige Sünderinnen (sorores de penitentia) von dem Bischof außerhalb der Stadt errichtet [98]). Eben so wurde in Wien im Jahre 1384 ein Haus der Büßerinnen gestiftet zur Aufnahme von gefallenen Mädchen aus dem Frauenhause [99]). Alle diese Anstalten waren jedoch und blieben auch nur einzelne und vereinzelte Erscheinungen. Auch waren die meisten bloße Privatanstalten. Und sie gingen jedenfalls nicht von den Stadträthen aus.

Erst die Reformation brachte auch in dieser Beziehung allgemeine und dauernde Hilfe. Die Reformatoren und die ihnen nacheifernden Geistlichen drangen nämlich allenthalben auf Abschaffung dieser ärgerlichen Frauenhäuser. Und nach und nach drang auch ihr Feuereifer, wenn auch nur langsam, allerwärts durch. Der Abschaffung dieser traurigen Ueberreste einer sittlich und religiös verwahrlosten Zeit stellten sich nämlich große Schwierigkeiten entgegen. In Basel, sagt Wursteisen in seiner Basler Chronik, „setzte sich der gemeine Mann dagegen und meinte sogar, man „könne keine fromme Frau oder Tochter behalten, wenn man sie „abschaffe" [100]). In Nürnberg wurde ihre Abschaffung von den zwei vornehmsten Konsulenten widerrathen, „weil sich nicht ein „jeder an den Himmel halten könne, und durch die Abschaffung „ehrliche Töchter in Gesahr gesetzt werden möchten." Der Rath schaffte aber dennoch das gemeine Frauenhaus im Jahre 1562 ab [101]). In Ulm wurde das gemeine Haus im Jahre 1537 abgeschafft. Allein schon im Jahre 1551 trugen die Einunger selbst bei dem Rath darauf an, daß es, um größeres Unwesen zu verhüten, gut sein möchte, wenn der Rath selbst wieder ein gemein Haus mit leichtfertigen Weibern aufrichtete [102]). Auch in Augsburg bedauerte man es schon im Jahre 1562, daß das Frauenhaus abge-

---

97) Annales Colmar. ad 1303 bei Boehmer, p. 42.
98) Urk. von 1309 bei Schoepflin, II, 89.
99) Schlager, Wiener Skizzen, p. 370.
100) Pfaff, p. 167 Note.
101) Siebenkees, IV, 593—596.
102) Jäger, Ulm, p. 556 u. 557.

schafft worden sei [103]). Nichts desto weniger wurden doch die
Frauenhäuser nun, seit dem 16. Jahrhundert, allenthalben abge=
schafft, in Konstanz im Jahre 1519 [104]), in Onolzbach im Jahre
1544 [105]), in Wien im Jahre 1539 [106]), in Nördlingen im Jahre
1536 [107]), in Frankfurt a. M. im Jahre 1545 [108]), insbesondere
auch hier in München im Jahre 1597 [109]). Als Privatanstalten
kamen jene Häuser zwar sehr bald wieder zum Vorschein. Allein
als öffentliche städtische Anstalten waren sie nun glücklicher Weise
für immer dahin.

Gesundheitspflege.

§. 426.

Auch die Gesundheitspflege ward frühe schon in den Städten
zur städtischen Angelegenheit, und daher unter öffentliche Aufsicht
gestellt. Von den Kranken= und Siechenhäusern und von ihrer
Verwaltung ist bereits die Rede gewesen. Außerdem wurden aber
auch noch andere Anordnungen getroffen, insbesondere zur Ver=
hütung von Krankheiten und zur Verhinderung ihrer Verbreitung.
So erschienen z. B. in Eßlingen Verordnungen über die Reinigung
der Kleider und Betten der Pestkranken [1]), in Ulm Verordnungen
über das Begraben der Toden bei herrschenden Seuchen [2]), in
Nürnberg schon im 14. Jahrhundert das Verbot die Toden in den
Kirchen und Klöstern zu begraben [3]), während in Ulm u. a. m.
jenes Verbot erst seit der Reformation datirt [4]). Auch wurden in
Nürnberg von Zeit zu Zeit sogenannte Siechschaue und
Sondersiechschaue angeordnet, bei welchen die Kranken von

103) Siebenkees, IV, 594.
104) Schlager, Wiener Skizzen, p. 393.
105) Reynitzsch, p. 39.
106) Schlager, Wiener Skizzen, p. 365 u. 387.
107) Reynitzsch, p. 273.
108) Lersner, II, 1. p. 694.
109) Oberbair. Archiv, XIII, 28.
1) Pfaff, p. 242.
2) Jäger, Ulm, p. 459.
3) Siebenkees, I, 207.
4) Jäger, Ulm, p. 460.

ben Aerzten und Hebammen besichtiget werden mußten [5]). Eben
so erschienen allenthalben Verordnungen gegen das Verfälschen der
Lebensmittel, insbesondere auch gegen Weinverfälschungen, und über
den Verkauf verfälschter Lebensmittel, von falschem Safran u.
dergl. m. [6]). Ganz besonders wichtig für die Gesundheitspflege
war aber die Sorge für gelehrte Aerzte, für Hebammen und Apotheker.

Die auf den hohen Schulen gebildeten Aerzte, die sogenannten Buchärzte oder gelehrten Aerzte (§. 291), mußten sich
zwar, ehe sie den Doctorgrad erhielten, einer akademischen Prüfung
unterwerfen. Da jedoch diese Prüfungen eine Quelle des Einkom-
mens für die Professoren und öfters nicht mit der nöthigen Ge-
wissenhaftigkeit vorgenommen worden waren, so wurden zur Prüfung ihrer Tüchtigkeit frühe schon weitere Prüfungen von Seiten
der Stadträthe angeordnet [7]). Und später wurden auch noch eigene
Stadtärzte, Hebammen und Apotheker angestellt und von der Stadt
besoldet. In Basel geschah dieses schon im 14. Jahrhundert. Die
ersten Aerzte waren daselbst Juden. Der erste im Jahre 1371
angestellte Artzat erhielt 23 Pfund, sein Nachfolger im Jahre 1378
aber nur 18 Pfund. Ein anderer Artzat erhielt im Jahre 1379
bereits 50 Gulden. Neben diesen Aerzten kommen im 14. Jahrhundert auch gelehrte Frauen, sogenannte Artzatinen, vor, welche
sich auch mit Zauberei abgaben [8]). In der Mitte des 15. Jahrhundert erhielt der Stadtarzt einen Gehalt von 20 Gulden und
dazu noch zwei Gulden Hauszins [9]). Auch in Frankfurt a. M.
findet man seit dem 14. Jahrhundert Juden als besoldete Stadtärzte. Im Jahre 1388 erhielt der jüdische Stadtarzt 20 Gulden
Besoldung und im Jahre 1394 der jüdische Stadtwundarzt („der
„stede wondarzt") 18 Gulden [10]). Auch findet man daselbst Jü-
binnen, welche die Heilkunde ausübten [11]). Besoldete Stadtärzte

---

5) Siebenkees, II, 662 ff.
6) Gemeiner, I, 462 und oben §. 405.
7) Hüllmann, IV, 45 ff.
8) Basel im 14. Jahrhundert, p. 79 u. 80. Ochs, II, 448.
9) Ochs, III, 563.
10) Lersner, I, 2 p. 59. Kriegk, Bürgerzwiste, p. 449 u. 557.
11) Kirchner, I, 459. Kriegk, p. 558. Kriegk, Bürgerthum, p. 2 u. 45.

hatte Frankfurt seit dem 14. Jahrhundert [12]), von der Stadt ange=
stellte Hebammen aber erst seit dem 15. Jahrhundert [13]). Und
die Stadtärzte und Stadtapotheker erhielten auch in Frankfurt so=
genannte Dienstbriefe, in welchen ihre Rechte und Pflichten enthal=
ten waren [14]). In Regensburg gab es im 14. Jahrhundert zwar
schon „Aerzte und Aerztinnen, Kristen und Juden, die sich für
„Aerzt ausgaben, und nicht Aerzte waren." Besoldete Stadtärzte
und Wundärzte gab es aber erst seit dem Anfang des 15. Jahr=
hunderts. Seit dem Jahre 1325 hatte man jedoch schon eine Apo=
theke und seit dem Jahre 1397 auch eine Apothekerordnung, nach
welcher die Apotheker unter der Aufsicht der Aerzte gestanden ha=
ben [15]). In Ulm findet man schon seit dem 14. Jahrhundert
mehrere Apotheker, aber erst seit dem 15. Jahrhundert von der
Stadt angestellte, vereidete und besoldete Aerzte, Apotheker und
Hebammen. Die Aerzte wurden meistentheils auf 10 Jahre, zu=
weilen aber auch auf 3 oder 6 Jahre oder auch schon auf Lebens=
zeit angestellt. In ihren Bestallungsbriefen waren ihre Rechte und
Verbindlichkeiten ganz genau angegeben. Sie hatten eine Aufsicht
über die Apotheker und Hebammen. Und diese waren an ihre An=
weisungen und Unterweisungen gebunden. Auch die Apotheker er=
hielten Bestallungsbriefe, in welchen ihre Rechte und Verbindlich=
keiten verzeichnet waren. Sie hatten viele Freiheiten und, wiewohl
sie unter dem Stadtarzt standen, eine sehr selbständige Stellung.
Auch mußten die Aerzte ihre Arzneien bei den geschwornen Apo=
thekern nehmen. Denn eigene Apotheken durften sie nicht haben.
Die Aerzte und Hebammen mußten die ihnen zugeschickten Kranken
und Sondersiechen, von Zeit zu Zeit auch die öffentlichen Frauen
in den Frauenhäusern untersuchen und besichtigen [16]). In Augs=
burg gab es schon im 13. Jahrhundert Aerzte und Apotheker, allein
von der Stadt angestellte und besoldete Aerzte, Wundärzte und
Hebammen erst seit dem 16. Jahrhundert. Auch standen seit dieser

---

12) Kriegk, Bürgerthum, p. 8 ff.
13) Kriegk, Bürgerthum, p. 13 ff. u. 62 ff.
14) Kriegk, Bürgerthum, p. 8 ff., 53 ff. u. 67.
15) Gemeiner, II, 104, 336 u. 337. Zirngibl, in historisch. Abhl. der
     Bair. Akad. der Wiss. IV, 291—293.
16) Jäger, Ulm, p. 442 ff., 452 ff. u. 457. Jäger, Magazin, II, 208.

Zeit die Apotheken unter den Aerzten und wurden von Zeit zu
Zeit von ihnen besichtiget [17]). In Eßlingen kommen schon seit dem
13. Jahrhundert Aerzte und seit dem 14. Apotheker vor, besoldete Stadtärzte dagegen erst seit 1413, und geschworne Hebammen
seit dem 15. Jahrhundert, besoldete Stadtwundärzte und Apotheker aber erst seit dem Anfang des 16. [18]). In München kommen seit dem Jahre 1412 besoldete Aerzte und seit 1420 auch besoldete Hebammen und Bader vor [19]). In Reutlingen findet man
seit dem 14. Jahrhundert Aerzte, besoldete Aerzte aber und
Stadtphysici und besoldete Apotheker und examinirte Hebammen
erst seit dem 16. [20]). In Nürnberg kommen erst seit dem 16. Jahrhundert geschworne Apotheker vor [21]). Ein Stadtarzt war aber
daselbst bereits im Jahre 1377 mit einem Gehalte von 50 Gulden
angestellt [22]). Und seit dem 16. Jahrhundert findet man daselbst
besoldete gelehrte Aerzte und geschworne Hebammen, welche die
Kranken und Sondersiechen von Zeit zu Zeit zu untersuchen und
zu besichtigen hatten [23]). Herumziehende nicht bewährte Aerzte
durften daselbst ohne Erlaubniß des Rathes die Heilkunde nicht
ausüben („daß außerhalb bewährter Doctoren Niemand in Leib-
„arznei curiren oder practiciren soll“). Auch sollte „Niemand
„einich Recept oder Syrup geben“, als die geschwornen Apotheker.
Die Apotheker sollten die Kräuter nicht theurer, als um den Markt-
preis, verkaufen. Und die Aerzte sollten eine möglichst gleiche Belohnung erhalten, und zwei Rathsherren darüber wachen [24]). In
Heidelberg gab es schon seit dem 15. Jahrhundert Apotheker („ap-
„tecker“) und Wurzelkrämer („worczkremer und worczler“) [25]) und
in Lübeck jedenfalls seit dem 16. Jahrhundert Rathsapothecken
(„des erbarem Rades apotecken“). Manche Waaren sollten nur in

---

17) Jäger, Augsburg, p. 155. von Stetten, Gesch. I, 263 u. 272.
18) Pfaff, p. 238, 239 u. 241.
19) Bairische Annalen von 1833, p. 852.
20) Gayler, I, 616 u. 617.
21) Siebenkees, III, 303 ff.
22) Hegel, Chron. der Fränk. Städte, I, 258.
23) Siebenkees, II, 412, 413, 662—672, III, 239 u. 240.
24) Rathsordnung von 1550 im Anzeiger für Kunde der Vorzeit. Januar
    1865 Nr. I. p. 21.
25) Apothekerordnung von 1471 bei Mone, II, 276 u. 278.

diesen Apotheken und Gifte auch in den Rathsapotheken nur in Gegenwart von zwei angesessenen Leuten verkauft werden [26]). Und in Hamburg gründete man im 15. Jahrhundert sogar schon eine Bibliothek für den Stadtarzt [27]).

In manchen Städten findet man auch noch physici, entweder allein, in welchem Falle darunter offenbar Aerzte zu verstehen sind [28]), oder auch noch neben den Apothekern und Aerzten [29]), und dann ist es nicht klar, wie sie sich von einander unterschieden. Manche halten die Physiker für Pharmaceuten. Allein dann wären sie dasselbe, was die Apotheker gewesen sind, von denen sie doch unterschieden werden. Ich halte daher die Physiker für eine Unterart der Aerzte, die sich von den Doctoren in derselben Weise unterschieden, wie die alten Volksärzte oder Wundärzte von den gelehrten Aerzten (§. 291) und wie heute noch in England der Physiker (the physician) von dem gelehrten Arzt (the doctor) unterschieden wird.

Endlich findet man in manchen Städten auch schon eigene Thierärzte, in Ulm seit dem Jahre 1388 und in Frankfurt seit 1491 besoldete Pferdeärzte, während es bis dahin die Hufschmiede waren, welche die kranken Pferde zu heilen hatten [30]).

Die Sorge für die Gesundheit führte auch frühe schon zur Errichtung von Badhäusern und Badstuben. Man findet sie in mehr oder weniger großer Anzahl schon seit dem 13. und 14. Jahrhundert in allen alten Städten. Ein Beweiß, daß damals mehr gebadet worden ist, als es heutiges Tages zu geschehen pflegt. Vielleicht war es auch in früheren Zeiten, der ansteckenden Krankheiten wegen, die man nicht zu heilen und nicht zu verhindern wußte, ein größeres Bedürfniß. Auch die armen Leute und die gewöhnlichen Arbeitsleute pflegten zu baden. Man nannte daher

---

26) Verordnung von 1530 bei Wehrmann, Lüb. Zunftrollen, p. 291—294.

27) Lappenberg, Programm zur dritten Secularfeier, p. 55.

28) Urk. von 1265 bei Seibertz, II, 1. p. 415. Henschel, v. physicus. V, 240.

29) Testamentum Asini bei Henschel, V, 240. Fel apothecariis, stercus meum medicis, urinam quoque physicis. vergl. Seibertz, Rechtsgesch. von Westfalen, III, 754 Note.

30) Kriegk, Bürgerthum, p. 15.

die Geschenke, welche man den Arbeitsleuten zu machen pflegte, und die wir heut zu Tage Trinkgelder nennen, damals Babegel= der oder Babelohn, z. B. in Ulm, Regensburg, München, Frankfurt u. a. m. [31]). Und in Frankfurt sollte der Schultheiß, wenn er zur Meßzeit von den Jägern des Vogtes von Münzen= berg einen gefangenen Hirsch zum Geschenk erhielt, die Jäger, welche ihm den Hirsch in feierlichem Aufzuge durch die Stadt bla= send brachten, zur Belohnung statt des Babegeldes selbst ins Bad führen („der sall sye zu bade furen") [32]). Solche Babeanstalten findet man schon seit dem 13. und 14. Jahrhundert in Wetzlar [33]), in Basel [34]), in Speier [35]), in Regensburg [36]), auch in den Städten der Mark Brandenburg [37]) und in Schlesien [38]), in Heilbronn u. a. m. [39]), in Frankfurt a. M. zwei Badestuben, die rothe Badstube und die weiße [40]), sehr viele in Ulm [41]), in Mühlhausen 4 Badstuben [41a]), in Eßlingen sechs Badstuben [42]), und in Lübeck hatte bereits seit dem Ende des 13. Jahrhunderts jede Straße ihre eigene Badestube, welche nach der Straße stupa Sti Egidii, stupa in fossa pisca= torum, stupa canum u. s. w. benannt worden ist [43]). Meisten= theils gehörten diese Badstuben der Stadt, öfters aber auch einzel= nen Bürgern oder Klöstern, und sie wurden sodann an die Bader verpachtet oder auch als Erblehen verliehen [44]). Denn die Bader

---

31) Jäger, Ulm, p. 498. Gemeiner, II, 143. Bairische Annalen vom Mai 1833, p. 414. Battonn, II, 192.

32) Grimm, I, 502.

33) Zwei Urkunden von 1267 bei Guden, V, 47 u. 49 ein aestuarium. vergl. Ulmenstein, 1, 530 u. 531.

34) Basel im 14. Jahrh. p. 81 u. 82.

35) Zeuß, Speier, p. 19.

36) Gemeiner, I, 544.

37) Zimmermann, I, 130 u. 131.

38) T. u. Stenzel, p. 185.

39) Mone, II, 264.

40) Battonn, II, 190—192. Lersner, II, 218.

41) Jäger, Ulm, p. 497—499.

41a) Altenburg, Beschreibung von Mühlhausen, p. 261.

42) Pfaff, p. 240.

43) Pauli, Lüb. Zustände, p. 42.

44) Jäger, Ulm, p. 499. Pfaff, p. 240. vergl. oben §. 291.

hatten, wie wir gefehen, die Bäber zu beforgen und nebenbei auch noch die Babgäfte zu fchröpfen und zu barbieren. Mit den Babern ftanden auch die Babftuben unter der Aufficht des Stabtraths. Daher waren öfters die Babtage, z. B. in Nürnberg, und allenthalben das Babgeld von dem Stabtrath beftimmt, z. B. in Nürnberg [45]), in Ulm [46]), in Eßlingen [47]) u. a. m.

Die reichen Gefchlechter befaßen meiftentheils ihre eigenen Babftuben, z. B. in Ulm [48]). Aber auch für die Armen war in vielen Städten geforgt. Man nannte die Armenbäder insgemein Seelbäber. Ein folches Seelbad hat in Regensburg für die Armen zu St. Lazarus beftanden [49]) und in Ulm für die in den Seel= und Siechenhäufern befindlichen Kranken. Eben dafelbft hat= ten auch die gemeinen Frauen eine befondere Babftube [50]). In den meiften Städten befaßen auch die Juden eigene Babhäufer und Babftuben, z. B. in Augsburg [51]), in Speier [52]), in Frankfurt a. M. [53]), in Mainz u. a. m. In Mainz war mit dem Judenbad auch eine Judenherberge „die Herberg im Kaltenbad" verbunden [54]).

Diefe Babanftalten entfprachen jedoch nicht bloß einem da= mals beftehenden Pedürfniffe. Sie waren zu gleicher Zeit auch Gegenftand des Luxus. Denn es gehörte zu den Erforderniffen einer ftattlichen Hochzeit und eines glücklich überftandenen Kind= bettes, daß die beiden Brautleute und die Wöcherinnen feierlich ins Bad begleitet werden mußten, wofelbft fodann tüchtig gefchmauft und getanzt zu werden pflegte, weshalb denn der dabei entfaltete Aufwand fpäter, wie wir gefehen, gefetzlich befchränkt worden ift. Auch andere Feftlichkeiten, zumal die Faftnachtsluftbarkeiten endigten öfters mit einem Gang ins Bad. So gingen z. B. in Frankfurt a. M.

---

45) Siebenkees, III, 248—250.
46) Jäger, Ulm, p. 499.
47) Pfaff, p. 240.
48) Jäger, p. 499.
49) Gemeiner, II, 154.
50) Jäger, p. 499.
51) von Stetten, I, 81.
52) Zeuß, p. 19.
53) Kriegk, Bürgerzwifte, p. 444, 445, 447 Note. — estuarium judeorum.
54) Schaab, Gefch. der Juden in Mainz, p. 134, 135 u. 145.

die alten Geſchlechter im Jahre 1466, nachdem ſie in ihrer Stube geſpeiſt hatten, ins Bad zur weißen Badſtube [55]). Auch die Hand= werksgeſellen hatten ihre geſelligen Badetage und ſie hielten öfters feierliche Badegänge (§. 284). Da jedoch auch die fahrenden Frauen ſich in jenen Badeanſtalten einzufinden pflegten, ſo kamen ſie ſeit dem 15. Jahrhundert hie und da in Verruf und ſodann in Verfall. Berüchtigt in dieſer Beziehung war z. B. die Badſtube von St. Leonhard in Baſel [56]).

Kriegsweſen.

§. 427.

Auch das Kriegsweſen gehörte zu den ſtädtiſchen Angelegen= heiten. Der Kriegsdienſt der Stadtbürger, auch die Verbindlichkeit die Stadt zu vertheidigen gehörte zwar urſprünglich zu dem Kö= nigsdienſt, war demnach kein Gemeindedienſt, vielmehr ein öffent= licher Dienſt. Die Umgebung des Ortes mit Mauern und anderen Feſtungswerken hat jedoch frühe ſchon die Kriegsdienſtpflichtigkeit der Bürger zu einer Bürgerpflicht und zu einer Gemeindeangelegen= heit gemacht (§. 128, 135 u. 390). Jeder Bürger mußte ſich auf eigene Rechnung bewaffnen und verköſtigen. Wenn jedoch die Auslagen zu groß waren, ſteuerte auch die Stadtgemeinde zu der Ausrüſtung bei (§. 131—133). Und wenn der Auszug der ſtädti= ſchen Mannſchaft weiter ging oder länger dauerte, als die Bürger= ſchaft umſonſt zu dienen brauchte, ſo ging ſodann der weitere Dienſt auf Rechnung der Stadtgemeinde oder der Landesherrſchaft, welche den weiteren oder längeren Dienſt in Anſpruch nahm. Und ſpäter erhielt die ausgezogene Mannſchaft auch noch einen regelmäßigen Sold aus der Stadtkaſſe oder aus der Zunftkaſſe (§. 129 u. 134). Die Stadtkammerrechnung von München vom Jahre 1437 enthält die Ausgabe „für die Rayſer, unſere Bürger und Geſellen, zu ray= „ſen an den Lech an die Landwehre, da der von Oettingen abge= „ſagt hat“ [1]). Denn die weiteren Auszüge der ſtädtiſchen Mann=

---

55) Lerſner, II, 218.

56) Baſel im 14. Jahrhundert p. 82.

1) Bairiſche Annalen vom Mai 1833, p. 414. vergl. noch die Rechnung von 1412 u. a. m. cod. p. 438, 419 u. 443.

schaft gingen auf Kosten der Stadt. Jeder Bürger war berechtiget
seine Hintersassen und Dienstleute zu bewaffnen. Eben so die
Stadt ihre Hintersassen, also auch die Zünfte. Daher wurden die
Zünfte schon vor ihrem Siege über die Geschlechter kriegerische Ab=
theilungen und sie blieben es meistentheils auch nachher (§. 281).
Jede Zunft rückte unter ihrem Zunftmeister aus. Eben so auch
die Geschlechterzünfte in jenen Städten, in welchen sie eine eigene
Zunft bildeten. In jenen Städten dagegen, in welchen die Ge=
schlechter zwar keine eigene Zunft, aber doch eine eigene Abtheilung
bildeten, standen sie unter dem unmittelbaren Kommando des
Bürgermeisters oder des von diesem gesetzten Hauptmanns, z. B.
in Ulm²). Die Zünfte dienten meistentheils zu Fuß und die Ge=
schlechter zu Pferd. Man nannte daher die Geschlechter öfters
auch Constabler oder Constofler. Die Constofler zu Straßburg
waren wieder in acht Abtheilungen, in acht sogenannte Constofel,
getheilt. An der Spitze jeder Constofel stand ein Constofelmeister,
der für die Constofel dasselbe war, was der Zunftmeister für seine
Zunft (§. 131). Die Constofelmeister wurden auch, da sie die
Hauptleute der Reiterei waren, Hauptleute der Reitenden („der
„Ritenden Houptlut") genannt³). In Basel bestand die Reiterei
aus den Geschlechterstuben und aus den zwei ersten Zünften, näm=
lich aus der Zunft der Kaufleute und der Hausgenossen⁴). Die
übrigen Zünfte bildeten das Fußvolk. Wie anderwärts, so bildete
auch in Basel jede Zunft eine eigene Abtheilung, deren Hauptmann
der Zunftmeister war. Das gesammte Fußvolk war aber wieder
in vier Scharen abgetheilt. Jeder Schar war ein Ritter und
ein Achtmann vorgesetzt, welche die Weiser genannt worden
sind. Die erste Schar bestand aus den Krämern, Schmieden,
Metzgern, Schiffleuten und Fischern; die zweite Schar aus den
Gerbern, Schuhmachern, Brodbäckern und Werbern; die dritte
Schar aus den Schneidern, Neyern oder Kürschnern, Gärtnern,
Scherern, Mahlern und Sattlern; und die vierte Schar aus den
Weinleuten, Zimmerleuten, Maurern, Grautüchern und Rebleuten⁵).

2) Jäger, Ulm, p. 424.
3) Alte Ordnung bei Wencker, von Glevenburgern, p. 51 u. 52.
4) Ochs, II, 392, V, 96.
5) Ochs, II, 394.

In Zeiten der Noth, z. B. im Jahre 1425, sollten aber in Basel außer den Geschlechtern auch noch die namhaften Bürger Roßdienste leisten, jeder der 2000 fl. im Vermögen hatte ein Pferd, und wer 3000 fl. oder mehr besaß außer dem Pferd auch noch einen Diener stellen [6]). Auch in Bern und in Freiburg in der Schweiz war die Bürgerschaft in vier Banner eingetheilt und an der Spitze eines jeden Banners stand ein Venner [7]). In Lucern standen zwei Bannerherren an der Spitze der mehreren und der minderen Stadt, unter einem jeden von ihnen noch ein Schützenvenner, und neben ihnen noch ein eigener Stadtvenner [8]). Auch in Cocsfeld war die Bürgerschaft zur Vertheidigung der Stadt in Rotten eingetheilt, von denen eine jede ihren eigenen Befehlshaber hatte [9]). In manchen Städten standen auch die vereinigten Zünfte wieder unter einem eigenen Hauptmann, z. B. in Ulm und in Straßburg (§. 281). Dann standen die Geschlechter entweder un- mittelbar unter dem Bürgermeister oder unter einem von ihm ge- setzten Hauptmann, z. B. in Ulm [10]), oder wie in Straßburg unter einem Hauptmann der Reitenden. Es bildeten demnach die Ge- schlechter und die vereinigten Zünfte zwei abgesonderte Korps, die Geschlechter die Reiterei unter einem eigenen General der Kavallerie und die Zünfte die Infanterie unter einem eigenen General der Infanterie. In Wien zogen im Jahre 1405 bei dem allgemeinen Aufgebote gegen die Ungarn sämmtliche Bürger und Handwerker- zechen in sieben Abtheilungen unter sieben Hauptleuten aus [11]). Der militärischen Einheit wegen standen aber sämmtliche Abthei- lungen wieder unter einem obersten Hauptmann, meistentheils unter dem Bürgermeister selbst, z. B. in Wien. Daher wurde der Bürgermeister von Wien im Jahre 1452 „Oberster Haupt- „mann der Stat Roßvolkh und Fueßvolkh" genannt [12]). Oder jene Abtheilungen standen unter einem von dem Bürger-

---

6) Ochs, III, 151.
7) Simler, eidgenoss. Regiment, p. 514 u. 515.
8) Simler, p. 516.
9) Sökeland, p. 58.
10) Jäger, p. 424.
11) Schlager, p. 28—31.
12) Schlager, p. 26.

meister gesetzten Stadthauptmann, z. B. in Ulm, Frankfurt
u. a. m. (§. 135), und in Straßburg unter dem Ammeister oder
unter dem von ihm gesetzten Hauptmann [13]), und in Solothurn
unter dem Venner [14]). Die Obersten Hauptleute hatten die Stadt-
fahne oder das Stadtbanner bei sich, wenn sie ins Feld zogen, z. B.
in Straßburg [15]). Ursprünglich haben sie wohl auch das Stadtbanner selbst vorangetragen. Daher nannte man sie öfters, wie
wir gesehen, auch Bannerherren, Fähnriche oder Venner.
Graf Albert von Habsburg war Stadthauptmann in Straßburg
(dux militiae et vector vexilli civitatis Argentinensis) [16]) Und
auch sein Sohn Rudolf von Habsburg war, ehe er Kaiser wurde,
der Stadt Straßburg Hauptmann und als solcher „ein leiter vnd
„venre der stette zu Strosburg oder capitaneus et vexilla-
„rius civitatis Argentinensis" [17]). Und die obersten Hauptleute
der gegen einander kämpfenden Heere nannte man „oberste
„venre" [18]).

Neben der bewaffneten Bürgerschaft standen die von der Stadt
bezahlten und unterhaltenen Soldtruppen (§. 134), welche seit
dem 17. und 18. Jahrhundert auch in den Städten in stehende
Heere übergegangen sind. Die Dienstpflichtigkeit der Bürger dauerte
zwar in vielen Städten nach wie vor neben den Soldtruppen, auch
nachdem sie stehend geworden waren, wenigstens der Theorie nach
noch fort, z. B. in Rotenburg, Magdeburg u. a. m.[19]). In Neustadt Eberswalde bildeten die Bürger noch bis ins 18. Jahrhundert
eine Schützengilde. Daher mußten die neu-aufgenommenen Bürger bis zum Jahre 1713 mit Ober- und Untergewehr auf dem
Rathhause erscheinen, sich in die Schützencompagnie oder Stadtmiliz
aufnehmen lassen und in dem Bürgereide angeloben, daß sie ihren
vorgesetzten Ober- und Unterofficiers treu und gehorsam sein woll-

---

13) Alte Ordnung bei Wencker, von Glevenburgern, p. 49, 50 u. 53.
14) Simler, p. 515.
15) Alte Ordnung bei Wencker, p. 51. — „dem Houptman der dasselbe
  „Venlin (das Statt Venlin) hat." vergl. noch p. 53.
16) Schreiber, Gesch. von Freiburg, II, 43.
17) Königshoven ed. Schilter, p. 118.
18) Königshoven, p. 121.
19) Bensen, p. 339. und oben §. 134.

ten²⁰). In der Wirklichkeit begann nun aber die Wehrhaftigkeit der Bürger gewaltig zu sinken, zum größten Nachtheile der Bürger selbst und ihrer Freiheit und Selbständigkeit (§. 390). Am Ende des 16. Jahrhunderts hatten in der Mark Brandenburg nicht nur die armen Leute keine Waffen mehr, sondern aus Nachlässigkeit auch viele wohlhabende Bürger. In Neusalzwedel hatten von 277 waffenfähigen Bürgern nur noch 90 Waffen, in Tangermünde von 222 nur 80, und in Seehausen von 230 nur 99²¹). Und seit dem 18. Jahrhundert war die Bürgerwehr allenthalben ohne allen Werth. Sie ward nur noch bei Kirchen= und anderen Paraden aufgeboten. Und in vielen Städten ward sie sogar Gegenstand des Spottes.

Auch Waffenvorräthe wurden in den Städten auf städtische Kosten angelegt, zumal für das schwere Geschütz und für die Munition, und Marställe zur Unterhaltung der städtischen Pferde (§. 133). Eben so gehörten auch die Waffenübungen zu den Angelegenheiten der Stadt. Bei ihnen war zwar gleich anfangs, wie wir gesehen, der Scherz mit dem Ernst verbunden, zuletzt ward aber der Scherz zur Hauptsache, während er ursprünglich bloß Nebensache war. Daher sind auch in den Städten die Turniere der Geschlechter und die Waffenübungen des Fußvolkes in wahre Ritterspiele, Fechterspiele und Schützenfeste ausgeartet (§. 137). Daß die Städte zum Zweck des Heerdienstes und zur Bewachung der Stadt in Quartiere oder Stadtviertel einge= theilt und jedem Viertel ein Hauptmann oder ein Venner, öfters auch einem Stadtviertel mehrere Hauptleute vorgesetzt worden sind, haben wir gleichfalls schon gesehen (§. 136 u. 218).

Der Dienst der bewaffneten Bürgerschaft stand ursprünglich unter den Beamten der öffentlichen Gewalt, mit einziger Ausnahme des Wachedienstes und des dazu gehörigen Dienstes zur Aufrecht= haltung der inneren Ordnung und des Stadtfriedens, welcher von je her eine Pflicht der Markgenossen, also eine stadtmarkgenossen= schaftliche oder Gemeinde Angelegenheit war (§. 386, 389 u. 390). Der eigentliche Heerdienst dagegen, der Reichsheerdienst eben sowohl

---

20) Fischbach, Städtebeschr. der Mark Brandenb. I, 107 f.
21) Zimmermann, I, 321.

wie der landesherrliche Heerdienst, war ursprünglich kein Gemeinde=
dienst, vielmehr, wie wir gesehen, ein Königsdienst. Er stand daher
in den Reichsstädten unter dem Reichsvogt und in den Landstädten
unter dem landesherrlichen Beamten der Stadt. Da jedoch frühe
schon die Reichsstädte mit der Reichsvogtei auch den Heerbann er=
worben und auch die emporstrebenden Landstädte ihrem Landes=
herrn und dem landesherrlichen Herrn den Zutritt versagt hatten,
so wurde auch der Heerdienst frühe schon ein Gemeindedienst. Und
schon seit dem 14. Jahrhundert haben sodann die meisten Städte
ihr städtisches Heerwesen durch eigene Waffenordnungen geordnet
(§. 128 u. 135). Die Deutschen Könige und Reichsfürsten waren
zwar nach wie vor berechtigt auch von den Städten den alten
Königsdienst zu begehren. Allein man gehorchte nicht mehr ihren
Befehlen. Sie mußten vielmehr darum bitten. Daher schrieb im
Jahre 1410 der bereits im Felde liegende Herzog Wilhelm von
Baiern an den Stadtrath von München, „Wir bitten euch ernst=
„lich, daß ihr das Viertheil zu München unverzüglich herein heißt
„ziehen" u. s. w. [22]). In demselben Jahre bath der Herzog, man
möge ihm doch einige Zentner Pulver schicken [23]). Und in den
Jahren 1420, 1421 und 1422 zog das gereisige Volk von Mün=
chen erst dann aus, nachdem vorher die Bürgerschaft versammelt
und der Auszug von ihr berathen und beschlossen worden war [24]).
Ja sogar die vorausgezogene Mannschaft berathschlagte öfters noch
im Felde selbst, ob sie den Anordnungen des Herzogs Folge leisten
wolle oder nicht. Und im Jahre 1410 ward von dem gereisigen
Volke von München mehrmals beschlossen, die von dem Herzog er=
haltenen Weisungen nicht zu befolgen [25]). Ebenso erwiederte im

---

22) Urk. von 1410 in Bairischen Annalen vom Mai 1833, p. 438.
23) Schreiben des Herzogs von 1410 in Bair. Annalen vom October 1833,
    p. 875. „Darum so bitten wir euch mit gantzem Fleiße, daß ihr uns
    „euers Pulver vier oder fünf Zentner leihet" —.
24) Bair. Annalen vom Mai 1833, p. 439, 440 u. 442.
25) Schreiben des Hauptmanns Barth an den Stadtrath von 1410 in
    Bairisch. Annalen vom Mai 1833, p. 439. „Da wir mit unsern Her=
    „ren kamen vor Freundsberg, da hätte er gern gesehen, daß wir ihm
    „den geraisigen Zeug geliehen hätten mit anderem Volk die Feste Fried=
    „berg zu speisen. Das brachten wir an unser Volk, die spra=

Jahre 1404 die Bürgerschaft von Magdeburg ihrem Landesherrn auf die Aufforderung mit ihm gegen seine Feinde zu ziehen, „er „habe der Stadt von der Fehde oder dem Kriege mit diesen Herren „bisher noch nichts kund gethan. Einen so bedenklichen Krieg „hätte er billig nicht ohne Rath und Theilnahme der Stadt an= „fangen sollen." Und erst nach langen Unterhandlungen wurde im folgenden Jahre die Stellung von 150 ausgerüsteten Pferden bewilliget [26]). Und in Erfurt mußten die Grafen von Gleichen, welche daselbst Erbvögte waren, bereits im 13. Jahrhundert der Stadt versprechen, ohne Zustimmung des Stadtraths keinen Krieg anfangen zu wollen [27]).

Die Aufbringung der dem Inhaber der öffentlichen Gewalt zu stellenden Mannschaft und die Ernennung des Anführers wurde allenthalben den einzelnen Städten überlassen. Das städtische Heer zog demnach unter Anführung des Bürgermeisters oder Ammeisters oder des von ihnen gesetzten bürgerlichen Hauptmanns zu dem landesherrlichen Heer und zu dem Reichsheer (§. 135 u. 281).

Die Ueberwachung und Ordnung des städtischen Heerwesens hatte der Stadtrath selbst oder eine von ihm ernannte städtische Behörde. In Zürich stand die Aufsicht über die Bewaffnung der Bürger und über das Heerwesen überhaupt direkt unter dem Stadt= rath [28]). In Basel wurde zur Leitung des Kriegswesens in krie= gerischen Zeiten, z. B. im Jahre 1406 und nachher noch öfter, eine aus 9 Personen bestehende Kriegskommission, der Rath der Neun oder die Neun genannt, niedergesetzt. Diese Kommis= sion bestand aus dem Bürgermeister und Oberstzunftmeister, aus einem Ritter, zwei Achtbürgern, zwei Rathsherren von den Zünf= ten und aus zwei Zunftmeistern [29]). Das Zeughaus aber und die

---

„chen, sie wollten uns vom Jhm nicht lassen theilen. Man „hätte gern darnach mit dem geraisigen Volk von München eine Brücke „besetzt oberhalb Freundsberg, das schoben wir an das Volk, und „gaben unsern Herren zur Antwort" u. s. w.

26) Rathmann, III, 9 u. 10.

27) Urk. von 1272 bei Mencken, I, 539. nullam werram cum aliquo habebimus deinceps in futurum, sine consensu consulum Errford. speciali.

28) Richtebrief, II, 22—24, IV, 42 u. 43.

29) Ochs, III, 38, 39, V, 25.

v. Maurer, Städteverfassung. III. 9

Aufsicht über die Waffenvorräthe stand früher unter dem Sieb=
neramt, seit dem Ende des 15. Jahrhunderts aber unter zwei
sogenannten Zeugherren, welche im Jahre 1494 einen jährlichen
Gehalt von nicht mehr als einem Gulden bezogen [30]). Eben
so wurde in Augsburg zur Leitung des Kriegswesens in kriegeri=
schen Zeiten, z. B. im Jahre 1536, eine Deputation oder ein
geheimer Rath niedergesetzt, bestehend aus vier aus dem kleinen
Rath genommenen Rathsherren [31]). In Rotenburg bestand diese
Behörde aus fünf aus dem inneren und äußeren Rath genomme=
nen sogenannten Kriegsherren [32]). Auch in Straßburg nannte
man im 15. Jahrhundert jenes Collegium die Kriegsherren [33]).
Und in Nürnberg bestanden zwei Collegien neben einander, das
Collegium der drei obersten Hauptleute zur Handhabung
der Ordnung im Innern, weshalb auch die Viertelmeister und die
Gassenhauptleute unter ihnen standen, und das Collegium der
drei Kriegsherren, von denen Einer der Kriegsoberste
war, zur Besorgung der eigentlichen Angelegenheiten des Kriegs [34]).

Unter dem Stadtrath standen übrigens nicht bloß die bewaff=
neten Mannschaften und was sonst noch zum städtischen Heerwesen
gehörte, sondern namentlich auch noch die Stadtmauern, die
Stadtthore, die hölzernen Planken oder Tülle, die Gra=
ben, Zäune und Schläge und was sonst noch zu den Festungs=
werken gehörte. Denn der Stadtrath hatte für ihre Erhaltung zu
sorgen, die daran verübten Beschädigungen zu bestrafen und über
dieselben in aller und jeder Beziehung zu verfügen, z. B. in Re=
gensburg [35]), in Bremen [36]), in Coesfeld [37]), in München [38]), in

---

30) Ochs, II, 79, V, 87.
31) Langenmantel, p. 63.
32) Bensen, p. 330.
33) Wencker, von Clevenbürgern, p. 49.
34) Scheurl, epistola von 1516 bei Wagenseil, de civitate Norinberg.,
    p. 195 u. 197. Joannis ab Indagine, p. 812, 815 f. u. 823. vergl.
    oben §. 135.
35) Gemeiner, I, 541. vergl. oben §. 54.
36) Rynesberch und Schene, Chron. bei Lappenberg, Geschichtsquellen des
    Erzstiftes, p. 80.
37) Urk. von 1303 bei Niesert, I, 2. p. 484. Söseland, p. 57 u. 58.

Breslau, Brieg, Grottkau, Schweidnitz und Ratibor [39]), in Alt=
stedt [40]) u. a. m.

Die Sturmglocke gab das Zeichen zur Versammlung der
waffenfähigen Mannschaft in Basel (§. 281), in Eßlingen [41]), in
Regensburg [42]), in Rotenburg [43]), in Brillon (§. 135), in Lech=
nitz [44]), in Coesfeld [45]), in Wien [46]), in Kempen (§. 129), in Straß=
burg u. a. m. In Straßburg sollten sich die Handwerker ursprüng=
lich bis ins 15. Jahrhundert, wenn es auf dem Münster stürmte,
mit ihren Bannern vor dem Münster versammeln. Da dieses aber
öfters zu Unordnungen geführt hatte, so wurde im 15. Jahrhun=
dert in jedem Kirchspiel ein Versammlungsort für die Mannschaft
dieses Kirchspiels bestimmt, an welchem sodann die Befehle des
Hauptmanns und des Ammeisters abgewartet werden sollten [47]).

Um sich von dem Zustand der Rüstungen zu überzeugen,
wurden von Zeit zu Zeit sogenannte Harnischschaue, Panzer=
schaue, Waffenschaue und Musterungen, in vielen Städ=
ten schon seit dem 14. Jahrhundert gehalten, z. B. in Bern [48]), in
Zürich [49]), in Straßburg [50]), in Ulm [51]), in München [52]), in Win=
terberg in der alten Grafschaft Spanheim [53]), in Basel u. a. m.,

---

38) Stadtrecht, art. 363 u. 488 bei Auer, p. 140 u. 184. Die Tülle
waren offenbar dasselbe, was anderwärts die hölzernen Planken. vergl.
Schmeller, I, 442.

39) Urk. von 1293 §. 12, von 1324 §. 34 und von 1328 §. 6 u. 13 bei
T. u. St. p. 421, 509 u. 520.

40) Statut §. 12 bei Walch, VI, 206.

41) Pfaff, p. 134.

42) Gemeiner, II, 253.

43) Benfen, p. 331.

44) Freiheiten von 1297 §. 29 bei Kindlinger, Sammlung, I, 114.

45) Sökeland, p. 58.

46) Schlager, p. 28.

47) Alte Ordnung bei Wencker, von Glevenbürgern, p. 53 f.

48) Stettler, Rechtsgesch. von Bern, p. 79.

49) Richtebrief, IV, Zusatz.

50) Statut von 1350 bei Strobel, II, 299.

51) Jäger, p. 414.

52) Bairische Annalen vom Mai 1833, p. 414.

53) Stadtrecht von 1331 bei Walch, VI, 261.

9 *

und seit dem 16. Jahrhundert auch in Eßlingen [54]), in Roten=
burg [55]) u. a. m.. In Basel sollte jeder Zunftmeister die Harnische
und Wehren seiner Zunftangehörigen mustern, von Zeit zu Zeit
aber auch noch eine allgemeine Musterung auf den Zünften
gehalten werden [56]).

Für den bem Landesherrn schuldigen Kriegsdienst bildete sich
im 15. und 16. Jahrhundert in der Mark Brandenburg eine
ganz eigenthümliche Einrichtung. Die größeren Städte bilde=
ten daselbst für das Kriegswesen den Mittelpunkt für die klei=
neren Städte. Sie erhielten den Namen Hauptstädte und
die umherliegenden kleineren Städte schlossen sich an sie an, hielten,
so oft es nothwendig war, Versammlungen, welche man Ge=
spräche nannte [57]), in welchen Alles, was zur Vertheidigung des
Landes und zur Aufbringung der dazu nothwendigen Kosten ge=
hörte, verhandelt und beschlossen zu werden pflegte. In der Mit=
telmark entstand diese Einrichtung bereits im 15. Jahrhundert,
in der Altmark aber erst im 16. In der Altmark waren die
Hauptstädte, an welche sich die kleineren Städte anschlossen, Sten=
dal und Gardelegen, in der Neumark die Stadt Soldin, und in
der Mittelmark die Städte Brandenburg, sodann Berlin und
Köln, im Lande Lebus Frankfurt, in der Ukermark Prenzlau,
im Lande Ruppin die Stadt Ruppin, in der Priegnitz die
Stadt Perleberg u. s. w. An der Spitze der zu einer Hauptstadt
gehörigen Mannschaft stand ein aus der Hauptstadt des Gesprächs
genommener Hauptmann, welchem öfters auch noch ein Stell=
vertreter, ein Fähnrich, beigegeben wurde. Und dieser Haupt=
mann stand unter dem unmittelbaren Kommando des Kurfürsten
selbst oder seines Hauptmanns [58]).

---

54) Pfaff, p. 134 u. 135.

55) Bensen, p. 339.

56) Ochs, V, 87 f., VI, 149 f. u. 287.

57) Schreiben Friedrichs II von 1469 bei Lenz, II, 650. — „daß ihr mit
„den kleineren Stätten zu ewer Gesprech gehorende" —.

58) Zimmermann, I, 317—319 u. 323.

Steuerwesen.

§. 428.

Wie jede andere Genossenschaft, so hatte auch die Stadtge=
meinde das Recht der Selbstbesteuerung. Denn es gehörte
dieses Recht zu dem Rechte der Autonomie, welches ursprünglich
jede Genossenschaft gehabt hat (§. 158). Und die Pflicht der
Bürger für die Befestigung der Stadt zu sorgen und die Stadt zu
vertheidigen hat offenbar zu den ersten städtischen Steuern geführt.
Zur Befestigung der Stadt und zur Unterhaltung der Stadtmauern
wurden Accise, Ungelter und andere Steuern erhoben (§. 30). Und
die Vertheidigung der Stadt Köln im Jahre 1206 hat daselbst zur
Besteuerung der Bürger geführt[1]). Es ging jedoch dieses Recht
der Selbstbesteuerung nicht weiter als die Genossenschaft selbst
reichte. Daher durften die Stadtgemeinden ursprünglich, sintemal
sie Markgemeinden waren, nur die Stadtmarkgenossen — die Bür=
ger — und die im Markverbande liegenden Ländereien — die
bürgerlichen Güter und Weichbildgüter besteuern, also direkte
Steuern nur auf die Bürger und auf die bürgerlichen Güter
legen (§. 379). Dieses Recht der Selbstbesteuerung hatten nun
auch alle alten Städte und es wurde öfters von dem Stadtrath
namens der Gemeinde, meistentheils aber von der Gemeinde selbst
ausgeübt. So hatte in Freiburg im Breisgau der Stadtrath das
Recht Einungen zu machen, und daher auch das Recht Steuern
aufzulegen. Nur sollte der Stadtrath zu dem Ende noch weitere
24 erbare Bürger, also einen Ausschuß aus der Gemeinde, bei=
ziehen[2]). Eben so war es in Hagenau[3]). Auch Eßlingen hatte
bereits im 14. Jahrhundert das Recht die Bürger zu besteuern, und
im Jahre 1315 wurden daselbst die Häuser der Bürger wirklich
besteuert[4]). Auch Schwäbisch Hall war im 14. Jahrhundert im

---

1) Urk. von 1206 bei Pertz, IV, 209. vergl. §. 129 u. 158.
2) Stadtrecht von 1275 bei Schreiber, I, 1. p. 82. „die vier vnd zwen=
„zig die mun ovch machon reht vnd einunga, — da sun sii zvoz inen
„nämin ane alle gevärde andir vier vnd zweinzig erber burger" —.
3) Urk· von 1332 bei Schoepflin, II, 145. vergl. oben §. 341.
4) Pfaff, p. 129.

Besitze des Rechtes der Selbstbesteuerung [5]) und schon im 13. Jahr=
hundert die Stadt Straßburg [6]), Stendal [7]), Köln schon im 12.
Jahrhundert [8]), Worms, Nürnberg u. a. m. (§. 158, 343 u. 395),
insbesondere auch Breslau, wo es jedoch streitig war, ob jenes
Recht von dem Stadtrath allein ausgeübt werden dürfe, oder ob
zu dem Ende auch noch die Bürgerschaft und die Zünfte beigezogen
werden mußten [9]). In München wurde im 14. und 15. Jahr=
hundert die Erhebung der Vermögenssteuer jedes Jahr von der ge=
sammten Bürgerschaft von Neuem berathen und bewilliget. Daher
war ihr Betrag nicht alle Jahr gleich [10]). In Rotenburg wurde
die Vermögenssteuer bereits im 14. Jahrhundert nach einem alten
Herkommen nach dem jedesmaligen Bedürfnisse der Gemeinde er=
hoben, im Jahre 1448 aber auf eine bestimmte Abgabe fixirt [11]).

In grundherrlichen und gemischten Städten war jedoch, wie
wir gesehen, die Zustimmung des Grundherrn oder des Vogtei=
herrn nothwendig (§. 158). Das Recht der Selbstbesteuerung ward
aber auch ihnen nicht bestritten. Nur sollten es jene Städte nicht
ohne die Zustimmung des Grundherrn ausüben. Eine Zustimmung
des Inhabers der öffentlichen Gewalt war aber bei direkten Steuern
nicht nothwendig. Denn alle Arten von Markgenossenschaften
durften ihre markgenossenschaftlichen Angelegenheiten ganz unab=
hängig von der öffentlichen Gewalt ordnen. Die öffentliche Gewalt
sollte sich in die genossenschaftlichen Angelegenheiten gar nicht mi=
schen. Auch ist in den erwähnten Stadtrechten und Steueranlagen
von Freiburg, Hagenau, Eßlingen, Schwäbisch Hall, Stendal
u. a. m. von einer Beiziehung der öffentlichen Gewalt gar keine

---

5) Wahlordnung von 1340 bei Königsthal, I, 2. p. 6.

6) Revers von 1263 §. 8 bei Schilter zu Königshoven, p. 730. vergl.
oben §. 158.

7) Urk. von 1285 bei Lenz, I, 129. Quando collecta seu exactio fuerit
facienda, quicquid consules statuerint. —

8) Urk. von 1154 in Quellen, I, 543. ad communem civium collectam
— civilium collectarum exactione. Urk. von 1284, eod. I, 589.
omnes civiles exactiones — vergl. Ennen, Gesch. I, 625, II, 418—
420 und oben §. 57.

9) T. u. St. p. 263.

10) Bairische Annalen vom September 1833, p. 828 u. 829.

11) Bensen, p. 308, 311 u. 325.

Rede. Dieses gilt jedoch nur bei direkten Steuern. Denn bei indirekten Steuern, welchen nicht bloß die Markgenossen — die Bürger —, sondern auch die nicht Genossen — die Beisassen und alle anderen in der Stadt wohnenden Leute (die extranei) —, unterworfen waren, war auch die Erlaubniß und Zustimmung des Inhabers der öffentlichen Gewalt nothwendig, in den Reichsstädten also die Zustimmung des Kaisers und in den Landstädten jene des Landesherrn. Hierauf bezieht sich das von Friedrich II erlassene Verbot, daß weder die Landherrn noch die Städte unter irgend einem Vorwande, selbst nicht unter dem Vorwande der Anlegung von Befestigungen, die nicht in der Stadt angesessenen Leute und Fremden (homines extra positos vel extraneos) mit indirekten Steuern (telonea vel exactiones instituant, que vulgo ungelt dicuntur) belegen sollten [12]). Die Erlaubniß des Kaisers war demnach nothwendig zur Erhebung eines Stadtzolls in Regens=burg [13]), in Köln [14]), in Biberach, Kaufbeuren, Leutkirchen, Augs=burg, Kempten, Pfullendorf u. a. m. [15]), zur Erhebung eines Un=geltes, Malgeltes und anderer ähnlicher Gefälle in Frankfurt [16]), und zur Erhebung eines Ungeltes in Goslar [17]), in Speier [18]), in Wetzlar [19]), in Augsburg [20]), in Pfullendorf [21]), in Reutlingen [22]),

---

12) Constit. pacis von 1235 §. 6 bei Pertz, IV, 315. — inhibemus, ne domini vel civitates, pretextu faciendarum municionum, vel alia quacumque de causa, telonea vel exactiones instituant, que vulgo dicuntur ungelt, in homines extra positos vel extraneos, vel bona eorum.

13) Privilegium von 1230 §. 20.

14) Ennen, Gesch. II, 661.

15) Urk. von 1373, 1430, 1483 u. 1485 bei Lünig, part. spec. cont. IV, p. 1, pag. 100, 185, 206, 1514, 1254 u. 1288. Wegelin, I, 119 u. 120.

16) Urk. von 1333 bei Böhmer, p. 525.

17) Urk. von 1252 bei Göschen, p. 116.

18) Urk. von 1301 bei Moser, reichsst. Handbuch II, 713. und Lehmann, p. 630.

19) Urk. von 1349 bei Moser, II, 877.

20) Urk. von 1360 bei Glafey, anecdot. p. 226. Urk. von 1363 in Chronik. von Augsb. I, 158.

21) Urk. von 1360 bei Glafey, p. 240 f.

22) Urk. von 1398 bei Gayler, I, 100.

in Rotenburg [23]) u. a. m. Und die Erlaubniß und Zustimmung
des Landesherrn war nothwendig zur Erhebung eines Ungeltes in
Basel [24]), in Worms [25]), in Konstanz [26]), in Coesfeld [27]), in Freiburg [28]), in Coblenz [29]), in München [30]), in Landsberg [31]), in
Rain [32]), in den Städten der Mark Brandenburg [33]) u. a. m.
Eben so zur Erhebung einer Accise in Köln [34]), dann zur Erhebung eines Stadtzolls in Coblenz [35]), in Coesfeld [36]), Frankfurt
an der Oder u. a. m. [37]). Eben so zur Erhebung eines Pflaster-
zolls in München [38]), zur Erhebung eines Wegzolls in Pottmes
in Baiern [39]) und zur Erhebung eines Hauptgeldes oder Kopfgel-
des in den Städten der Mark Brandenburg [40]). Auch in Köln
nahm der Erzbischof offenbar nur bei indirekten Steuern, die
auch auf den Beisassen lasteten, das Recht der Zustimmung in
Anspruch. Denn von einer direkten bloß auf den Bürgern oder
bürgerlichen Grundstücken lastenden Steuer ist auch in dem Schieds-

---

23) Urk. von 1400 bei Moser, II, 612.
24) Dienstrecht §. 3 bei Wackernagel, Dienstmannenrecht p. 17. — „unde
„sol man nikein ungelt noch einunge setzen ane sinen willen
„unde sin urloup." —
25) Annal. Worm. ad 1264 u. 1266 u. Urk. von 1278 u. 1293 bei Böhmer, font. II, 172, 173, 236 u. 240.
26) Urk. von 1357 bei Pistorius, III, 699.
27) Urk. von 1303 bei Niesert, I, 2 p. 484.
28) Urk. von 1282 und 1316 bei Schreiber, I, 93, 96 u. 200.
29) Urk. von 1276 bei Günther, II, 417.
30) Urk. von 1331 bei Bergmann, II, 3. Urk. von 1385 u. 1403 in
Bair. Annalen vom September 1833, p. 829.
31) Urk. von 1315 u. 1364 bei Lori, p. 54 u. 66.
32) Urk. von 1403 bei Lori, p. 93, 94 u. 101.
33) Urk. von 1473 bei Gercken, cod. dipl. Brandb. VIII, 503 f.
34) Spruch von 1264 bei Lacomblet, II, 318. in Quellen, II, 519. Ennen,
Gesch. II, 625 f.
35) Urk. von 1258 bei Günther, II, 290.
36) Urk. von 1303 bei Niesert, II, 484.
37) Wohlbrück, Lebus, II, 195 u. 196. Zimmermann, I, 299.
38) Urk. von 1394 u. 1430 in Bair. Annalen vom September 1833,
p. 826.
39) Urk. von 1310 bei Lori, p. 44.
40) Urk. von 1473 bei Gercken, VIII, 503 f.

spruch keine Rede [41]). In grundherrlichen und gemischten Städten war aber außerdem auch noch die Zustimmung der Grund- oder Vogteiherrn nothwendig, indem die indirekten Steuern auch ihre Hintersassen und Vogteileute trafen. Da es nun öfters streitig sein mochte, ob die Bürgerschaft in dem gegebenen Falle das Recht habe, alle in der Stadt angesessenen Leute zu besteuern, so ließen sich viele Städte von den Kaisern und Landesherrn als den In-habern der öffentlichen Gewalt das Recht ertheilen, alle Arten von Einwohner besteuern zu dürfen, z. B. Augsburg [42]), Heilbronn [43]), Ueberlingen [44]) u. a. m. Für die Erlaubniß zur Erhebung einer solchen Steuer mußte öfters eine Abgabe an den Inhaber der öffentlichen Gewalt entrichtet, die Einwilligung also bezahlt wer-den, z. B. in Worms für die Gestattung eines Ungeltes [45]).

Seit dem 14. Jahrhundert fingen indessen die Stadträthe an auch ohne diese Zustimmung Steuern zu erheben, z. B. in Basel (in den Jahren 1317 und 1351). Dies führte aber daselbst zu langjährigen Streitigkeiten mit dem Domcapitel, indem dieses die Steuererhebung für einen Eingriff in seine Freiheiten hielt [46]).

Von diesen für Gemeindezwecke angelegten Gemeindesteuern und Abgaben verschieden waren die für die öffentliche Gewalt bestimmten öffentlichen Steuern. Denn diesen waren auch die Städte unterworfen, die Reichsstädte den Reichssteuern und die Landstädte den landesherrlichen Steuern. Neue öffentliche Steuern durften indessen auch in den Reichsstädten und ur-sprünglich auch in den Landstädten nicht ohne die Beiziehung und

---

41) Schiedsspruch von 1258 bei Lacomblet, II, 245 Nr. 22. Quod quo-ciens placet maioribus ciuitatis, ipsi faciunt noua exactionum statuta, quarum exactionum onus portant fraternitates et alii populares, qui communitas appellantur, et sic depauperantur, cum tamen nihil noui huiusmodi debeat de iure fieri de ciuitate Co-lon. sine ipsius archi-episcopi et priorum suorum consensu, cum sit summus iudex et dominus diuitatis.

42) Urk. von 1288 bei Moser, reichsst. Handb. I, 93.

43) Urk. von 1318 bei Moser, II, 1.

44) Urk. von 1482 bei Moser, II, 789.

45) Annal. Worm. ad 1264 u. 1266 bei Böhmer, font. II, 172 u. 173.

46) Ochs, II, 25—30. Heusler, p. 166, 167 u. 233.

Zustimmung der Bürgerschaft erhoben werden, z. B. in Speier [47]), in Wesel [48]), in Freiburg im Uechtlande [49]), in Wien [50]), in Wiener Neustadt [51]), in Winterberg in der alten Graffschaft Spanheim [52]), in München noch im Anfang des 15. Jahrhunderts [53]) und in vielen anderen Städten mehr [54]).

<h2 style="text-align:center">§. 429.</h2>

Auch die Erhebung der Steuern war eine Angelegenheit der Gemeinde, und zwar nicht bloß die Erhebung der Gemeindesteuern und Abgaben, sondern auch die Erhebung der öffentlichen Steuern, wenigstens der direkten Abgaben und Steuern. Zur Erhebung der grundherrlichen Abgaben pflegten die Grundherren einen eigenen herrschaftlichen Beamten in der Stadt zu haben. Eben so die Inhaber der öffentlichen Gewalt zur Erhebung der der öffentlichen Gewalt gehörenden Zölle und der anderen indirekten Abgaben einen eigenen Zöllner oder einen anderen öffentlichen Beamten. Die Erhebung der direkten auf Grund und Boden lastenden öffentlichen Steuern war aber Sache der Markgemeinde. Denn auch die öffentlichen Steuern ruhten, wie wir gesehen, auf dem durch das Reebmaß vertheilten, also zur Markgemeinschaft gehörigen

---

47) Urk. von 1198 bei Lehmann, p. 496. und Remling, p. 137. — vel aliqua exactio de bonis civium Spirensium exigatur. — nec nos aliquam in ea specialem vel communem faciamus exactionem, nisi cives ex libero arbitrio spontaneum nobis et competens servitium duxerint exhibendum.

48) Privilegium von 1277, c. 1. bei Wigand, Archiv, IV, 408. Ita ut nullas in ea faciamus exactiones vel accreditum onerosum, preter ipsorum voluntatem. vergl. die alte Uebersetzung eod. p. 413.

49) Handfeste von 1249 §. 8. Nunquam stipendia — ipsis nolentibus petere.

50) Freiheitsbriefe von 1237 u. 1278 bei Lambacher, II, 12 u. 159. — taliam seu portariam vel exactionem aliam — nisi quot et quantum dare voluerint spontanea voluntate.

51) Stadtrecht, c. 104.

52) Stadtrecht von 1331 bei Walch, VI, 257.

53) Bair. Annalen vom Mai 1833, p. 443.

54) Meine Gesch. der Fronh. III, 587—547.

Grund und Boden [1]). Ihre Erhebung war demnach gleichfalls
eine markgenossenschaftliche Angelegenheit in den Reichsstädten
ebensowohl wie in den Landstädten. Von der Erhebung der auf
Grund und Boden, also auf der Markgemeinschaft lastenden Grund=
steuer verstand sich dieses von selbst. Allein auch die später aufge=
kommene Vermögenssteuer ward auf dieselbe Weise von der Mark=
gemeinde erhoben. Als daher Kaiser Karl IV in Reutlingen eine
Verweigerung der öffentlichen Steuern befürchtete beauftragte er den
Bürgermeister und Rath jener Stadt mit der Steuererhebung und
mit der Bestrafung derjenigen Bürger, welche entweder gar nicht
steuern wollten oder nicht redlich steuerten [2]). Eben so hatten die
Bürgermeister und Stadträthe im Fürstenthum Baireuth [3]), in
Coesfeld [4]), in Breslau [5]), im Fürstenthum Fulda u. a. m. die
landesherrlichen Steuern zu erheben und sodann an die landes=
herrlichen Aemter und Amtsrentmeister abzuliefern [6]). Auch bezog
sich die Erhebung der landesherrlichen Steuern, wie bemerkt, nicht
bloß auf die Grundsteuer, sondern auch auf die Vermögenssteuer,
z. B. in den altmärkischen und priegnitzischen Städten auf die Er=
hebung des Pfundschosses, welches eine Vermögenssteuer war. Zur
Bezahlung der Schulden des Markgrafen hatten nämlich jene
Städte einen Pfundschoß bewilliget. Die Erhebung der Steuer
ward aber den einzelnen Städten überlassen. Sie sollten, wie bei
anderen Vermögenssteuern, durch eidlich erhärtete Selbstschätzung
der Bürger von den Bürgermeistern und Stadtkammerern erhoben
werden [7]). Aber auch in anderen Fällen pflegte es den Städten
selbst überlassen zu werden, in welcher Weise sie die hergebrachten
landesherrlichen Steuern, die Landbeten u. s. w. aufbringen woll=
ten. Und seit dem 15. Jahrhundert geschah dieses öfters sogar
durch die Erhebung einer zu dem Ende bewilligten indirekten

---

1) Meine Einleitung zur Geschichte der Mark= 2c. Verf. p. 189, 208 u.
    236. Meine Geschichte der Markenverfassung, p. 185.
2) Urk. von 1373 bei Gayler, p. 75.
3) Lang, I, 56.
4) Söfeland, p. 59.
5) Grünhagen, Breslau, p. 89.
6) Thomas, I, 174 u. 265.
7) Urk. von 1543 bei Gercken, vet. march. I, 266 u. 267.

Steuer, eines neuen Ungeltes, oder eines neuen Stadtzolls oder
durch die Erhöhung des alten⁸).

Die Steuererhebung selbst war verschieden in den verschiedenen Städten. Zur Erhebung der Vermögenssteuer hatte man in
manchen Städten, wie wir gesehen, eigene Gemeindebehörden, zur
Erhebung der übrigen Steuern aber wieder andere Steuerbeamten.
(§. 393). In anderen Städten hatte eine und dieselbe Behörde
alle Arten von Steuern zu erheben oder es bestanden auch mehrere
Steuerbeamten neben einander. In vielen Städten hatten ein oder
mehrere Kämmerer das Gemeindevermögen zu verwalten und
alle Einnahmen und Ausgaben zu besorgen. Man nannte nämlich
die Stadtkasse oder das städtische Aerar eine Kammer, z. B. hier
in München⁹), und daher die städtischen Beamten, welche dieser
Kammer vorgesetzt waren, Kämmerer. (Kemerere oder camerarii).
Und so gab es denn in München drei sogenannte Kamrer¹⁰), in
Stendal mehrere Stadtkämmerer¹¹), in Berlin, Lübeck u. a. m.
zwei Kämmerer¹²), in Erfurt vier Kämmerer¹³), in Coesfeld zwei
Kämmerer¹⁴), auch in den altmärkischen und priegnitzischen
Städten¹⁵), in Regensburg¹⁶) u. a. m. mehrere Stadtkämmerer,
in Regensburg seit dem 16. Jahrhundert sogar sechs. Neben und
unter diesen Kämmerern standen in München noch die Steurer
zur Erhebung der Vermögenssteuer, dann mehrere Ungelter,
Zöllner, Wagmeister, Kellermeister, Bußmeister, Zie-
gelmeister u. a. m. zur Erhebung der verschiedenen städtischen
Gefälle¹⁷). Die jährliche Abrechnung der Kämmerer geschah in

---

8) Zimmermann, I, 300 u. 301.
9) Stadtr. art. 411 bei Auer, p. 157. — „auz der chamer gelten." vergl.
noch art. 466, p. 178.
10) Stadtr. bei Auer, p. 179 u. 294. Bair. Annalen vom September
1833, p. 825 u. 826.
11) Urk. von 1345 bei Gercken, vet. march. I, 90 u. 91.
12) Fidicin, I, 179. Frensdorff, Lübeck, p. 113.
13) Statut von 1306, c. 42 bei Walch, I, 119.
14) Söfeland, p. 64 u. 65.
15) Urk. von 1543 bei Gercken, vet. march. I, 267.
16) Gemeiner, I, 349. Jäger, Mag. IV, 7.
17) Stadtrecht art. 465, 466 u. 471 bei Auer, p. 178 u. 179. Bair.
Annalen vom September 1833, p. 825, 851 u. 852.

München öffentlich vor einer aus 6 Verordneten des inneren Rathes, aus 6 Verordneten des äußeren Rathes und aus 12 Verordneten von der Gemeinde bestehenden Kommission von 24 Mitgliedern, öfters auch vor der versammelten Gemeinde [18]). In Eßlingen wurden die Steuern von zwei später vier sogenannten Raitern (Rechnern) oder Steuern erhoben und die übrigen Abgaben und Gefälle von drei Ungeltern. An der Spitze des Steuerwesens standen daselbst mehrere Rathsherren, die Steuerherren, zur Beaufsichtigung der Steuererhebung und die Zinsherren zur Besorgung des Schuldenwesens der Stadt [19]). Nach einer Verordnung des Stadtraths von 1438 durfte derselbe jenen Bürgern, die ihr steuerbares Vermögen muthwillig vergeudeten einen Pfleger setzen [20]), sie also im Interesse des öffentlichen Wohls sogar interdicieren. In Rotenburg wurden die Steuern von den Steuern und manche Gefälle von den Baumeistern erhoben. An der Spitze der Steuerwaltung stand aber das Steueramt, bestehend aus einem Bürgermeister, dem Obersteuer und aus zwei Rathsherren, einem aus dem inneren Rath und einem aus dem äußeren, welche man den Mittlersteuer und den äußeren Steuer genannt hat [21]). Auch in Ulm kommen mehrere städtische Stadtrechner und Ungelter vor [21a]) und in Worms städtische Zöllner [22]). In Schwäbisch Hall sollten mehrere Bürger zur Steuererhebung von dem Rath ernannt und die erhobenen Steuern dem Stadtrath verrechnet werden [23]). In den Städten des Hochstiftes Fulda nannte man die städtischen Steuerbeamten Steuercollectoren [24]). Sehr verbreitet zumal in der Schweiz waren die Seckelmeister, eine Benennung, welche schon bei Otfried vorkommt, indem derselbe Judas einen Seckelmeister (sekilari)

---

18) Stadtrecht, art. 100 §. 23 bei Auer, p. 294. Bairische Annalen vom September 1833, p. 825.
19) Pfaff, p. 132 u. 133.
20) Pfaff, p. 129 u. 130.
21) Bensen, p. 322 u. 323.
21a) Jäger, Ulm, p. 287 u. 369.
22) Urk. von 1396 bei Moritz, II, 195. vergl. noch I, 336 u. 337.
23) Wahlordnung, von 1340 bei Königsthal, I, 2 p. 6.
24) Thomas, I, 174.

nennt [25]). Sie waren die eigentlichen Finanzbeamten der Stadt.
Denn sie hatten die Stadtkasse, den städtischen Seckel, Sack oder
Beutel in Händen. Die allzeit lehrreiche Geschichte von Basel
mag auch hier statt anderer Beispiele dienen. An der Spitze der
Finanzverwaltung standen daselbst seit dem 14. Jahrhundert die
Sieben, ein aus einem Ritter, zwei Achtbürgern, zwei Rathsherren von den Zünften und zwei Zunftmeistern bestehendes Collegium. Sie waren zu gleicher Zeit Zeugherren und Aufseher
des Archivs. Drei unter ihnen, ein Achtbürger, ein Rathsherr
von den Zünften und ein Zunftmeister, hatten die Schlüssel zu dem
Troge, d. h. zu der Kiste, in welcher das Stadtgut und das
Stadtsiegel bewahrt wurde. Sie hießen die Seckler und sie waren mit dem Bürgermeister die Schlüsselbewahrer und Stadtsiegelbewahrer, deren Amt für die Gemeinde um so wichtiger
war, als außer dem Bürgermeister alle Ritter ausgeschlossen waren. Späterhin wurden die drei Seckler vom Siebneramte getrennt
und auf Lebenszeit ernannt. Seit dieser Zeit waren sie allein die
Seckelmeister, und sie wurden insgemein die Dreiherren genannt [26]). Unter ihnen standen die Zinsmeister, zur Erhebung
der Zinse von den verpachteten Fleischbänken, Hofstätten, Kram-
stätten, Gärten u. a. m. [27]), dann die Zöllner u. a. m., insbesondere auch die sogenannten Ladenherren oder die Herren
über die Lade. Sie hatten die Metzgerlehenzinse und die Sie-
gelgelder des Gerichts zu erheben und zu verwalten und die Geldstrafen beizutreiben. Außerdem waren sie die Bewahrer des
Gerichtssiegels, wie die Secklermeister die Bewahrer des Stadt-
siegels. Dieser Ladenherren waren es drei, von denen jedes Jahr
Einer abging [28]).

Zur Erhebung der Vermögenssteuer pflegten frühe schon
Steuerbücher oder Steuerregister angelegt zu werden, z. B.
in Ulm [29]), in Frankfurt a. M. seit 1354 Stadtrechnungs-
und Beetebücher [30]). In München bestand schon im Jahre 1377

---

25) Otfrid, IV, 2. 29 u. IV, 12. 47.

26) Ochs, II, 76—79, 402 u. 403. Heusler, p. 242.

27) Ochs, V, 101. Heusler, p. 243.

28) Ochs, VI, 375.

29) Jäger, Ulm, p. 288.

30) Römer-Büchner, Stadtverf. p. 59 u. 194.

ein solches Steuerbuch [31]). Auch besitzen wir noch mehrere Steuer=
rechnungen von München aus den Jahren 1369, 1370 und
1371 [32]). Als Anhaltspunkt zur Erhebung der Grundsteuer dien=
ten aber meistentheils die Gerichtsbücher und die Erbschafts=
tafeln oder Urbare und die Stadtbücher, in welche alle ge=
richtlichen und außergerichtlichen Uebertragungen von Grund und
Boden und die Verpfändungen eingetragen werden mußten, wie bei
den großen Marken die Märkerbücher und Landtafeln. Diese Ge=
richtsbücher erhielten daher später öfters den Namen Grund=
bücher oder Lagerbücher, z. B. in Wien [33]) und in München
schon im 15. Jahrhundert [34]). In Speier nannte man jene Grund=
bücher Erbschaftstafeln, weil alle Erbschaften oder Erben in
dieselben eingetragen werden mußten, und Kämmererstafeln,
weil der Kämmerer jene Tafeln zu bewahren und den Eintrag des
angeerbten Erbes zu besorgen hatte [35]). In Lübeck mußten schon
im 13. Jahrhundert alle Grundstücke (hereditates) in das Stadt=
buch eingetragen werden [36]). In Wien bereits seit dem 14. Jahr=
hundert [37]). Es dauerte jedoch lange Zeit bis sich auch die in der
Stadt ansäßigen Grundherren diesem Gebote fügten [38]). Aus dem=
selben Grunde sollten in Isny alle steuerbaren Gründe beim Stadt=
rath gerechtfertiget, d. h. in jene Bücher eingetragen wer=
den [39]).

---

31) Stadtrecht bei Auer, p. 294.

32) von Sutner in Abhl. der Bair. Akad. II, 497.

33) Urk. von 1438 u. 1494 bei Hormayr, Wien, I, 2. Urk. p. 99 und
I, 5. Urk. p. 202.

34) Meine Gesch. der Markenverfassung, p. 185, 315 u. 316 und oben
§. 388.

35) Rau, Regimentsverfassung, I, 12 u. 13. Kämmererseid bei Lehmann,
p. 336.

36) Urk. von 1289 im Lüb. Urkb. I, 487. de libro civitatis, in quo he=
reditates conscribuntur.

37) Urk. von 1360 bei Hormayr, Wien, I, 5. Urk. p. 35 u. 36.

38) Urk. von 1438 u. 1494 bei Hormayr, I, 2. Urk. p. 99 und I, 5.
Urk. p. 202.

39) Statute und Rathsschlüsse bei Jäger, Magazin, II, 122.

Städtischer Salz-, Frucht- und Weinhandel.

§. 430.

Auch der Salz=, Frucht= und Weinhandel war in manchen Städten eine Angelegenheit der Gemeinde.

In Basel war das Salz seit dem Jahre 1362 ein Regal. Und die Einwohner mußten ihr Salz im Salzhause holen. Die Verwaltung des Salzhauses hatte der Salzmeister, später der Salzschreiber. Unter ihm standen 12 Mütter oder Salzmesser und drei Salzhausknechte. Die Oberaufsicht über das Salzhaus hatten aber drei Rathsherren, die sogenannten Salzherren. Und der Salzmeister war diesen drei Salzherren rechnungspflichtig [1]). Auch in Salzwedel u. a. m. in der Mark Brandenburg hatte der Stadtrath den Salzhandel in Händen [2]).

Eben so handelten die Stadträthe öfters auch mit Korn und mit anderen Früchten, theils des Gewinns wegen, theils aber auch, um dem Kornwucher und dem Kornmangel vorzubeugen, z. B. in Basel, in Regensburg [3]), in Breslau [4]), und in einigen Städten der Mark Brandenburg [5]). In Basel bestellte der Stadtrath zu dem Ende im 14. Jahrhundert einen Kornmeister, welcher die Schlüssel zum Kornhause hatte, das Korn kaufte und verkaufte und Rechnung darüber führte. Zwei Rathsherren waren ihm beigeordnet, an deren Rath er bei seinen Käufen und Verkäufen gebunden und denen er rechnungspflichtig war. Auch hatten diese Rathsherren einen zweiten Schlüssel zu dem Troge im Kaufhause, in welchem sich das Geld dieser Verwaltung befand [6]).

Auch der Handel mit Eisen, mit Brandwein u. dergl. m. war zuweilen ein Monopol des Stadtraths geworden, z. B. in Mühlhausen [7]).

---

1) Ochs, II, 411 u. 412.
2) Zimmermann, I, 299.
3) Regimentsordnung von 1514 bei Jäger, Mag., IV, 52.
4) Grünhagen, Breslau, p. 106 u. 107.
5) Zimmermann, I, 299.
6) Ochs, II, 427. Heusler, p. 248.
7) Hauptreceß von 1679 §. 44 u. 45.

Endlich trieben die Stadträthe öfters auch Weinhandel, z. B. in Basel im 14. Jahrhundert [8]), in Breslau [9]) u. a. m. Zumal der Handel mit Rheinweinen und anderen schweren Weinen war öfters ein Monopol des Raths, z. B. in Bremen, Lübeck, Köln, Mühlhausen, Braunschweig u. a. m. [10]). Sehr wahrscheinlich was dieses in allen jenen Städten der Fall, welche einen eigenen städtischen Weinkeller hatten. Denn offenbar waren diese Weinkeller auch noch zu etwas Anderem als zur Niederlage fremder Weine bestimmt (§. 190).

Handhabung des Stadtfriedens.

§. 431.

Die Erhaltung und Handhabung des F r i e d e n s in der Stadt war ebenfalls eine städtische Angelegenheit. Wie jede andere Genossenschaft war auch die Stadtmarkgemeinde zur Handhabung des Friedens in der Stadtmark verbunden (§. 86, 117 u. 384). Sie mußte daher innerhalb der Stadtmark s c h ü t z e n und s c h i r m e n und, wenn es nothwendig war, auch u n t e r s t ü t z e n und v e r t r e t e n. Sie hatte demnach die in der Stadtmark angesessenen Bürger, Beisassen und Schutzverwandten, auch die in der Stadt befindlichen Fremden, selbst die in die Stadt geflüchteten Verbrecher gegen jede unerlaubte Gewalt, die Bürger auch gegen alle unerlaubten Fehden zu schützen und zu schirmen und nöthigenfalls auch zu v e r t r e t e n (§. 93, 95, 101, 235—237, 384 u. 387). Erst dann, wo oder wann dieser Schutz aufhörte oder mangelte, also außerhalb der Stadtmark und bei verweigertem Recht, begann wieder das Recht der Fehde (§. 94 u. 110). Eben so mußte die gesammte Bürgerschaft beim Vollzuge der Verordnungen und der sonstigen Gebote hilfreiche Hand leisten (§. 385), und die Bürger sogar bei ihren erlaubten Fehden unterstützen (§. 110). Auch der Grundbesitz stand unter dem Schutz der Stadtgemeinde. Daher die

---

8) Ochs, II, 427.

9) Grünhagen, p. 107.

10) Hüllmann, II, 127. Dovandt, I, 328. Mühlhauf. Hauptreceß von 1679 §. 45. Ordinariis senat. Brunsvic. von 1403 §. 9 bei Leibnitz, III, 451. Hach, II, 207, III, 184.

gerichtliche Einweisung in den Besitz, das Frieden Wirken und die Haftung der Gemeinde für den ruhigen Besitz und zuweilen auch noch für den entstandenen Schaden (§. 98, 388 u. 394).

Diese Pflicht der Stadtgemeinden zum Schutz und Schirm gegen jede unrechtmäßige Gewalt findet sich nun in allen alten Städten, in den kleinen ebensowohl wie in den großen, z. B. in Memmingen [1]), in Kaisersberg im Elsaß [2]), in Schweidnitz [3]), in Köln am Rhein [4]), in München u. a. m. Wenn daher in München ein Bürger beraubt worden war, sollte der Stadtrath dem Räuber der Stadt Freundschaft entziehen, ihm kein sicheres Geleit in der Stadt geben und ihn in das Achtbuch schreiben, d. h. in die Acht erklären, bis er dem beraubten Bürger den Schaden ersetzt hatte [5]). In der freien Reichsstadt Mühlhausen wurde dieser Schutz und Schirm sogar ausdrücklich bei der Aufnahme neuer Bürger zugesichert, indem der Bürgermeister in einer feierlichen Sitzung des Stadtraths, den Stab in der Hand und umgeben von den Raths= herren im Namen des Reiches und des Stadtraths fol= gende Bannformel aussprechen und sodann die neuen Bürger be= eidigen sollte. „In des Aller Durchlauchtigsten Großmächtigsten „Fürsten und Herrn — Röm. Kays. Majest. — wie auch in des „Heil. Reichs und E. Hochedl. Hochweisen Raths dieser Kayserl. „Freyen und des H. Reiches Stadt Mühlhausen Namen bahne „und hege ich euch, samt und sonders, einen ewigen Frieden „dergestalt, daß Niemand Euch, resp. euer Weiber und Kinder „an Leib und Guth beleidige oder angreiffe, er habe euch dann vor

---

1) Stadtrecht von 1396 §. 38. — „wil der Burger hie werden, den sol „man schiermen, als ander unser burger, für sin herren vnd für „mänglich" —.

2) Urk. von 1356 bei Siebenkees, Beiträge zum t. R. I, 22. — „für „ingesessen Burger und sy vnd all ir Gütter und Eigenschafft „als ander eurer ingesessen Bürger vor allem Gewalt, unrecht „und Schaden, günstlich nach allem euerm vermögen schützen und „schirmen sollen" —.

3) Willkür von 1389 bei T. u. St. p. 609.

4) Eidbuch von 1382 §. 26 in Quellen, I, 62. Ennen, Gesch. II, 490 —491.

5) Urk. von 1318 bei Bergmann, II, 56

„Uns dem Rath, ober nach Gelegenheit, dessen Stadtgericht, all=
„hier nicht allein belanget, und mit Recht ordentlich ausgeklaget,
„sondern auch gantz überwunden. Sothanen Frieden nun
„bahne und hege ich euch zum ersten, andern und dritten mahl,
„wie das Recht und alt hergebrachter Gewohnheit ist" [6]).

Die in der Stadt angesessenen Bürger, Beisassen und Schutz=
verwandten hatten ein Recht auf diesen Schutz. Auch die einer
fremden Herrschaft unterworfenen Hörigen, welche sich in der
Stadt niedergelassen, wurden geschützt und geschirmt, gegen ihre
Herrschaft jedoch erst nach Ablauf von Jahr und Tag, nachdem sie
ihre Freiheit verjährt hatten (§. 101—103). Aber auch die in der
Stadt wohnenden oder sich daselbst aufhaltenden Fremden, sogar
die dahin geflüchteten Verbrecher wurden, wie wir gesehen, gegen
unerlaubte Gewalt geschützt und geschirmt, wiewohl sie an und für
sich kein Recht auf diesen Schutz hatten. Dafür mußten sie sich
aber auch allen Anordnungen, welche die Bürgerschaft für die Si=
cherheit der Stadt und zu ihrer Vertheidigung (pro custodia et
municione nec non pro capitaneo civitatis) getroffen hatte, unter=
werfen. In diesem Falle befanden sich insbesondere auch die Ju=
den in jenen Städten, in welchen sie nicht ins Schutzbürgerrecht
aufgenommen waren, vielmehr Kaiserliche oder landesherrliche Kam=
merknechte waren. Die Stadtgemeinden hatten auch hinsichtlich
ihrer vollständige Autonomie [7]). Da es jedoch hie und da be=
zweifelt worden zu sein scheint, ob auch solche Juden und die
Fremden überhaupt jenen Anordnungen unterworfen sein sollten,
so ließen sich manche Städte dieses Recht von den Kaisern und
Landesherrn ausdrücklich bestätigen, im Jahre 1251 die Stadt Re=
gensburg [8]) und im Jahre 1313 die Stadt Nürnberg [9]).

Wer den Stadtfrieden brach wurde als Friedensbrecher
(Frebebrecher) [10]) gestraft, z. B. in Soest [11]), in Freiburg u. a.

---

6) Grasshof, p. 113 u. 114.
7) Gemeiner, I, 361. Rathsordnung von 1328, §. 64 bei Lehmann,
p. 288.
8) Gemeiner, I, 361.
9) Urk. von 1313 in Hist. Norimb. dipl. II, 227.
10) Erfurter Stat von 1306, c. 12 bei Walch, I, 104.
11) Stadtr. von 1120 §. 22 bei Seibertz, II, 1. p. 51. Si aliquis infra

m. [12]). Die auf die Uebertretung des Stadtfriedens gesetzten Stra=
fen bestanden theils in Geld theils in Leibes = und Lebensstrafen.
Die Geldbußen nannte man, ähnlich dem Friedegeld und Friede=
schilling bei gerichtlichen Uebergaben, einen Frieden und zwar
die einfache Geldbuße einen schlechten Frieden, z. B. in
Basel [13]).

§. 432.

. Der Friede in der Stadtmark war ursprünglich, wie in den
alten großen Marken und in den Dorfmarken, ein Markfrie=
den [1]). Dazu kam jedoch frühe schon in den Städten der Markt=
frieden, welcher später ein Stadtfrieden geworden ist. Dieser
Marktfrieden und der spätere Stadtfrieden war ein Königsfrie=
den, welcher ursprünglich von dem König selbst und von den Kö=
niglichen Beamten unter Königsbann gehandhabt worden ist (§. 83
—86, 92 u. 117). Auch der Stadtfrieden zu Worms, von wel=
chem die Urkunden von 1156 und 1220 reden [2]), und der Stadt=
frieden zu Soest, Medebach und Wien, von welchem die Stadt=
rechte von 1120, 1165 und 1278 sprechen, waren solche Königs=
frieden [3]). Und alle Städte erhielten mit der Marktgerechtigkeit
auch den Königsfrieden in der Stadt. In vielen Städten wurde
nun die Handhabung dieses Stadtfriedens gleich bei dessen Anord=
nung dem Stadtrath übertragen. So war es in Worms, in
Basel, in Prag u. a. m. In Worms wurde der Stadtfriede im

---

muros oppidi pacem uiolauerit. — Schraa, art. 8 bei Em=
minghaus, p. 202. — „so wey binnen der Stad den Brede
„brecket" —.

12) Stadtr. von Freiburg von 1120 §. 10. Si quis infra urdem pa=
cem urbis infregerit —. Noch viele Stellen oben §. 86.

13) Rathserkenntniß von 1541 bei Ochs, VI, 368. „wer lästert, soll für
„einen jeden Schwur einen schlechten Frieden, das ist, dreyzehn
„Schilling und vier Pfenning ohne Gnade verbessern." vergl. oben
§. 388.

1) Meine Gesch. der Markenverfassung, p. 309. vergl. oben §. 117.

2) Moritz, II, 146 u. 156. und oben §. 155.

3) Stadtrecht von Soest von 1120 §. 21 und von Medebach 1165 §. S
bei Seibertz, II, 1. p. 51 u. 74. Wiener Stadtr. von 1278 bei Lam=
bacher, II, 147.

Jahre 1156 von Kaiser Friedrich I angeordnet und die Hand=
habung dieses Friedens dem Stadtrath übertragen [4]). Dadurch
erhielt der Stadtrath die mit der Handhabung des Königsfriedens
verbundene öffentliche Strafgerichtsbarkeit. Die Gerichtsbarkeit des
Vogtes und des Schultheiß blieb zwar nach wie vor nach der
Urkunde von 1156, dem Vogte also die Handhabung des Blut=
banns. Durch die auf den Stadtrath übertragene Strafgerichts=
barkeit wurde jedoch die Competenz des Vogtes wesentlich beschränkt.
Und zuletzt sank der Vogt zu einem bloßen Vollzugsbeamten und
zu einem Beisitzer des Schultheiß und zu dem ersten Votanten im
Schultheißengerichte herab (§. 491). Eben so war es in Basel.
Dort hat Rudolf von Habsburg im Jahre 1286 den Stadtfrieden
angeordnet und dessen Handhabung dem Stadtrath übertragen [5]).
Dadurch sollte jedoch auch in Basel an der Gerichtsbarkeit des
Vogtes nichts geändert werden, wie dieses der Stadtrath selbst in
dem Einigungsbriefe zugestanden [6]), und noch im Jahre 1347 dem
Kaiser Karl IV einen Eid geleistet hat, daß er das Recht seiner
Vogtei wahren wolle [7]) Da indessen in der Handhabung des
Stadtfriedens auch der Blutbann enthalten war, und der Stadt=
rath diesen auch hinsichtlich der Bürger in Anspruch nahm [8]), so
blieb dem Vogt nur noch der Blutbann über die nicht Bürger und
über jene Verbrecher, deren Aburtheilung, weil die That gar un=
redlich war, der Rath selbst an den Vogt hingewiesen hatte [9]). Und

---

4) Urk. von 1156 bei Schannat, II, 77. vergl. oben §. 155.

5) Stadtfriede von 1286 §. 6, 7, 11, 13 u. 14 in Rechtsquellen, I, 13
u. 14. Ochs, I, 434 ff.

6) Einungbrief in Rechtsquellen, I, 23. „Wonde mit disem einunge ist
„enhein recht abgetan noch abgelassen, das von alter har komen ist
„und unsers herrn des bischofs oder der richtern recht ist.« Heusler,
p. 202.

7) Albert. Argentinens. bei Urstis. II, 143. civesque regi solitum
praestiterunt juramentum, sc. quod jus suae advocatiae ser-
varent.

8) Erkenntniß des Vogtgerichtes von 1366. Rechtsquellen, I, 35. — „das
„danne der vogt — nüt richten sol, wonde es unser stat friheit ist
„und von alter also har ist komen" --. Ochs, II, 355—356.

9) Erkenntniß von 1366 in Rechtsquellen, I, 35. — „es möchte och ein

seitdem der Stadtrath im Jahre 1386 die Vogtei selbst erworben hatte, seitdem sank der Vogt, wie in Worms, zu einem bloßen Beisitzer des Schultheißengerichtes herab (§. 492). Auch in Prag ordnete König Wenceslaus im Jahre 1287 einen Stadtfrieden (pax civitatis) an und setzte zu dessen Handhabung einen aus 6 Bürgern bestehenden Rath ein [10]).

In den meisten Städten wurde jedoch bei der Anordnung des Stadtfriedens die Handhabung desselben nicht dem Stadtrath, sondern dem königlichen oder landesherrlichen Beamten in der Stadt übertragen, und zu dem Ende nur ein eigenes Stadtgericht errichtet (§. 88 — 91). So war es in Soest, in Medebach, in Wien u. a. m. In Soest und Medebach wurde der Vogt mit der Handhabung des Blutbanns und des Stadtfriedens beauftragt [11]). In Wien, wo Rudolf von Habsburg den Stadtfrieden angeordnet hatte (Pacem itaque instituimus civitatis taliter —), wurde die Handhabung desselben dem landesherrlichen Stadtrichter (judex civitatis) übertragen [12]). Und so erhielt in den meisten Städten der königliche oder landesherrliche Vogt oder Stadtrichter mit dem Blutbann auch die Handhabung des Stadtfriedens. Nur in jenen Städten, in welchen späterhin die Stadt selbst die Vogtei erworben hat, ist sodann mit dem Blutbann auch die Handhabung des Stadtfriedens an den Stadtrath übergegangen, z. B. in Soest im Jahre 1278 [13]), in Metz im 13. Jahrhundert (§. 149).

Mit diesem Stadtfrieden, der ein Königsfrieden war, dürfen jedoch die vertragsmäßigen Stadtfrieden nicht verwechselt werden, wie dieses von Mone geschehen ist [14]). In vielen Städten kam es nämlich zum Zweck der Handhabung des Stadtfriedens zu

---

„getat als gar unredelich beschehen, das der rat dar umbe wol möchte „richten, oder das si den vogt betent und hiessent, das er dar umbe „richte." Heusler, p. 203.

10) Urk. von 1287 bei Rößler, altprag. Stadtrecht, p. 167 ff.

11) Stadtrechte von Soest von 1120, §. 7, 12, 14, 21, 22 u. 25 bei Seibertz, II, 1. p 49 ff. und von Medebach von 1165, §. 2, 5 u. 8 eod. p. 73 ff.

12) Stadtrecht von 1278 bei Lambacher, II, 147 ff.

13) Seibertz, Rechtsgesch. von Westfalen, III, 387 u. 662.

14) Mone, VII, 6 u. 8.

Einigungen (§. 47), theils unter den Bürgern, theils zwischen diesen mit ihrem Landesherrn. Eine solche Einigung des Stadt= raths mit dem Landesherrn zur Handhabung des Stadtfriedens war jene Eidgenossenschaft (confederatio) der Stadt Münster mit dem Bischof von Münster vom Jahre 1257 [15]), und die Einigung der Stadt Worms mit dem Bischof von Worms von 1287 [16]). Noch häufiger waren jedoch die Einigungen unter den Bürgern selbst. Sie waren für die Stadt und für die Stadtmark dasselbe, was die Landfrieden für das Land und für das gesammte Reich gewesen sind. Sie wurden auf kürzere oder längere Zeit einge= gangen und, nach Ablauf dieser Frist, sodann abermals wieder er= neuert, oder auch auf ewige Zeiten eingegangen. So vereinigte man sich seit dem 13. Jahrhundert in Regensburg zu solchen Stadt= frieden bald auf ein halbes Jahr, bald auf ein ganzes Jahr oder auch auf zwei oder mehrere Jahre, und nach Ablauf jener Zeit wurden die Einigungen jedesmal wieder erneuert und beschworen bis ins 15. Jahrhundert [17]). Diese Friedenseinigungen mußten von den Bürgern beschworen werden. Und sie haben größeren Schutz gegen Friedbrüche gegeben als der allgemeine Königsfrieden gegeben hat. Daher war der wegen angeschuldigten Friedensbruchs zu schwörende Reinigungseid schwerer oder leichter, je nachdem zur Zeit des Friedbruchs ein beschworner Friede bestand oder nicht [18]). Eben solche Stadtfrieden in Mainz [19]). In Basel wurde um das Jahr 1354 eine solche Stadtfriedens Einung auf 5 Jahre einge=

---

15) Wilkens, p 122. und oben §. 66.

16) Boehmer, fontes, II, 237.

17) Gemeiner, I, 514, 549, 550, II, 27—30, 94, 95, 101, 105, 119, 142 u. 349. Urk. von 1331, 1356, 1359 und Friedgerichtsbuch bei Frey= berg, V, 65, 109 ff., 141 ff. u. 148.

18) Regensb. Privilegium von 1230 §. 2. — sed pax eo tempore non esset in civitate jurata, sola se manu expurgabit. Si vero cives pacem servare juraverunt, is qui reus putatur, tertia manu se purgabit. Von einem solchen besonders beschwornen Frieden spricht auch Sächs. Lr. II, 71, §. 2.

19) Urkunde von 1300 bei Würdtwein, diplom. Mogunt. I, 400 ff. Die späteren Urkunden bei Würdtwein, subs. dipl. XI, 358 ff. und die Urk. von 1430 bei Mone, VII, 8 ff.

gangen [20]). Einigungen für immer, also ewige Stadtfrieden, hatten statt in Frankfurt im Jahre 1318 [21]), in Speier im Jahre 1328 [22]), in Eßlingen im Jahre 1376 [23]) und, wie wir gesehen, in Mühlhausen (§. 431. Not. 6). Auch in Metz wurden die Friedens= einigungen anfangs nur auf eine Reihe von Jahren, dann aber für immer eingegangen (§. 149). Und auch in Metz mußten diese Einigungen von der gesammten Bürgerschaft beschworen werden [24]). Diese Einigungen wurden öfters in ein Buch zusammengeschrieben, welches man das Friedebuch, z. B. in Mainz, oder das Fried= gerichtsbuch, z. B. in Regensburg, genannt hat. Und diese ver= tragsmäßigen Stadtfrieden waren die Vorläufer der ver= tragsmäßigen Landfrieden, die zuletzt im Jahre 1495, zu dem ewigen Landfrieden und zur Errichtung des Reichs= kammergerichtes geführt haben.

Mit der Aufrechthaltung des Stadtfriedens hängt auch die Sorge für die Sicherheit der Landstraßen zusammen, ohne welche kein Handel gedeihen kann. Daher die vielen Städtebündnisse zur Erhaltung des Landfriedens und die Sorge der Städte für das sichere Geleit auf den Landstraßen (§. 87 u. 403).

Die Aufrechthaltung der öffentlichen Ordnung und Ruhe und die Handhabung des Stadtfriedens war zunächst Sache des Stadtraths. In Straßburg durfte bei einem entstandenen Auf= lauf nur allein der Stadtrath bewaffnet einschreiten, nicht aber die einzelnen Bürger [25]). Bei gewöhnlichen unter den Bürgern ent=

---

20) Einungsbrief von 1354 bei Ochs, II, 83 ff. Einungsbrief ohne Da= tum in Rechtsquellen, I, 19 ff.

21) Boehmer, Urkb. I, 443. Es war eine Erneuerung des alten Stadt= friedens, nun aber für ewige Zeiten.

22) Lehmann, p. 284.

23) Pfaff, p. 101.

24) Urk. 1250 in Hist. de Metz, IV, 1. p. 200—201. Et si l'ont jureit de chescun paraige, c'est assavoir: Doutre-Saille l'ont jureit. (folgen nun die Namen). De Juerue l'ont jurei. (folgen die Namen). De Porte-Meselle l'ont juriet. (die Namen). De S. Martin l'ont juriet. (die Namen). Et pour lou commun l'ont juriet. (folgen die Namen).

25) Stadtrecht von 1270, art. 34 bei Strobel, I, 326. „Ist daz ein krieg „oder ein missethel uf erstat under den burgern und ein zulouf

standenen Streitigkeiten hatte der Bürgermeister allein für die
Aufrechthaltung der Ruhe zu sorgen und Frieden zu gebieten. Er
durfte jedoch zu dem Ende auch noch den Rath beiziehen und die
Rathsherren mußten sodann bei Strafe erscheinen [26]). In Ulm
hatte der Bürgermeister und zwei Rathsherren Ruhe und
Frieden zu gebieten [27]), in Frankfurt der Schultheiß und in
seiner Abwesenheit ein Schöffe [28]), in München der Stadtrichter
und der Stadtrath [29]), in Rotenburg die Zweimänner [30]), in
Speier der Bürgermeister und Rath [31]). Eben so der Bürgermeister und Rath in Mainz [32]), in Basel [33]), in Hagenau [34]),
in Memmingen [35]), in Erfurt [36]), in Saalfeld [37]) u. a. m. In
Bremen hatten ein oder zwei Rathmänner oder ein oder zwei
Aeltermänner (Zunftvorsteher) den Frieden zu gebieten [38]). In
Hamburg zwei Rathmanne [39]). Und die gesammte Bürgerschaft
mußte hiebei dem Stadtrath helfen und ihn unterstützen. Außerdem
war aber auch noch jeder einzelne Bürger berechtiget und verpflichtet bei gestörtem Frieden den Frieden zu gebieten (§. 384
u. 385), und die wahrgenommenen Friedbrüche dem Bürgermeister
anzuzeigen, z. B. in Frankfurt [40]).

§. 433.

Die Mittel zur Handhabung des Stadtfriedens

„da wirt, niemand krippfe beheine waffen —, und der rat waffent
„sich wol uf daz, daz er fribe mache, und den krieg nider lege."
26) Stadtrecht bei Strobel, I, 332 u. 559.
27) Rathsordnung von 1345 bei Jäger, Magazin, III, 497.
28) Urk. von 1318 bei Boehmer, Urkb. I, 444.
29) Stadtrecht, art. 317.
30) Bensen, p. 300.
31) Rathsordn. von 1328, §. 43 u. 44 bei Lehmann, p. 286.
32) Friedebuch um 1430 §. 46—50 bei Mone, VII, 18 u. 19.
33) Einigungsbrief von 1354 bei Ochs, II, 85.
34) Urk. von 1332 bei Schoepflin, II, 145.
35) Stadtr. von 1396 bei Freyberg, V, 290.
36) Statut c 12. bei Walch, I, 103.
37) Statut c. 129 bei Walch, I, 45.
38) Stat. von 1303 bei Oelrichs, p. 17.
39) Stadtrecht von 1270, X, 7. von 1292, N. 7. von 1497, M. 8.
40) Urk. von 1318 bei Boehmer, Urkb. I, 444.

und zur Erhaltung der öffentlichen Ordnung und Ruhe
in der Stadt waren zunächst die Abschaffung des Rechtes der Fehde
und der Privatrache und das Verbot des Waffentragens. Es
wurde zu dem Ende verordnet, daß niemand mehr angegriffen oder
befehdet werden dürfe, der sich vor Gericht zu stehen erboten hatte,
z. B. in Friedberg in der Wetterau ¹), in Köln ²) u. a. m. Nur
mit Zustimmung des Stadtrathes ³), dann bei verweigertem
Recht und außerhalb der Stadtmark sollte das Faustrecht
noch erlaubt sein. Denn so weit der Stadtfriede reichte sollte man
gegen jede unerlaubte Selbsthilfe geschützt sein (§. 93, 94 u. 110).

Das Waffentragen wurde anfangs beschränkt und sodann
gänzlich verboten. Zur Verhinderung der Blutrache wurde öfters
das Waffentragen auf eine Reihe von Jahren den beiderseitigen
Verwandten verboten, z. B. in Regensburg im Jahre 1356 auf
zwei Jahre ⁴). In Augsburg wurden nach einem Aufstande im
Jahre 1303 die Häupter jener Bewegung aus der Stadt verwießen
und die übrigen dabei betheiligten Geschlechter angewießen, zehen
Jahre lang keine Harnische mehr in der Stadt zu tragen, es sei
denn auf Befehl des Stadtraths in der Stadt Noth ⁵). Wer zur
Nachtzeit nach der Weinglocke Waffen trug wurde in Worms gestraft ⁶) und in Regensburg sogar verhaftet ⁷). Außerdem durfte
man in Regensburg während des beschwornen vertragsmäßigen
Stadtfriedens nur stumpfe und kurze Messer tragen, die nicht
länger als das erlaubte an dem Marktthurm eingemauerte Maß
waren. Andere Waffen zu tragen war gänzlich verboten ⁸). Auch
in Ulm bestand das Verbot Lange Messer und Schwerter zu tragen und das Maß der erlaubten Messer war von dem Stadtrath
bestimmt ⁹). Eben so in Frankfurt a. M. (§. 284). Zu Straß-

---

1) Urk. von 1374 bei Moser, reichsst. Handb. I, 700.
2) Eidbuch von 1341 §. 129 u. 130 in Quellen, I, 33.
3) Eidbuch v. 1341 §. 140 in Quellen, I, 34.
4) Gemeiner, II, 95.
5) Urk. von 1303 bei von Stetten, Gesch. der Geschl. p. 381.
6) Urk. von 1287 bei Boehmer, fontes, II, 238.
7) Gemeiner, I, 512.
8) Gemeiner, I, 512, II, 94 u. 95.
9) Jäger, Ulm, p. 431—433.

burg war das Tragen von Spitzmessern und von verborgenen
Messern gänzlich verboten und in der Nacht auch noch das Tragen
von Pickelhauben (Beckenhuben oder mitrae ferreae) und von an=
deren Waffen [10]). Auch in München [11]), in Wien, Heimburg,
Brünn und Wiener Neustadt war das Tragen langer Messer, so=
genannter Stechmesser, und verborgener Waffen verboten [12]). Eben
so war das Waffentragen verboten, während des gebotenen Stadt=
friedens z. B. in Prag [13]) und während des vertragsmäßigen
Stadtfriedens, z. B. in Basel [14]) und in Mainz [15]). Und in jenen
Städten, in welchen man sich zu einem ewigen Stadtfrieden ge=
einiget hatte, war auch das Waffentragen für immer verboten,
z. B. in Speier [16]), in Eßlingen [17]) und seit dem 15. Jahrhundert
auch in Straßburg [18]). Nur bei offener Feindschaft war das Waffen=
tragen erlaubt. Aber auch zu dem Ende war eine Erlaubniß des
Bürgermeisters und Stadtraths nothwendig, z. B. in Mainz und
Regensburg (§. 110). Auch durften die Bürger bewaffnet auf das
Land zu Fuß gehen oder reiten, z. B. in Basel [19]), in Mainz [20])
und in Straßburg [21]). Denn der Stadtfriede war auf das städtische
Gebiet beschränkt (§. 94). Auch die Fremden mußten, wenn sie
in eine Stadt kamen, ihre Waffen ablegen, in Regensburg im
Gasthofe und in Wien je nach den Umständen entweder schon vor

---

10) Stadtrecht §. 5 u. 7 bei Strobel, I, 550 u. p. 328 §. 37. Stadtrecht
von 1249 u. 1270 §. 10 u. 12 bei Mone, Anzeiger von 1837, p. 24
u. 27.

11) Stadtrecht bei Auer p. 279 §. 44.

12) Stadtrecht von Wien 1221 §. 39 und von 1278 bei Lambacher, p. 154.
von Wiener Neustadt, c 24. und von Heimburg §. 7. bei Senckenberg,
p. 277. Stadtr. von Brünn, c, 23 bei Rößler, p. 350.

13) Urk. von 1287 §. 5 bei Rößler, p. 169.

14) Ochs, II, 84.

15) Mone, Zeitschr. VII, 17 u. 18.

16) Rathsordnung von 1328 §. 11 u. 13 bei Lehmann, p. 284.

17) Pfaff, p. 101.

18) Urk. von 1482 bei Schilter zu Königsh. p. 1098. und oben §. 281.

19) Verordn. von 1339 und Einungbrief in Rechtsquellen, I, 15, 20 u. 21.
und bei Ochs, II, 84.

20) Urk. von 1430 §. 43 bei Mone, VII, 18.

21) Urk. von 1482 bei Schilter, p. 1098.

den Stadtthoren oder, wenn sie Geschäfte in der Stadt hatten, in ihrem Gasthofe (in hospitio suo) [22]). Eben so mußten auch in Ulm die Fremden die Waffen ablegen, sogar die gebornen Ulmer, wenn sie in fremden Diensten standen [23]). In Straßburg sollten sogar die Wirthe gestraft werden, wenn sie es unterlassen hatten, ihre Gäste zum Ablegen ihrer Waffen aufzufordern und sie vor den Folgen der Unterlassung zu warnen [24]).

Zur Erhaltung der Ruhe im Innern der Stadt diente auch die Eintheilung der Städte in Stadtviertel, an deren Spitze ein oder mehrere Hauptleute gestellt zu werden pflegten (§. 218), dann das Absperren der Straßen mit Ketten und mit anderen Schranken, wie dieses bereits seit dem 13. Jahrhundert in Regensburg [25]), seit dem 14. in Basel [26]) und seit dem 15. Jahrhundert in Nürnberg zu geschehen pflegte, um bei Aufläufen das Gedränge und bei Straßenkämpfen die Vereinigung der bewaffneten Massen zu verhindern [27]).

Auch Tag- und Nachtwachen wurden angeordnet. Ursprünglich waren die Bürger selbst zu diesen Wachediensten an den Stadtthoren u. a. m. verpflichtet. Späterhin wurde aber für den täglichen Dienst eine bewaffnete Mannschaft geworben und besoldet (§. 129, 130 u. 134), oder es wurden auch bewaffnete Rathsdiener angestellt, z. B. in Ulm [28]). Auch diese Tag- und Nachtwachen standen unter dem Bürgermeister und Rath, z. B. in Ratibor, Schweidnitz u. a. m. [29]), hie und da auch noch unter den Einungern, z. B. in Ulm. Die Wachen sollten von Zeit zu Zeit von den Bürgermeistern, Rathsherren und Einungern visitirt und

---

22) Gemeiner, I, 513. Wiener Stadtr. von 1278 bei Lambacher, II, 156.
23) Jäger, Ulm, p. 433.
24) Stadtr. §. 6 bei Strobel, I, 550. Stadtr. von 1249 u. 1270 §. 11 bei Mone, Anzeigen von 1837, p. 24 u. 27.
25) Historia ad 1266 bei Pertz, XI, 650. Gemeiner, I, 257 u. 390.
26) Basel im 14. Jahrhundert, p. 121.
27) Siebenkees, II, 672—675.
28) Jäger, Ulm, p. 427.
29) Urk. von 1293 §. 8 und 9 und von 1328 §. 4 u. 7 bei T. u. St. p. 421 u. 520.

die liederlichen und ſchädlichen Leute verhaftet werden, z. B. in
Ulm [30]) und in Regensburg [31]).

Mit der Nachtwache hängt die gebotene Polizeiſtunde zu=
ſammen. Da nämlich das zu lange Sitzen in den Wirthshäuſern
nur zu häufig zu Ruheſtörungen zu führen pflegte, ſo wurde ſchon
ſeit dem 14. Jahrhundert eine Stunde beſtimmt, an welcher ſich
die Spieler und die Zechenden zurückziehen und die Wirthshäuſer
geſchloſſen werden ſollten. Das Zeichen dazu wurde von der
Rathsglocke gegeben. Und da nach dieſem Zeichen kein Bier und
kein Wein mehr geſchenkt werden durfte, ſo nannte man dieſe
Abendglocke eine Bierglocke oder Weinglocke, z. B. in Re=
gensburg [32]), in München [33]), in Frankfurt [34]), in Ulm [35]), in Se=
ligenſtadt [36]), in Wiener Neuſtadt [37]) u. a. m., oder auch eine
Wachtglocke (Wahteglocke), z. B. in Straßburg [38]), oder die
Feuerglocke (Furglocke), z. B. in Rotenburg [39]). Auch ſollte,
nachdem die Bier=, Wein=, Wacht= oder Feuerglocke geläutet, nie=
mand mehr ohne Licht auf der Straße gehen, ſeit dem 13. Jahr=
hundert in Worms [40]) und ſeit dem 14. Jahrhundert in Regens=
burg [41]), in Nürnberg [42]), in Ulm [43]), in Eßlingen [44]), in Roten=
burg [45]), in München [46]), in Seligenſtadt [47]). Und nachdem die

---

30) Rothes Buch bei Jäger, Magazin, III, 504 u. 505.
31) Gemeiner, II, 285 f.
32) Gemeiner, I, 513, II, 143.
33) Stadtr. art. 340 u. 507 bei Auer p. 132
34) Statut von 1352 bei Senckenberg, sel. jur. I, 66.
35) Jäger, Mag. III, 519.
36) Grimm, I, 509.
37) Stadtrecht §. 47.
38) Stadtr. §. 8 bei Strobel, I, 551. Stadtr. von 1270 §. 13 bei Mone,
   Anzeiger von 1837, p. 27.
39) Benſen, p. 300.
40) Urk. von 1287 bei Böhmer, fontes, II, 238.
41) Gemeiner, I, 512.
42) Siebenkees, IV, 603.
43) Jäger, Ulm, p. 427 f.
44) Pfaff, p. 163.
45) Benſen, p. 300.
46) Stadtr. art. 341.
47) Grimm, I, 508.

dritte Rathsglocke geläutet sollte sich in Ulm gar niemand mehr auf der Straße blicken lassen weder mit noch ohne Licht [48]).

Auch war der öffentlichen Sicherheit wegen das schnelle Reiten („das Rennen") in den Straßen bereits seit dem 14. Jahrhundert verboten, z. B. in Nürnberg [49]) und in Ulm [50]).

Ein Hauptmittel zur Herstellung eines dauerhaften Friedens in den Städten war das Verbot der Zusammenrottungen und der Sonderberathungen der einzelnen Bürger und der Zünfte. Meistentheils wurde dieses Verbot in den vertrags= mäßigen Friedenseinigungen und in den Verfassungseinigungen und Stadtordnungen ausgesprochen, z. B. in München [51]), in Mainz [52]), in Speier [53]), in Breslau [54]), in Eßlingen [55]), in Seli= genstadt [56]) u. a. m. In manchen Städten gestattete man indessen auch in späteren Zeiten noch den Zünften einen Sonderrath ohne die Geschlechter, jedoch nur unter gewissen Beschränkungen zu halten, z. B. in Reutlingen und in späteren Zeiten auch wieder in Eßlingen (§. 316 u. 350). Die stürmischen Versammlungen und Zusammenrottungen waren meistentheils gegen den Stadtrath oder wenigstens gegen die rathsfähigen Geschlechter gerichtet. Daher verordnete der Stadtrath von Regensburg, daß alle Leute, welche etwas zu begehren haben, nur selb ander oder selb dritt vor den Rath kommen und, wenn sie von noch mehr Leuten begleitet seien, nicht empfangen und nicht gehört werden sollten [57]).

Die Handhabung der öffentlichen Ordnung und des Friedens führte schon seit dem 14. Jahrhundert zu einer Beaufsichtigung der Fremden und diese zu einer geordneten Fremdenpolizei. Fremde preßhafte oder sonst verdächtige Leute sollten in Regens=

---

48) Jäger, p. 428.

49) Siebenkees, IV, 735.

50) Jäger, p. 431.

51) Wahlbrief von 1403 in Mon. Boic. 35, II, p. 251—252. vergl. oben §. 321.

52) Friedensbuch um 1430, §. 1 u. 2 bei Mone, VII, 8 u. 9.

53) Lehmann, p. 280.

54) Eschenloer, Chron. von Breslau, I, 87.

55) Regimentsordnung von 1316 §. 6 bei Jäger, Magazin, V, 10.

56) Stadtordnung von 1527 bei Steiner, Seligenstadt, p. 371.

57) Gemeiner, I, 514 u. 515.

burg gar nicht in die Stadt gelaſſen, vielmehr gleich an den Stadt=
thoren von den Thorhütern zurückgewieſen werden [58]). Wenn be=
waffnete Fremde in die Stadt kamen, ſollten ſie auf der Stelle
angezeigt, in ſpäteren Zeiten ſogar alle Fremden, auch wenn ſie
nicht bewaffnet waren, zur Anzeige gebracht werden [59]). Schädliche
Leute und Leute, denen die Stadt verboten war, ſollten von niemand
beherbergt werden, z. B. in Regensburg [60]), in Ulm [61]), in Breslau,
Grottkau und Schweidnitz [62]). Auch mußte jeder Bürger, der einen Frem=
den beherbergte, für ihn haften und ihn vertreten, z. B. in Ulm [63]).
Jede Woche ſollte ein Mal oder auch mehrmals nach den ſchäd=
lichen Leuten geforſcht, nöthigenfalls auch eine Hausſuchung
angeordnet werden. Und alle Bürger mußten zu dem Ende ſchon
ſeit dem 14. Jahrhundert dem mit der Hausſuchung beauftragten
Bürgermeiſter und den Einungern ihre Häuſer öffnen, z. B. in
Ulm [64]) und in Regensburg [65]), was in früheren Zeiten, als noch
die Wohnung der freien Leute eine feſte Burg war, gewiß nicht
erlaubt geweſen iſt (§. 119).

Mit der Handhabung des Stadtfriedens hängt auch die Er=
theilung des ſicheren Geleites in der Stadt zuſammen.
Daher hatte der Stadtrath in allen jenen Städten, in welchen ihm
die Handhabung des Friedens innerhalb der Stadt oblag, auch das
ſichere Geleit zu ertheilen. So erhielten die Kaufleute aus Braun=
ſchweig und aus der Mark Brandenburg, wenn ſie mit ihren
Waaren nach Hamburg kamen, Schutz und Schirm und ſicheres
Geleit von dem Stadtrath [66]). Eben ſo die Kaufleute aus Braun=

---

58) Gemeiner, I, 462.
59) Gemeiner, I, 513, III, 451.
60) Gemeiner, I, 513.
61) Jäger, Mag. III, 505.
62) Urk. von 1324 §. 17 und von 1328 §. 60 bei T. u. St. p. 507 u. 527.
63) Jäger, Mag. III, 505.
64) Rothes Buch bei Jäger, III, 504 und 505. — „vnd wa ſy hand an=
„legent oder zu welchem hus ſy komment da ſol man vor in tür vnd
„tor off tun oder ſy ſullent das Hus ſtoſſen vnd wen ſy darinne er=
„griffent der ſcheblich wer den ſullent ſie haimen.“
65) Gemeiner, I, 513.
66) Urk. von 1258 u. 1283 bei Lappenberg, Urkb. I, 513 u. 660. Nos
consules et universitas civitatis Hamburgensis notum

schweig, wenn sie nach Bremen kamen [67]). Auch die Städte Mem=
mingen [68]) und München hatten und übten schon seit dem 14. und
15. Jahrhundert das Recht des sicheren Geleites [69]). Daher
brachten die fremden Kaufleute, welche die Jakobidult in München
besuchten, Empfehlungsschreiben von ihrem Stadtrath mit, um sie
dem Schutz und Schirm des Stadtraths von München zu empfeh=
len. Aus einem solchen Schreiben des Stadtraths von Augsburg
vom Jahre 1406 geht hervor, daß es die Kaufleute damals noch
für eine Pflicht hielten, die auswärtigen Märkte und Dulten zu
besuchen [70]). Auch in Schuldsachen durfte in München nur allein
der Bürgermeister und Rath dem Schuldner Fried und Geleit
geben. Sogar der Stadtrichter durfte es ohne Zustimmung
des Stadtraths nicht thun.[71]). Schon von Rechtswegen
hatten jedoch alle diejenigen sicheres Geleit, welche Geschäfte halber
in die Stadt kamen, oder daselbst einkaufen oder Wein, Korn, Salz,
Holz, Heu u. dergl. m. einführen oder eine Leistung (Einlager)
vornehmen wollten [72]). Uebrigens mußten eine Zeit lang selbst die
Landesherrn das Geleit von dem Stadtrath begehren, wenn sie
sicher durch eine Stadt reiten wollten (§. 129). Daher ließ sich
auch der König von Dänemark im Jahre 1352 freies Geleit von
dem Stadtrath zu Lübeck geloben, ehe er es wagte in der Stadt zu
erscheinen [73]).

---

facimus quod nos omnes homines et mercatores — ad nos
cum suis mercaturis veniendi, moram faciendi et ad propria libere
redeundi sub nostram protectionem et securum nostrum conductum recipimus.

67) Urk. von 1256 bei Rehtmeier, p. 493.
68) Stadtr. von 1396 bei Freyberg, V, 289.
69) von Sutner, in Abhdl. der Akad. II, 478. Bairische Annalen vom
     Mai 1833, p. 418.
70) Schreiben von 1406 in Bairischen Annalen vom September 1833,
     p. 851. „Da die Bürger und Krämer zu Augsburg den Markt zu
     „München pflichtig sind zu besuchen mit ihren Leibern und Gü=
     „tern, so bitte er sie zu schirmen und zu schützen."
71) Stadtrecht, art. 309 u. 458 bei Auer, p. 119 u. 175.
72) Stadtr. art. 243, 303 u. 379.
73) Urk. von 1352 bei Mantels, Lübeck und Marquard von Westensee,
     p. 45.

Von dem Stadtfrieden, d. h. von dem Rechte auf jenen Schutz, ausgenommen waren außer den Geächteten und Verbannten[74]) auch noch die schlechten Leute, die Buben und Ruffiane in Regensburg[75]), die Spielleute und Schauspieler (mimi) und die öffentlichen Dirnen in Landshut[76]), in Basel die Fremden, das eigene Hausgesind, die Buben, Spielleute und die bösen Weiber[77]), und in Speier sogar alle diejenigen, welche sich nicht in eine Zunft hatten aufnehmen lassen[78]). Es hatten demnach alle diese Leute kein Recht auf den städtischen Schutz. Ein eigentlicher Friedbruch war daher an ihnen gar nicht möglich. Es hing vielmehr von dem Ermessen des Stadtraths ab, ob und wie weit er sie in einem gegebenen Falle schützen und schirmen wollte. Es war demnach möglich, daß alle schlechten Leute, alle Spielleute und Schauspieler, in Speier alle diejenigen, welche in keine Zunft aufgenommen waren, und in Basel sogar alle bösen Frauen von ihren Männern und das eigene Hausgesind von seiner Dienstherrschaft ungestraft mißhandelt und selbst getödtet werden konnten.

3. Stadtmagistrat.

a) im Allgemeinen.

§. 434.

Der Stadtmagistrat, bestehend aus den Bürgermeistern und Stadträthen, ist, wie wir gesehen, aus den alten Dorfmarkvorstehern hervorgegangen oder wenigstens vollständig an ihre Stelle

---

74) Sächs. Lr. II, 66 a. E. Schwäb. Lr. W. c. 206 a. E. Stadtrecht von Augsburg bei Freyberg, p 84. Stadtrecht von Landshut, §. 15 bei Gaupp, I, 154.

75) Gemeiner, II, 94.

76) Stadtr. von 1279 §. 15. vergl Sächs. Lr. I, 38 §. 1.

77) Einungsbrief von 1354 bei Ochs, II, 88 u. 89. „Daß diese Einung „kein Bürger verschulden mag an einigem Gast, an seinem eigenen Haus-„gesinde, an Buben, an Spielleuten, noch an bösen Weibern; sie mö-„gen aber wohl die Einung verschulden."

78) Rathsordn. von 1328, §. 63 bei Lehmann, p. 288. „Wer auch nicht „gezünfft hat, an dem frevelt man nicht, und ist auch in unserm „Schirme nit." vergl. oben §. 357.

getreten (§. 143—145 u. 159). Die Benennung Stabtmagiſtrat
kommt zwar ſchon ſeit dem 12. Jahrhundert in einigen Städten
vor, allgemein wurde ſie jedoch erſt ſeit dem 16. Jahrhundert
(§. 151).

Die Stadträthe und Bürgermeiſter waren von je her, mit
wenigen Ausnahmen, genoſſenſchaftliche, von der Stabtge=
meinde gewählte Behörden. Die Wahl war urſprünglich ſehr
einfach. Meiſtentheils wurde der Stadtrath in birekter Wahl von
der geſammten Bürgerſchaft, alſo urſprünglich von den Geſchlech=
tern aus ihrer Mitte gewählt (§. 153 u. 156). Und es trat dabei,
ſo lange noch das Geſchlechterregiment beſtand, eine Art von Ahnen=
probe ein, indem Niemand in den Rath gewählt werden durfte, der
nicht nachzuweiſen vermochte, in Hannover, daß er von vier Ahnen
„ächt und recht“ geboren ſei[1]), in Lübeck, daß er freies Eigen
beſitze und ſeine Nahrung nicht durch ein Handwerk gewinne
(§. 354) u. ſ. w. Seitdem jedoch die Kämpfe der Geſchlechter unter
ſich und der Geſchlechter mit den Zünften begonnen hatten, ſeitdem
wurden die Wahlen, wie wir geſehen, in vielen Städten aus allzu=
großer Vorſicht immer verwickelter (§. 156 u. 157).

In vielen Städten verließ man das Syſtem der öfters ſehr
ſtürmiſchen birekten Wahlen und ließ die Stabträthe durch zuvor
von der Bürgerſchaft gewählte Wahlmänner wählen. Dieſes
geſchah in Magdeburg durch ſogenannte Köhrherren oder
Wahlherren (§. 354), in München durch eigene Wähler, ſeit
dem Jahre 1403 durch drei Wähler (§. 321), in Dortmund durch
ſogenannte Churfreunde, welche das Churcollegium bildeten
(§. 339), in Schweidnitz durch Wahlmänner, welche ſelbſt aus
einer ſehr verwickelten Wahl hervorgingen (§. 339), in Baireuth
durch fünf aus dem landesherrlichen Vogt und aus 4 Rathsherren
beſtehenden Wähler[1a]), in Freiburg durch einen Wahlausſchuß
von neun Mitgliedern (§. 350), in Eßlingen durch ſieben Wahl=
herren (§. 316), in Reutlingen durch ſieben Wahlmänner, die
ſogenannten Siebener[2]), in Coesfeld durch acht Wahlmänner,
die ſogenannten Achtmänner. Jedes Jahr verſammelte ſich

---

1) Statut von 1347 bei Andreae, Chronik von Hannover, p. 31.
1a) Lang, Geſch. von Baireuth, p. 56.
2) Jäger, Mag. V, 262—265. vergl. §. 350.

nämlich daſelbſt der alte Rath auf dem Rathhauſe und die Bür=
gerſchaft nach den vier Kluchten auf dem Marktplatze. Der Rath
beſtimmte aus jeder Klucht acht Wahlgenoſſen, deren Namen geheim
gehalten und auf Zettel geſchrieben wurden. Von dieſen Zetteln
zogen ſodann die acht Gemeinheitsmänner (die eigentlichen Vertre=
ter der Gemeinde) für jede Klucht zwei heraus. Die auf dieſe
Weiſe durchs·Loos beſtimmten acht Wahlmänner, die ſogenannten
Achtmänner für die Rathswahl, wurden nun auf dem Rath=
hauſe in die Wahlſtube, wie in Rom die Cardinäle ins Conclave,
eingeſperrt und erſt nach beendigter Wahl wieder entlaſſen ³). Auch
in Soeſt geſchah die Wahl durch 12 Wahlherren, durch die ſoge=
nannten Churherren. Sie verſammelten ſich zur Berathſchla=
gung über die Wahl auf dem Rathhauſe, mußten aber daſelbſt bis
Abends verweilen. Denn ſie durften erſt in der Nacht und zwar
ohne Licht nach Haus gehen, wahrſcheinlich um Corruptionen und
Intriguen vorzubeugen. Die Wahl ſelbſt geſchah erſt am folgen=
den Tage nach abgelegtem Churherren Eid ⁴). In Rotweil kommen
zweierlei Wahlmänner vor, ſieben Wahlmänner zur Wahl des
Raths oder des Magiſtrats und fünf andere Wahlmänner, die ſo=
genannten Fünfer, zur Wahl der Zunftrichter und des Bürgeraus=
ſchuſſes ⁵). In Straßburg endlich und in Baſel wurden die Stadt=
räthe durch ſogenannte Kieſer gewählt (§. 317 u. 348). In Baſel
hat ſich über dieſen Wahlakt ein ganz eigenthümliches Ceremoniel
gebildet, nach welchem auch in ſpäteren Zeiten noch die Bürger=
ſchaft, wenigſtens dem Scheine nach, in einiger Abhängigkeit von
dem Biſchof geblieben iſt. Am Tage vor dem Wahltage wurde
nämlich der Wahltag von den vier Gerichts Amtmännern feierlich
ausgerufen und der Rath und die Gemeinde auf den anderen Tag
vor den Biſchof vorgeladen. Am anderen Morgen verſammelte
ſich der Rath in dem Biſchofshof, die Bürgerſchaft aber auf dem
Münſterplatze. Nachdem der Rath im Biſchofshof ein für ihn
bereitetes Frühmahl eingenommen, zog derſelbe mit dem Biſchof
und den Domherren in das Stifthaus neben dem Münſter.

3) Söfeland, p. 63 u. 64.
4) Geck, p. 113 u. 114.
5) Jäger, Mag. VI, 77 u. 82.

Dort wurden die acht Kiefer gewählt und diese sodann auf dem Münsterplatze in Gegenwart des Bischofs und der ganzen Bürger=schaft beeidiget. Hierauf kehrte der Bischof mit den Kiefern ins Stifthaus zurück und die Kiefer erwählten daselbst den Bürgermei=ster und den Rath. Den Bürgermeister wählten sie aus drei Can=didaten, welche der alte Rath den Tag vorher vorgeschlagen hatte. Nachdem dieses geschehen, erschienen Kiefer und Bischof wieder auf dem Münsterplatze und es erfolgte nun folgende Ceremonie. Der Altbürgermeister trat hervor und bat Seine bischöfliche Gnaden der Stadt einen Meister und Rath geben zu wollen, worauf so=dann der Bischof die Namen der bereits erwählten Bürgermeister und Räthe verlesen und verkünden ließ und der Stadtschreiber ihnen in Gegenwart des Bischofs und der Gemeinde den Rathseid abnahm [6]. In dieser Ceremonie lag nun, wie bemerkt, der Schein einer Abhängigkeit der Rathswahl von dem Bischof. Daher wollte sich die Bürgerschaft in späteren Zeiten dieser Ceremonie nicht mehr unterziehen. Im Jahre 1476 ward sogar im Stadtrath die Frage berathen, ob man den Bischof künftig noch um die Ernen=nung eines Bürgermeisters und Rathes bitten solle oder nicht [7]. Es blieb jedoch nach wie vor bei dieser, jedenfalls in späteren Zei=ten ganz leeren und bedeutungslosen Ceremonie [8].

Anderwärts ließ man den neuen Rath von dem alten Rath wählen, z. B. in Straßburg seit dem Jahre 1382 von dem ab=gehenden Rath (§. 348), und in Speier von dem ausgehenden Rath (§. 352). Eben so in Augsburg, Lucern, in vielen märkischen und schlesischen Städten u. a. m. von dem alten oder abgehenden Rath (§. 348). In Freiberg wählten die zwölf Rathsherren sechs aus der Gemeinde und diese sechs wählten dazu sechs aus den Rathsherren des vorigen Jahres [9]. In Oppenheim (§. 126 u. 156) und in Hamburg hatte der Stadtrath das Recht der Selbst=ergänzung [10]. Eben so in Mainz, wenn ein Rathsherr gestorben

---

6) Ochs, I, 366, 369 u 370. vergl. oben §. 155.
7) Ochs, IV, 344.
8) Ochs, V, 263—266.
9) Stadtrecht, c. 48 bei Schott, III, 279 u. 280.
10) Lappenberg, Rechtsalt. I, Einleitung, p. 34—37.

war [11]). In Bern sollte der große Rath durch die Venner und die Sechszehner aus den Handwerkern gewählt werden (§. 355). In Nürnberg wählte der kleine Rath die acht älteren Genannten aus dem großen Rath (§. 343) und in Ueberlingen hatte der große Rath den kleinen Rath und den Bürgermeister zu wählen (§. 350). In Lindau wurde der Stadtrath von den Zunftmeistern gewählt (§. 354). In Straßburg wählten die Schöffen einer jeden Zunft die Rathsherren aus ihrer Zunft (§. 348). Anderwärts hatten die Zünfte wenigstens einen ganz entschiedenen Einfluß auf die Wahlen. In Ulm, wo nach dem Schwörbrief von 1327 jedes Jahr der Bürgermeister und der große Rath neugewählt, der kleine Rath aber nur zur Hälfte neu gewählt, also jedes Jahr von den Geschlechtern sieben und von den Zunftmeistern im einen Jahr acht, im anderen neun gewählt werden sollten (§. 316) — in Ulm wählten zuerst die Zünfte auf ihren Zunfthäusern die 8 oder 9 Zunftmeister zur Ergänzung des kleinen Raths, und sodann die 30 neuen Zunftmeister für den großen Rath. Hierauf traten die 17 Zunftmeister des kleinen Raths und die 30 neu gewählten Zunftmitglieder des großen Raths mit dem alten Bürgermeister, also 48 an der Zahl, zusammen und wählten den neuen Bürgermeister für das nächste Jahr. Nach der Wahl mußte der neue Bürgermeister in die Hände des alten Bürgermeisters den Amtseid schwören. Nach beendigter Bürgermeisterwahl traten die Zunftmeister und Zunftmitglieder aus dem kleinen und großen Rath, also 47 an der Zahl, mit dem neuen Bürgermeister zusammen und wählten die 10 Geschlechter in den großen Rath und an die Stelle der 7 aus dem kleinen Rath ausgetretenen Geschlechter sieben neue [12]). Auch sollten die 7 neuen Rathsherren aus den Geschlechtern erst, nachdem ihre Tüchtigkeit in einer geheimen Sitzung des kleinen Raths geprüft worden war, in dem Rath zugelassen werden [13]). Die Rathswahl in Ulm lag demnach ganz in den Händen der Zünfte. In Kaufbeuren [14]) und in allen anderen Städten, in welchen das Zunftregiment vollständig gesiegt hatte, wählten die Zünfte den Bürgermeister eben sowohl wie den Stadtrath.

---

11) Urk. von 1244 Nr 8 bei Guden, I, 581.
12) Schwörbrief von 1327 bei Jäger, Ulm, p. 471. vergl. 245 ff.
13) Rathsschluß von 1393 bei Jäger, Magazin, III, 496 u. 497.
14) Jäger, Mag. V, 355 ff.

Meistentheils wurden auch die Bürgermeister auf dieselbe
Weise gewählt wie die Rathsherren entweder durch die gesammte
Bürgerschaft oder durch die Wahlmänner, und in jenen Städten,
in welchen das Zunftregiment eingeführt war, durch die Zünfte.
In sehr vielen Städten überließ man es aber auch dem Stadtrath
selbst den oder die Bürgermeister aus ihrer eigenen Mitte zu
wählen.

Eidesleistung und Schwörtag.

§. 435.

Nach beendigter Wahl erfolgte die Beeidigung der neu ge=
wählten Rathsherren und Bürgermeister meistentheils vor der ver=
sammelten Gemeinde, in Worms am St. Matinstage[1]) und in
Ulm einige Wochen vor St. Georgi[2]). In vielen Städten wur=
den indessen nicht bloß die neu gewählten Bürgermeister und Stadt=
räthe, sondern zu gleicher Zeit auch die gesammte Bürgerschaft
beeidiget. Man nannte den Tag, an welchem diese Eidesleistung
statt hatte, den Schwörtag. Und in sehr vielen freien Städten
und in den Reichsstädten wurde jedes Jahr ein solcher Schwörtag
gehalten. Es war diese Beeidigung der gesammten Bürgerschaft,
welche im Grunde genommen nichts anderes als eine jedes Jahr
wiederkehrende Leistung des Bürgereides gewesen ist (§. 369, 385
u. 386), eine Huldigung, welche die Gemeinde dem neugewähl=
ten Gemeindevorstand darbrachte, und welche nicht wenig zur Ein=
tracht zwischen dem Gemeindevorstand und der Gemeinde selbst bei=
getragen hat. Nachdem nämlich die neugewählten Bürgermeister
und Gemeinderäthe der versammelten Bürgerschaft den Amtseid
geleistet hatten, huldigte diese ihrem neuen Gemeindevorstand, indem
sie ihm den Eid der Treue und des Gehorsams leistete, also den
bei der Bürgeraufnahme bereits geleisteten Bürgereid wiederholte.
Solche jedes Jahr wiederkehrende Schwörtage findet man seit dem
13. Jahrhundert in Freiburg[3]), später aber auch in Reutlingen

---

1) Vergleich von 1386 und Rachtung von 1519 §. 12 u. 13 bei Schan=
   nat, II, 200, 321 u. 441. und oben §. 155.
2) Schwörbrief von 1327 bei Jäger, Ulm, p. 741. vergl. 245 u. 247.
3) Stadtrecht von 1293 u. 1392 bei Schreiber, I, 134, II, 91.

und Kaufbeuren [4]), in Eßlingen [5]), in Nordhauſen [6]), in Wetzlar [7])
u. a. m. Man nannte dieſe Schwörtage öfters auch Eidtage,
z. B. in Göttingen Eybbage [8]), in Lüneburg Ebbache [9]) und in
Hamburg Eebdaghe [10]). Auch in Speier wurde nach dem Auf=
ſtande vom Jahre 1330 zur Wiederherſtellung der Ruhe und zur
Befeſtigung der neuen Verfaſſung im Jahre 1331 ein ſolcher Schwör=
tag eingeführt, im Jahre 1512 aber nach einem neuen Aufſtand
wieder abgeſchafft [11]). In manchen Städten wurden zwar nicht
jedes Jahr, vielmehr nur in Zeiten der Gefahr und zur Wieder=
herſtellung der Einigkeit in der Stadt ſolche Schwörtage gehalten,
z. B. in Braunſchweig [12]). In einigen Städten hing dieſe Eides=
leiſtung mit der urſprünglich der Grund= oder Landesherrſchaft ge=
ſchuldeten Huldigung zuſammen. Und auch in ſpäteren Zeiten
haben ſich zuweilen noch Spuren dieſes ehemaligen Zuſammenhangs
erhalten. In Straßburg nämlich, wo der Gemeinderath urſprüng=
lich, wie wir geſehen, von dem Biſchof ernannt worden iſt, mußte
ihm auch der Amtseid geleiſtet werden [13]). Seit dem Revers von
1263 ſollte aber der Eid nicht mehr ihm ſelbſt, ſondern nur noch
in ſeiner Gegenwart geleiſtet werden (§. 52 u. 154). Ob nun zu
dieſer Eidesleiſtung auch ſchon die Bürgerſchaft beigezogen und
dieſe ſodann ſelbſt beeidiget worden iſt, wird zwar nicht geſagt, iſt
jedoch ſehr wahrſcheinlich, indem die Beeidigung der Bürgerſchaft
im Biſchofsgarten und auch in ſpäteren Zeiten noch in Gegen=
wart des Biſchofs ſtattgehabt hat. Sehr wahrſcheinlich wurden
nämlich urſprünglich beide Eide, der Huldigungseid und der Bür=
gereid, zu gleicher Zeit, und daher im Biſchofsgarten und, nachdem
der Huldigungseid unterblieben, der Bürgereid noch in Gegenwart

---

4) Jäger, Magazin, V, 268 ff. u. 358. Walch, III, 298 u. 314.
5) Pfaff, p. 537 f.
6) Förſtemann, Chron. von Nordhauſen, p. 187 u. 188.
7) Vergleich von 1393 §. 18 bei von Ulmenſtein, I, 511.
8) Pufendorf, III, 210.
9) Pufendorf, II, 190.
10) Westphalen, IV, 3005.
11) Lehmann, p. 281 u. 616. vergl. §. 317.
12) Rehtmeier, Chr. p. 1153.
13) Grandidier, II, 37. Not. o.

des Biſchofs geleiſtet. Daß aber mit dem von der Bürgerſchaft zu-
leiſtenden Eide urſprünglich auch noch ein Huldigungseid verbunden
geweſen ſein muß, geht auch noch aus dem Umſtande hervor, daß
der Eid erſt dann geleiſtet zu werden brauchte, wenn der Biſchof
ſelbſt beſchworen hatte, die Rechte und Privilegien der Stadt bewahren zu wollen. Jedenfalls wurde die Bürgerſchaft ſchon ſeit
der im Jahre 1332 geänderten Verfaſſung zur Eidesleiſtung berufen.
Und es wurde ſeitdem jedes Jahr ein Schwörtag gehalten, an
welchem der neu gewählte Rath der Bürgerſchaft den Amtseid, und
die Bürgerſchaft dem Stadtrath den Bürgereid leiſten mußte [14]).
Die Eidesleiſtung der Bürgerſchaft hatte anfangs noch in dem
Biſchofsgarten ſtatt. Sie wurde aber im Jahre 1358, ſeitdem der
Stadtrath unabhängiger von dem Biſchof geworden war, auf den
Münſterplatz verlegt [15]). Die Ceremonie der Eidesleiſtung hatte
aber auch in ſpäterer Zeit, ſelbſt nach der Reformation noch in
Gegenwart des Biſchofs oder ſeiner Räthe ſtatt. Da jedoch vor
der Beeidigung des Rathes und der Bürgerſchaft der Biſchof ſelbſt
ſchwören mußte, die Rechte und Privilegien der Stadt bewahren
zu wollen, dieſer Eid aber im Jahre 1663 von dem damaligen
Biſchof verweigert worden iſt, ſo wurden ſeitdem auch die Biſchöfe
und ihre Räthe nicht mehr zu dem Schwörtage geladen [16]). Auch
in Baſel hatte wahrſcheinlich der Biſchof urſprünglich das Recht
den Stadtrath zu ernennen (§. 155). Jedenfalls mußte ihm auch
in ſpäteren Zeiten noch der Amtseid von dem Stadtrath geleiſtet
werden [17]), ſo wie denn auch dem Kaiſer ſelbſt der Vogtei wegen
der Amtseid von dem Stadtrath geleiſtet werden mußte [18]). Ob
nun zu gleicher Zeit mit dieſem Amtseide (dem Rathseide) dem
Biſchof auch der Huldigungseid geleiſtet worden iſt, wiſſen wir
nicht. Es iſt jedoch wahrſcheinlich, da auch in ſpäteren Zeiten noch
der Bürgereid in Gegenwart des Biſchofs geleiſtet werden mußte.
Jedenfalls geſchah es aber nicht mehr ſeit dem Ende des 14. Jahr-

---

14) Cloſener, p. 101. Königshoven, p. 305 u. 308. Ueber die Förmlich-
    keiten dieſer Eidesleiſtung vergl. eod. p. 1098 u. 1099.
15) Cloſener, p. 103 u. 107. Königshoven, p. 308.
16) Grandidier, II, 96 u. 97.
17) Rathseid von 1399 bei Ochs, I, 382, V, 266.
18) Ochs, I, 495, 496, IV, 226.

hunderts. Nach der Handfeste von 1399 sollte nämlich jedes Jahr nach der Bürgermeister- und Rathswahl ein Schwörtag gehalten werden, an welchem der Stadtrath dem Bischof und der Bürger- schaft den Rathseid leisten und sodann die auf dem Münsterplatze versammelte Bürgerschaft den Bürgereid, zwar noch in Gegenwart des Bischofs, nicht aber ihm, vielmehr dem neu gewählten Bürger- meister und Rath leisten mußte [19]). Hinsichtlich der Leistung des Rathseides ist es auch in späteren Zeiten noch bei dem alten Her- kommen geblieben. Nur wurde die Ceremonie von dem Münster- platze auf den Petersplatz verlegt [20]). Der Bürgerschwörtag da- gegen wurde späterhin abgeschafft und statt dessen die jährliche Leistung des Bürgereides in den Zunfthäusern eingeführt [21]). Auch sollte seit dem Jahre 1367 der Bürgereid nicht mehr dem Stadt- rath selbst, vielmehr in die Hände des Oberstzunftmeisters [22]), und eine Zeit lang auch noch in die Hände des Ammanmeisters ge- schworen werden [23]). Es scheint demnach, daß in Straßburg und in Basel der dem Landesherrn schuldige Huldigungseid ursprünglich zu gleicher Zeit mit dem dem Stadtrathe zu leistenden Bürgereide an dem Schwörtage geleistet worden ist, daß aber späterhin, nach- dem jene Städte freier und unabhängiger geworden waren, der Huldigungseid unterblieben, und nur noch der Bürgereid geblieben ist, welcher aber dem Stadtrath, lange Zeit jedoch noch in Gegen- wart des Landesherrn, geschworen werden mußte, was noch an den ehemaligen Zusammenhang beider Eide erinnert.

Nach der Eidesleistung folgten Festlichkeiten mancherlei Art. In Reutlingen endigten die Wahlfeierlichkeiten mit einem feierlichen Gottesdienst und mit militärischen Ehren, welche den neuen Bürger- meistern und Rathsherren von der bewaffneten Mannschaft erwie- sen zu werden pflegten [24]). In Ulm machte der neue Bürgermeister, welcher immer ein Geschlechter war, jeder Zunft ein Geschenk mit Osterflaben und kam sodann selbst in die Zeche und setzte sich eine

19) Ochs, I, 370, 382, 383, II, 210.
20) Ochs, I, 370, V, 265 u. 266.
21) Ochs, I, 370.
22) Ochs, II, 210, 264, 302, III, 72, 166, V, 351.
23) Ochs, III, 72.
24) Jäger, Mag. V, 273.

Zeit lang neben den Zunftmeifter hin [25]). Meiftentheils wurde aber nun nach althergebrachter Sitte tüchtig gezecht, in Eßlingen auf der Bürgerftube [26]), in Kaufbeuren u. a. m. in den Zunft= häufern [27]), in Göttingen auf dem Rathhaufe felbft, und man nannte dafelbft diefe Mahlzeit die Rathmannskofte [28]). Und in Worms, wo die Wahlhandlung drei Tage lang dauerte, endigte fogar jede Wahlhandlung mit einem Effen [29]).

b) Bürgermeifter.

§. 436.

Der Bürgermeifter war in der Stadtmark daffelbe, was in den alten großen Marken der oberfte Markbeamte gewefen ift [1]). Er war der erfte genoffenfchaftliche Vorfteher der Stadtmark und hatte daher den Vorfitz im Stadtrath und die oberfte Leitung der genoffenfchaftlichen Gefchäfte. In vielen Städten gab es nur einen Bürgermeifter, in anderen zwei, oder drei z. B. in Ulm, oder auch vier, z. B. in Straßburg vier Städtemeifter und in Erfurt vier Rathsmeifter [2]); in Weißenburg acht Bürgermeifter, von denen jedes Jahr vier und zwar abwechfelnd ein viertel Jahr regierten, fo daß demnach jedes viertel Jahr ein neuer Bürgermeifter zum Regiment kam (§. 350), in Hildesheim zwölf Bürgermeifter (proconsules) und in Nürnberg fogar fechsundzwanzig Bür= germeifter, von denen jedoch in Hildesheim immer nur ein Bürger= meifter und in Nürnberg zwei, ein alter und ein junger Bürger= meifter das Regiment führten [3]). In Braunfchweig ftanden fieben Burgemeifter (burmeftere) an der Spitze der fünf Weichbilde, aus denen die Stadt beftanden hat, nämlich je zwei an der Spitze der Altftadt und des Hagen, und je einer an der Spitze der Neuftadt,

---

25) Jäger, Ulm, p. 247. vergl. §. 349.
26) Pfaff, p. 537 u. 538.
27) Jäger, Mag. V, 358.
28) Havemann, I, 626.
29) Schannat, II, 441.
1) Meine Gefch. der Markenverfaffung, p. 198. ff.
2) Statut, c. 42 bei Walch, I, 119.
3) Havemann, I, 623. Not. vergl. oben §. 343.

der Altenwiek und des Sack. Der regierende Burgemeiſter der
Altſtadt hatte im Namen des gemeinen Raths das Wort zu führen
und wurde daher des Raths Worthalter genannt [4]. Auch ihre
Benennung war urſprünglich ſehr verſchieden. Späterhin bildet
jedoch der Titel Bürgermeiſter die Regel. In manchen Städten
hat ſich indeſſen auch der Name Schultheiß als die Benennung
des genoſſenſchaftlichen Gemeindevorſtehers erhalten (§. 162).

So lange die Stadtmarkgemeinde eine Geſchlechtergemeinde
war, ſo lange mußte natürlich auch der Bürgermeiſter ein Geſchlech=
ter ſein. Denn er war ja der Vorſteher der Geſchlechter. In vie=
len Städten iſt derſelbe aber auch nach dem Siege der Zünfte noch
der eigentliche Vorſtand der Geſchlechter geblieben, oder er mußte
wenigſtens aus den Geſchlechtern gewählt werden. Dies war in
Baſel, Straßburg, Ulm, Nürnberg, Regensburg u. a. m., insbe=
ſondere auch in Frankfurt der Fall, indem daſelbſt einer der beiden
Bürgermeiſter aus der Schöffenbank, der andere aber aus der Bank
der Gemeinde, beide alſo aus den Geſchlechtern genommen werden
mußten (§. 342). Anderwärts ſollte auch nach dem Siege der
Zünfte noch Einer der beiden Bürgermeiſter aus den Geſchlechtern,
der Andere aber aus den Zünften oder aus der Gemeinde genom=
men werden, z. B. in Worms, in Augsburg, in Coblenz u. a. m.
(§. 155, 315 u. 350). In Wetzlar ſollte von den beiden Bürger=
meiſtern jedes Jahr der Eine aus den Schöffen und der Andere
aus dem Rath gewählt werden [5]. In einigen Städten hatten auch
die Zünfte ein eigenes Oberhaupt in der Perſon des Oberſtzunft=
meiſters oder Ammeiſters erhalten. Und dann gehörten auch dieſe
mit zu den Häuptern der Stadt. Die Bürgermeiſter behielten
jedoch den Vorrang vor ihnen. Denn nur allein in Straßburg iſt
der Ammanmeiſter ſeit dem Jahre 1482 auch noch über die vier
Bürgermeiſter oder Städtemeiſter hinauf an die Spitze der ſtädti=
ſchen Verwaltung geſtiegen (§. 330 ff.). In Regensburg, wo die
Bürgermeiſter fortwährend aus den Geſchlechtern gewählt zu wer=
den pflegten, waren die Bürgermeiſterwahlen zu einem ewigen Zank=
apfel unter den Geſchlechtern geworden. Nach dem Sturze der

---

4) Ordinarius senatus Brunsv. von 1408 §. 6. bei Leibnitz, III, 450.
5) Vergleich von 1393 §. 5 bei Ulmenſtein, I, 504.

allmächtigen Auer wurde daher im Jahre 1334 beschlossen keinen
Einheimischen mehr zum Bürgermeister zu wählen [6]. Damit
waren die Streitigkeiten unter den Geschlechtern beendiget. Und
über hundert Jahre sorgten nun Auswärtige für das Wohl der
Stadt besser als die einheimischen Bürgermeister vordem gesorgt
hatten. Seit 1429 findet man in Regensburg keine Bürgemeister
mehr an der Spitze der städtischen Verwaltung. Die oberste Lei=
tung des Stadtregiments ging vielmehr über in die Hände des
ältesten und würdigsten Mitgliedes des Stadtraths, des Kamme=
rers, zu welchem seit dem Jahre 1453 noch ein zweiter Kam=
merer gekommen ist [7].

Die Amtsgewalt der Bürgermeister war ursprünglich nicht
groß. Denn die eigentliche Verwaltung lag in den Händen des
Stadtraths. Allenthalben hatten sie jedoch den Vorsitz im Stadt=
rath, den Vollzug der daselbst gefaßten Beschlüsse und die Besor=
gung der minder wichtigen laufenden Geschäfte. In den meisten
Städten stieg jedoch nach und nach ihre Gewalt (§. 162). In
Coesfeld hatten die beiden Bürgermeister außer dem Vorsitz im
Stadtrath die Aufsicht über alle städtischen Anstalten und Behörden.
Sie nannten sich daher auch die obersten Kämmerer und die ober=
sten Verwahrer des heiligen Geistes, d. h des Armenhauses zum
h. Geist. Sie führten das städtische Siegel, bewahrten die Schlüssel
der Stadtthore und waren auch Beisitzer des Stadtgerichtes [8].
In Nürnberg regierten die beiden Bürgermeister in der Regel ganz
allein. Denn die acht Genannten des kleinen Raths sollten nur
in gewissen Fällen, also bloß ausnahmsweise beigezogen werden
(§. 343). Allenthalben hatten die Bürgermeister einen Hauptan=
theil an der Handhabung der öffentlichen Sicherheit und des Stadt=
friedens (§. 432). Sie standen daher an der Spitze der Sicher=
heitspolizei und jeder anderen nach und nach in den Städten sich
bildenden Polizei, z. B. in Speier [9]), in Ulm [10]), in Coesfeld [11])

6) Gemeiner, II, 1. Urk. von 1334 bei Freyberg, V, 116.
7) Gemeiner, III, 1, 215 u. 218.
8) Sökeland, p. 64.
9) Rau, II, 12.
10) Jäger, Ulm, p. 268.
11) Sökeland, p. 60 ff.

u. a. m. In manchen Städten hatten sie auch Gerichtsbarkeit über Maß und Gewicht, über die Bäcker, Wollenweber und andere Zünfte und über kleine Polizeihändel. Und die von ihnen ausgesprochenen Geldbußen gehörten sodann der Stadt, z. B. in Wesel [12]), in Köln [13]). In Speier erhielten sie seit dem Ende des 13. Jahrhunderts sogar eine Gerichtsbarkeit in Schuldsachen und in anderen geringeren Streitsachen. Als nämlich während der Streitigkeiten des Bischofs mit der Stadt, seit dem Jahre 1291, der Bischof sich weigerte einen Schultheiß zu ernennen, die Stadt aber doch nicht ohne Gericht bleiben konnte, ernannte der Stadtrath selbst einen Schultheiß und die Bürgerschaft (universi cives et incolae civitatis) machte die Verordnung (Einung), daß über Schuldsachen auch vor den Bürgermeistern verhandelt werden dürfe (einunga, ut si aliquis ex eis sibi dicat alterum aliquali debito obligatum, quod ipse hoc intimaret civium magistris, et iidem ipsum debitorem ad se vocarent —) [14]). So entstand die Gerichtsbarkeit der Bürgermeister in geringen Streitsachen, welche nicht wenig dazu beitrug, die Gerichtsbarkeit des bischöflichen Schultheiß mehr und mehr zu untergraben. Die Bürgermeister in Speier hielten ursprünglich ihre Sitzungen öffentlich vor dem Kaufhause unter einem Schopf, später aber in dem Rathhause, in der sogenannten neuen Stube. Die Parteien trugen ihr Anliegen selbst vor und wurden mündlich beschieden oder, wenn die Sache zu schwierig war, vor den Stadtrath verwiesen. Auch hatten die Parteien das Recht von ihrem Spruch an den Stadtrath zu appelliren [15]).

Eine öffentliche Gewalt und öffentliche Gerichtsbarkeit hatten die Bürgermeister aber nirgends und eben so wenig eine grundherrliche. Die öffentliche und grundherrliche Gewalt lag vielmehr ursprünglich

---

12) Privilegium von 1277, c. 23 u. 24 bei Wigand, Archiv, IV, 411. Jurgia, defectum mensurandi et pistrandi magister civium judicabit.

13) Urk. von 1230 bei Ennen, Quellen, II, 123. Schiedspruch von 1258 Nr. 26, eod. II, 383 u. 393. Früher übten die Officialen der Richerzeche diese Gerichtsbarkeit. Ennen, Geschichte von Köln, I, 545.

14) Lehmann, p. 574 u 575. vergl. Rau, I, 17.

15) Lehmann, p. 271 u. 283.

allenthalben in den Händen von öffentlichen und grundherrlichen
Beamten, wie in den alten großen Marken, ſo insbeſondere auch
in den Stadtmarken, z. B. in Dürkheim [16]). Daſelbſt ſtanden
neben dem Rath der Acht, dem ſpäteren Stadtrath, welcher die
markgenoſſenſchaftlichen Angelegenheiten zu beſorgen hatte, noch ein
Vogt und ein Schultheiß zur Beſorgung der öffentlichen und herrſchaftlichen Angelegenheiten. Eben ſo in Köln neben dem genoſſenſchaftlichen Bürgermeiſter und Rath noch ein Burggraf oder
Stadtgraf und ein Schultheiß, welcher auch Vogt genannt worden
iſt; in Worms ein Stadtgraf und ein Schultheiß; in Speier
ein Vogt und ein Schultheiß; in Straßburg ein Burggraf, ein
Vogt und ein Schultheiß; in Baſel ein Vogt und ein Schultheiß;
in Augsburg ein Burggraf und ein Vogt; in Nürnberg ein
Burggraf und ein Schultheiß; in Regensburg ein Burggraf und
ein Schultheiß; in Magdeburg ein Burggraf und ein Schultheiß; in Hamburg, in Bremen und in Lübeck ein Vogt; auch
in Freiburg im Breisgau [17]) und in Bamberg neben dem
Bürgermeiſter ein Schultheiß [18]); in Ehenheim neben dem tribunus ein Schultheiß [19]) und in Rotenburg am Neckar neben dem
Stadtrath noch ein Schultheiß und ein Kaiſerlicher Meier, welcher daſelbſt die Kaiſerlichen Hofgüter zu bauen und die Hofangelegenheiten zu beſorgen hatte [20]). Urſprünglich ſtanden die öffentlichen und herrſchaftlichen Beamten über den Bürgermeiſtern · und
hatten den Vortritt vor ihnen. Erſt ſeit dem Steigen der Stadt-

---

16) Meine Geſch. der Markenverfaſſung, p. 198, 297—299 u. 373.
17) Urk. von 1293 bei Schreiber, I, 124 ff.
18) Zöpfl, das alte Bamberger Recht, p. 79 u. 80.
19) Urk. von 1312 bei Schoepflin, II, 101.
20) Ungedruckter Vergleich der Amtleute mit dem Stadtrath von 1541
art. 2. „Wurde ſich auch zutragen, das der Kunigklichen Mayeſtatt
„mayr zu Rotemburg ſo ſeiner mayeſtatt hofgueter daſelbs jnn-
„haben vnnd bawen, in dem ding ſo gewondlich vor der Ernndt
„von wegen des ſchnits vnnd arnndens jerlich gehalten, den vorſchnit
„begern wurden, der ſoll jnen albegen on eintrag zugelaſſen vnnd da-
„rauff durch den ſchulthaiſſen auch die verordneten vom Rat der Ge-
„maynbt offennlichen verkhundt vnnd an drey phundt haller gepotten
„werden, mit jrem ſchneiden vnnd arnnden ſtillzuſteen.“ vergl. oben
§ 400.

gemeinden stiegen mit der Genossenschaft auch die genossenschaft=
lichen Beamten, zuletzt über die öffentlichen und herrschaftlichen
Beamten hinauf. Und es standen sodann die Bürgermeister an der
Spitze des gesammten Stadtregiments (§. 161).

c) Stadtrath.

§. 437.

Der Stadtrath ist, wie wir gesehen, aus den alten Ortsmark=
vorstehern hervorgegangen oder wenigstens an ihre Stelle getreten
(§. 143 ff.). Die Anzahl der Stadträthe war in früheren und
späteren Zeiten sehr verschieden. Meistentheils bestand jedoch der
Stadtrath aus 12 Mitgliedern (§. 151). Oefters bestand er aber
auch aus mehreren Abtheilungen. Da nämlich in wichtigeren Fäl=
len, zumal wenn sie rechtlicher Natur waren, auch die Schöffen von
dem Rath beigezogen zu werden pflegten, so hat sich in manchen
Städten eine eigene aus Schöffen bestehende Abtheilung, eine soge=
nannte Schöffenbank, gebildet, z. B. in Frankfurt am Main
und in Görlitz, und vorübergehend auch in Ulm und Magdeburg
(§. 161). In anderen Städten bildete sich seit dem Siege der
Zünfte eine eigene Abtheilung für die Rathsherren aus den Zünf=
ten, z. B: in Straßburg, wo die Rathsherren aus den Geschlech=
tern auf der Oberbank, die Rathsherren aus den Zünften aber
auf der Niederbank saßen (§. 348). Eben so in Frankfurt, wo
sich neben der Schöffenbank und der Bank der Gemeinde
für die rathsfähigen Geschlechter auch noch eine Handwerksbank
für die rathsfähigen Zünfte gebildet hat (§. 342). In Zürich, in
Magdeburg, in Braunschweig und in Speier bestand der Stadtrath
aus drei Abtheilungen oder aus drei Räthen, welche abwechselnd
nach einander das Regiment führten und nur bei wichtigeren An=
gelegenheiten zu einem größeren Rath vereiniget werden sollten [1].

Die Rathsherren führten ursprünglich sehr verschiedenartige
Namen bis zuletzt der Titel consul oder Rathsherr allgemeine
Aufnahme fand. Den Stadtrath selbst nannte man aber insgemein

---

[1] Havemann, Gesch. von Braunschweig, I, 616. vergl. oben §. 312, 318,
322 u. 532.

einen Rath oder consulium (§. 151). Erst später, seitdem zur Repräsentation der Stadtgemeinde noch ein zweiter größerer und weiterer Rath hinzugekommen war, nannte man den Stadtrath, da er die laufenden Geschäfte zu besorgen und das eigentliche Regiment zu führen hatte, einen regierenden Rath, oder auch einen Privatrath, z. B. in Köln (§. 59), einen engen Rath, z. B. in Köln, Zürich, Rotweil u. a. m. (§. 59, 60, 311, 346 u. 350), einen kleinen Rath, z. B. in Augsburg, Ulm, Eßlingen, Nürnberg, Schaffhausen u. a. m. (§. 315, 343, 346 u. 350), einen inneren Rath, z. B. in München, Ueberlingen u. a. m. (§. 321 u. 350) oder auch einen rechten Rath, z. B. in Eßlingen und Reutlingen (§. 316 u. 350).

Der Ort, wo sich der Stadtrath zu versammeln pflegte, war ursprünglich der Marktplatz oder ein anderer öffentlicher Platz in der Stadt, oder der Kirchhof, zuweilen auch das Gerichtshaus, und in grundherrlichen und gemischten Städten der herrschaftliche Fronhof, z. B. in Straßburg die alte Pfalz und in Worms der Bischofshof oder der Bischofssaal und später, seitdem eigene Rathhäuser gebaut wurden, in der Regel das Rathhaus (§. 188). Nur ausnahmsweise versammelte sich der Stadtrath auch an einem anderen Ort, z. B. in Basel auf der Rheinbrücke oder auf dem Fischmarkte zur vorläufigen Besprechung der Geschäfte [2]) und im Augustiner Kloster zur Wahl der Raths Kiefer [3]). In Salzwedel versammelte sich der Stadtrath öfters auch auf dem Bierkeller, was jedoch zu Unordnungen und sodann zu einem landesherrlichen Verbot geführt hat [4]).

§. 438.

Die Amtsgewalt des Stadtraths war ursprünglich sehr klein. Denn wie die Markgemeinden überhaupt, so besorgten auch die Stadtmarkgemeinden unter dem Vorsitz ihrer Vorsteher ursprünglich alle oder wenigstens die wichtigsten Angelegenheiten selbst [1]), oder sie überließen die Besorgung der Stadtangelegenheiten den

---

2) Ochs, V, 15. Note.
3) Ochs, V, 264.
4) Verhandlung von 1485 bei Zimmermann, II, 239
1) Meine Gesch. der Markenverfassung, p. 271 und oben §. 399.

angesehensten Bürgern, wie dieses in Erfurt der Fall gewesen sein
soll [2]) und wie es auch in Bonn der Fall war, bis denselben (den
majores universitatis) wegen der heranwachsenden Bevölkerung im
Jahre 1285 gestattet worden ist einen ständigen aus 12 Mitglie=
dern bestehenden Stadtrath zu wählen [3]). Der Stadtrath ist, wie
wir gesehen, an die Stelle der alten Ortsmarkvorsteher getreten.
Er hatte daher auch dieselbe Kompetenz. Wie die Ortsmarkvor=
steher die Angelegenheiten der Ortsmark, so besorgte der Stadtrath
die Angelegenheiten der Stadtmark (§. 143—145). Der Stadt=
rath war demnach gleich von Anfang an keine bloße Polizeibehörde
wie dieses Eichhorn geglaubt hat [4]). Er war vielmehr eine ge=
nossenschaftliche und zwar eine markgenossenschaftliche
Behörde. Er hatte daher anfangs bloß die markgenossenschaftlichen
Angelegenheiten zu besorgen. Seit der Erweiterung der Genossen=
schaft und seit der Vermehrung der genossenschaftlichen Angelegen=
heiten hat sich jedoch auch die Gewalt dieser genossenschaftlichen
Behörde erweitert und vermehrt, in der einen Stadt früher in der
anderen später nach dem jedesmaligen Bedürfnisse. Und es lag
sodann das eigentliche Stadtregiment in den Händen des Stadt=
raths, welcher im Namen und aus Auftrag der Stadtgemeinde die
Angelegenheiten der Stadt zu besorgen und das Regiment in der
Stadt zu führen hatte, z. B. in Speier [5]), in Emmerich [6]), in Lü=
beck [7]) u. a. m., insbesondere auch in Erfurt. Denn die Bürger,

---

2) Erphord. Antiquit. Variloquus ad an. 1255 bei Mencken, II, 486
u. 487. Eodem anno cives Erfurt qui summi burgenses
dicti sunt, quibus ab antecessoribus suis cura civitatis commissa
erat, statuerunt, ut singulis annis duodecim — eligerentur, qui
consules nominarentur.

3) Urk. von 1285 bei Lacomblet, II, 471 u. 472. — quod opidani maio-
res universitatis duodecim personas vel infra, legales et fide-
dignas, eligant infra opidum — vergl. oben §. 67.

4) Eichhorn, D. Pr. R. §. 378.

5) Urk. von 1198 bei Remling, p. 137. — qui per juramentum ad
hoc constringuntur, ut universitati, prout melius possint et sciant,
provideant et eorum civitas gubernetur.

6) Urk. von 1233 bei Lacomblet, II, 100. — quorum consilio eadem
civitas regatur.

7) Urk. von 1267 im Codex Lubecens. I, 279. — per quos ipsa civi-

welchen die städtische Verwaltung anvertraut worden war, (burgenses, quibus dispensatio reipublicae Erffordensis civitatis credita est) 8), wurden Stadträthe (consiliarii civitatis) genannt 9).

Zur Kompetenz des Stadtraths gehörte demnach vor Allem
die Besorgung der Angelegenheiten der Stadtmark, der
getheilten Stadtmark eben sowohl wie der ungetheilten oder gemeinen Mark. Oefters mußte zwar, wie wir gesehen, die Stadtgemeinde selbst zu dem Ende beigezogen werden. Meistentheils besorgte aber der Stadtrath allein alle diese Angelegenheiten namens
der Gemeinde 10). Der Stadtrath hatte demnach zu bestimmen,
wie die Felder gepflügt, die Bäume gepflanzt, die Brache bebaut
und benutzt, ob und wie die Weinberge angelegt, die Reben geschnitten, geheftet und mit Pfälen versehen, wie das Wasser zur
Bewässerung, zum Flößen und Waschen benutzt werden solle
u. dergl. m. 11). Auch das Viehhalten, insbesondere das Halten
von Schweinen, Tauben u. s. w. wurde von dem Stadtrath geregelt (§. 410). In Frankfurt a. M. wurde zu dem Ende ein
aus drei bis vier Rathsherren (den sogenannten Taubenherren)
bestehendes Taubenamt eingesetzt zur Aburtheilung der vorgefallenen Frevel 12). Der Rath hatte insbesondere auch für die Herstellung und Unterhaltung der Straßen, der Wege und Stege 13),
der Brücken 14), der Markgrenzen und der Grenzzäune 15), der

---

tas regitur. Urk. von 1277 im Urkundenb. des Bisthums Lübeck,
p. 252. Consules civitatis in quos populus et voluntatem et
potestatem transtulit.

8) Urk. von 1212 bei Lambert, Gesch. von Erfurt, p. 110.

9) Urk. von 1217, 1251 u. 1261 bei Lambert, p. 111, 120 u. 123.

10) Urk. von 1300 bei Grasshof, p. 99. Consules et jurati in Mulhu-
sen, nomine et vice universitatis. vergl. oben §. 399.

11) Frankfurter Rathsverordnung von 1504 bei Kriegk, p. 240. not. 1,
241—242.

12) Kriegk, p. 242—243.

13) Urk. von 1293 §. 13 und von 1324 §. 34 bei T. u. St. p. 421 u.
500. Stadtrecht von Büren aus 14. sec. bei Wigand, Archiv, III, 3,
p. 30. Rathsordnung von Lindau von 1414 bei Heider, p. 638
u. 639.

14) Urk. von 1293 §. 13 u. von 1328 §. 6 u. 33 bei T. u. St. p. 421
u. 520. Stadtrecht von München, art. 148 bei Auer, p. 58.

öffentlichen Gebäude in der Stadt und des Straßenpflasters zu
sorgen (§. 185—192), und die darüber entstandenen Streitigkeiten
zu entscheiden. Zu den Stadtmarkangelegenheiten, worüber der
Stadtrath zu entscheiden hatte, gehörten auch), wie in den großen
Marken [16]), die unbedeutenden Diebstähle, z. B. in Medebach [17])
und in Pabberg [18]), die Zuwiderhandlungen gegen die Marktpolizei,
z. B. in Stendal [19]), der nächtliche Lärm und Unfug, z. B. in
Schweidnitz [20]) und die unbedeutenden Schlägereien und polizeilichen
Vergehen, bei denen kein Blut geflossen war (praeter sanguinis
efusionem [21]) — „ane Blutrunst" [22]) — „kleyne Habirsachen, Kyf=
„seley, Rewffen, Jawßtlou, Maulpaschen, auch Messirezöge, by
„weyl es nicht ezu Wunden unnd Ezetergeschrey kömpt" [23]) —
„— Straffen und Bussen umb Rauffen, Schlagen, Verwunden,
„Waffenzucken, Haimsuchen, Schelten und ander dergleichen Unzucht
„— außer Fraiß, Fräuel und Malefiz") [24]). So insbesondere auch
in den Städten der Mark Brandenburg [25]).

Eine öffentliche Gewalt hatte der Stadtrath ursprünglich
nicht und daher auch keine öffentliche Gerichtsbarkeit. Erst
nach und nach wurde auch diese von vielen Städten ganz, von an=
deren wenigstens theilweise erworben. In Speier ist die Civilge=
richtsbarkeit des bischöflichen Schultheiß, wie wir gesehen, frühe
schon durch die Bürgermeister (§. 436), dann aber auch noch durch
den Stadtrath beschränkt und untergraben worden. Der Stadtrath

---

15) Stadtr. von Büren bei Wigand, p. 30. Rathsordn. von Lindau von
1414 bei Heider, p. 639.

16) Meine Gesch. der Markenverfassung, p. 311 u. 312.

17) Stadtr. von 1165 §. 18.

18) Stadtrecht von 1290 §. 17 bei Seibertz, II, 1 p. 524.

19) Urk. von 1277 bei Gercken, cod. dipl. Brand. VIII, 441.

20) Handfeste von 1328 §. 5 bei T. u. St. p. 520.

21) Urk. für Ratibor von 1293 §. 9 bei T. u. St. p. 421. Stadtr. von
Büren bei Wigand, p. 30.

22) Handfeste von Schweidnitz von 1328 §. 7 bei T. u. St. p. 520.

23) Urk. für Kauth von 1499 bei T. u. St. p. 624.

24) Stadtrecht von Landsberg von 1557, 1559 u. 1563 bei Lori, p. 341
353 u. 360.

25) Kühns, Gesch. der Gerichtsverfassung der Mark Brandenburg II, 244
—247.

hat sich nämlich, wiewohl unter stetem Widerspruch des Bischofs, eine mit dem Schultheiß konkurrirende Gerichtsbarkeit beigelegt und dieselbe in späteren Zeiten sogar noch erweitert[26]). Wann sich diese Gerichtsbarkeit des Stadtraths gebildet hat, liegt völlig im Dunkeln. Von Seiten der Stadt wird sich dabei immer auf kaiserliche Privilegien, insbesondere auf Privilegien von Rudolf von Habsburg bezogen, in denen jedoch nichts hievon steht. Das Verfahren vor dem Rath war übrigens sehr einfach. Einer der beiden Bürgermeister hatte den Vorsitz, leitete die Verhandlung und hielt sodann die Umfrage. Vor dem Bürgermeister stand der Heimburger, den Stab in der Hand. Die Parteien trugen ihre Sachen selbst oder durch einen Fürsprecher und zwar mündlich vor. Nach beendigtem Vortrage mußten die Parteien und der Heimburger abtreten. Denn die Berathung hatte bei verschlossenen Thüren statt. Das von dem Rath gefundene Urtheil wurde sodann den Parteien mündlich von dem Bürgermeister in der Rathsstube eröffnet. Dieses rein mündliche Verfahren hatte jedoch große Nachtheile. Daher wurde später beschlossen, daß das Urtheil von dem Stadt- oder Rathschreiber niedergeschrieben und vor seiner Publikation dem versammelten Rathe vorgelesen und dann erst den Parteien bei offenen Thüren eröffnet werden solle. Und dieses kurze und schleunige Verfahren hat sich bis auf unsere Tage erhalten[37]). Aber auch in vielen anderen Städten hat der Rath die Civilgerichtsbarkeit, die sogenannte niedere Gerichtsbarkeit und, wie wir sehen werden, sogar die vollständige Strafgerichtsbarkeit (den Blutbann) erworben. Der Erwerb der öffentlichen Strafgerichtsbarkeit hängt in vielen Städten mit der Anordnung des Stadtfriedens, in den meisten Städten aber mit dem Erwerbe der Vogtei selbst zusammen. In vielen Städten wurde nämlich gleich bei der Anordnung des Stadtfriedens die Handhabung dieses Königsfriedens dem Stadtrath übertragen. In den meisten Städten ist jedoch die öffentliche Strafgerichtsbarkeit erst seit dem Erwerbe der Vogtei an den Stadtrath gekommen (§. 432). Mit der Gerichtsbarkeit

---

26) vergl. die Beschwerden von 1419 u. 1480 bei Lehmann, p. 803 u. 946—950.

37) Lehmann, p. 282, 283 u. 301.

hat übrigens der Stadtrath auch das Recht der Begnadigung
erworben, welches jedoch der kleine Rath öfters mit dem großen
Rath theilen mußte, z. B. in Basel [38]).

Endlich hatte der Stadtrath auch noch das Recht über die
gemeine Mark selbst und über die Almenden zu verfügen, sowohl über ihre Benutzung als über ihre Verpachtung und Veräußerung. Ohne Zustimmung des Stadtraths durfte daher nicht
auf das Gemeinland gebaut, dasselbe nicht gerodet, nicht zur Son-
dernutzung ausgeschieden oder auf eine sonstige Weise benutzt werden (§. 382). Und über das Eigenthum des Gemeinlandes durfte
nur von dem Stadtrath mit oder öfters auch ohne Zustimmung
der Gemeinde verfügt werden, z. B. in Regensburg [39]), in Basel,
Straßburg, Worms, Münster, Zug u. a. m. (§. 53, 65, 66, 71,
155 u. 225).

Mit diesem Allem war auch eine mehr oder weniger vollständige Orts- und Feldpolizei verbunden, z. B. in Trier
u. a. m. (§. 54). Da jedoch auch in der mit der öffentlichen Gewalt verbundenen Schirmgewalt eine Art von Polizeigewalt lag,
so entstanden öfters bei Ausübung der nicht gehörig begrenzten
Polizeigewalt Streitigkeiten zwischen dem Stadtrath und dem landesherrlichen Vogt oder Landrichter, z. B. in Breslau [40]), in Landsberg [41]) u. a. m.

Zu dieser ursprünglichen Kompetenz kam nun später auch
noch die Oberaufsicht über das gesammte Gewerbs- und Verkehrswesen, also auch über die Zünfte hinzu (§. 283, 403 u.
404). Ursprünglich hat sich zwar diese Oberaufsicht des Rathes
über die Zünfte nur auf jene Gewerbsleute erstreckt, welche sich
auf der städtischen Almende oder auf dem Grund und Boden eines
Bürgers angesiedelt hatten, die also Hintersassen der Stadt oder der
Stadtbürger waren. Denn die auf einer Grundherrschaft oder auf
einem Fronhof wohnenden hörigen Handwerker haben offenbar auch
in den Städten unter ihrem Grund- und Hofherrn gestanden. Daher konnte sich in Zürich die Aebtissin schon im 12. Jahrhundert

38) Ochs, V, 320, 321 u. 339.
39) Urk. von 1318 bei Gemeiner, I, 544.
40) Urk. von 1306 bei T. u. St. p. 478. ff.
41) Urk. von 1557 §. 1 bei Lori, p. 342.

über die Eingriffe des Rathes in die Wahl ihrer eigenen Hand=
werker beim Kaiser beschweren [42]). Und in Amberg standen des=
halb auch in späteren Zeiten noch einige Zünfte nicht unter dem
Stadtrath (§. 283). Nach und nach kamen jedoch in den meisten
Städten die Gewerbsleute und Zünfte sammt und sonders unter
die Oberaufsicht des Rathes. Den einzelnen Zünften ist zwar mei=
stentheils ihre althergebrachte Autonomie und Gerichtsbarkeit geblie=
ben. Die Zünfte durften aber natürlich nicht in die Zuständigkeit
des Raths und der öffentlichen Gerichte eingreifen, wie dieses in
Frankfurt a. M. den Gewandmachern und Schuhmachern ausdrück=
lich vorgeschrieben war [43]). Und auch die Autonomie der Zünfte
wurde mehr und mehr beschränkt und die Zünfte in aller und jeder
Beziehung der Oberaufsicht des Rathes unterworfen, welche dieser
zum Theile durch einzelne Rathsherren ausüben ließ (§. 274 u.
283).

Mit dem größeren Verkehr in den Städten entstanden häu=
figere und wichtigere Verbindungen mit auswärtigen Städten und
Staaten. Und auch diese führten zur Vermehrung der Geschäfte
der Stadträthe. Denn die Besorgung der auswärtigen Ange=
legenheiten gehörte sodann ebenfalls zur Kompetenz des Stadt=
raths, z. B. in Lübeck [44]), in Hamburg, in Soest, Straßburg
u. a. m. [45]). Zu den auswärtigen Angelegenheiten, welche der
Stadträth zu besorgen hatte, gehörte insbesondere auch die Pflicht
das Interesse der Stadt nach Außen zu vertreten und daher auch
die Bürger und Beisassen auswärts zu schützen und zu unterstützen
und wenn es nothwendig war zu vertreten [46]).

Zur Kompetenz des Stadtraths gehörte insbesondere auch die
Aufsicht über das Maß und Gewicht, z. B. in Köln (§. 57),

---

42) Bluntschli, I, 152 u. 161.
43) Gewohnheiten von 1355 bei Böhmer, p. 635 u. 642. — „das wir
„das hohen und nyddern mogin, daz dem gerichte abir dem rade nicht
„zugehorit. — und wir node wolben dun das den rat abir daz ge=
„richte mit ichte gelezin mochte.“
44) Receß von 1669 bei Moser, II, 209.
45) Lappenberg, Programm zur 3. Secularfeier der Hamburg. Brf. p. 14
—16 und oben §. 64, 185, 403 u. 440.
46) Thomas, der Oberhof zu Frankfurt, p. 191—193. und oben §. 287.

in Freiburg [47]), Soest [48]), Medebach [49]), Bern [50]), Büren [51]), in Prag [52]), in Magdeburg, Breslau, Landshut, Ratibor, Schweidnitz u. a. m. [53]), und über das Münzwesen in Lübeck, Hamburg, Regensburg, u. a. m. (§. 78). Sodann die Marktpolizei in Ens und Wien [54]), in Prag [55]), in Wiener Neustadt [56]), in Zürich [57]) u. a. m. (§. 83), und die dazu gehörige Victualien= polizei („der Spisekouf, Meynkouf, — que pertinent ad victualia — de omnibus vescendis rebus que ad escam vel potum pertinent) in Medebach [58]), in Freiburg [59]), in Magdeburg, Breslau, Ratibor, Schweidnitz, Landshut [60]), in Büren [61]), in Pabberg [62]) u. a. m. Ferner, wie wir gesehen, die Baupolizei, Feuerpolizei, Straßen= und Reinlichkeitspolizei, die Armen= und Krankenpflege, das Unterrichtswesen, die Sittenpolizei, die Aufsicht über die Volksbelustigungen, die Gesundheitspflege, das Kriegswesen, das Steuer= wesen und die Handhabung der öffentlichen Ordnung und des Stadtfriedens (§. 404—433), überhaupt Alles was zur

---

47) Stadtr. von 1120 bei Dümge, p. 124.

48) Stadtr. von 1120 §. 36.

49) Stadtr. von 1165 §. 20.

50) Handfeste von 1218 §. 19.

51) Stadtr. aus 14. sec. bei Wigand, III, 3. p. 32.

52) Stadtr. §. 47.

53) Urk. von 1261, §. 2, von 1293 §. 22, von 1304, §. 1, von 1324, §. 8 u. 9, von 1328, §. 9, von 1334 §.2 bei T. u. St. p. 352, 422, 506, 520 u. 537. Magdeb. Schöffenurtheil, cap. 1. Dist. 8 bei Zobel, p. 466.

54) Stadtr. von Ens von 1212 §. 25 und von Wien von 1221 §. 56 bei Gaupp, II, 222 u. 250.

55) Statut §. 122 u. 143 bei Rößler, p. 78 u. 97.

56) Stadtr. c. 99.

57) Bluntschli, I, 159. Note.

58) Stadtrecht von 1165 §. 20.

59) Stadtr. von 1120 §. 79.

60) Urk. von 1261, §. 2 u. 5, von 1293 §. 5, 6 u. 22 u. von 1334 §. 1 u. 2 bei T. u. St. p. 352, 420, 537. Magdeb. Schöffenurtheil, cap. 1. Dist. 7 bei Zobel, p. 466.

61) Stadtr. aus 14. sec. bei Wigand, p. 30.

62) Stadtr. von 1290 §. 15 bei Seibertz, II, 1 p. 523.

Ehre und zum Nuhen der Stadt gereichte, z. B. in Ens und Wien
(que **ad honorem et utilitatem civitatis pertinent**) [63]. und in
Lucern („fwas dien burgeren ze nuze vnd ze eren komen mag" [64]).
Die Amtsgewalt des Stadtraths umfaßte demnach Alles, was wir
heut zu Tage zur städtischen Verwaltung zu rechnen pflegen,
über welche jedoch auch in früheren Zeiten schon wie heute noch
von jedermann geklagt zu werden pflegte, z. B. in Köln bereits
seit dem 13. Jahrhundert [65].

In allen diesen Dingen hatte der Stadtrath die Oberaufficht,
die oberfte Leitung und die Gerichtsbarkeit bei allen Zuwiderhand=
lungen gegen seine Gebote und Verbote.

§. 439.

Wie andere Markvorsteher in den alten großen Marken und
in den Dorfmarken [1]), fo hatten nämlich auch die Vorsteher der
Stadtmarken das Gebot und Verbot oder das Bannrecht in
den genofjenschaftlichen Angelegenheiten der Stadtmark und die da=
mit verbundene Autonomie namens der Gemeinde und in wich=
tigeren Sachen mit Zuftimmung der Gemeinde (§. 158). Daher
erkannten die Schöffen von Magdeburg zu Recht, daß „die Rhat=
„manne einer Stadt willkör mögen fehen vnd machen nach der
„Stadt nuh; mit wiffenschafft ihrer gemein, ohn wiffen vnd thun
„deß Burggraffen, oder jres oberften herren" [2]). Und in den
Rathsordnungen von Nürnberg aus dem 14. Jahrhundert heißt
es: „Es gebieten die Burger vom Rat — Ez haben gefehet
„die Burger vom Rath" — [3]). Dann in dem Stadtrecht von

---

63) Stadtr. von 1212 §. 25 und von 1221 §. 56 bei Gaupp, II, 222 u. 250.
64) Altes Stadtr. in Geschichtsfreund, I, 163.
65) Schiedsspruch von 1258 bei Lacomblet, II, 249. Quia de mala am-
ministratione magistrorum civium populus Colon. multipliciter
est conquestus. Unter magistri civium ift dafelbft der Stadtrath zu
verftehen. vergl. oben §. 56.
1) Meine Gesch. der Markenverf. p. 242 ff. Meine Gesch. der Dorfverf. II, 48 ff.
2) Magdeb. Schöffenurtheile, cap. 1. Dift. 10. bei Zobel, fol. 466.
3) Rathsordnungen bei Siebenfees, I, 117, II, 395, 397, 680 u. 681.

München: „Es gepietent auch die gesworen — Es verpietent
„auch die gesworen — Es habent die gesworen verpoten und
„gesetzet — Es habent die purgermaister und der rat der stat
„gesetzt und gepoten"[4]). In dem alten Stadtrecht von Frei=
berg: „di zwelf geswornen sullen vnd mugen setcen vnde heizen
„vnd gebieten alles das si dunket gut vnd nutze sin der stat vnd
„den luten — vnd alliz das si verbieten das sal ein itlich man
„halben zu rechte"[5]). In einem alten Weisthum von Seligen=
stadt, „sint diese gesetze und gebode der gemeyn offenbart von
„eyme fauße und des gemeynen rades wegen"[6]). In den
Statuten von Köln, c. 55. „der vnnß vnnd vnnßer stabt zu ge=
„bott vnnd verbott sitzt" —. In der Stadt Lüneburg „des
„Rades Bod unde Settinghe holden"[7]). Man nannte diese
Gebote und Verbote der Stadträthe auch Küren oder Kore,
z. B. in Lübeck und Hamburg[8]), dann Willküren, Wille=
koren oder Willfören, z. B. in Bremen[9]), in Stendal[10]), in
Seligenstadt[11]), Gesetze oder Willekuren, z. B. in Freyberg[12]),
Einungen (Einunga) z. B. in Freiburg[13]) und in Kolmar[14]),
Einungen oder Küren, z. B. in Neuß[15]), oder auch Mor=
gensprachen, z. B. in Köln[16]). Das Verordnen selbst nannte

---

4) Stadtrecht, art. 239, 241, 340, 392, 413.

5) Stadtrecht, c. 48 bei Schott, III, 279.

6) Grimm, I, 508.

7) Urk. von 1365 in Orig. Guelf. IV, praef. p. 32.

8) Urk. von 1188 im Lüb. Urkb. I, 10. Urk. von 1292 bei Lappenberg,
Hamb. Urkb. I, 722. — jus tale, quod vulgo kore dicitur: statuta
mandare, et edicta promulgare —.

9) Urk. von 1246 in Assertatio libert. Brem. p. 82 u. 93. statuta
quae vulgariter vocant Willköhre —.

10) Verordnung von 1345 bei Gercken, vet. march. I, 93.

11) Grimm, I, 506.

12) Verordnung von 1305 bei Schott, III, 87.

13) Stadtrechte von 1275 u. 1293 bei Schreiber, I, 82 u. 133.

14) Stadtrecht von 1293, §. 43.

15) Urk. von 1259 u. 1310 bei Lacomblet, II, 264. u. III, 64.

16) Urk. von 1347 bei Clasen, in Materialien zur Statistik, I, H. 12,
p. 512. und bei Fahne, I, 260. a domnis consulibus Coloniensi-
bus per edictum eorum quod Morgensprache dicitur —.

man daher ebenfalls ein Morgensprachen [17]) und die verord=
neten Strafen nannte man Küren [18]) oder auch Innunge.

Solche Rathsordnungen findet man nun schon seit dem 12.
und 13. Jahrhundert in Freiburg [19]), in Ens [20]), in Wien [21]), in
Wiener Neustadt und Iglau [22]), in Lucern [23]), in Köln [24]), in
Stendal [25]), in Zürich [26]), in Bamberg [27]), in Breslau, Brieg und
Grottkau [28]), in Seligenstadt [29]), in Padberg [30]), in Nördlingen [31]),
in Goslar [32]) u. a. m. Auch in München erschienen schon im 13.
und 14. Jahrhundert eine Menge Rathsordnungen, zumal über
die Gewerbspolizei, aber auch schon über andere Angelegenheiten,
z. B. über das Steuerwesen und über die Juden. Und es existi=
ren heute noch zwei Sammlungen von Rathsordnungen aus jener
Zeit [33]). Auch der Stadtrath von Basel erließ schon im 14. Jahr=
hundert viele Verordnungen über das Erbrecht, über Testamente,
über die Rechte der Wittwen, eine Metzgerordnung, eine Brodschau=
ordnung u. a. m. [34]). Eben so im 15. Jahrhundert mehrere Kauf=

---

17) Kölner Chronik ad. an. 1372, fol. 275. b. „dat der Rait reyt — in
　　„der Stat vmme, vnd morgespraichpen ind verboden alle der
　　„gemeynde in Coellen" —

18) Urk. von 1306 bei T. u. Stenzel, p. 479. omnibus penis inpositis
　　aut inponendis, que Kür dicuntur —, eod. p. 249.

19) Stadtrodel §. 79 bei Gaupp, II, 38.

20) Stadtrecht von 1212 §. 25.

21) Stadtr. von 1221 §. 56.

22) von Würth, Stadtrecht von Wiener Neustadt, p. 84.

23) Altes Stadtrecht im Geschichtsfreund, I, 163.

24) Schiedsspruch von 1258 Nr. 42 bei Lacomblet, II, 246.

25) Urk. von 1233 bei Beckmann, V, 1. 2. p. 194 f.

26) Rathserkenntniß bei Bluntschli, I, 148. Not. 67.

27) Zöpfl, Bamberg. R. p. 77.

28) Urk. von 1324, §. 27, 28 u. 33 bei T. u. St. p. 508.

29) Grimm. I, 506, 507, 508 u. 509.

30) Stadtrecht von 1290 §. 3 u. 4 bei Seibertz, II, 1. p. 523.

31) Stadtr. von 1318 §. 1 u. 61—65.

32) Rathsbeschlüsse von 1351 u. 1397 bei Göschen, p. 109.

33) von Sutner, in Abhl. der Akad. II, 473—476. Stadtrecht, art. 148,
　　213, 217, 223, 226 ff., 239, 241, 324, 328, 340, 392 u. 413. Eine
　　Rathsordnung über die Juden im art. 455.

34) Ochs, II, 377—390.

hausordnungen von 1449, 1464 u. 1489 [35]), sodann mehrere Verordnungen über die Handwerke und Gewerbe und über die Gewerbs- und Handelsangelegenheiten von 1491, 1494, 1495 und 1500 [36]), eine Verordnung über die Apotheker von 1404 [37]), über die Metzger von 1405, 1423, 1427 u. 1429 [38]), über die Zimmerleute, Maurer und Holzleute von 1414 [39]), und über die Schiffleute von 1416 und 1430 [40]), eine neue Müllerordnung von 1472 [41]), eine neue Schmiede- und Schneiderordnung von 1466 u. 1490 [42]), eine Ordnung der Wirthe und Köche von 1462 [43]) u. a. m. Ganz besonders zahlreich sind aber die bereits im 14. Jahrhundert in Nürnberg erschienenen Rathsordnungen über das Polizeiwesen [44]), über den Weinhandel und über den Handel mit Waid [45]), über das Ungelt und über andere Steuersachen [46]), über das Gewerbswesen [47]), auch eine Brodordnung aus dem 15. Jahrhundert [48]) u. a. m. Sogar über die geistlichen Güter und über geistliche Angelegenheiten machten die Stadträthe Verordnungen, der Stadtrath zu Speier über die Güter der Geistlichen bereits schon im 13. [49]), der Stadtrath von Nürnberg über mehrere kirchliche Angelegenheiten im 14. Jahrhundert [50]), und der Stadtrath von Ulm im Anfang des 15. eine Verordnung über die Verleihung des Kirchendienstes [51]). In Straßburg sollte kein vor der Stadt

---

35) Ochs, V, 116—123.
36) Ochs, V, 123—146.
37) Ochs, III, 193.
38) Ochs, III, 196—199.
39) Ochs, III, 200.
40) Ochs, III, 201 f.
41) Ochs, V, 136 u. 137.
42) Ochs, V, 137 u. 138.
43) Ochs, V, 143—146.
44) Siebenkees, I, 117, II, 395 ff., 676 ff., IV, 728 ff.
45) Siebenkees, IV, 694 ff. u. 719 ff.
46) Siebenkees, III, 222 ff.
47) Siebenkees, IV, 679 ff.
48) Siebenkees, III, 31 ff.
49) Uk. von 1279 bei Remling, p. 356.
50) Siebenkees, I, 203 ff.
51) Rathsordnung von 1406 bei Jäger, Magazin, III, 519.

stehendes Kloster in die Stadt gezogen werden [51a]). Auch verfügte daselbst der Stadtrath über den Frühaltar („fruge Altar“) und über das Spital, und ernannte die Spitalpfleger [51b]). Nach einer weiteren Verfügung des Stadtraths sollten die Franciskaner und Dominikaner in Straßburg keine Erbgüter mehr von den Stadt-bürgern erwerben und keine Novizen unter 18 Jahre ohne Zu-stimmung ihrer nächsten Verwandten in ihren Orden aufnehmen. Dieser Verordnung fügten sich jedoch nur die Franciskaner [51c]), die Dominikaner aber nicht, und der Bischof Konrad entschied auch zu ihren Gunsten. Der Stadtrath protestirte jedoch gegen diese Ent-scheidung des Bischofs und blieb bei seiner Verfügung [51d]). Als der Papst Johann XXII den Kaiser Ludwig den Baier in den Bann that, verweigerte die Stadt Straßburg die Publikation der päpstlichen Bulle und ließ sich deshalb durch ihren Bischof beim Papste entschuldigen [51e]). Der Stadtrath von Cassel hat bereits in der Mitte des 15. Jahrhunderts den Geistlichen und den Laien strengstens verboten irgend eine weltliche Sache vor die geistlichen Gerichte zu bringen oder einen Bürger oder Einwohner der Stadt dahin zu laden. Sogar einen Bann in weltlichen Dingen auszu-sprechen ward den Geistlichen verboten, ehe sie die Sache vor das weltliche Stadtgericht gebracht hatten. Auch sollten die Priester und die übrigen geistlichen Leute in allen weltlichen Angelegenheiten ihr Recht vor dem Stadtgericht suchen [52]). In Basel wurde zwar das Strafgesetz für die Priesterschaft im Gebiete der Stadt vom Jahre 1339 noch von dem Bischof und dem Domkapitel, aber doch schon auf Betreiben des Stadtrathes, der Dienstleute und der Zunft-meister erlassen („das wir durch bette des burgermeisters, des rates, „der gotzhus dienstmannen und der Zunftmeistere“ [53]). Allein be-reits seit dem 15. Jahrhundert machte auch der Stadtrath von

---

51a) Stadtrecht; art. 20 bei Strobel, I, 556.

51b) Sunebrief von 1263 bei Wencker, von Außburgern, p. 25. Revers von 1263, §. 10 u. 11. bei Schilter zu Königsh. p. 730.

51c) Urk. von 1283 bei Schoepflin, II, 27.

51d) Zwei Urk von 1290 bei Schoepflin, II, 45 u. 46.

51e) Urk. bei Wencker, appar. archivor. p. 192 — 195.

52) Statut von 1444 bei Kopp, II, 29—31.

53) Gesetz von 1339 in Rathsquellen, I, 15.

Basel seine Oberhoheit über die Klöster geltend. Im Frauenkloster Klingenthal waren Klagen über den Lebenswandel und über die schlechte Haushaltung der Klosterfrauen entstanden. Der Stadtrath beschloß daher im Jahre 1472, also längst vor der Reformation, eine Reformation jenes Klosters [54]. Nun erst ward auch der Pabst selbst veranlaßt einzuschreiten. Die Klosterfrauen setzten sich aber zur Wehr gegen die päbstliche Bulle. Sie ließen die Bulle nicht ablesen, schmähten dagegen, drohten das Kloster in Brand zu stecken. Eine griff sogar nach einem Bratspieß, eine Andere nach einem Prügel! Dennoch ward das Kloster im Jahre 1480 von dem Stadtrath reformirt. Die vertriebenen Nonnen brachten es jedoch später (im Jahre 1482) zu einem förmlichen Klosterkrieg [55]. Zumal aber seitdem die Reformation begonnen machten die Stadträthe ihr Schutz- und Schirmrecht geltend. Sie machten als Schirmvögte der Klöster zuerst den Versuch sie zu reformiren und hoben sie erst dann ganz auf, als ihnen die Reform nicht gelang, z. B. in Eßlingen [56]. In Freiburg wurden seit dem Anfang des 16. Jahrhunderts die Kirchhöfe von dem Stadtrath aus der Stadt verlegt und aus dem Kirchhofe bei dem Münster der Münsterplatz und aus dem Kirchhofe bei den Barfüßern, alles Widerstrebens der Mönche ungeachtet, ein anderer freier Platz gemacht [57].

Und alle diese Gebote und Verbote der Stadträthe mußten von den Bürgern ebensowohl wie von den Beisaffen, gleichviel ob geistlich oder weltlich, und in dem Falle auch von den Fremden, welche sich in der Stadt aufhielten, vollzogen werden, wenn sie den Handel und Wandel oder einen Friedbruch zum Gegenstand hatten, z. B. in Nürnberg, Regensburg, Straßburg u. a. m. [58].

---

54) Ochs, IV, 374 u. 375.

55) Ochs, IV, 375, 382 u. 383.

56) Pfaff, p. 267 u. 269.

57) Schreiber, Gesch. von Freiburg, III, 237. Not.

58) Urk. von 1313 in Hist. Norimberg. dipl. p. 227. Quicquid consules et scabini civitatis Nurembergen. pro pace ac moderatione rerum venalium, intra civitatem statuerint, tam ab extraneis quam a civibus observetur. Urk. von 1251 bei Gemeiner, I, 361. Stadtrecht von Straßburg §. 19 bei Strobel, I, 556. vergl. oben §. 431.

Ausschüsse, Deputationen und Stadtämter.

§. 440.

Ursprünglich wurden alle Geschäfte im versammelten Rathe, also collegialisch berathen und entschieden. Mit der erweiterten Amtsgewalt haben sich aber auch die Geschäfte vermehrt und dann wurden die einzelnen Geschäftszweige mehr und mehr ausgeschieden und einzelnen Rathsherren oder besonderen Deputationen und Aus= schüssen übertragen. So entstanden denn die verschiedenen S t a d t= ä m t e r, denen ein besonderer Wirkungskreis angewiesen zu werden pflegte. Die einzelnen Rathsherren, Deputationen und Ausschüsse hatten in diesem Falle die ihnen speciell übertragenen Aemter selb= ständig zu besorgen. Und nur die wichtigeren und schwierigeren oder mehrere Geschäftszweige berührenden Angelegenheiten pflegten nun noch im versammelten Rathe verhandelt und nach Mehrheit der Stimmen entschieden zu werden. Oefters wurde aber auch die höchste Gewalt in den Händen eines dieser engeren Ausschüsse concentrirt. Dies führte sodann meistentheils zu einem sehr drücken= den und lästigen oligarchischen Regiment. Einige Beispiele werden dieses Alles klar machen.

In B a s e l wurden die Geschäfte des Stadtrathes nach und nach unter folgende Aemter vertheilt. Im Jahre 1354 wurde das S i e b n e r a m t, das D r e i e r a m t und das L o h n a m t eingesetzt. Die S i e b e n, welche das Siebneramt bildeten, hatten das Ungelt einzunehmen und zu verrechnen, und außerdem noch die Aufsicht über das Stadtarchiv und über das Zeughaus[1]). Im Jahre 1494 wurde ihnen die Aufsicht über das Zeughaus und über die Waffen= vorräthe wieder entzogen und zu dem Ende z w e i Z e u g h e r r e n ernannt[2]). Dafür erhielten sie aber am Ende des 15. Jahr= hunderts einen Theil der Voruntersuchung in Kriminalsachen. Sie sollten nämlich die Angeklagten namens des Stadtraths vernehmen und nöthigenfalls der Tortur unterwerfen[3]). Auch wurde, seitdem

---

1) Stiftungsbrief des Siebneramtes bei Ochs, II, 78 u. 79.
2) Ochs, V, 87.
3) Ochs, II, 77. Not. u. 403, V, 33, VI, 766.

das Brodmeisteramt von der Stadt erworben worden war, die Brodschau von drei Mitgliedern des Siebneramtes besorgt⁴). Die Dreiherren wurden jedes Jahr aus den Siebnern genommen. Das Dreieramt bildete demnach einen Ausschuß aus dem Siebneramte. Später wurden jedoch beide Aemter getrennt und die Dreiherren auf Lebenszeit ernannt. Sie hatten das Stadtsiegel und den Schlüssel zum Schatz oder zum Trog zu bewahren. Sie waren demnach die Stadtsiegelbewahrer und die Schlüsselbewahrer des Stadtschatzes, und wurden daher auch die drei Seckler oder Seckelmeister genannt. Ihr Amt war für die Stadt um so wichtiger, da außer dem Bürgermeister alle Ritter von ihm ausgeschlossen waren⁵). Die zwei Baumeister, welche das Lohnamt bildeten, hatten das Bauwesen unter sich⁶). Von diesem Lohnamt verschieden war das Fünferamt, welches im Jahre 1360 zur Entscheidung der Baustreitigkeiten errichtet worden ist⁷). Zur Leitung des Kriegswesens, welche geheim zu haltende Maßregeln nothwendig macht, wurde im Jahre 1373 eine Kommission, die fünf Heimlicher, niedergesetzt, welche bis ins 15. Jahrhundert über geheime Kriegssachen zu berathen hatte, aber doch kein geheimes Gericht gewesen ist, wie dieses Ochs für möglich hält⁸). Im Jahre 1406 wurde eine neue Kriegskommission von 9 Mitgliedern niedergesetzt, welche von Zeit zu Zeit wieder erneuert worden ist. Man nannte sie die Neun den Krieg zu Verhandelnde, oder auch die Heimlichen. Sie scheinen eine Erweiterung des Heimlicher Kollegiums gewesen, und immer nur für bestimmte Zeiten und Zwecke ernannt worden zu sein⁹). Des Rathes der Dreizehn wird zum ersten Mal im Jahre 1432 Erwähnung gethan. Die Dreizehen, auch die Heimlichen, die geheimen Räthe oder die Botten genannt¹⁰), sollten von

---

4) Ochs, V, 35.
5) Ochs, II, 79 u. 403.
6) Ochs, II, 80.
7) Ochs, V, 59 u. 60. Rechtsquellen, I, 29.
8) Ochs, V, 53—55. Heusler, p. 384—385.
9) Ochs, III, 38, 39, V, 25. Heusler, p. 385.
10) Ochs, III, 440, IV, 177, V, 22. VI, 175. Heusler, p. 385—388 u. 390.

dem großen Rath aus den Mitgliedern des kleinen Rathes gewählt werden [11]). Sie hatten außer der Sorge für die öffentliche Sicherheit auch noch das sehr wichtige Recht der Vorberathung aller jener Angelegenheiten, welche dem großen Rath vorgelegt werden sollten, und sogar die Gewalt nöthigenfalls ganz allein zu handeln. Nur die schwierigeren Sachen mußten an den Rath gebracht werden [12]). Ihre Gewalt war demnach sehr groß. Denn das Stadtregiment lag eigentlich in ihren Händen. Daher nannte sie schon Urstisius die Hauptleiter des Freistaates und die Blume des städtischen Regiments [13]). Ihre Allgewalt erregte jedoch großes Mißtrauen. Um sie zu umgehen setzte daher die Bürgerschaft, wie wir sogleich sehen werden, die Fünfzehner ein. Auch wurde der Rath der Dreizehn eine Zeit lang aufgehoben, am Ende des 15. Jahrhunderts aber wieder hergestellt. Und er hat sich sodann bis auf unsere Tage erhalten [14]). Der Rath der Fünfzehner wurde im Jahre 1479 aus Mißtrauen gegen die beiden Häupter der Stadt (Bürgermeister und Oberzunftmeister) und gegen die Dreizehner, in deren Mitte die beiden Häupter saßen, errichtet. Die Fünfzehner sollten auf Lebenszeit ernannt werden, und daher ihre Gewalt auch dann noch behalten, wenn sie nicht mehr im Rathe saßen. Sie hatten volle Gewalt über Alles, was das gemeine Gut berührte. Die beiden Räthe selbst waren an ihre Beschlüsse gebunden und mußten sie schützen und schirmen [15]). Die fast unumschränkte Gewalt, welche man, gegen die Grundideen der alten Verfassung, diesem neuen Rath einräumte, beweißt mehr als alles Andere den damals völlig zerrütteten Zustand des Freistaates. Denn man glaubte ihn nur noch durch eine solche Dictatur retten zu können. Daher war auch dieser Rath nicht von langer Dauer [16]). Der Rath der Zweiundzwanzig, auch die Botten über der Stadt Ehehaft genannt, erscheint zum ersten Mal im Jahre 1472. Er

11) Ochs, III, 440—442.
12) Ochs, V, 6 u. 22, VI, 366.
13) Urstisius, epitome, cap. 17. totius reipublicae flos praecipuique moderatores.
14) Ochs, V, 22 u. 23.
15) Ochs, IV, 366—368. Heusler, p. 389
16) Ochs, V, 20.

hatte in allen Sachen zu handeln, welche der Stadt Ehehaft und die Ausgaben und Einnahmen betrafen. Auch hatte er die Zuwiderhandlungen gegen die Erkenntnisse und Verordnungen des Rathes zu bestrafen, weshalb ihm alle Mängel und Gebrechen angezeigt werden sollten. Dieses Collegium hat jedoch nur bis zum Jahre 1498 gedauert [17]). Außer diesen ständigen Kommissionen gab es aber auch noch eine Menge besondere Kommissionen für specielle Zwecke, welche man ebenfalls Botten genannt hat. So gab es Boten die Stadt auswendig und inwendig zu besehen, Boten um die Stadt zu reiten, Boten die Pferde der Söldner zu besehen, Boten Pferde zu kaufen und viele andere Boten mehr. Die vorhin erwähnten Dreizehn wurden daher zum Unterschiede von diesen Specialboten die Botten principales genannt [18]). Auch die Neun wegen des neuen Regiments bildeten eine solche außerordentlich Kommission, welche von 1498 bis 1534 gedauert hat. Sie sollten alle im Zustande der Finanzen, der Sitten und der Polizei oder in der Verfassung selbst bestehenden Mängel und Gebrechen untersuchen und Vorschläge für ihre Reform machen. Und schon im Jahre 1498 hatten sie mehrere Verordnungen zu Stande gebracht, mit deren Handhabung der vorhin erwähnte Rath der Dreizehn beauftragt worden ist [19]). Auch für die Handhabung der städtischen Polizei war reichlich von Seiten des Stadtraths gesorgt. Drei sogenannte Unzüchter (ein Ritter und zwei Achtbürger) hatten die Polizeifrevel abzuurtheilen. Sie sollten sich jedoch nicht in jede Kleinigkeit einmischen und daher „nicht über die Händel der Buben richten, die keine Hosen tragen, wie auch nicht „wenn offene Frauen einander Huren sagen" [20]). Zwei Rathsherren, die Kaufhausherren, hatten die Aufsicht über das Kaufhaus. Unter ihnen standen die Unterkäufer (Unterkouffer), welche für die Ordnung im Kaufhause sorgen, die ankommenden fremden Waaren den verschiedenen Zünften anzeigen und in mehrfacher Hinsicht alles Dasjenige besorgen mußten, was heut zu Tage

---

17) Ochs, V, 20 u. 21.
18) Heusler, p. 390 - 391.
19) Ochs, V, 25—32.
20) Ochs, III, 535. Heusler, p. 210 u. 211.

die Mäkler, die Speditoren und Kommissionare zu be=
sorgen pflegen[21]). Die Feuerschauer sollten jährlich zwei Um=
gänge halten, drei Müllerherren die Müllerordnung handhaben,
die Fleischschauer täglich in die Schole oder Metzig gehen, die
Roßstimmer die Pferde schätzen, die Fischschauer, die Schaf=
beschauer, die Häringschauer und die Brodschauer die
Fisch=, Schaf=, Häring= und Brodschau vornehmen[22]). Ein Salz=
meister, gleichfalls ein Rathsherr, hatte die Verwaltung des
Salzhauses. Unter ihm standen 12 Mütter oder Salzmesser
und drei Salzhausknechte. Die Oberaufsicht über das Salz=
haus hatten drei andere Rathsherren, die sogenannten Salz=
herren[23]). Der Kornmeister endlich hatte den Schlüssel zum
Kornhause und den Kornhandel zu besorgen[24]). Wenn demnach
Basel nicht ganz vortrefflich regiert worden sein sollte, so lag die
Schuld daran wenigstens nicht in einem Mangel an Beamten und
Regenten.

§. 441.

In Straßburg ist der nach Vorschrift des Schwörbriefes
von 1482 gebildete Stadtrath dem Rechte nach bis auf unsere Tage
geblieben (§. 348). In der Wirklichkeit war aber das Stadtregi=
ment eine Obligarchie geworden. Seit dem 14. Jahrhundert pfleg=
ten nämlich die abgegangenen Rathsherren, die sogenannten alten
Herren, in besonderen Fällen zu Rath gezogen zu werden.
Wann dieses geschehen sollte und wie viele alte Herren beige=
zogen werden sollten, hing ursprünglich von dem Ermessen des
Rathes selbst ab. Im Anfang des 15. Jahrhunderts wurde ihre
Anzahl auf einundzwanzig festgesetzt. Seit dem Jahre 1413
mußten sie einen Eid leisten und bildeten sodann ein eigenes Colle=
gium, welches man die Einundzwanzig oder die alten Her=
ren genannt hat. Seit der Mitte des 15. Jahrhunderts sollten
sie auf fünf Jahre gewählt, diejenigen aber, welche zum zweiten

---

21) Ochs, II, 384, III, 192, V, 119. vergl. oben §. 406.
22) Ochs, V, 35, 80 u. 81.
23) Ochs, II, 411—412, V, 100.
24) Ochs, II, 427.

Mal gewählt worden, lebenslänglich im Amte bleiben. Im
Jahre 1487 erhielten sie eine entscheidende Stimme. Der Stadt=
rath bestand demnach nun aus dem wirklichen Rath, welcher
zur Hälfte jährlich wechselte, und aus den Einundzwanzig,
welche gemeinschaftlich mit einander das beständige Regiment
bildeten. Außer diesem Rathe der Einundzwanzig entstanden aber
seit dem 14. und 15. Jahrhundert noch zwei andere Räthe, die
beiden geheimen Räthe der Dreizehn und der Fünfzehn.
Der Rath der Dreizehn, bestehend aus den Städtemeistern,
aus dem vorjährigen Ammeister, aus 4 abgegangenen Rathsherren,
welche man die ledigen Dreizehner genannt hat, und aus
dem regierenden Ammeister, reicht bis ins 14. Jahrhundert hinauf.
Er hatte die Kriegs= und auswärtigen Angelegenheiten zu besorgen,
und daher auch die Gesandten zu empfangen, und stand dem Range
nach über allen Anderen. Der Rath der Fünfzehn, bestehend
aus 6 Städtemeistern, von denen vier im Rath der XIII sitzen
durften, und aus neun abgegangenen Rathsherren, wurde im Jahre
1433 gebildet. Er hatte für die Aufrechthaltung der Verfassung
und für den Vollzug der Gesetze und Verordnungen zu sorgen. Er
hatte ferner die Verwaltung der Finanzen und der Polizei, und die
Aufsicht über das Handels= und Gewerbswesen und über die Mit=
glieder des Magistrats und über die anderen Beamten. Beide
Räthe waren anfangs bloße Ausschüsse zur Besorgung einzelner
Geschäftszweige. Im Laufe des 15. Jahrhunderts gelangten sie
aber zur obersten Gewalt. Die XIII und die XV wurden nämlich
aus denselben Elementen genommen, wie die XXI. Die XXI ge=
hörten daher mit zu dem geheimen Rath. Sie saßen als Ein=
undzwanziger in jenem Rath, und sie haben ihn gewissermaßen
gebildet. Ursprünglich hat nämlich das Collegium der XXI wirk=
lich aus 21 Mitgliedern bestanden. Seit der Bildung der beiden
Räthe der XIII und der XV, bestand es aber aus 28 Personen.
Um es jedoch dem wirklichen Rathe gleichzustellen, wurde es später
bis auf 31 Mitglieder vermehrt, so daß demnach sowohl der Rath
als die XXI aus 31 Personen bestanden haben. Nach wie vor
behielt jedoch jenes Collegium den alten Namen der Einund=
zwanziger. Man nannte daher diejenigen Mitglieder, welche
nicht im Rath der XIII und der XV saßen, die ledigen Ein=
undzwanziger. Diese Dreizehn, Fünfzehn und Einundzwanzig,

welche sämmtlich ihre Stellen lebenslänglich inne hatten, bildeten nun die drei geheimen Stuben. Und sie waren bis zum Jahre 1789 im Besitze der obersten Gewalt. Daher wurden von ihnen gemeinschaftlich mit dem Rath, zumal seitdem der große Schöffenrath nicht mehr beigezogen zu werden pflegte (§. 348), fast alle Gesetze und Verordnungen erlassen (von unseren Herren räth „und ein und zwanzig"), z. B. die Almosenordnung von 1575 [1]), die Schaarwachtordnung von 1564, die Ordnung über das bürgerliche Schießen von 1624, die Verordnung über die Bewaffnung der unverbürgerten Mannschaft von 1665 und viele andere mehr [2]). Die drei geheimen Stuben wurden sie indessen nur uneigentlich genannt, indem wohl die XIII und die XV ihre eigenen Stuben hatten, die übrigen XXI aber, welche in keinem dieser beiden Räthe saßen (die ledigen Einundzwanziger), keine besondere Stube hatten, weil sie allein ohne die beiden Rathe keine Kompetenz hatten, sie also im Grunde genommen auch keine dritte Stube bildeten [3]). So oft die XIII, die XV und die XXI mit dem Rath vereiniget waren, nannte man sie die Herren Räthe und Ein und zwanzig. Und die meisten Verordnungen wurden, wie wir gesehen, von ihnen erlassen. Der Rath allein ohne jene drei Collegien war oberster Richter in allen Straffachen, in Kriminalsachen eben sowohl wie in Polizeisachen. Er wurde der große Rath genannt, seitdem neben ihm auch noch ein aus 18 Personen bestehender kleiner Rath gebildet worden war, welcher die geringeren Prozesse zu entscheiden hatte [4]).

§. 442.

In Speier waren die Geschäfte des Stadtrathes in folgender Weise unter die Rathsherren vertheilt. Vier Rechenmeister hatten die Einnahmen und Ausgaben zu besorgen und die städtische Rechenkammer zu verwalten, zwei Rentmeister oder Rentherren die städtischen Renten und Gefälle zu erheben und in die Rechenkammer

---

1) Urk. bei Mone, Zeitschr. I, 153 u. 154.
2) Heitz, Zunftwesen, p. 14 ff., 120, 128, 130, 137.
3) Hermann, II' 6, 8, 13—19 u. 36—39.
4) Heitz, p. 5 u. 6.

abzuliefern, fünf Schoßherren die Steuern, zwei Brodpfennigauf=
heber das Mehlungelt und zwei Verordnete zum Weinungelt dieses
zu erheben. Zwei Baumeister oder Bauherren hatten das städtische
Bauwesen unter sich, zwei Rittmeister die Botschaften bei fremden
Städten und Höfen zu besorgen, zwei Mistmeister für die Erhal=
tung der öffentlichen Reinlichkeit zu sorgen, vier Marktmeister die
Marktangelegenheiten zu besorgen und sieben Schlüsselherren die
Freiheitsbriefe der Stadt und die Stadtsiegel zu bewahren. Wei=
tere städtische Beamte waren die vier Rathsherren, welche das
Schultheißen= und Kammergericht zu besetzen hatten, die vier Mo=
natrichter, welche die Gefangenen zu verhören hatten und die vier
Fürsprechen im Rath, dann die vier Verordneten zur Stadtalmend,
die vier Verordneten zur Feldalmend, die Verordneten zum Kauf=
haus und die Almosenpfleger [1]). In Freiburg im Breisgau
wurde bereits im Jahre 1248 ein engerer Rath, wahrscheinlich zur
Leitung des Ganzen, eingesetzt. Er sollte aus Einem alten und
aus drei neuen Vierundzwanzigern bestehen und, wenn er es be=
gehrte, auch der Schultheiß Zutritt haben. Vier andere Raths=
herren, Einer aus den alten Vierundzwanzigern und drei aus den
neuen, sollten die städtischen Einkünfte ordnen (omnes collectas
civitatis ordinare) [2]). Die Letzteren wurden späterhin Amts=
herren auf dem Kaufhause oder auch Rentamtsherren
genannt. Und nach der Verfassung von 1392 sollten sie aus sechs
Mitgliedern, aus zwei Edelen, aus zwei Kaufleuten und zwei von
den Zünften bestehen [3]). Das Siegel der Stadt aber sollte von
dem Bürgermeister, also von einem Edelen, dann von Einem der
Kaufleute im Rath und von dem Oberstzunftmeister bewahrt wer=
den [4]). Nach der Verfassung von 1454 sollten dem Bürgermeister
zwei Rathsherren, einer aus den Kaufleuten und einer aus den
Sechsteilmeistern zur Berathung und zur Hilfleistung beigegeben
und von ihnen das Stadtsiegel bewahrt werden. Die Amtsherren
auf dem Kaufhause sollten aus zwei Edelen, aus zwei Kaufleuten

---

1) Rau, II, 14, 16 u. 17. Lehmann, p. 618.
2) Urk. von 1248 bei Schreiber, I, 54 u. 55.
3) Urk. von 1392 bei Schreiber, II, 91.
4) Urk. von 1392 bei Schreiber, II, 91. Schreiber, Gesch. von Freiburg,
II, 49.

und aus zwei Sechsteilmeistern bestehen⁵). In Augsburg bildeten die vier Herren, die sogenannten Vier, eine eigene Abtheilung im kleinen Rath. Sie hatten das Direktorium im kleinen
Rath und unter Anderem auch zu berathen, was dem Rath vorgelegt werden sollte. An ihre Stelle ist später, seit dem 15. Jahrhundert, der geheime Rath getreten⁶). Aus dem kleinen Rath
wurden auch noch genommen drei Baumeister für das Bauwesen und drei Einnehmer oder Steuermeister zur Bei-
treibung der Steuern, Einer aus den Geschlechtern und Zwei aus
den Zunftmeistern, sodann zwei Siegler, welche das Stadtsiegel
führten, Einer aus den Geschlechtern und Einer aus den Zunftmeistern, und ein Hauptmeister, dessen Bestimmung aber nicht
bekannt ist⁷).

In Ulm hatte der Stadtrath das Recht zur schnelleren Erledigung der dringenden Geschäfte einen aus Geschlechtern und
Zünften bestehenden Ausschuß niedersetzen zu dürfen⁸). Seit
dem 15. Jahrhundert wurde dieser aus 5 Mitgliedern bestehende
Ausschuß ein ständiges Collegium, welches man das Collegium der Fünf oder den geheimen Rath genannt hat. Die
Einunger bildeten unter dem Vorsitz des Bürgermeisters eine
Polizeibehörde. Die Stadtrechner hatten für das Rechnungs-
wesen und die Bettelherren für die Armen- und Krankenpflege
zu sorgen⁹).

Auch in Dinkelsbühl sollten zwei aus dem kleinen Rath
genommene Einunger die Polizei in der Stadt handhaben. Sie
hatten die Frevler entweder selbst zu bestrafen oder sie dem Rath
zur Bestrafung anzuzeigen, dann die Strafgelder (Einungen) zu
erheben und an den Rath abzuliefern¹⁰).

---

5) Urk. von 1454 bei Schreiber, Urkb. II, 488.
6) Stadtbuch bei von Stetten, Gesch. der Geschl. p. 37, 370 u. 371.
   vergl. §. 315.
7) Stadtbuch bei Stetten, p. 37, 369, 370 u. 371. Zunftbrief von 1368
   bei Langenmantel, p. 44 u. 49.
8) Schwörbrief von 1327 bei Jäger, Ulm, p. 275 u. 741.
9) Jäger, Ulm, p. 276, 278 ff., 287 u. 288.
10) Statut aus 14. sec. §. 23 u. 24 bei Haupt, Zeitschrift, VII, 100—
    102.

In Eßlingen waren aus Mitgliedern des Stadtrathes folgende Aemter gebildet, ein Hospitalamt, ein Kasten- und Umgelter- oder Stadtrechnereiamt, und ein Steueramt, sodann noch ein Bauamt, Forstamt, Consistorium, Einungsamt, ein Zuchtamt zur Ueberwachung und Bestrafung aller Unzucht, ein sogenannter Stadtbau Untergang und ein Felduntergang zur Entscheidung der Baustreitigkeiten und der Feldfrevel, eine Oberalmendspflege, ein Kriegsamt, ein Mühlamt, eine Zucht- und Arbeitshaus Deputation, die Marktherren, ein Brodschauamt und ein Fleischschatzamt, ein Almosenamt und andere Aemter mehr [11]).

In Reutlingen bestand zur obersten Leitung der Geschäfte ein geheimes Collegium, welches ein Ausschuß des Magistrates war, dann ein Consistorium und ein Scholarchalcollegium zur Besorgung der kirchlichen und Schul-Angelegenheiten, eine Baudeputation zur Entscheidung der Baustreitigkeiten und ein Feldgericht zur Entscheidung der Feldstreitigkeiten [12]).

§. 443.

In Nürnberg hatten zwei Losunger die Verwaltung der Einnahmen und Ausgaben; die drei Obersten Hauptleute die Verwahrung der Schlüssel zu den Stadtthoren und zu den Heiligthümern, und die Verwahrung der Stadtfahnen und Standarten; die sieben alten Herren die Vorbereitung in allem was besonders wichtig und schwierig war. Sie waren demnach gleichsam die Seele des städtischen Regiments. Das Kirchenalmosen- und Vormundschaftsamt bestand aus vier Rathsherren, von denen der Erste der Kirchenpfleger war. Und die drei Kriegsherren, von denen Einer der Kriegsoberste war, hatten das Kriegswesen unter sich [1]).

In Bremen waren die Rathsämter seit dem 14. und 15. Jahrhundert in folgender Weise unter die Rathsherren vertheilt. Zwei Rathsherren hatten das Kämmereramt zu besorgen, zwei an-

---

11) Jäger, Magazin, V, 83—90.
12) Jäger, Magazin, V, 282—284.
1) Scheurl, epistola von 1516, c. 11, 12, 18 u. 20 bei Wagenseil, de civitate Noriberg, p. 195—198 Joann. ab Indagine, p. 811—816. Im 15. Jahrhundert hatte man 6 Kriegsherren, 5 aus dem Rath und 1 aus der Gemeinde. Chronik von Nürnberg. 11, 244 u. 245.

dere die Hansegrafschaft, zwei standen dem Marstall vor, zwei der Tresekammer, drei den verschiedenen Gasthäusern, einer dem Spital, zwei der Schottkammer, zwei Rathsherren hatten die Aufsicht über die Fischerei und das Fährgat, und zwei waren als Morgensprachs= herren einer jeden Innung vorgesetzt [2]).

In Braunschweig hatten zwei Kämmerer für die Einnah= men und Ausgaben zu sorgen, dann die Kämmerei= und Zins= bücher und des Raths Geschmeide und Kleinode zu bewahren. Zwei Rathsherren hatten als Weinherren den Verschleiß des von der Stadt gekauften Weines zu besorgen. Zwei andere Rathsher= ren standen als Richteherren dem Vogt zur Seite. Zwei bis drei Bauherren hatten das Bauwesen zu überwachen und die Baupolizei zu besorgen. Zwei Rathsherren standen als Zeugmeister (muse= mestere) an der Spitze des Zeughauses (muserie) und verwahrten die Stadt Wehre und das Geschütz. Zwei anderen hatten für die Unterhaltung der Stadtmauern und Graben und noch ein Dritter für die Erhaltung der Landwehren zu sorgen. Zwei Rathsherren der Altstadt und der Neustadt hatten das Stadtsiegel und die Schlüssel zu der großen Eisentruhe (brevekisten), in welcher die städtischen Urkunden lagen, zu verwahren [3]).

In Coesfeld hatten zwei Rathsherren als Kämmerer die Einkünfte der Stadt einzunehmen und die Ausgaben zu besorgen, zwei andere Rathsherren als Grutherren die Verwaltung des Gruthauses und die Aufsicht über den Stadtkeller und die Stadt= wage, zwei Rathsherren die Verwaltung des Armenhauses zum großen heil. Geist, zwei andere (die Verwahrer des kleinen heil. Geistes) die Verwaltung dieser Armenanstalt, zwei weitere Raths= herren die Verwaltung des Wittwenhauses und des Gasthauses, zwei sogenannte Hagenherren die Aufsicht über den Stadthagen und über die Brücken und Wege, zwei Vorrathsherren die Aufsicht über die Vorrathshäuser oder Kornmagazine und die sogenannten Billetsherren das Einquartirungswesen zu besorgen [4]).

Auch in den märkischen Städten waren die einzelnen Ge= schäftszweige unter die Rathsherren vertheilt, und von ihrem Ge=

---

2) Donandt, I, 320—329.
3) Havemann, I, 617 u. 618.
4) Söseland, p. 25, 26, 64, 65 u. 66.

schäfte wurden die Einen Salzherren, die Anderen Waldherren, Bierherren u. s. w. genannt [5]). Und in Schweidnitz in Schlesien hatten einige Rathsherren die Schlüssel der Stadtthore zu bewahren, andere die Steuern und Gefälle zu erheben und zu verrechnen, andere die Schlüssel zum Stadtsiegel und wieder andere die Schlüssel zur Stadtkasse zu bewahren [6]).

Auf diese Weise wurden denn die einzelnen Geschäftszweige mehr oder weniger ausgeschieden und daraus einzelne Aemter gebildet und an ihre Spitze ein oder mehrere Rathsherren gestellt. In den versammelten Rath kamen demnach nur noch die wichtigeren und schwierigeren oder mehrere Geschäftszweige berührende Angelegenheiten [7]).

Oefters wurde aber auch die Leitung der wichtigeren Angelegenheiten einem engeren Ausschuß oder Collegium anvertraut. Und dann ging die oberste Gewalt meistentheils an diesen engeren Ausschuß über, und das Regiment wurde sodann eine sehr drückende Oligarchie. Dies war unter Anderem in Straßburg der Fall, nachdem das beständige Regiment in die Hände der drei geheimen Stuben gekommen war (§. 441). In Speier kam die oberste Gewalt auf diese Weise in die Hände des geheimen Raths oder des Rathes der Dreizehner (§. 352), in Magdeburg in die Hände des geheimen Raths (§. 322). In Worms blieb zwar der innere Rath selbst an der Spitze der Geschäfte. Er wurde jedoch auf 13 Mitglieder beschränkt und dieser sodann zum ständigen lebenslänglichen Rath (§. 313). Besonders merkwürdig war aber auch in dieser Beziehung die Verfassung von Nürnberg. Das Regiment war daselbst in sehr großes Geheimniß gehüllt. Denn nur wenigen war es vergönnt einen Blick in die inneren Angelegenheiten zu thun. Daher die Aehnlichkeit mit der Verfassung von Venedig. Nach einer alten Volkssage soll sogar Vieles aus den venetianischen Einrichtungen entlehnt worden sein. Selbst die jüngeren Geschlechter erfuhren von den inneren Angelegenheiten nur wenig. Denn der ältere Bürgermeister besorgte das

---

5) Zimmermann, I, 112.
6) Urk. von 1328 §. 11—13 u. von 1389 bei T. u. St. p. 521 u. 609.
7) vergl. Urk von 1278 bei Lenz, Brand. Urk. I, 81. Zimmermann, I, 112.

Wichtigſte allein. Der jüngere Bürgermeiſter war im Grunde
nur ſein Gehilfe. Aber auch der ältere Bürgermeiſter wußte nicht
Alles. Denn die höhere Leitung der öffentlichen Angelegenheiten
lag in den Händen der ſieben alten Herren. Indeſſen waren
auch dieſe nicht in alle Geheimniſſe eingeweiht. Denn die auswär=
tigen Angelegenheiten und die Anſtalten zum Kriege beſorgten die
drei Oberſten Hauptleute allein, von denen Einer der
Kriegsoberſte war. Und auch dieſe wieder hatten keinen Ueber=
blick über das Ganze. Denn die Finanzen, die wahre Kraft des
kleinen Freiſtaates, lag in den Händen der beiden Loſunger,
von denen der Eine zugleich Reichsſchultheiß und gewöhnlich
auch Kaſtellan der Reichsburg war. Darum hatten ſie nur
allein einen klaren Einblick in alle Verhältniſſe. Alle Beamten,
auch die Loſunger nicht ausgenommen, waren jedoch verantwort=
lich für ihre Verwaltung. Im Jahre 1469 wurde ſogar ein Lo=
ſunger mit dem Strang hingerichtet. Das Regiment war daher
gut und die Stadt hat unter dieſem Regiment bis auf unſere Tage
geblüht[8]).

4' Stadtgemeinde und großer Rath.

a) Stadtgemeinde.

§. 444.

Wie bei den alten großen Marken und bei den Dorfmarken
ſo lag urſprünglich auch bei den Stadtmarken alle Gewalt in den
Händen der Gemeinde (§. 399). Die Stadtmarkgemeinde hatte
demnach das Gebot und Verbot, oder das Bannrecht, d. h.
das Recht die ſtädtiſchen Angelegenheiten ſelbſtändig zu ordnen[1]).
Dieſes Recht iſt zwar frühe ſchon auf den Stadtrath übergegangen.
Der Stadtrath übte jedoch auch dieſes Recht nur im Namen und
aus Auftrag der Gemeinde (§. 158 u. 439). Auch mußten bei

---

8) vergl. Mannert, im Taſchenbuch von Nürnberg von 1822, II, 65—67.
1) Stadtr. von München, art. 394 u. 402 bei Auer, p. 151 u. 154.
„Die geſworen von dem rat und von der gemain habent geſatzt
„und gepoten —. Der rat und die gemain ze München habent
„geſezt und verpoten.“ —

allen wichtigeren Angelegenheiten nach wie vor die Gemeinden selbst beigezogen oder ihnen wenigstens die Rathsbeschlüsse und die Raths= ordnungen zur Bestätigung vorgelegt werden. Daher mußte zu Magdeburg bei dem jährlichen Rathswechsel der Bürgermeister die versammelte Gemeinde fragen, ob sie bei den bestehenden Geboten und Verordnungen bleiben wolle oder nicht. Worauf erst diese Gebote und zwar im Namen der Gemeinde verkündet werden durf= ten („der Burgermeister sal uffstehin mit seynen Eydgenossen (den Rathsherren) „und sich demutiglich kegin der Gemeyne beweysin „und sal sie fragen, ab sie wellin bey den Geboten bleibin, die sie „do vorkundigen wellin. Dorczu sprechen sie yo, so spricht her „denne: Her Statschreiber vorkundiget die Gebot von der Stat „wegen") [2]). Späterhin wurde zwar die Einholung einer solchen Zustimmung der Gemeinde zu einer leeren Form und zuletzt gänz= lich unterlassen. Der Theorie nach ist aber die Gemeinde auch in späteren Zeiten noch die Quelle aller Gewalt geblieben. Wie bei anderen Markgemeinden so gehörten auch bei den Stadtgemeinden die Geldbußen und alle übrigen Gefälle der Gesamntheit der Ge= nossen. Eben so fiel der erblose Nachlaß, das vakante Gut und die Nachsteuer an die Stadtgemeinde (§. 392 u. 399). Auch die Aufnahme ins Bürgerrecht geschah entweder von der Gemeinde selbst oder in ihrem Namen von dem Stadtrath. Und in derselben Weise wurde ihr auch der Bürgereid geleistet (§. 369). Die Stadtgemeinde hatte ferner zu schützen und zu schirmen und den Stadtfrieden zu handhaben (§. 431). Endlich lag auch die Ernennung der Bürger= meister, der Stadträthe und der übrigen städtischen Beamten direkt oder indirekt in den Händen der Gemeinde. Denn ihre Wahl ge= schah entweder direkt von der Gemeinde selbst oder indirekt durch von der Gemeinde gewählte Wahlmänner oder durch den im Na= men der Gemeinde handelnden Stadtrath (§. 434). Die Stadt= gemeinde war demnach die Quelle aller obrigkeitlichen Aemter und Würden. Denn die Amtsgewalt der städtischen Beamten und des Stadtrathes selbst beruhte auf einer Uebertragung von der Gemeinde. Die Stadträthe und die städtischen Beamten waren daher nichts Anderes als Bevollmächtigte der Gemeinde und deren Stellvertre=

---

2) Nicolaus Wurm bei L. u. St. p. 229.

ter, welche im Namen und aus Auftrag der Gemeinde zu handeln und sie zu vertreten hatten (§. 153, 431 u. 438). Darum mußte auch der Amtseid der neu gewählten Rathsherren und Bürgermeister der versammelten Bürgerschaft oder wenigstens in ihrem Beisein geleistet werden (§. 435).

Ursprünglich, ehe sich an der Seite des herrschaftlichen oder genossenschaftlichen Orts- oder Gemeindevorstehers ein Stadtrath gebildet hatte, besorgte die Stadtgemeinde selbst unter dem Vorsitze des Gemeindevorstehers alle oder wenigstens die wichtigeren Angelegenheiten der Gemeinde (§. 438). Späterhin wurde zwar ein großer Theil der Geschäfte dem Stadtrath übertragen. In allen wichtigeren Angelegenheiten durfte aber auch der Stadtrath nicht allein ohne Beiziehung und Zustimmung der Gemeinde handeln, z. B. in Köln [3]), in Freiburg im Breisgau [4]), in Erfurt [5]).

Wann die Gemeinde beigezogen werden sollte, war jedoch verschieden in den verschiedenen Gemeinden bestimmt. Fast allenthalben mußte die Gemeinde beigezogen werden bei Verfügungen über das Eigenthum der Gemeinländereien und der Almenden, z. B. in Straßburg [6]), in Worms [7]), in Freiburg [8]), in Köln [9]) u. a. m., dann bei Verfügungen über den Anbau und die Bewirthschaftung der Felder, z. B. in München [10]), bei Verfügungen über die Be-

---

3) Urk. von 1149 in Quellen, I, 329. — a melioribus quoque tocius civitatis, vulgi etiam savore applaudante confirmatum —. Urk. von 1151, eod. I, 531 — universus populus Coloniensis —. Urk. von 1159, eod. I, 550. — tocius populi — pari voto ac unanimi consensu — vergl. Ennen, Gesch. von Köln, II, 471 u. 472.
4) Urk. von 1248 bei Schreiber, I, 53. — consules et universitas civium. —
5) Urk. von 1288 bei Lambert, p. 140—143.
6) Revers von 1263, c. 6 bei Schilter, p. 730.
7) Urk. von 1277 bei Guden, syl. p. 269 u. 270.
8) Urk. von 1282 bei Schreiber, I, 1, p. 95.
9) Urk. von 1347 bei Fahne, I, 260. — eo quod communitas populi congregata publice adclamavit, quod consentirent, quod domini consules de illis bonis disponerent ad usus civitatis.
10) Stadtr. art. 312 bei Auer, p. 120.

nutzung der öffentlichen Plätze und der Wege und Stege, z. B. in
Eisenach [11]), bei Verhandlungen mit fremden Städten und fremden
Staaten, z. B. bei Verhandlungen der Stadt Basel mit Straß=
burg [12]), der Stadt Hamburg mit Lübeck [13]) u. a. m., bei Ver=
handlungen des Stadtraths mit dem Landesherrn, z. B. in Mün=
ster [14]), in Augsburg [15]), in Worms [16]) u. a. m., kurz bei allen
wichtigeren Angelegenheiten, deren Wichtigkeit aber in den verschie=
denen Städten verschieden bestimmt war, und so oft es der Stadt=
rath selbst für nothwendig hielt, z. B. in Magdeburg [17]). Auch
wenn sich die städtischen Behörden nicht vereinigen konnten mußte
die Sache an die Bürgerschaft gebracht werden, z. B. in Wetzlar
u. a. m. [18]). Eben so dann, wenn sich ein Theil der Bürgerschaft
den Anordnungen des Stadtraths widersetzte. Daher drohte der
Stadtrath von Ulm im Jahre 1416 den Metzgern, welche sich sei=
nen Anordnungen nicht fügen wollten, er werde die Sache an die
Gemeinde bringen [19]). Oefters war es auch streitig zwischen dem
Rath und der Gemeinde, ob eine Sache vor die Gemeinde gebracht
werden müsse. So war in Breslau das Recht der Besteuerung im
14. Jahrhundert streitig, indem die Gemeinde das Recht der Zu=
stimmung in Anspruch nahm, der Stadtrath aber jenes Recht ganz
allein ausüben wollte [20]). Fast allenthalben mußte jedoch bei neuen
Satzungen und Willküren die gesammte Bürgerschaft beigezogen
werden. In Gewerbs= und Polizeisachen hatte zwar der Stadtrath
das Recht Verordnungen zu machen von der Gemeinde erhalten
(§. 439). Die eigentliche Gesetzgebung hat sich jedoch in den mei=
sten Städten die Gemeinde selbst vorbehalten. Sie mußte daher
von dem Stadtrath beigezogen werden bei neuen Satzungen und

---

11) Stadtr. von 1283 §. 13 bei Gaupp, I, 200.
12) Urk. von 1269 bei Ochs, I, 394.
13) Urk. um 1210 bei Lappenberg, Hamb. Urkb. I, 335.
14) Urk. von 1257 bei Wilkens, p. 122.
15) Urk. von 1292 bei Stetten, Gesch. der Geschl. p. 375.
16) Urk. von 1411, 1424 u. 1430 bei Schannat, II, 225, 234 u. 235.
17) Urk. von 1304 §. 1 bei T. u. St. p. 449. „Die Ratman legen ir
„Burding uz swenne sie wollen — der Stat Not zu cundegene."
18) Vergleich von 1390 u. 1393 bei von Ulmenstein, I, 496, 497 u. 505.
19) Jäger, Ulm, p. 596 u. 597.
20) T. u. St. p. 263.

Willküren und bei deren Abänderung, wie bei der Aufrechthaltung der alten Gewohnheiten, z. B. in Straßburg [21]), in Ulm [22]), in Augsburg [23]), in Görlitz [24]), in Stendal [25]), in Soest [26]), in Höxter [27]), in Freiburg [28]) u. a. m. Die neuen Satzungen waren daher ein wahres Uebereinkommen des Stadtraths mit der Gemeinde, z. B. in Augsburg [29]), in München [30]), in Lucern [31]), in Worms [32]), in Höxter [33]) u. a. m. In den grundherrlichen und gemischten Städten war auch die Zustimmung der Grundherren oder der grundherrlichen Beamten, und in manchen landesherrlichen Städten auch noch die Zustimmung des Landesherrn oder der landesherrlichen Beamten nothwendig, z. B. in Freiburg [34]), in Weidenau [35]), in Worms [36]).

---

21) Revers von 1263 §. 8 bei Schilter, p. 730.

22) Rothes Buch bei Jäger, Magazin, III, 510 u. 511.

23) Urk. von 1303 bei von Stetten, Gesch. der Geschl. p. 381.

24) Urk. bei T. u. St. p. 553.

25) Urk. von 1345 bei Gercken, vet. march. I, 90.

26) Stadtr. von 1120 §. 63.

27) Statute von 1385 bei Wigand, denkwürdige Beitr. p. 165 u. 166.

28) Urk. von 1248 bei Schreber, I, 53 u. 54.

29) Verordnung von 1284 bei von Stetten, Gesch. der Geschl. p. 369. „Die Ratgebn und die Gemaind der Stat ze Augsburg — des über-„ain chommen sint " vergl. noch p. 372, 375 u. 383.

30) Stadtr. art. 402 bei Auer, p. 154. „Der rat und die gemain ze Mün-„chen sino ze rat worden und habent gesetzt und verpoten" — vergl. noch art. 212, 368, 394, 421, 460 u. 464.

31) Urk. von 1343 bei Kopp, Urk. p. 180. „Die Rete beidu nuwe und „alte ze Lutzerren, und dar zuo ein Mengi Richer und Armer ze „Lutzerren sint über ein komen." —

32) Vergleich von 1300 §. 8 bei Schannat, II, 158. „Unser Herre der Bischoff, der Rate, die Sechszehene von der Gemeynde, und die Gemeynde sint überkumen." —

33) Statute von 1385 bei Wigand, denkw. Beitr. p. 165 u. 166.

34) Urk. von 1248 bei Schreiber, I, 54. de consensu domini nostri comitis Friburgensis. —

35) Urk. von 1291 bei T. u. St. p. 412. — consules civitatis vel cives — conveniant nec statutum vel constitucionem aliquam faciant, que vulgariter Koer dicitur, nisi de consensu ejusdem advocati. —

36) Vergleich von 1300 §. 8 bei Schannat, II, 158. vergl. oben §. 159.

§. 445.

Die Gemeindeversammlungen, in welchen die Bürgerschaft ihre Angelegenheiten zu berathen und zu entscheiden pflegte, nannte man öfters **conventus civium**, z. B. in Magdeburg [1]) und später in Hamburg Bürgerconvent, anderwärts Bürgerding zum Unterschiede von dem echten Ding oder Vogtding, dem eigentlichen Stadtgerichte, z. B. in Goldberg in Schlesien [2]), oder Burding, offenbar von Bur d. h. Bürger oder Stadt, z. B. in Werben [3]), in Stendal [4]), in Quedlinburg [5]), in Görliz [6]) und in Magdeburg, wo die Versammlung auch Burgerding und verderbt Porrding, Parding oder auch Bauerding genannt worden ist (§. 63). Anderwärts nannte man jene Versammlung Burgbing, Burggebing, Purchting oder Porting und Portigen, z. B. in Regensburg [7]), sodann Bauerding (Bawerding) z. B. in Magdeburg [8]) oder Bauersprache, z. B. in Pritzwalk in der

---

1) Stadtr. von 1188 §. 9 bei T. u. St. p. 269.

2) Urk. von 1325 §. 6 bei T. u. St. p. 511. in plebiscito judicio, quod vulgariter Vogtding dicitur, sive in judicio civitatis, quod burgerding vocatur. — Das Vogtding war daselbst das eigentliche Stadtgericht. Die von der öffentlichen Gerichtsbarkeit verschiedene Gerichtsbarkeit des Stadtraths und der Gemeinde selbst wurde aber in der Bürgerversammlung, also im Burgerding ausgeübt, wie in Magdeburg im Burding. vergl. Weisthum von 1261 §. 2, 3 u. 4 bei T u. St. p. 352.

3) Statuta antiqua Verd. bei Haltaus, p. 107. „Wan men Echte „dingh holt, ebber wan be Rad ein Burding holt." — Hier wird ebenfalls das Stadtgericht (das echte Ding) von dem Burding unterschieden.

4) Urk. von 1297 bei Lenz, I, 153. ut nostri consules Stendalienses judicium cum universitate habeant, quod Burding dicitur, et omnino sic teneant, sicuti burgenses Magdeburgenses tenere in omnibus dinoscuntur.

5) Stadtr. von 1452 bei Erath, cod. dipl. Quedlinburg. p. 762. „Of „so schal be Rad to Quebelingborch von dem Radhuse to oeme Bur- „dynge vorkundigen laten oren Borgeren." —

6) Urk. bei T. u. St. p. 553.

7) Verordnung von 1334 bei Freyberg, Samml. V, 121. Schmeller, I, 198.

8) Nicolaus Wurm bei T. u. St. p. 228 u. 229.

Mark Brandenburg Burensprak[9]), in Salzwedel Bawer=
sprake, Bawrsprack und Bawrsprach[10]) und in Stendal
u. a. m. Burspracke[11]) oder auch Bürgersprache, burgi-
loquium und commune civiloquium, z. B. in Rostock,
Brandenburg u. a. m.[12]), oder Morgensprache z. B. in
Prag[13]), in Köln[14]), und in den französischen Städten parla-
mentum, parlator burgensium oder parloir aux
bourgeois[15]). Von den Bürgerversammlungen, in welchen die
Verordnungen und Satzungen gemacht wurden, erhielten öfters auch
die Satzungen und Willküren selbst den Namen Bauersprache,
Buersprake oder Bursprake[16]), oder auch Burgereinigung,
Einung, gemeine Einung, Bauereinung oder Bur=
einung[17]).

§. 446.

In früheren Zeiten pflegten sich die Bürger auf irgend einem
freien Platze in der Stadt zu versammeln. In Straßburg ver=
sammelte sich die Gemeinde ursprünglich auf der bischöflichen Pfalz,
in dem Garten des Bischofs, seit dem Jahre 1358 aber vor dem
Münster[1]). Auch in Basel und in Speier vor dem Münster auf
dem Münsterplatze[2]). In Oderberg in der Mark Brandenburg[3]),

---

9) Beckmann, V, 1. 1. p. 59.
10) Verhandlung von 1485 bei Zimmermann, II, 240, 242 u. 243.
11) Urk. von 1345 bei Gercken, vet. march. I, 90. Haltaus, p. 109
　　u. 110.
12) Haltaus, p. 199. Urk. von 1490 bei Zimmermann, I, 123. Urk.
　　von 1287 bei Sartorius, Gesch. der Hanse, II, 152.
13) Stadtrecht, §. 42. „taydingen vor dem gericht noch in der morgen=
　　„sprach in dem rate. Rechtsbuch §. 54. Rößler, Einleitung p. 71.
　　hält die Morgensprache ohne Grund für ein Gericht.
14) Urk. von 1360 in Quellen, I, 360. Urk. von 1347 bei Ennen, Gesch.
　　II, 472.
15) Urk. von 1350 in Ordonn. du L. IV, 10.
16) Urk. von 1563, 1601 u. 1691 bei Westphalen, IV, 3252, 3263 u.
　　3269.
17) Haltaus, p. 108, 306 u. 307.
1) Closener, p. 103 u. 107. Königshoven, p. 308.
2) Ochs, I, 370, 376, II, 210. Zeuß, Speier, p. 16.
3) Urk. von 1393 bei Fischbach, Städtebeschreibung der Mark, I, 135. —

in Hannover, Göttingen und in Hildesheim auf dem Kirchhofe
(§. 188). Eben so auch in Freiburg auf dem Kirchhofe vor dem
Haus des Leutpriesters[4]), also auf dem späteren Münsterplatz.
Meistentheils hatten aber die Gemeindeversammlungen auf dem
Marktplatze statt, z. B. in Coesfeld[5]), oder vor dem insgemein
auf dem Markte stehenden Rathhause. Daher waren die Rath=
häuser öfters gegen den Markt zu mit einer offenen gegen Regen
und Sonne geschützten Halle oder mit einem anderen bedeckten,
aber gegen den Markt offenen, Raum umgeben, welchen man die
Laube zu nennen pflegte, und in welcher die Rathsherren sich
niederließen, wenn sie etwas mit der vor dem Rathhause versam=
melten Bürgerschaft zu verhandeln hatten. So war es in Magde=
burg im 14. Jahrhundert. Die Rathsherren kamen, wenn die
Bürgerschaft versammelt war, aus dem Rathhause, setzten sich unter
die Laube und verhandelten von dort aus mit der Gemeinde[6]).
Eben so wurde seit dem 14. und 15. Jahrhundert in Göttingen[7]),
in Salzwedel[8]), in Stendal[9]), in Hannover[10]), in Bremen[11]),
in Lübeck[12]), in Mühlhausen[13]) u. a. m. von der Laube, lobium,
Löwe, Lövinge, oder von der Love aus mit der Bürgerschaft ver=
handelt und die Gesetze und Verordnungen oder Buersprachen von

---

quos nos proconsules et consules opidi — una cum omnibus et
singulis opidanis — in cimiterio congregati.

4) Urk. von 1248 bei Schreiber, I, 55.

5) Söfeland, p. 63.

6) Nicolaus Wurm bei T. u. St. p. 228 f. „Wenne denne die Lewte
„do seyn, so gehin die Rathirren von der Louben, das man an=
„dirswo ein Rathaws nennt, unde setczen sich undir die
„Lewbin." —

7) Statute bei Pufendorf, III, append. p. 185. Istud statutum de
sartoribus est intimatum de Iobio anno 1379.

8) Urk. von 1352 bei Lenz, I, 306. — „gelesen werden upper Löwen
„tu nygen Soltwedel (Neusalzwedel) vor de Rathmanne." —

9) Urk. von 1345 bei Gercken, vet. march. I, 92 u. 93. — „vor dem
„Rade up der Löewen." —

10) Urk. von 1352, 1355 und 1412 bei Grupen, ant. Hannov. p. 320
u. 321.

11) Cassel, von den Gesetzen von Bremen, p. 61, 65 u. 66.

12) Dreyer, Einleitung, p. 101.

13) Grasshof, p. 108.

v. Maurer, Städteverfassung. III. 14

dort aus verkündet. Da wo es große Rathaussäle gab, versam=
melte sich nicht bloß der Rath, sondern auch die Bürgerschaft auf
dem Rathhause selbst, z. B. in München schon am Ende des
14. Jahrhunderts [14]), oder auf dem Stadtkeller, z. B. in Coes=
feld, wo sich der Stadtrath auf dem Rathhause, die gesammte
Bürgerschaft aber auf dem mit dem Stadtkeller verbundenen Grut=
hause zu versammeln pflegte [15]). In den herrschaftlichen Städten
wurden die Bürgerversammlungen öfters auch in der Wohnung
des herrschaftlichen Beamten gehalten, z. B. in Weidenau
in Schlesien [16]). Ausnahmsweise versammelte sich die Bürgerschaft
auch in irgend einem Kloster oder in einer Kirche, oder auf dem
freien Platze vor denselben, z. B. in Frankfurt und Speier bei den
Barfüßern [17]), in München bei den Augustinern [18]), in Hamburg
im Jahre 1410 im St. Marien Magdalenen Kloster [19]), in Lübeck
in der St. Katharinen Kirche und später auf dem Rathhause [20]),
in Erfurt auf dem freien Platze vor den Augustinern [21]).

Der Bürgermeister und Rath führte bei diesen Versammlun=
gen den Vorsitz und alle Bürger mußten ursprünglich bei Strafe
in der Versammlung erscheinen, z. B. in Magdeburg, Breslau,
Görlitz u. a. m. [22]). Seitdem sich aber die Anzahl der Bürger

---

14) Katzmairs Gedenkbuch zum Jahre 1398 §. 49, 52, 66 u. 78 im Ober=
bair. Archiv, VIII, 16 ff. „vor der gemain auf dem haus — da be=
„ruefft man ain grosse gemain auf das haus — da kam der rat vnd
„ein gemain aufs haus."

15) Söeland, p. 66 u. 68.

16) Urk. von 1291 bei T. u. St. p. 412. — consules civitatis
vel cives non alibi quam in domo ipsius advocati conveniant. —

17) Urk. von 1355 bei Böhmer, Urkb. I, 667. Urk. von 1387 bei Kirch=
ner, I, 411 Not. Zeuß, Speier, p. 16 Not.

18) Katzmair ad 1398, §. 56, 58, 60 u. 76 im Oberbair. Archiv, VIII,
19 ff.

19) Beneke, Hamburg. Gesch. p. 45.

20) Waitz, Lübeck, I, 283.

21) Urk. von 1288 bei Lambert, p. 141. — ad pomerium sancti Au-
gustini. —

22) Nicolaus Wurm bei T. u. St. p. 228 u. 229. Schöffenbriefe von
1261 §. 4 u. von 1364, §. 1, eod. p. 352 u. 449.

vermehrt hatte, was zumal seit dem Siege der Zünfte der Fall war, seitdem konnten nicht mehr alle Bürger versammelt werden. Dies führte denn zu einer Vertretung der Bürgerschaft, zu einem großen Rath oder zu einem Bürgerausschuß.

b) Großer Rath.

§. 447.

Ursprünglich hat es allenthalben nur einen einzigen, und zwar aus Geschlechtern bestehenden Rath, den sogenannten kleinen, engen, inneren oder rechten Rath gegeben, in Köln, Basel, Zürich und Schaffhausen, wie in Lübeck, Regensburg, München, Augsburg, Landau u. a. m. Dieser kleine Rath besorgte die minder wichtigen Angelegenheiten allein, die wichtigeren aber gemeinschaftlich mit der gesammten Bürgerschaft, welche zu dem Ende berufen werden mußte. Späterhin erst, seitdem die Bürgerschaft so zahlreich geworden war, daß nicht mehr alle Bürger berufen werden konnten, ist zu ihrer Erleichterung ein Ausschuß an die Stelle der Gesammtgemeinde getreten, in vielen Städten schon vor dem Siege der Zünfte, meistentheils aber erst seit dieser Zeit. Und man nannte diesen Gemeindeausschuß sodann einen großen Rath, oder einen weiten oder einen äußeren Rath. Zuweilen hat auch das Streben des Stadtraths nach Unabhängigkeit von der Gemeinde zur Bildung eines großen Rathes geführt. Die Zeit wann und die Art wie sich dieser Ausschuß gebildet hat, war jedoch verschieden in den verschiedenen Städten.

Längst vor dem Kampfe mit den Zünften durfte in Zürich die Minorität im Rath die wichtigeren Sachen an die Bürger bringen. Die Anzahl der beizuziehenden Bürger war anfangs nicht bestimmt. Es hing vielmehr von dem Ermessen des Rathes ab, wie viele Bürger beigezogen werden sollten. Erst im 14. Jahrhundert wurde die Anzahl auf 100 und später auf 200 Bürger bestimmt (§. 318). Fast auf dieselbe Weise hat sich, wie wir gesehen, in München ein großer Rath, der Rath der Dreihundert gebildet (§. 321). Auch in Köln hatte sich bereits seit dem Anfange des 14. Jahrhunderts, also lange vor dem Siege der Zünfte, ein weiter Rath neben dem engen Rath gebildet (§. 60).

14 *

In ähnlicher Weise wurden in Hamburg die Wittigsten oder discretiores beigezogen [1]), in Bremen die discreti civitatis [2]), die Weisesten oder die Weisesten von der Stadt [3]), in Brakel die Wizzigen oder die Weisheit von der Gemeinde [4]), in Lübeck die Wittigsten von der Stadt [5]) oder die majores und seniores der Stadt [6]), in Straßburg die cives meliores et sapienciores („die burgere die besten und die „wisisten") [6a]), in Magdeburg die wisesten Liute oder die Witzegesten [7]), in Ruppin die viri discretiores [8]), in Höxter die prudentes, prudentiores, die wisen Manne

---

1) Stadtrecht von 1270, pr., art. 1, 4 u. 5, von 1292, pr., art. 8 u. 9 und von 1497, pr. u. art. 19 bei Lappenberg, Hamburg. Rechtsalter=thümer, I, 1, 3, 99, 102, 181 u. 189. Lib. hortor. an. 1288 bei Lappenberg, Programm zur dritten Secularfeier der Hamburg. Verfassung, p. 51, vergl. noch p. 16—18.

2) Reversalen von 1246 in Assert. lib. p. 83 u. 86. — consilium consulum et aliorum discretorum — ordinationi vel facto consulum et discretorum civitatis. —

3) Stat. von 1303 bei Oelrichs p. 29, 35 u. 83. — „de Ratman mid „eren wisesten — eod. p. 85 u. 282 f. — „de ratman mit den „wisesten van der stat" — „de rabmanne mid eren wizesten „van der stab."

4) Urk. von 1343 bei Wigand, Archiv, V, 164 f. „Wy burgermestere „unde Rade, alb unde nye, de wisheyt van der meynheit, „unde de gemmeynheyt van der Stad —. Unde wes der Rad „unde de wishet van der Meynheyt ouerkomet van der Stad „wegene, dat wille wi, de van der Meynheyt sind, gerne wul=„burden" —.

5) Lüb. R. bei Hach, III, 242. — do wort be mene rate vnde be „wittigheften van der stat tho Rabe" —. Gemeinen Rath nannte man den vereinigten alten und neuen Rath (§. 448). Die Wittigsten waren demnach von dem alten und neuen Rath verschieden. vergl. Frensdorff, Lübeck, p. 201—207. vergl. oben §. 233.

6) Urk. von 1265 u. 1266 im Lüb. Urkb. I, 266 u. 272—274.

6a) Stadtrecht von 1241 bei Mone, Anzeiger, VI, 23 u. 26. Strobel, I, 548.

7) Schöffenbrief von 1261, §. 1 und von 1304, pr. u. §. 1 bei T. u. St. p. 351 u. 449.

8) Urk. von 1256 bei Buchholz, p. 88. und oben §. 156.

und b c Wisheit der Stadt⁹), in Breslau, Brieg, Grottkau, Löwenberg, Landshut und Schweidnitz die Aeltesten von der Stadt oder die seniores ¹⁰). Unter diesen Wittigsten, prudentes, discretiores und seniores sind vollberechtigte Genossen oder Geschlechter zu verstehen (§. 156 u. 233).

Wann nun die, nicht im Rath sitzenden Geschlechter (die Wittigsten) beigezogen werden sollten, war insgemein nicht bestimmt, hing vielmehr wie in Zürich von dem Ermessen des Stadtrathes ab ¹¹). Meistentheils geschah es, wie die erwähnten Stadtrechte, Schöffenbriefe und anderen Urkunden beweisen, bei autonomischen Verfügungen, bei der Abfassung von Gewohnheitsrechten, bei Verfügungen über den Grund und Boden und über das Eigenthum der gemeinen Mark und bei anderen wichtigen Verfügungen und Verhandlungen. Auch war die Anzahl der beizuziehenden Geschlechter ursprünglich nicht bestimmt. Sie hing vielmehr wie in Zürich von dem Ermessen des Stadtrathes ab. Wurden nun nicht alle sondern nur eine mäßige Anzahl von den Wittigsten beigezogen, so nannte man sodann die Versammlung einen vollen Rath, z. B. in Breslau, Brieg und Grottkau ¹²) oder auch die Wittheit die Weisheit der Stadt, die Wittigsten u. s. w., z. B. in Bremen, Hamburg, Hörter u. a. m. Und in diesem vollen Rath und in der Wittheit finde ich die ersten Anfänge eines großen Rathes, welcher aber z. B. in Breslau erst seit dem Siege der Zünfte im 15. Jahrhundert eine bestimmte Form und Gestalt erhalten hat. Es wurde nämlich im Jahre 1475 daselbst bestimmt, daß die Kaufleute aus ihrer Mitte 24 Männer wählen und diese sodann 24 andere Männer aus den Zechen und Handwerkern wählen, die 48 zusammen aber gemeinschaftlich mit den Rathmannen und Schöffen den aus acht Personen bestehenden Rath wählen und die Achtundvierziger in wichtigen Fällen von dem Rath beigezogen werden sollten.

---

9) Urk. von 1292, 1327, 1345 und 1376 bei Wigand, Gesch. von Corvei, I, 324 u. 331.
10) Urk. von 1293, §. 8, von 1311, von 1324, §. 27 u. 28, von 1328, pr., §. 4 u. 19, von 1334 §. 1 und von 1336, pr. u. §. 1 bei T. u. St. p. 421, 489, 508, 519, 537 u. 540.
11) Urk. von 1324 §. 27 bei T. u. St. p. 508.
12) Urk. von 1302, pr. und 1324 §. 33 bei T. u. St. p. 443 u. 509.

Diese 48 bildeten demnach in Breslau einen großen Rath, wiewohl
sie jenen Titel niemals geführt haben [13]).

Auch in Bremen wurden bald alle Geschlechter, also die
gesammte Gemeinde (dhe mene Stat [14]), die Meenheit [15]) oder die
ganze Meenheit) [15a]), bald bloß eine gewisse Anzahl von ihnen
von dem regierenden Rath beigezogen. Im letzten Falle nannte
man die Beigezogenen, wie wir gesehen, die Weisesten oder discreti
civitatis oder auch, weil sie in Grund und Boden angesessen waren,
die guten Leute [16]). Anfangs hing es auch wohl in Bremen von
dem Ermessen des regierenden Rathes ab, wen er berufen wollte.
Auch war die Anzahl der zu Berufenden nicht bestimmt. Es muß
sich jedoch in dieser Hinsicht frühe schon, wahrscheinlich schon im
Laufe des 13. Jahrhunderts, eine gewisse Tradition gebildet haben.
Denn es wurden bereits seit dem Anfang des 14. Jahrhunderts
die Weisesten mit der gesammten Gemeinde berufen und beide von
einander unterschieden, zum Beweise daß die Weisesten bereits ein
eigenes Collegium gebildet haben [17]). Auch wurde die Anzahl der
zu Berufenden wahrscheinlich gleichzeitig, im Laufe des 13. Jahrhunderts oder wenigstens im Anfang des 14, auf 16, auf vier aus
jedem Stadtviertel fixirt [18]). Denn diese Sechszehner waren offenbar nicht, wie es ohne hinreichenden Grund von Donandt angenommen wird [19]), von der Wittheit verschieden. Daher wurden sie

---

13) T. u. St. p. 235.

14) Stat. von 1303 bei Oelrichs, p. 60. be ratmanne unde dhe mene
    stat —.

15) Stat. von 1303 bei Oelrichs, p. 13. „de ratmanne mit vulbort der
    menheyt user stad —.

15a) Stat. von 1303 bei Oelrichs, p. 397.

16) Stat. von 1303 bei Oelrichs, p. 144. dhe ratmanne tho rade mit
    dhen goden Iuden binnen bremen. vergl. oben §. 233.

17) Stat. von 1303 bei Oelrichs, p. 59, 63 u. 154. the ratmann mit
    den wisesten unde mit der menen stat — de ratman unde de wisesten
    mit der meneheyt der stat.

18) Stat. von 1303 bei Oelrichs, p. 44. „van den ratmannen unde van
    then festeynen unde van ther menen Stat." Statut von 1304 eod.
    p. 327. van den Radmannen unde van den festeynen unde van der
    menen stad.

19) Donandt, I, 330, 338 u. 339.

auch zuweilen die Aelteſten und die Weiſen, alſo Wittheit ge=
nannt [20]). Seitdem nämlich die Anzahl der beizuziehenden Ge=
ſchlechter fixirt war, bildeten die zur Berathung Beigezogenen einen
die geſammte Gemeinde repräſentirenden Ausſchuß, welchen man
in Bremen die Wittheit, anderwärts aber den großen Rath zu
nennen pflegte. Die Mitglieder der Wittheit waren demnach ſelbſt
Rathmannen. Und ſie wurden auch öfters Rathmannen genannt [21]).
Wann nun der regierende Rath allein handeln, wann er die Witt=
heit oder auch die geſammte Gemeinde beiziehen ſollte, war nicht
beſtimmt, hing vielmehr, wie in Zürich, von dem Ermeſſen des
Rathes ſelbſt ab [22]). Daher machte zuweilen der regierende Rath
die Verordnungen allein [23]). Meiſtentheils zog er jedoch zu dem
Ende die Wittheit [24]), die ganze Wittheit [25]) oder auch ſtatt der
Wittheit die geſammte Gemeinde („de gantſe meenheit“) bei [26]),
öfters außer der Wittheit auch noch die geſammte Gemeinde [27]).
Und bis ins 18. Jahrhundert pflegte die Wittheit bei neuen Auf=
lagen und bei anderen wichtigen Dingen beigezogen zu werden [28]).

---

20) Stat. von 1303 bei Oelrichs, p. 19 u. 20. Daſelbſt werden die
feſteyne auch „the oldeſten unde the wiſeſten the to rade pfleghet
„to ganden“ genannt.

21) Stat. bei Oelrichs, p. 89. — den der Radmanne zint be tho der
witticheyt pleghet tho ghande. und p. 145. — dat nen raetman ute
der wytheyt ſcal mer eitſworne weſen.

22) Neue Eintracht von 1534, art. 18. bei Oelrichs, p. 782.

23) Stat. von 1303 bei Oelrichs, p. 11, 12 u. 20.

24) Stat. von 1303 bei Oelrichs, p, 20, 28, 29, 83, 84, 87, 88 u. 149.
— Der Rad van Bremen mib der witecheyt — De rabman zint des
tho rade wurden mib der witecheyt — Wurden be Ratman bes to
Rade mib ereu wiſeſten —.

25) Entſcheidungen von 1509 u. 1491 bei Böhmer, p. 78 u. 81. Stat.
von 1303 u. 1433 und kunbige Rulle von 1489 bei Oelrichs, p. 11,
29, 30, 62, 66, 83, 84, 147, 158, 160, 447—449 u. 716. — Rad=
manne unb gantze witheit der Stad —.

26) Stat. von 1428 bei Oelrichs, p. 397. Rynesberch und Schene ad
1358 bei Lappenberg, p. 100 ff.

27) Stat· von 1303 u. 1433 bei Oelrichs, p. 86 u. 145. — be Rad mib
der Witecheyt unbe mib der Meynheyt —.

28) Donanbt, I, 332 u. 333.

Von der Wittheit verschieden war der alte Rath, welcher auch
in Bremen öfters von dem neuen oder regierenden Rath beigezogen zu werden pflegte [29]). Donandt u. a. hatten zwar die
Wittheit und den alten Rath für Eines und Dasselbe. Sie glauben, daß der regierende Rath die abgegangenen Rathmanne als
die Wittigsten beigezogen habe und daß der alte Rath deshalb eine
Wittheit genannt worden sei [30]). Den Beweis für diese Hypothese
ist man aber schuldig geblieben. Gegen diese Ansicht spricht jedoch
der Umstand, daß die neuen und die alten Rathmanne öfters neben
den Weisesten und neben der Wittheit genannt werden, und daher
die Einen von den Anderen verschieden gewesen sein müssen [30a]).
In welchen Fällen nun der alte Rath und in welchen die Wittheit
beigezogen werden sollte, liegt völlig im Dunkeln. Wahrscheinlich
hing auch dieses von dem Ermessen des regierenden Rathes ab.
Jedenfalls wurde der alte Rath zuweilen allein beigezogen, öfters
aber außer dem alten Rath auch noch die gesammte Gemeinde [31]).

Auch in Magdeburg bildeten später die Witzegesten einen
die Gemeinde repräsentirenden Ausschuß, der von dem alten Rath
verschieden war. Wie viele Bürger in diesen Ausschuß beigezogen
werden sollten, scheint wie in Zürich von dem Ermessen des regierenden Rathes abgehangen zu haben. Erst späterhin wurde ihre
Anzahl auf 100 Personen fixirt. Und seitdem nannte man diesen
Bürgerausschuß die Hundertmänner [32]). Eben so waren in Höxter
die prudentes, prudentiores und die wisen Manne von den alten
Rathsherren verschieden. Sie bildeten auch dort einen die Gemeinde repräsentirenden Rath, welchen man die Weisheit der
Stadt zu nennen pflegte. Zuweilen wurde aber auch in Höxter
noch die Gemeinde selbst mit oder ohne den alten Rath zur Be-

---

29) Stat. von 1303 und 1433 bei Oelrichs, p. 85, 439 u. 442. Urk. von
　　1366 in Assertio Brem. p. 709.
30) Donandt, I, 330 ff. Lappenberg, Rechtsalt. Einleitung p. 33.
30a) Stat. von 1303 bei Oelrichs, p. 85 u. 86.
31) Stat. von 1428 u. 1433 bei Oelrichs, p. 404, 439, 440 u. 444. —
　　be rad to bremen mit der gantsen meenheit unde mit den olden rad-
　　heren de in vortiden in deme rade ghesetten hebben —. Urk. von 1366
　　in Assertio Brem. p. 709.
32) Rathmann, II, 489.

rathung berufen [33]). Eben dieses war, wie wir gesehen, in Lübeck und in Brakel der Fall.

Wie in Bremen, Lübeck, Magdeburg, Höxter und Brakel die Weisesten, so bildeten in Löwenberg die Aeltesten von der Stadt oder die seniores einen die Gemeinde repräsentirenden Ausschuß, welchen man daselbst eine universitas seniorum oder „by „Gemeyne der Elbirn" genannt hat [34]). Und dasselbe war offenbar auch in Hamburg hinsichtlich der Wittigsten und discretiores der Fall. Auch sie bildeten daselbst frühe schon einen die gesammte Altbürgerschaft repräsentirenden Ausschuß. Und wie in Bremen, so wurden auch in Hamburg bald die Wittigsten allein bald die gesammte Altbürgerschaft (universitas civitatis oder universitas oppidi) von dem regierenden Rath berufen [35]). Und seit dem 14. Jahrhundert wurden mit der Altbürgerschaft zuweilen auch schon die Vorsteher der Zünfte berufen [36]). Auf diese Weise dürfte wohl die schwankende Ansicht von Lappenberg [37]) zu berichtigen sein. Die Beiziehung der Wittigsten oder der gesammten Gemeinde, der späteren erbgesessenen Bürgerschaft, scheint jedoch im Laufe des 14. Jahrhunderts mehr und mehr unterlassen worden und so die höchste Gewalt in die Hände des Stadtraths gekommen zu sein. Dies führte zur Verstimmung und bei der ersten Veranlassung zu bürgerlichen Unruhen und zu dem Receß von 1410, welcher die Grundlage der heute noch bestehenden Verfassung geworden ist. Die

33) Urk. von 1345 — consensu veterum consulum et prudentum bei Wigand, denkwürdige Beitr. p. 164. Urk. von 1352 — „mit „rade des olden rades unde der ganzen meynheit" bei Wigand, Gesch. von Corv. I, 331. Not. 169. vergl. noch die Urk. von 1292, 1327 u. 1376, eod. p. 324 u. 325, wo allzeit die prudentes, prudentiores und wisen Manne neben dem alten und neuen Rath und neben den consules genannt werden.

34) Willkür von 1311, pr. bei T. u. St. p. 189.

35) Urk. von 1283 bei Lenz, Brandb. Urk. I, 117. und Lappenberg, H. U. I, 660. Nos consules et universitas civitatis Hamburgensis —.

36) Urk. von 1340 bei Lappenberg, Programm, p. 43. — consilium et consensum magistrorum officiorum mechanicorum ac universitatis opidi et eorum consilio et consensu — vergl. §. 336.

37) Lappenberg, Rechtsalt. I, Einleitung, p. 33 u. 34.

verfassungswidrige Verhaftung eines Bürgers, Heino Brand, und
die Unruhen in dem benachbarten Lübeck, wo der alte Rath abge-
setzt worden war, führte nämlich im Jahre 1410 auch in Hamburg
zu einer neuen Verfassung. Die Bürgerschaft versammelte sich im
Reventer oder Speisesaal des St. Marien Magdalenen Klosters,
wählte sechzig Bürger, 15 aus jedem der damaligen vier Kirchspiele, welche im Namen der Bürgerschaft die Brand'sche Angelegenheit besprechen und die Angelegenheiten der Bürger ordnen sollten.
Das Resultat ihrer Berathung war der Receß von 1410, nach
welchem die höchste Gewalt bei der Bürgerschaft und bei dem Rath
sein sollte. Dem Rath sollte nämlich nur die vollziehende Gewalt
und die Vertretung der Bürgerschaft nach Außen bleiben, die
Bürgerschaft aber gemeinschaftlich mit dem Rath über die Besteuerung und über die Freiheiten der Bürger und über Krieg und
Frieden entscheiden [38]). Die Sechsziger bildeten demnach die erste
regelmäßige Repräsentation der Gemeinde. Ihr Amt war jedoch
nur vorübergehend. Sie bildeten daher noch keinen eigentlichen
Stadtrath. Ein die Bürgerschaft repräsentierender ständiger Rath,
die beiden bürgerlichen Collegien, entstand erst später seit der Reformation. Schon seit dem 13. und 14. Jahrhundert zog man
nämlich bei wichtigen Verhandlungen auch noch die Kirchgeschwornen
der vier Kirchspiele Hamburgs bei, z. B. im Jahre 1281 bei Errichtung der St. Nicolaischule die jurati ecclesiae S. Nicolai und
die seniores et discreti viri parochiae S. Nicolai [39]). Nach dem
Receß von 1483 [40]) hatten sie sogar schon gesetzlich das Recht die
Berufung der erbgesessenen Bürgerschaft zu begehren. Erst die
Reformation ward jedoch die Veranlassung zur Errichtung der
beiden bürgerlichen Collegien. Bis dahin mußte nämlich die gesammte Bürgerschaft bei allen wichtigeren Verhandlungen beigezogen
werden. Da es aber nun so Vieles von dem Rath mit der Bürgerschaft zu verhandeln gab, daß die gesammte Bürgerschaft nicht
immer berufen werden konnte, so griff man zu dem alten Mittel.

---

38) Nachtrag zu den vier Hauptgesetzen der Hamburgischen Verfassung, p.
9—14. Beneke, Hamburg. Gesch. p. 42—49.

39) Lambeccius, rer. Hamb. II, 69 u. 70. vergl. Lappenberg, Programm,
p. 29 u. 52. und oben §. 416.

40) art. 64 (63) im Nachtrag, p. 31.

Man gab einer bestimmten Anzahl von Männern aus den vier Kirchspielen Vollmacht zur Unterhandlung mit dem Rath und berief zu dem Ende aus jedem Kirchspiel die 12 Vorsteher der Armen= kasten und außerdem noch 24 andere Bürger [41]). Dies ist der Ursprung der beiden bürgerlichen Collegien der Achtundvierziger und der Hundertvierundvierziger. Denn aus der ihnen anfangs für einen bestimmten Zweck ertheilten Vollmacht wurde nach und nach ein ständiges Amt. Das Collegium der Achtundvierziger bestand aus den 12 Aelterleuten und Vorstehern der Armenkasten der 4 Kirchspiele. Ihrer wird zum ersten Mal Erwähnung gethan im Receß von 1529 [42]). Und sie haben ganz vorzüglich zum Vereinigungspunct der verschiedenen Kirchspiele gedient, welche sonst vielleicht sich getrennt haben würden. Sie wurden ihres Amtes wegen auch die Diaconen genannt. Und ihre Anzahl ist später bis auf 60 vermehrt worden, seitdem im Jahre 1685 ein fünftes Kirchspiel, St. Michael, hinzugekommen war. Zwölf von ihnen zu Oberlüden oder Oberalten ernannte Mitglieder (das Ober= alten Collegium) bildeten den Vorstand dieser Achtundvier= ziger, der späteren Sechsziger [43]). Das Collegium der Hundertvierundvierziger bestand außer dem Collegium der Achtundvierziger noch aus 24 Bürgern aus jedem Kirchspiel und, seitdem noch das fünfte Kirchspiel von St. Michael hinzugekommen war, aus 180 Personen. Diese beiden Collegien der Achtundvier= ziger und der Hundertvierundvierziger, später der Sechsziger und der Hundertachtziger hatten nun statt der erbgesessenen Bürgerschaft den Rath theils zu controliren, theils zu berathen, theils aber auch manche Angelegenheiten in ihrer Eigenschaft als Repräsentanten der Bürgerschaft selbständig zu entscheiden [44]).

Endlich hat zuweilen auch das Streben des Stadtrathes alle städtischen Angelegenheiten an sich zu ziehen und sich ganz unab= hängig von der Gemeinde zu machen zu einem erweiterten Rathe

41) Urk. vom 29. Juni 1528 im Nachtrag, p. 36—38. Urk. vom 29. Sep= tember 1528 bei Lappenberg, p. 35 u. 46—48.

42) Receß von 1529, art. 54 u. 132 im Nachtrag, p. 52 u 64.

43) Lappenberg, p. 36 u. 39. Nachtrag, p. 36 ff. Westphalen, Hamburgs Verfassung, p. 176 ff.

44) Westphal, I, 192—206.

geführt. Dieses war namentlich in Freiburg der Fall. Auch dieser Ort hatte gleich bei seiner Erhebung zu einer Stadt einen aus 24 Mitgliedern (conjuratores, conjurati oder consules) bestehenden Stadtrath zur Besorgung der laufenden Geschäfte erhalten (§. 147). Als jedoch dieser Stadtrath anfing alle Angelegenheiten an sich zu ziehen und ohne Zuziehung der Bürgerschaft nach Willkür zu verwalten (non secundum honestatem et utilitatem communem, sed secundum sue voluntatis libitum, sine eorum consensu et consilio, ordinare), und es darüber zu einem Aufstande gekommen war, so setzte die Stadtgemeinde an die Seite der alten 24 (priores oder primi conjurati) noch weitere 24 neue Rathsherren (secundi jurati oder consules), welche bei allen wichtigen die Stadt interessirenden Angelegenheiten (negocium universale sive rem publicam ville), insbesondere bei neuen Steuern (omnes collectas civitatis — ordinare) beigezogen werden sollten. Und die alten und neuen Rathsherren mit einander bildeten sodann den großen Rath [45]).

§. 448.

Eine eigene Art von großem oder weitem Rath ohne es jedoch wirklich zu sein bildete der abgehende oder der alte Rath, indem derselbe von dem regierenden, sitzenden oder neuen Rath in wichtigen Angelegenheiten beigezogen werden mußte. Die vereinigten alten und neuen Räthe handelten nämlich wohl im Namen und aus Auftrag der Bürgerschaft wie die Stadträthe überhaupt. Sie waren jedoch von dem eigentlichen großen Rath wesentlich dadurch verschieden, daß sie die Gemeinde nicht repräsentirten. Daher findet sich fast allenthalben neben ihnen noch ein anderer Ausschuß aus der Bürgerschaft, welcher bei wichtigeren Verhandlungen statt der Gemeinde beigezogen werden mußte und diese sodann repräsentirte. So findet man z. B. in Magdeburg neben dem alten und überalten Rath noch als Repräsentanten der Gemeinde die Hundertmänner (§. 322 u. 447). Eben so in Straßburg neben den alten Herren oder den Einundzwanzig noch einen großen Rath oder die Versammlung der Schöffen (§. 348 u. 441). In Köln gehörten zum Rathe, außer dem engen und weiten

---

45) Urk. von 1248 bei Schreiber, I, 53—55.

Rathe, auch noch diejenigen Herren, welche in den letzten zehn
Jahren ein oder mehrere Mal im engen oder weiten Rath gesessen
hatten. Diese Herren, die vor und nach im Rathe gesessen hatten
(qui sederunt ante et post — „de vur inde na geseffin haint")[1]),
waren und hießen die Freunde, d. h. die Rathsfreunde, die
zum Rathe „gehörten" („yre vrunde, sij sitzen zo Raide off
„sij gehoeren zo Raede")[2]), während die Rathsherren, welche
für das laufende Jahr gewählt waren, die sitzenden Räthe
(consules sedentes. consules pro tempore existentes. Unsere
heren vam Raide zerzijt sitzende) genannt worden sind[3]). Diese
Rathsfreunde wurden, so oft sie beigezogen wurden, „alle Räthe"
genannt. Und sie sollten in allen wichtigen Angelegenheiten beigezogen werden[4]). Auch in Höxter[5]), in Bremen, in Lübeck
und in Hamburg bestand neben dem Rath (dem neuen Rath) noch
ein alter Rath. Und in wichtigen Fällen wurden außerdem noch
die Wittigsten, prudentes oder discretiores beigezogen (§. 447). In
Bremen, in Lübeck und in Hamburg bestand nämlich der Rath, wie
in Magdeburg und in Speier u. a. m. (§. 312, 322, 352) aus drei
Abtheilungen. In Bremen bestand nämlich der Rath bis zum
Jahre 1398 aus 36 Rathsherren, von denen jedoch immer nur 12
im regierenden Rath saßen, die beiden anderen Abtheilungen aber,
bestehend aus den im vorigen und vorvorigen Jahre ausgetretenen
12 Rathsherren, nur bei wichtigeren Angelegenheiten beigezogen zu
werden pflegten[6]). Erst im Jahre 1398 wurde die Anzahl der

---

1) Eidbuch von 1321 §. 1, 5, 7, 9, 12 u. 20 in Quellen, I, 2 ff.
2) Eidbuch von 1395 §. 7 u. 8 in Quellen, I, 67.
3) Eidbuch von 1321 §. 14—16, 20, 25. Eidbuch von 1395, §. 8 in
   Quellen, I, 5 ff. u. 67.
4) Ennen, Gesch. II, 487 u. 499—503.
5) Urk. von 1292: consules veteres et novi ac prudentiores civitatis
   Huxariensis. Urk. von 1327: consilio veterum consulum et prudentum nostrae civitatis. Urk. von 1345: Nos consules consensu
   veterum consulum et prudentum. Urk. von 1352: Wy be rad be-
   kennet — dat wy mit rade des olden rades unde der ganzen meynheit.
   bei Wigand, Gesch. von Korv. I, 324 u. 331.
6) Stat. bei Oelrichs, p. 85 u. 147. und Vorbericht, p. 10. Not. vergl.
   den §. 447.

Rathsherren auf 20 herabgesetzt und im Jahre 1433 wieder auf 24 erhöht und diese 20 und 24 sodann in vier Abtheilungen getheilt, so daß immer nur 5 später 6 Rathsherren mit dem regierenden Bürgermeister im Rath (im neuen Rath) saßen [7]). Eben so bestand der Rath in Lübeck aus drei Abtheilungen, von denen immer nur zwei in Function waren. Die erste Abtheilung bildete den regierenden, sitzenden oder neuen Rath, die zweite Abtheilung den alten Rath, d. h. den abgetretenen Rath des vorigen Jahres, welcher aber bei wichtigen Angelegenheiten von dem regierenden Rath beigezogen werden mußte, in welchem Falle sodann der vereinigte alte und neue Rath der gemeine Rath (mene rat oder ghemene rat) [8]) oder der ganze Rath genannt worden ist [9]). Die dritte Abtheilung wurde im laufenden Jahre gar nicht beigezogen. Sie trat erst im dritten Jahre wieder in Function. So wechselten demnach die drei Abtheilungen in den Geschäften. Jedes Jahr wurde gewechselt und man nannte dieses den Rath erneuern oder umsetzen. Und zu dieser Umsetzung wurden immer einige Rathsherren aus dem regierenden Rathe gewählt [10]). In Hamburg bestanden diese drei Abtheilungen aus den regierenden Rathsherren (electi), aus den Rathsherren des vorigen Jahres, welche daher alte Rathsherren und weil sie in wichtigeren Angelegenheiten beigezogen werden sollten, assumpti genannt worden sind, und aus jenen Rathsherren, welche in dem laufenden Jahre nicht beigezogen wurden, also erst im dritten Jahre zum Regiment kommen sollten und daher extramanentes genannt worden sind [11]). Des alten und neuen Rathes wird noch im Stadtrecht von 1497 [12]) und auch noch im Receß von 1562, später aber nicht mehr gedacht.

---

7) Stat. von 1398 u. 1433 bei Oelrichs, p. 147 u. 446.

8) Lüb. R. bei Hach, II, 226, 237, III, 242.

9) Hach, II, 243. — „mit ganceme Rade olt vnde nye" —.

10) Hach, II, 49, 53, 54, III, 42. vergl. Pauli, Lübeckische Zustände, p. 84 —88. Dreyer, Einleitung, p. 67 u. 69.

11) In der Glosse zu dem Stadtrecht von 1497 bei Lappenberg, p. 185 u. 186. wird in etwas verwirrter Weise von diesen drei Abtheilungen gesprochen. Auch hat Lappenberg, Einleitung p. 36 sie nicht richtig verstanden.

12) Stadtr. von 1497. A. 9 u. 10.

Auch in Basel mußte in gewissen Fällen der abtretende Rath, der sogenannte erren Rath [13]) oder der alte Rath von dem regierenden oder neuen Rath beigezogen werden [14]). Neben dem alten und neuen Rath bestand aber auch dort noch ein großer Rath (§. 317). Eine eigene Art von altem und neuem Rath bildeten in Freiburg die alten und neuen Vierundzwanziger (§. 350).

Wann der alte Rath beigezogen werden sollte hing von dem Ermessen des neuen oder sitzenden Raths ab. Der alte Rath sollte daher nur dann erscheinen, wenn ihm dazu das Zeichen gegeben worden war („wenn man dem alten Rat lütet" [15]). „wanne allin „Redin gebobin wirt") [16]). Auch in Speier (§. 352), in Ulm [17]), in Worms [18]), in Lindau [19]), in Lüneburg [20]), in Köln an der Spree [21]), in den mittelmärkischen und neumärkischen Städten [22]) u. a. m. sollte in wichtigen Fällen der alte Rath von dem neuen zur Berathung beigezogen werden. Und in Breslau, Brieg und Grottkau sollten in manchen Fällen, wenn z. B. die Rechtmäßigkeit eines Rathsbeschlusses angefochten wurde, die Rathsherren von den drei letzten Jahren („by vor bryen jaren an dem Rate sin ge- „wesen") beigezogen werden [23]). Der alte Rath, wenn er beigezogen wurde, bildete jedoch in vielen Städten, wie bereits bemerkt worden ist, keinen eigentlichen großen Rath, vielmehr nur eine Abtheilung des kleinen Rathes. Denn beide Räthe mit einander bildeten dem großen Rath gegenüber den kleinen Rath, z. B. in Basel, Straßburg, Speier, Zürich, Magdeburg u. a. m. [24]).

---

13) Ochs, I, 367 u. 368. Handfeste von 1337 bei Wackernagel, Bischofsr. p. 24.

14) Urk. von 1353 u. 1372 bei Ochs, II, 77 u. 218. vergl. noch V, 8 u. 9. Heusler, p. 377—379.

15) Raths Erkenntniß von 1411 bei Ochs, III, 164. und mehrere frühere Urkunden eod. III, 163. und Urk. von 1462, eod. IV, 134.

16) Kölner Eidbuch von 1841 §. 7 in Quellen, I, 16.

17) Jäger, Ulm, p. 277.

18) Urk. von 1404 bei Schannat, II, 217.

19) Lang, regest. III, 479.

20) Stadtrecht bei Dreyer, Nebenst p. 362.

21) Urk. von 1432 bei Gercken, cod. dipl. Brandb. V, 114.

22) Zimmermann, I, 107 u. 108.

23) Urk. von 1324 §. 28 bei T. u. Stenzel p. 508.

24) Ochs, V, 8 u. 9. und oben §. 437.

In einem ähnlichen Verhältnisse wie der alte Rath zu dem
neuen stand in anderen Städten der äußere Rath zu dem inneren oder engeren Rath. Der innere, engere oder kleine Rath
war der regierende Rath. In wichtigeren Dingen sollte er aber
den äußeren Rath beiziehen, der jedoch die Gemeinde eben sowenig
repräsentirte, wie der vorhin erwähnte alte Rath. Daher findet
sich meistentheils auch in diesen Städten neben den beiden Räthen
auch noch ein großer Rath zur Repräsentation der Gemeinde. So
war es in München (§. 321). Eben so in Regensburg bis
daselbst der äußere Rath oder der Rath der Fünfundvierzig zu
einem großen Rath erweitert worden ist (§. 320). Oder es wurde
in wichtigeren Fällen außer dem äußeren Rath auch noch die Gemeinde selbst beigezogen, z. B. in Wien [25]), bis sich auch in Wien,
wie es scheint, im 15. Jahrhundert, eine Repräsentation der Gemeinde, nämlich ein Ausschuß aus der Gemeinde, der Rath der
Genannten [26]), gebildet hatte, der jedoch schon von Kaiser Karl V
wieder abgeschafft worden ist [27]). Was in München, Wien und
Regensburg der äußere Rath war, war in Augsburg der Rath
der Vierundzwanzig. Der seit dem 13. Jahrhundert daselbst aus
12 Ratgeben bestehende kleine Rath war nämlich der regierende
Rath. Neben ihm stand aber auch noch ein aus 24 Ratgeben,
wahrscheinlich aus den 12 abgehenden und 12 regierenden Ratgeben
bestehender Rath, welcher in wichtigeren Angelegenheiten beigezogen

---

25) Urk. von 1364 bei Hormayr, Wien, I, 5, Urk. p. 42. — „der Inner
„vnd auſſer Rat, vnd die gemain der burger vnſerr ſtat" —.

26) Urk. von 1462 bei Senckenberg, sel. jur. V, 169 u. 175. „Wir
„burgermaiſter, richter, rath, genant vnd die gantze gemain der ſtat
„Wien" —.

27) Verordn. von 1520 bei Hormayr, Wien, I, 2. Urk. p. 135 f. —
„dann auf burgermaiſter vnd gemain bei Euch, wie die mit dem Aus=
„ſchuſs neben dem Rat ain Zeither geweſt vnnd noch ſein —.
„Das jr Eur biſher geuebt weſen der Ausſchuſs von ſtund an ab=
„tuet vnd genntzlich verlaſſet. — Vnnd der jewalt, der Ausſchuß
„neben dem ordentlichen Rat abgethan iſt, vnnd jr erſcheinet vnd ge=
„ſehen werdet, das jr Eur ordentliche Oberkait in gehorſam erkennet."
Die Bürgerſchaft galt demnach damals ſchon als ungehorſam, wenn ſie
ihre eigenen Angelegenheiten ſelbſtändig ordnen und zu dem Ende einen
Bürgermeiſter haben wollte.

werden mußte [28]). Neben diesen beiden Räthen, den Zwölf und Vierundzwanzig, welche mit einander dem großen Rath gegenüber den kleinen Rath bildeten, stand noch der große Rath („grozze „Rath"), welcher auch der ganze Rath genannt worden ist [29]). Und diese Verfassung erhielt sich daselbst bis zum Siege der Zünfte (§. 315 u. 349).

Um die Gewalt der Geschlechter zu brechen wurde bereits im 13. Jahrhundert in Bern dem aus 12 Geschlechtern bestehenden Rath ein Rath aus der Gemeinde an die Seite gesetzt. Es sollten nämlich vier Bürger aus jedem der vier Stadtviertel ge= wählt werden und diese Sechszehn bei wichtigen Verhandlungen dem Rath zur Seite stehen. Ein großer Rath entstand aber erst im 14. Jahrhundert seit dem Siege der Zünfte (§. 355). Aus demselben Grunde wurde in Worms dem Geschlechterrath ein aus den vier Pfarreien zu wählender Rath die Sechszehner von der Gemeinde, an die Seite gesetzt, welcher bei wichtigeren Ver= handlungen beigezogen werden sollte, im Jahre 1366 aber mit dem engeren Rath vereiniget worden ist. Ein wirklicher großer Rath als Repräsentant der Gemeinde entstand auch dort erst seit dem Siege der Zünfte (§. 313). Eben so bildete sich im Laufe des 13. Jahrhunderts oder am Anfang des 14. in Bremen ein aus 16 Rathmannen bestehender Bürgerausschuß, welchen man die Wittheit genannt hat, dann in Magdeburg und in Hamburg das Collegium der Witzegesten und der Wittigsten, in Höxter die Weisheit der Stadt und in Löwenberg die universitas seniorum oder die Gemeinde der Aeltesten (§. 447). Auch in Iglau bil= dete sich im 14. Jahrhundert an der Seite des aus einem Richter und 12 Geschwornen bestehenden Stadtraths ein aus vier Bürgern bestehender Ausschuß. Man nannte diese Repräsentanten der Ge= meinde die Gemeinen oder die Gemeine. Und sie sollten bei allen wichtigen Gemeindeangelegenheiten beigezogen werden [30]).

---

28) Altes Stadtbuch bei von Stetten, Gesch. der Geschlechter, p. 37, 369, 370 u. 371.

29) Altes Stadtbuch bei Stetten, p. 369, 370, 371, 372 u. 380. Langen= mantel, p. 17.

30) Werner, Gesch. der Iglauer Tuchmacherzunft, p. 9 u. 10.

v. Maurer, Städteverfassung. III. 15

Aeußerst merkwürdig war auch die Geschichte der Rathsver=
fassung in Soest. Der Rath bestand daselbst ursprünglich aus
12 Geschlechtern. Bei wichtigeren Verhandlungen wurde die Bür=
gerschaft, d. h. die in der Altstadt angesessenen Geschlechter, beige=
zogen. Die mit der Stadt vereinigten Burschaften hatten keinen
Zutritt zu den Bürgerversammlungen. Die versammelte Bürger=
schaft bildete demnach eine Art von großem Rath. Im Jahre
1259 erhielten jedoch auch 12 Burrichter als Repräsentanten der
Burschaften Zutritt zu dem Rath. Und der aus 24 Personen,
12 Geschlechtern und 12 Burrichtern, bestehende Rath der Vierund=
zwanziger bildete seitdem den großen Rath (§. 201). Diese Ver=
fassung dauerte jedoch nur bis zum Siege der Zünfte. Seit dem
Siege dem Zünfte theilte sich nämlich die Bürgerschaft in zwei
Genossenschaften, in die Zünfte oder Aemter und in die Gemeinde
oder Gemeinheit vom Stahlgadem, eine jede Genossenschaft mit
einem Großrichtmann an der Spitze (§. 338). Das Stadtregiment
kam nun in die Hände eines Magistrats, welcher aus 11 Mit=
gliedern und dann noch aus den beiden Großrichtleuten, als den
Repräsentanten der Aemter und der Gemeinde, bestand. Den
großen Rath aber bildeten zwei Collegien, das Collegium
der Zwölfer, bestehend aus den von den Aemtern und von der
Gemeinde gewählten Rathsherren, und der alte Rath, bestehend
aus Mitgliedern des vorjährigen Magistrats. Und in schwierigen
Fällen sollten beide Collegien von dem regierenden Magistrat bei=
gezogen werden [31]).

§. 449.

In sehr vielen Städten hat sich demnach schon vor dem Siege
der Zünfte eine Art von großem Rath an der Seite des kleinen
Raths gebildet, bestehend entweder aus einem durch Beiziehung des
alten oder äußeren Rathes gebildeten vollen oder weiten Rath, oder
aus einem Ausschuß aus der Bürgerschaft selbst. In sehr vielen

---

31) Geck, p. 112—115. Aude Schrae, §. 178 bei Emminghaus, p. 196.
„Wy Burgemestere Raed unde Twelfte der vor den Raed gaid.“ Po=
lizeiordnung von 1650 bei Emminghaus, p. 268. „bey öffentlichen
„Versammlung Raths, alten Raths, Zwölfen“ — vergl. noch Ver=
ordn. von 1607 u. 1714, eod. p. 246 u. 327.

anderen Städten ist jedoch erst seit dem mehr oder weniger voll=
ständigen Siege der Zünfte ein großer Rath gebildet, in an=
deren Städten aber der bereits schon bestehende große Rath um=
gebildet worden. In sehr vielen Städten hat es nämlich bis zum
Siege der Zünfte nur einen einzigen Rath, einen kleinen, engen
oder inneren Rath gegeben, welcher theils allein theils gemeinschaft=
lich mit der gesammten Bürgerschaft die Angelegenheiten der Ge=
meinde besorgte. Seit dem Siege der Zünfte ist nun auch in jenen
Städten, welche bis dahin keinen großen Rath gehabt hatten, ein
aus Repräsentanten der Zünfte und der übrigen Bürgerschaft be=
stehender großer Rath gebildet worden, z. B. in Basel, Straßburg,
Hagenau, Landau, Schaffhausen, Bern, Stendal u. a. m. (§. 317,
324, 341, 346, 348, 354 u. 355). In anderen Städten wurde
aber der bereits schon bestehende Bürgerausschuß seit jener Zeit
durch Aufnahme von Zunftgenossen zu einem wirklichen großen
Rath umgebildet. Die Art der Bildung oder Umbildung eines
großen Rathes war indessen sehr verschieden in den verschiedenen
Städten.

In vielen Städten, in welchen das Geschlechter Regiment fort=
gedauert hat oder in denen das Regiment mit den Zünften getheilt
worden ist, — in vielen Städten wurde der große Rath aus einer
mehr oder weniger großen Anzahl von Repräsentanten der Ge=
schlechter und der Zünfte gebildet, z. B. in Augsburg aus 12 Her=
ren aus den Geschlechtern und aus 216 Zunftgenossen (§. 315 u.
349), in Ulm aus 10 Geschlechtern und aus 30 Zunftgenossen
(§. 316 u. 349), in Zürich anfangs aus 13 Rathsherren aus der
Constaffel und aus 13 Zunftmeistern, später aber aus 18 Raths=
herren aus der Constaffel und aus 144 Zunftgenossen (§. 346), in
Schaffhausen aus 18 von den Edeln oder Geschlechtern und aus
eben so vielen aus der Gemeinde (§. 346). Auch in Eßlingen,
Reutlingen und Ueberlingen bestand der große Rath theils aus Ge=
schlechtern theils aus Zunftgenossen (§. 350). In Nürnberg durf=
ten zwar die Genannten des größeren Rathes aus der gesammten
Bürgerschaft gewählt werden, meistentheils wurden sie jedoch nur
aus den Geschlechtern gewählt (§. 343). In manchen Städten
wurde der große Rath theils aus den Zünften theils aus der Ge=
meinde gewählt, z. B. in Dortmund, Hagenau und Landau (§. 339,
341 u. 354). In den meisten Städten bestand aber der große

Rath bloß aus den Zünften und zwar in vielen Städten aus den
Zunftmeistern oder Gildemeistern, z. B. in Worms eine Zeit lang
aus den Zunftmeistern (§. 313), in Magdeburg aus den Innungs=
meistern (§. 354), in Stendal aus den Gildemeistern (§. 324) und
in Köln aus den Zunftherren oder Gaffelherren (§. 351). In
anderen Städten bestand der große Rath aus sämmtlichen Zunft=
vorstehern, also außer den Zunft= oder Gildemeistern auch noch
aus den übrigen Vorstehern der Zünfte, z. B. in Basel im 14.
und 15. Jahrhundert aus den Zunftmeistern und aus den Sech=
sern, in Straßburg aus den Schöffen der verschiedenen Zünfte
(§. 317 u. 348) und in Reutlingen aus sämmtlichen Zunftgerich=
ten, also aus 156 Zunftvorstehern und außerdem noch aus 12 an=
deren Bürgerssöhnen [1]). In vielen Städten wurden aber die
Zunftrathsherren jedes Jahr aus den Zunftgenossen von den
Zünften gewählt, z. B. in Basel seit dem 16. Jahrhundert, dann
in Bern, in Solothurn, in Chur und in Weißenburg (§. 353 u.
355). Den großen bloß aus Zunftgenossen bestehenden Rath
nannte man in Solothurn den neuen oder jungen Rath [2]) und
in Weißenburg den jüngeren Rath und die Rathsherren selbst
nannte man daselbst die Marschalke (§. 350).

Auf eine ganz eigenthümliche Weise hat sich der große Rath
in Wetzlar gebildet. Im 13. Jahrhundert bestand nämlich auch
dort der Stadtrath aus Schöffen und aus Rathsherren, und in
wichtigen Fällen wurde die gesammte Bürgerschaft beigezogen [3]).
Schon am Ende des 14. Jahrhunderts erhielten jedoch die Zünfte
Zutritt zu diesem kleinen Rath. Die Bürgerschaft hatte sich näm=
lich in zwei Theile, in die Gemeinde und in die sieben Zünfte ge=
schieden. Aus der Gemeinde sollten acht, aus jeder Zunft aber
zwei, also im Ganzen 14 Zunftgenossen Zutritt zu dem Rath ha=
ben, und die Geschäfte von diesem Rath gemeinschaftlich mit den
Schöffen besorgt werden. Nur wenn beide sich nicht vereinigen
konnten sollte die Sache an die Bürgerschaft, also an die Gemeinde
und an die Zünfte, gebracht werden („und können sie nicht über=

---

1) Jäger, Mag. V, 259 u. 272.
2) Bluntschli, Gesch. des schweizer Bundes. I, 139 f.
3) Urk. von 1280 bei Guden, II, 217. coram scabinis, consulibus et
    universitate civium.

„einkommen, so suln sie das brengen in die Gemein und Hand=
„werker")⁴). Später erst trat ein Bürgerausschuß oder ein
großer Rath an die Stelle der Bürgerschaft, und die Bürger=
schaft wurde sodann nicht mehr berufen. Die ersten Spuren dieses
Ausschusses finden sich schon in dem Bürgervergleiche von 1390.
Neun jedes Jahr aus der Bürgerschaft zu wählenden Personen,
den sogenannten Neuner, sollten nämlich die Schlüssel zur Rent=
kiste anvertraut und ohne ihre Zuziehung nicht über die darin lie=
genden Gelder verfügt werden⁵). Im Jahre 1614 wurde nun
dieser Bürgerausschuß um zwei Bürger vermehrt und daher die
Elfer genannt, zu gleicher Zeit auch ihre Zuständigkeit erweitert
und seitdem die Bürgerschaft selbst nicht mehr berufen⁶). Später=
hin, im Jahre 1712, nachdem mittlerweile die Bürgerschaft in 12
Zünfte eingetheilt worden war, wurde jenes bürgerliche Collegium
auf 12 Mitglieder gebracht und diese Repräsentation der Bürger=
schaft sodann bis auf unsere Tage die Zwölfer genannt⁷). Jede
Zunft sollte nämlich 4 Zunftgenossen wählen, und aus diesen 48
von dem Zwölfer Collegium zwei ausgewählt und aus diesen 24
sodann die Zwölfer von dem Stadtrath ernannt werden. Das
Amt eines Zwölfers sollte anfangs drei Jahre dauern. Seit dem
18. Jahrhundert dauerte es jedoch meistentheils längere Zeit, zu=
weilen 6 bis 12 Jahre, öfters sogar lebenslänglich. Die Zwölfer
betrachteten und behandelten ihr Collegium selbst als eine Zunft
und nannten daher die beiden Vorsteher, welche jedes Jahr von
ihnen gewählt zu werden pflegten, die Zwölferzunftmeister⁸).

Ein Hauptbestandtheil des großen Rathes war
allenthalben der kleine Rath. Denn dieser hatte allzeit Zutritt
zu dem großen Rath. Da nun der alte oder der äußere Rath,
wie wir gesehen, nur eine Abtheilung des kleinen Raths bildete, so
hatte allenthalben außer dem kleinen oder regierenden Rath auch
noch der alte oder der äußere Rath, und in Magdeburg, in Bre=

---

4) Vergleich von 1390 u. 1393 bei von Ulmenstein, I, 496, 497 u. 505.
verg. §. 339.
5) Vergleich von 1390 bei von Ulmenstein, I, 501, 502 u. 507.
6) von Ulmenstein, II, 150—143.
7) Protokoll von 1712 bei von Ulmenstein, II, 528.
8) von Ulmenstein, III, 229—233.

men und in Speier außerdem auch noch der überalte Rath Zutritt
zum großen Rath. Daher findet man öfters mehrere Räthe neben
einander in einer und derselben Rathsversammlung, z. B. in Basel
in einer Versammlung den alten und neuen Rath und die Zunft=
meister oder den großen Rath [9]). Eben so findet man auch in
Saalfeld drei Räthe, den regierenden Rath, den alten Rath und
außerdem noch einen dritten Rath. Und bei der Gesetzgebung
mußten alle drei Räthe beigezogen werden [10]). Auch in Jlm be=
stand der große Rath aus drei Räthen [11]). In Hamburg bestand
der große Rath aus den beiden Collegien der Sechsziger und der
Hundertachtziger (§. 447), in Dortmund aus den beiden Collegien
des Erbsassenstandes und des Vierundzwanzigerstandes (§. 339)
und in Soest aus dem Collegium der Zwölfer und aus dem alten
Rath (§. 448). Sogar fünf Räthe neben einander findet man in
Zeiz [11a]) und eine Zeit lang auch in Erfurt, und was daselbst ein
Rath festgesetzt hatte, durfte nur mit Zustimmung der übrigen
Räthe wieder aufgehoben oder abgeändert werden [12]).

In vielen zumal kleineren Städten, in denen es kein Bedürf=
niß war, hat sich gar kein großer Rath gebildet, weder in früheren
noch in späteren Zeiten. Es ist daselbst vielmehr bei dem ursprüng=
lichen Stande der Dinge, bei einem einzigen Rathe geblieben, z. B.
in den märkischen und schlesischen Städten [13]). Der Rath besorgte
in jenen Städten die minder wichtigen Angelegenheiten allein und
bei den wichtigeren wurde die gesammte Gemeinde beigezogen.

Der kleine Rath war meistentheils der Vorstand des gro=
ßen Raths. Daher führte insgemein der regierende Bür=
germeister den Vorsitz, wie in dem kleinen so auch in dem
großen Rath. In manchen Städten hat jedoch auch der große
Rath einen eigenen Vorsitzer erhalten, z. B. in Regensburg,

---

9) Urk. von 1353 u. 1372 bei Ochs, II, 77 u. 218.

10) Statut, §. 100, 104, 157, 172, 173, 175, 187 u. 198 bei Walch,
   I, 38 ff.

11) Statut von 1350 bei Walch, VI, 28, 29 u. 30. — „Auch sint dry
   „rethe eyn wurden — ist durch drei Rethe beschlossen."

11a) Stiftsbuch bei Tittmann, Gesch. Heinrichs des Erlauchten, p. 355.

12) Statut von 1306, §. 5 bei Walch, I, 97. vergl. Michelsen, die Raths=
   verfassung von Erfurt im Mittelalter, p. 16—18.

13) Zimmermann, I, 124. T. u. St. p. 235.

München, Meiningen u. a. m. In Regensburg nannte man den Vorsitzenden im Rathe der Fünfundvierzig den Vorgänger [14]), in München aber den Redner oder Stadtredner, wie im englischen Parlament den Sprecher (§. 321) und in Meiningen den Gemeindebürgermeister. In Meiningen bestand nämlich der Stadtrath aus zwei Collegien, aus dem regierenden Rath und aus den Acht von der Gemeinde. Der regierende Rath bestand aus dem Schultheiß, Bürgermeister und aus 12 Schöffen. Die Acht von der Gemeinde hatten die Gemeinde zu repräsentiren und ihren Vorstand nannte man zum Unterschied von dem im regierenden Rath sitzenden Bürgermeister den Gemeindebürgermeister [15]).

Der große Rath wurde nur ausnahmsweise berufen. Daher hatte er ursprünglich kein eigenes Sitzungslokal auf dem Rathhause. Er hielt vielmehr seine Sitzungen an öffentlichen oder an anderen geeigneten Orten, am häufigsten in den Klöstern, z. B. in Basel meistentheils bei den Augustinern, zuweilen aber auch im Kloster der Prediger Mönche [16]). Noch im Jahre 1515 versammelte sich der große Rath bei den Augustinern. Bald nachher, im Jahre 1521, saß er aber in einem neuen für ihn gebauten Sale auf dem Rathhause. Und seit dieser Zeit hielt er seine Sitzungen auf dem Rathhause [17]). Auch in Frankfurt versammelte sich der Rath mit den Bürgern im Barfüßer= oder Dominikanerkloster [18]), im Jahre 1525 auch öfters in dem Antoniterhofe, im Dongeshofe oder auf dem Römerberge [19]).

c) Der große Rath neben der Gemeindeversammlung.

§. 450.

Der große Rath hat sich erst dann und nur dann in jenen Städten gebildet, in welchen die Gemeinde so zahlreich geworden

---

14) Gemeiner, II, 349.
15) Grimm, III, 596 u. 597.
16) Urk. von 1409, 1414 u. 1445 bei Ochs, III, 58, 75, 105, 442, V, 8.
17) Ochs, V, 398.
18) Stadtrechnungsbuch von 1389 bei Römer=Büchner, Stadtverfassung, p. 198.
19) Kriegk, Bürgerzwiste, p. 162, 180, 181 u. 511.

war, daß nicht mehr alle Bürger berufen werden konnten. Seine
Bestimmung war demnach die Bürgerschaft zu repräsentieren und
statt derselben und in ihrem Namen zu handeln, z. B. in Kulm[1]),
in Freiburg im Breisgau[2]), in Köln (§. 60), in Elgg im Kanton
Zürich[3]) u. a. m. Auch der große Rath war jedoch nur der Bevollmächtigte der Stadtgemeinde. Als daher in Ulm im Jahre
1407 die beiden Räthe, der kleine und der große Rath, ein Gesetz
über die Zinslehen gaben, sagten sie, „wan die ganze Gemainde
„uns des gewalt gegeben hat"[4]). Was aber von dem großen
Rath innerhalb der Grenze der ihm übertragenen Gewalt beschlossen
und entschieden worden war, hatte dieselbe Kraft, als wenn der
Beschluß von der Gemeinde selbst gefaßt worden wäre. Daher
nannte man den großen Rath selbst zuweilen auch die Gemeinde
z. B. in Basel (§. 317).

Als Repräsentant und Bevollmächtigter der Gemeinde hatte
nun der große Rath die wichtigeren Angelegenheiten, und zwar
ohne Zuziehung der Gesammtbürgerschaft, selbständig zu besorgen.
Die Fälle, in welchen der große Rath von dem kleinen oder regierenden Rath beigezogen werden sollte, waren jedoch in den einzelnen
Städten verschieden bestimmt. Meistentheils war die Beiziehung
nothwendig bei neuen Gesetzen und Verordnungen, bei neuen
Steuern, bei der Verfügung über die Almenden oder über größere
Summen, bei der Rechnungsablage u. dergl. m., z. B. in Ulm[5]),
in Regensburg[6]), in München[7]), in Nürnberg, Freiburg, Ha-

---

1) Kulmer Recht, I, c. 2. „Was in den Städten von einem Rath und
   „denen, so die Gemeine repraesentiren, gelobet, und angeordnet
   „ist, das soll stets und fest gehalten werden." —
2) Stadtrecht von 1520, fol. 2. — „mit vorwyssen vnd gehelle vnser alten
   „Räten vnd Zünfte ächttwer, „die dann ein ganz gemeind" biser
   „statt representieren" —.
3) Herrschaftsrecht, art. 6 bei Pestalutz, I, 264. — „groß rat, so alwegen
   „in namen an statt vnd für ein ganze gemeind — den großen
   „rat besitzend" —.
4) Rothes Buch bei Jäger, Ulm, p. 274. Not.
5) Rothes Buch bei Jäger, Magazin, III, 499, 506, 511, 512, 514, 516,
   518, 519.
6) Jäger, Mag. I, 302.
7) Stadtrecht, art. 218, 414, 447, 465 u. 503.

genau, Hamburg u. a. m. (§. 158, 341, 343, 428, 447 u. 448).
In vielen Städten war es jedoch durch kein Verfaſſungsgeſetz be=
ſtimmt, welche Fälle an den großen Rath gebracht werden ſollten.
Es hing vielmehr von dem Ermeſſen des kleinen Raths ab, welche
Sachen ihrer Wichtigkeit wegen an den großen Rath gebracht
werden ſollten, z. B. in Baſel. Daher wurde daſelbſt öfters im
kleinen Rath berathen, ob man eine Sache an den großen Rath
(an die Sechsſer) bringen wolle oder nicht [7a]. Indeſſen wurden
doch auch in jenen Städten alle wichtigeren Angelegenheiten dem
großen Rath vorgelegt, und namentlich neue Steuern in Baſel nie=
mals ohne die Sechſer erhoben [7b].

Die Geſammtbürgerſchaft blieb jedoch nach wie vor
der Bildung eines großen Rathes die Quelle aller Gewalt
und aller obrigkeitlichen Aemter und Würden. So ruhte
die höchſte Gewalt in Hamburg nach dem Receß von 1410 bei der
erbgeſeſſenen Bürgerſchaft. Die erbgeſeſſene Bürgerſchaft mußte
daher in den Bürgerconventen bei allen wichtigen Angelegenheiten
beigezogen werden, insbeſondere bei der Erlaſſung neuer Geſetze,
bei Steuerbewilligungen, bei der Ertheilung von Privilegien und
anderen Freiheiten und bei der Entſcheidung über Krieg und Frie=
den. Und dabei iſt es denn auch in ſpäteren Zeiten bis ins 18.
Jahrhundert geblieben [8]. Aber auch in anderen Städten mußte
die Bürgerſchaft nach wie vor der Bildung eines großen Rathes
noch in den aller wichtigſten Angelegenheiten beigezogen werden,
z. B. in Augsburg bei neuen Verordnungen [9], in Lübeck bei neuen
Geſetzen und Verordnungen und anderen wichtigen Angelegenhei=
ten [10], in Köln bei Weinacciſen und anderen wichtigen Ange=
legenheiten [11], in Ulm bei neuen Grundgeſetzen, bei Veräußerun=

7a) Ochs, V, 6 u. 7.

7b) Ochs, III, 57, 58, 69, 75, 105, 441, 448, 451—454, 565, V, 6 u. 7.

8) Hauptreceß von 1712, art. 5 u. 16. Weſtphalen, I, 99—101. Ver=
handlung im Bürgerconvent von 1700 bei Beneke, Hamburg. Geſch.,
p. 376. vergl. oben §. 447.

9) Urk. von 1292, 1303, 1347, 1361 u. 1365 im Stadtbuch bei von
Stetten, Geſch. der Geſchl. p. 369, 370, 372, 375, 376, 377, 381,
390, 392 u. 393.

10) Receß von 1669 bei Moſer, II, 206 ff.

11) Verordnung von 1363 in Quellen, I, 135. dat unse heirren van dem

gen und Verpfändungen des gemeinen Guts, bei der Entscheidung
über Krieg und Frieden u. a. m. [12]), in Höxter bei neuen Gesetzen
und Verordnungen [13]), in Eßlingen bei der Veräußerung von Almenden [14]), in Reutlingen bei allen Angelegenheiten von besonderer
Wichtigkeit [15]). Eben so in Bremen [16]), in Elgg [17]), in St. Gallen [18]), in Zürich, Bern, Regensburg u. a. m. (§. 318, 320 u.
359), insbesondere auch hier in München noch im 15. Jahrhundert
bei der jährlichen Rechnungsablage der Kämmerer, bei der Entscheidung über Krieg und Frieden und über das Schicksal der Gefangenen und über andere wichtige Angelegenheiten [19]). Eine ganz
genaue Bestimmung derjenigen Fälle, welche an die Gesammtbürgerschaft gebracht werden sollten, findet sich übrigens gar nirgends.
Denn die Bürgerschaft war und blieb die Quelle aller Gewalt.
Sie konnte demnach die dem großen Rath ertheilte Gewalt jeden
Augenblick wieder zurücknehmen oder modificieren, und die Entscheidung der Sache sodann an sich selbst ziehen. Auch kamen öfters
unvorhergesehene Fälle vor, in welchen der große Rath die Verant-
wortlichkeit nicht allein übernehmen wollte, und daher die Entscheidung selbst an die Bürgerschaft brachte.

Nichts desto weniger haben sich doch die Bürgerversammlungen in den meisten Städten nach und nach gänzlich verloren. Da nämlich der große Rath die Bürgerschaft zu vertreten
hatte, seine Beschlüsse also dieselbe Kraft hatten, wie die Beschlüsse

---

engen Raide, — ind mit den widen Reden ind mit allen erf-
achtigen Iuden Burgeren — Eibbuch von 1341 §. 141, eod.
I, 34. hait de Rait — mit allen widin Reden inde mit allen
erfeychtigen Luden eyndrichtiligin vuerdragin. —

12) Jäger, Ulm, p. 272—274.

13) Statut von 1385 bei Wigand, denkwürdige Beitr. p. 165.

14) Urk. von 1368 bei Pfaff, p. 126 u. 127.

15) Jäger, Magazin, V, 259, 278 u. 279.

16) Donandt, I, 337 ff.

17) Herrschaftsrecht, art. 1. §. 3 u. 5, art. 4 §. 11 u. art. 7 §. 1 u. 4
bei Pestaluz, I, 260.

18) Simler, p. 592.

19) Urk. von 1420, 1421, 1422 u. 1435 in Bairischen Annalen vom Mai
u. September von 1833, p. 437, 438, 439, 441 u. 825. vergl. noch
§. 321.

der gesammten Bürgerschaft, so war die Zustimmung der Gesammt=
bürgerschaft nicht mehr so nothwendig wie früher. Die Bürger=
schaft wurde daher immer seltener und seltener und zuletzt gar nicht
mehr berufen. In vielen Städten hörten nun die Bürgerversamm=
lungen gleich nach der Bildung eines großen Rathes auf, z. B. in
Nürnberg, Wetzlar, Bern u. a. m. In anderen Städten dauerten
sie zwar noch eine Zeit lang fort, sie wurden aber frühe schon zu
einer leeren Form. So sollte z. B. in Stendal die Stadtgemeinde
im 14. Jahrhundert zwar noch berufen werden, um in der Bur=
sprache und in den Kirchen die Publikation der neuen Satzungen,
welche der Rath und die Gildemeister (der große Rath) mit ein=
ander vereinbart hatten, anzuhören. Von einer Zustimmung der
Gemeinde war aber nicht mehr die Rede [20]). In anderen Land=
städten sollten die Bürgerversammlungen und Bauersprachen ohne
Zustimmung des Landesherrn gar nicht mehr gehalten werden,
z. B. in Salzwedel [21]). Und sogar in den Reichsstädten wurden
die Bürgerschaften nur noch zu den jährlichen Schwörtagen be=
rufen, in welchen sodann auch die Schwörbriefe und die anderen
Satzungen und Statute verlesen zu werden pflegten. Die Folge
davon war, daß in den Landstädten die Verfassung mehr und mehr
untergraben werden konnte, während in den Reichsstädten alle Ge=
Gewalt, auch die Ausübung der Hoheitsrechte, in die Hände des
Stadtraths kam. Der Theorie nach ist jedoch in den Reichsstädten
die höchste Gewalt bis in die letzten Zeiten des Deutschen Reiches
in den Händen der Bürgerschaften geblieben.

5. Stadtbeamte und Diener.

§. 451.

Zur Erleichterung des Geschäftsgangs des Stadtraths wur=
den die einzelnen Geschäftszweige, wie wir gesehen, ausgeschieden
und deren Besorgung einzelnen Rathsherren oder besonderen aus
Rathsherren bestehenden Ausschüssen übertragen (§. 440). Von

---

20) Urk. von 1345 bei Gercken, vet. march. I, 90. „Und alle Bot und
  „Settinge scal man in Burspracken und in Kerken kundegen dat sik
  „mänlick dar an bewar.“

21) Verhandlung von 1485 bei Zimmermann, II, 240 u. 243.

diesen Stadtämtern verschieden waren nun die Beamten und Diener
der Stadt, welche im Dienste der Stadt waren. Denen also ihr
Amt und ihr Dienst von dem Stadtrath übertragen worden war.
Sie hatten die meistentheils untergeordneten Geschäfte zu besorgen,
welche nicht zum unmittelbaren Wirkungskreise des Stadtraths und
der Rathsherren selbst gehört haben.

Eine hervorragende Stellung unter diesen städtischen Beamten
haben von je her die Stadtschreiber oder Rathschreiber eingenommen. Sie hatten zwar ursprünglich nur die Schreibereien
zu besorgen. Sie wurden aber sehr bald, eben weil sie Alles zu
schreiben hatten, die einflußreichsten Männer in der Stadt. Denn
nur ausgezeichnete Leute konnten zu diesem Amte gebraucht werden.
Diesen vertraute man aber sodann auch noch andere wichtige Geschäfte an, welche öfters mit dem Schreiberwesen gar nicht zusammenhingen. Daher wurden sie denn frühe schon die Seele der
städtischen Verwaltung, wie dieses bereits im 15. Jahrhundert Johann Emmerich bemerkt hat [1]). Zur Besorgung der verschiedenen
Schreibereien nahm man ursprünglich, wie bei den altgermanischen
Gerichten und bei den großen Marken [2]), so auch in den Städten
ganz gewöhnliche Notare, anfangs Geistliche, weil sie nur allein
des Schreibens kundig waren, später aber gelehrte Meister und
Doctoren beider Rechte, anfangs gleichfalls Geistliche, seit dem 15.
Jahrhundert aber auch weltliche Meister und Doctoren. Diese Notare standen ursprünglich, da sie gewöhnliche Notare waren, nicht in
dem besonderen Dienste der Stadt. Sie waren demnach keine
städtischen Beamten. Es war jedoch bei der steigenden Wichtigkeit
des städtischen Verkehrs durchaus nothwendig geschäftsgewandte
und zugleich zuverläßige Schreiber zu haben. Man nahm sie daher schon seit dem 13. Jahrhundert auf längere Zeit an. Dadurch
erst wurden die in den besonderen Dienst einer Stadt aufgenommenen Notare wahre städtische Beamte. Sie erhielten daher nun
erst den Titel städtische Notare oder Stadtschreiber. Solche
Stadtschreiber findet man in Ulm schon seit der Mitte des 13.
Jahrhunderts. Bis dahin bediente man sich auch in Ulm der ge-

---

1) Emmerichs Gewohnheiten der Stadt Frankenberg bei Schmincke, II,
708—709.
2) Meine Gesch. der Markenverfassung, p. 266.

wöhnlichen Notare ³). Erst seit dem Jahre 1255 führten sie den Titel notarius civitatis und seit 1272 den Titel scriba civitatis, Statscriber und Statschriber ⁴). Der erste Stadtschreiber in Köln (notarius civium) kommt im Jahre 1228 vor. Er wird auch notarius civitatis, scriptor civitatis, nuntius civitatis, overster Schriever und da er meistentheils ein Geistlicher war, clericus civitatis und Stadtpfaffe genannt ⁵). Um dieselbe Zeit hatte auch Straßburg seinen eigenen Schriber oder notarius civitatis ⁶). In Augsburg kommt seit 1246 und 1260 ein cancellarius und seit 1281 ein notarius civitatis ⁷) und ein Stet Schribär vor ⁸). In Frankfurt seit 1311 ein Stadtschreiber (notarius civitatis). Späterhin wurde er insgemein Rathschreiber genannt ⁹). In Freiburg seit dem 14. Jahrhundert ein Schriber, der jedoch nur für ein Jahr angenommen werden sollte („den sol man jerlichs bingen") ¹⁰). In Nürnberg wurde der Stadtschreiber schon im 14. Jahrhundert auf Lebenszeit angestellt. Er war ein Magister, d. h. ein gelehrter Geistlicher und seit dem 15. Jahrhundert ein Doctor oder Licentiat. Er sollte der Stadt Jurist (jurista) sein und nach dem Bestallungsbriefe die Stadt und die Bürger b e r a t h e n und für sie f c h r e i b e n ¹¹). In Prag hat es schon seit 1288 einen Stadtschreiber gegeben. Auch er war auf Lebenzeit angestellt und ein gelehrter Magister ¹²). In Wien hat es jedenfalls schon seit dem 14. Jahrhundert einen Stadtschreiber gegeben ¹³). In Marburg seit dem

---

3) Urk. von 1222 u. 1241 bei Jäger, Ulm, p. 734 u. 735.

4) Jäger, p. 169, 170, 283 u. 729.

5) Ennen, Gesch. I, 636, II, 518—520 u. 522.

6) Stadtrecht aus dem 13. sec., art. 25, bei Strobel, I, 558. Urk. von 1331 bei Wencker, collecta archivi, p. 152. — in magistrum Hugonem civitatis notarium. Stadtrecht von 1272 bei Wencker, p. 152. Note.

7) von Stetten, Gesch. der Geschl., p. 38.

8) Urk. von 1281 in Mon. Boic. 33, I, p. 153.

9) Lersner, I, 833.

10) Urk. um 1390 bei Schreiber, II, 84.

11) Siebenkees, Materialien zur Nürnberg. Gesch. II, 660 u 661 und III, 96—98

12) Tomek, Gesch. von Prag, I, 296 u. 297.

14. Jahrhundert einen scriptor [14]). In Frankenberg einen Schreiber oder Staidschriber [15]). In Hamburg wurde der erste Stadtschreiber im Jahre 1376 bestellt. Auch er war ein Magister oder
ein gelehrter Geistlicher. Und bis zur Reformation wählte man
daselbst für jene Stelle einen Geistlichen. Erst im Jahre 1529
ward von der Bürgerschaft beschlossen, keinem Papen mehr jenes
wichtige Amt zu übertragen. Seit dem 15. Jahrhundert waren
jene Stadtschreiber Doctoren der Rechte, und sie erhielten nun den
Titel Syndiken. Ihres Amtes war es in geistlichen und weltlichen Dingen die Stadt zu berathen und für sie zu schreiben, was
in städtischen Angelegenheiten zu schreiben war. Auch hatten sie
auswärts Botendienste für die Stadt zu thun. Denn sie sollten „zu Wasser wie zu Lande bei Tage wie bei Nacht"
des Raths Aufträge besorgen [16]). In Lübeck stand seit dem 13.
Jahrhundert ein Kanzler (cancellarius) an der Spitze des Schrei-
berwesens. Er wird auch notarius civitatis, scriniarius civitatis
und scripsor civitatis genannt. Er hatte die Staatsschriften und
Urkunden abzufassen, die Prozesse der Stadt zu leiten, und die Botendienste für die Stadt zu besorgen, weshalb er auch nuntius civitatis genannt wurde. Auch er war ein gelehrter Geistlicher oder
ein Magister und wurde daher clericus civitatis genannt. Und
er stand in so großem Ansehen, daß er seinen Rang unmittelbar
nach dem Bürgermeister noch vor den Kammereiherren hatte [17]).
Auch in Eßlingen hatte der Stadtnotar oder Stadtschreiber die
Schreibereien zu besorgen. Außerdem mußte er sich aber auch noch
für andere Dienste bei Tag und bei Nacht gebrauchen lassen. Daher wurde auch er in wichtigen Staatsgeschäften zu Botendiensten
verwendet. Im Jahre 1728 erhielt derselbe den Titel Kanzlei-
verwalter und im Jahre 1746 den Titel Kanzleidirektor [18]).
In Basel hatte bis ins 14. Jahrhundert der Stadtschreiber

13) Urk. von 1331 in Mon. Boic. V, 55.
14) Urk. von 1327 bei Guden, IV, 1041.
15) Emmerich bei Schmincke, II, 708—709.
16) Benecke, Hamburg. Gesch. p. 38 u. 39.
17) Pauli, Lübeckische Zustände im 14. Jahrhundert, p. 95 u. 96. Frensdorff, p. 116 ff.
18) Pfaff, p. 106, 107 u. 552.

alle Schreibereien zu besorgen. Im Jahre 1382 wurde ihm aber ein Rathschreiber an die Seite gesetzt (§. 331). Der Stadt- schreiber blieb jedoch der erste Vorstand der städtischen Kanzlei und wurde daher öfters auch Kanzler und Staatsschreiber ge- nannt [19]). Seit dem 15. Jahrhundert wurde die Kanzlei mit so- genannten studirten Leuten, mit Meistern und Doctoren der Rechte, besetzt [20]).

Der Stadtschreiber besorgte anfangs alle Geschäfte seines Amtes allein. Mit der Schreiberei wuchs aber auch die Anzahl der städtischen Schreiber. Und es erhielt sodann jeder Stadtschreiber einen oder mehrere Gehilfen. In Nürnberg hatte der Stadtschrei- ber schon im 14. Jahrhundert zwei erbare Schüler, welche unter seiner Aufsicht und Leitung die Schreibereien besorgten [21]). Auch in Lübeck hatte der Kanzler bereits im 14. Jahrhundert zwei Stadtschreiber (Stabesscribere, notarii oder nuntii civitatis) unter sich, welche die beiden Stadtbücher (das obere und das niedere Stadtbuch) zu führen und die Urkunden und Schreiben auszufer- tigen hatten, und sich auch zu Botschaften ins Ausland verwenden lassen mußten [22]). In Basel stand seit dem Anfang des 15. Jahr- hunderts unter dem Stadtschreiber noch ein Unterschreiber und ein Schüler des Stadtschreibers. Und seit der Mitte des 15. Jahrhunderts mußten auch sie, nicht bloß die Stadtschreiber selbst, sondern auch die Unterschreiber und Schüler schon Meister der Rechte sein [23]). In Ulm hatte der Stadtschreiber bereits seit dem Anfang des 15. Jahrhunderts einen geschwornen Schreiber unter sich [24]), und in Eßlingen einen Unterschreiber. Seit dem 16. Jahrhundert hatte er aber in Eßlingen schon mehrere Sub- stituten und Scribenten unter sich. Sie mußten geloben der Kanzlei treulich zu warten, fleißig zu schreiben, sich Tag und Nacht, in und außer der Stadt zu allen Geschäften gebrauchen zu lassen, die Kanzleistube sauber zu halten und wohl zu verwahren, auch

---

19) Ochs, V, 373, Not.
20) Ochs, III, 523 u. 563.
21) Siebenkees, III, 97.
22) Pauli, Lüb. Zustände, p. 96.
23) Ochs, III, 208, Not. und 563.
24) Urk. von 1401 bei Jäger, p. 283 u. 284.

über alle Sachen, welche die Stadt angingen, ein beständiges Still=
schweigen zu beobachten. Im Jahre 1661 kam zu ihnen noch ein
geheimer Registrator hinzu, und späterhin auch noch ein
zweiter Registrator [25]). Der Stadtschreiber blieb jedoch nach
wie vor der Vorstand der städtischen Kanzlei und erhielt daher öfters
auch den Titel Kanzleidirektor, Kanzler oder auch Staats=
schreiber. Die Stadtschreiber waren demnach seit dem 13. und
14. Jahrhundert die Seele der städtischen Verwaltung. Nichts
desto weniger wurden sie noch im 16. Jahrhundert, weil sie keine
Mitglieder des Magistrats waren, zu den Stadtknechten gezählt,
z. B. in einem Statut der Stadt Treyßa von 1529 [26]).

§. 452.

Die Stadtschreiber sind lange Zeit die einzigen Vorsteher der
Kanzlei und die einzigen gelehrten Rathgeber der Stadträthe ge=
wesen. Und in vielen Städten ist es auch in späteren Zeiten noch
also geblieben. In sehr vielen Städten wurden indessen seit dem
14., 15. und 16. Jahrhundert die Rechtsangelegenheiten von den
übrigen Kanzleigeschäften getrennt und zu dem Ende eigene Beamte,
die Syndiken, angestellt. Dieses geschah in Frankfurt bereits
seit dem 14. Jahrhundert. Sie wurden Syndiken, zuweilen
aber auch Pfaffen und Diener des Raths und Stadtadvo=
katen genannt. Sie hatten den Rath und den Bürgermeister zu
berathen und die Botschaften ins Ausland zu besorgen [1]). In
Eßlingen kommen die Rathssyndiken seit 1529 vor. Sie soll=
ten daselbst bei allen einheimischen und auswärtigen Geschäften die
Stadt und die Bürger berathen, und auch die auswärtigen Bot=
schaften besorgen. Im Jahre 1540 kam zu ihnen noch ein Stadt=
advokat hinzu. Im Jahre 1672 wurden aber beide Stellen (die
Syndikus= und Advokatenstelle) wieder abgeschafft und dafür zwei
Konsulenten angestellt [2]). Auch in Wetzlar, Reutlingen, Osna=
brück u. a. m. findet man einen Syndikus und in Reutlingen seit

---

25) Pfaff, p. 107, 551 u. 552.
26) Kulenkamp, Gesch. der Stadt Treyßa, p. 105.
1) Urk. von 1377 u. 1396 bei Boehmer, I, 755 u. 776. Lersner, I, 276 f.
II, 131 ff.
2) Pfaff, p. 107, 108, 547 u. 548.

bem 18. Jahrhundert sogar zwei. Diese Syndiken waren die ge=
lehrten Rathgeber und die Vertreter der Bürgerschaft. Sie hatten
die rechtlichen Handlungen namens der Stadt vorzunehmen und
daher allen Sitzungen des Stadtraths beizuwohnen und dafür zu
sorgen, daß nichts von dem Stadtrath verfügt wurde, was der
Bürgerschaft nachtheilig sein konnte [3]). Eine ähnliche Stellung wie
die Syndiken hatten in anderen Städten die Konsulenten, nur
mit dem Unterschiede, daß die Konsulenten mehr nur die gelehrten
Rathgeber als die bevollmächtigten Vertreter gewesen sind. So
nahm die Stadt Basel im Jahre 1483 einen Doctor der Rechte
als Konsulent an. Er erhielt den damals sehr bedeutenden Gehalt
von jährlich 120 Gulden. Er mußte jedoch dafür auch noch ohne
ein weiteres Rittgeld zu erhalten im Namen der Stadt allenthalben
hinreiten wohin man ihn senden würde [4]). Auch Nürnberg hatte
mehrere Konsulenten [5]). Diese Syndiken und Konsulenten hatten
meistentheils Zutritt zu den Sitzungen des Stadtraths. Sie hatten
jedoch keine entscheidende, sondern nur eine berathende Stimme, z. B.
in Eßlingen, Basel, Reutlingen u. a. m. [6]). In Frankfurt a. M.
waren sie die Referenten beim Gericht. Und späterhin ist aus
ihnen eine eigene von dem Gerichte und von dem Schöffenrathe
verschiedene Instanz, die sogenannte Schöffen=Referier hervor=
gegangen [7]). In Nürnberg dagegen wurden die Konsulenten nicht zu
den Rathssitzungen beigezogen, vielmehr vor oder nach der Sitzung
in allen schwierigen Fällen consultirt.

Den verschiedenen Stadtämtern waren, wie wir gesehen,
Rathsherren vorgesetzt. Unter ihnen standen aber wieder andere
Beamten und Diener, welche unter ihrer Aufsicht und Leitung
die untergeordneten Geschäfte besorgten. So findet man, wie wir

---

3) Jäger, Magazin, V, 285—287. von Ulmenstein, III, 231. Klöntrup,
III, 224. In Osnabrück hatte die Gemeinde schon im 13. Jahrh einen
Geistlichen in Sold genommen, um als Clericus die geistlichen An=
gelegenheiten der Gemeinde zu besorgen. Einen Syndicus erhielt aber
die Stadt erst am Ende des 15. Jahrhunderts. Stüve, Gesch. der
Stadtverfassung. in Mittheilungen des histor. Vereins zu Osnabrück,
VIII, 42 - 43.

4) Ochs, IV, 402, V, 35 u 36.

5) Joann. ab Indagine, p. 820. vergl. oben §. 425 Not. 101.

6) Pfaff, p. 548. Ochs, V, 35.

7) Römer=Büchner, Stadtverf. p. 139 ff.

gesehen, in vielen Städten zur Verwaltung des Kirchenvermögens sogenannte Kirchgeschworne oder Heiligenpfleger, zur Beaufsichtigung des Gewerbswesens geschworne Pfleger, Tuchschauer, Goldschauer, Brodschauer u. a. m. Auch für das Bauwesen, für die Feuer=, Straßen= und Reinlichkeitspolizei und für die Victualienpolizei u. s. w. war gesorgt. Eben so für die Armen= und Krankenpflege, für das Unterrichtswesen, für die Gesundheitspflege, für das Kriegswesen und das Steuerwesen, für die Sittenpolizei u. a. m. Sogar für die Volksbelustigungen war durch Anstellung von Stadtmusikanten und von Stadtnarren gesorgt (§. 424). In denjenigen Städten, welche noch Almenden besaßen, findet man auch noch Almend= pfleger, z. B. in Eßlingen, Almendherren z. B. in Straß= burg[8]), und in Speier sogar vier Verordnete zur Stadt= almend und vier Verordnete zur Feldalmend[9]), in Neustadt Eberswalde vier sogenannte Wröhherren, welche die Aufsicht über die Hirten, über den Viehstand und über die Vieh= weiden haben sollten[10]), in Osnabrück einige Bruch= oder Weideherrn zur Aufsicht über die Weidegründe[11]), und in jenen Städten, welche Waldungen und Jagden besaßen, Ober= und Un= terforstmeister, Förster, Forst= und Waldknechte, und städtische Jä= ger, z. B. in Eßlingen, Rotenburg u. a. m.[12]). Auch Heimbur= ger kommen noch in späteren Zeiten vor, in Straßburg, Speier und Worms. Sie waren jedoch meistentheils nun bloße Boten (§. 53, 143, 145), und in Worms auch noch Mitglieder des Send= gerichtes[13]).

Die gewöhnlichen Benennungen der untersten Vollzugsbeamten waren indessen Boten, Büttel, Pedelle, Rathsknechte, Stadtknechte, geschworne Knechte, Bettelvögte u. s. w., zuweilen auch Büttelmeister z. B. in Lübeck[14]) und in Ulm,

---

8) Jäger, Magazin, V, 88. Mone, IV, 142.

9) Lehmann, p. 618.

10) Fischbach, Städtebeschr. der Mark, I, 37 u. 38. Fischbach leitet das Wort Wröhe von Fröh, Früh, also Frühsprache her.

11) Stüve in Mittheil. des histor. Vereins zu Osnabrück, VIII, 128.

12) Pfaff, p. 128 u. 596. Bensen, Rotenburg, p 307 u. 308.

13) Alte Rathsordnung bei Schannat, II, 439. — „sechzehen Heymburger „uß den vier pharren zu dem sende.“

14) Hach, p. 146 u. 149.

unter welchem daselbst die übrigen Büttel, Fronboten und Schergen standen [15]), Ausbüttel z. B. in Eßlingen [16]) und Zirkler in den Schlesischen Städten, von circulus oder Zirkel, weil ihnen ein gewisser Bezirk in der Stadt als Amtsbezirk angewiesen war [17]). In Lübeck kommen außer den Rathsbienern auch noch vor reitende Diener (famuli equites), eine Art Leibwache des Raths, sodann laufende Diener (famuli cursores), Nacht= wächter (vigiles) und sogenannte Slupwächter [18]), und seit dem Jahre 1527 auch noch ein Prachervogt, von prachern d. h. betteln, Prachervogd also so viel als Bettelvogt [19]). In Freiburg findet man seit dem Ende des 14. Jahrhunderts 4 reitende Knechte und 2 laufende Knechte, 2 Wächter, 4 Bannwarte, 2 Knechte des Ammannmeisters und noch eine Menge andere Knechte in den Stadtgraben, in den verschiedenen Erkern und auf den Stadtthoren, welche sammt und sonders besoldet waren [20]). Auch in Braun= schweig waren mehrere reitende Diener (uthribere) und selbst ein reitender Koch angestellt, welcher bei Heerfahrten für den Rath und die Bürger die Speisen zu bereiten hatte [21]). In Neustadt Ebers= walde findet man unter vielen anderen Unterbedienten des Rath= hauses, zwei Rathsdiener, einen Heideläufer oder Schützen, zwei Knechte bei den Pferden der Kämmerei, zwei Nachtwächter, einen Botenläufer mit einem Gehalte von jährlich ein Thaler 6 Gro= schen [22]). In Basel kommt auch noch ein Oberstknecht mit einer sehr ausgedehnten Amtsgewalt vor. Denn außer der Bedienung des Stadtraths hatte er auch noch das Geleit der Juden in der Stadt und das Recht den Nachrichter zu ernennen und das Todten= gräberamt und das Nonnenmacheramt zu verleihen. Nonnenmacher nannte man aber in Basel die Beschneider der jungen Hahnen, der Stiere und der Füllen [23]).

15) Jäger, Ulm, p. 281 u. 282. Jäger, Mag. III, 509.
16) Pfaff, p. 106.
17) T. u. St. p. 239 u. 240, vergl. noch p. 237.
18) Pauli, Lüb. Zustände im 14. Jahrh. p. 53 u. 97.
19) Hach, p. 147. Brem. niedersächs. Wörtb. III, 357 u. 358.
20) Urk. um 1390 bei Schreiber, II, 84—86.
21) Havemann, I, 619.
22) Fischbach, I, 157.
23) Ochs, III, 567.

Endlich standen in manchen Städten auch noch einzelne
Handwerker und Künstler im Dienste der Stadt und gehör-
ten daher, selbst nach dem Siege der Zünfte noch, zu den städtischen
Beamten. So hatte z. B. die Stadt Köln im 14. und 15. Jahr-
hundert, und zum Theile auch noch später in ihren Diensten einen
Stadtbaumeister, einen Steinmetz, einen Zimmermann, Schlosser,
Hufschmied, Nagelschmied, Büchsengießer, Hausdecker und auch einen
Stadtmahler [24]).

6. Wahl der städtischen Beamten, Amtsinvestitur und Bestal-
     lungsbriefe.

§. 453.

Wie die Bürgermeister und Rathsherren so wurden auch die
städtischen Beamten und Diener jedes Jahr, meistentheils unmittelbar nach der Rathswahl von der versammelten Bürgerschaft gewählt, öfters aber auch von dem Stadtrath ernannt. Wie die
Markämter [1]), so wechselten nämlich auch die Stadtämter jedes
Jahr. Die gewählten oder ernannten städtischen Beamten und
Diener mußten daher jedes Jahr ihr Amt aufgeben und sich einer
neuen Wahl oder Ernennung unterwerfen. Die Aufgabe des Amtes geschah meistentheils in feierlicher Weise vor dem versammelten
Stadtrath oder vor der Stadtgemeinde selbst, z. B. in Basel [2]), in
Worms [3]), in Kaufbeuren [4]), in Eßlingen [5]), in Reutlingen [6]), in
Augsburg [7]), in Frankfurt am Main [8]) u. a. m. Oefters waren
damit auch symbolische Formen verbunden. In Kaufbeuren bestand
die Form der Amtsaufgabe des Bürgermeisters in der Legung
der Schlüssel auf den Tisch. In Worms legte der Bürger-

---

24) Ennen, Gesch. II, 521, 522 u. 531—532.
1) Meine Gesch. der Markenverfassung, p. 260.
2) Ochs, III, 167.
3) Vergleich von 1366 §. 2 und alte Rathsordnung bei Schannat, II,
     182, 440 u. 443.
4) Jäger, Mag. V, 355 u. 356.
5) Regimentsordnung von 1376 u. 1392 bei Jäger, V, 14 u. 20.
6) Privilegien von 1374 u. 1576 bei Jäger, V, 257 u 262—269.
7) Zunftbrief von 1368 bei Langenmantel, p. 44 u. 49.
8) Statut bei Senckenberg, sel. jur. I, 5 u. 32.

meister sein Amt mit dem **Heimbürgerstab** nieder. In welcher
Weise die übrigen städtischen Beamten (der Schultheiß, der Greve
und die Richter) ihr Amt daselbst niedergelegt haben, wird nicht
gesagt. („Darnach gibt der Burgermeister von den Nunen dem
„Bischof sein Burgermeister ampt uff mit des Heimburgers Stabe;
„vnd so das geschiecht, läst man Schultheiß, Greffen, vnd Richter
„in den Rait, vnd geben dem Bischoff ir Ambt auch uff, als ge-
„wonlich ist, vnd gehen dann vß") [9]). In Speier sollten der
Schultheiß, der Vogt, der Zöllner, der Kämmerer und der Münzmeister ihren weißen Stab jedes Jahr vor den Füßen des Bischofs
oder seines bevollmächtigten Boten niederlegen und sodann abwarten,
ob ihnen die Stäbe wieder zurückgegeben, also jene Aemter neuer=
dings übertragen werden würden (§. 491). Auch in Frankfurt
mußten die Stadtrichter und die städtischen Zöllner jedes Jahr ihr
Amt und den Amtstab im Rath niederlegen und sodann abwarten,
ob ihnen der Rath das Amt mittelst Zurückgabe des Amtsstabes
wieder übertrug [10]). Unmittelbar nach der Aufgabe des Amtes
wurde nämlich zur Wahl oder zur Ernennung der neuen Beamten
und sodann zur Abnahme des Amtseides geschritten. Und es
konnten dann die alten Beamten wieder gewählt oder ernannt und
mittelst Zurückgabe des Amtsstabes wieder in das Amt eingesetzt
werden.

Der **Amtseid** wurde der Gemeinde oder dem Rath oder
dem Bürgermeister, meistentheils derjenigen Behörde geleistet, welcher
auch das Wahl= oder Ernennungsrecht zustand. Daher mußte in
Frankenberg der Stadtschreiber seinen Amtseid in die Hände des
Bürgermeisters leisten, weil er von ihm auch seine Ernennung
erhielt [11]).

Auf die Ableistung des Amtseides folgte die **Amtsüber=
gabe**, die **Amtsinvestitur** oder die **Einweisung in das
Amt**, meistentheils mittelst Uebergabe eines Stabes, als des Zei=
chens der Amtsgewalt, oder in anderen symbolischen Formen, z. B.
in Frankfurt u. a. m. In Reutlingen erhielt der neu gewählte

9) Schannat, II, 440. vergl. noch Urk. von 1462, eod. p. 442.
10) Statut bei Senckenberg, sel. jur. I, 5 u. 32.
11) Johann Emmerich, alte Rechte und Gewohnheiten von Frankenberg bei
Schminke, mon. Hass. II, 709.

Bürgermeister den Stab und das Stadtsiegel von dem abgehenden Bürgermeister [12]), und in Worms erhielt der Bürgermeister den Stab von dem Bischof selbst [13]). So wie nämlich in manchen Dorfgemeinden die Gemeindediener von den herrschaftlichen oder landesherrlichen Behörden in das Amt eingesetzt oder investirt zu werden pflegten [14]), so geschah auch in Worms die Ambtsaufgabe in die Hände des Bischofs und sodann auch die Einweisung des neu gewählten Bürgermeisters in sein Amt durch den Bischof [15]).

Die Anstellung eines Beamten war ursprünglich ein Vertrag mit dem anzustellenden Beamten. Meistentheils wurde mündlich, späterhin aber auch schriftlich contrahirt. Die über einen solchen Vertrag ausgestellte Urkunde nannte man einen Bestallungs= brief. Und in diesem Briefe pflegten sodann die Rechte und Ver= bindlichkeiten des Beamten mehr oder weniger vollständig aufgezählt zu werden. Bei den städtischen Beamten kamen diese Bestallungs= briefe erst seit dem 13., 14. und 15. Jahrhundert in Aufnahme, erst seitdem man angefangen hatte die städtischen Beamten und die Diener auf längere Zeit als auf ein Jahr zu ernennen. Daher findet man solche Bestallungsbriefe zuerst bei den Stadtschreibern, z. B. in Lübeck bereits seit dem 13. Jahrhundert [16]), in Nürnberg seit dem 14. Jahrhundert [17]), dann aber auch bei den städtischen Aerzten und Apothekern, z. B. in Ulm seit dem Anfang des 15. Jahrhunderts [18]), bei den Büchsenmeistern (§. 139), bei den Mar= stallern z. B. in Frankfurt [19]), bei den Brunnenmeistern in Frei= burg [20]), und bei anderen auf längere Zeit angestellten Beamten.

---

12) Jäger, Magazin, V, 270.

13) Alte Rathsordnung bei Schannat, II, 440 f. — „dem befielt der Bi= „schoff das Burgermaister Ambt mit dem Stabe" —.

14) Meine Gesch. der Dorfverf. II, 42 u. 104 ff.

15) Urk. von 1462 bei Schannat, II, 442.

16) Urk. von 1289 im Lüb. Urkb. I, 487.

17) Siebenkees, III, 96.

18) Jäger, Ulm, p. 442 ff., 453 u. 454. vergl. oben §. 426.

19) Dienstrevers von 1591 in Wetteravia, p. 291—293.

20) Urk. von 1333 bei Schreiber, I, 301.

§. 454.

Die Gemeindeämter waren ursprünglich, wie wir gesehen, Gemeindedienste, zu deren Annahme jeder Bürger verpflichtet war (§. 391). Von einem bestimmten Gehalte oder einer Besoldung war demnach ursprünglich keine Rede. Die Rathsämter und Stadtämter waren daher unbesoldete Ehrenämter. Zur Belohnung ihrer Dienste erhielten die Bürgermeister, die Rathsherren und die städtischen Beamten meistentheils nur ein Ehrengeschenk oder einen Antheil an den Geldstrafen, oder gewisse Naturalbezüge oder andere sogenannte Sporteln, zuweilen gewisse Vorrechte, öfters auch noch eine Amtskleidung.

So erhielten in Worms noch im 15. Jahrhundert die Rathsherren des vorigen Jahres, dann die Schreiber, die Heimburger und die vier laufenden Knechte (die Boten) am St. Martinstage vor dem Beginne der neuen Wahlen jeder einen Gulden von den eingegangenen Strafgeldern („zu penne gelb"), und die Bürgermeister das Doppelte, also zwei Gulden. Außerdem erhielten die Rathsherren und die Schreiber auch noch einen Antheil an dem jährlich der Stadt angefallenen Weinkauf[1]). Auch in Wetzlar erhielten die Stadträthe bis ins 18. Jahrhundert keinen festen Gehalt. Ihre Belohnung bestand vielmehr in der Hälfte der jährlich angefallenen Geldstrafen, welche sie unter sich vertheilen durften[2]).

Anderwärts bestand die Belohnung der Rathsherren und der übrigen Beamten und Diener in gewissen Ehrengeschenken und in Naturalbezügen oder in Sporteln. In München erhielten die Stadtkämmerer im 14. und 15. Jahrhundert jährlich drei Pfund als Ehrung aus der Kammer und von den Stadtzöllnern Gänse, Käse und Lebzelten, und am Ende des Jahres noch ein Badegeld, also eine Art Trinkgeld[3]). In Basel wurden Osterlämmer vertheilt. Nach einem Verzeichnisse von 1386 erhielten die Bürgermeister und Oberstzunftmeister jedes Jahr

---

1) Alte Rathsordnung bei Schannat, II, 439.
2) von Ulmenstein, II, 527.
3) Bairische Annalen, vom September 1833, p. 825.

jeder zwei Osterlämmer, die Rathsherren dagegen jeder nur ein solches Osterlamm, ohne Unterschied ob sie Ritter, Achtbürger oder Rathsherren aus den Zünften oder Zunftmeister waren [4]). Außerdem erhielten die Bürgermeister und die Rathsherren eine Zeit lang jährlich auch noch einen Gulden als Spielgeld [5]). Eben so waren die beiden Stadtschreiber oder Rathschreiber ursprünglich auf bloße Sporteln reducirt, auf sogenannte Rechengelder und Hochzitgelder, auf Hauszins und Holz und auf dasjenige, was man „ihren Wibern gab.“ Dieses ist aus einem Rathserkenntnisse von 1397 zu entnehmen, durch welches das Sportelwesen abgeschafft und eine Besoldung eingeführt worden ist [6]). Die Richthausknechte endlich erhielten für das Hinlegen der Sitzkissen für die Siebner alle Fronfasten einige Pfennige [7]). Auch erhielt jeder Beamte ursprünglich, wie es scheint, seine Amtskleidung von der Stadt. Denn im Jahre 1353 wurde verordnet, daß künftig nur noch die Stadtschreiber und Rathsknechte von der Stadt gekleidet werden sollten [8]). In Köln bestand der Gehalt der Gemeindevorsteher oder der Amtleute in den Gebuirschaften, in den Kirchspielen und in der Altstadt selbst ursprünglich in gewissen Ehrengeschenken und in einem Essen, welches die abtretenden Bürgermeister geben mußten. Man nannte diese Verbindlichkeit der abtretenden Beamten einen Dienst (servitium) und denjenigen, der diesen Dienst geleistet hatte, einen Verdienten (officialis deservitus). Und der Verdiente sollte sodann bei neuen Gemeindewahlen besonders berücksichtiget werden [9]). Späterhin erhielten die Rathsherren in Köln einige Flaschen Wein, einen Antheil an den Geldstrafen, dann einige Sporteln [10]) und für jede Sitzung ein

---

4) Ochs, II, 262.

5) Ochs, II, 451.

6) Ochs, II, 432.

7) Verordnung von 1410 u. 1429 bei Ochs, II, 208. — „dem Richthaus„knecht 10 den alle fronfasten, von seinen Kissen, die er alle Samstage „den Siebenen unterlegt.“

8) Ochs, II, 80.

9) Clasen, in Materialien zur Statistik, II, 1. p. 149—152. vergl. noch Clasen, Schreinspraxis, p. 28, Not. vergl. oben §. 55. und II, p 883 —885. Anhang.

10) Ennen, Gesch., II, 494—496.

silbernes Zeichen sieben Albus an Werth für einen Ehrentrunk, also eine Art Trinkgeld [11]). Auch in der Mark Brandenburg erhielten die Stadträthe vor dem Ende des 15. Jahrhunderts keine Besoldung. Ihre Belohnung bestand vielmehr in Ehrengeschenken und in Naturallieferungen, und in der Stadt Brandenburg selbst in dem Vorrechte Gewänder sowohl in der Stadt als auf auswärtigen Märkten frei ausschneiden zu dürfen [12]). Auch in Freiburg bestand die Belohnung der Rathsherren bis ins 13. Jahrhundert in nichts anderem als in dem Vorrecht eine Bank unter den drei Gewerbslauben zu haben und in der Freiheit von dem jährlichen Hofstattzins [13]).

Die Bürgermeister, Rathsherren und städtischen Beamten erhielten demnach ursprünglich keinen festen Gehalt. Selbst für die Botschaften, welche sie für die Stadt thun mußten, erhielten sie meistentheils nichts als Taggelder oder sogenannte Reitgelder, mit denen sie aber auch die Reisekosten bestreiten mußten, z. B. in Ulm [14]), in Eßlingen [15]) u. a. m. Oesters mußten sie sogar selbst eine Abgabe von ihrem Amte geben, z. B. in Köln, wie wir gesehen, die Bürgermeister den verdienten Amtleuten den sogenannten Dienst leisten, oder wenigstens für die ihnen durch Uebertragung dieses Ehrenamtes erwiesene Ehre öffentlich danken, wie dieses auch in vielen Dorfgemeinden hergebracht war [16]). In Worms mußte von den beiden abgehenden Bürgermeistern noch im 15. Jahrhundert der Eine, der Bürgermeister von der Gemeinde, am Martinstage vor dem Beginne der neuen Wahlen dem Bischof von den Strafgeldern zwei Gulden geben ("gibt ihm der gemein Burger-"meister zwen gulden von dem pennegeld"); der Andere aber sich für das Amt bei dem Bischof bedanken ("vnd danft ihm der ein, "daz er Burgermeister gewest ist"), wiewohl sie das Amt nicht von ihm, sondern durch freie Wahl der Bürger erhalten hatten [17]). Und

---

11) Arnold Jubenbunck, in Materialien zur Statistik, II, 1. p. 71.
12) Zimmermann, I, 124—126.
13) Stadtrodel §. 76 u. 77. Stadtrecht von 1275 bei Schreiber, I, 81.
14) Jäger, Ulm, p. 425 u. 426.
15) Pfaff, p 108. vergl. §. 391.
16) Meine Gesch. der Dorfverf. II, 113 ff.
17) Alte Rathsordn. aus 15. sec. bei Schannat, II, 440.

in Wetzlar mußte bis ins 18. Jahrhundert jedes neugewählte Mitglied des Stadtraths den übrigen Rathsherren fünf Mahlzeiten geben. Erst im Jahre 1712 wurde diese lästige Sitte abgeschafft und verordnet, daß statt der Mahlzeit jedem Rathsherren fünf Reichsthaler von dem neugewählten Mitgliede des Rathes gegeben werden sollten [18]).

Später wurden auch die Bürgermeister, die Stadträthe und die städischen Beamten besoldet, in einer Stadt früher in der anderen später. Neben der Besoldung dauerten aber öfters auch noch die hergebrachten Naturalbezüge ganz oder theilweise fort. In Freiburg im Breisgau erhielt der Bürgermeister bereits im 13. Jahrhundert einen Gehalt von 15 Mark Silber zur Vergütung seiner Dienste („fünfzehen march silbers vmbe sinen dienst vnd vmbe „sin erbeit iergelich") [19]). Seit dem Ende des 14. Jahrhunderts waren aber bereits sämmtliche Stadtämter besoldet. Der Bürgermeister erhielt 15 Pfund Pfennig und 1 Pfund Siegelgeld, der Ammanmeister 30 Pfund und 1 Pfund Siegelgeld, der Schultheiß 6 Pfund. Der Oberste Zunftmeister erhielt 1 Pfund Siegelgeld und von dem Kaufhaus noch 10 Pfund, die Amtsherren auf dem Kaufhause jeder 8 Pfund und Salz, der Stadtschreiber 12 Pfund und Salz. Die übrigen Beamten erhielten theils einige Pfunde Pfennige, theils Salz, Holz, Getreide oder andere Naturalien, theils auch Tuch für ihre Kleidung und freie Wohnung (Herberg) [20]). In Köln erhielten die Bürgermeister, die Rathsherren und die Rentmeister seit dem Anfang des 14. Jahrhunderts einen Gehalt, anfangs jedoch nur 20 Mark [21]). In Basel wurden die Besoldungen seit dem Ende des 14. Jahrhundert eingeführt. Sie sollten eine Belohnung für die geleisteten Dienste sein. Daher heißt es in einer Rathsordnung von 1410, „um des Ammanmeisters Kost, „Kummer und Arbeit willen soll man ihm jährlich 100 Gul= „den zu Lone geben" [22]). Die gewöhnlichen Ausdrücke für jenen

---

18) Protokoll von 1712 §. 4 bei von Ulmenstein, II, 528.
19) Brf. Urk. von 1293 bei Schreiber, I, 135.
20) Urk. um 1390 bei Schreiber, II, 83 bis 86.
21) Ennen, Gesch. II, 510 ff. u. 531.
22) Ochs, III, 76.

Lohn wären jedoch, um sein Recht, um seine Arbeit oder auch geschenkt [23]). Jeder Bürgermeister, Oberstzunftmeister und jeder Rathsherr und der Stadtschreiber erhielt jährlich 6 Gulden, der Oberrathsknecht aber und der zweite Schreiber nur 3 Gulden [24]). Die Siebnerherren bezogen 16 Pfund 12 Pfennige für ihr Mahl, Hosen und Recht [25]), und die beiden Zeugherren jährlich einen Gulden [26]), der Ammanmeister, wie wir gesehen, aber bereits im Jahre 1410 hundert Gulden. Außerdem erhielten die Rathsherren noch die hergebrachten Osterlämmer und als ein Geschenk den sogenannten Schenkwein, der Bürgermeister, Ammeister und Oberstzunftmeister vier Kannen mit Wein, jeder Rathsherr aber nur zwei [27]). Auch bezogen die Rathsherren noch für jede Sitzung sogenannte Präsenz= oder Sitzgelder, für jede Sitzung 6 Pfen= ning [28]). Erst im Jahre 1552 wurde der Gehalt der Rathsherren und der Häupter der Stadt erhöht. Er wurde damals verdoppelt, bald darauf aber um 12 weitere Gulden erhöht. Und im Jahre 1600 erhielten sie auch noch ein Einkommen an Naturalien [29]). Die Kosten der Botschaften oder Gesandtschaften betrugen bereits im Anfang des 15. Jahrhunderts die sehr bedeutende Summe von 600 bis 1000 Pfund. Es wurden daher die unnützen Ausgaben abgeschafft und nur die nothwendigen sollten noch den Botschaftern ersetzt werden [30]). In Regensburg erhielten die Rathsherren erst seit dem 15. Jahrhundert eine regelmäßige Besoldung, bestehend in jährlich 34 Pfund 4 Schilling 21 Pfennigen. Sie wurde jeden Monat ausbezahlt und daher Monatsold in den Stadtrechnungen genannt [31]). Auch erhielten jene Rathsherren, welche zu Botschaften gebraucht wurden, seit dem 15. Jahrhundert außer den Tagegeldern auch noch ihre Reisekosten ersetzt [32]). In Wetzlar erhielten die

---

23) Ochs, II, 429 u. 430.

24) Rechnungen von 1362 bis 1396 bei Ochs, II, 429—432.

25) Ochs, II, 433.

26) Ochs, V, 87.

27) Ochs, II, 428 u. 432.

28) Rathsordnung von 1457 bei Ochs, V, 12.

29) Ochs, VI, 523 u. 524.

30) Ochs, III, 208—211.

31) Gemeiner, III, 684. Not.

32) Gemeiner, III, 683 u. 684. Not.

Rathsherren sogar erst seit dem 18. Jahrhundert einen fixen Gehalt, nämlich 50 Gulden und für jede außerordentliche Rathssitzung
noch einen Gulden [33]) In Stralsund hatten die Bürgermeister
seit dem 18. Jahrhundert einen Gehalt von 1200 Reichsthalern
und die übrigen Rathsherren 400 Rthl. und außerdem noch sogenannte Rathsstuhlgelder, dann Freiheit von den bürgerlichen Lasten
und sogar den persönlichen Adel [34]). In Hamburg erhielt der
Stadtschreiber seit dem 13. Jahrhundert freie Wohnung, Naturallieferungen, insbesondere auch freie Bekleidung und einen Gehalt
von 30 Pfund Pfennigen, also ein Heidengeld, wie damals
viele Bürger naserümpfend sagten [35]). In Lübeck erhielt bereits
im 13. Jahrhundert der Kanzler einen fixen jährlichen Gehalt von
40 Mark Pfennigen, etwa 500 Mark heutigen Geldes, und der
unter ihm stehende Schreiber einen jährlichen Gehalt von 16 Mark
Pfennigen und 6 Mark für seine Kleidung (VI marcas denariorum
ad vestitum suum) und außerdem noch die Einschreibegebühren
(et ad hoc quicquid venerit de libro civitatis, in quo hereditates
conscribuntur) [36]). In Nürnberg erhielt der Stadtschreiber im
14. Jahrhundert jährlich 110 Pfund Heller, später 60 Gulden [37]).
In Eßlingen erhielt schon im 15. Jahrhundert der Unterschreiber
des Stadtschreibers eine Besoldung von 25 Gulden von der Stadt
und außerdem noch 5 Gulden von dem Stadtschreiber selbst [38]).
Die Besoldungen der übrigen Beamten waren aber bis ins 16.
Jahrhundert verhältnißmäßig noch sehr gering, desto beträchtlicher
aber die Accidenzien, die Neujahrslebkuchen, Fastnachts-Hennen, die
Gänse und Kapaunen, die Oster-Lämmer und Käse, das Pfingst-
und Weihnachtsfleisch, die Herbst-Würste, Käse und Fische, die
Martinsgänse, Weihnachtskapaunen, die Sommer- und Winter-
handschuhe u. dergl. m., insbesondere auch die vielen Mahl-

---

33) Protokoll von 1712 §. 3 u. 6 bei von Ulmenstein, II, 527 u. 529.
34) Fabricius, p. 29 u. 30.
35) Benecke, Hamburg. Gesch. p. 40 ff.
36) Urf. von 1289 in Lüb. Urkb. I, 487. Pauli, Lüb. Zustände, p. 96.
   vergl. noch Stadtrechnung aus 14. sec. in Lüb Urkb. II, 1077 und
   1078.
37) Bestallung aus 14. sec. bei Siebenkees, III, 96 u. 98.
38) Pfaff, p. 107.

zeiten [39]). In Frankfurt erhielt der Stadtzollner schon im
14. Jahrhundert zehen Mark Pfenning als Lohn, ein Paar Kleider
und jeden Sonntag noch zwei Schillinge als Trinkgeld ("Drang=
geld"). Und wenn ein Schiff mit Wein angekommen war durfte
er auch noch eine Flasche Wein als Geschenk annehmen [40]). Auch
die Stadtadvokaten erhielten einen firen Gehalt, z. B. in Eß=
lingen im 16. Jahrhundert eine jährliche Besoldung von 250 Gul=
den nebst einer "ehrlichen Behausung" [41]). Eben so die
Konsulenten (§. 452), die Stadtärzte (§. 426) u. a. m.

Auch eine Amtskleidung erhielten ursprünglich alle städti=
schen Beamten, die hohen wie die niederen, in manchen Städten
sogar die Bürgermeister und die Rathsherren. In Halle erhielten
sie noch im 16. Jahrhundert Sommer= und Winterkleider, welche
regelmäßig jedes Jahr von den Stadtkämmerern vertheilt wurden.
Das merkwürdige Manuale oder Handbüchlein der regirenden
Rathsmeister von 1555 verordnet in dieser Beziehung, "den beyden
"regierenden und auch den 4 alten Rathsmeistern, beyden Worthal=
"tern, dreyen Cämmerern, seynd 14 Personen, denen gebühret einen
"jeden 12 Elen purpurianisch Tuch, wann man aber Schiff=
"tuch kleidet, giebt man einen jeden anstatt der 12 Elen nicht mehr
"als 10 Elen Schifftuch, und was es alsdann gleichwohl am
"Kaufe mehr austrägt, muß ein jeder dieselbige Uebermaß bezahlen.
"Den andern gemeinen Herrn allen, auch dem Bierhern und Unter=
"schreiber, und auch den alten Baumeister, der das Jahr abkommen,
"seynd in Summa 24 Personen, gebühren einem jeden 16 Elen
"purpurianisch oder an statt desselben 8 Elen Schifftuch —.
"Den Werckleuten giebt man jeden 8 Elen gemein lündisch, nemlich
"dem Zimmermann, dem Steinmetzen, dem alten Röhrmeister, dem
"neuen Kunstmeister, dem Büchsenmeister, dem Müller, jeden 8 Elen
"gemein lündisch Tuch. Dem Hausvoigt und Dienern giebt man
"9 Elen zwickischen Funfziger und 9 Elen gelb Futter Tuch zum
"Rocke" u. s. w. [42]). Meistentheils wurde jedoch seit dem 14., an=

---

39) Pfaff, p. 544 ff.
40) Statut bei Senckenberg, sel. jur. I, 32.
41) Pfaff, p. 108.
42) Manuale oder Handbüchlein von 1555 bei Dreyhaupt, Beschreibung
des Saalkreises, II, 330.

berwärts seit dem 15. und 16. Jahrhundert nur noch den niederen
Beamten und Dienern eine Amtskleidung von der Stadt selbst ge=
liefert. Die höheren Beamten erhielten zwar noch eine Zeitlang
das Tuch für ihre Kleidung, z. B. in Köln [43]), dann aber einen
nicht unbedeutenden Geldbeitrag für ihre Amtskleidung, z. B. in
Köln die Bürgermeister, die Rentmeister und die übrigen Beamten
und Diener zu dem Ende eine nicht unbeträchtliche Summe [44]).
Eben so in Basel die Siebnerherren einen Geldbeitrag für ihre
Hosen [45]), und die Ritter und Bürger, d. h. die Achtbürger, welche
im Rath saßen, Geld für drei Paar Hosen [46]). Auch in Lübeck
erhielten die Stadtschreiber, wie wir gesehen, einen Geldbeitrag für
ihre Kleidung. Die Kleidung selbst wurde ihnen aber von der
Stadt nicht mehr geliefert. Ihre Amtskleidung war demnach nun
nicht mehr eine Livree. Die übrigen Beamten erhielten aber ihre
Amtskleidung noch jedes Jahr von der Stadt, z. B. in Regens=
burg die Stadtadvokaten und die Steuerschreiber noch bis ins 16.
Jahrhundert jedes Jahr ein Kleid, und die Rathsboten, die Kamm=
rer= und Rathshaussoldaten und die Stadtknechte noch längere Zeit
jedes Jahr einen Rock [47]). Eben so erhielten, wie wir gesehen, die
Stadtschreiber in Hamburg und die Stadtzöllner in Frankfurt
jährlich ihre Kleider von der Stadt. Eben so die Stadtschreiber
(Scribere) in Bremen noch im 14. Jahrhundert [48]). Auch in
Prag erhielten die Schreiber und die Büttel ihre Kleidung von der
Stadt oder das Geld zu deren Anschaffung [49]). In Freiburg er=
hielt der Brunnenmeister der Stadt noch im 14. Jahrhundert alle
zwei Jahre ein Gewand [50]). In Basel wurden seit dem 14. und
15. Jahrhundert nur noch die Stadtschreiber und die Rathsknechte
von der Stadt gekleidet („dem Stadtschreiber 14 Ellen Tuch von
„Mecheln zu Sunngichten (Sonnenwende) 5 ℔ für sein Pelzfutter.

---

43) Ennen, Gesch. II, 511, 522.
44) Materialien zur Statistik, II, 1, p. 82 u. 83.
45) Ochs, II, 433.
46) Ochs, III, 208 Not.
47) Gemeiner, I, 199 Not.
48) Stat. von 1303 bei Oelrichs, p. 168.
49) Tomek, Gesch. von Prag, I, 299.
50) Urk. von 1333 bei Schreiber, I, 301.

„Soll sein Gewand geschoren und gemacht werden, ohne seine „Kosten") [51]). Eben so in Frankfurt die Marstaller und ihre raißigen Jungen [52]), die Stadtbiener und Knechte, die Pförtner, Bettelvögte, Stöcker und die Stadtköche [53]). Von ihnen sagte aber im Jahre 1523 ein Schneider, „alle die jhenen, so des Rats „farben tragen, sien alle verretter" [54]). Auch in Lübeck erhielten seit dem 14. Jahrhundert nur noch die reitenden und die lau= fenden Diener alle Jahre oder alle zwei Jahre ein Kleidungsstück (eine sogenannte Tunica und eine obere oder untere Toga) von mehr oder weniger schönem Tuch [55]). Daher trugen nun nur noch die untergeordneten Beamten und Diener und außer ihnen die Stadtnarren eine Livree [56]). In Köln erhielten die untergeord= neten Stadtbeamten seit dem 14. Jahrhundert zwar keine Amts= kleidung, wohl aber das dazu nothwendige Tuch von der Stadt. Nur die Stadtmahler brauchten seit dem 15. Jahrhundert die Amtskleidung nicht mehr zu tragen [57]).

Die Livree der städtischen Beamten und Diener sollte von gleicher Farbe sein. In Frankfurt sollte man nach einer Ver= ordnung von 1476 „die Diener, die Pförtner und Fußknecht von „einer Farben und gleicher Farben kleiden, und die Rechenmeister „sollten sich der Farbe einigen." Den Stadtschreibern, Rathschrei= bern, Rechenschreibern, Bauschreibern, Schatzungsschreibern und an= deren Kanzellisten lieferte die Stadt schwarzes Tuch, den Förstern aber grünes Tuch, dem Stöcker rothes Tuch, und den Bettelvögten und Grabenfegern ebenfalls schwarzes Tuch [58]). Eben so sollten in Nürnberg die Stadtknechte, wenn sie in ihrem Amte waren, „in „der Farb" auftreten [59]). Die Amtstracht der untergeordneten Beamten und Diener war demnach schon eine wahre Uniform.

---

51) Ochs, II, 80, III, 208.
52) Dienstrevers von 1591 in Wetteravia, p. 292 u. 293.
53) Lersner, Chron. I, 249—253.
54) Bürgermeisterbuch von 1525 bei Kriegk, Frankf. Bürgerzwiste, p. 145.
55) Pauli, Lüb. Zustände im 14. Jahrh p. 97 u. 98.
56) Meine Gesch. der Fronh. II, 357 und oben §. 424.
57) Ennen, Gesch. II, 522.
58) Lersner, I, 249, 250 u. 253.
59) Alte Handschrift bei Siebenkees, I, 55. Hochzeitbüchlein von 1485 bei Siebenkees, II, 458. — „den knecht ju ainicherley Farb."

Eine eigene Amtstracht hatten jedoch auch die Bürgermeister und Rathsherren noch in späteren Zeiten. Nur sollte ihnen diese Amtstracht nicht mehr von der Stadt geliefert, vielmehr von ihnen selbst angeschafft werden. In Basel bestand die Rathskleidung in einem eigenen Rock und Mantel mit einem Degen an der Seite. Das Tragen der Amtstracht scheint jedoch seit dem 16. und 17. Jahrhundert außer Gebrauch gekommen, nicht mehr sehr beliebt gewesen zu sein. Denn das Tragen der Rathskleidung im großen Rath mußte öfters von Neuem eingeschärft werden. Noch im Jahre 1688 wurde verordnet, „die Herren Räthe sollten mit ihrem „Seitengewehr, so ein Zeichen großer Freiheit ist, in dem Rath er- „scheinen“ [60]). In Utrecht trugen die Rathsherren einen langen Tatar mit Schellen und eine Kappe (Kovel) [61]). Die Schellen- tracht war nämlich in früheren Zeiten eine sehr ausgezeichnete Tracht, durch welche sich die Hofbeamten und die übrigen vorneh- men Leute von den niederen Ständen unterschieden [62]). Daher tru- gen auch die Rathsherren und die Geschlechter Schellen und sogar größere Glocken an ihren Kleidern. In Ulm war das Schellen- und Glockentragen so verbreitet, daß es den Geschlechtern geboten werden mußte, die Schellen wenigstens in der Kirche nicht mehr zu tra- gen [63]). Daher führten viele Geschlechter, z. B. die Bellinghoven, die Koln und andere Rittergeschlechter in Köln am Rhein Schellen in ihren Wappen [64]). Die Farbe der Amtstracht war meistentheils die Stadtfarbe. So mußten in Köln, wenn der Erzbischof seinen feierlichen Einritt hielt, die beiden Bürgermeister, die Rathsherren und die sie begleitenden Bürger sammt und sonders in der Stadt- kleidung („beide Burgermeister in der Stat cleydungen“), das heißt in einem mit Pelz besetzten braunen Rock erscheinen („die herren „hatten mallich einen brunen rock an mit mardern gefodert — in „einer kleidongen alsamen brunn gekleidt“). Und die Bürgermeister sollten ihre Stäbe in der Hand haben [65]). In früheren Zeiten

---

60) Ochs, II, 125. 126, 135, VII, 295 u. 356.

61) Mathaeus, de nobilit p. 1132. Daselbst das Bild.

62) Meine Gesch. der Fronhöfe, II, 409—410.

63) Jäger, Ulm, p 515.

64) Fahne, Gesch. der Kölnischen Geschlechter, I, 23 u. 68.

65) Urk. von 1488 bei Lacomblet, Archiv, II, 183 u. 187.

scheint man es jedoch mit dieser Amtstracht nicht sehr genau ge=
nommen zu haben. Denn im 14. Jahrhundert mußte noch in der
Stadt Ilm verordnet werden, daß die Rathsherren wenigstens
nicht ohne Hosen in den Rath kommen sollten. („Auch sal ny=
„mant der vn den rethen sitzen sal vor yn ane hosenn abir bar=
„beyning vorkommen") 66). Und in Frankfurt a. M., wo sogar
die Geistlichen und die Rathsherren noch im 14. und 15. Jahr=
hundert Holzschuhe oder doch Schuhe mit Holzsohlen (calopides,
calopedes, sabots oder galoches) trugen 67), wurde im Jahre
1441 verordnet, daß die Rathsherrn diese Schuhe wenigstens vor
der Sitzung ausziehen sollten 68).

Ein anderes Zeichen der Amtsgewalt als die Amtskleidung
(Uniform oder Livree) war in manchen Städten wie im Alterthum
der Kranz. In Basel wurde seit dem 16. Jahrhundert jedem
neugewählten Zunftmeister ein Kranz aufgesetzt, welchen er bis nach
dem Glückwunsch des abtretenden Zunftmeisters auf dem Haupte
behielt. Auch sollten die Zunftmeister während der Verkündung
der neuen Häupter der Stadt und der Rathsherren auf dem Pe=
tersplatz ihren Kranz auf dem Haupte tragen. Denn in diesem
Momente, in welchem die oberste Gewalt gleichsam in der Schwebe
war zwischen dem abgehenden und dem neuen Rathe, ruhte ge=
wissermaßen alle Gewalt auf den Zunftmeistern. Nachdem die
neuen Häupter und die Rathsherren verkündet waren, wurde auch
ihnen ein Kranz aufgesetzt, als Zeichen der ihnen verliehenen Ge=
walt. Endlich erhielt auch noch der Kanzler und der Rathschreiber
einen Kranz. Und der erhaltene Kranz blieb sodann als Familien=
denkmal einer jeden Familie zu Eigen 69). Allein nicht bloß in
Basel kommt der Kranz als Zeichen der Amtsgewalt vor. Auch
in Hamburg erhielten die Vorsprachen der Bruderschaft der Brau=
knechte bei der Einweisung in ihr Amt einen Kranz (§. 271). Eben
so trug der Käskönig in Dürkheim als Zeichen seiner Würde eine
Krone oder einen Kranz von Kornblumen auf seinem Haupte 70).

---

66) Statut von 1350 bei Walch, VI, 29.
67) Urk. von 1327 bei Böhmer, p. 489. Henschel. v. calopedes, II, 36.
68) Kriegk, p. 289.
69) Ochs, V, 350 u. 351.
70) Meine Gesch. der Markenverfassung, p. 301.

Und bei weiter fortgesetzten Forschungen dürften sich wohl auch noch andere Beispiele auffinden lassen. Selbst die Königskronen und die Grafenkronen sind ursprünglich nichts anderes als nur etwas kostbarere Kränze gewesen.

Das gewöhnliche Amtszeichen der Bürgermeister und der anderen ersten Stadtbeamten war jedoch der Stab, welcher in vielen Städten beim Amtsantritt feierlich überreicht zu werden pflegte (§. 453). Und so waren denn auch in Köln die Bürgermeisterstäbe, welche den Bürgermeistern vorgetragen wurden, nichts anderes als solche Amtsstäbe, ohne daß man dabei an die römischen fasces noch, wie Ennen will, an die Ruthen der Weinröder zu genken braucht [71]).

In Basel hatten die Häupter der Stadt auch noch ein sehr großes Gefolge, welches theils zu ihren Diensten bereit sein und ihnen daher nachgehen, theils als ein Ehrengeleit ihren Hofstaat bilden sollte. Jeder Bürgermeister und Ammeister hatte nämlich mehrere Rathsknechte, Wachtmeister und Söldner um sich, welche seiner Dienste warten und ihm daher nachgehen und sein stetes Gefolge bilden sollten. An Sonn= und Feiertagen aber sollten auch die alten und neuen Meister und die Rathsherren einer Zunft, an welcher gerade die Reihe war, in ihrem Gefolge sein und daher eine Art von Hofstaat um sie und ihr Ehrengeleit bilden. Auch die alten Bürgermeister und die alten Ammeister hatten noch ein solches Ehrengeleit. Und auch die Oberstzunftmeister ein aus einem Rathsknecht und aus zwei Wachtmeistern bestehendes Dienstgefolge [72]).

---

71) Ennen, Gesch. II, 511.

72) Verordnung von 1385 bei Ochs, II, 288. Verordnung von 1410 bei Ochs, III, 76 u. 77. „Item so sollen dem Bürgermeister warten „und nachgon zwey Rathsknechte und der halbe Theil der Söldner, „welche dann je in der Stadt sind, und zwey Wachtmeister von der „Stadt wegen. Auch sollen dem Ammanmeister warten und „nochgohn der Oberstrathsknecht, die halben Söldner, welche dann je „in der Stadt sind, und der halbe Theil der Wachtmeister von der „Stadt wegen; und dazu alle Sonntage und Feyertage von einer „Zunft, an die es dann von Ordnung nach fällt, neue und alte Mei= „ster und Rathsherren derselben Zunft, und alle Amtleute des Gerichts „und andre die Aemter von den Räthen haben. Einem alten Amman= „meister sollen“ u. s. w.

Auch sollten, wenn der Oberstzunftmeister oder seine Frau
starb, alle neuen Zunftmeister und die Sechser aller Zünfte mit
Wachskerzen zur Leiche gehen und auf diese Weise dem Haupte
aller Zünfte die letzte Ehre erweisen [73]).

8. Stadtmarkgerichte.

§. 455.

Die Erhaltung und Handhabung des Friedens in der Stadt=
mark gehörte, wie wir gesehen, zu den städtischen Angelegenheiten
(§. 431), und daher auch die Entscheidung aller die Stadtmark und
deren Benutzung betreffenden Streitigkeiten unter den Markgenossen,
dann die Aburtheilung der Markfrevel und der unbedeutenden
Händel, Raufereien und Schlägereien, wie dieses auch in den alten
großen Marken und in den Dorfmarken der Fall war [1]). Diese
Markgerichtsbarkeit, welche von der grundherrlichen Gerichtsbarkeit
eben so verschieden war wie von der öffentlichen, wurde ursprüng=
lich, wie in den Dorfmarken [2]), von der Gemeinde selbst in den
Gemeindeversammlungen oder in ihrem Namen entweder von dem
Bürgermeister und Stadtrath oder von einem eigenen Stadtmark=
gerichte ausgeübt. So erkannte in Magdeburg der Stadtrath
im Burding über das unrichtige Maß und Gewicht, über Speise=
und andere Käufe, und über die übrigen Markt= und Markange=
legenheiten. Und dieses Burding war von dem Gerichte des Burg=
grafen eben so verschieden wie von jenem des Schultheiß (§. 63
u. 445). In Seligenstadt wurden die kleinen Händel und
Schuldsachen, die Feld= und Markfrevel, und die Polizeifrevel bis
ins 16. Jahrhundert theils von dem Heimburger oder Burgermei=
ster theils in dem alten Heimgerede, welches auch Burgerbing ge=
nannt worden ist, abgeurtheilt. Und diese Gerichtsbarkeit des Bur=
germeisters und Burgerbings bestand daselbst neben dem landes=
herrlichen und herrschaftlichen Vogteigericht und Schultheißen=

---

73) Rathsordnung von 1438 bei Ochs, III, 538.
 1) Meine Gesch. der Markenverfassung, p. 309 ff. Meine Gesch. der
    Dorfverf. II, 115 ff.
 2) Meine Gesch. der Dorfverf. II, 123 ff.

gericht ³). Auch in Goldberg wurden die Stadtmarkangelegen=
heiten in dem von dem Vogtding unabhängigen Burgerding von
dem Stadtrath oder vor der Gemeinde selbst verhandelt und ent=
schieden ⁴). In Hameln hatte der Burmester oder Bürgermeister
namens des Stadtraths und der Bürgerschaft über Lohnstreitigkeiten,
über Heuer und über das Halten von Federvieh, dann über Bau=
und Zaunstreitigkeiten und über andere bürgerliche Streitigkeiten,
über welche die Stadtgemeinde gewillküret und sich vereiniget hatte,
zu entscheiden (burmester eorum auctoritate et ex parte
consulum et burgensium habebit judicare per omne pre-
tium deservitum, quod vocatur meinasne vel hure, et super
animalia pennata et super vestes abluendas et super loca
sepium, et super quelibet edificia, item pro juribus ci-
vilibus et arbitriis inter se, que hactenus habuit civitas).
Außerdem hatte aber der Stadtrath selbst noch über kleine Händel
und Zänkereien und über andere unbedeutende Streitigkeiten, welche
nicht vor die öffentlichen Gerichte gehörten zu erkennen: (consules judicare habent de turpibus et contumeliosis verbis, et
emendas et juramenta et orveidte (Urphede) super talia delicta
possunt admittere et accipere sine delicto judicii) ⁵). In
Medebach hatte der Stadtrath über unbedeutende Diebstähle, über
falsches Maß und Gewicht, über Besitzstörungen und über Besitz=
streitigkeiten zu entscheiden. Und auch diese Gerichtsbarkeit bestand
neben jener des Vogtes und des herrschaftlichen Beamten (villicus
oder judex) ⁶). In Breslau sollte der Stadtrath und nicht der
erbliche Vogt über Weidestreitigkeiten (super utilitatibus de pas-
cuis pecorum provenientibus) und über Baustreitigkeiten entschei=
den (in edificationibus et constructionibus, que dicti consules
et cives fecerunt) ⁷). Auch in Schweidnitz und Ratibor

---

3) Arg. Stadtordnung von 1527 bei Steiner, Seligenstadt, p. 370 u.
371. Grimm, I, 509 und oben §. 69.

4) Urk. von 1325 §. 6 in T. u. St. p. 511.

5) Stadtrecht von 1277 bei Pufendorf, II, 267. Ohne allen Grund hält
jedoch Pufendorf den Burmester für einen von dem Burgermeister ver=
schiedenen Beamten

6) Stadtrecht von 1165 §. 18, 20 u. 23 bei Seibertz, II, 75

7) Urk. von 1306 bei T. u. St. p. 479.

u. a. m. hatte nicht der Vogt, sondern der Stadtrath über das un=
richtige Maß und Gewicht, über den Verkauf von Eßwaaren (de
omnibus vescendis rebus), über die Beschädigung der Stadtthore,
der Stadtgraben, der Brücken u. dergl. m. (über die „Unfuge an
„Toren, an Brucken und an anderen Dingen, die der Stat zcu
„horen"), dann über die nicht gehörige Unterhaltung der Brücken
und Wege, und über die Zuwiderhandlungen gegen das Verbot der
Spiele, gegen die Straßenpolizei und über andere Polizeiübertre=
tungen und über unbedeutende Schlägereien, bei denen kein Blut
floß zu entscheiden 8). Eben so hatte in der Reichsstadt Leut=
kirch der Stadtrath, und nicht der Landvogt, über die von den
Bürgern begangenen Markfrevel und über die Stadtmarkstreitig=
keiten zu erkennen 9). Auch in Büren sollte der Stadtrath die
Bau= und Grenzstreitigkeiten und die wegen Straßen Störung ent=
standenen Streitigkeiten entscheiden. (Item si civis concivem edificando vel sepiendo turbaverit. Vicini si possint component.
si non. consulibus referatur conponendum. Et si aliquis communem stratam edificando turbaverit. judicis est cum consulibus judicare). Eben so die hinsichtlich der Victualienpolizei ent=
standenen Streitigkeiten. (Item si aliquis pistando vel aliis que
ad escam vel potum pertinent excesserit. consules judicabunt).
Auch über die unbedeutenden Schlägereien hatte der Stadtrath zu
erkennen. Wenn aber ein Glied verletzt worden war, so gehörte
die Entscheidung vor den öffentlichen Richter, weil darin ein Fried=
bruch lag. (Item omnis effusio sanguinis facta sine accumine
armorum quam non sequitur lesio membri consulum est judicare. Si sequitur lesio membri judex judicabit) 10). In der

---

8) Schöffenbrief von 1293, §. 9—14 u. 22. Handfeste von 1328 §. 5—9,
21—24 u. 33 bei T. u. St. p 421 u. 520. vergl. oben §. 438.

9) Vertrag von 1512 bei Moser, reichsst. Handb. II, 96 u. 97. — „was
„auch derselben — Bürger zu Holtz und Velde, in iren grunden und
„boden, als in obgemelten gezürgth, gegen einander verhawen, über=
„varen, überzünen, oder in ander Weg Überniessung thun, darum sollen
„sie von einem Landvogt nit gestraffet noch gebüest werden, sonder
„sollen und mögen die von Leutkirch mit Straff gegen inen, als den
„iren selbst handlen."

10) Stadtrecht von Büren aus 14. sec. bei Wigand, Archiv, III, 3, p. 30.

Stadt Wesel hatte der Bürgermeister und nicht der öffentliche Richter über das streitige Maß und Gewicht, über unbedeutende Händel u. dergl. m. zu erkennen. (Jurgia, defectum mensurandi et pistrandi magister civium judicabit) [11]). Und in Coesfeld hatte der Stadtrath die Feldmarkpolizei und die Brücken- und Wegpolizei unter sich und die Entscheidung der darüber entstandenen Streitigkeiten (§. 68).

In anderen Städten lag die Gerichtsbarkeit in den Angelegenheiten der Stadtmark nicht in den Händen des Stadtraths. Sie wurde vielmehr von eigenen Stadtmarkgerichten besorgt, in manchen Städten noch von den alten Heimburgegerichten, z. B. in der Reichsstadt Mühlhausen, wo die Feld- und Markfrevel von den Heimburgen mit den Bürgern und von dem Flurschützen abgeurtheilt zu werden pflegten [12]). In anderen Städten sollten, wie in den Dörfern, jedes Jahr Rügegerichte gehalten und darin die Markfrevel (die Frevel an dem gemeinen Nutzen) gerügt und abgeurtheilt werden [13]). In Eßlingen bestand zu dem Ende ein eigenes Feldgericht [14]) und in der Stadt Rotenburg am Neckar ein Erndte- und Herbstding zur Regulirung und Aburtheilung der Angelegenheiten der Ernte und der Weinlese [15]). In Ulm hatten die Einunger mit der Feldpolizei auch die Feldgerichtsbarkeit zu besorgen. Daher standen auch die ge-

---

11) Privilegien von 1277 §. 23 bei Wigand, Archiv, IV, 411.

12) Grasshof, p. 28, 106, 107 u. 249—252.

13) Kaiserrecht, II, 56.

14) Jäger, Mag. V, 88 u. 283.

15) Ungedruckte Ordnung der Herrschaft Hohenberg von 1541, art. 2. p. 41 u. 42. „Herpst vnnd Erndt-Ordnung wie die järlich verkhund werden sollen. „Zum anndern wiewol ain herr zu Hohemberg ye vnnd albegen die „obrigkait vnnd herrligkait gehebt, wann seine amptleut vmb heimbsts „oder Erndtes Zeiten vermaindt not zu sein ain gepot zuthuen, haben „sy dem schulthaissen auffgelegt offenntlichen ain Rathaws in „dere von Rotemburg beysein zuberueffen vnnd bey zehen phunndt „haller straff zugepieten, das niemannds sein traid noch wein abschnei- „den, lesen noch ablassen soll, on erlaubnus, vnnd so yemannds das „vbertreten, hetten die ambtleutt solch straffgelt eingezogen." Der herrschaftliche Amtmann hatte demnach die Gemeinde zu berufen. vergl. noch oben §. 400 u. 436.

schwornen Eschaien und die Stadthirten unter ihnen [16]). In den
Vorstädten von Soest und von Köln besorgten die Burrichter
und in den Vorstädten von Basel die Vorsteher der Gesellschaften
die Angelegenheiten der Stadtmark (§. 201 u. 202).

In der Stadt Basel endlich wurden die Markangelegenhei=
ten und die Markfrevel und die Markstreitigkeiten von einem eige=
nen Gerichte besorgt und entschieden, welches das Gescheid ge=
nannt worden ist, weil es auf die Scheidung der Felder zu wachen
und die darüber entstandenen Streitigkeiten zu entscheiden hatte [17]).
Es gab in Basel drei solcher Gescheide, das große und
zwei kleine. Das große Gescheid gehörte ursprünglich dem Bi=
schof [18]), später dem jedesmaligen Domprobst, d. h. der Domprobst
hatte den vorsitzenden Richter, den sogenannten Gescheidsmeier,
die Bannwarte und Hirten, zu ernennen. Der Meier mußte
ein in Basel seßhafter Bürger sein. Die Urtheilsfinder hießen die
Scheidleute. Unter dem Meier standen die Bannwarte, d. h.
die Aufseher über den Bann, gewissermaßen die Polizeidiener des
Gescheids, und die Hirten [19]). Eines der kleinen Gescheide
gehörte ursprünglich ebenfalls dem Bischof [20]), später aber dem
Probst zu St. Alban. Es erstreckte sich nicht weiter als die Lehen=
güter des Klosters [21]). Diese beiden Gerichte (das große Gescheid
und das kleine Gescheid zu St. Alban) waren ursprünglich offenbar
grundherrliche Markgerichte, das große Gescheid ein grundherrliches
Markgericht der alten Stadt vor den Ringmauern, und das kleine
Gescheid ein grundherrliches Markgericht des Klosters St. Alban,

---

16) Jäger, Ulm, p. 611.
17) Alte Verordnung bei Ochs, V, 70. „Das Gescheid soll allenthalben, so
  „weit Zwing und Bann der Stadt Basel gehet und begreift, von einem
  „Rhein bis an den andern, es seyen Reben, oder Aecker, Matten, Holz,
  „Feld, Wuhr, Weide und alles was das Gescheid begreift, und mit
  „Gescheid entschieden werden soll und darin gehört, verwalten." vergl.
  noch p. 61 u. 68—70. Meine Gesch. der Dorfverf. II, 138.
18) Heusler, p. 23.
19) Ochs, V, 61 u. 62. Basel im 14. Jahrhundert, p. 367. Heusler,
  Verfassungsgesch. von Basel, p. 91 u. 92.
20) Heusler, p. 23.
21) Ochs, V, 61. Not. u. 62. Basel im 14. Jahrh. p. 362 u. 367.

der späteren Vorstadt St. Alban. Daher hieß auch der Vorstand des Gescheids, als ursprünglich grundherrlicher Beamte, Meier (§. 22). Außer diesen beiden Gescheiden gab es aber auch noch ein zweites kleines Gescheid, welches der Zunft der Rebleute gehört hat, oder wenigstens von dieser Zunft in Anspruch genommen worden ist [22]. Wenn die Rebleute wirklich ein solches Gericht althergebracht haben sollten, so kann es nur in einer alten Weinbergs Markgenossenschaft seinen Grund haben, deren es auch in anderen Theilen Deutschlands gegeben hat [23]. Jenes Gericht wurde jedoch der Zunft der Rebleute streitig gemacht. Außer den erwähnten Gescheiden hat es auch in Kleinbasel noch ein eigenes Gescheid gegeben, welches Heusler mit Unrecht für eine Fortsetzung des über das städtische Bauwesen gesetzten Fünfergerichtes hält. Denn auch dieses Gescheid hatte über den Anbau und über die Feldmarkangelegenheiten zu entscheiden („die Fünf so über „das veld und den bann minren Basel gesetzet sint — die Fünfe „so über die buwe und underschidunge an dem velde gesetzet sint"), während jenes Fünfergericht das städtische Bauwesen unter sich hatte [24]. Beide Gerichte hatten demnach nichts weiter mit einander gemein, als daß das Eine und das Andere aus fünf Richtern bestand. Alle diese Gescheide wurden späterhin zu einem Einzigen vereiniget. Es kam nämlich unter Vermittelung des Stadtraths im Jahre 1469 folgender Vergleich zu Stand: „Beyde Ge„scheide sollen ein Gescheid seyn, und nur das Gescheid zu St. Al„ban das kleine Gescheid heißen. Der Meyer des Domprobstes soll „10 Scheidleute haben, welche dem Domprobst, dem Rath, und der „ganzen Gemeinde der Stadt Basel einen gelehrten Eid schwören „sollen. Fünf von diesen Scheidleuten sollen von der Rebleuten „Zunft und fünf von den andern Zünften seyn. Für das erste „mal wird der Rath die 10 erwählen, welche hernach nebst ihrem „Meyer sich selber ergänzen werden" [25]. Erst im Jahre 1491 wurde jedoch das Gescheid von der Stadt selbst erworben, und

---

22) Ochs, V, 62. Basel im 14. Jahrh. p. 362 u. 367.

23) Meine Gesch. der Dorfvrf. I, 26—27.

24) Urk. von 1406 u. 1440 bei Heusler, p. 363. vergl. §. 200.

25) Ochs, V, 63. Uebereinkunft von 1469 in Rechtsquellen von Basel, I, 192 ff.

dann erst ein städtisches Gericht. Daher wurden nun auch der
Meier und die Schiebleute (scheiblute) und die Bannmarten von
dem Stadtrath ernannt [26]). Schon früher muß jedoch das Gescheid unter der Oberaufsicht des Rathes gestanden haben. Denn
der Rath machte Verordnungen über das Gescheid [27]) und übte in
streitigen Fällen, wie wir gesehen, ein Vermittlungsamt aus. Nach
wie vor blieb jedoch das Gescheid ein Stadtmarkgericht. Denn
seine Hauptaufgabe blieb die Besorgung der Angelegenheiten der
städtischen Almende. Daher sollten noch nach der Rathsordnung
von 1491 die Meier, die Scheibleute und die Bannmarten dem
Stadtrath schwören: „der stett ir almeinden, ouch des gescheids
„gut ze halten und ze hanthaben. — — der ganzen gmeinen
„statt Basel ire almeinden, ouch dem ganzen bann so wit
„der begrift ir gerechtigkeit zu behalten, das gescheid mit seiner zu-
„gehörd getruwlich ze hanthaben und ze verwalten" — zwing
„und benn mit sampt der allmeinden und aller stat herrlich-
„cheit, so wyt das begrift und zu der selben statt zugehörende ist,
„getruwlich und uffrechtlich an holz velb ackeren matten gar-
„ten reben wunn und weide ze behutende, —. Damit der
„statt ir allmeinden unbekümert pliben" — [28]). Solcher Ge-
scheibe gab es übrigens auch noch in anderen Theilen der Schweiz
und am Oberrhein. Und sie hatten sammt und sonders die Grenz-
untergänge und die Entscheidung der Markstreitigkeiten zum Gegenstand, z. B. in Thiengen bei Freiburg im Breisgau, („und sol
„do richten umb Gescheid mit den Hubern, doselbs auch umb
„Undergang oder Mißburwen es sy in Ackern Reben Feld oder
„Matten") [29]), und in Wolfswiler in Frankreich im Departement
des Oberrheins [30]).

Wie in Basel so war auch in Paderborn das Stadtmarkgericht (das Burgericht, das Burrichte oder die Burcinige) ursprüng-

---

26) Ochs, V, 65. Rechtsquellen von Basel, I, 217—221.
27) Ochs, V, 63 ff.
28) Rathsordnung von 1491 in Rechtsquellen, I, 217, 218, 220 u. 221.
    vgl. Uebereinkunft von 1469, eod. p. 193.
29) Rodel von Thiengen §. 6 bei Burckhardt, die Hofrödel von Dinghöfen
    Baselischer Gotteshäuser und Anderer am Ober-Rhein, p. 34 u. 120.
30) Rodel von Wolfswiler §. 14 bei Burckhardt, p. 84.

lich ein grundherrliches Gericht, welches von dem Grundherren zu Lehen gegeben worden war. Denn nach dem Ausspruch von 1299 sollte das durch den Tod des letzten Besitzers, des Advokaten Rudolf von Geseke, erledigte Burrichte nach Dienstmannenrecht des Paderbornschen Stiftes an den Bischof zurückfallen und von dem Hofe Enenhus aus verwaltet werden. Erst im Jahre 1327 wurde das Burgericht mit der Gerichtsbarkeit bis zu 5 Solidi von der Stadt erworben und seitdem erst ein städtisches Gericht [31]).

Die nicht selten in den Städten wie auf dem Lande vorkommenden Burgerichte sind nämlich, wie die Dorfgerichte doppelter Art gewesen [32]), was von Möser [33]), von Gaupp [34]), von Schaumann [35]), von Wigand [36]), von Walter [37]), von Stenzel [38]) u. a. m. übersehen worden ist. Auch werden die Burgerichte meistentheils, offenbar irriger Weise, für Unterrichter und Stellvertreter der Burggrafen oder für Bürgerrichter oder Burgrichter gehalten. Die Burgerichte sind vielmehr, wie wir gesehen, in jenen Städten, in welchen wie z. B. in Köln und Soest ganze Dorfschaften mit der Stadt vereiniget worden sind, mit der Stadt vereinigte Dorfmarkgerichte, seit der Vereinigung also Stadtmarkgerichte, oder wie in Paderborn grundherrliche Gerichte gewesen. Ein solches grundherrliches Dorfgericht war z. B. das zum Raberdinchof im Kirchspiele Raesfeld gehörige Burgericht [39]). Eben so das Buergericht (buerrichte) von Holthusen, welches der Stadt Coesfeld verkauft worden ist [40]), dann das Burgericht bei Meppen [41]) u. a. m. Auch das Burgericht (burrichte) zu Osnabrück

---

31) Die Urk. von 1299 u. 1327 bei Wigand, Archiv, II, 1, p. 60. vergl. oben §. 68.
32) Meine Gesch. der Dorfvrf. II, 120—123.
33) Osnabr. Gesch. III, 74. Not. i.
34) Deutsche Städtegründung, p. 58.
35) Geschichte des Niedersächsischen Volks, p. 592.
36) Femgericht, p. 113 ff.
37) Rechtsgesch. §. 279.
38) Tzschoppe u. Stenzel, Urkf. p. 224—226.
39) Urk. von 1259 bei Kindlinger, Hörigkeit, p. 283. cum civili jure, quod vulgariter burgerichte dicitur, eidem curie attinente. —
40) Urk. von 1378 bei Niesert, Münster. Urkb. I, 2 p. 491.
41) Diepenbrock, p. 720 u. 728. Meine Gesch. der Fronh. IV, 99 u. 100.

war ursprünglich ein solches grundherrliches, dem Bischof gehöriges Gericht. Denn der Bischof durfte den Burrichter ernennen und ihn auch seines Amtes wieder entsetzen und über das Gericht selbst nach Willkür verfügen. Auch verkaufte derselbe im Jahre 1225 die Hälfte dieses Gerichtes an die Stadt. Das Gericht kann demnach kein Stadtmarkgericht gewesen sein [42]. Es war vielmehr ein grundherrliches Stadtgericht, welches damals erst zur Hälfte von der Stadt erworben worden ist. Eben so ist das Burgericht (burgherricht) in Herfort ursprünglich ein von dem Erzbischof in Köln erworbenes grundherrliches Gericht gewesen, dessen Vorsteher ein Burrichter war [43]. Zu seiner Zuständigkeit gehörten die täglichen kleinen Händel und Streitigkeiten [44].

In den meisten Städten sind jedoch die eigenen Stadtmark= gerichte frühe schon verschwunden, indem seit der Bildung eines Stadtrathes die Markgerichtsbarkeit an den Stadtrath übergegan= gen, und sodann die alten Mark= und Markgerichtsvorsteher (die Heimburger, Burrichter, Bauermeister u. a. m.) zu bloßen Boten herabgesunken sind (§. 145). Aber auch die Markgerichtsbarkeit des Stadtrathes selbst hat sich frühe schon wieder verloren, seitdem von den Städten selbst eigene Stadtgerichte errichtet und an diese auch die Markstreitigkeiten verwiesen worden sind. Seitdem näm= lich die Städte die öffentliche Gerichtsbarkeit und in den grundherr= lichen und gemischten Städten auch die grundherrliche Gerichtsbar= keit erworben und sodann in einem einzigen Stadtgerichte die ge= sammte niedere Gerichtsbarkeit, also die öffentliche, grundherrliche

---

42) Urk. von 1225 bei Möser, III, 275. medietatem judicii nostri quod burrichte vulgariter dicitur in universitatem civium —. Das Gericht wird auch judicium nostrum civile civitatis Osna- burgensis genannt. Es war also ein grundherrliches Stadtgericht. Vrgl. noch Urk. von 1226 bei Möser, III, 280. super venditione me- dietatis judicii civitatis, und Möser, p. 71 ff.

43) Rechtsbuch von Herford aus 14. sec. bei Wigand, Archiv, II, 1, p. 31 u. 32.

44) Rechtsbuch bei Wigand, p. 28. „Hir is of burgherichte dar van „richte men de sake de beghelikes vallet. alze vmme schuld. vmme „gheld. vm borch. vmme hus hure. vmme lonede. vmme kopenschap. „dude vmme ollerhande schuldinghe de beghelikes vallet."

und Stadtmark-Gerichtsbarkeit vereiniget hatten, seitdem war den
Stadträthen in erster Instanz keine Gerichtsbarkeit, also auch keine
Markgerichtsbarkeit mehr geblieben. Auch verschwanden seitdem in
jenen Städten, in welchen sich bis dahin noch eigene Markgerichte
erhalten hatten, mit den öffentlichen und grundherrlichen Gerichten
auch die Stadtmarkgerichte, und die alten Vorsteher der Markgerichte sanken auch dort zu bloßen Gerichtsboten herab. Dies scheint
insbesondere in Soest und in Herfort der Fall gewesen zu sein.
In den späteren Stadtrechten wird nämlich der Burrichter gar nicht
mehr erwähnt. Die ihnen nach dem Stadtrechte von 1120 §. 37
zustehende Kompetenz ist nach der alten Schrae (art. 99 u. 104)
auf den Stadtrath übergegangen. Die Bestimmungen des Stadtrechtes von 1120 §. 61 u. 62 sind aber in beiden Schraen gänzlich mit Stillschweigen übergangen (§. 201). An die Stelle der
Burrichter sind dagegen Fronboten getreten, welche den Vollzug
der gesprochenen Urtheile zu besorgen und in Abwesenheit des Richters dessen Stelle zu vertreten hatten, und daher auch Unterrich-
tere, Erbrichtere, Erbfrohnen, Executionsrichtere,
Pfandrichtere u. s. w. genannt worden sind [44a]). Eben so
scheint in Herfort das Amt des Burrichters mit dem Amte eines
Fronboten vereiniget worden, oder vielmehr das Amt des Burrichters zu einem Fronbotenamt herabgesunken zu sein, wie dieses öfters
auch in den Dorfschaften der Fall war [45]). Denn nach einer Urkunde von 1226 hatte der Fronbot oder Pedell dieselbe Kompetenz,
wie nach dem Herforter Rechtsbuch der Burrichter [46]). In den
meisten Städten sind jedoch die alten Stadtmarkvorsteher gänzlich,
selbst dem Namen nach, verschwunden.

In vielen landesherrlichen Städten ist jedoch die Gerichtsbarkeit späterhin den Städten wieder entzogen und sodann auch
die Stadtmarkgerichtsbarkeit mit dem landesherrlichen Gerichte vereiniget worden, z. B. in Seligenstadt im Anfang des 16. Jahrhunderts [47]).

44a) Emminghaus, p. 32 ff., 160 ff. u. 436 ff. Geck, p. 127.

45) Meine Gesch. der Dorfverf. II, 62.

46) Urk. von 1226 bei Kindlinger, Hör. p. 265. Alias de causis quotidianis, que geruntur coram bedello civitatis, sex ipsi
tantum denarii vadiantur.

47) Stadtordnung von 1527 bei Steiner, Seligenstadt, p. 370 u. 371.

§. 456.

Das Verfahren bei diesen Stadtmarkgerichten war, so lange sie überhaupt noch existirten, das bei allen altgermanischen Gerichten gewöhnliche Verfahren. Das Gericht sollte regelmäßig jedes Jahr ein, zwei, drei oder vier Mal, und im Nothfalle noch öfter gehalten werden. In Rotenburg am Neckar sollte jedes Jahr, wie wir gesehen, ein Erndteding und ein Herbstding gehalten werden. Anderwärts sollten die Stadtmarkgenossen drei Mal im Jahre zusammen kommen („daz ein iglich stat sal dri „werbe in dem iare zu houffe komen mit allen den luten, die in „der stat wonen")[1]. In Mühlhausen vier Mal im Jahre („unde der mali sal he viere sitze bin deme halbin iare. eine zu „sente walpurge tage. unde eine in dir phinkistwochen an deme „mantage. unde eine an sente iohannis tage zu mittesumere unde „eine an sente iacovis tage")[2]. Und bei handhafter That sollte daselbst das Gericht auch noch außerordentlicher Weise unmittelbar nach der That berufen werden. Auch sollten die Stadtmarkgerichte öffentlich, ursprünglich unter freiem Himmel gehalten werden, z. B. in Mühlhausen unter der Sanct Kilians Linde. („Di male „sal man zu rechte sitze unbir sente kilianis linden")[3]. Später erst wurden auch sie, wie die anderen Gerichte, in geschlossene Räume, z. B. in Rotenburg am Neckar im 16. Jahrhundert, wie wir gesehen, in das Rathhaus, verlegt. Ein eigentliches Vorverfahren hatte in der Regel nicht statt. Wenn jedoch ein auf der That ertappter Frevler sich der Pfandung widersetzte, so durfte man ihm nachfolgen, ihn verhaften und vor Gericht bringen, z. B. in Mühlhausen („is abir daz di man daz phant wil were so sulin „su ime nachvolge mit mi aldin herzechine. Bigriphin su un dan „damite. so sulen su un wure vur den hemburgen die sal dan nach „mi richteri sende")[4]. Gestand er den Frevel vor Gericht ein, so wurde er wie Einer der einen Raub begangen bestraft („so suln „su uf un dan clage einin roib den he un royblichi intphurt heit").

---

1) Kaiserrecht, II, 56.
2) Stadtrecht aus 13. sec. bei Grasshof, p. 249.
3) Grasshof, p. 249.
4) Grasshof, p. 249—250.

Leugnete er aber, so durfte er sich losschwören. („Lokinit he iz „abir zu merstin so mac he mit sin einis hant da wure woli „swere uf din heligen") [5]). Hatte jemand bei Nacht Korn gestoh= len, so durfte ihm mit dem Geschrei nachgeeilt werden („so sal he „umi volge mit geschrege biz an di stab da he dif korn hine wurit"). Gestand er vor Gericht ein, so wurde über ihn wie über einen Dieb gerichtet. Leugnete er aber, so durfte er sich auch in diesem Falle losschwören („bikennit he izwan daz man ubir un sal richte „alse ubir einin diep. lokinit he iz abir dan so mac he woli mit „sinif einin hant da wure ste uf din heligen iz he ein givrait „man") [6]). Wenn jemand beschuldiget ward seinen Nachbarn überschnitten zu haben, so durfte er sich ebenfalls auf den Heiligen losschwören. Allein auch der Kläger durfte ihn mit Eidhelfern und mit einer rechten Kundschaft überführen („mac he if un abir „ubir zuige mit sinen gevorin ebir mit einir rechten kuntschaf suebir „he habi mac") [7]). Endlich sollten auch Reisende, welche das Gastrecht mißbraucht und, nachdem sie ihren Pferden das nöthige Futter geschnitten, auch noch Korn aufgeladen und weggeführt hat= ten, wie Straßenräuber mit dem Geschrei verfolgt und verhaftet werden („min sal ume nach volge mit geschreige alse eimi rechten „strazin roybere") [8]). Der Verhaftete sollte mit auf den Rücken gebundenen Händen und das entwendete Korn auf dem Rücken vor Gericht geführt und daselbst als Räuber gerichtet werden. („Bigriphit man un dan unde biwaldigit un da mite so sal man „umi daz korn uf di rucke binde vnde sal un vur gerichte wure „alse einin rechten roybere vnde sal ubir un richte — Sua ein „diep bigriphin wirt vnde vme die heinde hinder die rucke gebundin „werdin vnde di duibe daruf") [9]). Die Parteien wurden auf Be= fehl des Heimburgen von dem Flurschützen vorgeladen. Das Zei= chen zur Sitzung gab aber die Glocke [10]). In den herrschaftlichen

5) Grasshof, p. 250.
6) Grasshof, p. 250.
7) Grasshof, p. 251.
8) Grasshof, p. 251. vergl. Meine Einleitung zur Gesch. der Mark= ꝛc.
Verfassung, p. 166.
9) Grasshof, p. 251 u. 252.
10) Grasshof, p. 249.

Städten hatte jedoch der herrschaftliche Beamte die Markgemeinde zu berufen, z. B. in Rotenburg am Neckar, wie wir gesehen, der herrschaftliche Amtmann. Die Verhandlung selbst war sehr einfach. Denn sie geschah mündlich ohne alle Schrift. Und dieses einfache Verfahren hatte ursprünglich, wie bei den alten Dorfgerichten, so offenbar auch bei allen alten Stadtmarkgerichten statt. Der Grund aber, warum wir so wenige Bestimmungen darüber finden, liegt in dem frühen Verschwinden dieser Gerichte selbst. Seit der Verminderung und seit dem allmähligen Verschwinden des Ackerbaus und der alten Feld= und Viehwirthschaft in den Städten verloren nämlich jene Gerichte ihre alte Bedeutung. Und es traten sodann den neuen Bedürfnissen entsprechendere Stadtgerichte an ihre Stelle, und an die Stelle der von den Städten erworbenen öffentlichen und grundherrlichen Gerichte.

VI. Die Grundherrschaft in den Stadtmarken.

§. 457.

Eine Grundherrschaft hat es begreiflicher Weise nur in den grundherrlichen Städten und in den gemischten gegeben, und zwar nur einen Grundherrn in den grundherrlichen Städten, in den gemischten Städten aber mehrere Grundherren neben einander und neben diesen öfter auch noch andere vollfreie Grundbesitzer, welche ihren Grund und Boden selbst bauten.

Die in den Städten liegenden Grundherrschaften waren ursprünglich öfters sehr groß. So in Köln die Besitzungen des Geschlechtes der Saphirn, das Erbe oder der Saphirs-Thurn oder auch der Saphirs-Hof genannt. Eben so der dem Rittergeschlechte der Cämmerer gehörige Hof u. a. m. Dann die Burghäuser in Iserlon in Westfalen u. a. m.[1]). In Basel die ausgedehnten Besitzungen des Leonhardstiftes, des Peterstiftes und des Albanstiftes und vieler dienstmännischer und bürgerlicher Geschlechter[2]). In Frankfurt der Johanniterhof, der Fronhof oder Probsteihof u. a. m.[3]). In Sachsenhausen ein Hof, zu welchem ein Baumgarten, zwei Hufen Feld und ein großer Thiergarten gehört hat[4]). In Frankenthal hatten die Kämmerer von Worms (die Dalberge) so großen Grundbesitz, daß sie darauf zwei Klöster anlegen und gehörig dotiren konnten[5]). Diese städtischen Grundherrschaften wur-

---

1) Meine Einleitung, p. 25 u. 34.
2) Arnold, Gesch. des Eigenthums in den D. Städten, p. 20, 23 u. 24.
3) Battonn, II, 80, 157.
4) Urk. von 1345 bei Böhmer, p. 593.
5) Zorn, Wormser Chronik, ed. Arnold, p. 51. „welcher (kämmerer) all

ben ursprünglich in derselben Weise, wie die Grundherrschaften auf
dem Lande, theils von dem Fronhofe aus, theils von hofhörigen
oder auch freien Colonen bewirthschaftet. Seit dem 12. und 13.
Jahrhundert wurden sie jedoch meistentheils gegen einen jährlichen
Zins als Wohnungen oder als Bauplätze, oder als Kaufläden,
Gewerbs=Hallen, Buden, Stände, Gaden, Tische oder Gewerbs=
Bänke auf kürzere oder längere Zeit, großentheils zu Erbrecht,
verliehen. Auf diese Weise wurden denn die früher sehr ausge=
dehnten Besitzungen der Grundherren in immer kleinere Theile als
Wohnungen, Bau= und Gewerbsplätze zerlegt, und gingen sodann
in freies zinspflichtiges Erbe oder auch in freies Eigenthum über,
z. B. in Basel, Köln [6]), in Frankfurt a. M. [7]) u. a. m.

Auch die Landesherrn und die Kaiser selbst konnten Grund=
herren einer Stadt sein oder, wenn sie auch nicht die Grundherren
der ganzen Stadt waren, doch Grundbesitz in der Stadt haben.
In vielen Landstädten waren die Landesherrn zugleich Grund=
herren der Stadt. Außer der öffentlichen Gewalt gehörte ihnen
daher auch noch die Grundherrschaft in der Stadt und in der
Stadtmark. In anderen Landstädten, in den sogenannten ge=
mischten in ihrem Territorium liegenden Städten, hatten sie aber
einen mehr oder weniger ausgedehnten Grundbesitz. Grundherren
der ganzen Stadt waren z. B. die Erzbischöfe von Köln in Mede=
bach, die Bischöfe von Münster und Paderborn in den Städten
Münster und Paderborn, die Aebte von Seligenstadt und Weißen=
burg in den gleichnamigen Städten, die Herzoge von Zäringen in
Freiburg und die Pfalzgrafen bei Rhein in der Stadt Weinheim.
In anderen Landstädten hatten die Landesherrn zwar nicht die
Grundherrschaft über die ganze Stadt, wohl aber doch einen Fron=
hof oder ein Palatium mit einem mehr oder weniger ausgedehnten
Besitzthum in der Stadt, z. B. die Grafen von Tirol in Botzen,
die Erzbischöfe von Köln in Soest u. a. m. In Botzen bestanden

---

„sein hab und gut, das sehr groß war, gegeben hat zur erbauung
„zweier klöster klein und groß Frankenthal, auf sein grund und boden."
— Noch viele Beispiele oben §. 120.

6) Arnold, p. 34—59. Matheis Clasen, Schreinspraxis, p. 50—51.
Derselbe, das edele Cöllen, p. 10—21,

7) Battonne, örtl. Beschr. von Frankfurt, II, 80.

noch im 14. Jahrhundert drei verschiedene Grundherrschaften neben einander, neben der landesfürstlichen Grundherrschaft noch zwei andere Herrschaften [8]). Auch in den Bischofsstädten, welche fast alle landesherrliche Städte, meistentheils aber freie oder gemischte, d. h. nicht grundherrliche Städte gewesen sind, pflegten die Bischöfe wenigstens einen Fronhof oder ein Palatium mit den dazu gehörigen Ländereien zu besitzen (§. 22). In den reichsgrundherrlichen Städten endlich waren die Kaiser selbst die Grundherren, z. B. in Frankfurt, Nürnberg, Ulm, Zürich u. a. m. (§. 23, 70, 146 u. 225). Aber auch in den übrigen Reichsstädten konnten die Kaiser einen Fronhof (einen Königshof oder Reichshof) besitzen. Und dann waren sie natürlich die Herren dieses Fronhofes mit allen einem Fronhofherren zustehenden Rechten, wie dieses z. B. in Worms, Speier, Magdeburg u. a. m. (§. 22) und auch in Regensburg ursprünglich der Fall war, indem die Kaiser auch dort einen sehr großen Hofraum besessen haben [9]).

Grundherrliche Rechte und Leistungen.

§. 458.

Die Rechte der Grundherren waren in den Städten dieselben wie auf dem Lande. Das Eigenthum am Grund und Boden, auch in der ungetheilten Stadtmark, gehörte dem Grundherrn, z. B. in Selz, Münster, Weißenburg, Freiburg, Dürkheim, Ulm, Zürich u. a. m. (§. 23 u. 52 ff.). Die Grundherren durften daher, natürlich unbeschadet der Rechte der Stadtmarkgemeinde, frei über den Grund und Boden der gemeinen Mark verfügen. Sie durften darauf bauen, z. B. die Pfalzgrafen bei Rhein in der grundherrlichen Stadt Weinheim [1]). Sie durften insbesondere auch Straßen und Marktplätze auf ihrem Grund und Boden in der

---

8) Oberbairisches Archiv, VIII, 136.

9) Urk. von 1000 bei Hund, metrop. Salisburg. III, 2. — curtiferum 5 perticarum in longitudine et in latitudine 4 perticarum, habens viam, aditumque unius perticae ad legitima strata, cum exitibus et reditibus. —

1) Urk. von 1264 bei Guden, II, 149. Palatinus potest ibi edificare licite, quidquid volet.

Stadt anlegen und darauf Gewerbsbuden und Bänke, Schrannen u. dergl. m. errichten, und für deren Benutzung einen Zins oder eine andere Abgabe erheben (§. 191 u. 225). Auch Bannmühlen, Bannbackhäuser u. dergl. m. durften sie und pflegten sie anzulegen, z. B. in Winterberg²). Veräußern durften sie jedoch den Grund und Boden der gemeinen Mark nicht, wenigstens nicht allein ohne Zuziehung der Stadtgemeinde. Aber auch diese durfte nicht allein ohne Zustimmung der Grundherren über die Substanz der gemeinen Mark verfügen (§. 225). Eben so durfte nur mit ihrer Zustimmung die gemeine Mark gerodet und auch das Weiderecht und das Mastungsrecht nur mit ihrer oder des grundherrlichen Beamten Erlaubnis ausgeübt werden (§. 381 u. 382). Dieselben Rechte nun wie die übrigen Grundherren hatten auch die Deutschen Könige und Kaiser in den reichsgrundherrlichen Städten. Sie waren in den reichshörigen und reichsgrundherrlichen Städten die Reichshof= und Reichsgrundherren. Sie konnten daher, wie jeder andere Hof= oder Grundherr über jene Städte verfügen, sie verpfänden oder auch gänzlich veräußern, wie dieses auch bereits seit dem 11. Jahrhundert öfters geschehen ist (§. 23). Reichsgrundherrlich, wenigstens reichsmarkgrundherrlich waren aber ursprünglich nicht bloß die in den Sondergrundbesitz der Könige übergegangenen Städte, (die civitates indominicatae des Königs), sondern auch noch viele Grafschaftsstädte (civitates de comitatibus), in welchen sich von niemand in Besitz genommene Ländereien vorfanden, also selbst freie Königsstädte, sintemal die Markgrundherrschaft des Königs sich ursprünglich über alle von niemand Anderem in Besitz genommenen Ländereien erstreckt hat³). Dieses änderte sich jedoch seit der Entstehung einer Landeshoheit. Denn es gingen seitdem nicht bloß die früher dem König zustehenden markgrundherrlichen Rechte auf die neuen Landesherrn über, sondern es nahmen nun auch die dem Deutschen König und dem Reiche gebliebenen Territorien die Natur von Reichsherrschaften an⁴). Daher wurden

---

2) Stadtrecht von 1331 bei Walch, VI, 257 f.

3) Meine Einleitung zur Gesch. der Mark= 2c. Vrf. p. 105—107, 112— 116 u. 122—124. Meine Gesch. der Markenverfassung, p. 217—219. vergl. oben §. 23, 117, 118 u. 146.

4) Meine Gesch. der Fronhöfe, II, 437.

nun auch in den reichsunmittelbar gebliebenen freien Städten
dem König und dem Reiche eine Oberherrlichkeit (ein dominium
imperii oder ein dominium imperiale) beigelegt, z. B. in Bern
und in Lübeck, über welche der König und das Reich ein eben so
freies Verfügungsrecht hatten, wie über die reichsgrundherrlichen
Städte [5]), wiewohl auch jetzt noch die freien Königsstädte von den
reichsgrundherrlichen Städten wesentlich verschieden waren. Allein
auch dieses änderte sich wieder, seitdem sich, wie wir sogleich sehen
werden, ein neuer Unterschied zwischen den freien und den gemeinen
Reichsstädten gebildet hatte.

Wie andere Hof= oder Grundherren so hatten auch die in
einer Stadtmark angesessenen Hof= oder Grundherren ein Recht
auf die hof= und grundherrlichen Dienste und Leistungen.
Der Bischof von Worms, welcher in dem Städtchen Weilburg in
der Grafschaft Nassau einen Fronhof (curia) mit hörigen Leuten
besaß, hatte ein Recht auf das Besthaupt und auf andere grund=
herrliche Leistungen (jus, quod vocatur huberecht, buweteil,
bestewahtmal) und, wenn er dahin kam, ein Recht auf die Be=
herbergung. (si episcopus venerit —, homines pro sua possibili-
tate servient ad solutionem expensarum suarum) [6]). Der Bi=
schof von Straßburg besaß in Straßburg außer der bischöflichen
Pfalz auch noch einen Stabelhof. Und seine hofhörigen Leute
waren ihm besthaupt= oder fallpflichtig, und außerdem noch einen
grundherrlichen Zoll, einen Bannwein, das Bernbrod und noch
andere Leistungen schuldig [7]). In Basel hatte der Bischof in der
alten Stadt außer dem Rechte auf einen Hofzins (den Martinszins)
auch noch ein Recht auf Fronen. Denn jedes Haus sollte für die
Erndte einen Schnitter (einen Fronschnitter oder Achtschnitter)

---

5) Berner Handfeste von 1218, §. 1, 2, 3 u. 5. Lüb. Urk. von 1226
   in Lüb. Urkb. I, 46 — civitas Lubicensis libera semper sit, uide-
   licet specialis civitas et locus imperii et ad dominium imperiale
   specialiter pertinens. vergl. §. 461.
6) Urk. von 1195 bei Schannat, ep. Worm. II, 88 u. 89. vergl. Meine
   Gesch. der Fronhöfe, IV, 356 ff.
7) Urk. von 1119 bei Schoepflin, I, 193. Stadtrecht, c. 55, 90, 94 u
   96 bei Grandidier, II, 78. und oben § 22.

ſtellen [8]). In Augsburg hatten noch nach dem Stadtrechte von 1276 viele geiſtliche und weltliche Grundherren eigene Leute, freie Zinsleute und Lehensleute, welche ihnen zins= und beſthauptpflichtig waren [9]). Eben ſo hatten in Regensburg ſieben geiſtliche Stifter eigene und zinspflichtige Leute [10]). In Wien waren das Schotten= kloſter und viele andere geiſtliche und weltliche Grundherren anſäßig. Sie hatten ein Recht auf Dienſte und Zinſe, auf ſogenannte Grundrechte in den Vorſtädten und in der Stadt ſelbſt. Allein ſchon im Jahre 1360 ſollten dieſe Grundrechte abgelöſt werden [11]). In Worms beſaßen außer dem Biſchof auch noch viele Stifter und Klöſter, dann mehrere vollfreie Leute ihre Fronländereien und er= hoben von ihren hörigen Hinterſaſſen ein Beſthaupt, von den freien Inhabern ſolcher Ländereien aber einen Grundzins in Geld oder in Wachs oder in Kapaunen u. dergl. m. [12]). Auch in Weſel kommen noch im 13. Jahrhundert Wachszinſige vor, welche altar= hörig und beſthauptpflichtig waren [13]). Eben ſo findet man auch in Speier, in Augsburg, in Ulm, in Weißenburg, in Münſter, in Seligenſtadt u. a. m. noch wachszinſige und dienſthörige, beſthaupt= pflichtige und heergewedepflichtige hörige und ſogar leibeigene Leute (§. 23 u. 103). Dieſe hörigen und grundherrlichen Leiſtungen waren meiſtentheils althergebracht. Sie wurden aber zuweilen auch noch willkürlich geſteigert. So wurde z. B. in Straßburg der Bannwein von den Biſchöfen aus Gewinnſucht (odiosa questus

---

8) Wackernagel, das Biſchofsrecht von Baſel aus 13. Jahrh. p. 20. „alle „die hoveſtete zinſent dem biſchof ze Saint Martins mis, die ganze „hoveſtat —. Ouch erteilet man dem biſchove von ieclicheme hus der „burger ein achtſuiter. — Swer auch den achtſeiter nüt git, der büezet „drin phunt." Meine Geſch. der Fronhöfe, III, 289.

9) Stadtr. bei Freyberg, p. 110 u. 111. und bei Walch, §. 331 u. 332.

10) Stadtr. bei Freyberg, V, 56.

11) Urk. von 1360, 1425 u. 1438 bei Hormayr, Wien, I, 2. Urk. p. 98 u. 99. und I, 5. Urk. p. 34 bis 36.

12) Urk. von 1180 bei Schannat, II, 392. und Urk. von 1249, 1252, 1266 u. 1273 bei Frey und Remling, Urk. von Otterberg, p. 68, 78, 116 u. 135. vergl. oben §. 22.

13) Privilegien von 1277, c. 20 bei Wigand, Archiv, IV, 411. Cerocen- suales infra civitatem ecclesiis suis, si moriantur, unum melius vestimentum. —

diligencia) so sehr gesteigert, daß derselbe zu einer sehr drückenden Abgabe, zu einem tyrannischen Joch wurde (jugum Argentinensibus civibus inique et quasi quadam tyrannide aliquando impositum). Aus diesem Grunde ist daselbst im Jahre 1119 der Bannwein von dem Kaiser mit Zustimmung des Bischofs und vieler Reichsfürsten auf die Dauer von sechs Wochen beschränkt worden [13a].

Wie in anderen Grundherrschaften so durften auch in den reichsgrundherrlichen Städten die reichshörigen Leute nicht in die Fremde heirathen, z. B. in Kaiserslautern [14]. Eben so galt auch in Hagenau, in Frankfurt, Bern u. a. m. ursprünglich der Heiraths= zwang und das Buteilen [15]. Und der Nachlaß der ohne Kinder gestorbenen Reichsleute fiel wenigstens theilweise an das Reich, z. B. in Kaiserslautern [16].

Nachdem aber die Hörigkeit und die Leibeigenschaft abgeschafft worden war, blieben doch in vielen Städten die früher grundherr= lichen Gefälle als Grundzinse (als Wortzinse, Wortgelder, Orbeten u. s. w.), in manchen Städten sogar bis auf unsere Tage (§. 104 u. 105).

Zu den grundherrlichen Rechten gehörte insbesondere auch das Recht der Hof= oder Grundherren eine Bete (petitio oder precaria) oder eine Steuer von den hörigen Hintersassen erheben zu dürfen, wie auf dem Lande so auch in den Städten. So hatte der Bischof von Worms im Städtchen Weilburg das Recht eine nicht unbedeutende Bete von seinen hörigen Leuten zu erheben [16a].

13a) Urk. von 1119 bei Schoepflin, I, 193 f. vergl. oben §. 22.

14) Grimm, I, 775. „Item wann des riches man oder frauwe sich ge= „malhen welle zu eines andern herrn luden, da mag daz rich aber sine „amptlude penen uber setzen unde bußen, wie hoch sie wellen."

15) Stadtrecht von Hagenau von 1257 bei Schoepflin, I, 421. und Gaupp, I, 104. presenti edicto duximus statuendum, ne aliquis civium filiam vel neptem aut consanguineam sive viduam seu relictam alicuius alicui tradere in uxorem per nos aliquatenus compellatur u. s. w. Jene Rechte wurden erst durch dieses Edict abgeschafft. vergl. oben §. 102.

16) Grimm, I, 774.

16a) Urk. von 1195 bei Schannat, II, 88. recognovit ei quod habeat

Daſſelbe Recht hatten in Frankfurt die daſelbſt angeſeſſenen Edel=
leute und Ritter [17]). In Glatz, Habelſchwerdt, Wünſchelburg und
Landeck waren die daſelbſt angeſeſſenen Edelleute berechtiget ihre
in jenen Weichbildern anſäßigen Hinterſaſſen zu beſteuern. Da ſie
jedoch dieſes Recht misbrauchten und ihre Hinterſaſſen mit Steuern
und anderen Aufſätzen. zu bedrücken nicht aufhörten, ſo nahm ſich
die öffentliche Gewalt (Kaiſer Karl IV) der Bedrückten gegen die
Edelleute an [18]). Und dieſelben Rechte hatten auch die Deutſchen
Könige und Kaiſer in den reichsgrundherrlichen Städten. In allen
Städten, in welchen ſie einen Königshof oder Reichshof mit reichs=
grundherrlichen Ländereien beſaßen, pflegten auch ſie die grund=
herrlichen Dienſte und Leiſtungen von den reichshörigen Zins= und
Dienſtleuten zu erheben [19]). Und zu dieſen Rechten gehörte denn
auch die Erhebung einer Bete (petitio) oder einer Reichsſteuer
(precaria imperii oder steura), z. B. in Frankfurt [20]), in Nürn=
berg [21]), in Pfullendorf [22]) und in Hagenau, wo dieſe Bete jähr=
lich nicht mehr als 150 Pfund, ſpäterhin vielleicht auch nur 50
Pfund betragen ſollte [23]).

---

petitionem sicut habuerunt beatae memoriae episcopi — in in-
feriori officio L maldria tritici Limpurgensis mensurae, et in su-
periori officio LX maldra siliginis et XL maldra avenae. vergl.
Meine Geſch. der Fronhöfe, III, 331 ff.

17) Stadtrecht von 1297 §. 23 in Wetteravia, p. 255. si aliquis nobilis
uel miles habet sub se et sua jurisdictione aliquos homines et
vult imponere super ipsos aliquam precariam —.

18) Privilegienbuch der Grafſchaft Glatz bei Tzſchoppe und Stenzel, p. 572.
Not.

19) Meine Geſch. der Fronh. II, 436—443.

20) von Fichard, Entſtehung von Frankfurt, p. 151.

21) Privileg. von 1219 §. 10.

22) Arg. Urk. von 1220 bei Hugo, Reichsſtädte, p. 341.

23) Urk. von 1255 bei Schoepflin, I, 412. ut nomine precarie annis
slngulis nonnisi centum et quinquaginta libras — persolvant.
Urk. von 1257 u. 1262 bei Schoepflin, I, 421 u. 441. In der letzten
Urkunde heißt es nonnisi certum quinquaginta libras. Es ſcheint
jedoch, daß auch hier centum ſtatt certum geleſen werden muß,
indem auch dieſe Urkunde, wie jene von 1257, nur eine Beſtätigung
der früheren von 1255 enthält (solvere teneantur, prout in alio

§. 459.

Ein weiteres Recht der Grundherren war das Recht auf die Huldigung, auf die sogenannte Erbhuldigung. So mußten z. B. die Bürger von Selz, da die Stadt in der Grundherrschaft der Abtei Selz lag, jedem neuen Abte huldigen. („die stat zu Selse „lit uffe bez closters eigen zu Selse, und die burgere von „Selse von rechte huldent einme Abbete von Selse, so er „nuwes erwelet wirt") [1]). Eben so die Bürger von Gerden dem Probste des dortigen Klosters. (quod opidani jus fidelitatis sue sive homagium, quod proprie Hulde dicitur, preposito facient et prestabunt) [2]). Die Bürger und Rathmanne von Brakel den Rittern von Brakel [3]). Die Bürger von Bregenz mußten ihren Grundherrn schwören, „uns und unser erben für ir „recht erblich herren ze halten und uns truw sin" [4]). Auch in Basel sollten die zinspflichtigen Bürger noch bis ins 16. Jahrhundert ihrem Lehens- oder Zinsherrn huldigen. („dem zinßherren „darumb huldigung ze thun schuldig — huldigen musten, dein „lehenhern trüwe und holdt ze sin") [5]). In den reichsgrundherrlichen Städten mußten daher die Bürger dem Kaiser und dem Reich huldigen.

Wie andere Hof- oder Grundherren so hatten auch die in den Städten angesessenen Hof- oder Grundherren ein Recht auf die Fronhof- oder grundherrliche Gerichtsbarkeit in der Stadt. So hatte der Abt von Selz die Fronhofgerichtsbarkeit in der Stadt Selz. Und die Bischöfe von Straßburg und von Bremen hatten die herrschaftliche Gerichtsbarkeit über ihre hörigen Hintersassen in jenen Städten. Eben so die Abtei St. Ulrich in Augsburg, die Abtei St. Alban und das St. Leonhardstift in Basel, die Abteien St. Pantaleon und St. Gereon und die Probstei St. Severin u. a. m. in Köln, die Abtei Frauenmünster und die

---

privilegio), also nichts neues einführen sollte. vergl. Meine Gesch. der Fronhöfe, III, 405—408.

1) Grimm, I, 759.
2) Urk. von 1319 bei Kindlinger, Hör. p. 372.
3) Urk. von 1322 bei Wigand, Archiv, V, 159.
4) Stadtfreiheit von Bregenz von 1409 §. 6 u. 7 bei Mone, XVII. 382.
5) Verordnung von 1527 in Rechtsquellen von Basel, I, 371 u. 372.

Probstei zum Großmünster in Zürich, dann die verschiedenen Grund=
herren in Köln, Münster, Brakel, Speier, Worms, Frankfurt,
Bamberg, Zürich, Nürnberg, Wien, Waldkappel u. a. m. (§. 22,
24, 25, 39, 53 u. 121), der herrschaftliche Villicus oder Richter in
Medebach[6]). Und wenn auswärtige Grundherren kein eigenes
Fronhofgericht in der Stadt hatten, so mußten ihre in der Stadt
wohnenden hörigen Leute das auswärtige Hofgericht besuchen, z. B.
in der Stadt Chur[7]). Denn die hörigen Leute mußten allzeit
beim Grundherren und beim grundherrlichen Gerichte belangt wer=
den, wie dieses im Stadtrecht von Augsburg ausdrücklich vorge=
schrieben war[8]), sintemal die öffentlichen Beamten und Gerichte
sich in der Regel nicht in die grundherrlichen Angelegenheiten und
in die grundherrliche Gerichtsbarkeit mischen sollten[8a]).

Auch die Stadtmarkgerichte waren in manchen Städten, wie
wir gesehen, grundherrliche Gerichte, z. B. das Gescheid in Basel
und die Burgerichte in Paderborn, in Osnabrück u. a. m. Später=
hin wurden aber auch diese Gerichte von den Städten erworben
und sodann selbst städtische Gerichte (§. 455).

Die grundherrlichen Beamten hatten übrigens auch in den
Städten nicht bloß die herrschaftliche Gerichtsbarkeit zu besorgen,
sondern auch noch die grundherrlichen Gefälle zu erheben und an
die herrschaftliche Kasse abzuliefern, z. B. in Medebach[9]), in Frank=
furt[10]).

Wie andere Grundherren so hatten natürlicher Weise auch
die städtischen Grundherren ihre grundherrlichen Beamten
zu ernennen, und zwar nicht bloß die oberen herrschaftlichen
Beamten, sondern meistentheils auch die Schöffen, die Gerichtsboten

---

6) Stadtrecht von 1165, §. 3 u. 19 bei Seibertz, II, 1. p. 73.

7) Grimm, I, 184.

8) Stadtrecht, §. 83 bei Walch, IV, 110. — „wer hinz einem dienstman
„er si eins Herren oder eines Gozhaus, oder hinz eines Mannes huber
„icht ze sprechen hat, da soll man dem Herren beß ersten um klagen.“

8a) Augsburger Stadtrecht §. 336 bei Walch, IV, 325. Bei Freyberg
fehlt diese Stelle. vergl. unten §. 530.

9) Stadtrecht von 1165, §. 11. Censum, quem ille — annuatim solvit
ad frone.

10) Stadtrecht von 1297, §. 23.

oder Büttel und die hörigen Handwerker z. B. in Selz u. a. m.[11]),
in manchen Städten sogar die Stadträthe. Der Stadtrath pflegte
zwar auch in den grundherrlichen Städten eine genossenschaftliche
von der Stadtmarkgemeinde gewählte Behörde zu sein. Da jedoch
auch der Grundherr bei den städtischen Wahlen interessirt war, so
mußte er zur Wahl beigezogen oder ihm wenigstens die bereits
vorgenommene Wahl zur Genehmigung oder zur Zustimmung vorgelegt werden. Das Erste geschah in Weißenburg. Der Abt sollte
daselbst zur Wahl eingeladen werden und, wenn er ausgeblieben
und auch kein Stellvertreter statt Seiner erschienen war, die Bürgerschaft ganz freies Wahlrecht haben[12]). Anderwärts hatten sich die
Grundherren das Recht der Zustimmung vorbehalten. Es mußte
ihnen daher die bereits vollzogene Wahl zur Bestätigung vorgelegt
werden. Und dieses Recht der Zustimmung und der Bestätigung
ist sodann öfters, wie wir gesehen, zu einem Recht den Stadtrath
zu ernennen, ausgedehnt worden (§. 154 u. 155). In allen grundherrlichen Städten hatten aber die grundherrlichen Beamten Zutritt
zum Stadtrath, meistentheils sogar den Vorsitz im Rath. Denn
sie standen an der Spitze der Gemeindeverwaltung und der Gemeinde selbst, z. B. in Ulm, Eßlingen, Reutlingen, Lucern, Winterthur, Insbruck, Coesfeld, Haltern, Winterberg, in den schlesischen
Städten u. a. m. (§. 66—68 u. 145 ff.). Je freier und selbständiger indessen die Städte wurden, desto mehr suchten sie auch die
herrschaftlichen Beamten aus dem Stadtrath zu verdrängen und
diese durch städtische von der Gemeinde selbst erwählte Beamte zu
ersetzen. So findet man in der Stadt Münster noch im Jahre
1387 einen grundherrlichen Beamten, den Herrschaftsrichter, an der
Spitze des Stadtraths[13]), im Jahre 1390 aber bereits einen
Bürgermeister ohne den herrschaftlichen Beamten[14]).

---

11) Grimm, I, 763 §. 33—35. und oben §. 261.
12) Grimm, I, 765. ipsumque (abbatem) cives requirant, ut per se
    vel interpositam personam hujusmodi consulum ordinationi, si
    velit, intersit. Quod si facere recusaverit idem abbas, prenotati
    cives sub fide praestiti juramenti, statuendi et eligendi eosdem
    consules liberam habeant facultatem. —
13) Urk. von 1387 bei Wilkens, p. 154. Hinricus judex — aliique
    Mon. civitatis consules et cives.

§. 460.

Die Grundherren waren übrigens keine unumſchränkte Herren in der Stadt und in der Stadtmark. Von den gemiſchten Städten verſteht ſich dieſes von ſelbſt, da in ihnen mehrere Grundherren neben einander und neben dieſen öfter auch noch vollfreie Grund= beſitzer wohnten. Aber auch in den grundherrlichen Städten waren die Grundherren in der Ausübung ihrer Rechte vielfach beſchränkt, durch die Rechte der geſammten Bürgerſchaft und des Stadtraths ebenſowohl wie durch die Rechte der einzelnen Bürger. Die Bürger= ſchaft beſtand nämlich in den grundherrlichen Städten aus den in Grund und Boden angeſeſſenen Hinterſaſſen des Grundherren. Die Hinterſaſſen waren demnach die Stadtmarkgenoſſen, der Grund= herr ſelbſt aber war, wie in den alten großen Marken, der Oberſte Märker[1]. So war in Weißenburg der Abt von Weißenburg der Grundherr und der Märkermeiſter (dominus et magister) in der Stadt und in der Stadtmark[2]. Und wie in Weißenburg ſo iſt gewiß auch in anderen grundherrlichen Städten der Grundherr urſprünglich zu gleicher Zeit auch der Obermärker geweſen. Als Oberſter Märker und Grundherr hatte er nun die Rechte und Vorrechte eines jeden anderen Oberſten Märkers und Grundherrn, welche er insgemein durch ſeinen herrſchaftlichen Beamten ausüben ließ. So hatte z. B. in Kaub, wo die Pfalzgrafen bei Rhein die Grundherren und daher auch die Obermärker in der Stadtmark waren, der herrſchaftliche Burggraf das Gebot in allen Markange= legenheiten, hinſichtlich der Holznutzung und Weide ebenſowohl wie hinſichtlich der Weinleſe („Wyngartleſen‟), hinſichtlich des feilen Kaufs u. ſ. w. Er mußte jedoch bei Ausübung dieſes Gebotes den Stadtrath und einige in der Stadt angeſeſſene Burgmanne bei= ziehen. („zu ymme nemen ſol, ſo er die gebotte und eynunge machen „und ſetzen wil, zwe unſer burgmanne, die ſeßhaftig bo ſin, und

---

14) Urk. von 1390 bei Wilkens, p. 155. „Wy Borgermeſtere Schepene „vnde Raed der Stadt.‟ —

1) Meine Geſch. der Markenverfaſſung, p. 216 ff.

2) Grimm, I, 765. omnes alie silve — sint communes et almeinde vulgari vocabulo, ita quod abbas sit super his magister et dominus.

„unſern rat zu Cube") ³). Seit der Abſchaffung der Hörigkeit und
ſeit der Erweiterung der Rechte des Stadtraths gingen jedoch die
Rechte des grundherrlichen Obermärkers mehr und mehr auf den
Stadtrath über. Daher findet man in ſpäteren Zeiten keine Spur
mehr von einer Obermärkerſchaft in den Städten. In den gemiſchten Städten iſt insgemein wohl der Hauptgrundherr, wenn
ein ſolcher vorhanden war, Oberſter Märker geweſen, z. B. in
Dürkheim der Abt von Limburg. Daher ließ dieſer auch in der
Stadtmark die Rechte eines Oberſten Märkers durch ſeinen grundherrlichen Beamten ausüben, bis ſich die Stadtmarkgemeinde und
der Stadtrath ſeit dem 15. Jahrhundert mehr und mehr emancipirt
haben ⁴). In den meiſten gemiſchten Städten ſcheint es jedoch
keinen Hauptgrundherren gegeben zu haben. Daher hat ſich daſelbſt
eben ſo wenig wie in den freien Städten eine ſtändige Obermärkerſchaft gebildet. Die Rechte eines Markvorſtandes wurden vielmehr, wie in vielen alten großen Marken, von einer genoſſenſchaftlichen Behörde, d. h. von dem Stadtrath beſorgt ⁵). Und da der
Rath jedes Jahr neugewählt werden mußte, ſo konnte ſich daſelbſt
keine ſtändige Markvorſtandſchaft bilden. Jedenfalls wurden aber
die Rechte eines Obermärkers in ſpäteren Zeiten allenthalben den
Grundherren entzogen, und deren Handhabung den Stadträthen
übertragen.

Allein nicht bloß durch den Stadtrath, auch durch die Bürger
und durch die Bürgerſchaft ſelbſt wurden die Grundherren mehr
und mehr in der Ausübung ihrer Rechte beſchränkt. Denn die
Bürger hatten auch in den grundherrlichen Städten ein mehr oder
weniger ausgedehntes Recht auf die Marknutzung und das Recht
über die Marknutzung zu verfügen. Dadurch war nun das Nu-
tzungs- und Verfügungsrecht der Grundherren zwar nicht ganz
ausgeſchloſſen, wohl aber ſehr beſchränkt worden. So hatte z. B.
in Weißenburg der Abt zwar das Recht in den gemeinen Waldungen ſo viel Holz zu ſchlagen, als er ſelbſt für ſeine Höfe und Kirchen nothwendig hatte ⁶). Zu Gunſten eines Fremden durfte er

---

3) Stadtordnung von 1394 §. 2, 4—7 bei Mone, XVII, 379 f.

4) Meine Geſch. der Markenverfaſſung, p. 216 u. 298—306.

5) Meine Geſch. der Markenverfaſſung, p. 224—226.

6) Grimm, I, 765. sed habeat idem abbas liberam et plenariam fa-

aber allein und ohne Zuziehung des Stadtraths weder über das
Beholzigungsrecht noch über den Genuß der Weide und des Waſ=
ſers verfügen, auch allein keine Verordnungen darüber machen [7]).

Im Laufe der Zeit wurden nun die Rechte der ſtädtiſchen
Grundherren mehr und mehr beſchränkt und zuletzt die Hörigkeit
ſelbſt, mit ihr aber die Grundlage der Grundherrſchaft ſelbſt in den
Städten abgeſchafft. Hellſehende Grundherren fanden es ihrem
eigenen Intereſſe zuſagend, die ſtädtiſchen Freiheiten zu begünſtigen
und zu vermehren, und ſogar die Hörigkeit ſelbſt aus freiem An=
trieb abzuſchaffen. So erhielt die Stadt Schwaney ihre Freiheit
und ihre Freiheiten von dem Biſchof von Paderborn und von den
Rittern von Herſe, welche daſelbſt die Grundherren (domini terrae)
waren [8]). Die Stadt Büren erhielt ſie von den Herren von Bü=
ren [9]), die Stadt Pabberg von den Herren von Pabberg [10]), die
Stadt Diebholz von den Herren von Diebholz [11]), die Stadt Ger=
ben von einem Herren von Swalenberg [12]). Auch Hagen in Weſt=
phalen [13]), Weſel [14]) u. a. m. erhielten auf dieſe Weiſe ihre volle
Freiheit (plena libertas). In anderen Städten kam es zum
Kampfe mit den Grundherren. Aber auch dort endigte der Kampf
meiſtentheils mit der Freiheit der Stadt, z. B. in Brakel (§. 169),
und wahrſcheinlich im Jahre 1263 auch in Pabberg [15]). Nach und
nach iſt die Hörigkeit, wie wir geſehen, in allen Städten ver=
ſchwunden und die Freiheit der Städte wurde zur Regel (§. 23,

---

cultatem in ipsis silvis omnia ligna secandi, quibus ad necessa=
rium curiarum suarum et ecclesiarum structuras et aedificia in=
digebit.
7) Grimm, I, 765 u. 766. und oben §. 69, 225 u. 381.
8) Stadtrecht von 1344 bei Wigand, I, 4, p. 99 ff.
9) Stadtrecht aus 14. sec. bei Wigand, III, 3, p. 29 ff.
10) Stadtrecht von 1290 bei Seibertz, II, 1, p. 522.
11) Stadtrecht von 1318 bei Pufendorf, I, 137 ff.
12) Urk. von 1319 bei Kindlinger, Hör. p. 369 ff.
13) Urk. von 1296 bei Wigand, VII, 166.
14) Privilegium von 1277 bei Wigand, IV, 408
15) Denn es heißt in der Urk. von 1290 bei Seibertz, II, 1, p. 522.
quod pater noster et patruus noster Joannis de Patberg pie me=
morie cum civibus oppidi nostri per tempus dissentionem
super quibusdam causis habuerint. —

103 u. 104). Die Abschaffung der Hörigkeit macht aber Epoche in der Geschichte der städtischen Verfassung. Denn es war nun der alte auf die Freiheit der Bürger sich beziehende Unterschied zwischen freien und unfreien Städten gänzlich verschwunden, sintemal nun alle Stadtbürger und daher auch die Städte selbst frei waren. Die Städte wurden nun die Sitze einer neuen Freiheit und eines ganz neuen Rechtes (§. 104—106). Mit der Unfreiheit und Hörigkeit sind aber auch die alten Fronhofgerichte verschwunden, meistentheils z. B. in Basel, Münster u. a. m. im 14. Jahrhundert, hin und wieder, z. B. in Bamberg und Schwerte erst im 18. (§. 39, 68, 121 u. 122), oder die grundherrlichen Beamten sanken wenigstens zu bloßen herrschaftlichen Rentbeamten und Gefällverwesern herab, indem den alten Fronhofbeamten nun nur noch das Einsammeln der den Grundherren vorbehaltenen Grundzinsen und Gilden geblieben ist. Daher erhielten sie nun auch öfters den Titel Schaffner oder Keller [16]).

Freie Städte und gemeine Reichsstädte.

§. 461.

Wie in den übrigen Städten so hörte nun auch in den reichsunmittelbar gebliebenen Städten der alte Unterschied zwischen freien und unfreien Städten auf. Denn alle reichsunmittelbaren Städte waren nun gleich frei. Die Einen eben so reichsfrei wie die Anderen. Daher haben sich nun die reichsgrundherrlichen Städte mit den reichsfreien Städten vermengt und vermischt und die Einen sich unter den Anderen verloren, was um so leichter geschehen konnte, da die Deutschen Könige in den Königsstädten zu gleicher Zeit Reichsgrundherrn und Inhaber der öffentlichen Gewalt, also Landesherren waren. Seit dem 14. Jahrhundert hat sich jedoch ein neuer Unterschied zwischen freien Reichsstädten und gemeinen Reichsstädten gebildet. Bereits Closener und Königshofen sprechen von freien Reichsstädten im Gegensatze der übri-

---

16) Meine Gesch. der Markenverfassung, p. 299. Meine Gesch der Fronhöfe, II, 442 und oben §. 122.

gen Reichsstädte („es werent frie stette oder des riches oder anderre
„herren[1]) in des riches stetten und in den frigen stetten — in
„frigen und riches stetten — die von Strosburg XX glefen die
„anderen frigen stette und des riches stette gobent ouch dem keyser
„vil glefen — es were frihe stette oder des Riches oder andere
herren")[2]. Und auch in den Urkunden werden seit dem 14. Jahrhundert als freie Reichsstädte genannt **Mainz**, **Worms** und
Speier[3]), dann **Regensburg** und **Basel**[4]), öfters auch
Straßburg und **Köln**[5]) und **Freiburg, Straßburg** und **Basel**[6]).
Alle übrigen Reichsstädte, Augsburg, Nürnberg, Frankfurt, Wetzlar,
Friedberg, Ulm, Eßlingen, Reutlingen, Rotweil, Memmingen, Lindau, Kempten, Kaufbeuren, Jßni, Nörblingen, Aalen, Heilbronn,
Kostnitz, Hagenau, Kolmar, Weißenburg, Schlettstadt u. a. m.
waren gemeine Reichsstädte[7]). Es hat sich demnach seit dem 14.
Jahrhundert wieder ein Unterschied zwischen freien und anderen
Reichstädten gebildet[8]), welche man die gemeinen Reichsstädte zu
nennen pflegte. Auch machten die freien Reichsstädte gewisse Vorrechte geltend, welche den übrigen Reichsstädten nicht zukamen. Sie
wollten nicht denselben Huldigungseid wie die gemeinen Reichsstädte
leisten. Sie behaupteten reichsdienstfrei und reichssteuerfrei zu sein.
Auch wollten sie sich nicht von dem Reich verpfänden oder sonst
veräußern lassen. Auf dem Reichstage zu Worms im Jahre 1495
saß Köln auf der Bank der Freistädte oben an. Nach Köln saßen
Straßburg, Basel u. f. w. Der Reichsstadt Aachen, welche als
Krönungsstadt den Vorrang vor Köln begehrte, und sich nachher

---

1) Closener zum Jahre 1349, p. 83.
2) Königshoven, p. 128, 139 u. 296.
3) Urk. von 1356 bei Lehmann, p 714 u. 715. Mehrere Urkunden von
    1366 in Regest. Boic. IX, 156 u. 157.
4) Urk. von 1385 u. 1387 bei Datt, de pace publica, lp. 608. Bun-
    desbrief von 1385 u. 1387 bei Lehmann, p. 749 u. 766. Urk. von
    1401 bei Ochs, III, 19.
5) Urk. von 1385, 1495 u. 1541 bei Datt, p. 608 u. 609.
6) Urk. von 1362 bei Schiller zu Königshoven, p. 888.
7) Urk von 1385 bei Datt, p. 608. Bundesbrief von 1387 bei Leh-
    mann, p. 766.
8) Urk. von 1349 bei Senckenberg, sel. jur. II, 169. — „Burger der
    „frihen Stett, unser und des heiligen Reichs getruwen " —

selbst eine freie Stadt nannte, wurde es vom Kaiser verboten, sich eine freie Stadt zu nennen [9]). Der Rangstreit zwischen Köln und Aachen wurde im Jahre 1541 auf dem Reichstage zu Regens= burg mit Zustimmung der freien Reichsstädte dahin entschieden, daß auf der Rheinischen Stadtbank Aachen zwar den Rang nach Köln, aber doch vor den den übrigen freien Reichsstädten haben solle [10]). Auch wurde jener Unterschied zwischen freien und gemei= nen Reichsstädten von dem Reiche selbst und von den Reichsständen anerkannt. Denn nach dem Vorschlag der Stände sollte im Jahre 1495 zu dem Reichsregiment ein Beisitzer aus den freien Reichs= städten und ein anderer Beisitzer aus den gemeinen Reichsstädten genommen und verordnet werden [11]). Worin nun aber dieser Un= terschied bestanden hat und aus welchen Gründen ein solcher Unter= schied gemacht worden ist, war lange Zeit, selbst bis auf unsere Tage nicht recht klar. Und da viele Reichsstädte, um die Vorrechte der freien Städte zu genießen, freie Städte sein wollten, z. B. Trier noch im 16. Jahrhundert [12]), da ferner auf einigen Städte= tagen mehrere gemeine Reichsstädte, z. B. auf dem Städtetag zu Eßlingen im Jahre 1486 die Städte Frankfurt, Hagenau und Kol= mar auf der Bank der freien Reichsstädte saßen [13]), so war es öfters auch streitig, welche Städte freie Städte und welche gemeine Reichsstädte seien. So meinte der berühmte Doctor Bonifacius Amerbach in einem im Jahre 1542 erstatteten Gutachten, daß außer Basel, Straßburg, Köln und Regensburg auch Metz eine freie Stadt sei, Speier und Worms aber nur gemeine Reichsstädte seien. Auch sagt er selbst, daß er an erfahrne Personen, die bis= her viele Reichstage besuchten, geschrieben hätte, um zu vernehmen, was unter Reichs= und freien Städten für ein Unterschied obwalte und worin deren Freiheit beruhe. Darauf habe man ihm geant= wortet, sie trügen dessen auch kein eigentliches Wissen,

---

9) Müller, Reichstags Theatrum Kaiser Maximilians, I, 492—494.

10) Datt, p. 609.

11) Müller, I, 382.

12) Trier behauptete nach der Prozeßschrift von 1577 bei Hontheim, III, 60. eine „dem heyligen Reich sine medio herrührende freie Stadt" zu sein. Allein die Vogtei gehörte damals schon dem Erzbischof.

13) Lehmann, p. 249.

sie dächten aber, dies seien die freien Städte, die den freien
Zug und merum et mixtum imperium, das ist, obere und niedere
Herrlichkeit, die nicht kaiserlicher Majestät, noch jemanden anders,
von des Reichs wegen, sondern allein ihrem gemeinen Nutzen ge=
schworen, keine Reichssteuer geben und die auch nicht weiter als zu
dem Römerzug hochgemeldter kaiserlichen Majestät zu dienen schul=
dig seien [14]).

Die Sache selbst war demnach bereits im 16. Jahrhundert
unklar und ist es auch seitdem bis auf unsere Tage geblieben.
Siebenkees erklärt noch den Unterschied zwischen beiden Städten
für ein Räthsel aus dem Staatsrecht der mittleren Zeiten [15]). Es
haben sich daher die aller sonderbarsten Ansichten gebildet, welche
man bei Lehmann (p. 245 u. 246) und bei Häberlin [16]) nach=
lesen kann. Gemeiner [17]) leitet den Vorrang der Freistädte aus
der römischen Verfassung her. Eben so Bobmann, der sogar
meint, daß Mainz zwar eine Freistadt, nicht aber eine Reichsstadt
gewesen sei [18]), was Mainz freilich seit seiner gewaltsamen Unter=
werfung unter das Erzstift im Jahre 1462 nicht mehr, wohl aber
in früheren Zeiten gewesen, und daher, wie wir gesehen, mit dem=
selben Rechte wie Speier und Worms u. a. m. eine freie Reichs=
stadt genannt worden ist. Selbst Eichhorn wußte nicht recht
was er aus den freien Reichsstädten machen sollte [19]). So wie
denn auch Arnold die Sache keineswegs klar gemacht hat [20]).
Meiner Meinung am nächsten kommt Heusler [21]), wiewohl auch
er mit Arnold die Freistädte nicht für Reichsstädte hält, eine An=
sicht, die offenbar unrichtig ist [22]). Die Autoren und viele Urkun=
den des 14. Jahrhunderts sprechen zwar in der Regel von freien
Städten und unterscheiden von ihnen die Reichsstädte. Und die

---

14) Dr. Amerbachs Gutachten von 1542 bei Ochs, VI, 363—364.
15) Siebenkees, Materialien zur Nürnberger Gesch., IV, 518.
16) Reichsgeschichte, VIII, 282 f.
17) Ueber den Ursprung der Stadt Regensburg u. aller alten Freistädte. Regensburg 1817.
18) Bobmann, I, 133.
19) Eichhorn, Staats= und Rechtsgesch. §. 431, III, 306 ff.
20) Arnold, Verfassungsgeschichte der Deutschen Freistädte, II, 415—430.
21) Heusler, Vrf. Gesch. p. 310—321.
22) Arnold, I, p. VIII, u. II, 425 u. 426. Heusler, p. 312.

v. Maurer, Städteverfassung. III.   19

Freistädte Regensburg und Basel erklären sogar selbst, daß sie keine
Reichsstädte, sondern Freistädte seien. So Regensburg „nach=
„dem wir nit ein Reichsstatt, sunder ein Breystadt wären" 23). Und
Basel: „wie doch wir nüt eines Richs Stadt sint" 24). Sie nen=
nen Nürnberg eine Reichsstadt, aber keine Freistadt 25). Nichts
desto weniger waren doch auch die Freistädte Reichsstädte. Denn
Reichsstädte waren alle Städte, welche unter keinem Landesherrn,
vielmehr unmittelbar unter dem Reich standen. Daher hörten
Freiburg und Mainz, seit ihrer Unterwerfung unter eine Landes=
hoheit, auf Freistädte zu sein. Die Freistädte waren dem Reichs=
oberhaupte, und keinem Landesherrn, unterworfen, und ihm in ge=
wissen Fällen dienstpflichtig und den Huldigungseid schuldig, da=
her müssen auch sie Reichsstädte gewesen sein. Sie hatten nur
gewisse Vorrechte vor den übrigen Reichsstädten voraus und dem
Reich gegenüber eine den Reichsfürsten ähnliche Stellung. Unter
dem Reiche standen aber auch sie, und wurden auch bereits seit
dem 14. Jahrhundert zuweilen Reichsstädte genannt, z. B. Basel
u. a. m. („unser und des reichs stat zu Basel", — als das andere
„unser und des richs frye stätt getan haben") 26). Die übrigen
Reichsstädte waren von den Freistädten nur dadurch unterschieden,
daß sie, weil sie der Reichsvogtei unterworfen waren, in größerer
Abhängigkeit standen und größeren Diensten und Leistungen unter=
worfen waren. Sie wurden daher zum Unterschiede von den Frei=
städten gemeine Städte und gemeine Reichsstädte ge=
nannt 27). Wenn daher Regensburg und Basel erklärten, keine
Reichsstädte zu sein, so hieß dies nur so viel, daß sie keine ge=
meine Reichsstädte sein und die Dienste und Steuern der gemei=
nen Reichsstädte nicht leisten wollten. Reichsstädte waren aber
dennoch auch sie. Und seit dem 15. Jahrhundert führten sie auch
den Titel freie Reichsstädte 28).

---

23) Urk. von 1459 bei Gemeiner, III, 298.
24) Urk. von 1401 bei Ochs, III, 19
25) Urk. von 1459 bei Gemeiner, III, 299. — „Nürmberg, — die doch
„kein Freyestatt, sondern ein Reichsstatt ist." —-
26) Urk. von 1369 und 1376 bei Heusler, p. 311.
27) Urk. von 1386 u. 1387 bei Lehmann, p. 756 u. 766.
28) Heusler, p. 313.

Der Unterschied der freien Städte von den gemeinen Reichs=
städten beruht nämlich, wie dieses bereits in dem Gutachten des
Dr. Amerbach angedeutet ist, auf der Unterwürfigkeit unter die
Reichsvogtei. Sämmtliche unter einer Reichsvogtei stehenden
Reichsstädte waren den reichsvogteilichen Diensten und Leistungen
unterworfen. Man nannte sie daher gemeine Reichsstädte. Die=
jenigen Reichsstädte dagegen, welche unter keiner Reichsvogtei stan=
den, (weil sie entweder diese selbst wenn auch nur pfandweise er=
worben hatten oder von der landesherrlichen (bischöflichen) Vogtei
wieder frei geworden und ohne unter eine Reichsvogtei gekommen
zu sein, in direkte Verbindung mit dem Reiche gekommen waren),
waren freie Reichsstädte. Denn sie waren frei von der Reichs=
vogtei und daher keiner Reichssteuer und keinem anderen ständigen
Reichsdienst unterworfen. Um dieses klar zu machen muß ich jedoch
etwas weiter in die Geschichte zurückgreifen.

§. 462.

Seit dem 9. bis ins 13. Jahrhundert waren die Deutschen
Städte theils Königsstädte theils herrschaftliche Städte oder Im=
munitätsstädte, die Königsstädte aber theils reichsgrundherrliche
Städte (civitates indominicatae) theils reichsfreie Städte oder
Grafschaftsstädte (civitates de comitatibus) (§. 23, 117 u. 150).
Erst im 13. Jahrhundert, als unter Friedrich II eine Landeshoheit
hervorzutreten begann, hörten die meisten Grafschaftsstädte auf Kö=
nigsstädte zu sein. Und es entstand sodann der späterhin so wich=
tige Unterschied zwischen Reichsstädten und Landstädten. Bis dahin
standen nämlich, wenigstens der Form und dem Rechte nach, alle
Städte, welche keine Immunitätsstädte waren, unmittelbar unter
dem Deutschen König und wurden daher Königsstädte genannt.
Nun aber hörten die in einer Erbgrafschaft oder in einem erblichen
Territorium liegenden Städte auf reichsunmittelbar zu sein. Man
nannte sie daher landesherrliche Städte oder Landstädte zum Unter=
schiede von den reichsunmittelbar gebliebenen Königsstädten, welche
von nun an Reichsstädte genannt zu werden pflegten. Bereits
im Jahre 1226 erhielt Lübeck von Friedrich II selbst den Titel
civitas et locus imperii [29]). Und aus demselben Grunde

---

[29]) Urk. von 1226 im Lüb. Urkb. I, 46.

wird im Jahre 1218 in der Handfeste von Bern gesagt, daß die
Stadt auf dem Grund und Boden des Reiches (in imperii do=
minio) liege, wiewohl sie eine freie und keine reichsgrundherrliche
Stadt war [30]. Denn es sollte mit dem Reichsboden nur der Ge=
gensatz gegen das landesherrliche Territorium ausgedrückt und dem
König und dem Reich dieselbe Oberherrlichkeit beigelegt werden,
welche auch die Landesherrn in den landesherrlichen Territorien
gehabt haben (§. 458). Und dasselbe gilt auch von der Reichsstadt
Dortmund, welche gleichfalls auf dem Reichsboden (in fundo sacri
imperii) lag [31]. Zu den Reichsstädten wurden aber außer den
reichsgrundherrlichen Königsstädten und außer den reichsunmittel=
bar gebliebenen Grafschaftsstädten auch noch die Bischofsstädte und
die Reichsabteistädte gerechnet, welche zwar ebenfalls landesherrliche
Städte geworden, wegen der Verleihung des Blutbanns vom Kaiser
selbst aber in einem gewissen Sinn auch noch reichsunmittelbar ge=
blieben waren. Allen diesen Städten, auch den Bischofsstädten,
wurden nun, wie den reichsunmittelbar gebliebenen Herrschaften,
Reichsvögte und Reichslandvögte vorgesetzt und diese mit der Aus=
übung der öffentlichen Gewalt und mit der Besorgung der reichs=
grundherrlichen Angelegenheiten beauftragt.

Die Rechte und Verbindlichkeiten der Reichsstädte waren an=
fangs sehr verschieden. Denn sie sind aus sehr verschiedenartigen
Bestandtheilen hervorgegangen. Sehr frühe haben sich jedoch die
alten Unterschiede verloren und statt der alten sich neue gebildet.
Die reichsgrundherrlichen Städte waren nämlich, wie wir gesehen,
zu grundherrlichen Diensten und Abgaben verbunden (§. 458).
Seit der Abschaffung der Hörigkeit waren sie aber, unbeschadet
ihrer Dienst= und Abgabenpflicht, eben so freie Städte geworden,
wie die freien Grafschaftsstädte, wie das Beispiel von Aachen,
Frankfurt, Nürnberg, Ulm u. a. m. beweißt. Die alten freien
Königsstädte (die Grafschaftsstädte) dagegen waren keine grund=
herrliche Dienste und Abgaben, vielmehr nur den alten Königs=
dienst schuldig. Sie mußten da, wo es hergebracht war, den alten
Königszins entrichten, den Kaiser beherbergen und verpflegen oder

---

30) Handfeste von 1218, §. 1, 2, 3 u. 5.
31) Stadtrecht §. 27. vgl. oben §. 21.

dafür eine Bete entrichten und, so oft es nothwendig war und be=
gehrt ward, eine Beihilfe oder Steuer entrichten. Und aus diesen
verschiedenartigen Königsdiensten sind, wie wir gesehen, die Reichs=
dienste und die Reichssteuern hervorgegangen, welche von den nicht
ritterbürtigen Bewohnern der Reichsstädte geleistet und entrichtet
werden mußten [32]).

Diese Reichsdienste und Steuern nahmen nun, seitdem die
Reichsstädte einer Reichsvogtei unterworfen worden waren, die
Natur von vogteilichen Diensten und Abgaben an, welche den
grundherrlichen sehr ähnlich waren. Viele Reichsstädte, z. B. jene
in Schwaben, mußten auch für den von den Reichsvögten erhal=
tenen Schutz ein Schutzgeld entrichten [33]). Wie sich nun die
reichsgrundherrlichen und die reichsfreien Städte mit einander ver=
mengt und vermischt haben, so haben sich auch die grundherrlichen
Dienste und Abgaben mit den vogteilichen Diensten und Abgaben
vermengt und die Einen sich unter den Anderen verloren. Sämmt=
liche unter der Reichsvogtei stehenden Reichsstädte waren demnach
nun reichsdienstpflichtig. Sie mußten dem Reiche dienen so oft es
nothwendig war und begehrt ward, Lübeck eben sowohl wie Augs=
burg, Nürnberg, Costnitz, Ulm, Eßlingen, Reutlingen, Memmingen,
Lindau, Kempten, Sanct Gallen, Nördlingen, Schweinfurt, Mühl=
hausen u. a. m. [34]). Sie mußten insbesondere auch die Römer=
züge über die Alpen mitmachen und zu denselben beisteuern [35]).
Eben so mußten sie, da die reichsstädtischen Bürger Reichsunter=

---

32) Meine Gesch. der Fronhöfe, III, 356 ff., 384 ff. u. 397 ff.

33) Meine Gesch. der Fronhöfe, III, 350 ff.

34) Urf. von 1226 im Lüb. Urfb. I, 46. servicia, que nobis et imperio
fideliter semper exhibere curarunt —. Bundesbrief von 1387 bei
Lehmann, p. 766. „ob das wäre, daß sich jemand wer der wäre, für
„einen Römischen König abwerffen, und denselben unsern gnädigsten
„Herrn den König von dem Königreich tringen wolte, daß wir ihme
„dann gen denselben getreulichen sollen und wollen gerathen und be=
„holffen und beyständig seyn, in Teutschen Landen hie disseit des Ge=
„bürges" —. Urf. von 1302 bei Grasshof, p. 213. ut de bonis
illis — quae censum imperio soluere et contributiones vel sturas
dare ac seruitia facere consueuerunt census soluatur — prout ab
antiquo fieri est consuetum.

35) Gemeiner, II, 352 u. 353.

thanen waren, die an jedem Ort hergebrachten jährlichen Reichs=
steuern entrichten, Frankfurt [36]), Goslar [37]), Mühlhausen [38]), Nürn=
berg [39]), Rotenburg [40]), Donauwörth [41]) und Wetzlar ebensowohl [42]),
wie Friedberg, Gelnhausen, Landau, Lübeck, die schwäbischen Reichs=
städte Augsburg, Ulm, Nördlingen u. a. m. [43]). Sogar jene
Reichsstädte, welche später freie Reichsstädte wurden, mußten die
Reichssteuer entrichten, so lange sie noch unter der Reichsvogtei
standen, z. B. Worms [44]). Denn erst durch den Erwerb der Reichs=
vogtei wurden sie frei von der Reichssteuer und von anderen Reichs=
diensten. Daher konnte sich noch Kaiser Friedrich II in Worms
das Recht eine Bete zu erheben vorbehalten. Er gestattete jedoch
damals, im Jahre 1213, schon, daß diese Bete durch niemand ande=
ren als durch den Bischof selbst erhoben werden solle [45]).

Die unter der Reichsvogtei stehenden Reichsstädte wurden
nämlich, wie die übrigen Reichsherrschaften und Reichsvogteien, als
Reichsdomänen betrachtet und behandelt. Sie durften daher, wie
jedes andere Reichsgut, mit der Reichssteuer und mit den anderen
Gefällen und Rechten von dem Reiche versetzt und verpfändet oder
auf sonstige Weise veräußert werden, z. B. Augsburg, Ulm, Mem=
mingen, Kaufbeuren, Leutkirch, Lindau, Reutlingen, Eßlingen, Nörd=
lingen, Heilbronn und andere schwäbische Reichsstädte [46]), dann die

---

36) Urk. von 1322 u. 1333 bei Böhmer, I, 461 u. 525. von Fichard,
   p. 341. Kirchner, II, 358.

37) Urk. von 1390 bei Göschen, p. 121.

38) Urk. von 1302 bei Grasshof, p. 213.

39) Urk. von 1361, 1370 u. 1394 in Hist. Norimb. dipl. p. 403, 435,
   436 u. 494.

40) Urk. von 1360 in Hist. Norimb. p. 397.

41) Freiheiten von 1465 § 4 bei Lori, p. 183.

42) von Ulmenstein, I, 226 ff., 253, 380, II, 27.

43) Chmel, reg. Ruperti p. 231—232. Wegelin, I, 103 u. 104. Meine
   Gesch. der Fronhöfe, III, 406—408.

44) Urk. von 1182 bei Pertz, IV, 165.

45) Urk. von 1213 bei Schannat, II, 98. Concessimus quoque ipsi
   (episcopo), ut quamcumque petitionem in civitate Wormatiensi
   apud burgenses sive judaeos facere voluerimus, per eum solum et non per aliam personam faciamus.

46) Urk. von 1330, 1348, 1359, 1360, 1361, 1377, 1379 u. 1384 bei
   Wegelin, II, 6, 11, 38—41, 42 u. 48—51.

Reichsstädte Oppenheim, Obernheim u. a. m. [47]), die Reichsstädte Gelnhausen, Nordhausen, Goslar und andere Städte in Thüringen [48]). Gegen dergleichen Veräußerungen erhielten nun zwar faſt alle Reichsstädte Kaiserliche Privilegien mit dem Versprechen, daß ſie nicht mehr veräußert werden sollten, Aachen schon seit dem 12. Jahrhundert [49]), andere Städte seit dem 13. Jahrhundert, z. B. Bern [50]), Lübeck [51]), Goslar [52]), Hagenau [53]), Frankfurt, Friedberg, Wetzlar, Gelnhausen [54]) u. a. m., seit dem 14. und 15. Jahrhundert aber ſämmtliche Reichsstädte in Schwaben und Franken [55]), insbesondere auch Nürnberg [56]), Donauwörth [57]) u. a. m. Dieſer öfters wiederholten Versprechungen ungeachtet fuhren jedoch die Kaiser mit dergleichen Veräußerungen nach wie vor fort, was denn begreiflicher Weiſe zu manchen Kämpfen, z. B. der Reichsstädte in Schwaben mit dem Grafen von Wirtemberg, denen sie gegen jenes Versprechen verpfändet worden waren, geführt hat [58]).

Als Reichsunterthanen mußten die Bürger in den Reichsstädten endlich auch dem Kaiser und Reich huldigen. Die Reichsstädte im Elſaß, am Rhein und in der Wetterau eben sowohl wie die Reichsstädte in Schwaben und Franken [59]). Als daher Maxi-

---

47) Urk. von 1356 bei Lehmann, p. 714. Mehrere Urkd. von 1366 in Regest. Boic. IX, 156 u. 157. Gemeiner, II, 386 u. 387.

48) Olenschläger, Staatsgesch. des 14. Jahrh. I, 407, II, 281. Königshoven, p. 134.

49) Urk. von 1166, 1215 u. 1244 bei Quix, II, 93, 94 u. 115.

50) Handfeste von 1218, c. 2.

51) Urk. von 1226 in Lüb. Urkb. I, 46.

52) Urk. von 1252 bei Göschen, p. 116.

53) Urk. von 1257 bei Gaupp, I, 104.

54) Urk. von 1257 bei Böhmer, p. 117.

55) Urk. von 1348 u. 1377 bei Wegelin, II, 40 u. 48.

56) Urk. von 1313, 1394 u. 1401 in Hist. Norimberg. p. 227, 228, 494 u. 520.

57) Urk. von 1465 §. 3 bei Lori, p. 183.

58) Wegelin, I, 75—78. Häberlin, Welthistorie, VIII, 260—263. Anmerkungen über die Geschichte der Reichsstädte, vornemlich der Schwäbiſchen. Ulm 1775, p. 156—165.

59) Bundesbrief von 1387 bei Lehmann, p. 766. von Ulmenstein, II, 26 u. 27. Wegelin, I, 127 u. 130. Von Hagenau spricht die Urk. von 1332 bei Oefele, script. I, 767. b.

milian I im Jahre 1498 nach Reutlingen kam, wurde ihm auf dem
Markte von dem Rathe und der Bürgerschaft gehuldiget [60]). Und
in Landau mußten die Bürger noch im 16. Jahrhundert den Unterthanen Eid in die Hände des Kaiserlichen Landvogtes schwören [61]). Denn die Deutschen Könige und Kaiser waren in den
Reichsvogteien und in den Reichsstädten die Landesherrn. Sie
hatten daher auch die landesherrlichen Rechte und Pflichten.

§. 463.

Erst seit dem Erwerbe der Reichsvogtei hat sich dieses Alles
geändert. Denn diejenigen Reichsstädte, welche die Reichsvogtei
selbst an sich gebracht hatten, denen auch jene Bischofsstädte gleich-
standen, welche von der landesherrlichen Vogtei wieder frei geworden
und in direkte Verbindung mit dem Reiche gekommen, der Reichsvogtei aber nicht unterworfen waren, erhielten nun, wenigstens
dem Rechte nach, die Landesherrschaft selbst. Sie wurden eben so
frei und standen eben so direkt unter dem Kaiser und Reich wie
jeder andere Landesherr auch. Wie jeder andere Landesherr, so
durften daher nun auch die freien Reichsstädte ein eigenes selbständiges Wappen führen, während die gemeinen unter der Reichsvogtei stehenden Städte als reichsunterthänige Städte in ihrem
Wappen den Reichsadler führen mußten, bis sie, wie z. B. Frankfurt von Kaiser Ludwig dem Baier das Privilegium ein eigenes
Wappen zu führen erhalten hatten, und sodann neben dem Reichs-
banner auch noch ihr eigenes Stadtbanner führen durften [1]). Mit
der Unterwürfigkeit unter die Reichsvogtei fielen aber auch noch
die vogteilichen Verbindlichkeiten weg. Daher waren diese Städte
nun wirkliche Freistädte und wurden auch zum Unterschiede von
den übrigen Reichsstädten Freistädte oder freie Reichsstädte genannt.
Als Freistädte brauchten sie nun dem Kaiser nicht mehr in derselben Weise wie die übrigen Reichsstädte zu huldigen, zu dienen und zu steuern. Denn der Kaiser war nicht mehr ihr
Landesherr. Sie mußten ihm zwar noch als dem Deutschen König

---

60) Gayler, I, 137.
61) Urk. von 1511 u. 1512 bei Birnbaum, p. 490 u. 507.
1) Lehmann, p. 246. Arnold, II, 428. Heusler, p. 313—314.

und Kaiſer huldigen, ihn als ihren König und Kaiſer anerkennen
und, wenn er in die Stadt kam, ihn ehren und würdig empfangen.
Den dem Kaiſer als dem Landesherrn ſchuldigen Huldigungs=
eid (den Erbhuldigungseid) brauchten ſie aber nicht mehr zu
leiſten [2]). Die dem Kaiſer von den Freiſtädten Mainz, Worms
und Speier fortwährend geleiſtete Huldigung, von welcher ſpäter=
hin noch die Rede ſein wird, kann demnach keine Erbhuldigung
geweſen ſein. Und aus demſelben Grunde muß auch die von den
Freiſtädten Baſel und Straßburg verweigerte Huldigung von einer
Erbhuldigung verſtanden werden. In Baſel leiſtete nämlich wohl
der Stadtrath noch im 14. Jahrhundert dem Kaiſer einen Amtseid.
Die Bürgerſchaft aber leiſtete ihm ſchon damals keinen Eid mehr [3]).
Als daher in den Jahren 1466 und 1473 der Huldigungseid von
dem Kaiſer begehrt worden war, wurde derſelbe von der Bürger=
ſchaft verweigert ("daß weder wir noch andere Freiſtädte einem
"römiſchen Kaiſer zu ſchwören nicht pflichtig") [4]). Und dieſelbe
Weigerung erfolgte in Straßburg in eben dieſem Jahre 1473 ſogar
mit einiger Bitterkeit, als auch dort der Huldigungseid von dem
Kaiſer begehrt worden war [5]). Dieſe verweigerte Huldigung kann

---

2) Gemeiner, II, 352 u. 353. Ochs, III, 19. Bundesbrief von 1387 bei
   Lehmann, p. 766. "ausgenommen Regensburg und Baſel, als zwo
   "Frey=Stadt, die vormals unſerm Herrn dem König nicht geſchworen
   "haben, als die vorgenannten deß Reichs Städte." Dies geht offen=
   bar auf den Erbhuldigungseid, welchen zwar die gemeinen Reichsſtädte,
   nicht aber die Freiſtädte leiſten mußten. Aus dieſer Stelle darf daher
   nicht gefolgert werden, wie man dieſes öfters gethan hat, daß die freien
   Städte den Deutſchen König gar nicht mehr zu huldigen gebraucht
   haben. Auch haben die Freiſtädte Mainz, Worms und Speier dem
   Kaiſer fortwährend gehuldigt.
3) Ochs, I, 495 u. 496. vergl. oben §. 435.
4) Urk. von 1466 u. 1473 bei Heusler, p. 316, 318 u. 319. Ochs, IV,
   224—226.
5) Königshoven, p. 368. "Er mutet den von Straßburg zu daß ſie im
   "ſchweren ſolten als einem zytlichen Herren das doch nie kein keiſer ge=
   "ton hat, ſith das ſie fry wurdent geſetzet, do wider tent ſich die von
   "Straßburg, und ſprochent, kunig und keiſer hant brieff das wir dem
   "Rich ſollent dienen zu billichen zyten dem heiligen Rich gehorſam ſin,
   "das wollen wir tune, on das wollent wir nit tune."

jedoch, wie bemerkt, nur von einer Erbhuldigung verstanden werden, worauf auch die Worte „solten im schweren als einem zytlichen „Heren" bei Königshofen hindeuten.

Die freien Reichsstädte waren ferner **frei von der jähr-lichen Reichssteuer.** Die Stadt Straßburg hatte die Freiheit von dieser Reichssteuer schon von Friedrich II erhalten [6]). Als da-her im Jahre 1458 die jährliche Reichssteuer von dem Kaiser be-gehrt ward, antwortete die Stadt, daß sie diese Steuer nicht schul-dig sei, indem sie von je her eine freie Reichsstadt („ein fry Stat „in dem heiligen Riche") gewesen sei [7]). Eben so antwortete die Stadt Speier im Jahre 1505, als auch dort die jährliche Reichs-steuer eingefordert werden wollte, sie habe niemals eine Reichssteuer entrichtet, „sie seye dessen jederzeit als eine freye Stadt des Heil. „Römischen Reichs ledig gestanden, und stünde annoch ledig") [8]). Auch **reichsdienstpflichtig** waren die freien Reichsstädte **nicht.** Sie waren weder Hilfe und Beistand noch Kriegsdienste schuldig und brauchten auch nicht zu dem Ende beizusteuern. Speier wurde schon von Kaiser Ludwig und später auch noch von Karl IV für **reichsdienst- und steuerfrei** erklärt („ledig und frey alles „Dienstes und Hülff über das Gebürg gegen Lampartén") [9]). Eben so waren Mainz, Worms und Speier [10]), dann Basel, Regensburg und andere Freistädte reichsdienstfrei [11]). Sie verstanden sich jedoch meistentheils zu freiwilligen Beiträgen und anderen Leistungen, z. B. Regensburg und Basel [12]). Eben so Worms, Speier und Mainz. Sie ließen sich jedoch einen Revers vom Kaiser ausstellen, daß sie dieses freiwillig, „durch sondere Lieb und Freundschafft und „nicht durch Recht" gethan haben [13]). Was daher die Stadt Worms

6) Urk. von 1205 u. 1219 bei Schoepflin, I, 311 u. 339.

7) Zwei Urkunden von 1458 bei Schilter zu Königshoven, p. 612 und 613.

8) Lehmann, p. 249.

9) Urk. von 1315 u. 1347 bei Lehmann, p. 666 u. 699.

10) Urk. von 1349 bei Lehmann, p. 703.

11) Gemeiner, II, 82, 352 u. 353, III, 296—299 u. 737. Not. Ochs, II, 216.

12) Bundesbrief von 1387 bei Lehmann, p. 766. Gemeiner, II, 352—354. Ochs, II, 216, III, 19. Heusler, p. 411.

13) Urk. von 1349 bei Lehmann, p. 703.

im Jahre 1401 zu einem Römerzug beigesteuert hat, wurde als eine Schenkung betrachtet [14]). Ganz dienst= und steuerfrei waren darum aber die freien Reichsstädte eben so wenig wie es die Reichs= fürsten selbst gewesen sind. Sie standen vielmehr in dieser Be= ziehung den Reichsfürsten ganz gleich. Außer den Ehrendiensten, welche sie dem Reichsoberhaupte, wenn es in ihre Stadt kam, schuldig waren, mußten sie daher ihm auch noch den Dienst zur Kaiserkrönung gen Rom („zu keyserlichen krönungen gen Rome — „wenn ein römischer künig über berg gen Rome umb die kaiser= „liche crone zu empfahen ziehen will“ —), und zu christlichen Heer= zügen („den kaiserlichen Dienst über Berg und wider die Ungläu= „bigen einen gemeinen Heerzug — zu gemeinen herzügen wider die „ungloubigen oder durchechter des kristengloubens“), also gegen die Hussiten, Türken und gegen andere Feinde der Christenheit leisten. Und wenn sie diese Dienste nicht persönlich leisteten, so mußten sie dafür eine Steuer entrichten [15]). Ihre Dienst= und Steuerfreiheit bezog sich demnach nur auf die übrigen Kriegsdienste und Steuern, also insbesondere auch auf die jährliche Reichssteuer. Endlich waren die freien Reichsstädte auch kein Reichsgut. Sie durften daher vom Reiche nicht verpfändet und auch auf sonstige Weise nicht über sie verfügt werden [16]). Die Vorrechte, welche die freien Reichsstädte vor den übrigen, den gemeinen, Reichsstädten voraus hatten, be= standen demnach in dem Rechte ein eigenes Wappen führen zu dürfen, dann in der Freiheit von der Erbhuldigung und von den gewöhnlichen Kriegsdiensten und von der ständigen Reichssteuer, endlich in der Freiheit von der Veräußerung vom Reich. Denn den Huldigungseid und den Dienst zur Kaiserkrönung gen Rom und den Heerdienst gegen die Feinde der Christenheit mußten auch sie leisten; oder für den Naturaldienst eine Steuer entrichten.

§. 464.

Die freien Reichsstädte waren demnach von den gemeinen

---

14) Die Urk. von 1401 bei Arnold, II, 416.

15) Viele Beispiele aus dem 15. sec. bei Heusler, p. 314—318 u. 368. Not., z. B. Straßburg. Urk. von 1453 bei Schilter zu Königshoven, p. 613.

16) Gemeiner, II, 386 u. 387.

Reichsstädten wesentlich verschieden. Seit dem 15. und 16. Jahr=
hundert hat sich jedoch auch diese Verschiedenheit mehr und mehr
wieder verloren, so daß außer der jährlichen Reichssteuer kein we=
sentlicher Unterschied mehr geblieben ist. Beide Arten von Städten
kamen sich nämlich seit dem 15. Jahrhundert dadurch wieder näher,
daß die Einen wie die Anderen Sitz und Stimme auf den Reichs=
tagen und auf den Städtetagen erhielten. Auf dem Reichstage zu
Augsburg im Jahre 1474 saßen nämlich sämmtliche Reichsstädte
zufälliger Weise auf zwei Bänken. Auf der r h e i n i s c h e n B a n k
saßen außer den rheinischen auch noch die elsaßischen, wetterauischen,
thüringischen und sächsischen Reichsstädte, auf der s c h w ä b i s c h e n
B a n k aber außer den schwäbischen auch noch die fränkischen Reichs=
städte. Und zur Vermeidung aller Rangstreitigkeiten ward auf
demselben Reichstage beschlossen, daß diese Art zu sitzen auch bei
künftigen Versammlungen beibehalten und beim Votiren in der
Umfrage abgewechselt werden sollte[1]. Auf der r h e i n i s c h e n
B a n k saßen demnach neben den übrigen Reichsstädten vom Rhein
und vom Elsaß und aus Thüringen und aus Sachsen auch die
freien Reichsstädte Köln, Worms, Speier, Straßburg und Basel,
auf der s c h w ä b i s c h e n B a n k aber auch die Freistadt Regens=
burg. Und man nannte sogar die rheinische Bank, weil die meisten
Freistädte auf ihr saßen, die B a n k d e r F r e i s t ä d t e, z. B. auf
dem Städtetag zu Eßlingen im Jahre 1486[2] und auf dem
Reichstag zu Worms im Jahre 1495[3]. Die Freistädte waren
demnach dem Rang nach von den gemeinen Reichsstädten durchaus
nicht verschieden. Dies folgt zumal aus dem vorhin erwähnten
Rangstreit zwischen Köln und Aachen, der zwar zu Gunsten der
Stadt Köln, aber zum Nachtheil der übrigen Freistädte entschieden
worden ist. Die g l e i c h e Reichsstandschaft brachte nun die Frei=
städte den übrigen Reichsstädten immer näher und näher, indem
die Einen wie die Anderen den auf den Reichstagen und Städte=
tagen beschlossenen Reichsdiensten und Steuern und den übrigen
eilenden Hilfen unterworfen waren, wie dieses aus den Verhand=

---

1) Lehmann, p. 896.
2) Lehmann, p. 249.
3) Müller, I, 493.

lungen auf den Reichstagen zu Nürnberg und Worms von den Jahren 1467 und 1495 klar und deutlich hervorgeht [4]). Nur von den jährlichen Reichssteuern blieben die freien Reichsstädte auch in späteren Zeiten noch frei. Aber auch dieser so wie jeder andere Unterschied ist nach und nach noch verschwunden, seitdem auch die freien Städte, z. B. Regensburg bereits im Jahre 1500, der Erb=huldigung unterworfen worden sind [5]), seitdem das Ansehen der Reichsvogtei mehr und mehr gesunken und seit dem 15. und 16. Jahrhundert die Reichsvogtei entweder gar nicht mehr besetzt oder von den Reichsstädten selbst erworben worden ist [6]), und seitdem auch noch andere Reichsstädte, z. B. Aachen, Augsburg, Frankfurt u. a. m., Dortmund bereits im Jahre 1377 [7]) von der jährlichen Reichssteuer befreit worden sind. Denn ein wesentlicher Unterschied hat seitdem zwischen den Freistädten und den übrigen Reichsstädten nicht mehr bestanden. Seit dem 16. Jahrhundert hat man sogar jenen Unterschied gar nicht mehr verstanden. Denn man wußte nicht mehr worin er bestanden und wie er entstanden.

§. 465.

Seit dem Verschwinden der Hörigkeit war die Lage der Städte durchaus geändert. Denn die Einen wie die Anderen waren nun freie, d. h. persönlich freie Städte. Und von der früheren Un=freiheit und Hörigkeit waren nur noch die grundherrlichen Lasten und Abgaben, diese aber öfters bis auf unsere Tage geblieben. Die Lage der Städte änderte sich aber noch weit mehr, seitdem sie begannen die noch übrig gebliebenen grundherrlichen Rechte selbst zu erwerben. So suchte die Stadt Bochum im Jahre 1269 den Markt= oder Hallepfenning und im Jahre 1278 auch noch den Bierpfenning an sich zu bringen [1]). Andere Städte suchten die

---

4) Lehmann, p. 251. Müller, I, 505 u. 506.
5) Gemeiner, IV, 42.
6) von Fichard, p. 342.
7) Urk. von 1377 bei Moser, reichsst. Hdb. I, 378.
1) Urk. von 1269 bei Wigand, Archiv, VI, 267. — sedecim denarios de macellis ibidem, qui hallepenninge dicuntur, quos nostri prede-

Marktplätze und andere öffentliche Plätze und die Straßen mit den
damit verbundenen Nutzungen, Marktgeldern, Zöllen u. s. w.,
öfters auch das Eigenthum an der gemeinen Mark selbst zu er=
werben (§. 225). Sogar die in der Stadt gelegenen Burgen
suchten sie an sich zu bringen, wie dieses z. B. der Stadt Kallen=
hardt in Westphalen wirklich gelungen ist (§. 14) Um die Ge=
walt des Stadtraths zu vermehren wurden die grundherrlichen
Beamten mehr und mehr aus dem Stadtrath verdrängt, z. B. in
Coesfeld, in Münster u. a. m. (§. 68 u. 459). Auch einen An=
theil bei der Ernennung der herrschaftlichen Beamten suchten sie sich
zu verschaffen, z. B. in Padberg ²). Und zuletzt erhielten sie das
Recht sie zu ernennen allein. Denn wie die grundherrlichen Mark=
gerichte (§. 455 u. 459), so suchten sie auch die übrigen grund=
herrlichen Gerichte und Aemter an sich zu bringen. So z. B. in
Meppen. Daselbst gehörte der Fronhof Meppen ursprünglich dem
Kloster Korvei. Er wurde von diesem zuerst den Herren von
Meppen, dann den Deriken und zuletzt den Herren von Langen
als Lehen übertragen ³). Zu dem Fronhofe gehörten sehr ausge=
dehnte Besitzungen, auf welchen sich um den Fronhof herum gegen
Entrichtung eines Grundzinses (Wort= oder Stedegeldes) neben der
freien Bauerschaft auch noch eine hörige oder wenigstens zinspflichtige
Bauerschaft ansiedelte (§. 19 u. 215). Die Fronhofgerichtsbarkeit oder
das Buergericht nebst der Aufsicht über Maß und Gewicht oder die
Wroge und Probe, wie sie daselbst genannt ward, gehörte den erwähn=
ten Hofherren und sie ist ihnen auch dann noch geblieben, als bereits
Meppen zur Stadt erhoben worden und aus dem Vorstande der
gemischten Mark der Stadtrath hervorgegangen war. Erst seit
dem 14. Jahrhundert wurde das Hof= oder Buergericht mit der
Wroge und Probe zuerst der Stadt Meppen verpfändet und zuletzt
im Jahre 1555 derselben „erblich und ewig" verkauft ⁴). Seit
dieser Zeit wurde nun das Burgericht namens der Stadt vor dem

---

cessores receperunt hactenus —. Urk. von 1278 bei Wigand, VI,
    268. proventus braxationis ceruisie in Bechem —.

2) Stadtrecht von 1290 §. 5. bei Seibertz, II, 1. p. 523.

3) Diepenbrock, p. 195, 664 u. 729.

4) Diepenbrock, p. 194—198, 726 u. 728.

alten Fronhofe unter freiem Himmel gehegt und geringe Händel, welche den Werth von vier Reichsthalern nicht überstiegen, hier abgeurtheilt [5]). Am meisten stieg jedoch die Macht und das An= sehen jener Städte, welche ganze Grundherrschaften, ja sogar ganze Grafschaften und Herrschaften an sich zu bringen gewußt haben. Denn durch diesen Erwerb wurden sie nun selbst Grundherren und Landesherren. Sie erhielten demnach außer den grundherrlichen Rechten auch noch die Rechte der öffentlichen Gewalt oder die landesherrlichen Hoheitsrechte (§. 215).

---

5) Diepenbrock, p. 198.

VII. Die öffentliche Gewalt in den Stadt= marken.

1. Im Allgemeinen.

§. 466.

Die alten Städte waren, wie wir gesehen, bis ins 13. Jahr= hundert entweder Königsstädte oder Immunitätsstädte (§. 462). Die Einen wie die Anderen standen aber unter der öffentlichen Ge= walt. Die Königsstädte, gleichviel ob reichsgrundherrliche Städte (civitates indominicatae) oder reichsfreie Grafschaftsstädte (civita- tes de comitatibus) standen nämlich unter der öffentlichen Ge= walt. Denn in den Einen wie in den Anderen waren die Deut= schen Könige die Inhaber der öffentlichen Gewalt. Die reichs= grundherrlichen Städte unterschieden sich demnach von den reichs= freien Königsstädten (den Grafschaftsstädten) nur dadurch, daß der König in ihnen auch noch der Grundherr, also zu gleicher Zeit Landesherr und Grundherr war. Aber auch die Immunitäts= städte standen unter der öffentlichen Gewalt, wie ursprünglich alle Immunitätsländereien [1]). Dieses Verhältniß dauerte nun zwar der Form nach fort bis ins 13. Jahrhundert. In der Wirklichkeit aber löste sich allmählig seit dem 10. und 11. Jahrhundert die alte Verfassung ganz und gar auf, und es entwickelte sich seitdem in aller Stille jener Zustand, wie wir ihn im Anfang des 13. Jahrhunderts sehen und wie er sodann von Friedrich II anerkannt worden ist. Das Reich zerfiel nämlich in drei große Massen, in

---

1) Meine Gesch. der Fronh. I, 505 ff., IV, 382 ff.

Immunitätslande, in Erbgrafschaften und in reichsunmittelbar ge=
bliebene Herrschaften. Ueber die reichsunmittelbar gebliebenen oder
wieder reichsunmittelbar gewordenen Herrschaften wurden Reichs=
vögte und Reichslandvögte gesetzt, und die Herrschaften selbst daher
Reichsvogteien und Reichslandvogteien genannt[2]). Die Immuni=
tätslande, bestehend hauptsächlich aus den Bisthümern und Reichs=
abteien, waren seit dem Erwerbe des Comitates und der übrigen
Rechte der öffentlichen Gewalt landesherrliche Territorien geworden.
Eben so die Erbgrafschaften. Und seit dem Erwerbe der Rechte
des Herzogthums sind die Einen und die Anderen Fürstenthümer
geworden.

Die Folge dieses Umschwungs der Dinge war, daß nun nur
noch die in einer Reichsvogtei liegenden Städte Königsstädte im
alten Sinne des Wortes geblieben sind, und zwar ohne Unterschied,
ob sie reichsgrundherrliche oder reichsfreie Städte, oder ehemalige
Grafschaftsstädte waren. Man rechnete aber zu ihnen nicht bloß
diejenigen Städte, welche sich niemals einer Landesherrschaft (einer
Landeshoheit) unterworfen hatten, sondern auch noch jene Städte,
welche wie Lübeck[3]), Bern[4]), Hamburg, Donauwörth u. a. m.
zwar eine Zeit lang der Herrschaft eines Landesherrn unterworfen
waren, dann aber wieder frei geworden und sodann reichsunmittel=
bar geblieben sind. Wegen ihrer Reichsunmittelbarkeit nannte man
nun diese Städte Reichsstädte. Sie standen sammt und sonders
unter Reichsvogteien und da, wo es eine Reichslandvogtei gab,
auch noch unter dieser. So standen die Reichsstädte Frankfurt,
Friedberg, Wetzlar, Gelnhausen, Oppenheim, Boppart und Wesel
unter der Reichslandvogtei in der Wetterau (advocatus per We-
trebiam provincialis)[5]). Die Reichsstädte in Schwaben standen
sammt und sonders unter der Reichslandvogtei in Schwaben, z. B.

---

2) Meine Gesch. der Fronh. II, 9—12.

3) Urk. von 1226 im Lüb. Urkb. I, 46.

4) Handfeste von 1218, c. 1 u. 2.

5) Urk. von 1300, 1319, 1333 u. 1370 bei Bernhard, antiquit. Wetterav. p. 254, 264, 265 u. 286. Urk. von 1359 bei von Fichard,
p. 361. Urk. von 1300, 1303 u. 1333 bei Böhmer, p. 336, 348,
523. vrgl. Böhmer, die Reichslandvögte in Archiv für Hess. Gesch. I,
341—350.

Kempten [6]), sodann Ulm, Memmingen, Eßlingen, Reutlingen, Ueberlingen, Nördlingen, Ravensburg, Buchhorn, Kaufbeuren, Rothweil, Halle, Heilbronn, Wimpfen u. a. m. [7]). Auch Bern, Solothurn und andere Städte in der Schweiz gehörten eine Zeit lang unter die Landvogtei Schwaben [8]). Die Reichsstädte im Elsaß standen unter der Landvogtei im Elsaß [9]). Auch Landau ge= hörte, nachdem es im Jahre 1317 an die Stadt Speier und im im Jahre 1324 an das Bisthum Speier verpfändet [10]), im Jahre 1511 aber wieder eingelößt worden war [11]), seit jenem Jahre zur Landvogtei im unteren Elsaß [12]). Die Reichsstädte Rotenburg, Weissenburg und Windsheim und der Nürnberger Reichswald stan= den unter der Landvogtei zu Nürnberg und Rotenburg, welche je= doch bereits im Jahre 1360 an die Stadt Nürnberg übergegangen war [13]). Die Reichsstadt Aachen endlich stand unter den Herzogen von Lothringen und Brabant als den dortigen Landvögten [14]).

Die in einem Immunitätslande, (in einem Bisthum oder in einer Reichsabtei) liegenden Städte waren ursprünglich sammt und sonders Königsstädte. Denn an und für sich hatten die Städte, in welchen ein Bischof oder ein Abt seinen Sitz hatte, keine Im= munität von der öffentlichen Gewalt. Sie waren und hießen da= her auch civitates regiae oder reginae und civitates publicae oder urbes regales [15]). Erst seitdem sie Immunität von dem Zu=

---

6) Urk. von 1365 u. 1389 bei Wegelin, II, 131 u. 132, vrgl. noch I, 124 u. 125.

7) Urk. von 1348, 1359, 1361, 1365, 1378 u. 1594 bei Wegelin, II, 38, 39, 42, 48, 131, 161 ff. Urk. von 1361 bei Haggenmüller, I, 144. Urk. von 1361 bei Dolp, Bericht von Nördlingen, Urkb. Nr. 70.

8) Urk. von 1361 bei Wegelin, II, 130 u. 131.

9) Versuch einer Geschichte der zehen Reichsstädte im Elsaß. Ulm. 1791.

10) Urk. von 1317 u. 1324 bei von Birnbaum, Geschichte von Landau, p. 473 u. 477.

11) Urk. von 1511 bei Birnbaum, p. 488.

12) Urk. von 1511 u. 1521 bei Birnbaum, p. 489 f. u. 498 ff.

13) Urk. von 1306 und mehrere Urkunden von 1360 in Histor. Norimb. p. 217 u. 384—387. von Lancizolle, Gesch. des Preuß. Staats, I, 73 u. 74. Grimm, III, 611, 612 u. 613.

14) Hüllmann, II, 341 u. 367.

15) Urk. von 966 bei Lindenbrog, p. 131.

tritt der öffentlichen Beamten erhalten und nachdem die Bischöfe und Aebte die Rechte der öffentlichen Gewalt, und insbesondere auch den Comitat erworben hatten, hörten sie auf Königsstädte zu sein. Denn sie wurden nun landesherrliche Städte. Da sie jedoch wegen der kaiserlichen Verleihung des Blutbanns theilweise wenigstens noch reichsunmittelbar geblieben waren, so beanspruchten sie nach wie vor noch, zwar nicht mehr den Titel einer Königsstadt, wohl aber jenen einer Reichsstadt. Und viele von ihnen wurden auch nach wie vor Reichsstädte genannt. Auch standen sie noch unter einem Reichsvogte und da, wo es eine Reichslandvogtei gab, unter dem kaiserlichen Landvogte, bis die Reichsvogtei entweder untergegangen oder von dem Bischof oder von der Stadt selbst erworben worden ist. So standen unter der Reichslandvogtei Schwaben die Städte Augsburg [16]), Konstanz [17]), Kempten [18]) und Lindau [19]), eine Zeit lang auch noch St. Gallen und Zürich [20]). Unter der Reichslandvogtei im Speiergau standen aber die Städte Selz [21]), Speier [22]) und auch Landau bis zum Anfang des 16. Jahrhunderts. Straßburg endlich [23]) und Basel [24]), späterhin auch Selz, sodann Weißenburg standen unter dem Landvogte im Elsaß. Daher findet sich noch in dem ungedruckten Weißenburger Mundbatrechte die Verordnung, „Wann ein Schultheyß einen Vogt an-„ruft Handthabung zu thun, von Gerichtswegen, so soll der Vogt „daß thun, und so fern er daß nicht vermocht, soll er den Unter-„landvogt anruffen, damit daß solches geschehe, ob aber ihme „daß auch zu viel wäre, so soll er anruffen den Oberlandvogt, „damit daß die Handthabung geschehe."

Nur die in einer Erbgrafschaft oder, was dasselbe ist, in einer

---

16) Urk. von 1348 u. 1379 bei Wegelin, II, 38 u. 50. von Stetten, Gesch. von Augsburg, I, 41, 58 u. 78.

17) Urk. von 1361 bei Wegelin, II, 131. Speth, Beschreibung von Konstanz, p. 223 u. 229.

18) Urk. von 1361 bei Haggenmüller, I, 144.

19) Wegelin, II, 166 Geographisches Lexikon von Schwaben, II, 60 u. 61.

20) Urk. von 1361 bei Wegelin, II, 130 u. 131.

21) Grimm, I, 764.

22) Urk. von 1315 u. 1347 bei Lehmann, p. 256, 665 u. 666.

23) Urk. von 1356 bei Wencker, von Außburgern, p. 67 ff.

24) Urk. von 1474 bei Ochs, IV, 241 ff.

erblichen Vogtei liegenden Städte standen in gar keiner direkten
Verbindung mehr mit dem Kaiser und Reich. Man nannte sie
daher zum Unterschiede von den Reichsstädten nun landesherr=
liche Städte, Landstädte oder Territorialstädte und, seit=
dem auch noch die herzoglichen Rechte von den Landesherrn erwor=
ben worden, fürstliche Städte. Aber auch sie standen noch
sammt und sonders unter der öffentlichen Gewalt, nämlich statt
direkt unter dem Kaiser und Reich und unter der Reichsvogtei,
nun unter der auf den Erbvogt oder Erbgrafen übergegangenen
öffentlichen Gewalt. Coesfeld, ursprünglich ein grundherrliches
Dorf, in welchem die Fronhofgerichtsbarkeit von einem herrschaft=
lichen Richter mit Schöffen besorgt zu werden pflegte, stand unter
der Schirmvogtei des Klosters Varlar. Und die Edelen von Horst=
mar handhabten daselbst als Schirmvögte jenes Klosters die öffent=
liche Gewalt mit dem Königsbann (bannum regium). Im Jahre
1197 wurde aber die neue Stadt von jener Vogtei befreit und die
Vogtei mit dem Rechte den Vogt, eigentlich den Vicevogt (vice
advocatus), zu ernennen auf den Bischof von Münster übertra=
gen [25]). Dadurch wurde aber der Stadtrichter (der vice advocatus oder judex) ein landesherrlicher von dem Landesherrn ernann=
ter Beamter. Und die Stadt selbst stand nun unter der auf den
Landesherrn übergegangenen öffentlichen Gewalt. Eben so lag die
öffentliche Gewalt in der Stadt Münster ursprünglich in den
Händen eines Erbvogtes und später in den Händen des Bischofs
von Münster. Die Fronhöfe, auf deren Grund und Boden Mün=
ster angelegt worden ist, standen nämlich von je her unter einem
Vogt [26]). Wegen Mißbrauchs seines Amtes wurde derselbe schon
im Jahre 1127 in seinem Amte beschränkt, wie dieses auch ander=
wärts, z B. im Jahre 1104 in Augsburg zu geschehen pflegte [27]).
Der Vogt sollte keine willkürlichen Leistungen mehr erheben und
sich nur dann in die Angelegenheiten des Domhofes und der bi=
schöflichen Fronhöfe einmischen, wenn er von dem bischöflichen Vil=
licus dazu aufgefordert worden war [28]). Später waren die Grafen

---

25) Die verschiedenen Urkunden von 1197 bei Niesert, I, 2. p. 474—478.
26) Wilkens, p. 4. und oben §. 16.
27) Urk. von 1104 in Mon. Boic. 29, I, p. 328 u. 329.
28) Urk. von 1127 bei Wilkens, p. 74 u. 75.

von Thekenburg Erbvögte der bischöflichen Kirche und der dem Domkapitel gehörigen Höfe, insbesondere auch des Brockhofes und des Bispingshofes. Im Jahre 1173 überließen sie aber die Vogtei und das Recht die Vögte zu ernennen dem Bischof von Münster und dem dortigen Domkapital [29]). Seit dieser Zeit wurde die Vogtei nicht mehr erblich verliehen. Und der von dem Landesherrn ernannte Vogt mußte ihm beim Antritt seines Amtes einen Amtseid leisten [30]). Der Kampvordeshof in Münster und das auf jenen Höfen gestiftete Collegium des Heil. Mauritius hatten ihren eigenen Erbvogt, die Edelen von Steinvord, welche ihre Dienstleute mit der Vogtei belehnten [31]). Im Jahre 1294 wurde indessen die Vogtei an jenes Stift [32]) und später ebenfalls an das Bisthum abgetreten. So kam denn die gesammte öffentliche Gewalt in der Stadt an den Landesherrn und das Stadtgericht war nun ein landesherrliches Gericht. Dasselbe ist nun in allen übrigen in einer Erbvogtei oder in einer Erbgrafschaft gelegenen Städten der Fall gewesen. Die öffentliche Gewalt ist auch dort in die Hände des Erbvogtes oder des Erbgrafen und, nachdem diese Landesherrn geworden, in die Hände des Landesherrn gekommen. Auf diese Weise kam denn die öffentliche Gewalt in allen Landstädten an die Landesherrn. Und die öffentlichen Gerichte daselbst wurden daher landesherrliche Gerichte.

2. Die öffentliche Gewalt in den Königsstädten oder Reichsstädten.

a. im Allgemeinen.

§. 467.

In den Königsstädten oder Reichsstädten war der Deutsche König der Landesherr. Zwar konnten auch die Reichsstädte reichsfreie oder reichsgrundherrliche oder auch gemischte Städte sein, wie dieses bereits von den Reichsdörfern bemerkt worden ist [1]).

---

29) Urf. von 1173 bei Wilkens, p. 84.
30) Wilkens, p. 4 u. 5.
31) Urf. von 1283 bei Wilkens, p. 52, 139 u 140.
32) Urf. von 1294 bei Wilkens, p. 141 u. 142.
 1) Meine Gesch. der Dorfvrf. II, 365—374.

Reichsfreie Städte waren nämlich alle jene Reichsstädte, welche wie z. B. Dortmund, Bern, Lübeck u. a. m. keiner Reichsgrund= herrschaft und keinen reichsgrundherrlichen Abgaben unterworfen waren (§. 20). Reichsgrundherrliche Städte aber waren alle Reichsstädte im Elsaß, in der Wetterau, in Schwaben und in Franken, in denen die Grundherrschaft dem König und dem Reich zugestanden hat (§. 23). Gemischte Reichsstädte endlich waren jene Städte, in welchen reichsfreie und reichshörige Bürger neben einander wohnten. Und im späteren Mittelalter war ihre Anzahl gewiß nicht gering. Wiewohl nun die Reichsstädte ihrer Natur nach sehr verschieden gewesen sind, so gehörte die Landesherrschaft oder die Landeshoheit in ihnen allen dennoch dem Deutschen König und dem Reiche. Die Oberherrlichkeit (das dominium) in jenen Städten gehörte den Deutschen Königen (§. 458 u. 462). Und sie hatten daselbst dieselben Rechte wie die Landesherrn in den landes= herrlichen Territorien [2]. Daher konnte Kaiser Heinrich VII sehr wohl einer Deputation von Straßburg, welche den Stadtmagistrat für ihren Herrn (dominus) erklärt hatte, erwiedern lassen, (wenn anders jene Urkunde echt ist), daß in den Reichsstädten niemand anders als der Kaiser selbst Herr sei (quod civium imperaliam dominus est solus Imperator) [3]. Die Rechte nun, welche die Könige und Kaiser in den Reichsstädten hatten, waren theils grundherrliche Rechte theils Rechte der öffentlichen Gewalt.

b. Grundherrliche Rechte des Kaisers in den Reichsstädten.

§. 468.

In den reichsgrundherrlichen Städten hatten die Deutschen Könige und Kaiser dieselben Rechte, welche jeder andere Grundherr ebenfalls hatte. Allein auch in den reichsfreien und gemischten Reichsstädten hatten die Deutschen Könige nicht selten Grundbesitz und grundherrliche Rechte. Da nämlich alle Markländereien, welche nicht ins Sondereigenthum eines Einzelnen oder einer Ge= meinde übergegangen waren, dem König gehörten, solche von nie=

---

2) Meine Gesch. der Fronh. III, 383 ff. u. 405 ff.
3) Urk von 1308 bei Goldast, const. Imp. I, 318.

mand in Beſitz genommene Ländereien urſprünglich aber ſehr zahl=
reich waren, ſo beſaßen die Könige in faſt allen Reichsſtädten ſolche
Ländereien, an denen ihnen die Grundherrſchaft gehört hat. Da=
her wird auch in den reichsfreien Städten Dortmund, Lübeck, Bern
u. a. m. das Eigenthum am Reichsboden ihnen beigelegt (§. 20,
458 u. 462). Aachen heißt deshalb ein locus regalis[1]), Lübeck
ein locus imperii[2]) und andere Orte werden loci fiscales ge=
nannt[3]). Zu den grundherrlichen Rechten des Königs in den
Reichsſtädten gehörte nun vor Allem das Eigenthum an den un=
veräußerten Reichsländereien, unter denen die Reichswaldungen,
welche ſie noch in Hagenau[4]), Bern[5]), Kaiserslautern[6]), Frank=
furt, Gelnhauſen, Nürnberg u. a. m. beſaßen, bei weitem am wich=
tigſten waren. Sie ließen dieſelben, wie in früheren Zeiten, durch
Oberſtforſtmeiſter, Forſtmeiſter, Förſter und Zeidelmeiſter verwal=
ten[7]). Zu den grundherrlichen Rechten des Königs gehörte ferner
die Jagd, die Fiſcherei und das Fiſchwaſſer, z. B. in Kaiserslau=
tern[8]), in Gelnhauſen[9]), in Frankfurt[10]) u. a. m. Das Fiſch=
waſſer wurde daher Fronwaſſer genannt[11]). In Kaiserslautern
hatte der Kaiser und König ſogar das Recht, wenn er dahin kam,
in den zum Theile ſchon von Friedrich I angelegten Fiſchweiern
(in den ſogenannten Wogen, wie man daſelbſt heute noch die
Weier zu nennen pflegt) auch dann noch zu fiſchen, wenn dieſelben
dem Reiche nicht mehr gehörten[12]). Ein weiteres Recht der könig=

---

1) Urk. von 1166 bei Quir, I, 37 u. 38.

2) Urk. von 1226 im Lüb. Urkb. I, 46.

3) Urk. von 1182 bei Remling, Urkb. von Speier, p. 123.

4) Stadtrecht von 1164 §. 9.

5) Handfeſte von 1218, c. 6.

6) Grimm, I, 773.

7) Meine Geſch. der Fronh. II, 439—441.

8) Grimm, I, 773.

9) Grimm, III, 426. Meine Geſch. der Markenverfaſſung, p. 156 f.

10) Urk. von 994 u. 1341 bei Böhmer, Urkb. I, 12 u. 576.

11) Urk. von 1341 bei Böhmer, I, 576.

12) Grimm, I, 773. „wie dick ein keiſer oder ein romeſcher konig zu Lu=
„tern kome, daz er alle waige, die uff dem riche ſint geleigen, moge
„dan ane ziegen und die dun viſchen zu alle ſinem willen ane ſin ge=
„nade; aber zu ſtunt ſo er wieder von dan ziegt, ſo mag der, des der

lichen Grundherren war das Recht auf die Königsstraße und auf
die übrigen Wege und Stege, z. B. in Kaiserslautern [13]), in Nürn=
berg [14]), in Dortmund [15]) u. a. m.

Die Oberaufsicht über alle diese Reichsländereien und grund=
herrlichen Rechte, und die Besorgung der grundherrlichen Ange=
legenheiten in den reichsgrundherrlichen Städten hatten, wie bereits
zur Fränkischen Zeit, Königliche Verwalter, welche auch im späteren
Mittelalter noch Schultheiße, Villici, Hofrichter, Amtleute, Am=
männer oder ministri und Pfleger genannt worden sind [16]). So
stand in Frankfurt an der Spitze des Königshofes (curia Regis)
ein Reichsschultheiß (imperii scultetus) [17]). Er ist ohne allen
Zweifel an die Stelle des früheren actor dominicus getreten. Die
Ansicht von Fichard, Heusler u. a., daß der spätere Reichsvogt an
die Stelle des fränkischen actor dominicus oder villicus getreten
sei, beruht auf einem offenbaren Irrthum [18]). Als reichsgrund=
herrlicher Beamter wird der Schultheiß zuweilen auch Villicus [19])
und noch in den Urkunden des 14. Jahrhunderts des Reiches
Amtmann genannt [20]). Eben solche reichsgrundherrliche Beamte
waren die Ammänner oder ministri in Ulm, Eßlingen, Reutlingen,
Kaufbeuren, Ueberlingen u. a. m., welche auch Schultheiße genannt
zu werden pflegten, dann die Schultheiße in Aachen, Nürnberg,

---

„wagk gewesen ist, sinen wagk wieder zuflossen, unde aber nutzen zu
„sinem notze als vor." vergl. Radevicus, gest. Frid. II, 76. Wibber,
IV, 200—202.

13) Grimm, I, 774. vergl. Meine Einleitung zur Gesch. der Mark= rc.
Vrf. p. 121.

14) Urk. von 1313 in Histor. Norimb. p. 227.

15) Stadtrecht §. 37 bei Wigand, Korv. Gesch. II, 220 f.

16) Meine Gesch. der Fronh. I, 229—234 und oben §. 143, 145 u. 160.

17) Urk. von 1277 bei von Fichard, p. 351. Eines scultetus de Fran-
koneford wird bereits erwähnt in Urk. von 1189 bei Wenck, II, 120.
und in Urk. von 1193, 1194, 1211 u. a. m. bei Böhmer, p. 19,
20, 21.

18) von Fichard, p. 20 u. 21. Heusler, Vrf. Gesch. p. 15.

19) Zwei Urk. von 1219 bei Boehmer, I, 27 u. 28.

20) Urk. von 1333 bei Böhmer, p. 525. — „daz unser amptman und
„schultheizze ze Franchenfurt" — von Fichard, p. 64.

Kaiserslautern u. a. m., welche abwechselnd auch Richter (judices) genannt worden sind [21]).

Auch die Präfecte und Burggrafen in jenen Städten, in welchen sich kaiserliche Burgen befanden, waren ihrem Ursprunge nach reichsgrundherrliche Beamte. Solche Präfecte, welche mit dem Oberbefehl in der Burg die Verwaltung und Gerichtsbarkeit in der Stadt vereinigten, findet man in Magdeburg (§. 90), in Mei= ßen [22]), in Hamburg u. a. m. Man nannte das Amt dieser Prä= fecte eine Präfectur (praefectura), z. B. in Magdeburg und Ham= burg [23]), und die Städte, welchen ein solcher Präfect vorgesetzt war, Präfecturstädte (praefecturae). Zum Unterschiede von ihnen wurden aber die übrigen Reichsstädte, an deren Spitze kein Präfect stand, civitates imperiales und civitates regales genannt [24]). Ein Unterschied, der übrigens ohne weitere Bedeutung gewesen ist, ur= sprünglich vielleicht auch auf einem bloßen Irrthum beruht hat [24a]), und sich auch frühe schon wieder verloren hat, indem öfters auch die Präfecturstädte civitates und die Stadtgrafen praefecti urbis, und seit dem 12. Jahrhundert die Einen und die Anderen Burg= grafen genannt worden sind [25]). Auch diese Präfecte und Burg=

---

21) Urk. von 1276 u. 1296 bei Würdtwein, monast. Palat. I, 365, III, 196. und oben §. 143, 145 u. 160.

22) Bruno, de bello Sax., c. 11 bei Pertz, VII, 332. Burchardus Misnensis praefectus.

23) Chronograph. Saxo ad an 968 bei Leibnitz, scriptor. rer. German. I, 177. Vita Anskarii, c. 16 bei Pertz, II, 700. comes, qui praefecturam loci illius tenebat.

24) Urk. von 970 bei Boehmer, regest. Nr. 373. in Trevirorum urbe aliisque imperii nostri civitatibus vel praefecturis. Der= selbe Unterschied zwischen civitates und praefecturae findet sich noch in Urk. von 973, 990 u. 1005 bei Zyllesius, defensio Abbat. S. Maximini, p. 26, 27 u 29. und Urk. von 1005 u. 1065 bei Hontheim, I, 351 u. 407.

24a) Präfecte, d. h. Vorgesetzte, nannte man nämlich nicht bloß die Grafen und Burggrafen, sondern frühe schon die Schultheiße, insbesondere auch in Magdeburg. Daher nannte man auch das Schultheißenamt eine Präfectur. Urk. von 1213 in Chroniken der niedersächsischen Städte, I, 422. — officium, prefecture civitatis nostre, quod schultedum wlgariter appellatur, —

25) Altes glossar. in Diutiska, III, 216. praefecti, burcgraven.

grafen in den reichsgrundherrlichen Städten waren nun ihrem
Ursprunge nach reichsgrundherrliche Beamte. Da die Burgen, wie
wir gesehen, nichts anderes als befestigte Fronhöfe waren, so müssen
auch die Burgvögte, die Burgpräfecte und Burggrafen Fronhofbeamte gewesen sein. Noch zur Zeit der Rechtsbücher hätten sie
daher, wie die übrigen Fronhofbeamten, über unrechtes Maß und
Gewicht, über den Verkauf von Lebensmitteln u. dergl. m. zu
richten [26]). Der Burggraf von Straßburg war noch zur Zeit des
alten Städtrechtes der herrschaftliche Beamte in der Altstadt (§. 22).
Eben so ist der Burggraf zu Augsburg ein herrschaftlicher Beamter
des Bischofs gewesen. Seine Gerichtsbarkeit war demnach ursprünglich beschränkt auf die bischöfliche Dienerschaft und auf die Juden,
welche daselbst bischöfliche Kammerknechte waren, dann auf Märkt-
und andere unbedeutende Streitigkeiten [27]). Aber auch in vielen
anderen Städten waren die Burggrafen die herrschaftlichen Beamten
auf der Burg und in der Stadt. Sie führten den Oberbefehl über
die Burgmannen und hatten die Gerichtsbarkeit über sie und über
ihre Angehörigen und die Aufsicht über die hörigen Handwerker.
Auch hatten sie die übrigen herrschaftlichen Angelegenheiten in der
Stadt zu besorgen mit derselben Kompetenz wie die herrschaftlichen
Beamten überhaupt (§. 124). Auch die Burggrafen von Nürnberg machen hievon keine Ausnahme. Zwar reichen die ersten
Nachrichten über ihr Verhältniß zur Stadt nicht über das 13. Jahrhundert hinauf. Damals hatte sich aber ihr ursprüngliches Ver-
hältniß offenbar schon geändert. Darum kann ich der Ansicht des
Herrn von Lancizolle nicht beipflichten, der es bezweifelt, daß

---

26) Schwäb. Landr. W. c. 4. Ruprecht von Freising, I, 4. Meine Gesch.
   der Fronhöfe, II, 460.
27) Gassar. ad an 1276 bei Mencken, I, 1458 u. 1459. sicuti et burg-
   grafii jurisdictio solum in judaeos, pfafforum famulicia, et quae
   horum intra civitatis nostrae pomeria compraehenduntur, exten-
   ditur. — nec ultra quinque solidos mulctam petere, nec debet
   alia hic, nisi oenopolas et esculenta, quae in foro prostant, prae-
   terea bilancium pondera, liquidorum et aridorum mensuras,
   aequalitatemque ulnarum administrare. vergl. von Stetten, Gesch.
   I, 78. Stadtrecht von 1276 bei Freyberg, p. 115—127. und oben
   §. 22.

die Burggrafen von Nürnberg dasselbe gewesen seien, was die
Burggrafen von Magdeburg u. a. m. ganz gewiß waren, nämlich
die ersten und obersten Beamten in der Burg und in dem zur
Burg gehörigen Gebiet [28]). Schon der ihnen beigelegte Name
spricht dafür, daß auch sie ursprünglich eine Lokalbehörde gewesen
sind. Denn insgemein werden sie genannt praefectus Nuren-
bergensis oder praefectus de Niurenberg [29]), dann comes de Nurenberg, advocatus de Nurnberg oder burggravius de Nurn-
berch [30]). Nach der Analogie anderer Städte bedeuten aber alle
diese Benennungen nichts anderes, als einen Stadtgrafen oder
comes urbis. Zwar wurde den Burggrafen von Nürnberg die
Reichsburg, von welcher sie ihren Namen erhalten hatten, frühe
schon entzogen und bereits im Jahre 1349 das Burgregiment der
Stadt selbst übertragen [31]). Hieraus folgt jedoch nur so viel, daß
die mächtig emporstrebende Stadt frühe schon begonnen hat, die
Burggrafen aus der Burg und aus der Stadt zu verdrängen. Die
ihnen nach wie vor in der Stadt gebliebenen sehr bedeutenden
Rechte und Gerechtsame beurkunden jedoch hinreichend ihre ursprüng=
liche Stellung und Bedeutung. Sie behielten nach wie vor eine
Burg in der Stadt und die Bewachung eines Thores neben jener
Burg. (Castrum quod tenet ibidem, custodiam portae sitae
prope item castrum). Sie hatten Gerichtsbarkeit in der Stadt
und zwar den Blutbann, welchen sie gemeinschaftlich mit dem
Reichsschultheiß von ihrem Stellvertreter (einem officialis, Amt=
mann oder Vogt) ausüben ließen. (officialis burggravii una cum
sculteto nostro in civitate Nuremberg judicio praesidebit).
Dieser ihr Stellvertreter erhielt dafür zwei Drittheile der Einkünfte
dieses Gerichtes. Sie selbst aber erhielten zehn Pfennige von dem
Schultheißenamt (officium sculteti), dann zehn Pfund von dem
Zoll, von jeder Schmiedewerkstätte in der Stadt (quaeque fabrica
in Nurenberg — quaeque fabrica ferri dictae civitatis) eine

---

28) von Lancizolle, Gesch. der Bildung des Preußischen Staats, I, 75—88.
29) Urk. von 1163 u. 1166 bei Lang, regest. I, 247 u. 257.
30) Viele Urkunden bei Seidel, von dem Burggrafthum Nürnberg,
    p. 95 ff. Jung, gründliche Anweisung, was die comicia Burg-
    graviae u. s. w. p. I, 113 ff. von Lancizolle, I, 89 ff.
31) von Lancizolle, I, 78—83.

jährliche Abgabe, von jeder Hofstätte (area) auf einer Seite der
Brücke (auf der Lorenzseite) den Grundzins und zur Zeit der
Erndte einen Schnitter (tempore messis unum messorem), in den
Reichswaldungen das dritte Stück Wildpret, den dritten Baum,
den Windbruch und alles gefallene Holz und auf der zum Bis=
thum Bamberg gehörigen Seite das Forstamt, also das Forstamt
im St. Sebaldswalde [32]). Woraus folgt, daß die Burggrafen von
Nürnberg ursprünglich eine Aufsicht über die Zölle, über die
Schmiedewerkstätte (wahrscheinlich über alle hörigen Handwerker),
über die Hofstätten und über die Reichswaldungen gehabt haben,
und daher, wie in anderen grundherrlichen Städten, die herrschaft=
lichen Beamten der Burg und des zur Burg gehörigen Gebietes
gewesen sind.

Diese Burggrafen waren jedoch nur ihrem Ursprung nach
grundherrliche Beamte. Denn sie hatten meistentheils auch öffent=
liche Gewalt, entweder die ganze öffentliche Gewalt oder wenigstens
einen Theil, z. B. die Civilgerichtsbarkeit, erhalten.

Von ihnen verschieden waren nun diejenigen Burggrafen,
welche sich in Reichsstädten befanden, in welchen weder die Könige
noch die Landesherrn eine Burg hatten, z. B. die Burggrafen in
Köln, Mainz u. a. m. Sie waren natürlich auch ihrem Ursprung
nach keine grundherrlichen Beamten, vielmehr gleich von Anfang
an öffentliche an die Stelle der Gaugrafen getretene Stadtgrafen.
Da nämlich im Mittelalter jede Stadt eine Burg war, und auch
so genannt worden ist, so konnte jeder Stadtgraf auch Burggraf
genannt werden, ohne daß es nothwendig ist, das Wort Burg
von Bur, d. h. Burgenossenschaft, abzuleiten, wie dieses z. B.
Ennen will [33]). Da nun auch die Burggrafen der ersten Art
meistentheils öffentliche Gewalt erhalten hatten, so bestand späterhin
zwischen beiden Arten von Burggrafen kein weiterer Unterschied
mehr, als daß die Burggrafen der zweiten Art bloß öffentliche
Beamte waren, also z. B. in Köln keine grundherrliche Gerichts=
barkeit über Maß und Gewicht, über den Verkauf von Lebens=

---

32) Lehenbriefe von 1273, 1281, 1300 u. 1362 in Hist. dipl. Norimb.
    p. 167, 168, 204 u. 409.
33) Ennen, Gesch. I, 566.

mitteln u. s. w.[34]), und daher einen zweiten (grundherrlichen) Beamten zur Besorgung der grundherrlichen Angelegenheiten neben sich hatten, während die Burggrafen der ersten Art öfters zwar ebenfalls einen zweiten Beamten neben sich hatten, zur Besorgung derjenigen öffentlichen Angelegenheiten, welche ihnen nicht übertragen worden waren, welche daher meistentheils öffentliche Beamte waren.

Von beiden Arten verschieden waren nun wieder diejenigen Burggrafen, welche wie wir gesehen, gar keine öffentliche Gewalt hatten (S. 125). Es hat demnach dreierlei Arten von Burggrafen gegeben, solche, welche keine öffentliche Gewalt gehabt haben, dann Burggrafen, welche ursprünglich grundherrliche Beamte gewesen sind, welche aber, wie z. B. in Straßburg und Augsburg einen Theil der öffentlichen Gewalt, oder, wie in Nürnberg und Magdeburg die ganze öffentliche Gewalt erhalten haben, und endlich Burggrafen, welche, wie z. B. in Köln und Mainz, niemals eine grundherrliche Gewalt, vielmehr immer nur eine öffentliche Gewalt gehabt haben.

c. Rechte der öffentlichen Gewalt in den Reichsstädten.

§. 469.

Die Deutschen Könige waren in allen Reichsstädten, in den reichsgrundherrlichen wie in den freien und gemischten Reichsstädten, die Inhaber der öffentlichen Gewalt. Alle öffentliche Gewalt im ganzen Reich ging von ihnen aus. Daher durfte die öffentliche Gewalt nur von denen ausgeübt werden, welchen sie von dem Deutschen König übertragen worden war. In jenen Territorien und Städten aber, in denen sie keinem Anderen übertragen worden war, blieb sie dem König selbst. Und dies war ursprünglich in allen Reichsstädten der Fall. Zu den Rechten der öffentlichen Gewalt gehörten nun vor Allem das Gebot und Verbot oder das Bannrecht, dann der Schutz und Schirm gegen jegliche Gewalt und daher auch das Geleitwesen und die öffentliche Gerichtsbarkeit mit dem Blutbann.

---

[34] Schiedspruch von 1258 Nr. 20 in Quellen, II, 382 u. 392.

Das Recht in den Angelegenheiten der öffentlichen Gewalt zu gebieten und zu verbieten, das Gebot und Verbot oder das Bannrecht hatten die Deutschen Könige ursprünglich in allen Königsstädten und Reichsstädten. Denn so nannte man ja gerade jene Städte, in welchen das Bannrecht noch niemand Anderem verliehen, also dem König selbst geblieben war. Und man nannte diesen Bann eben darum, weil er dem König gehörte, und weil ihn ohne Königliche Verleihung niemand ausüben durfte, den Königs-bann. Und auch in späteren Zeiten gehörte noch das Recht zu gebieten und zu verbieten zu den Rechten der öffentlichen Gewalt in den Reichsstädten, z. B. in Wetzlar [1] u. a. m. Mit dem Rechte zu Gebieten war das Recht Verordnungen zu machen ver-bunden. Und auch dieses Recht übten die Deutschen Könige in allen Königs= und Reichsstädten aus, öfters sogar noch seit dem 16. Jahrhundert.

Ein weiteres Recht der öffentlichen Gewalt war die Schirm-gewalt. Der König war der Oberste Schirmherr des ganzen Deutschen Reichs, um so mehr war er also auch der Schirmherr der Reichsstädte. Denn Reichsstädte nannte man ja gerade die-jenigen Städte, welche unter dem unmittelbaren Schutze des Königs standen oder wieder unter diesen direkten Schutz gesetzt worden sind, wenn sie früher einem Landesherrn unterworfen waren, wie dieses z. B. in Bern [2] und in Lübeck [3] der Fall war. Der Stadt Nürnberg war es sogar ausdrücklich zugesichert, daß sie keinen anderen Schirmherrn als den Deutschen König haben solle [4]. Zu dieser Schirmgewalt gehörte nun vor Allem auch die Aufrecht-haltung des öffentlichen Friedens oder des Königsfriedens in der Stadt, z. B. in Worms [5]. Und die Deutschen Könige ließen diesen Stadtfrieden sehr häufig durch ihre Reichslandvögte und

---

1) Urk. von 1536 bei von Ulmenstein, II, 24. „die Vogtey zu Wetzlar „und das Gebietsrecht, mit den dazu gehörigen Gerechtsamen und „Nutzungen" —.

2) Handfeste von 1218 §. 1. — in nostrum et imperii romani domi-nium recepimus et defensionem —.

3) Urk. von 1226 im Lüb. Urkb. I, 46.

4) Privilegium von 1219 §. 1.

5) Urk. von 1156 u. 1220 bei Moritz, II, 146 u. 156.

Landrichter handhaben, z. B. in Frankfurt [6]), in Konstanz, in Straß=
burg, Goslar und Weißenburg. Als im Jahre 1332 in Straßburg
die Kämpfe zwischen den beiden hervorragendsten Geschlechtern, den
Zornen und den Mühlheimern begannen, trat der Landvogt des
Elsasses dazwischen, um den Streit zu vermitteln („do bis geschelle
„geschach do warp der landvoget — umb einen frieden zwüschent
„den zweien parten" —) [7]). Eben so mußte in Konstanz der Land=
vogt von Schwaben einschreiten, wenn unter den Bürgern ein Auf=
ruhr entstand [8]). In Goslar hatte der Reichslandrichter den
Landfrieden zu handhaben und die Landfriedensbrüche abzuurthei=
len [9]). Und in Weißenburg sollte, wie wir gesehen haben, zuerst
der Unterlandvogt und dann der Oberlandvogt zur Handhabung
der öffentlichen Ordnung in der Stadt angerufen werden, wenn
die Gewalt des Stadtvogtes und des Schultheiß zu dem Ende nicht
mehr hinreichte (§. 466). Für diesen Schutz mußten manche
Reichsstädte ein Schutzgeld an den Schutzherrn entrichten, z. B.
Wetzlar noch im 16. Jahrhundert [10]).

Mit der Schirmgewalt war auch das Geleitwesen und
der Schutz der Landstraßen verbunden. Die Ertheilung des
sicheren Geleites und die Handhabung desselben gehörte von je her
zu den Rechten der königlichen Gewalt, z. B. in Bern [11]), in
Nürnberg [12]), in Wetzlar u. a. m. [13]), insbesondere auch in den
schwäbischen Reichsstädten Buchhorn, Ravensburg, Waldsee u. a. m.
Nur die Stadt Biberach wollte den Geleitboten der Landvogtei im
·16. Jahrhundert nicht mehr durch die Stadt passiren lassen [14]).

6) Urk. von 1364 bei von Fichard, p. 364. „Wann Wir schirm, fribe
„und gnade in aller czeit gern machen" —.
7) Königshoven, p. 304.
8) Speth, Beschreibung von Konstanz, p. 223 u. 229.
9) Mehrere Urkunden bei Göschen, Goslar. Stat. p. 517 u. 518.
10) von Ulmenstein, III, 251.
11) Handfeste von 1218 §. 4.
12) Urk. von 1313, 1347, 1357 u. 1366 in Hist. Norimb. dipl. p. 227,
329, 371 u. 433.
13) Vertrag von 1536 bei von Ulmenstein, II, 24 u. 27. und oben §. 84.
14) Beschreibung der Reichslandvogtei in Schwaben von 1594 bei Wegelin,
II, 163. „Die Stadt Biberach will auch der Landvogtey Glaits=Botten

Eben so war der Schutz der Landstraßen und die damit verbun=
dene Gerichtsbarkeit ein Recht der Königlichen Gewalt, z. B. in
Dortmund [15]). Auch in Memmingen und in anderen Reichsstädten
in Schwaben war der Schutz und der Schirm der Landstraßen
noch am Ende des 16. Jahrhunderts der Landvogtei selbst vorbe=
halten [16]).

Ein Hauptrecht der öffentlichen Gewalt war endlich auch noch,
wie wir gesehen, der Heerbann und das Recht einen Ort zu be=
festigen (§. 6, 29 u. 30), und die öffentliche Gerichtsbarkeit, zu
welcher auch die Ausübung des Blutbanns gehört hat.

§. 470.

Die öffentliche Gerichtsbarkeit lag ursprünglich in den
Händen der Gaugrafen und der Centgrafen. Die Gaugrafen hatten
die hohe Gerichtsbarkeit mit dem Blutbann, die Centgrafen aber
(die Centenarien eben sowohl wie die Schultheiße und die Vikarien)
die niedere Gerichtsbarkeit, also die Civilgerichtsbarkeit mit Aus=
schluß des Blutbanns. Auch die Städte haben ursprünglich unter
ihnen gestanden. Die emporstrebenden Städte erhielten jedoch frühe
schon entweder einen eigenen öffentlichen Beamten oder Immunität
von den öffentlichen Gerichten, von den Gau= und Centgerichten
oder doch wenigstens von den Letzteren. So erhielten Köln, Mainz
und Trier schon zur Fränkischen Zeit einen eigenen Grafen (§. 89),
vielleicht auch schon Regensburg und Basel. Und aus dem zu
ihrem Comitat gehörigen Gebiet (Gau oder Grafschaft) ist meisten=
theils das spätere Gebiet der Stadt selbst hervorgegangen. So lag
Köln im Kölngau und das spätere städtische Gebiet bestand aus
einem großen Theile des alten Gaues [1]). Eben so lag Mainz im

---

„durch ihr Stadt mit offnem Glaidt nicht paſſiren laſſen, da es doch
„eine ehehaffte alte Befugſame iſt, und andere Ständt des Reichs, als
„Stadt Buchorn, Stadt Ravenſpurg, Waldſee, Erbtruchſeſſiſche und
„Fuggeriſche Herrſchafften durch dero Gebieth ermeldt biß gen Gög=
„lingen auf die Donaubrugg des dritten Jochs unwaigerlich ge=
„ſtatten.“

15) Stadtrecht §. 37 bei Wiegand, II, 220.

16) Beſchreibung von 1594 bei Wegelin, II, 161 u. 166.

1) Urk. von 898, 941 u. 1005 bei Lacomblet, I, 43, 52, 58 Not. u. 89.

Mainzgau [2]). Unb noch im 15. Jahrhunbert nannte man bas
zur Stabt gehörige Gebiet bie Grafſchaft von Mainz [3]). Auch
Trier lag im Triergau [4]) unb bas zur Stabt gehörige Gebiet bil=
bete einen eigenen Comitat [5]). Eben ſo lag Bonn im Bonngau [6])
unb Regensburg in einem eigenen Comitat im Donaugau. Auch
hatte Regensburg ſeinen eigenen Grafen [7]) unb ſchon zur fränkiſchen
Zeit einen Vicarius unb einen Subvicarius [8]). Auch Baſel lag
im 9. Jahrhunbert im Baſelgau unb bie ſpätere Bannmeile ber
Stabt hatte dieſelbe Grenze mit bem alten Gau [9]). Vielleicht
bilbete auch bas aus 21 Dörfern beſtehenbe Gebiet von Aachen,
worin ber Kaiſer ber Landesherr unb bie barin wohnenben Leute
Reichsunterthanen waren, einen alten Gau. Daher nannte man
jenes ſtäbtiſche Gebiet auch in ſpäteren Zeiten noch bas Aachner
Reich ober bas Reich von Aach [10]). Auch in Speier finbet
man, ſeitbem es in ben Jahren 969 unb 989 Immunität von ben
öffentlichen Gerichten erhalten unb unter ben biſchöflichen Vogt ge=
ſtellt worben war, einen eigenen Schultheiß, aber noch keinen eige=

---

in pago coloniensi — et in colonia civitate. — in pago Colin-
gauwe et comitatu —.

2) Urk. von 1064 bei Lacomblet, I, 129. in pago mogonciacensi —
in ipsa magoncia —.

3) Friebensbuch um 1430 §. 37 bei Mone, VII, 17. — „kein gut in
„Menze ober in ber grafſchaft zu Menze." vergl. unten §. 489.

4) Urk. von 895 bei Hontheim, I, 232

5) Urk. von 966 bei Hontheim, I, 303 in comitatu vel suburbio
Trevirorum —.

6) Urk. von 815, 941, 970, 1020, 1047 u. 1067 bei Lacomblet, I, 16,
52, 66, 97, 113 u. 136.

7) Urk. von 1002, 1008, 1026 u. 1028 bei Ried, I, 118, 126, 146 u.
147. — in civitate Radespona, in comitatu Ruotperti situm —.
infra urbem Radesponam in pago Tuonocgowe et in comitatu
Ruodpeti comitis —. in loco Ratisponensi, in pago Duonchgouvi,
in comitatu Ruotberti — Ruotperlt Ratisponensis comes —.

8) Anamodi Ratispon. tradit. S. Emmeran. I, c. 27, 39 u. 72 bei
Pez, thesaur. I, P. III, p. 220, 227 u. 245. vergl. oben §. 36.

9) Ochs, II, 90. Not.

10) Noppius, p. 140—143. vergl. Meine Einleitung zur Geſch. ber
Mark= ꝛc. Vrf. p. 58.

nen Vogt für die Stadt. Die Stadt stand vielmehr hinsichtlich der
hohen Gerichtsbarkeit theils unter dem Stiftsvogte des bischöflichen
Territoriums [11]), theils auch noch unter dem Reichslandvogte des
Speiergaus [12]). Da jedoch die Bürger mit der Immunität das Recht
vor kein Gericht außerhalb der Stadt gezogen zu werden erworben
hatten [13]), so mußte der Stiftsvogt das Vogteigericht für die Bürger in der Stadt selbst halten (§. 91), bis späterhin ein eigener
Vogt für die Stadt angestellt worden ist. Eben so findet sich auch
in Zürich ursprünglich nur ein Schultheiß und späterhin erst auch
noch ein Reichsvogt für die Stadt.   In Zürich hatten nämlich
mehrere in der Stadt angesessene Grundherrschaften, namentlich
auch die Abtei Frauenmünster, ihre eigenen herrschaftlichen Gerichte
(§. 121).   Sehr wahrscheinlich war auch mit dem daselbst befindlichen Königshofe ein eigenes unter einem Schultheiß stehendes
Königliches Hofgericht für die daselbst wohnenden Fiscalinen verbunden, welchem zu gleicher Zeit, wie in anderen Königsstädten,
ein Theil der öffentlichen Gewalt, die Centgrafengewalt ohne den
Blutbann, übertragen gewesen ist.   Mit dem Königshofe kamen
auch die damit verbundenen Rechte über die Fiscalinen und über
die daselbst wohnenden freien Leute [14]), mit diesen aber offenbar
auch die niedere öffentliche Gewalt, so weit sie dem Schultheiß oder
Centgrafen zustand, an die Abtei Frauenmünster.   Daher war daselbst der Schultheiß ein Ministeriale der Aebtissin und bis ins 16.
Jahrhundert ihr Beamter.   Seine Amtsgewalt war aber doppelter
Art.   Sie war theils eine herrschaftliche theils eine öffentliche.
Seine herrschaftliche Gewalt war beschränkt auf die zur Abtei
Frauenmünster und zu dem ehemaligen Königshof gehörigen Län-
dereien. Die davon verschiedene öffentliche Gewalt dagegen erstreckte

---

11) Urk. von 969 u. 989 bei Remling, p. 15 u. 19.
12) Urk. von 1315 u. 1347 bei Lehmann, p. 256 u. 665.
13) Urk. von 1111 u. 1182 bei Remling, p. 89 u. 123.
14) Urk. von 853 bei Neugart, I, 284. curtim nostram Turegum —
    cum omnibus adiacentiis vel aspicientiis ejus —. Urk.
    von 924, eod. I, 651. in Zurich curtem (nach dem Zusammenhang
    der Königshof) — et quicquid ad ipsis pertinet — et XII
    vectigalibus, censibus de isto monte —. Ist offenbar von
    freien Zinsleuten zu verstehen. vergl. oben §. 24 u. 71.

sich über die ganze Stadt und umfaßte mit Ausschluß des Kö=
nigbanns alle übrige öffentliche Gewalt, wie sie vordem schon dem
Schultheiß oder Centgrafen zugestanden hatte [15]). Da die Aebtissin
nur die Cent= oder Civilgerichtsbarkeit erworben hatte, so dauerten
die Gaugerichte in Zürich nach wie vor fort bis in die Mitte des
10. Jahrhunderts [16]). Denn erst seit der Bestellung eines Reichs=
vogtes für die Stadt haben sich dieselben verloren. Eines eigenen
Reichsvogtes in Zürich wird erst seit dem Jahre 972 erwähnt
(§. 89). Die Reichsvögte traten an die Stelle der Gaugrafen.
Sie waren die Stellvertreter des Kaisers, welche namens des Kai=
sers die hohe Gerichtsbarkeit in der Stadt zu besorgen hatten [17]).
Daher findet sich seit jener Zeit kein Gaugericht mehr in der Stadt.
Das letzte, dessen Erwähnung geschieht, ist vom Jahre 964. Mit
der herzoglichen Gewalt erhielten im Jahre 1096 die Zäringer Für=
sten auch die Reichsvogtei in der Stadt Zürich [18]). Und sie er=
hielten sich auch späterhin mit wenigen Unterbrechungen in deren
Besitze. Erst nach ihrem Aussterben (im Jahre 1218) fiel auch
die Reichsvogtei wieder an das Reich zurück und Zürich wurde so=
dann wieder eine Reichsstadt, was sie auch bis zur Ausscheidung
der Schweiz aus aller Verbindung mit dem Deutschen Reich ge=
blieben ist [19]).

Die Vicarien und Schultheißen in Regensburg, Speier und
Zürich hatten demnach nur die Centgrafengewalt in der Stadt.
Hinsichtlich der hohen Gerichtsbarkeit standen sie aber noch bis ins
10. und 11. Jahrhundert unter den Gaugrafen oder wie in Speier
unter den an die Stelle der Gaugrafen getretenen Vogteibeamten.

---

15) Bluntschli, I, 130 u. 173 ff.
16) Urk. von 947, 963 u. 964 bei Neugart, I, 591, 592, 604, 606 u.
609.
17) Urk. von 1210 bei Bluntschli, I, 139. Dei et Imperatorum ac re-
gum dono constitutus judex et advocatus qui vulgo Kastvogt
dicitur i. e. in omne Thuregum Imperialem jurisdictionem tenens.
Urk. von 1210, eod. I, 180. in oppido Turicensi — Imperatoris
gratia ipsius locum tenens.
18) Otto Frisingens. de reb. gest. Fried. I, c. 8. Urk. von 1210 bei
Bluntschli, I, 139. Not. 48.
19) Bluntschli, I, 136—138.

Jedenfalls hatten aber oder erhielten bereits im 10. Jahrhun=
dert alle Königsstädte schon vollständige Immunität (§. 89, 117
u. 118).

§. 471.

Erst durch die Immunität der Städte entstand das Bedürfniß
einen eigenen öffentlichen Richter in der Stadt, d. h. einen öffent=
lichen Stadtrichter zu haben. Vorher hat es in den Städten nur
herrschaftliche Richter (einen oder mehrere Fronhofbeamte) und hie
und da auch noch einen Stadtmarkrichter, was meistentheils der
Gemeindevorstand selbst war, gegeben. Denn auch die Städte
standen hinsichtlich der öffentlichen Gewalt unter den Gau= und
Centgerichten. Der freie Verkehr und die mit ihm verbundene
Marktfreiheit und Gerichtsbarkeit hat jedoch frühe schon zur Im=
munität von den öffentlichen Gerichten und zur Errichtung eigener
Stadtgerichte geführt (§. 88, 117, 118, 170). Zwar konnte der
besondere Schutz und Frieden des Königs, unter welchem die Markt=
orte standen, auch durch die Gau= und Landgerichte gehandhabt
werden. Und in vielen Städten ist dieses längere Zeit auch wirk=
lich geschehen, z. B. in Speier, Ulm, Zürich (§. 470 u. 472) und
auch in Halle, wo noch im 14. Jahrhundert die hohe Gerichtsbar=
keit mit dem Blutbann von dem Burggrafen von Magdeburg und
nur die übrige Gerichtsbarkeit von dem Stadtschultheiß oder Prä=
fect besorgt worden ist [1]). Da jedoch die Märkte selbst nicht unter
den Gau= und Landgerichten standen, das zu einem Stadtrecht er=
weiterte Marktrecht also eines eigenen Beamten bedurfte (§. 89),
so mußten wenigstens für die Civilgerichtsbarkeit eigene Stadtge=
richte errichtet werden, wie dieses denn auch frühe schon in Re=
gensburg, in Speier, Ulm, Zürich und in Halle geschehen ist. Die
Errichtung eigener Stadtgerichte war aber um so nothwendiger, da
mit der Immunität das Recht der Stadtbürger verbunden war,
vor keinem auswärtigen Gerichte vielmehr nur in der Stadt selbst
belangt werden zu dürfen, ein Grundsatz der frühe schon in Köln
und Speier (§. 89), aber auch in Straßburg [1a]), in Hagenau [2]),

---

1) Schöffenbrief von 1235 §. 2, 7 u. 9 bei T. u. St. p. 295.
1a) Urf. von 1129 bei Schoepflin, I, 207. Stadtrecht, art. 31 bei Gran-
     didier, p. 55.

in Gelnhausen [3]), in Lübeck [4]), in Mainz [5]), in Bern [6]), in Gos=
lar [7]), in Nürnberg [8]), in Frankfurt [9]), im Jahre 1274 sogar für
alle Königsstädte von Rudolf von Habsburg ausgesprochen worden
ist [10]). Da nämlich die Immunitätsstädte Freiungen oder Freihei=
ten waren (§. 96), so durfte in der Regel kein Bürger aus seiner
Freiheit heraus an ein fremdes Gericht citirt werden, wie dieses
manche Stadtrechte, z. B. jenes von Hadersleben, ausdrücklich
sagen [11]). Das Recht der Stadtbürger nur in der Stadt selbst
belangt werden zu dürfen, war demnach eine nothwendige Conse=
quenz der erhaltenen Immunität. Späterhin erhielten die Stadt=
gerichte sogar Freiheit von den Kaiserlichen Landgerichten. Und sie
kamen sodann unmittelbar unter Kaiser und Reich, z. B. das Stadt=
gericht von Nürnberg [12]). Die Stadtbürger, welche jenem Verbot
zuwider einen Bürger vor einem auswärtigen Gerichte belangten,
wurden gestraft. Nur dann, wenn ein Bürger sein Recht nicht
bei dem Stadtgerichte nehmen wollte, durfte man ihn bei den
Reichsgerichten belangen, z. B. in Goslar [13]), und es trat sodann
sogar wieder das Faustrecht gegen ihn ein (§. 110).

2) Stadtrecht von 1164 §. 8 und Privilegien von 1255 bei Gaupp, I,
    97 u. 102.
3) Urk. von 1170 bei Lünig, vol. 13, p 784.
4) Urk. von 1188 im Lüb. Urkb. I, 10.
5) Urk. von 1135 bei Guden, I, 119.
6) Handfeste von 1218, §. 23.
7) Privilegien von 1219 bei Göschen, p. 114. und Heineccius, ant.
    Gosl. p. 219.
8) Urk. von 1313 u. 1328 in Hist. Norimb. p. 227 u. 271.
9) Urk. von 1291, 1294 u. 1299 bei Böhmer, Urkb. I, 259, 287 u. 323.
10) Urk. von 1274 bei Pertz, IV, 399. ut nullus extra hujusmodi
    civitates in judicium evocetur, sed si quis contra cives dic-
    torum locorum aliquid habuerit actionis, coram iudice civi-
    tatis. —
11) Haderslever Stadtrecht, c 16 im Corpus constit. Slesvicens. II,
    455 f.
12) Urk. von 1455 bei Senckenberg, Kaiserl. Gerichtsbarkeit, Beil. Nr. 45,
    p. 138. und in Hist. Norimb. II, 661. — „wie wol daß Sie und
    „Unser und des Reichs Gericht daselbs zu Nurmberg, ohne Mittel
    „unter Unß als Romischem Kayser gehören." —
13) Privileg von 1219 bei Heineccius, p. 219. und Göschen, p. 114.

Seit dem 10. Jahrhundert hatten nun bereits alle Königs=
städte vollständige Immunität oder wenigstens einen· eigenen öffent=
lichen Beamten, die Städte Köln, Mainz und Trier wahrscheinlich
schon zur Fränkischen Zeit. Daher findet man seit jener Zeit in·
sehr vielen Königs= oder Reichsstädten zwei zur Besorgung der
öffentlichen Gerichtsbarkeit bestellte Beamte, Einen für die hohe
Gerichtsbarkeit, welcher dem Gaugrafen entsprach und an dessen
Stelle trat, und einen Anderen für die niedere Gerichtsbarkeit· mit
der Amtsgewalt eines Centgrafen. In den reichsfreien Städten
waren nun beide Beamte öffentliche Beamte. In den reichs=
grundherrlichen Städten dagegen und in allen jenen gemischten
Städten, in welchen sich ein Königshof mit einem herrschaftlichen
Schultheiß, Amtmann, Ammann oder Burggraf befand, findet man
zwar öfters ebenfalls zwei mit der öffentlichen Gewalt beauftragte
Beamte. Meistentheils war jedoch nur Einer von ihnen ein öffent=
licher Beamter, der Andere aber ein herrschaftlicher. Ein Theil der
öffentlichen Gerichtsbarkeit, die Centgrafengewalt oder die Civilge=
richtsbarkeit, pflegte nämlich, wie schon zur Zeit Karls des Großen,
dem herrschaftlichen Reichsbeamten übertragen zu werden. Es
brauchte daher seit dem Erwerbe der vollständigen Immunität (seit
dem 10. Jahrhundert) nur noch ein öffentlicher Beamter, .ein
Reichsvogt oder ein Burggraf, zur Ausübung der hohen Gerichts=
barkeit in der Stadt angestellt zu werden. Es stand demnach in
diesen Städten neben dem mit der niederen öffentlichen Gerichtsbar=
keit beauftragten herrschaftlichen Beamten noch ein öffentlicher
Reichsbeamter. In einigen Städten wurde auch noch die hohe
Gerichtsbarkeit einem herrschaftlichen Beamten des Königs über=
tragen, so daß es demnach keinen einzigen eigenen öffentlichen Be=
amten in jenen Städten gegeben hat. In vielen anderen Königs=
oder Reichsstädten findet man indessen nur einen einzigen Be=
·amten, welcher mit der gesammten öffentlichen Gewalt, mit der
hohen und der niederen öffentlichen Gerichtsbarkeit beauftragt wor=

Nec aliquis ex eisdem civibus alium concivem suum extra civitatem, sive ad curiam nostram ad judicium trahere praesumat, — nisi forte actor a reliquis burgensibus testimonium habeat, quod ille quem convenire vult advocato civitatis contumax
extiterit et rebellis.

ben war.- In den reichsfreien Städten war nun auch dieser Be=
amte ein öffentlicher Richter. In den reichsgrundherrlichen Städten
dagegen und in jenen gemischten Städten, in welchen sich ein Kö=
nigshof befand, pflegte dem daselbst befindlichen herrschaftlichen Kö=
nigsbeamten mit der niederen auch noch die hohe öffentliche Ge=
richtsbarkeit übertragen zu werden. Einige Beispiele werden dieses
Alles klar machen.

§. 472.

Zwei Beamte in der Stadt, von denen der Eine ein
öffentlicher Beamter, der Andere aber ein herrschaftlicher
mit einem Theile der öffentlichen Gewalt beauftragter Beamter
war, findet man in Frankfurt, in Aachen und in Ulm. In
Frankfurt stand, wie wir gesehen, der Reichsschultheiß an der
Spitze des Königshofes (§. 468). Es war ihm aber auch ein
Theil der öffentlichen Gewalt übertragen. Daher führte er auch
namens des Kaisers den Vorsitz bei dem Kaiserlichen Stadtgerichte
(judicium civitatis) [1]. Er erhielt daher den Titel Stadtschultheiß
(scultetus civitatis) [2]. Er hatte ursprünglich nur die niedere Ge=
richtsbarkeit (die Centgrafengewalt), wozu auch der Verkauf und
der Uebertrag der verkauften Grundstücke und Grundrenten gehört
hat [3]. Da er jedoch in dieser Beziehung als öffentlicher Richter,
also unter Königsbann, (auctoritate regia) [4] zu Gericht saß, so
hatte er auch bei diesen Besitzübertragungen den Königsbann zu
wirken [5]. Der Reichsvogt, dessen erst seit dem Jahre 1194 Er=
wähnung geschieht, war ein öffentlicher Beamter [6]. Zwar nennt

---

1) Urk. von 1194 u. 1225 bei von Fichard, p. 350 u. 352. und bei
   Böhmer, I, 20 u. 44. — Frankfurt in judicio Domini Imperatoris, Wolframo sculteto. Urk. von 1356 bei Wenck, I, 327 Not. —
   coram nostro et imperii sacri judicio in Franckfurt coram sculteto. —
2) Urk. von 1277 bei Böhmer, I, 181.
3) Urk. von 1316 bei von Fichard, p. 358 vergl. noch p. 58. Urk. von
   1222 u. 1238 bei Böhmer, I, 34 f. u. 65 f.
4) Urk. von 1225 bei Böhmer, p. 44.
5) Urk. von 1238 bei Böhmer, p 66. — supradicta bona sub bannum
   et protectionem domini imperatoris comprehendenda.
6) Urk von 1194, 1211 u. 1219 bei Böhmer, p. 20, 21, 27, 28 u. 30.

ihn keine einzige Urkunde einen öffentlichen oder königlichen Be=
amten. Allein er wird immer an der Seite des Stadtschultheiß,
also an der Seite eines königlichen Beamten genannt. Die Ansicht
Römer=Büchners, der ihn für einen Kirchenvogt (advocatus ecclesiae) hält, ist daher um so unhaltbarer, da der Vogt niemals Kir=
chenvogt genannt wird und auch in keiner Königsstadt Kirchenvogt
war [7]). In den Bischofsstädten wurde zwar auch der Vogt von
dem Bischof ernannt, und war daher bischöflicher Beamter. Allein
in den Bischofsstädten war der Bischof der Inhaber der öffentlichen
Gewalt, also der Landesherr, der von ihm ernannte Vogt demnach
Träger der öffentlichen Gewalt, also kein eigentlicher advocatus ecclesiae. Und da demselben in den Bischofsstädten der Blutbann
noch von dem König verliehen werden mußte, so war er auch dort
in einem gewissen Sinn selbst noch ein königlicher Beamter. In
den Königsstädten dagegen war nun aber der König selbst der Lan=
desherr. Er selbst und niemand anders hatte daher den Vogt zu
ernennen. Es ist demnach schwer einzusehen, wie in den Königs=
städten der Vogt ein Kirchenvogt hätte werden sollen. Klare Ur=
kunden mußten dieses wenigstens ausdrücklich sagen. Da dieses
nun von Frankfurt keine Urkunde sagt, so muß der Vogt auch
dort, als öffentlicher Beamter betrachtet werden. Und er hatte
dort, wie anderwärts, die hohe Gerichtsbarkeit mit dem Blutbann
zu besorgen. Sein Amt wurde jedoch bereits im Jahre 1220 von
Friedrich II abgeschafft und sodann mit jenem des Schultheiß ver=
einiget. Seitdem hatte der Reichsschultheiß die gesammte öffent=
liche Gewalt [8]). Zwar stand Frankfurt nach wie vor noch unter
dem Reichslandvogte der Wetterau. Dieser hatte jedoch keine Ge=
richtsbarkeit in der Stadt, vielmehr nur die Stadt zu schützen und
zu schirmen und die von dem Kaiser erhaltenen Aufträge und Be=
fehle in der Stadt zu vollziehen [9]). Es ist daher ein Irrthum,
wenn Thomas [10]) außer dem Gerichte des Schultheiß und des

---

7) Römer=Büchner, Stadtvrf. p. 4—16.

8) von Fichard, p. 59—64. Urk. von 1257 bei Böhmer, p. 118. quod
   quemadmodum ibi advocatia per Fridericum olim imperatorem
   de consensu principum deposita fuit, permaneat ut nunc est,
   fructibus advocatie ipsius scultetatus officio deputandis.

9) Urk. von 1359 u. 1364 bei von Fichard, p 53, 361 u. 364.

10) Thomas, der Oberhof zu Frankfurt, p. 69—74.

Vogtes noch ein anderes Reichsgericht in der Stadt annimmt und
glaubt, daß erst im Jahre 1225 das Reichsgericht mit dem Stadt=
gericht vereiniget worden sei. Das Reichsgericht, an dessen Spitze
der Schultheiß stand, war vielmehr das alte Königshofs= oder Pa=
latialgericht, welches, seitdem Frankfurt zu einer Stadt erhoben
worden war, den Titel Stadtgericht erhalten hat, aber auch in spä=
teren Zeiten noch Reichsgericht genannt worden ist [11]). Eine Ei=
genthümlichkeit der Frankfurter Verfassung, welche ich sonst nirgends
gefunden habe, war jedoch der noch neben dem Reichsstadtgerichte
(dem eigentlichen Schöffengerichte) bestehende sogenannte S ch ö f f e n=
r a t h (ein Ausschuß aus dem Schöffengerichte), welcher die frei=
willige Gerichtsbarkeit zu besorgen hatte, dessen Ursprung man
nicht kennt [12]).

In A a ch e n stand ein Schultheiß neben dem Vogt [13]). Der
Schultheiß war offenbar der alte Villicus, also ein h e r r s ch a f t=
l i ch e r Beamter. Daher wird der Schultheiß öfters auch M e i e r,
und das Schultheißenamt abwechselnd eine schulteria civitátis und
die Meierei von Aachen genannt [14]). Der Vogt war aber ein
öffentlicher Beamter. Beide Aemter waren im Jahre 1279 in
einer Hand vereiniget und nachher noch öfter [15]). Im Jahre 1290
wurde die Reichsvogtei (eigentlich die Reichsuntervogtei) und im
Jahre 1348 auch noch das Schultheißenamt an die Grafen von
Jülich von dem Kaiser verpfändet [16]). Und mit der Grafschaft,
dem späteren Herzogthum Jülich kam auch die Reichsvogtei und
das Reichsschultheißenamt in Aachen späterhin an die Kurfürsten
von der Pfalz [17]).

Auch in U l m stand ein Reichsvogt an der Seite des Stadt=

---

11) Viele Urkunden aus dem 14. und 15. Jahrhundert bei Thomas p. 222 ff.,
    584 u. 585. Frankfurter Reformation, I, tit. 1. §. 1.

12) Römer=Büchner, Stadtdrf. p. 26 u. 136 ff.

13) Urk. von 1100 u. 1192 und zwei Urkunden von Friedrich I ohne Da=
    tum bei Quir, I, 38, 39, 46 u. 53.

14) Noppius, p. 49, 120, 121 u. 166.

15) Quir, II, 3. Noppius, p. 120 u. 121.

16) Noppius, p. 49 u. 166. vergl. unten §. 478.

17) (M o s e r) Geschichte und Rechte der Reichsober= und Untervogtei, wie
    auch des Reichsschultheißenamts in der Reichsstadt Aachen. 1770.

ammanns oder Schultheiß. Der Reichsvogt war ein öffentlicher Beamter. Er hatte die hohe Gerichtsbarkeit mit dem Blutbann in der Stadt und in Abwesenheit des Königs auch die Gerichtsbarkeit über den Stadtammann. Das Amt war schon vor dem 13. Jahrhundert den Grafen von Dillingen zu Lehen gegeben worden [18]). Diese Grafen waren zu gleicher Zeit auch Landrichter. Das Gericht, welches sie drei Mal im Jahre in der Stadt halten sollten, war demnach, wie in Speier, eigentlich ein in der Stadt zu haltendes Landgericht (provinciale placitum) [19]). Nach dem Aussterben der Grafen von Dillingen wurde die Reichsvogtei in Ulm den Grafen von Wirtemberg übertragen [20]). Nach dem Untergang der Hohenstaufen ruhte eine Zeit lang jenes Amt. Den Grafen von Wirtemberg blieben indessen gewisse Rechte und einige Besitzungen in Ulm und ein Aufsichtsrecht über die Stadt [21]). Gegen Ende des 13. Jahrhunderts wurde das Amt zwar von Zeit zu Zeit wieder besetzt, aber mehr und mehr beschränkt und seit dem 14. Jahrhundert auch nicht mehr besetzt [22]). Der Stadtammann (minister civitatis) oder Schultheiß war offenbar ein ursprünglich herrschaftlicher Beamter in der Stadt. Er war aber auch mit der niederen öffentlichen Gerichtsbarkeit beauftragt und, wiewohl er unter der Gerichtsbarkeit des Reichsvogtes stand, dennoch ein ganz selbständiger Beamter. Denn der Reichsvogt durfte das von ihm gesprochene Urtheil nicht ändern [23]). Seit dem Sinken der Gewalt des Vogtes stieg natürlich die Gewalt des Schultheiß. Schon nach dem Stadtrechte von 1296 hatte er den Blutbann über die Stadtbürger. Und seit dem Verschwinden der Vogtei ging die gesammte öffentliche Gewalt auf ihn über [24]).

---

18) Urk. von 1255 bei Senckenberg, sel. jur. II, 261. — jus advocatiae et honores, quae Comites de Dillingen ab antiquis in nostra habuerunt civitate —. Jene Urk. spricht auch von der Kompetenz des Vogtes. vrgl. noch Stadtrecht von 1296 §. 6.

19) Urk. von 1255 bei Senckenberg, II, 264 und bei Jäger, Ulm, p. 728. comes, tribus temporibus anni celebrare habet provinciale placitum in nostra civitate. vrgl. oben §. 90.

20) Urk. von 1259 bei Wegelin, II, 2.

21) Pfister, Gesch. von Schwaben, II, 2, p. 7. Jäger, p. 99 u. 155.

22) Jäger, p 156—158.

23) Urk. von 1255 bei Senckenberg, II, 263. Jäger, p. 104 ff.

24) Stadtrecht von 1296, §. 4. Jäger, p. 158—163 u. 730.

§. 473.

In einigen Städten, z. B. in Nürnberg und in Goslar, waren beide Beamten, die Inhaber der hohen und der niederen öffentlichen Gerichtsbarkeit, ursprünglich herrschaftliche Beamte. Daß in Nürnberg der Burggraf ursprünglich ein herrschaftlicher Beamter gewesen sein muß, ist bereits schon bemerkt worden (§. 468). Und auch der Schultheiß ist offenbar, wie in anderen reichsgrundherrlichen Städten, ein herrschaftlicher Beamter gewesen. Der Schultheiß, der auch praepositus genannt wird[1]), erhielt frühe schon eine öffentliche Gerichtsbarkeit in Civil- und Strafsachen[2]). Ursprünglich hatte jedoch der Burggraf, wenn auch nicht den ganzen Blutbann, doch wenigstens einen Antheil an jenem Bann, welchen er gemeinschaftlich mit dem Schultheiß von seinem Amtmann oder Vogt ausüben ließ (§. 468). Seit der Mitte des 14. Jahrhunderts hörte jedoch der Beisitz des burggräflichen Amtmanns auf. Daher hatte seitdem der Schultheiß auch bei dem Blutgerichte den Vorsitz allein[3]). Hieraus folgt nun von selbst, daß der Blutbann in späteren Zeiten nicht mehr, wie von Anderen behauptet worden ist[4]), im Namen und aus Auftrag der Burggrafen ausgeübt werden konnte[5]). Es folgt aber keineswegs daraus, daß der Burggraf niemals Antheil an dem Blutbann gehabt habe, wie dieses Stromer in seinem reichsstädtischen Eifer behauptet hat.

Auch in Goslar standen ein Vogt und ein Schultheiß neben einander und beide waren ohne alle Frage ursprünglich herrschaftliche aber mit öffentlicher Gerichtsbarkeit in der Stadt beauftragte Beamte. Der Vogt (advocatus civitatis), der auch mit der Erhebung der Reichssteuern und der übrigen reichs-

---

1) Urk. von 1264 in Hist. Norimb. dipl. p. 152. — scultetus sive praepositus. —

2) Privilegium von 1219 §. 9 und von 1313 in Hist. Norimb. I, 10 u. II, 227. Stromer, Geschichte des Reichsschultheißenamtes zu Nürnberg, p. 4 ff.

3) Stromer, p. 24 u. 25.

4) Selecta Norimberg. I, 31 u. 32.

5) In dieser Weise ist zu beschränken was Stromer über den Antheil der Burggrafen an dem Blutbann bemerkt hat, im Histor. Magazin für das Vaterland, I, 258 ff.

herrschaftlichen Gefälle beauftragt war [6]), hatte die hohe Gerichts=
barkeit mit dem Blutbann in der Stadt [7]). Er hielt seine Sitzun=
gen im Reichspalast oder auf dem Königshofe zu Goslar [8]) und
wurde daher auch Hofrichter genannt („der Hoverichter mins
„Heren des Kuniges") [9]). Wie der Burggraf zu Nürnberg, so
hatte indessen auch dieser Stadtvogt oder Hofrichter noch Gerichts=
barkeit außerhalb der Stadt. Denn in demselben Jahre 1290 saß
derselbe Hofrichter, Herrmann von Bonstetten, auch in Erfurt zu
Gericht, aus welchem Hofrichter Hüllmann irrthümlich einen
Stadtbeamten in Mühlhausen gemacht hat [10]). Nach den Goslar=
schen Statuten aus dem 14. Jahrhundert war der Vogt damals
schon dem Stadtrath untergeordnet. Er war aber in so fern immer
noch ein Reichsbeamter, als er dem Reiche huldigen mußte [11]).
Die niedere öffentliche Gerichtsbarkeit hatte der Schultheiß zu
besorgen. Er wird in dem Freiheitsbriefe von 1219 causidicus,
in den Statuten aus dem 14. Jahrhundert aber Schultheiß
(Sculthet oder Scultecht) genannt [12]). Neben diesen beiden mit
der öffentlichen Gerichtsbarkeit beauftragten ursprünglich herrschaft=
lichen Beamten kommen in Goslar noch mehrere andere mit der
niederen Gerichtsbarkeit beauftragte Beamte vor, welche in Lokal=
verhältnissen ihren Grund und jedenfalls keine öffentliche Ge=
richtsbarkeit hatten, und daher auch dem Reiche nicht zu huldigen
brauchten. Sie werden Vögte im kleinen Gerichte („in dem
„lutteken richte") oder auch kleine Vögte und daher die Reichs=
vögte zum Unterschiede von ihnen Großvögte genannt [13]).

§. 474.

In den reichsfreien Städten waren die Reichsvögte und

---

6) Urk. von 1252 u. 1390 bei Göschen, p. 116 u. 121.

7) Urk. von 1219 bei Göschen, p. 112, 114 u. 115. und bei Heineccius,
ant. Goslar. p. 218 u. 219.

8) Urk. bei Heineccius, p. 24 u. 219. Statut bei Göschen, p. 35, 52
u. 369. Urk. von 1219 bei Göschen, p. 114.

9) Zwei Urk. von 1290 bei Heineccius, p. 303 u. 304.

10) Urk. von 1290 bei Grasshof, p. 194 f. vergl. Hüllmann, II, 354.

11) Statut bei Göschen, p. 83, 92 u. 516.

12) Göschen, p. 63, 84, 110, 112, 367 u. 369.

13) Göschen, p. 367—369. Heineccius, p. 24 u. 220.

die Reichsschultheiße sammt und sonders öffentliche Beamte. Bemerkenswerth ist es jedoch, daß in ihnen meistentheils einem einzigen Beamten die gesammte öffentliche Gerichtsbarkeit, die hohe und die niedere Gerichtsbarkeit, anvertraut zu werden pflegte. So hatte in Lübeck, seitdem es wieder eine reichsunmittelbare Stadt geworden war, der Vogt den vollständigen Königsbann mit der dazu gehörigen Civil- und Strafgerichtsbarkeit, also außer dem Blutbann auch noch das Erkenntniß über das freie Eigen und über den Uebertrag dieses freien Eigen (de hereditatibus — torfacht eghen — de cespitatum proprietatibus) und über andere Stadtangelegenheiten (de reipublicae necessitatibus). Und drei Mal im Jahre sollte er dieses öffentliche Gericht, welches placitum legitimum, mallum principale, Echteding, Egtbinc, Ettinc und später auch Vogtding und Vageding genannt worden ist, in der Stadt auf dem Markte halten [1]). Wenn der Vogt zu Gericht saß mußten ihm zwei Rathsherren zur Seite sitzen, um darauf zu achten, daß er Niemand Unrecht thue [2]). Seit dem Steigen der Gewalt des Rathes sank jedoch seine Gewalt. Ueber die weitere Geschichte des Vogtes liegt indessen noch Vieles im Dunkeln. Gewiß ist nur so viel, daß der Rath seit dem Ende des 13. Jahrhunderts die meisten Geschäfte des Vogtes, die Verlassenschaften und Verpfändungen von Grundstücken u. a. m., und zwar nicht mehr im Echteding sondern auf dem Rathhaus besorgt hat, und daß späterhin auch der Vogt selbst noch verschwunden ist. Wahrscheinlich wurde das Amt wie anderwärts von der Stadt erworben und sodann die Stelle nicht mehr besetzt. Nichts desto weniger ließ man die Vogt- oder Echtedinge der Form nach bestehen. Sie wurden nach wie vor drei Mal, späterhin aber nur noch ein Mal im Jahre, auf offenem Markte unter freiem Himmel gehalten. Das Gericht ward jedoch statt von dem Vogt, der nicht mehr existirte, von dem Gerichtsschreiber gehegt. Und von eigentlichen Geschäften war natürlicher Weise nicht mehr die Rede. Dennoch hat sich diese leere Ceremonie, der bloße

---

1) Dreyer, Einleitung, p. 354, 355 u. 356: Justitia Lubicens. bei Westphalen, III, 622. Hach, das Lüb. Recht, I, 2 u. 3. Frensdorff, p. 80 ff.

2) Hach, I, 90.

Schein einer längst untergangenen Zeit, bis zum Jahre 1806 er=
halten 2a). Die öffentliche Gerichtsbarkeit und die übrigen herr=
schaftlichen Angelegenheiten mit der dazu gehörigen Gerichtsbarkeit
besorgten aber von nun an die städtischen Gerichte, das Kammerei=
gericht und das sogenannte Marstalls= oder Landgericht 3).
Wie in Lübeck, so hatte auch in Wismar, wo bekanntlich Lübi=
sches Recht galt, der Vogt die gesammte öffentliche Gerichtsbarkeit
zu besorgen. Auch ihm mußten, wenn er zu Gericht saß, zwei
Rathsherren zur Seite sitzen. Die Vogtei wurde daselbst im Laufe
des 14. Jahrhunderts mehrmals zuerst an die Stadt, dann an
mehrere Bürger und zuletzt, im Jahre 1373, wieder an die Stadt
verpfändet und späterhin nicht mehr eingelöst, so daß sie demnach
bei der Stadt geblieben ist 4). In Mühlhausen hatte der Reichs=
schultheiß (scultetus civitatis) 5) die gesammte öffentliche Gerichts=
barkeit, die hohe und die niedere Gerichtsbarkeit, zu besorgen 6).
Das Schultheißenamt wurde aber schon im 14. Jahrhundert von
dem Kaiser der Stadt selbst verpfändet 7). Einen Hofrichter in der
Stadt, wie Hüllmann geglaubt, hat es niemals gegeben. Die
herrschaftlichen Angelegenheiten in der Stadt besorgte vielmehr ein
Reichshofmann („des riches hovemann") 8).

Auch in Dortmund gab es nur einen öffentlichen Beam=
ten. Nach dem alten Stadtrecht führte er den Titel Stadtrichter
(judex oder judex civitatis) 9). Er wurde aber auch Graf (comes
oder Greve) genannt 10). Und er hatte den vollständigen Comitat
in der Stadt (comitatum sive comitiam civitatis) 11), also die

---

2a) Hach, p. 143 u. 144. Dreyer, Einleitung, p. 354, 356 u. 357. vergl.
noch Pauli, Lüb. Zustände im 14. Jahrhundert, p. 88 ff.

3) Dreyer, Einl. p. 336 u. 343. vergl. jedoch Frensdorff, p. 92 ff.

4) Burmeister, Alterthümer des Wismar'schen Stadtrechtes, p. 8, 9 u. 10.

5) Urk. von 1253 bei Grasshof, p. 184.

6) Grasshof, p. 76—81.

7) Urk. von 1337 bei Grasshof, p. 22.

8) Grasshof, p. 77, 78 u. 113.

9) Altes Stadtrecht §. 2 u. 37 bei Wigand, Gesch. von Korvei, II, 210.
Urk. von 1332 bei Moser, reichsst. Handb. I, 378.

10) Urk. von 1248 u. 1350 bei Wigand, I, 275.

11) Urk. von 1332 bei Moser, I, 376.

gesammte öffentliche Gerichtsbarkeit mit dem Blutbann [12]). Wie andere Städte, so stand nämlich auch Dortmund ursprünglich unter dem Gau= oder Freigrafen, erhielt jedoch frühe schon vollständige Immunität von dem Freigerichte und seitdem seinen eigenen Stadt= grafen mit dem vollständigen Comitat in der Stadt. Schon das alte Stadtrecht spricht von dieser Immunität wie von einem alten Herkommen [13]). Und da nach einer Urkunde Otto's des Großen von 962 Dortmund damals schon ein eigenes Stadtrecht gehabt hat [14]), das Stadtrecht aber ein Stadtgericht voraussetzt, so reicht jene Immunität jedenfalls bereits in den Anfang des 10. Jahr= hunderts, vielleicht auch schon ins 9. Jahrhundert hinauf. Das Stadtgericht gehörte schon zur Zeit des alten Stadtrechtes, also im 13. Jahrhundert, der Stadt. Und die Bürgerschaft hatte das Recht den Stadtrichter jedes Jahr zu wählen [15]). Der vom Kaiser be= lehnte Freigraf, in dem alten Stadtrecht der höhere Richter (judex major) genannt, hatte keine Gerichtsbarkeit mehr in der Stadt, sondern nur noch das Recht den städtischen Wahlen beizuwohnen und eine Oberaufsicht über die Königsstraße [16]). Späterhin hat die Stadt auch noch die Freigrafschaft, zuerst halb und im Jahre 1504 vollständig erworben. Und lange Zeit war sodann der Frei= stuhl von Dortmund das berühmteste Freigericht in ganz West= phalen [17]). Die niedere nicht öffentliche Gerichtsbarkeit über ganz geringe Summen hatte der Fronbot (preco), wie der Burrichter in Köln und in Soest. Außerdem hatte er aber auch noch die Ladungen zu machen und den Vollzug der von dem Stadtgerichte erlassenen Urtheile zu besorgen [18]).

Eben so hatte Bern nur einen öffentlichen Richter, welcher wie in Mühlhausen den Titel Schultheiß geführt hat. Er war ursprünglich ein Königlicher Beamter. Aber schon nach der Hand= feste war das Ernennungsrecht an den Stadtrath übergegangen

---

12) Stadtrecht aus 13. sec. §. 2 ff. u. 37.

13) Stadtrecht, §. 25.

14) Urk. von 962 bei Wigand, II, 221.

15) Stadtrecht §. 2.

16) Stadtrecht §. 2, 8 u. 37.

17) Wigand, I, 263 u. 264.

18) Stadtrecht, §. 4 u. 7. und oben § 201 u. 202.

und dem König nur noch das Recht der Bestätigung geblieben [19]). Und da der Schultheiß auch noch den Vorsitz im Stadtrath gehabt hat, so ist auch in Bern das Stadtgericht sehr früh an den Stadtrath gekommen. Endlich findet man auch in der Stadt Friedberg in der Wetterau nur einen einzigen öffentlichen Beamten und dies war der Burggraf selbst. Er war des Kaisers und des Reichs Amtmann bei dem Stadtgerichte und hatte die gesammte Civil= und Strafgerichtsbarkeit [20]). Aber auch er hatte das Recht statt Seiner einen Stellvertreter zu setzen und er pflegte zu dem Ende einen Schultheiß zu ernennen [21]).

Einen einzigen mit der gesammten öffentlichen Gerichtsbarkeit beauftragten Beamten findet man indessen auch in vielen reichsgrundherrlichen Städten. In Eßlingen war es von Alters her ein Königlicher Schultheiß [22]), welcher in einer Urkunde von 1315 auch Stadtrichter (judex civitatis) und später Stadtammann genannt worden ist [23]). Das Amt wurde dem Grafen Eberhard von Wirtemberg verpfändet, bereits im Jahre 1360 aber von der Stadt eingelößt, mit der vom Kaiser Karl IV erhaltenen Zusage, daß die Stadt im pfandweisen Besitz bleiben solle, bis dasselbe vom Reiche wieder eingelößt worden sei [24]). Gegen dieses Versprechen wurde indessen das Schultheißenamt bereits im Jahre 1376 wieder demselben Grafen von demselben Kaiser verpfändet, späterhin aber durch Kauf von der Stadt wieder erworben. Und seitdem ist es denn auch ein städtisches Amt geblieben [25]). In Kaufbeuren führte der Königliche von dem Landvogte in Schwaben ernannte Beamte den Titel Ammann oder minister. Im Jahre 1357 kaufte der Stadtrath das Ammanamt von dem Landvogt auf fünf Jahre. Späterhin ernannte den Amman wieder der

---

19) Handfeste von 1218 §. 7.

20) Urk. von 1332 u. 1350 bei Mader, I, 127, 151, 293 u. II, 26.

21) Urk. von 1306 bei Mader, I, 116, II, 98. vergl. oben §. 126.

22) Urk. von 1267, 1304, 1311 u. 1312 bei Jäger, Magazin, V, 72, 73 u. 106.

23) Jäger, V, 70 u. 93.

24) Urk. von 1360 u. 1361 bei Glafey, anectod. p. 475 u. 581.

25) Urk. von 1376 bei Sattler, Gesch. der Grafen, I, Nr. 161. Stälin, III, 275 u. 317. Pfaff, p. 103.

Landvogt. Im Jahre 1418 wurde aber der Blutbann von der Stadt selbst erworben. Und seitdem ernannte auch der Stadtrath den Stadtammann [26]). Auch in Ueberlingen war der Stadtammann ursprünglich ein Königlicher Beamter. Das Amt wurde frühe schon vom König und Kaiser an verschiedene Bürger verpfändet, aber bereits schon im Jahre 1383 von der Stadt eingelößt und seitdem der Stadtammann von dem Stadtrath ernannt [27]). In Kaiserslautern war der Reichsschultheiß ein herrschaftlicher mit der öffentlichen Gerichtsbarkeit beauftragter Beamter [28]). Er wurde daher auch Kaiserlicher Hofschultheiß (imperialis aulae scultetus) [29]), sodann Verwalter des Königshofes (procurator curiae), Amtmann oder auch Stadtschultheiß (regiae civitatis scultetus) genannt [30]). Er war Untervogt des Reichslandvogtes im Speiergau [31]), und wurde vielleicht von ihm auch ernannt. Auch sein Titel Unterschultheiß mag sich auf diese Unterordnung unter den Reichslandvogt bezogen haben [32]). Wenigstens ist mir ein Oberschultheiß in jener Stadt nicht bekannt. Das um Kaiserslautern herumliegende sehr ausgedehnte Königsland, der heutige Westrich, gehörte zum Königshof in Kaiserslautern und wurde mit diesem und mit der Stadt im 14. Jahrhundert an Kurpfalz verpfändet, welcher es auch späterhin als Reichspfandschaft geblieben ist (§. 13).

Der Grund, warum man in diesen und in anderen Reichsstädten nur einen einzigen mit der gesammten öffentlichen Gerichtsbarkeit beauftragten Reichsbeamten findet, liegt, wie es mir scheint, in der längere Zeit bestandenen Unterordnung derselben unter die Reichslandvogtei. Zur Langvogtei gehörte nämlich ursprünglich die

26) Jäger, VI, 97—100.
27) Jäger, V, 436.
28) Grimm, I, 772. — „ane dem gerichte, daz die des riches sint" — Weisthum des Königlichen Schöffengerichtes von 1299 bei Wibber, IV, 216.
29) Urk. von 1276 bei Würdtwein, monast. Palat. I, 365.
30) Wibber, IV, 180—182.
31) Urk. von 1296 bei Würdtwein, monast. Palat. III, 196. Cunradi sculteti Lutrensis subadvocati Regis — per Spircogiam —.
32) Grimm, I, 773.

v. Maurer, Städteverfassung III. 22

gesammte öffentliche Gewalt (die hohe und die niedere Obrigkeit), mit dieser aber auch die hohe und niedere Gerichtsbarkeit [33]). Da nun auch die Reichsstädte ursprünglich, wie wir gesehen, unter der Reichslandvogtei gestanden haben, so standen sie, bis sie Immunität von derselben erlangt hatten, auch hinsichtlich der öffentlichen Gerichtsbarkeit unter ihnen, so wie denn auch Dortmund, Speier und Zürich längere Zeit noch unter den Gau- und Landgerichten gestanden haben (§. 470, 471 u. 474). Nach und nach erhielten nun aber sämmtliche Reichsstädte Immunität und sodann die hohe und niedere Gerichtsbarkeit, namentlich auch die Reichsstädte in Schwaben, Buchhorn, Eßlingen, Lindau, Memmingen, Pfullendorf, Ravensburg, Reutlingen, Ueberlingen, Weil u. a. m. [34]). Da sich nun in allen diesen Städten bereits Reichsbeamte, entweder reichsgrundherrliche oder öffentliche Beamte befanden, so beauftragte man diese nun auch mit der durch die vollständige Immunität erlangten hohen öffentlichen Gerichtsbarkeit. Daß dem so ist beweißen zumal jene wenigen Reichsstädte, welche nur die niedere, nicht aber die hohe Gerichtsbarkeit erworben haben. Denn sie blieben nach wie vor erlangter theilweiser Immunität hinsichtlich der hohen Gerichtsbarkeit unter dem Reichslandvogte, z. B. das Reichsstädtchen Altorf in Schwaben [35]). Auch erwarben jene Reichsstädte öfters die hohe Gerichtsbarkeit nur in der Stadt selbst, nicht aber in den zur Stadt gehörigen Dorfschaften. In diesen gehörte ihnen sodann nur die niedere Gerichtsbarkeit, während die hohe Gerichtsbarkeit unter der Landvogtei stand, wie dieses z. B. in den zu den Reichsstädten Buchhorn, Bieberach und Ravensburg gehörigen Dorfschaften und Herrschaften der Fall war [36]).

§. 475.

Die in den Reichsstädten angestellten Stadtrichter waren demnach sammt und sonders Königliche Beamte. Ursprünglich waren

---

33) Beschreibung der Reichslandvogtei in Schwaben von 1594 bei Wegelin, II, 151 ff. u. 159 ff.

34) Beschreibung von 1594 bei Wegelin, II, 152, 160, 161, 164, 166, 167, 168, 169 u. 170.

35) Beschreibung von 1594 bei Wegelin, II, 158 u. 162.

36) Wegelin, II, 152, 153, 154 u. 163.

zwar die Einen öffentliche Beamte des Königs, die Anderen dagegen reichsgrundherrliche jedoch mit der öffentlichen Gewalt beauftragte Königliche Beamte. Seit der Abschaffung der Hörigkeit hat sich aber auch noch dieser Unterschied zwischen öffentlichen und reichs= grundherrlichen Beamten verloren, und die Einen und die Anderen wurden nun reichsherrschaftliche Beamte. Seit dem Verschwinden der Hörigkeit ist nämlich der alte Unterschied zwischen reichsfreien und reichsgrundherrlichen Städten verschwunden. Seit dem 14. Jahrhundert hat sich zwar wieder ein neuer Unterschied zwischen freien und gemeinen Reichsstädten gebildet. Dieser Unterschied hat jedoch zuletzt nur noch in der Verbindlichkeit zur Entrichtung einer ständigen jährlichen Reichssteuer bestanden. Und seitdem auch noch diese Verbindlichkeit in den meisten gemeinen Reichsstädten erlassen worden war, bestand im Grunde genommen gar kein rechtlicher Unterschied mehr unter den freien und gemeinen Reichsstädten (§. 464). Mit dem Unterschiede unter den Reichsstädten ist aber natürlich auch der Unterschied unter den Reichsstadtbeamten ver= schwunden. Die Einen und die Anderen waren vielmehr nun reichsfreie Beamte des Königs oder, da nun die Reichsvogteien Reichsherrschaften geworden waren, reichsherrschaftliche Beamte. Sie hatten, wie wir gesehen, die öffentliche Gerichtsbarkeit zu be= sorgen, frühe schon die niedere Gerichtsbarkeit, späterhin aber auch noch die hohe Gerichtsbarkeit mit dem Blutbann. Sie hatten dem= nach den vollständigen Comitat in der Stadt (§. 474). Sie hatten aber außerdem auch noch alle Zweige der öffentlichen und der herrschaftlichen Verwaltung unter sich, insbesondere auch die Zölle und die Münze, dann die Erhebung der Reichssteuer oder des Ge= werfes und der übrigen herrschaftlichen Gefälle und das Kommando der bewaffneten Bürgerschaft. So die Reichsvögte in Zürich [1]), in Lübeck [2]), in Goslar [3]) u. a. m., und die Reichsschultheiße in Frankfurt [4]), in Nürnberg u. a. m.

In jenen Reichsstädten nun, in welchen zwei Beamte neben einander standen, von denen der Eine die hohe, der Andere aber

---

1) Bluntschli, I, 139, 140 u. 165 ff.
2) Deecke, Grundlinien, p. 30 ff.
3) Urk. von 1252 u. 1390 bei Göschen, p. 116 u. 121.
4) von Fichard, p 61—64.

die niedere Gerichtsbarkeit zu besorgen hatte, saßen öfters beide mit einander als redende und schweigende Richter zu Gericht, um sich gegenseitig zu schützen, zu ergänzen und zu unterstützen, und zur Wahrung der Rechte eines jeden, wie dieses auch bei den Märkergerichten der Fall war⁴ᵃ). So hatte in Nürnberg der Amtmann des Burggrafen gemeinschaftlich mit dem Reichsschultheiß den Vorsitz bei dem Stadtgericht. Und er wohnte offenbar als schweigender Richter der Verhandlung bei, um als Stellvertreter des Burggrafen das Gericht zu schützen und, wenn es nothwendig war, selbst Recht zu sprechen⁵). Eben so sollte in Ulm der Reichs= ammann (minister noster) dem Reichsvogte zur Seite sitzen, so oft dieser in der Stadt oder auch auf dem Lande zu Gericht saß. Und umgekehrt sollte auch der Reichsvogt oder sein Amtmann (minister) dem Stadtammann zur Seite sitzen, wenn dieser das Stadtgericht präsidirte⁶). Auch in Aachen saßen der Reichsvogt und der Reichsschultheiß oder Villicus gemeinschaftlich zu Gericht⁷). Eben so in Frankfurt⁸) und in Wetzlar⁹). Und auch in den Bischofsstädten und in den Abteistädten wurde es, wie wir sehen werden, eben so gehalten und ursprünglich wohl auch in allen übrigen Städten.

§. 476.

Die Reichsbeamten in den Städten waren sammt und sonders Stellvertreter des Deutschen Königs und dessen Gehilfen.

4a) Meine Gesch. der Markenverfassung, p. 401—403.

5) Urk. von 1273, 1281, 1300 u. 1362 in Hist. Norimberg. dipl. p. 167, 214 u. 409. Officialis burggravii una cum sculteto nostro in civitate Nuremberg. judicio praesidebit. vergl. oben §. 468.

6) Urk. von 1255 bei Senckenberg, sel jur. II, 263 u. 264 und bei Jäger, Ulm, p. 728. Minister domini nostri comitis (d. h. der Amtmann oder Stellvertreter des Reichsvogts) ministro nostro (d. h. dem Stadtammann) a latere in quolibet judicio considebit. — et illic minister noster sibi a latere habet consedere.

7) Urk. von 1265 bei Ritz, Urkunden zur Gesch. des Niederrheins, I, 125. Acta sunt hec in presentia domini Willelmi advocati Ricolphi villici judicum Aquensium —,

8) Urk. von 1219 bei Boehmer, Urkb. I, 28.

9) Urk. von 1228 u. 1244 bei Guden, II, 84. u. III, 1096.

Und auch die niederen Reichsbeamten waren wieder Stellver=
treter der höheren Reichsbeamten und deren Gehilfen. Die
Reichsbeamten hatten demnach im Namen und aus Auftrag des
Königs die öffentliche Gewalt zu handhaben und den Vorſitz bei
den öffentlichen Gerichten zu führen. Die hohen Reichsbeamten
(die Reichsvögte, die Stadtgrafen und die Burggrafen) hatten den
Vorſitz bei den hohen Gerichten in der Stadt, und die niederen
Reichsbeamten (die Reichsſchultheiße und Stadtammanne) den
Vorſitz bei den niederen Stadtgerichten. Die hohen und die nie=
deren Reichsbeamten ſaßen aber im Namen und aus Auftrag des
Königs zu Gericht. Denn die geſammte öffentliche Gewalt, alſo
auch die öffentliche Gerichtsbarkeit war nur ein Ausfluß der Kö=
niglichen Gewalt. Die Reichsbeamten waren jedoch nicht bloß
Stellvertreter des Königs und die niederen Beamten nicht bloß
Stellvertreter der höheren Reichsbeamten. Sie waren zu gleicher
Zeit auch noch deren Gehilfen, alle Reichsbeamten waren Gehilfen
des Königs, und die niederen Reichsbeamten Gehilfen der höheren
Beamten. Wenn daher der König in eine Reichsſtadt kam, ſo
konnte er, wenn er wollte, ſelbſt zu Gericht ſitzen und die Reichs=
beamten waren ſodann ſeine Beiſitzer und ſeine Gehilfen. Eben ſo
hatten die höheren Reichsbeamten Zutritt zu den Gerichten der
niederen Beamten. Sie konnten ihnen als ſchweigende Richter bei=
wohnen, um das Gericht nöthigenfalls zu ſchützen und zu unter=
ſtützen, oder auch nur um ihre Rechte zu wahren. Sie konnten
aber auch ſelbſt den Vorſitz übernehmen. Und dann mußten die
niederen Reichsbeamten als ſchweigende Richter dem Gerichte bei=
wohnen. Auch mußten, wenn die höheren Beamten ihre Gerichte
in der Stadt hielten, die niederen Reichsbeamten mit ihnen zu
Gericht ſitzen und ihnen helfen das Urtheil zu finden und ihnen
auch ſonſt noch behilflich ſein. Um dieſes klar zu machen, ſo weit
es für die Geſchichte der ſtädtiſchen Verfaſſung nothwendig iſt, muß
hier und zwar in möglichſter Kürze Folgendes bemerkt werden.

Der König war oberſter Inhaber der öffentlichen Gewalt
und daher Oberſter Richter im Reich. Ein Grundſatz, der nicht
bloß zur Fränkiſchen Zeit, ſondern auch noch im ſpäteren Mittel=
alter gegolten hat [1]). Die Gaugrafen und die ſpäteren Inhaber

---

1) Sächſ. Landr. III, 52 §. 2. Schwäb. Landr. W. c. 98.

einer Grafschaft waren deshalb nur seine Stellvertreter und seine
Gehilfen. Wenn daher der König zur Fränkischen Zeit in einen
Gau kam, so konnte er selbst zu Gericht sitzen und die Gaugrafen
und die übrigen Königlichen Beamten waren sodann nur seine Bei=
sitzer und seine Gehilfen, wie dieses viele Urkunden beweisen. Aber
auch im späteren Mittelalter waren noch die Inhaber einer Graf=
schaft seine Stellvertreter und seine Gehilfen ²). Wenn daher der
König in ein Territorium kam, so ging das Gericht an ihn über.
(„Wo der Kaiser hin kommt, da steht ihm das Recht offen“) ³). Er
konnte nun selbst zu Gericht sitzen. So auch im Herzogthum
Sachsen, wenn er dahin kam ⁴). Alle Gefangenen waren ihm
ledig und sollten vor ihn gebracht werden. Und selbst die Zölle
und die übrigen Einkünfte des Territoriums gingen an ihn über⁵).
Dasselbe war nun um so mehr der Fall, wenn der König in eine
Reichsvogtei oder in eine Reichsstadt kam. Denn auch die Reichs=
landvögte und die Reichsstadtvögte waren seine Stellvertreter und
seine Gehilfen, die Reichslandvögte in der Wetterau ⁶), die Burg=
grafen von Nürnberg ⁷), die Stadtvögte in Ulm und Zürich ⁸),
die Reichsschultheiße in Frankfurt ⁹) und die Reichsammanne in
Ulm ¹⁰) u. a. m. Wenn daher der König nach Ulm oder in eine
andere Reichsstadt kam, so ging das Gericht an ihn selbst über.

---

2) Sächs. Lr. III, 52 §. 2 u. 3. Schwäb. Lr. c. 98.

3) Hillebrand, Rechtssprichwörter, p. 240.

4) Glosse zum Sächs. Weichbild, art. 12.

5) Sächs. Lr. III, 60 §. 2 u. 3. Schwäb. Lr. W. c. 112. Meißner
   Land= und Lehnr. fol. 8. „In welche Statt oder Land der König
   „kommet, so sol man jm antworten die gefangenen die darinne sind “ —

6) Urk. von 1349 bei Bernhard, antiquit. Wetterav. p. 267—268. —
   „gesatzt zu einem Lantvogte — also datz er alle Sache, die uns
   „vnd datz Reiche oder in selber antreffen, daselbes zu bringen
   „vnd vollenden moge — er sal auch Ampte, — alle Gevelle, Gerichte,
   „Gulde, Güter vnd Notze — bestellen vnd damit berechin, vnd butzen
   „in alle weiß, als in dunket, datz itz vns vnd dem Reiche vnde
   „ime datz not ist vnd beste sy.“ —

7) Urk. von 1273 in Hist. Norimb. dipl. p. 167. vice Imperatoris
   omne judicium judicans praesidebit. —

8) Urk von 1255 bei Jäger, Ulm, p. 728. und oben §. 470.

9) Urk. von 1194 und 1277 bei von Fichard, p. 350 u. 351.

10) Stadtrecht von 1296 §. 4 bei Jäger, p. 730.

Die Gefangenen waren ihm ledig. Auch standen während seiner Anwesenheit in Ulm u. a. m. alle aus der Stadt Verbannten unter seinem unmittelbaren Schutze und Frieden[11]). Eben so waren ihm die Zölle und die übrigen Einkünfte ledig, wenn er in eine Reichsstadt kam[12]). Auch konnte der König, wenn er in eine Reichsstadt kam, selbst zu Gericht sitzen. Und die Reichsbeamten waren sodann seine Beisitzer und seine Gehilfen. Zwar kenne ich keine Urkunde, nach welcher der König bei einem Stadtgerichte den Vorsitz geführt hat. Das Recht dazu hatte er aber nicht bloß nach den Rechtsbüchern[13]), sondern auch nach den Stadtrechten und Stadtprivilegien[14]) und nach dem Erkenntnisse der Schöffen zu Magdeburg[15]).

So wie nun der König der Oberste Richter im Reich und die Reichsbeamten seine Stellvertreter und Gehilfen waren, so waren auch die unteren Reichsbeamten wieder die Stellvertreter der oberen Reichsbeamten und deren Gehilfen. Schon zur Fränkischen Zeit waren die Centenare oder Zentgrafen und die Schultheiße Stellvertreter des Gaugrafen, welche zwar einen Theil der öffentlichen Gewalt selbständig zu verwalten hatten, im Uebrigen aber bloße Stellvertreter und Gehilfen des Gaugrafen waren. Daher führten sie auch den Titel vicarii. Auch die Vicare und Untervicare in Regensburg waren ursprünglich solche Stellvertreter des Gaugrafen. Desgleichen die öffentlichen Beamten in den Französischen Städten, wo sie auch in späteren Zeiten noch den Titel vicecomites und vicarii, oder vicomte, viguier, veguer, voyer u. s. w. geführt haben. Eben so waren auch im späteren Mittelalter noch die Zentgrafen und Schultheißen in den landesherrlichen Territorien bloße Stellvertreter der Erbgrafen und der Landesherrn[16]). Noch weit entschiedener tritt aber diese stellvertretende

11) Urk. von 1255 bei Senckenberg, sel. jur. II, 263 u. 265 und Jäger, p. 728. Schwäb. Lr. W. c. 112. Ruprecht von Freising I, 93.
12) Sächs. Lr. III, 60 §. 2. Schwäb. Lr. W. c. 112. Ruprecht von Freis. I, 93.
13) Sächs. Lr. III, 64, §. 1.
14) Straßburger Stadtrecht, c. 13 bei Grandidier, II, 48. Ulmer Urk. von 1255 bei Jäger, p. 727.
15) Schöffen Urtheil, c. 4. dist. 4 bei Zobel, p. 475.
16) Sächs. Lr. III, 52 §. 2. Schwäb. Lr. c. 98. Constit. von 1232 bei

Eigenschaft der Vögte und der Schultheiße in den Reichsvogteien und in den Reichsstädten hervor. Denn die Reichsvögte und Schultheiße in jenen Reichsstädten, welche noch unter der Reichs= landvogtei standen, waren bloße Untervögte des Reichslandvog= tes, z. B. die Reichsstadtvögte in Augsburg [17]), die Reichsschul= theiße in Kaiserslautern [18]), in Konstanz u. a. m. [19]), ursprünglich wahrscheinlich in allen oder doch in den meisten Reichsstädten. Sie wurden daher auch aus Auftrag des Königs von dem Reichsland= vogte ernannt, z. B. die Reichsstadtvögte in Augsburg [20]), die Reichsschultheiße in Frankfurt [21]), die' Stadtammanne in Kaufbeu= ren u. a. m. Aber auch in jenen Reichsstädten, welche unter kei= ner Reichslandvogtei mehr standen, in welchen jedoch ein Reichsvogt neben und über dem Reichsschultheiß oder Reichsammann stand, waren die Letzteren ursprünglich die Stellvertreter und die Gehilfen der Reichsvögte. Zwar hatten auch sie, wie die Cenfenare und Vicare zur Fränkischen Zeit, eine selbständige (die niedere) Gerichts= barkeit, z. B. die Reichsschultheiße in Magdeburg [22]) und in Gos= lar [23]), und die Stadtammanne in Ulm u. a. m. Der Reichsvogt in Ulm durfte daher über keine Sache erkennen, über welche der Stadtamman bereits erkannt hatte [24]). So wie denn auch der König selbst, wenn er in eine Reichsstadt kam, über keine Sache Recht sprechen durfte, welche bei einem anderen Gerichte bereits

---

Pertz, IV, 292. Centumgravii recipiant centas a domino terre vel ab eo qui per dominum terre fuerit infeodatus. vrgl. über diese stellvertretende Eigenschaft der Zentgrafen und Schultheißen Eich= horn, Reichs= und Rechtsgesch. II, §. 290.

17) von Stetten, Gesch. I, 78. Gassar. ad 1276 bei Mencken, I, 1458 u. 1459. Die Stadtvögte werden daselbst auch praetores und sub= praefecti als Stellvertreter des praefectus imperialis genannt.

18) Urk. von 1296 bei Würdtwein, monast. Palat. III, 196. vrgl. oben §. 474.

19) Wegelin, I, 121.

20) Urk. von 1289, 1306, 1309, 1339 u. 1395 bei von Stetten, I, 81, 88, 90, 102 u. 134.

21) Urk. von 1365 bei Böhmer, Urkb. I, 699 und Kirchner, I, 631.

22) Schöffenbriefe von 1261 §. 9 und von 1304 §. 6 bei T. u. St. p. 353 u. 450.

23) Göschen, p. 368.

24) Urk. von 1255 bei Jäger, p. 728.

anhängig war [25]). Im Uebrigen waren aber auch die Reichsſchul=
theiße und Stadtammanne noch Stellvertreter und Gehilfen der
Reichsvögte. Wenn daher der Reichsſchultheiß zu Goslar abweſend
war oder Recht zu ſprechen verweigerte, ſo durfte der Reichsvogt
auch beim Schultheißengerichte den Vorſitz übernehmen [26]). Eben
ſo ſollte der Reichsvogt in Ulm den Vorſitz beim Stadtgerichte
dann übernehmen, wenn der Stadtammann nicht ſelbſt richten
konnte oder nicht ſelbſt richten wollte [27]), wie dieſes der Vogt auch
in Dürkheim thun durfte, wenn der Schultheiß nicht Recht ſprechen
konnte oder wollte [28]). Auch erinnert noch in Straßburg die Ver=
leihung des Blutbanns von dem Vogt an den Schultheiß an die
urſprüngliche Abhängigkeit des Schultheiß von dem Vogt [29]). Und
wenn die Reichsvögte in Ulm und die Burggrafen zu Magdeburg
bei dem hohen Gerichte präſidirten, ſo mußte ſodann in Ulm der
Stadtammann [30]) und in Magdeburg der Schultheiß dabei ſitzen
und ihnen helfen das Urtheil zu finden [31]).

Die Könige und die Reichsvögte hatten demnach Zutritt zu
den Stadtgerichten und ſie konnten jenen Gerichten als ſchweigende
Richter beiwohnen und, wenn es nothwendig war, in die Verhand=
lung ſelbſt eingreifen, wie dieſes der Vogt in Dürkheim bei dem

---

25) Sächſ. Lr. III, 60 §. 2. Schwäb. Lr. W. c. 112.

26) Statute bei Göſchen, p. 65. Weygherde de ſcultechte emme rechte, des
„ſeal be voghet richtere ſin" — und p. 110. Mochte me aver des
„ſchulteten nicht hebben, ſo mach be voghet alle ſtukke richten unde
„handelen vullenkomeliken alſe be ſchultete."

27) Urk. von 1255 bei Jäger, p. 727. — quicquid minister noster nostre civitatis (der Stadtammann) iudicare non valuerit iudicium
illius cause devolutum est ad dominum nostrum de Dilingen
(den Reichsvogt) — comes de illo casu si vult iudicabit. Item si
minister nostre civitatis de aliquo super excessu illius iudicare
voluerit.

28) Das Dürkheimer grüne Buch ſagt an verſchiedenen Stellen „wann der
„Schultheiß nicht richten oder vertheiden khan oder mag, ſoll der
„Fauth richten." vrgl. Meine Geſchichte der Markenverfaſſung, p. 401
u. 402. Not.

29) Stadtrecht, §. 11 bei Grandidier, II, 47.

30) Urk. von 1255 bei Jäger, p. 728.

31) Schöffenbriefe von 1261 §. 7 und von 1304 §. 3 bei T. u. St.
p. 352 u. 450.

Schultheißengericht zu thun pflegte. Sie konnten aber auch, wenn sie wollten, den Vorsitz selbst übernehmen. Und dann waren die Schultheiße und Stadtammanne nur ihre Beisitzer und ihre Gehilfen. Umgekehrt hatten aber auch die Schultheiße und Stadtammanne Zutritt zu den hohen Gerichten der Reichsvögte, der Stadtgrafen und der Burggrafen, und sie waren sodann auch bei diesen Gerichten die Beisitzer und Gehilfen der höheren Beamten.

Späterhin hat sich freilich auch dieses geändert. Die Könige behielten zwar auch in späteren Zeiten noch ein Recht auf den Zutritt in die Reichsstädte. Sie mußten, wenn sie dahin kamen, würdig empfangen, beherbergt und verpflegt und ihnen gehuldiget werden (§. 462). Auch blieb die Reichsjustiz nach wie vor ein Ausfluß ihrer Oberstrichterlichen Gewalt. Den Vorsitz bei Gericht führten sie aber nun nicht mehr selbst. Eben so wurden auch die Reichsvögte, die Stadtgrafen und die Burggrafen mehr und mehr beschränkt und zuletzt gänzlich aus den Stadtgerichten verdrängt. Meistentheils traten, wenigstens für eine Zeit lang, die Reichsschultheiße und die Reichsammanne an ihre Stelle, und erhielten zur niederen auch noch die hohe Gerichtsbarkeit. Jedenfalls erhielten aber die Reichsschultheiße und die Reichsammanne eine ganz unabhängige Stellung von ihnen. So war z. B. in Nürnberg das Reichsschultheißenamt sehr frühe schon ein durchaus selbständiges Amt und, so weit die Geschichte Nürnbergs zurückreicht, in keiner Art von Abhängigkeit mehr von dem Burggrafen, wie dieses schon vor längerer Zeit von Stromer gegen die entgegengesetzte Ansicht Anderer nachgewiesen worden ist [32]).

§. 477.

Wie dem nun aber auch sei, so waren jedenfalls die Reichsbeamten in den Reichsstädten ursprünglich sammt und sonders Königliche Beamte, die Burggrafen von Friedberg [1]), von Wetzlar [2]), von Nürnberg u. a. m. eben sowohl wie die Reichs-

---

32) Stromer, im histor. Magazin für das Vaterland, I, 14 ff. gegen die Selecta Norimberg. I, 23 ff. vrgl. oben §. 473.

1) Urk. von 1239 u. 1240 bei Guden. II, 78 u. 636.

2) Urk. von 1242 bei Guden, syl. p. 472.

vögte in Augsburg [3]), in Lübeck [4]), in Ulm u. a. m., und die Reichsschultheiße in Frankfurt und Nürnberg, und die Reichsammanne in Eßlingen u. a. m. Sie wurden daher des Reichs Amtleute und die Burggrafen und Reichsvögte des Reichs Oberste Amtleute genannt [5]) und ursprünglich auch von dem König ernannt, z. B. die Reichsvögte in Goslar [6]), in Ulm [7]), in Augsburg [8]) u. a. m., dann die Reichsschultheiße in Hagenau [9]), in Kaiserslautern, in Frankfurt, Nürnberg u. a. m., und die Stadtammanne in Ulm [10]), in Nördlingen [11]) u. a. m. In welch' großem Ansehen übrigens jene Reichsämter gestanden haben, beweißt vor Allem der Umstand, daß sie meistentheils aus den edlen und patricischen Geschlechtern der Stadt selbst, z. B. in Ulm und Nürnberg [12]), öfters sogar aus auswärtigen reichsritterschaftlichen und Reichsgrafen-Geschlechtern genommen zu werden pflegten, wie dieses z. B. in Nürnberg öfters der Fall war. Auch die berühmten Reichserbmarschalle von Pappenheim sind noch im 15. Jahrhundert Reichsschultheiße in Nürnberg gewesen [13]). Eben so waren sie Reichsammanne in Nördlingen. Daher mußte noch im 18. Jahrhundert, nachdem die Stadt längst schon das Reichsammannamt an sich gebracht hatte, jedes Jahr ein sogenanntes Ammanngeld von 200 fl. an die Grafen von Pappenheim entrichtet werden [14]).

Die zu jenen Reichsämtern vom König ernannten Reichsritter und Reichsministerialen verwalteten jedoch ihr Amt nicht im-

---

3) Welser, Augsp. Chron. II, 74.

4) Die Vögte daselbst werden advocati zuweilen aber auch rectores genannt. Urk. von 1226 u. 1274 in Lüb. Urkb. I, 46 u. 332.

5) Maber, Nachrichten von Friedberg, I, 293.

6) Urk. von 1252 bei Göschen, p. 116. advocatus quem prefecerimus ipsi loco. —

7) Urk. von 1259 bei Wegelin, II, 2.

8) Urk. von 1162, 1223, 1235 u. 1308 bei Welser, Augsp. Chron. II, 64, 74, 77 u. 97.

9) Urk. von 1255 u. 1262 bei Gaupp, I, 102 u. 105.

10) Jäger, p. 106.

11) Wegelin, I, 100.

12) Jäger, p. 106. Stromer, Gesch. des Reichsschultheisenamts, p 56 ff.

13) Stromer, p. 89 u. 90.

14) Wegelin, I, 100.

mer selbst. Sie ernannten zu dem Ende vielmehr selbst wieder einen Stellvertreter, z. B. die Reichsschultheiße zu Frankfurt a. M. einen ihre Stelle vertretenden Unterschultheiß (subscultetus [15]), vicescultetus [16]), „gesetzin an eins schulthehzen stat" [17]) oder scultetus minor, während der wirkliche Schultheiß immer scultetus oder scultetus major genannt worden ist) [18]).

Dieses Ernennungsrecht des Königs ging jedoch in manchen Städten frühe schon an die Stadt selbst über, z. B. die Wahl eines Reichsschultheiß in Bern [19]), die Wahl eines Stadtammanns in Ulm [20]), die Wahl eines Schultheiß und anderer Beamten mehr in Eßlingen [21]). Und es blieb sodann dem König nur noch das Recht der Bestätigung oder die feierliche Einsetzung des Gewählten in das Amt, d. h. die Amtsinvestitur übrig. In Bern hatte sich der König das Bestätigungsrecht ausdrücklich vorbehalten. In Ulm sollte der Reichsvogt im Namen des Königs dem erwählten Ammann sein Amt leihen [22]). Und in Nürnberg wurde der Blut-bann seit dem 15. Jahrhundert auf den jedesmaligen Antrag des Raths einem Nürnberger Bürger von dem König verliehen, im Jahre 1401 dem Berthold Pfinzing, im Jahre 1405 dem Karl Holzschuher, im Jahre 1415 dem Hanns Tucher, im Jahre 1438 wieder dem Karl Holzschuher und im Jahre 1457 dem Georg Dörrer u. a. m. [23]), bis denn im Jahre 1459 der Blutbann von Friedrich III auf ewige Zeiten dem Stadtrath zu Lehen gegeben und diese Belehnung auch von den folgenden Königen wiederholt worden ist [24]). Die Reichsstadt Dortmund hatte die Gerichtsbarkeit

---

15) Urk. von 1230 u. 1280 bei Böhmer, p. 55 u. 196.
16) Urk. von 1278 u. 1297 bei Böhmer, p. 184 u. 313.
17) Urk. von 1334 bei Böhmer, p. 530.
18) Urk. von 1279 bei Böhmer, p. 194. Alle diese Urkunden datiren aber aus einer Zeit, in welcher das Schultheißenamt von Frankfurt nicht verpfändet war. Römer=Büchner, Stadtverf. p. 71—73.
19) Handfeste von 1218 §. 7.
20) Stadtrecht von 1296, pr. bei Jäger, Ulm, p. 159, 160 u. 730.
21) Regimentsordnung von 1316 u. 1392 bei Jäger, Magazin, V, p. 9 f. u. 22.
22) Jäger, p. 158. Not.
23) Die Urkunden findet man in Hist. Norimb. dipl. p. 521, 528, 552, 613 u. 665. vergl. Stromer, Reichsschulth. p. 40 u. 41.
24) Urk. von 1459 u 1479 in Hist. Norimb II, 670 u. 727.

bereits schon im 14. Jahrhundert zu Lehen erhalten [25]). In einigen Reichsstädten haben zwar nicht die Städte selbst, wohl aber die Burgmannen das Recht den Burggrafen zu wählen erhalten. Und auch dann ist dem Kaiser nur noch das Recht der Bestätigung geblieben. So war es seit dem 13. Jahrhundert in der Burg Friedberg [26]) und vorübergehend auch in Gelnhausen [27]). Das Burggrafenamt in Friedberg durfte zwar auf Lebenszeit, nicht aber erblich verliehen werden [28]).

§. 478.

In vielen Reichsstädten wurden die Reichsämter zu Lehen gegeben und daher frühe schon erblich. In Augsburg war die Reichsvogtei, wenn auch nur vorübergehend, bereits schon im 12. Jahrhundert erblich [1]). In Ulm waren die Grafen von Dillingen im 13. Jahrhundert schon seit längerer Zeit (ab antiquis) erbliche Reichsvögte [2]). Und nach ihrem Aussterben wurden die Grafen von Wirtemberg mit jenem Amte, mit der advocatia in Ulma, belehnt [3]). In Aachen waren in demselben Jahrhundert die Herzoge von Lothringen und Brabant erbliche Reichsvögte [4]). Das Burggrafenamt in Gelnhausen hatten seit dem 12. Jahrhundert die Herren zu Büdingen vom Kaiser zu Lehen und nach ihrem Aussterben (um 1246) die Herren zu Isenburg, bis seit dem 14. Jahrhundert die Stadt mit der Burg nach einander an die Grafen von Hohenstein, an die Grafen von Schwarzburg, an die Pfalzgrafen bei Rhein, an die Grafen von Hanau und zuletzt an die Landgrafen von Hessen gekommen ist [5]). Das Schultheißenamt in Magdeburg wurde im Jahre 1213 an den Ministerialen Dietrich von Steden zu Lehen gegeben [5a]), aber schon im Jahre 1294 so-

---

25) Urk. von 1379 bei Moser, reichsst. Hdb. I, 379.

26) Urk. von 1285 u. 1349 bei Mader, I, 59 u. 147.

27) Urk. von 1266 u. 1410 bei Chmel, regest. Ruperti Regis, p. 73 u. 231.

28) Urk. von 1292 bei Mader, I, 58.

1) Welser, Augsp. Chron. p. 64.

2) Urk. von 1255 bei Jäger, p. 727.

3) Urk. von 1259 bei Wegelin, II, 2.

4) Urk. von 1277 bei J. J. Moser, reichsstädt. Magazin, I, 91.

5) Wippermann in Zeitschrift, XVI, 25—27.

5a) Urk. von 1213 in Chroniken der niedersächsischen Städte, I, p. 422.

wohl das Schultheißenamt als das Burggrafthum von der Stadt Magdeburg käuflich erworben [5b]). In Nordhausen waren bis zu ihrem Aussterben die Grafen von Hohenstein Reichsvögte, seit 1660 aber die Herzoge von Sachsen und seit 1697 die Kurfürsten von Brandenburg, von denen die Vogtei im Jahre 1715 von dem Stadtrath gekauft worden ist. Das Reichsschultheißenamt in Nord= hausen gehörte aber den Landgrafen von Thüringen und später den Kurfürsten von Sachsen [6]). In Wetzlar war die Reichsvogtei in der Stadt mit der Burg Kalsmunt als Reichslehen den Grafen von Nassau verliehen und von diesen im Jahre 1536 an den Landgrafen von Hessen abgetreten worden [7]). Das Reichsschulthei= ßenamt in Wetzlar gehörte aber dem Kurfürsten von Trier als Probst des Stiftes zu Wetzlar [8]). Auch viele Stadtgrafen machten ihr Amt erblich. Daher erhielten so viele Grafen ihren Namen von einer Stadt, z. B. die Grafen von Gröningen, von Calw, von Sulz, von Urach, von Passau u. a. m. [9]).

Die erblich gewordenen Reichsvögte und Stadtgrafen blieben zwar nach wie vor Reichsbeamte. Sie übten jedoch nun Kraft eigenen Rechtes, was ihnen nur als ein Amt übertragen worden war. Sie konnten demnach immer noch selbst zu Gericht sitzen und thaten dieses auch, z. B. die Grafen von Dillingen in Ulm. Meistentheils ernannten sie jedoch zu dem Ende Stellvertreter, welche sodann in ihrem Namen bei den Stadtgerichten den Vorsitz führten und die übrigen Geschäfte besorgten. So ernannten in Ulm die Grafen von Dillingen einen Ammann (minister) [10]), in Aachen die Herzoge von Lothringen und Brabant als Untervögte die Grafen von Jülich und die Herren von Falkenberg [11]), und auch in Wetzlar die Landgrafen von Hessen einen Untervogt [12]).

5b) Schöppenchronik II in Chron. der niederf. Städte I, 176.

6) Klüber, Geschichte der Gerichtslehen, p. 69 u. 70. Wehner, observat. sel. p. 492.

7) von Ulmenstein, I, 428 u. 429, II, 18, 23 u. 24.

8) Estor, bürgerliche Rechtsgel. III, 219.

9) vrgl. Heyd, Geschichte der Grafen von Gröningen. Stuttgart. 1829, p. 17.

10) Urk. von 1255 bei Senckenberg, sel. jur. II, 262. und bei Jäger, p. 727 f.

11) Meyer, Aachensche Geschichten, p. 301 ff. vrgl. oben §. 472.

12) von Ulmenstein, II, 14 u. 15.

Wie die Reichsvögte und Reichsſchultheiße ſo haben auch viele
Burggrafen ihr Amt erblich gemacht. In Nürnberg wurde das
Burggrafenamt erblich in dem Geſchlechte der Grafen von Hohen=
zollern, wahrſcheinlich ſchon im 12. Jahrhundert [13]), jedenfalls aber
im 13. Jahrhundert [14]). In Regensburg war das burggräfliche
Amt bereits ſeit dem 11. Jahrhundert erblich in der Familie der
Grafen von Rietenburg. Und ſeit dem Ausſterben dieſes Ge=
ſchlechtes kam das Burggrafthum zuerſt wahrſcheinlich an die Gra=
fen von Bogen und dann an die Herzoge von Baiern [15]). In
Kalsmunt wurden die Herren von Merenberg erbliche Burggra=
fen [16]) und in Cocheim die Erzbiſchöfe von Trier [17]). Daſſelbe
gilt von den Burggrafen von Landscrone [18]), von den Burggrafen
von Hammerſtein, einer Familie, die bis ins 15. Jahrhundert ge=
blüht hat [19]), von den Burggrafen von Rheineck, die erſt im 16.
Jahrhundert ausgeſtorben ſind [20]) u. a. m. Und die Burggrafen
von Nürnberg, von Magdeburg, von Meiſen und von Friedberg
ſind bekanntlich durch den Beſitz bedeutender Territorien zu ſehr
angeſehenen Landesherrn emporgeſtiegen.

Auch dieſe erblich gewordenen Burggrafen pflegten nun Stell=
vertreter zu ernennen, welche ſtatt Ihrer ihre Amtsverrichtungen
beſorgten. Die Burggrafen von Nürnberg ernannten zum Beiſitz
bei dem Stadtgerichte einen Amtmann oder Vogt (officialis burggravii) [21]) und die Burggrafen von Friedberg einen Schultheiß
zum Vorſitz beim Stadtgericht [22]). Der von den Herzogen von
Baiern als Burggrafen von Regensburg ernannte Stellvertreter,

---

13) Viele Urkunden bei Seidel, von dem Burggrafthum Nürnberg, p. 99
    u. 100. und bei Jung, comicia burggraviae, p. 106 ff.
14) von Lancizolle, I, 90 ff.
15) Gemeiner, I, 275 f. u. II, 115. Arnold, I, 94—96.
16) von Ulmenſtein, Geſch. von Wetzlar, I, 203 ff.
17) Urk. von 1298 bei Günther, II, 531.
18) Günther, II, 18.
19) Günther, II, 15. und IV, 8.
20) Günther, II, 16, IV, 11 und V, 13.
21) Urk. von 1273 bei Wagenſeil, de civitate Noriberg. p. 293. Urk.
    von 1300 bei Ludewig, rel. Mpt. VI, 40. und in Hist. Norimb.
    dipl. p. 167.
22) Urk. von 1306 bei Mader, I, 116, II, 98.

der an der Spitze des herzoglichen Stadtgerichtes stand, wurde an=
fangs ebenfalls Burggraf [23]), späterhin aber Schultheiß genannt [24]).
Und zu den Rechten des Burggrafen gehörte außer dem Schul=
theißenamt für die niedere Gerichtsbarkeit auch noch das Friedge=
richt für den Blutbann und andere öffentliche Rechte mehr [25]).

Die erblich gewordenen Reichsbeamten und die mit dem
Reichsamte belehnten Reichsvögte, Stadt= oder Burggrafen und
Reichsschultheiße oder Stadtammanne waren und. blieben zwar
Reichsbeamte. Sie besaßen jedoch die in ihrem Amte liegenden
Rechte nun Kraft eigenen Rechtes. So waren z. B. die Land=
grafen von Hessen erblich belehnte Reichsvögte in Wetzlar und als
solche die Schutzherrn der Stadt. Und sie hatten außer den übri=
gen in der Vogtei liegenden Rechten namentlich auch das Bann=
recht, das Geleitrecht und sogar ein Recht auf die Huldigung [26]).
In anderen Reichstädten wurde indessen die Abhängigkeit von den
erblichen Inhabern der Reichsvogtei nach und nach zu einer leeren
Form. So war z. B. in Nordhausen, nachdem die Stadt selbst
die Gerichtsbarkeit an sich gebracht hatte, den erblichen Inhabern
der Reichsvogtei, den Grafen von Hohenstein, nur noch der Schein
einer Gewalt geblieben. Denn erst, nachdem die vorgefallenen Ver=
brechen von dem Stadtgerichte untersucht und bestraft worden
waren, durften auch die erwähnten Grafen von Hohenstein noch
ein Reichsgericht über den bereits Abgeurtheilten halten, was
aber unter diesen Umständen nur noch eine leere nichts sagende
Form war [27]).

---

23) Privilegium von 1230 §. 10 bei Hund, I, 160. und Gaupp, I, 169.
　　— ex parte ducis burggravius. Rechte des Herzogs um 1360 bei
　　Hund, I, 179. „Ez schol auch der Hertzog di Purgraffschafft zu Re=
　　„genspurg leihen.“ —
24) Gemeiner, II, 115.
25) Rechte des Herzogs um 1360 bei Hund, I, 179. und bei Freyberg,
　　Samml. histor. Schriften, V, 154. — „alle den recht, di zu der Pur=
　　„graffschaft gehörent, daz ist daz Fridgericht, daz ist daz Schulthazz
　　„Ampt“ u. s. w.
26) Urk. von 1536, 1661 u. 1679 bei von Ulmenstein, II, 18, 23, 24, 26,
　　27, 196 u. 230.
27) Wehner, observat. p. 492.

§. 479.

In vielen anderen Reichsftädten wurden die Reichsämter
verpfändet, entweder auf eine Reihe von Jahren oder auch für
immer, in welchem Falle jedoch das Recht der Wiedereinlösung
vorbehalten zu werden pflegte. So wurden in Aachen, wie wir
gesehen, die Reichsvogtei und das Reichsschultheißenamt verpfändet,
und beide Aemter kamen zuletzt an die Kurfürsten von der Pfalz
(§. 472). Eben so wurde mit der Stadt Kaiserslautern auch das
Reichsschultheißenamt an die Kurfürsten von der Pfalz verpfändet
(§. 474). In Eßlingen wurde das Reichsschultheißenamt und in
Ueberlingen und Kaufbeuren das Ammannamt mehrmals verpfändet und bereits im 14. Jahrhundert von jenen Städten selbst erworben (§. 474). Auch in Ulm wurde das Ammannamt oder das
Schultheißenamt im 14. Jahrhundert an die Herren von Rechberg
verpfändet, von der Stadt aber eingelößt und späterhin auch behalten [1]. In Frankfurt wurde das Schultheißenamt wahrscheinlich schon im 13. Jahrhundert verpfändet. Denn schon im Jahre
1329 erhielt die Stadt das Recht das verpfändete Amt wieder ein-
zulößen [2]. Seit dem 14. Jahrhundert wurde dasselbe aber
noch öfter verpfändet, an die Herren von Huttyn und von
Cronenberg, an die Grafen von Hanau und an Sifried zum
Parabeis, bis das Amt im Jahre 1366 wieder eingelößt,
und im Jahre 1372 von der Stadt selbst durch Kauf erworben
worden ist [3]. In Gelnhausen wurde das Reichsschultheißenamt
an die Grafen von Isenburg und später an die Herren von Trimberg verpfändet [4]. In Nürnberg ist das Reichsschultheißenamt
zuerst an die Burggrafen von Nürnberg verpfändet worden [5], dann

---

1) Jäger, Ulm, p. 291 u. 292.
2) Urk. von 1323 bei Böhmer, p. 498.
3) Urk. von 1329, 1341, 1346 u. 1372 bei Boehmer, Urtb. I, 498, 575 f.,
   601 u. 732. Urk. von 1360 bei Glafey, anectod. p 67. von Fichard, p. 152, 222, 223 u. 285 ff. Besonders Römer-Büchner, Stadtverf. p. 73—81.
4) Urk. 1328 bei Senckenberg, sel. jur. II, 605—607.
5) Urk. von 1323 in Hist. Norimb. II, 254. Urk. von 1324 bei Oefele,
   rer. Boic. script. I, 748.

an den Schultheiß Konrad Groß und an dessen Erben [6]), später
(im Jahre 1365) wieder an die Burggrafen [7]), von welchen es im
Jahre 1427 an die Stadt verkauft worden ist [8]). In den Reichs=
städten Buchau und Altorf war das Ammannamt eine Zeit lang
an die Grafen von Helfenstein versetzt [9]). Eben so das Reichs=
schultheißenamt in Hailbronn an die Grafen von Wirtemberg, von
denen es im Jahre 1360 von der Stadt eingelößt worden und so=
dann pfandweise bei ihr geblieben ist [10]). Auch in Lindau wurde
das Ammannamt im Laufe des 14. Jahrhunderts mehrmals an
das patricische Geschlecht der Guderscher, dann an die Herzoge von
Baiern, sodann wieder an das Geschlecht der Guderscher verpfändet,
im Jahre 1396 aber die Pfandschaft von der Stadt auf ewige Zei=
ten eingelößt [11]). In Memmingen wurde das Ammannamt im
Jahre 1401 auf Widerruf an die Stadt hingegeben [12]). Auch in
Nördlingen wurde das Ammannamt im Laufe des 14. Jahrhunderts
mehrmals versetzt, im Jahre 1323 an die Grafen von Oettingen,
im Jahre 1358 an die Erzherzoge von Oesterreich, im Jahre 1360
an die Herren von Sawensheim, im Jahre 1366 an die Erzbischöfe
von Mainz. Aber schon am Ende des 14. Jahrhunderts ist es
von der Stadt selbst erworben worden [13]). In Kempten war die
Reichsvogtei zuerst an die Herzoge von Teck, dann an die Grafen
von Montfort=Tetnang verpfändet, im Jahre 1361 aber wieder von
der Bürgerschaft eingelößt und an das Reich gebracht worden [14]).
In Landau wurden die Rechte der öffentlichen Gewalt (die obrig=
keitlichen Rechte) zuerst an den Stadtrath und an die Bürgerschaft
von Speier [15]), dann dem Bischof selbst und dem Domkapittel ver=

---

6) Urk. von 1339, 1349 u. 1359 in Hist. Norimb. II, 293, 336 u. 381.
   Urk. von 1359 bei Roth, Gesch. des Nürnberg. Handels, I, 39.
7) Urk. von 1365 in Hist. Norimb. II, 428 f.
8) Urkunden von 1427 in Hist. Norimb II, 575, 579, 583, 586 u. 588.
   vergl. Stromer, Reichsschultheißenamt, p. 29—37.
9) Urk. von 1364 u. 1366 bei Heider, p. 491 u. 492.
10) Urk. von 1360 bei Glafey, anectod. p. 428 u. 429
11) Wegelin, I, 99.
12) Wegelin, I, 100.
13) Wegelin, I, 100.
14) Haggenmüller, I, 144 u. 145.
15) Urk. von 1317 bei von Birnbaum, Gesch. von Landau, p. 473.

pfändet [16]), im Jahre 1511 aber vom Kaiser selbst wieder eingelöst [17]) und von diesem sodann im Jahre 1517 an die Stadt Landau verpfändet, bei welcher diese Reichspfandschaft auch späterhin geblieben ist [18]). In Regensburg, wo die Herzoge von Baiern den Schultheiß zu ernennen hatten (§. 478), wurden bereits im Jahre 1279 die Gefälle des Schultheißenamtes und des dazu gehörigen Friedgerichtes und des Kammeramtes an einige alte Geschlechter (an die Auer, Prager, Süß und Gumbert) [19]) und am Ende des 13. Jahrhunderts jene drei Aemter an das Geschlecht der Zahne und von Zand verpfändet, von diesen aber die Pfandschaft in den Jahren 1359 und 1360 von der Stadt eingelöst, den Herzogen jedoch das Wiedereinlösungsrecht vorbehalten [20]). So war denn das Schultheißenamt mit dem damit vereinigten Friedgerichte und Kammeramt pfandweise an die Stadt gekommen, den Herzogen aber nebst dem Wiedereinlösungsrechte auch noch die Verleihung des Blutbanns, und zwar seit dem Jahre 1384 die unentgeltliche Verleihung geblieben [21]). Als jedoch der Herzog Albrecht von Baiern den Versuch machte die Burggrafschaft zu einer Landesherrschaft zu erweitern und im Jahre 1485 zu dem Ende auch sein Wiedereinlösungsrecht geltend machen wollte, da kam es zu einem langjährigen Kampf, in welchem zwar die Stadt der herzoglichen Gewalt unterlag, zuletzt aber dennoch siegreich aus dem Kampfe hervorging [22]). Der Kaiser behandelte nämlich diese Unterwerfung unter den Herzog von Baiern als einen Abfall vom Reich, und versammelte im Jahre 1492 ein Exekutionsheer gegen den Herzog, was denn diesen zum Nachgeben bewogen hat. Der Herzog trat nun im Jahre 1496 das Schultheißenamt für immer an die Stadt ab und er behielt sich nur noch die Verleihung des Blutbanns an den von der Stadt ernannten Schultheiß vor [23]). Da jedoch diese Be-

---

16) Urk. von 1324, 1349 u. 1358 bei Birnbaum, p. 477, 480 u. 482.

17) Urk. von 1511 bei Birnbaum, p. 488.

18) Urk. von 1517 bei Birnbaum, p 496.

19) Urk. von 1279 bei Hund, I, 159. Gemeiner, I, 412 und II, 55.

20) Gemeiner, I, 535, Not. II, 55, 107 — 111, 114 — 116, 140, 211 u. 281.

21) Gemeiner, II, 110 u. 211.

22) Gemeiner, III, 695 ff.

23) Gemeiner, I, 412, III, 860 u. 863.

lehnung bereits seit dem Jahre 1384 unentgeltlich geschehen mußte,
so war sie von nun an eine leere Formalität. Als eine solche ist
sie aber bis auf unsere Tage gekommen. Die Belehnung mit dem
Blutbann geschah nämlich auch späterhin noch an den jedesmaligen
Schultheiß der Reichsstadt Regensburg, welchem das Bannrichteramt übertragen worden war. Beim Tode des Schultheiß mußte
daher eine neue Belehnung hier in München nachgesucht und ertheilt werden. Der neue von der Stadt ernannte Schultheiß mußte
zu dem Ende, ehe er das reichsstädtische Bannrichteramt antrat,
hierher nach München reisen und sich von dem kurfürstlichen Hof-
rath mit dem Blutbann belehnen lassen. Und die letzte Belehnung
wurde im Anfang des 19. Jahrhunderts hier in München ertheilt.
Wie in Regensburg selbst, so war auch das Gericht in der Vorstadt Stadtamhof eine Pfandschaft und ein Lehen der Herzoge von
Baiern. Der Stadtrath hatte zwar den Richter zu ernennen, der
Herzog aber den Bann zu verleihen [24]).

Durch die Verpfändung der Reichsämter wurde das Rechts-
verhältniß der Stadt zum Kaiser und Reich an und für sich zwar
durchaus nicht verändert. Die Pfandinhaber traten an die Stelle
der Reichsbeamten. Sie hatten demnach während der Dauer der
Pfandschaft alle Rechte, welche in den ihnen verpfändeten Reichsämtern (in der Reichsvogtei, im Reichsschultheißenamt oder im
Ammannamte) lagen. Sie konnten daher jene Rechte entweder
selbst ausüben oder zu dem Ende einen Reichsvogt, Reichsschultheiß
oder Ammann, oder auch einen Untervogt oder Unterschultheiß als
ihren Stellvertreter ernennen, wie dieses in Frankfurt [25]), in
Landau [26]), in Kleinbasel [27]) u. a. m. geschehen ist. Die von ihnen
ernannten Stellvertreter waren nun ihre Beamten in derselben
Weise, wie sie selbst durch die Reichspfandschaft stellvertretende

---

24) Gemeiner, III, 255.

25) von Fichard, p. 173, 222, 223 u. 285. Urk. von 1341, 1343 und
1351 bei Thomas, Oberhof, p. 452 u. 453. — „gesetzin an daz
„schulthetzin stab" — vices sculteti obtinens —. Diese Urkunden
datiren aus der Zeit der Verpfändung des Amtes an die Herrn von
Huttyn.

26) Urk. von 1374 u. 1517 bei Birnbaum, p. 497 u. 508.

27) Urk. von 1310 bei Ochs, V, 47. und oben §. 200.

Reichsbeamte geworden waren. Der von dem Biſchof zu Speier als Pfandinhaber ernannte Schultheiß zu Landau nannte ſich daher „unſers herren biſchoff ſchultheißen" [28]. Und wie jeder andere Beamte mußte auch er dem Pfandinhaber, deſſen Stellvertreter er war, einen Amtseid leiſten [29]. Auch die Stadträthe und Bürger= ſchaften mußten den Pfandinhabern und ihren Stellvertretern den= ſelben Eid der Treue und des Gehorſams leiſten, den ſie früher den Reichsbeamten ſelbſt leiſten mußten, z. B. in Landau [30], in Oppen= heim [31] und in Wetzlar noch in den Jahren 1536, 1661 und 1679 [32]. Die Bürger von Wetzlar wollten zwar jenen Eid keine Huldigung, vielmehr eine bloße Schutzerneuerung nennen [33]. In der Wirklichkeit war es aber nichts Anderes als ein Unterthaneneid oder eine Erbhuldigung. Die Herrſchaft in der Stadt gehörte dem= nach den Pfandinhabern. Und die Bürgerſchaften ſelbſt mußten ſie als ihre Herren anerkennen, z. B. der Bürgermeiſter von Landau im Namen der Bürgerſchaft [34].

In jeder Verpfändung eines Reichsamtes lag daher die Ge= fahr einer Veräußerung der Stadt von dem Reiche. Darum ſuchten und erhielten auch die meiſten Reichsſtädte Kaiſerliche Privilegien mit dem Verſprechen, daß die Reichsvogtei und das Reichsſchulthei= ßen= und Ammannamt nicht mehr verpfändet werden ſollten. Jenes Verſprechen erhielt die Reichsſtadt Mühlhauſen bereits im Jahre 1255 [35] und die Reichsſtädte Lindau im Jahre 1275 [36], Kempten

---

28) Urk. von 1361 u. 1433 bei Birnbaum, p. 510 u. 511.
29) Urk. von 1374 bei Birnbaum, p. 509.
30) Urk. von 1349, 1358, 1361, 1433 u. 1511 bei Birnbaum, p. 480, 483, 488, 510 u. 511.
31) Wibber, III, 278 u 279·
32) von Ulmenſtein, II, 26, 27, 196 u. 230.
33) von Ulmenſtein, II, 230. Not.
34) Urk. von 1426 bei Birnbaum, p. 485· „Darnach ſprach b' vorgen. „Burgermeyſter Gnediger Herre wir ſagen uch uff unſere Eyde das wir „an keinen Herrn oder nyemans anders uns nit geſucht oder geworben „haben dan an unſern Herren den Dechan und Capittel zu „Spire" —, an welche damals Landau verpfändet war.
35) Grasshof, p 175.
36) Histor. Norimberg. dipl. I, 42.

im Jahre 1361 [37]) und sämmtliche Reichsstädte in Schwaben im Jahre 1360 [38]), die Stadt Ueberlingen noch im Jahr 1348 [38a]). Die Verpfändungen dauerten jedoch nach wie vor fort. Bereits im Jahre 1277 wurde Mühlhausen an die Landgrafen von Thüringen verpfändet [39]). Und die Reichsämter in den Schwäbischen Reichsstädten wurden an die Grafen von Wirtemberg verpfändet [40]). Daher suchten die Reichsstädte jene Pfandschaften selbst an sich zu bringen, was ihnen auch, wie wir gesehen, meistentheils gelungen ist.

Durch die Verpfändung eines Reichsamtes' erhielten die Pfandinhaber kein eigenes selbständiges Recht an dem verpfändeten Amte. Auch pflegte die Wiedereinlösung allzeit vorbehalten zu werden. Daher handelten die Pfandinhaber immer nur im Namen des Reichs. Und auch die verpfändeten Städte gehorchten und huldigten ihnen nur an des Reiches Statt, z. B. Landau [41]) und andere Reichsstädte mehr. Denn die vom Reiche verpfändeten Städte blieben nach wie vor Reichsstädte. Dies änderte sich jedoch, seitdem durch den Westphälischen Frieden und durch die Wahlkapitulationen den Reichsständen der Besitz ihrer Reichspfandschaften zugesichert und das Recht der Wiedereinlösung aufgehoben worden war [42]). Denn nun haben sich die an die Reichsfürsten verpfändeten Reichsstädte unter den übrigen Landstädten verloren, z. B. Kaiserslautern, Oppenheim, Neckargemünd u. a. m. unter den kurpfälzischen Landstädten [43]). Reichsstädte blieben demnach nun nur noch jene verpfändeten Städte, welche die Reichspfandschaft selbst an sich gebracht hatten, wie dieses bei Mühlhausen, Eßlingen, Ueberlingen,

---

37) Haggenmüller, I, 144.
38) Urk. von 1360 bei Glafey, anectod. p. 427.
38a) Urk. von 1348 bei Mone, XXII, 28.
39) Urk. von 1277 bei Guden, syl. p. 606.
40) Wegelin, I, 75—78.
41) Urk. von 1361 u. 1433 bei Birnbaum, p. 510 u. 511. „so follent „sie sweren dem herrn bischoff — an des richs stat, di wyle die „statt Landaw sin pfand ist" —.
42) Instrum. pacis Osnabr. V, §. 27. Wahlkapitulation Josephs II, art. X, §. 4.
43) Widder, I, 357, 358, III, 262 ff., IV, 188 ff.

Lindau, Hailbronn, Landau, Frankfurt, Regensburg u. a. m. der Fall war. Und da durch den Westphälischen Frieden und durch die Wahlkapitulationen auch ihnen der Besitz ihrer Reichspfandschaft garantirt worden war, sie also gegen jede Wiedereinlößung und gegen eine weitere Verpfändung gesichert waren, so blieben sie nun auch Reichsstädte bis zur Auflößung des Deutschen Reiches.

§. 480.

Ein weiteres Recht der öffentlichen Gewalt in den Reichs=stätten, wenigstens in den gemeinen Reichsstädten, war das Recht auf den Reichsdienst. Denn alle Bürger in den Reichsstädten waren Reichsunterthanen und als solche reichsdienstpflichtig, z. B. die Bürger von Lübeck [1]), von Hagenau [2]), von Goslar [3]), von Kaiserslautern [4]), von Wangen [5]), von Landau und von den übri=gen Reichsstädten im Elsaß u. a. m. [6]). Zu dieser Reichsdienst=pflicht gehörte nun die Pflicht den Deutschen König auf seinen Rundreisen zu beherbergen und zu verpflegen, dann der Reichsheerdienst und die Reichssteuerpflichtigkeit.

Die Reichsbürger mußten nämlich den König, wenn er in eine Reichsstadt kam, würdig empfangen (§. 462) und ihn beher=bergen und verpflegen. Wenn der König z. B. nach Kaisers=lautern kam, sollte ihm jeder im Reichslande angesessene Mann ein Viernzel Haber und ein Huhn, und, wenn es begehrt ward, auch noch das nöthige Rindfleisch liefern, und das Gelieferte wurde so=

---

1) Freiheitsbrief von 1226 im Lüb. Urkb. I, 46. — seruicia, que nobis et imperio fideliter semper exhibere curarunt —. vergl. Urk. von 1226, eod. p. 44.
2) Urk. von 1257 bei Gaupp, I, 104. vergl. oben §. 375 u. 458.
3) Statute bei Göschen, p. 73. „des rikes deneſt bat deme manne „gheboden were oder van des rades weghene in des rikes bederf."
4) Grimm, I, 772. „die burger zu Lutern — ſien ſchuldig dem riche zu „dienen zu ſinen noten."
5) Beschreibung von 1594 bei Wegelin, II, 170.
6) Urk. von 1511 bei Birnbaum, p 490. — „uns und dem h. Reiche — „mit und neben andern Stätten in unſer und des Reichs Landvogtey „Hagenaw zu dienen und zu thun als ſich gebührt" vergl. oben §. 462.

dann auf das ganze Reichsland ausgeschlagen und vertheilt[7]). Und wenn die Deutschen Könige oder ihre Leute nach Nördlingen kamen, so sollte der Ammann für ihre Aufnahme und Verpflegung sorgen („so sol der amman sin uznemer sin"). Aber auch die darum an= gesprochenen Bürger mußten Geldbeiträge und die Vogtleute für die Küche die Hur (den Rauchfang) und das Holz liefern („bieten „huer und holze ze antwurten in die stat in kuchen")[8]). Schon früh strebten jedoch die Reichsstädte nach Freiheit von dieser Last. Die Stadt Hagenau erhielt sie bereits im 12. Jahrhundert. Und es hatte sodann der Reisemarschall ohne die Bürger beläſtigen zu dürfen für die Unterkunft des Königs und seines Gefolges zu ſor= gen[9]). In Frankfurt waren wenigstens die Pfalbürger bereits im 13. Jahrhundert frei von dieser Last[10]). In Konstanz sollte der Kaiſer nur dann noch ein Recht auf jene Leistungen haben, wenn er entweder vom Bischof gerufen worden oder, um zu beten oder in Geschäften in die Stadt gekommen war[11]).

Zum Reichsheerdienſt oder zur Raiß waren auch die Reichsstädte verbunden, z. B. Lübeck[12]), Bern[13]), Wetzlar[14]), Wangen[15]), Dortmund u. a. m. (sicut aliae nostrae civitates —

---

7) Grimm, I, 773 — 774. vergl. Meine Gesch. der Fronh., III, 384 — 386.

8) Stadtrecht von 1818, §. 31 bei Senckenberg, vision. p. 360. vergl. über das Wort Hur Schmeller, II, 234.

9) Stadtrecht von 1164 §. 2 u. 27 bei Gaupp, I, 96 u. 101. Imperator villam si intraverit, marscalcus ipsius, absque civium detrimento, de hospiciis pacifice disponat.

10) Stadtrecht von 1297 §. 26 in Wetteravia, p. 256.

11) Urk. von 1155 bei Dümge, reg. Bad. p. 141. statuimus, ut nec nos — Iocum Constantiae adeat vel statuta servitia exigat, nisi vocatus ab episcopo vel orationis causa vel itineris necessitate veniat.

12) Freiheitsbrief von 1188 im Lüb. Urkb. I, 11.

13) Handfeste von 1218 § 9.

14) Urk. von 1285 bei Lehmann, p. 562. ipsi nobis sicut aliae nostrae civitates in expeditionibus, quae Ußzug vulgariter appellantur, prompti esse debeant et parati.

15) Beschreibung von 1594 bei Wegelin, II, 170. — „ohne Nachtheil der „Steur, Dienst und Raiß als andere Unterthanen."

„als andere Unterthanen"). Denn der Kriegsdienſt der Stadt=
bürger war immer noch der alte Königsdienſt. Die Pflicht
die Stadtmauern zu bewachen und zu vertheidigen führte jedoch
frühe schon zur theilweiſen oder auch gänzlichen Befreiung von dem
auswärtigen Kriegsdienſt, zur Schließung der Stadtthore ſogar
gegen Kaiser und Reich und zur Freiheit von auswärtigen Kriegs=
fronen und von der Verpflegung des Reichsheeres (§. 128, 129 u.
135). Schon nach der Handfeſte von 1218 brauchten die Bürger
von Bern nur noch ſo weit mit dem Reichsheere zu ziehen, daß
ſie die darauf folgende Nacht wieder nach Haus kommen konnten [16]),
und die Bürger von Achen nach den Privilegien von 1215 ſogar
nur ſo weit, daß ſie an demſelben Tage bei ſcheinender Sonne
wieder zu Haus ſein konnten [17]). Die Bürger von Goslar brauch=
ten nach ihren Privilegien von 1219 nur noch zur Landesverthei=
bigung (nisi pro defensione patriae) und zwar nur 14 Tage lang
auf eigene Koſten ausziehen [18]). Die Bürger von Lübeck [19]) und
von Hamburg aber waren bereits im 12 Jahrhundert [20]), und die
Bürger von Dortmund im 13. Jahrhundert von dem auswärtigen
Kriegsdienſt ganz frei und nur noch zur Vertheidigung der Stadt
ſelbſt verbunden [21]). Auch von der Aufnahme und von der
Verpflegung des Reichsheeres und von den auswärtigen
Kriegsfronen machten ſich die Reichsſtädte frühe schon frei. Dort=
mund brauchte bereits im 13. Jahrhundert kein fremdes Heer mehr
in der Stadt aufzunehmen [22]). Andere Städte aber, z. B. Frank=

---

16) Handfeſte von 1218, §. 9.
17) Urk. von 1215 bei Quix, II, 94. ut ipso die clara luce de domi-
bus suis exierint cum splendore solis redire possint.
18) Urk. von 1219 bei Göſchen, p. 113. und Heineccius, antiquit. Goslar. p. 218.
19) Freiheitsbrief von 1188 im Lüb. Urkb. I, 11. Cives — nullam expeditionem ibunt, sed civitatem suam defensabunt.
20) Freiheitsbrief von 1190 u. 1225 bei Lappenberg, Hamburg. Urkb. I,
259 u. 421. De omni autem expeditione ipsos cives liberos an-
nuimus fore, similiter et in defensione tocius terre.
21) Stadtrecht §. 24 bei Wigand, II, 217. nec — ire debemus in aliquam expeditionem. sed tantum ad tuendum nos possumus si
volumus ascendere muros nostros et propugnacula nostra.
22) Stadtrecht, §. 23.

furt [23]) und Ravensburg [24]) öffneten dem Kaiser und dem Kaiser=
lichen Landvogt sogar im Falle der Noth und zur Kriegszeit die
Stadtthore nur noch in dem Falle, wenn es vorher vertragsmäßig
zugestanden worden war. In Bern sollte das fremde Heer wenig=
stens nicht mehr auf Kosten der Bürger beherbergt und verpflegt
werden [25]). Und in Speier verstand sich der Stadtrath, als im
Jahre 1198 ein Reichsheer in die Gegend gekommen war, erst
nach stattgehabter Berathung dazu, das Reichsheer über den Rhein
zu schiffen und es mit Lebensmitteln zu versehen, auch 30 Ritter
in der Stadt selbst zu beherbergen, jedoch unter der ausdrücklichen
Bedingung, daß das übrige Heer weder in der Stadt noch in den
Vorstädten und in der Umgegend beherbergt werden solle. Denn
Kaiser und Reich hatten kein Recht mehr auf die Verpflegung des
Reichsheers [26]).

Auch reichssteuerpflichtig sind die Reichsstädte, wie wir
gesehen, ursprünglich sammt und sonders gewesen. Denn nur von
der jährlichen Reichssteuer sind die Freistädte frei gewesen und es
auch in späteren Zeiten geblieben (§. 463). Nur allein die in einer
Reichsstadt angesessenen Edelleute und Ritter waren frei von der
Reichssteuer, weil sie, wie die Ritterschaft auf dem Lande, dem
Reiche persönlich im Kriege dienten. So die Edelleute und Ritter
in Kolmar [27]), in Zürich u. a. m. [28]). Selbst die in einer Reichs=
stadt ansäßigen Geistlichen und geistlichen Stifter und Klö=
ster waren, ursprünglich wenigstens, der Reichssteuer unterworfen,
z. B. in Mühlhausen [29]) u. a. m. Neben den jährlichen Reichs=

23) Urk. von 1303 bei von Fichard, p. 357.

24) Beschreibung von 1594 bei Wegelin, II, 168. — „und hat ein Landt=
„vogt zur nothdurfft des Amts die Oeffnung der Thor, innhalt Ver=
„trags —.“

25) Handveste von 1218 §. 9.

26) Urk. von 1198 bei Lehmann, p. 496.

27) Stadtrecht von 1293 §. 38.

28) Zürich. Richtebrief, IV, 30 u. 31. Meine Gesch. der Fronh. III, 397
—398 u. 515—516. und oben §. 229 u. 395.

29) Urk. von 1302 bei Grasshof, p. 213. — de bonis — quae censum
imperio soluere et contributiones vel sturas dare ac seruitia facere — prout ab antiquo fieri est consuetum.

steuern wurden in manchen Reichsstädten auch noch willkürliche Abgaben (injustae et illicitae consuetudines) erhoben, z. B. in Achen gewisse auf dem Brod = und Bierverkauf lastende Abgaben, welche aber im Jahre 1215 daselbst abgeschafft worden sind [30]. Späterhin wurden jedoch die Kirchen und die Geistlichen auch in den Reichsstädten für steuerfrei erklärt, z. B. in Goslar [31]. Neue Steuern durften nur mit Zustimmung der Bürger angelegt werden, z. B. in Speier [32]), in Hagenau [33]), in Achen [34]) u. a. m. Auch war zur Erhebung von indirekten Steuern in einer Reichsstadt die Zustimmung des Kaisers nothwendig (§. 428). Endlich wurden auch die Reichssteuern sehr häufig verpfändet, z. B. die jährliche Bet und Steuer in Wetzlar zuerst an die Grafen von Nassau und später an die Landgrafen von Hessen [35]. Eben so die jährliche Reichssteuer in Ueberlingen an diese Stadt [35a], dann die Reichssteuer in Nördlingen an die Grafen von Oettingen, die Steuer in Buchau an die Grafen von Helfenstein, die Steuer in Eßlingen an die Herzoge von Baiern u. s. w. (§. 462). Auch haben sehr viele Reichsstädte und Privatleute die Reichssteuern an sich gebracht entweder mittelst Einlösung der verpfändeten Steuern oder mittelst Kauf. Und die Kaiser selbst haben sich in den verschiedenen Wahlkapitulationen bis ins 18. Jahrhundert vergeblich bemüht die vom Reiche veräußerten Steuern wieder an sich zu bringen [36].

§. 481.

Auch das Münzrecht und das Zollrecht gehörte ursprüng=

---

30) Urk. von 1215 bei Quix, II, 94.

31) Privileg von 1219 bei Göschen, p. 115.

32) Urk. von 1198 bei Lehmann, p. 496. quod nec Dominus Rex, nec nos aliquam in ea specialem vel communem faciamus exactionem, nisi cives ex libero arbitrio spontaneum nobis et competens servitium duxerint exhibendum.

33) Urk. von 1255 bei Gaupp, I, 102.

34) Urk. von 1215 bei Quix, II, 94.

35) Urk. von 1347 u. 1536 bei von Ulmenstein, I, 382 u. II, 17.

35a) Urk. von 1415 bei Mone, XXII, 29 ff.

36) Urk. von 1360 bei Wegelin, II, 40 f. und I, 105—109.

lich zu den Rechten der öffentlichen Gewalt. So war es bereits zur fränkischen Zeit [1]). Und eben so ist es auch im späteren Mittelalter ein Recht des Königs geblieben. Daher durfte ohne Erlaubniß des Königs keine neue Münze und kein neuer Zoll angelegt werden („wir sprechen daz alle zolle unde alle münzen die „in Romischen riche sint, die sint eines romischen küniges. unde „swer si wil haben, —, der muoz si haben von dem Romischen „künige. unde swer daz niht tuot, der vrevelt an daz riche") [2]). Man findet deshalb die ersten Münzen und Zölle in den alten Königsstädten und später erst in den Bischofsstädten u. a. m. (§. 76). Auch Lübeck erhielt frühe schon, bereits im 12. Jahrhundert, eine Münze und einen Zoll [3]). Und auch in späteren Zeiten noch legten die Kaiser in den Reichsstädten neue Münzen und Zölle an, z. B. Friedrich I in Aachen eine neue Münze [4]) und Karl IV an den Thoren von Frankfurt einen neuen Zoll [5]). Auch diese Münzen und Zölle wurden häufig versetzt und verpfändet oder auf sonstige Weise von dem Reiche veräußert und zuletzt von den Reichsstädten selbst erworben. So wurden in Köln bereits im Jahre 1174 die Münzgefälle der Stadt verpfändet [5a]). Die Münze zu Lindau wurde mehrmals an dortige Bürger versetzt, im Jahre 1417 aber von der Stadt selbst käuflich erworben. Eben so wurde die Münzgerechtigkeit nacheinander von Augsburg, Donauwörth, Kaufbeuren, Kempten, Rotweil und Wimpfen erworben [6]). In Lübeck hatten die Bürger bereits im Jahre 1188 ein

---

1) Capit. von 805, c. 18 und von 817, c. 17 bei Pertz, IV, 134 u. 213. Capit. lib. IV, c. 31.

2) Schwäb. Lr. W. c. 300. vergl. noch Sächs. Lr. II, 26, §. 4. Ruprecht von Freising, I, 127. Constit von 1208 bei Pertz, IV, 216. quaesivit in sentientia, si aliquis sine regia licentia et authoritate novum possit instituere teloneum? Et data est super hoc sentientia, quod nullo modo hoc fieri possit et debeat, et si factum fuerit, irritum sit et inane. Landfriede von 1287 §. 18 u. 20 bei Pertz, IV, 450.

3) Deecke, Grundlinien, p. 27 u. 28.

4) Urk. von 1166 bei Quix, 1, 37.

5) Urk. von 1364 bei von Fichard, p. 364.

5a) Urk von 1174 in Quellen, I, 570.

6) Wegelin, I, 118.

Aufſichtsrecht über die Münze und im Jahre 1226 das Münzrecht
ſelbſt erhalten [7]). Eben ſo hatten die Bürger von Hamburg im
Jahre 1226 das Münzrecht zu gleicher Zeit mit der Reichsfreiheit
erhalten. Auch die Zölle wurden von den Kaiſern verſetzt, z. B.
in Köln ſchon im Jahre 1174 [8]), in Eßlingen im Jahre 1360 an
die Grafen von Wirtemberg und im Jahre 1361 an die Stadt
ſelbſt [9]). Der Zoll in Lindau wurde im Laufe des 14. und 15.
Jahrhunderts an verſchiedene Herren verpfändet, in den Jahren
1379 und 1437 aber von der Stadt ſelbſt erworben [10]). Zur An=
legung neuer Zölle in der Stadt durch den Stadtrath beburften
auch die Reichsſtädte der Erlaubniß und Zuſtimmung des Kaiſers
und Königs (§. 428).

Was von den Zöllen gilt auch von dem Ungelt. Das Un=
gelt in den Reichsſtädten gehörte urſprünglich dem Deutſchen Kö=
nig. Es wurde aber ebenfalls verſetzt und verpfändet und zuletzt
den Städten ſelbſt von dem König verliehen. So wurde das Un=
gelt in Eßlingen zuerſt den Grafen von Wirtemberg verſetzt, im
Jahre 1361 aber der Stadt ſelbſt verliehen [11]). Eben ſo wurde
das Ungelt in Weil zuerſt den Grafen von Wirtemberg verſetzt, im
Jahre 1360 aber der Stadt ſelbſt verliehen [12]). Das Ungelt in
Gelnhauſen wurde im Jahre 1328 an die Herren von Trimberg
verpfändet [13]). Im Jahre 1360 verſprach der Kaiſer den Reichs=
ſtädten in Schwaben das Ungelt nicht mehr zu verſetzen [14]). Es
ging jedoch mit der Verpfändung des Reichsungeltes wie mit der
Verpfändung der Reichszölle und der Reichsſteuern. Die Ver=
pfändungen dauerten nach wie vor fort. Denn die Deutſchen Kö=
nige brauchten Geld und wußten ſich in anderer Weiſe keines zu
verſchaffen. Uebrigens beburften die Reichsſtädte auch zur An=
legung eines neuen Ungeltes in der Stadt von Seiten des Stadt=

---

7) Freiheitsbriefe von 1188 u. 1226 im Lüb. Urkb. I, 11 u 46.
8) Quellen, I, 570.
9) Urk. von 1360 u. 1361 bei Glafey, anectod. p. 475 u. 581.
10) Wegelin, I, 119.
11) Urk. von 1360 u. 1361 bei Glafey, p. 475 u. 581.
12) Urk von 1360 bei Glafey, p. 334 u. 335.
13) Urk. von 1328 bei Senckenberg, sel. jur. II, 606
14) Urk. von 1360 bei Wegelin, II, 40.

raths der Erlaubniß und Zustimmung des Deutschen Königs (§. 428).

Auch das Recht Märkte anzulegen war ein Recht der öffentlichen Gewalt. Die ersten Märkte bildeten sich zwar meistentheils von selbst. Auch konnte ursprünglich jeder Grundherr auf seinem Grund und Boden einen Markt, wenigstens einen Wochenmarkt anlegen. Späterhin wurde jedoch das Recht Märkte anzulegen ein Vorrecht des Inhabers der öffentlichen Gewalt. Und bereits zur Zeit der Rechtsbücher durfte ohne Zustimmung des Königs kein Markt mehr angelegt werden. Daher findet man auch die ersten Märkte in den Königsstädten am Rhein und an der Donau, an der Elbe und wahrscheinlich auch schon an der Weser (§. 74 u. 75). Und auch in späteren Zeiten fuhren die Könige noch fort neue Märkte in den Königsstädten zu gründen. So erhielt Aachen, welches bereits zur Zeit Karls des Großen schon einen Markt hatte, auch von Friedrich I wieder zwei freie Jahrmärkte verliehen [15]). Da mit jedem Markte auch Marktzölle und andere Abgaben verbunden waren, so wurden die Märkte mit zu den fiskalischen Gefällen gerechnet, z. B. in Bremen [16]).

Die Gerichtsgefälle, bestehend in den Friedgeldern (freda) und in anderen Strafgeldern und gerichtlichen Abgaben (bannum regium, Bannpfennige und justitiae legales) und die übrigen Fiskalischen Einkünfte gehörten gleichfalls zu den Rechten der öffentlichen Gewalt, wie dieses aus den Immunitätsprivilegien der früheren und späteren Zeit entnommen werden kann [17]). Diese Gerichtsgefälle flossen theilweise in die öffentlichen

---

15) Urk. von 1166 bei Quix, I, 37.

16) Urk. von 1035 bei Lindenbrog, p. 137. mercatum cum theloneo, numismatibus, nec non omnibus utilitatibus ad mercatum pertinentibus.

17) Urk. von 775 bei Hontheim, I, 135. — fiscos aut freda —. Urk. von 844 bei Quix, I, 2. — freda — et quicquid jus fisci exigere poterat. Urk. von 858 bei Schannat, II, 6. quidquid ad nostrum usum et jus pertinet — omne telonium et vectigal vel quidquid in dominicum fiscum de civitate, infra vel extra, in vadiis aut fredis sive justitiis legalibus redigi potest. Urk. von 973 bei Schannat, II, 23. alias utilitates omnes, quae infra aut extra ur-

Kaffen (in den Königlichen Fiskus oder in das Königliche Aerar
— nostro regali erario siue fisco) [18]), zum Theile wurden sie
aber auch den Reichsbeamten als Gehalt angewießen. Meistentheils
erhielten die Gaugrafen den dritten Theil jener Gefälle und die
zwei anderen Drittel blieben dem Königlichen Fiskus, z. B. in
Worms, bis daselbst der eine und der andere Theil an den Bischof
abgetreten worden ist [19]). In Nürnberg bezog der Burggraf einen
Theil der Gefälle des Schultheißenamtes und der Amtmann des
Burggrafen zwei Theile der Gefälle des peinlichen Gerichtes. Es
fiel demnach dort nur der dritte Theil des Blutbanns in die öffent=
liche Kaffe [20]). Zu den fiskalischen Rechten der öffentlichen Gewalt
gehörte endlich auch noch der erblose Nachlaß der freien Leute.
Er gehörte also in den Königsftädten dem Deutschen König und
in den Landstädten dem Landesherrn [21]). Der Bischof von Pader=
born behielt sich den erblosen Nachlaß in Schwaney in Westphalen
noch ausdrücklich vor [22]). Späterhin wurde aber auch dieses Recht
von vielen Städten erworben, anfangs theilweise, z. B. in Lübeck
das Recht auf die Hälfte des Nachlasses, während nur noch die
andere Hälfte an den König fiel [23]), in Freiburg das Recht auf
den dritten Theil des Nachlasses, während ein Drittheil an die
Kirche und nur noch das letzte Drittheil an den Herrn der Stadt
fiel [24]). Späterhin wurde aber von manchen Städten, z. B. von

---

dem in dominicum fiscum redigi aliquomodo potuerant, in banno,
quod penningban vulgariter dicunt, aut ceteris solucionibus, hoc
est: fredo, vectigalibus sine ullis justicys legalibus, vadiis vel
custilibus aut caeteris utensilibus. Vrgl. noch Urk. von 814 u. 965
bei Schannat, II, 2 u. 21.

18) Urk. von 1349 bei Lacomblet, Archiv, II, 313.

19) Urk. von 979 bei Moritz, I, 208. vrgl. Arnold, I, 30 u. 31.

20) Urk. von 1273 u. 1281 in Hist. Norimb. dipl. p. 167 u. 168. quicquid emolumenti de ipso judicio vel per homicidium vel quem-
cunque casum alium pervenerit, idem officialis (burggravii) duas
partes ejusdem per se tollet. Dicto quoque burggravio — decem
libras denariorum de officio sculteti in Nuremberg. —

21) Meine Gesch. der Fronh. IV, 52 u. 350.

22) Wigand, Archiv, I, 4, p. 101.

23) Hach, I, 19, II, 26. Instit. Lub. bei Westphalen, III, 624.

24) Freib. Stadtr. von 1120 §. 4 und Stadtrodel, §. 24.

Lübeck, das Recht auf den ganzen erblosen Nachlaß erwor=
ben [25]).

§. 482.

Endlich hatte der Deutsche König auch noch ein Recht auf
die Huldigung der in den Reichsstädten angesessenen Reichs=
bürger. In Frankfurt a. M. mußten die Bürger im Jahre 1366
nach dem Aufstande der Zünfte dem Kaiser und dem Stadtrath
den Huldigungseid leisten [1]). In Nordhausen huldigten der Rath
und die Bürgerschaft seit dem 14. bis ins 18. Jahrhundert ent=
weder dem Kaiser selbst oder den von ihm gesendeten Commissarien [2]).
Und Kaiser Ruprecht befahl den Bürgern von Gelnhausen, an sei=
ner Statt dem Herrn von Isenburg zu huldigen und zu schwören [3]).
Diese Huldigung war aber, wie wir gesehen, von zweifacher Art.
Sie war einerseits eine dem König als dem Reichs Oberhaupte
dargebrachte Huldigung, andererseits ist sie aber auch eine dem
König als dem Landesherrn schuldige Erbhuldigung gewesen. Zu
der Ersteren waren alle Reichsstädte, auch die Freistädte verbunden,
zur Erbhuldigung aber nur die gemeinen Reichsstädte. Die Bür=
ger der gemeinen Reichsstädte waren nämlich Unterthanen des
Reiches. Sie mußten daher dem König und dem Reiche, wie jeder
andere Unterthan seinem Landesherrn, den Erbhuldigungseid schwö=
ren. Die Bürger der freien Reichsstädte dagegen waren, da die
Freistädte die öffentliche Gewalt, also die Landeshoheit selbst erwor=
ben hatten, nicht mehr Unterthanen des Reiches. Sie mußten daher
wohl dem König als dem Oberhaupte des Reiches huldigen und ihm
gehorsam sein. Einen Unterthaneneid brauchten sie ihm aber nicht mehr

---

25) Hach, III, 132.
  1) Eidesformel bei Römer=Büchner, Stadtverfassung von Frankfurt, p. 69 f.
     „Daz ich myme Heren keiser Karl als einen Romischen keiser myne
     „rechte nattürlich heren getrewe vnd gewert vnd den Schef=
     „fene vnd dem alden Rade zu frankinford in desselben myns here keyf=
     „ser karles vnd des Richs wegin gehursam vnd besſendig sy". — Ueber
     das Datum des Eides. Kriegk, Bürgerzwiste, p. 73.
  2) Förstemann, Chronik von Nordhausen, p. 238—241.
  3) Urk. von 1400. Chmel, regest. Ruperti p. 2 Nr. 24.

zu leiſten (§. 462 u. 463). Sehr wahrſcheinlich benutzten nun auch die Reichsſtädte dieſen Huldigungseid, um ihre hergebrachten Freiheiten zu ſichern. Denn bereits im 12. Jahrhundert begehrten die Bürger von Lübeck von Friedrich I, ehe ſie ihm die Stadtthore öffneten, die Beſtätigung der ihnen von Heinrich dem Löwen ver- liehenen Freiheiten [4]). Aus demſelben Grunde nahmen die Bürger von Hagenau den ihnen vom Deutſchen König geſetzten Schultheiß erſt dann in der Stadt auf, nachdem dieſer zuvor eidlich verſprochen und zugeſagt hatte, daß er die hergebrachten Freiheiten und Rechte der Stadt unverbrüchlich halten und beobachten wolle. Und be- reits im 13. Jahrhundert war dieſes ihr urkundlich zugeſichertes Recht [5]).

In den verpfändeten Reichsſtädten mußte der Unter= thanen= oder Erbhuldigungseid dem Pfandinhaber geleiſtet (§. 479), außerdem aber auch dem König ſelbſt als dem Reichsoberhaupte noch gehuldiget werden, ſo oft er in die Reichsſtadt kam oder zu dem Ende einen Königlichen Kommiſſär in die Stadt ſchickte, wie dieſes in Wetzlar noch in den Jahren 1661, 1766 und 1790 der Fall war [6]). In den verpfändeten Reichsſtädten kommen demnach drei verſchiedene Huldigungen vor. Außer der dem Deutſchen König und dem Pfandinhaber ſchuldigen Huldigung mußte nämlich auch noch der Reichsſtadt ſelbſt an den jährlichen Schwörtagen gehuldiget werden. So wurde z. B. in Wetzlar zu verſchiedenen Zeiten dem Landgrafen von Heſſen von den beiden Bürgermeiſtern im Namen des Stadtraths und der Bürgerſchaft [7]), dann, wie wir

---

4) Arnoldus Lubec. I, c. 35. Verum priusquam (cives Lubeccenses) ei (imperatori) civitatem aperuissent, exierunt ad eum, rogantes ut libertatem civitatis, quam a duce prius traditam habuerant, obtinerent, et justitias, quas in privilegiis scriptis habebant — ipsius auctoritate et munificentia possiderent.

5) Urk. von 1255 u. 1262 bei Gaupp, I, 102 u. 105. — quod nullum scultetum recipere teneantur, nisi prius idem scultetus, prestito iuramento, promittat eisdem quod — et antiquum jus et consue- tudinem civitatis ipsius, nec non libertates jura et privilegia, eisdem concessa, — inviolabiliter teneat et observet. —

6) von Ulmenſtein, II, 196, 726, 727 u. 834.

7) von Ulmenſtein, II, 26, 196 u. 230.

v. Maurer, Städteverfaſſung. III.   24

gesehen, dem Deutschen König selbst oder einem Königlichen Kom=
missär und außerdem auch noch der Stadt selbst an den jährlichen
Schwörtagen gehuldiget ⁸).

3. Die öffentliche Gewalt in den Bischofsstädten und Reichs=
   abteistädten.

a. im Allgemeinen.

§. 483.

Von den Königsstädten oder Reichsstädten verschieden waren
die Immunitätsstädte (§. 466). Zu ihnen gehörten aber nicht
bloß die Bischofsstädte, wie man insgemein annimmt, sondern auch
die Reichsabteistädte. Was daher von den Bischofsstädten gilt,
gilt mit wenigen Ausnahmen auch von den Reichsabteistädten.
Die Einen und die Anderen waren ursprünglich Königsstädte.
Denn erst später haben sie mit der Immunität auch die öffentliche
Gewalt und die landesherrlichen Rechte erworben. Einen mehr
oder weniger ausgedehnten Grundbesitz haben sie jedoch frühe schon
erworben, die Bischöfe und die Aebte wahrscheinlich gleichzeitig mit
der Errichtung des Bisthums und der Abtei. Bei der Gründung
eines jeden Bisthums und einer Abtei pflegte nämlich der für den
Bischofssitz und für die Abtei nöthige Raum angewießen zu werden.
Daher besaßen die Bischöfe und die Aebte in allen Städten den
für sie nöthigen Grund und Boden, auf welchem außer den Woh=
nungen der Bischöfe und Aebte, dann der Domherren und der übri=
gen Geistlichen und der herrschaftlichen Beamten und Diener, auch
noch die Domkirchen und die Klosterkirchen standen. So verlieh
Heinrich der Löwe in Lübeck bei Gründung des Domkapitels den
Capitularen eine Anzahl von Bauplätzen (areae claustrales), auf
welchen nicht bloß die Curien der Domherren gebaut, sondern auch
noch 164 Bauplätze ausgeschieden und gegen einen jährlichen
Grundzins ausgethan werden konnte ¹).

Der Grund und Boden, auf welchem diese Gebäude standen,

---

8) von Ulmenstein, I, 511. vrgl. oben §. 435 u. 479.
1) Helmold, I, c. 89. Pauli, Lüb. Zustände im 14. Jahrh. p. 45 u. 46.

bildete ein freies Gebiet, eine Freiheit oder Freiung. Daher die Domfreiheit oder Stiftsfreiheit in Münster, in Paderborn, in Basel, Straßburg, Speier, Worms, Magdeburg, Naumburg u. a. m. Auch waren diese Bezirke meistentheils mit Mauern umgeben und bildeten daher eine eigene Stadt in der Stadt, z. B. in Regens-burg die sogenannte Pfaffenstadt (pagus cleri), oder eine Burg, z. B. in Basel, Worms, Münster, Hamburg u. a. m. Und die Städte bildeten sich sodann oder erweiterten sich wenigstens um diese Domstifter und Abteien herum (§. 16, 120 u. 124). Wie andere freie Grundbesitzer so waren nun auch die Bischöfe und Aebte die Eigenthümer und Herrn dieses Grund und Bodens, also die Grundherren in der Dom- oder Stiftsfreiheit. Dieses freie Gebiet lag meistentheils in der Altstadt. Daher waren die Bischöfe und die Aebte meistentheils die Grundherren der Altstadt oder we-nigstens eines Theiles der Stadt, z. B. in Basel, in Straßburg, Speier, Worms, Köln, Augsburg, Regensburg, Magdeburg, Mün-ster, Bremen, Hamburg, Naumburg, Selz, Weissenburg, Korvei u. a. m. (§. 16, 22,52, 70, 71 u. 120).

§. 484.

Zur Besorgung der grundherrlichen Angelegenheiten in der Stadt und zum Vorsitz bei den grundherrlichen Gerichten stellten nun die Bischöfe und Aebte auch in den Städten herrschaft-liche Beamte an. Der herrschaftliche Beamte des Bischofs von Basel war dessen Villicus. Seit dem 12. Jahrhundert, wahr-scheinlich seitdem der Bischof die öffentliche Gewalt erworben und sodann dem Villicus auch noch die niedere öffentliche Gewalt, die Centgrafen- oder Civilgerichtsbarkeit übertragen hatte, führte er den Titel Schultheiß oder auch, wie in Straßburg, causidicus [1]). Er blieb aber nach wie vor zu gleicher Zeit herrschaftlicher Diener des Bischofs. Denn der Schultheiß hatte außer der öffentlichen Ge-richtsbarkeit auch noch die Erhebung des dem Bischof von den Häusern in der Altstadt geschuldeten Bodenzinses zu besorgen und die Entscheidung der darüber entstandenen Streitigkeiten [2]), dann

---

1) Basel im 14. Jahrhundert, p. 363. Heusler, Vrf. Gesch. p. 57 und oben §. 22.
2) Urk. von 1355 in Basel im 14. Jahrhundert, p. 370 u. 371.

die Aufsicht über die Münzer ³) und vielleicht auch über die übrigen
Gewerbsleute. In den Vorstädten St. Alban und Kleinbasel ge=
hörte die Grundherrschaft nicht dem Bischof, sondern dem Probst
von St. Alban, welcher zur Erhebung der grundherrlichen Gefälle
in Kleinbasel einen Villicus und in St. Alban einen Schultheiß
ernannte. Der Schultheiß in St. Alban hatte zu gleicher Zeit die
niedere öffentliche Gerichtsbarkeit (die Civilgerichtsbarkeit) zu besor=
gen, welche daselbst dem Stifte gehörte. Zur Besorgung der nie=
deren öffentlichen Gerichtsbarkeit in Kleinbasel dagegen ernannte
der Bischof, welcher daselbst zwar nicht der Grundherr, wohl aber
der Landesherr war, einen eigenen Schultheiß (§. 22, 121 u. 200).
Auch in Zürich bestanden mehrere Grundherrschaften neben ein=
ander, eine jede mit ihrem eigenen herrschaftlichen Beamten. Der
herrschaftliche Beamte der Aebtissin von Frauenmünster war der
Schultheiß und auch ihm war die niedere öffentliche Gerichtsbarkeit
übertragen (§. 121 u. 470). In Straßburg und in Augs=
burg war der herrschaftliche Beamte des Bischofs, wie wir ge=
sehen, der Burggraf und auch ihm ist ein Theil der öffentlichen
Gewalt übertragen gewesen (§. 22 u. 468). In Trier war der
herrschaftliche Beamte des Erzbischofs der Schultheiß. Denn er
hatte außer der ihm übertragenen niederen öffentlichen Gerichtsbar=
keit die Marktpolizei in der Stadt und die Gerichtsbarkeit in Markt=
angelegenheiten und die Aufsicht über die hofhörigen Handwerker ⁴).
Der herrschaftliche Beamte des Bischofs zu Regensburg war der
Probst. Er hatte außer der grundherrlichen Gerichtsbarkeit (dem
bischöflichen Friedgerichte und Kammeramte), welche jedoch schon im
Jahre 1257 an die Stadt, und im Jahre 1352 an die Familie der
von Tunau verpfändet, im Jahre 1441 aber von der Stadt selbst
erworben worden ist ⁵), sehr wahrscheinlich auch die niedere öffent=
liche Gerichtsbarkeit in dem bischöflichen Immunitätsbezirke zu be=
sorgen, seitdem der Bischof im 11. Jahrhundert die öffentliche Ge=
walt in jenem Bezirk erworben hatte. Den Blutbann aber hatte

---

3) Bischofsrecht §. 8.

4) Das Trierer Recht aus dem Anfang des 14. sec. §. 6 u. 8—10. und
Urk. von 1285 bei Lacomblet, Archiv, I, 260, 261 u. 270. Not. vrgl.
noch oben §. 54.

5) Gemeiner, I, 380, II, 244 u. III, 116.

namens des Bischofs der Schirmvogt oder der Domvogt in jenem
Bezirk zu besorgen [6]). Wie anderwärts so hatte nämlich auch in
Regensburg der Bischof in seiner Grundherrschaft die Immunität
von der öffentlichen Gewalt und die öffentliche Gewalt selbst er=
worben. Die öffentliche Gewalt über die ganze Stadt hatte er je=
doch nicht. Denn die alte Gaugrafschaft in der Stadt oder die
Burggrafschaft war in die Hände der Herzoge von Baiern gekom=
men (§. 478 u. 479). Der Bischof von Regensburg war daher
einer der wenigen Bischöfe, welche die öffentliche Gewalt nur über
einen Theil der Stadt erworben haben. Aebte und Aebtissinen hat
es mehrere gegeben, welche die öffentliche Gewalt nicht über die
ganze Stadt oder nicht die ganze öffentliche Gewalt, z. B. in Zü=
rich, Lindau und Kempten, erworben haben. Auch hatte der Bi=
schof von Augsburg zwar nicht die volle öffentliche Gewalt in der
Stadt. Die Gewalt, welche ihm zustand, hatte er jedoch über die
ganze Stadt. Und der Erzbischof von Hamburg hat, wie wir sehen
werden, die öffentliche Gewalt in der Stadt sogar niemals erwor=
ben. Nur allein der Bischof von Chur, welcher nur in der halben
Stadt das Gebot und Verbot hatte, mag sich etwa in demselben
Falle, wie der Bischof von Regensburg befunden haben.

Es hatte sich nämlich in Regensburg der alte Gegensatz zwi=
schen Gau= und Immunitätsbezirk auch noch in späteren Zeiten
erhalten. In dem Immunitätsbezirke stand das Probsteigericht
für die niedere Gerichtsbarkeit neben dem Vogteigerichte, welches die
hohe Gerichtsbarkeit oder den Blutbann zu besorgen hatte, und
daher auch das bischöfliche Friedgericht genannt worden ist. In
den übrigen Theilen der Stadt, in dem burggräflichen Bezirk da=
gegen, hatte das Schultheißengericht die niedere Gerichtsbarkeit und
das damit verbundene herzogliche Friedgericht die hohe Gerichtsbar=
keit zu besorgen [7]). Bereits im 14. Jahrhundert hat sich jedoch
dieser Gegensatz zwischen der bischöflichen und burggräflichen Ge=
richtsbarkeit in der Hauptsache wieder verloren. Auch das Vogtei=
gericht oder das bischöfliche Friedgericht wurde nämlich an einen

---

6) Privilegium von 1230 §. 10 bei Gaupp, I, 169. major advocatus,
    qui Tumbvogt vulgariter appellatur et potestatem habet judicandi
    ex parte episcopi. —

7) Stadtrecht bei Freyberg, V, 56 ff. u. 63.

Bürger von Regensburg, an Hans Reich, verpfändet, im Jahre 1391 aber auch diese Pfandschaft und zwar mit Zustimmung des Bischofs von der Stadt eingelöst. Und beide Stadtgerichte (das Schultheißengericht und das Vogteigericht) wurden sodann mit ständigen Beisitzern aus dem Stadtrath besetzt [8]). Neben diesem städtischen Schultheißengericht bestand demnach nun nur noch das Probsteigericht, jedoch ohne den Blutbann, als ein bischöfliches Gericht nach wie vor fort.

§. 485.

In Speier, Worms, Mainz, Trier, Köln u. a. m. kommen auch noch Kämmerer als herrschaftliche Beamte des Bischofs vor. Wie andere Reichsfürsten, so hatten nämlich auch die Bischöfe ihren Obersten Kämmerer, unter welchem die Kameralverwaltung gestanden hat [1]). Unter diesem Obersten Kämmerer stand nun auch in vielen Städten wieder ein untergeordneter Kämmerer, welcher die Kameralgefälle in der Stadt zu erheben und zu verwalten und die dabei entstandenen Streitigkeiten zu entscheiden hatte. Einen solchen Stadtkämmerer hatte z. B. der Bischof von Speier. Er wurde ursprünglich, wie anderwärts auch, von dem Obersten Kämmerer ernannt [2]), seit dem Vergleiche von 1294 aber, wie der Schultheiß und Vogt, von dem Stadtrath ernannt und von dem Bischof in sein Amt eingesetzt [3]). Nach wie vor stand derselbe jedoch unter dem Obersten Kämmerer und mußte daher nicht bloß dem Bischof, sondern auch noch dem Obersten Kämmerer den Eid der Treue schwören („sweren, daß ich mine Herrn von Spire und „dem Obristen Cammerer getruw und holdt si") [4]). Er hatte einen auf den Vorschlag des Obersten Kämmerers ernannten Kämmereischreiber und einen Pedell zur Seite [5]). Das von dem Kämmerer präsidirte Kammergericht hatte die Kameralgefälle, insbesondere die herrschaftlichen Grundzinsen, Beten und Steuern zu

---

8) Gemeiner, II, 281 u. 282.
1) Meine Gesch. der Fronh. II, 276 ff., 280, 281 u. 291.
2) Lehmann, p. 575.
3) Lehmann, p. 333, 334, 336 u. 579.
4) Kämmerers Eid bei Lehmann, p. 336. und im Anhang Nr. III.
5) Lehmann, p. 292 u. 952.

erheben, die Erbschaftstafeln oder Kämmerertafeln, in welche alles
Erb und Eigen eingetragen werden mußte, zu bewahren und die
dabei entstandenen Streitigkeiten zu entscheiden [6]. Auch hatte es
in letzter Instanz die Gerichtsbarkeit über die Juden, da diese bi=
schöfliche Kammerknechte waren [7]. Die Urtheilsfinder bei diesem
Kammergerichte waren, wie bei dem Schultheißengerichte, die um=
herstehenden Stadträthe und Bürger. Daher heißt es im Amts=
eide des Kämmerers, daß er „nach der Burger Urtheil und alse
„mich der Rhat wiset" Recht sprechen solle [8]. Späterhin erhielt
der Kämmerer vier ständige Beisitzer aus dem Rath und vier Für=
sprecher [9]. Das Gericht wurde anfangs in dem Gerichtshause
auf dem Ledermarkte, später aber in dem Rathshofe gehalten [10].
Im Jahre 1557 wurden die Kämmererstafeln, welche der Käm=
merer zu bewahren hatte, bei Seite geschafft. Daher wollten die
Bürger seitdem keinen Kämmerer mehr annehmen [11].

Wie in Speier, so stand auch in Worms die Kameralver=
waltung unter einem bischöflichen Kämmerer. Der Kämmerer hatte
den sogenannten Kammerzins (census quem camere appellabant)
zu erheben und das Kammergericht zu präsidiren, in welchem auch
die auf den öffentlichen Plätzen in der Stadt und in den Straßen
vorgefallenen Frevel (quicquid esse contra justiciam et nocivum
civitati in vicis et plateis) abgeurtheilt wurden. Auch hatte der
Kämmerer die Juden zu schützen und zu schirmen und das Juden=
gericht zu präsidiren. Seine Sitzungen hielt der Kämmerer drei
Mal im Jahre im Bischofshofe (in episcopali curia). Und die
16 Heimburger hatten daselbst zu rügen was rügbar war und die
Botendienste zu thun [12]. Im 14. Jahrhundert wurde das Amt
eines Obersten Kämmerers erblich in dem Rittergeschlechte der Dal=

---

6) Lehmann, p. 292 u. 336. Rau, I, 12 u. 13, II, 25. vergl. oben
§. 429.
7) Urk. von 1084 bei Remling, p. 58.
8) Lehmann, p. 336.
9) Lehmann, p. 292.
10) Lehmann, p. 292.
11) Lehmann, p. 292 u. 336.
12) Annales Wormat. bei Böhmer, fontes, II, 210 u. 211. Zornius
bei Moritz, II, 76. Lehenbrief von 1406 bei Schannat, I, 256.

berge. Und seitdem ernannten auch in Worms die Obersten Käm=
merer einen Stellvertreter, welcher, nachdem er von ihnen beeidiget
worden, das Kammergericht in ihrem Namen präsidirte und die
übrigen Geschäfte besorgte [13]).

Auch in Trier stand die gesammte Kameralverwaltung unter
dem erzbischöflichen Kämmerer. Daher hatte der Kämmerer die
Aufsicht über die Münzer Hausgenossen und über die Münze, dann
über die hörigen Handwerker und über die Juden mit der Gerichts=
barkeit über dieselben [14]).

In Mainz hatte der Stadtkämmerer (camerarius urbis)[15])
außer der Kameralverwaltung auch die Aufsicht über die Münzer
Hausgenossen und die Gerichtsbarkeit über sie. Daher mußten
ihn, wenn er starb, die Münzer Hausgenossen zu Grab tragen[16]).
Am Ende des 10. Jahrhunderts wurde der Kämmerer zum Primas
der Stadt erhoben[17]). Und späterhin wurde ihm auch noch ein
Theil der öffentlichen Gerichtsbarkeit übertragen. Er stand daher
seit dem 13. Jahrhundert an der Spitze des Stadtgerichtes. Seine
Beisitzer waren der Schultheiß und vier Richter[18]). Er sollte
jährlich drei ungebotene Dinge halten und, ehe er zum Gericht
ging, dem Schultheiß und den Richtern ein Mahl geben. („Des
„morgens ehe man das gericht anhebt, soll der camerer dem
„schultheißen und den richtern ein supp bestellt han und versottene
„hüner daruf")[19]). Er hatte den Gerichtschreiber und die Vor=
sprecher zu ernennen und ihnen ihr Amt zu leihen oder zu Lehen
zu geben oder auch zu verkaufen. Als Inhaber der öffentlichen

---

13) Annales Worm. bei Boehmer, II, 210 u. 211. Judicum quilibet
    baculum manu tenens a camerario, cui se fidei sacramento ante
    obstrinxerat —.
14) Weisthum aus dem 13. sec. X, §. 1, 3, 4, 5, 8, 11, 12 u. 13 bei
    Lacomblet, Archiv, I, 319 ff.
15) Urf. von 1108, 1135, 1145 u. 1191 bei Guden, I, 115, 173, 299
    u. 389.
16) Grimm, I, 533.
17) Vita Burchardi, c. 2. bei Pertz, VI, 833. —. et suae camerae ma-
    gistrum et civitatis primatem constituit.
18) Guden, II, 436 ff. u. 461.
19) Grimm, I, 533 u. 534. Guden, II, 454, 461 u. 463.

Gewalt hatte er auch das Geleitwesen und die Gefängnisse unter
sich [20]).

Auch in **Köln** hatte der Erzbischof einen Kämmerer zur Be=
sorgung der Kameralangelegenheiten [21]). Der Bischof von Regens=
burg hatte zu dem Ende einen Kammerer bei seinem Probstge=
richte [22]). Eben so findet sich in **Basel** ein bischöflicher Kämme=
rer. Er war der Finanzbeamte des bischöflichen Kapitels. Die
Dinghöfe der Domprobstei standen unter ihm. Und er hatte in
letzter Instanz mit den Meiern über die Angelegenheiten jener Fron=
höfe zu entscheiden [23]). Er hatte jedoch keine Amtsgewalt in der
Stadt selbst. Denn dort hatte der Bischof, wie wir gesehen, einen
eigenen herrschaftlichen Beamten.

§. 486.

Ehe ich weiter schreite muß ich mir jedoch noch einige Be=
merkungen erlauben über die **Judengerichte** und über ihren
Zusammenhang mit den so eben erwähnten Kammergerichten. Die
Judengerichte hängen nämlich mit dem Judenschutz zusammen.
Wer den Judenschutz hatte, der hatte auch die damit zusammen=
hängende Gerichtsbarkeit. Denn es hat ursprünglich keine Schirm=
gewalt gegeben, mit der nicht auch eine Gerichtsbarkeit verbunden
gewesen wäre. Der Inhaber der Schirmgewalt war daher zu
gleicher Zeit auch der Gerichtsherr des mit der Schirmgewalt ver=
bundenen Gerichtes. Und wie jeder andere Gerichtsherr, so hatte
auch der Inhaber des Judenschutzes das Recht das Judengericht
selbst zu präsidiren, z. B. in **Speier** der Bischof [1]), in **Brünn** der
König oder der Herzog [2]), eben so in **Prag** der König oder der
Herzog [3]), und im **Rheingau** der Erzbischof von **Mainz** [4]). War

---

20) Weisthum bei Guden, II, 460—462.
21) Schiedsspruch von 1258 bei Lacomblet, Urkb. II, 247. Nr. 53. Fahne,
    I, 14.
22) Gemeiner, I, 349.
23) Basel im 14. Jahrhundert. Basel 1856, p. 364.
1) Urk. von 1084 bei Remling, p. 58.
2) Judenrecht von 1268 §. 4 bei Senckenberg, vision. p. 313. bei
    Rößler, p 369.
3) Judenrecht von 1254 §. 8 bei Rößler, p. 182.
4) Urk. von 1362 bei Bodmann, II, 713.

nun der Schirmherr der Juden zu gleicher Zeit Inhaber der öffent=
lichen Gewalt, so konnte er den Judenschutz seinen öffentlichen Ge=
richten übertragen, wie dieses in Wien, Augsburg, Frankfurt,
Mainz, Erfurt u. a. m. geschehen ist (§. 300). Er konnte aber
auch zu dem Ende ein eigenes Judengericht bilden und dieses sodann
irgend einem Bürger zu Lehen geben, wie dieses z. B. in Regens=
burg die Herzoge von Baiern gethan haben⁵), bis daselbst der Ju=
denschutz an den Stadtrath und an das Stadtgericht gekommen ist⁶).
Wenn jedoch der Schirmherr der Juden nicht der Inhaber der
öffentlichen Gewalt wohl aber der Grundherr in der Stadt oder
beides zugleich war, so konnte er sodann den Judenschutz und das
damit verbundene Judengericht seinem herrschaftlichen Beamten,
dem Kämmerer, entweder zu Lehen geben, wie dieses der Bischof
von Worms gethan hat⁷), oder das Judengericht in sonstiger
Weise mit seinem herrschaftlichen Kammergerichte vereinigen, wie
dieses z. B. in Speier, Worms, Trier, Wiener Neustadt, Prag
und Brünn geschehen ist.

Diese für den Judenschutz errichteten Judengerichte waren
nun von den aus Juden bestehenden Judengerichten, an
deren Spitze insgemein ein Judenbischof oder auch ein eigener
Judenrichter stand, wesentlich verschieden (§. 299). Denn sie waren
aus Christen bestehende vogteiliche zur Handhabung des Juden=
schutzes bestimmte Gerichte. Diese Judengerichte haben sich jedoch
späterhin meistentheils verloren, seitdem die Juden auch hinsichtlich
der Schirmgewalt entweder unter die öffentlichen Gerichte des Orts,
oder unter das Stadtgericht und unter den Stadtrath gestellt worden
sind, wie dieses z. B. in Frankfurt⁸), in Worms u. a. m. geschehen
ist⁹). Nichts desto weniger haben sich auch späterhin noch z. B.
in Worms Spuren jener Schirmgewalt in den Händen der alten

---

5) Gemeiner, II, 14.

6) Gemeiner, I, 317 u. 328.

7) Lehenbrief von 1406 bei Schannat, I, 256. „Dits sint die Lehen —.
„Zum ersten han wir das Juden Gericht zu Worms, und die juden
„zu schirmen" —.

8) Urk. von 1338 bei Olenschlager, Erl. goldn. Bulle, II, 91.

9) Wormser Nachtung von 1519, art. 55 bei Schannat, II, 336 und
oben §. 300.

Inhaber des Judenschutzes und des damit zusammenhängenden Ju=
bengerichtes erhalten. Bei jeder Hochzeit und bei jeder Leiche eines
Juden eröffnete nämlich ein von den Kämmerern von Dalberg ge=
schickter Stabträger den Zug, um nöthigenfalls die Juden zu schir=
men, für welchen Schutz und Schirm natürlich eine gewisse Gebühr
von den Juden entrichtet werden mußte [10]). Und als späterhin
auch diese lustige Begleitung unterblieb, blieb wenigstens noch die
Entrichtung jener Gebühren an die Freiherren von Dalberg bei den
Hochzeiten und Begräbnissen der Juden [11]).

Diese vogteiliche Gerichtsbarkeit über die Juden hat in man=
chen Städten zu einem eigenen Judenrecht geführt. Daß auch
die Juden nach nationalem Rechte leben und die Streitigkeiten
unter ihnen selbst nach jüdischem Rechte entschieden werden durften,
ist bekannt und auch bereits schon bemerkt worden (§. 299). Allein
auch bei den vorhin erwähnten vogteilichen Judengerichten hat sich
hie und da, wie bei anderen altgermanischen Gerichten, nach und
nach ein eigenes Recht für die Juden gebildet. Da die Juden
unter dem öffentlichen Frieden gestanden, aber doch nicht alle
Rechte der Stadtbürger gehabt haben, so hatten sie wohl manche,
aber doch nicht alle Rechte der Bürger. Es bildete sich daher für
sie auch bei den vogteilichen Judengerichten ein eigenes Judenrecht
aus. Schon in den Rechtsbüchern findet man davon die An=
fänge [12]). Auch in den Stadtrechten finden sich öfters eigene Be=
stimmungen über die Juden, z. B. in dem Friedgebot der Stadt

---

10) Schannat, I, 206. Altes Mpt. bei Schaab, Geschichte der Juden in
Mainz, p. 74—77. — „wen man is zur Trauung gegangen, sein
„alzeit gangen vor dem Hochzeiter und der Braut, wen man sie unter
„die Bedeckung gefirt hat, und wider heim, also sein alzeit zu lib und
„zu leid zwey Diener mitgangen, einer vor die Mannen und einer
„vor die Weiber." — also hot der Dalburger von sein Leit angestellt,
„die allzeit vornd sein gangen mit ein stab, zu beschermen die Juden,
„daß ihnen kein Leid sol geschehen. — is allzeit einer vorausgangen
„von seinen Leiten; es sei bei Hochzeiten oder bei einem toben, ob=
„schun kein Gottlosigkeit mer is gewesen, das hot er doch allzeit
„getan."

11) Apologie von Wormbs, p. 53.

12) Sächs. Lr. III, 7. Schwäb. Lr. W. c. 214 u. 215. Ruprecht von
Freising, I, 168 u. 172—174.

Mainz von 1300 [13]). Die Stadt Brünn besaß ein eigenes Judenrecht vom Jahre 1268, welches im Jahre 1300 nochmals bestätiget
worden ist [14]). Eben so die Stadt Prag ein Judenrecht von
1254 [15]). Ganz besonders merkwürdig ist jedoch ein von dem
Kämmerer zu Mainz ausgestelltes Weisthum vom Jahre 1338,
welches bei Schaab abgedruckt ist [16]).

b. Die Bischöfe und Aebte erwerben die öffentliche Gewalt.

1) Immunität der Bischofs= und Abteistädte.

§. 487.

Die Bischöfe und Aebte hatten demnach gleich von Anfang
an einen mehr oder weniger ausgedehnten Grundbesitz in den
Städten, in welchen sie ihren Sitz hatten. Und wie andere Stifter
und Klöster, so erhielten auch sie frühe schon mit der Freiheit von
öffentlichen Lasten und mit anderen Rechten der öffentlichen Gewalt
auch die Befreiung von dem Zutritt der öffentlichen Beamten.
Wann diese Immunitätsertheilungen begonnen haben wissen wir
nicht. Denn die ersten Königlichen Freibriefe, welche wir kennen,
enthalten meistentheils nur eine Bestätigung der schon von früheren Königen ertheilten Freiheiten. So bestätiget Karl der Große
der Kirche von Worms die von seinen Vorfahren ertheilte Immunität. Und auch von den späteren Königen wurde diese Immunität
nochmals bestätiget [1]). Eben so war es in Trier nach einigen freilich verdächtigen Urkunden [2]), sodann in Mainz [3]) u. a. m. Diese
Befreiungen müssen aber frühe schon, und zwar schon unter den
Merovingern begonnen haben. Denn bereits im Anfang des 9.
Jahrhunderts hatten sie alle geistlichen Stifter in Frankreich und

---

13) Würdtwein, diplomatar. Mogunt. II, 546 ff.
14) Senckenberg, vision. p. 311—317. bei Rößler, p. 367—371.
15) Rößler, Prag, p. 177—187.
16) Schaab, Gesch. der Juden in Mainz, p. 78.
 1) Urk. von 814 u. 965 bei Schannat, II, 2 u. 21.
 2) Urk. von 633, 761, 773 u. 775 bei Hontheim, I, 76, 120, 132 u.
    134.
 3) Urk. von 974 bei Guden, I, 7.

dann auch in Deutſchland, wie der Freibrief der Abtei Korvei be=
weißt [4]). Die erſten Immunitätsprivilegien befreiten indeſſen nur
die herrſchaftlichen Hinterſaſſen von den öffentlichen Gerichten.
Denn die Immunität bezog ſich urſprünglich bloß auf die Grund=
holden (homines) der geiſtlichen Herrſchaften, auf die unfreien
und hörigen eben ſowohl wie auf die freien, alſo auch auf
die ſchutzpflichtigen Colonen (homines ipsius ecclesiae tam
ingenuos quam et servos [5]), homines qui super terram
ipsius monasterii tam franci quam et ecclesiastici commanere
videantur [6]), homines monasterii tam ingenuos quam et
leutos [7]), super liberos et jamundlingos monasteriorum [8]).
Der Comitat, alſo die öffentliche Gewalt ſelbſt pflegte urſprünglich
nicht mit übertragen, öfters ſogar ausdrücklich vorbehalten zu wer=
den. Als die Stadt Ladenburg mit den dazu gehörigen Län=
dereien und mit der Waldnutzung im Odenwald dem Bisthum
Worms geſchenkt ward, wurde der Comitat ausdrücklich vorbe=
halten (excepta stipe Regia et comitatu) [9]). In den meiſten
Immunitätsprivilegien wurden jedoch nur die fiskaliſchen Einkünfte
und andere Rechte der öffentlichen Gewalt auf den Biſchof oder
Abt übertragen. Auch pflegte den öffentlichen Beamten der Zutritt
in das Immunitätsland verboten, die öffentliche Gerichtsbarkeit
ſelbſt aber den Immunitätsherrn nicht mit übertragen zu werden,
z. B. im Bisthum Worms [10]). Die Folge hievon war, daß nun
zwar die biſchöflichen Grundholden frei von der öffentlichen Ge=

---

4) Urk. von 823 bei Schaten, I, 50. talem immunitatem — qualem
omnes ecclesiae in Francia habent.

5) Urk. von 814 bei Schannat, II, 2. Urk. von 815 bei Hontheim, I,
166. Urk. von 969 bei Remling, Urkb. von Speier, p. 15. Urk. von
844 bei Quix, I, 2.

6) Urk. von 775 u. 841 bei Hontheim, I, 135 u. 179.

7) Urk. von 823 bei Schaten, I, 50.

8) Urk. von 937 bei Lappenberg, Hamburg. Urkb. I, 41. und Lindenbrog,
p. 130. vergl. oben §. 117 u. 118.

9) Urk. von 798 u. 858 bei Schannat, II, 1 u. 7. Die erſte Urkunde
iſt zwar ſehr verdächtig, die zweite aber nicht. Der Inhalt der Ur=
kunden iſt demnach jedenfalls wahr.

10) Urk. von 814 u. 965 bei Schannat, II, 2 u. 21.

richtsbarkeit der Gaugrafen geworden sind, und daher die Herr=
schaftsrichter des Bischofs über alle Streitigkeiten der Grundholden
unter sich und auch über ihre Vergehen und Verbrechen zu erkennen
hatten. Die vollfreien in dem Bisthum angesessenen Leute dagegen,
welche keine bischöfliche Grundholden waren, standen nach wie vor
unter dem Gaugrafen. Ein Zustand, der bis ins 11. Jahrhundert
gedauert hat [11]). Eben so war es im Bisthum Bremen (§. 118),
im Erzstifte Mainz u. a. m. Der Erzbischof von Mainz hatte für
alle seine Herrschaften Immunität und die Befreiung von dem Zu=
tritt der öffentlichen Beamten erhalten. Die öffentliche Gerichts=
barkeit selbst wurde aber nicht mit übertragen. Daher sollten zwar
seine Hintersassen (familiae) vor keinen anderen Richter als vor
den erzbischöflichen Vogt gezogen werden (familiae autem coram
nullo, placitis vel negotiis respondere cogantur, nisi coram
episcopo seu potente advocato eius). Eine Gerichtsbarkeit über
die vollfreien Grundbesitzer hatte aber der Erzbischof keineswegs
erhalten [12]).

Seitdem nun die Bischöfe und Aebte auch in den Städten
Grundbesitz erworben hatten, seitdem erhielten auch die auf diesen
geistlichen Besitzungen in der Stadt wohnenden Grundholden Im=
munität, z. B. in Straßburg, Basel, Worms, Köln, Aachen, Korvei,
Augsburg, Bamberg, Regensburg u. a. m. (§. 120—122 u. 484).
Die freien Stadtbürger, welche keine Grundholden waren, waren
jedoch nicht mit in dieser Immunität begriffen. Sie standen viel=
mehr nach wie vor unter der öffentlichen Gewalt und unter den
öffentlichen Beamten, wie sich dieses Verhältniß theilweise wenigstens
längere Zeit in Speier und Zürich und in Regensburg auch noch
in späteren Zeiten erhalten hat (§. 470, 471, 484). Auch blieb
den öffentlichen Beamten das Recht die Streitigkeiten der freien
Stadtbürger mit den unfreien und hörigen Leuten zu entscheiden.
Diese zwischen den herrschaftlichen und öffentlichen Beamten getheilte
Gerichtsbarkeit führte nun zu fortwährenden Kämpfen und Strei=
tigkeiten zwischen den herrschaftlichen und öffentlichen Beamten und

---

11) Urk. von 1014 u. 1056 bei Schannat, II, 40 u. 57.   vergl. Meine
Gesch. der Fronhöfe, I, 520.
12) Urk. von 974 bei Guden, I, 7 u. 8.

Gerichten, zumal in jenen Städten, in welchen der freie Verkehr eine immer größere Ausdehnung erhalten hatte. Die öffentlichen Beamten mischten sich in die herrschaftlichen Angelegenheiten und die herrschaftlichen Beamten in die Angelegenheiten der öffentlichen Gewalt. So war es schon im Anfang des 9. Jahrhunderts [13]). Eben so später in Bremen [14]), in Augsburg [15]), in Münster [16]) u. a. m. Auch die Erhebung der fiskalischen Einkünfte, welche in den Immunitätsprivilegien auf die Bischöfe und Aebte übertragen zu werden pflegten, führte zu Streitigkeiten unter den verschiedenen Beamten, z. B. in Worms u. a. m. [17]). Die Bischöfe strebten daher allenthalben nach dem Erwerbe der vollen öffentlichen Gewalt. Eben so viele Aebte. Denn mit dem Comitate ward auch die Herrschaft über die freien Stadtbürger erworben. Und da die dem Fiskus gehörigen Gerichtsgefälle meistentheils frühe schon übertragen worden waren, so war der Erwerb der öffentlichen Gewalt selbst um so leichter. In Worms wurde der Comitat oder die volle öffentliche Gewalt in der Stadt im Jahre 979 auf den Bischof übertragen und dieser Uebertrag späterhin (985) nochmals bestätiget [18]). Aus beiden Urkunden geht auch hervor, daß die Erzbischöfe von Mainz und von Köln damals schon im Besitze des Comitates in der Stadt und im Besitze des damit verbundenen Königsbanns gewesen sind. Denn es heißt daselbst, ut reliquarum ecclesiarum Moguntiensis atque Coloniensis presules pleno jure possideant. In Speier erhielt der Bischof im Jahre 946 vom Herzog Konrad die ihm in der Stadt zustehende öffentliche Gewalt

---

13) Capit. von 817, c 1. und von 821, c. 2. bei Pertz, III, 217 u. 230.

14) Adam Bremens. II, 1.

15) Urf. von 1266 in Mon. Boic. 22. p. 224. und Urf. von 1104 u. 1156, eod. 29, I, p. 328 u. 329. und oben §. 117.

16) Urf. von 1127 bei Wilkens, p. 74 u. 75.

17) Urf. von 798 u. 828 bei Schannat, II, 1 u. 7. — episcopis querula voce retulit, quod regiae potestatis procuratores et exactores frequens litigium facerent inter rempublicam et suam ecclesiam de utilitatibus — ob hanc ergo dissensionem nostris visibus obtulit —.

18) Urf. von 979 u. 985 bei Moritz, I, 208 u. 259. Quellen zur Gesch. von Köln, I, 470. Apologie des Erzstifts Cöllen, II, 2. Nr. 2. und Securis ad radicem, p. 8.

(omnem potestatem intra civitatem et extra — ex regali tradicione et donacione), insbesondere auch das Recht Diebe ergreifen und festhalten zu dürfen (fures comprendere et tenere) [19]). Die volle öffentliche Gewalt in der Stadt wurde aber erst im Jahre 969 auf den Bischof und auf den bischöflichen Vogt übertragen und dieser Uebertrag später noch öfters bestätiget [20]). Die Stadt blieb jedoch, wie wir gesehen, noch lange Zeit unter der Gerichtsbarkeit des bischöflichen Landvogtes oder des Kirchenvogtes (§. 90). In der Stadt Straßburg wurde die volle öffentliche Gerichtsbarkeit im Jahre 982 dem Bischof und dem bischöflichen Vogte verliehen [21]), in Magdeburg im Jahre 965 und im Jahre 973 nochmals bestätiget [22]), in der Stadt Bamberg im Jahre 1103 (§. 118). Und nach und nach haben alle Bischöfe, mit Ausnahme des Bischofs von Regensburg und des Erzbischofs von Hamburg, und viele Aebte den Comitat in ihren Städten erworben, z. B. die Aebte von Korvei [23]), von Weisenburg [24]) u. a. m. Und die Deutschen Könige wiederholten noch im 13. Jahrhundert mehrmals das Versprechen weder selbst noch durch ihre Beamten irgend eine Handlung der öffentlichen Gewalt in jenen Städten ausüben zu wollen [25]).

Auf diese Weise wurden denn die Bischöfe und viele Aebte Inhaber der öffentlichen Gewalt in ihren Städten. Die öffentliche Gewalt, also die Herrschaft in der Stadt, ging auf sie über, wie dieses im Jahre 1376 die Schöffen von Köln ausgesprochen haben („dat die herrligkeit, das hoe gerichte, ind alle gewalt zu Kölne in „der statt synt unsers herrn von Cölne ind synes gestichts, ind „niemand anders") [26]). Die Bischofsstädte und viele Abtei-

---

19) Urk. von 946 bei Remling, p. 12.

20) Urk. von 969, 974, 989, 1003, 1027 u. 1061 bei Remling, p. 15, 16, 20, 21, 29 u. 51.

21) Urk. von 982 bei Schoepflin, I, 131. und Grandidier, II, 41.

22) Urk. von 965 u. 973 bei Rathmann, I, 381—383.

23) Urk. von 940 bei Falke, p. 209. vergl. noch Urk. von 1356 bei Wigand, Gesch. von Korvei, II, 203.

24) Urk. von 967 bei Zeuss, trad. Wiz. p. 317.

25) Confoederatio cum principibus eccles. von 1220 §. 2, 9 u. 10. und Constit. von 1232 bei Pertz, IV, 236, 237, 291 u. 292.

26) Grimm, II, 746. vergl. Ennen, Gesch. I, 615—616.

städte (die Reichsabteistädte) waren daher nun landesherrliche
Städte.

Von dieser Immunität der Bischofs= und Abteistädte verschie=
den war nun die Immunität (die Exemtion) der Stadtgerichte von
den bischöflichen Landgerichten. Die erwähnte Immunität der Bi=
schofs= und Abteistädte befreite nämlich die bischöflichen Gerichte
nur von den öffentlichen Gerichten des Reiches. Die Bischofs= und
Abteistädte erhielten demnach dadurch noch keine eigene Stadtgerichte.
Sie standen vielmehr nach wie vor unter den öffentlichen Landge=
richten, welche nun aber bischöfliche Gerichte geworden waren, z. B.
in Worms (§. 90). Eigene Stadtgerichte erhielten diese Städte
erst seit der Immunität (Exemtion) der Bischofs= und Abteistädte
von den Land= oder Vogteigerichten der Bischöfe und Aebte. Diese
Immunität erhielten aber nach und nach alle Bischofstädte und
sehr viele Abteistädte. Durch diese Immunität wurde jedoch die
Natur dieser Städte nicht geändert. Sie blieben vielmehr landes=
herrliche Städte, die Bischöfe und Aebte also die Landes= und Ge=
richtsherrn, welche demnach die Stadtrichter zu setzen und zu ent=
setzen hatten. Nur in jenen Städten, in welchen die Städte selbst
die öffentliche Gerichtsbarkeit erworben hatten, war es anders.
Denn in diesen Städten waren die Städte selbst die Gerichtsherrn
geworden und hatten demnach auch die Stadtrichter zu ernennen.

2) Rechte der öffentlichen Gewalt.

§. 488.

Zu den Rechten der öffentlichen Gewalt, deren Inhaber nun
die Bischöfe und viele Aebte geworden waren, gehörten vor Allem
das Gebot und Verbot oder das Bannrecht, dann die Schirm=
gewalt und das damit verbundene Geleitsrecht und die öffent=
liche Gerichtsbarkeit.

Das Recht in der Stadt zu gebieten und zu verbieten
oder das Bannrecht (bannum regiae vel imperatoriae dignitatis in urbe) oder das Zwangsrecht (districtio oder distric-
tus) erhielten die Erzbischöfe von Köln[1] und von Magdeburg[2],

---

[1] Weisthum von 1375 bei Grimm, II, 746. — „alle gebott ind ver=
„bott zo Cölne in der statt synd ouch syn ind synes gestichts" —.

dann der Bischof von Chur, dieser jedoch nur in der halben Stadt³),
ferner der Bischof von Straßburg ⁴), der Bischof von Speier ⁵),
der Erzbischof von Trier ⁶), der Bischof von Bremen ⁷), der Bischof
von Passau ⁸), der Bischof von Bamberg ⁹), der Abt von Weißen=
burg, von Korvei u. a. m. Und man nannte diesen Bann, weil
er in der Stadt oder Burg ausgeübt wurde, zuweilen auch einen
Burgbann, z. B. in Korvei¹⁰). Mit dem Bannrechte ging auch
das Recht Verordnungen zu machen (ordinatio civitatis) und
das eigentliche Regiment und die Herrschaft in der Stadt auf die
Bischöfe und auf manche Aebte über ¹¹), z. B. in Trier ¹²). Die

---

2) Urk. von 965 bei Rathmann, I, 381- bannum nostrum regiae
vel imperatoriae dignitatis in urbe Magdeburg. — vergl.
noch Urk. von 973, eod. II, 383.

3) Urk. von 959 bei Boehmer, regest. Nr. 218. Contradimus — dimi-
diam partem ipsius civitatis, cum tali districtione et jure
sicut hactenus ad nostram pertinebat potestatem —.

4) Urk. von 982 bei Grandidier, II, 41. infra praefatam Argentinam
civitatem — districtum habere —.

5) Urk. von 969 bei Remling, p. 15.

6) Spruch von 1364 bei Hontheim, II, 234. „zu bevehlen in alle
„miſſetetige und übeltetige luthe in derſelben ſtatt buſſe zu ſetzen, —
„darzu luter und vermengte Gewalt — zu latine merum et
„mixtum imperium —.

7) Urk. von 966, 1003 u. 1014 bei Lindenbrog, p. 131, 135 u. 136.
und oben §. 118.

8) Urk. von 999 bei Boehmer, regest. Nr. 829. — totius reipublicae
districtum — firmiter infra civitatem et extra perpetualiter
teneat.

9) Urk. von 1003 in Deduction Bamberg contra Fürth, cod. probat.
Nr. 27.

10) Urk. von 940 bei Falke, p. 209. — potestatem ullius banni quam
burgban vocant. Urk. von 1147 bei Schaten, I, 539. ut justitiam
quae appellatur burchban —.

11) Edictum von 1232 bei Pertz, IV, 286. Sicut temporibus retroactis
ordinatio civitatum et bonorum omnium, que ab imperiali celsi-
tudine conferuntur, ad archiepiscopos et episcopos pertinebat, sic
eandem ordinationem ad ipsos et eorum officiales ab eis specialiter institutos, perpetuo volumus permanere, —.

12) Spruch von 1364 bei Hontheim, II, 234.

Stadtgemeinden und die Stadträthe hatten zwar von je her das
Recht der Autonomie in allen genossenschaftlichen Angelegenheiten.
Sie sollten jedoch dieses Recht ursprünglich nicht ohne Zustimmung
des Landesherrn ausüben (§. 158). Daher wurden so viele Ver=
ordnungen und selbst Stadtrechte erst nach gemeinschaftlicher Be=
rathung des Stadtraths und der weisesten Bürger mit dem Bischof
erlassen, so daß das Stadtrecht auf einem Uebereinkommen beider
Theile beruhte, z. B. das Stadtrecht von Straßburg vom Jahre
1241 [12a]. Eine Verordnung des Bischofs von Speier über das
Schultheißengericht vom Jahre 1230 wurde im Jahre 1231 auf
dem Reichstage zu Worms bestätiget [13]. Eben so ging der Heer=
bann mit dem Rechte einen Ort zu befestigen (§. 6 u. 30) und die
Schirmgewalt auf die Bischöfe und auf manche Aebte über,
z. B. in Köln [14] und in Trier [15], und das Geleitsrecht z. B.
in Augsburg [16], in Basel [17], in Trier [18] und in Köln [19].

Auch die mit dem Bannrechte und mit der Schirmgewalt zu=
sammenhängende öffentliche Gerichtsbarkeit ging auf die
Bischöfe und auf manche Aebte über. Sie wurden daher nun die
eigentlichen Gerichtsherren in der Stadt, von denen von nun
an alle öffentliche Gerichtsbarkeit ausging. So waren in Köln
die Erzbischöfe von Köln die Obersten Richter in der Stadt, von
denen alle Gerichtsbarkeit (die geistliche und weltliche öffentliche Ge=
richtsbarkeit) ausging. Daher durften auch nur sie selbst oder die

---

12a) Statuta civitatis Argentinensis von 1241 bei Mone, Anzeiger, VI,
  23. consules et ceteri cives meliores et sapienciores cum predicto,
  domino suo episcopo, — in hoc convenerunt quod ipsi com-
  muni consensu et consilio hec nova instituta statuerunt —. Der
  alt deutsche Text, eod. p. 25 f. und Strobel, I, 548.

13) Rau, I, 14. Pertz, IV, 280.

14) Schiedsspruch von 1258 bei Lacomblet, II, 251. Nr. 1.

15) Urk. von 1364 u. 1396 bei Hontheim, II, 234 u. 301.

16) Stadtrecht von 1156 in Mon. Boic. 29, I, p. 330. Episcopus duca-
  tum ingredientibus egregientibusque dabit.

17) Bischofsrecht §. 10.

18) Spruch von 1364 bei Hontheim, II, 234. — auch das geleibte und
  „gerichte uff dem wasser der Museln" —.

19) Schiedsspruch von 1258 bei Lacomblet, II, 247. Nr. 2. und Urk. von
  1169, eod. I, 303.

von ihnen ernannten Stellvertreter zu Gericht sitzen und die Ge=
richtsbarkeit ausüben [20]). Eben so beruhte in Straßburg die rich=
terliche Gewalt auf einer Verleihung des Bischofs [21]). Auch in
Basel [22]), in Trier [23]), in Speier u. a. m. gehörte die Gerichtsbar=
keit dem Bischof und dem Stifte, und ohne bischöfliche Verleihung
durfte sie niemand ausüben [24]). Als Gerichtsherrn durften aber
auch die Bischöfe selbst zu Gericht sitzen, z. B. die Bischöfe von
Basel [25]), die Erzbischöfe von Köln u. a. m. (§. 499).

Der Erwerb der öffentlichen Gewalt von den Bischöfen und
von manchen Aebten machte nun auch in den Immunitätsstädten
landesherrliche Beamte nothwendig zur Ausübung der bisher von
Königlichen Beamten ausgeübten öffentlichen Gewalt. Der Erwerb
der öffentlichen Gewalt in dem Bisthum und in der Abtei gab zwar
den darin gelegenen Städten, wie wir gesehen (§. 487), noch keine
Immunität von den landesherrlichen Land= und Vogteigerichten.
Da jedoch nach und nach alle Bischofsstädte und viele Abteistädte
Immunität von den landesherrlichen Vogtei= und Landgerichten er=
halten hatten, so entstand auch in ihnen, wie in den Königsstädten
(§. 471) das Bedürfniß eigene landesherrliche Beamte in der Stadt
zu haben. Denn diese Immunität bestand eben in dem Rechte der
Bürger nur in der Stadt selbst belangt werden zu dürfen, und zu

---

20) Schiedsspruch von 1258 Nr. 1 u. 2 bei Lacomblet, II, 244 u. 245.
   und Quellen, II, 381. quod in civitate Colon., in qua summus
   iudex tam spiritualium quam temporalium, tota iurisdictio tam
   spiritualium quam temporalium dependet ab ipso. Quod in ipsa
   civitate Colon. nemo potest iuste sibi iurisdictionem aliquam
   vendicare, nisi eam habeat ab ipso archiepiscopo. vrgl. noch
   p. 249 Nr. 12. Urk. von 1237 bei Ennen, Quellen, II, 166.

21) Stadtrecht, c. 13 bei Grandidier, II, 48. „Ueber dise stat hat nieman
   „gewalt zerihtende wan der Keiser, oder der Bischof, oder die ez von
   „deme Bischove hant."

22) Das Bischofsrecht §. 1 bei Wackernagel, p. 17. „Twinch unde alle
   „gerichte sint sin unde der, die si von im hant."

23) Spruch von 1364 bei Hontheim, II, 234.

· 24) Urk. von 1419 bei Lehmann, p. 803. — „wiewol alle weltliche gericht
   „in der Stadt mir und dem Stifft zugehören und niemand kein offen
   „gericht da haben oder halten sol, dann ein Bischoff oder dem er das
   „befohlen" —·

25) Blschofsrecht §. 14. Viele Beispiele bei Heusler, p. 151.

dem Ende waren eigene Stadtgerichte nothwendig. So war es in Bremen [26], in Köln [27], in Speier [28], in Straßburg [29], in Regensburg [30], in Magdeburg [31], in Augsburg [32], in Basel [33], in Mainz [34] u. a. m. Die Freiheit von auswärtigen Gerichten ward später sogar als ein wesentliches Erforderniß des Weichbildrechtes betrachtet [35]. Späterhin wurde diese Freiheit von den auswärtigen Gerichten auch auf die Kaiserlichen Hofgerichte und Landgerichte ausgedehnt. Eine solche Befreiung von den Kaiserlichen Hofgerichten erhielt die Stadt Worms bereits von Rudolf von Habsburg und nachher noch öfter [36]. Auch Kempten erhielt im Jahre 1355 [37] und Magdeburg im Jahre 1431 Befreiung von den Kaiserlichen Land-, Hof- und Kammergerichten. Nur der Fall der Rechtsverweigerung war und blieb allezeit ausgenommen [38]. Auf einer eben solchen Befreiung beruhte in Straßburg die Freiheit der Bürger von den Kaiserlichen Landgerichten [39] und von den Landgrafen im Elsaß [40].

Befanden sich nun in der Stadt bereits zwei öffentliche Beamte (neben und unter dem Gaugrafen für die hohe Gerichtsbarkeit noch ein Centenarius oder Vicarius für die niedere öffentliche

---

26) Urk. von 1111 bei Emminghaus, corp. jur. Germ. p. 19.

27) Weisthum von 1169 bei Lacomblet, I, 302. und oben §. 90.

28) Urk. von 1111 u. 1182 bei Remling, p. 89 u. 123. Rathsordnung von 1289 bei Rau, I, 13.

29) Urk. von 1129 bei Schilter zu Königshoven p. 731. Grandidier, II, 95. Not. Schoepflin, I, 207. Altes Stadtrecht, c. 31.

30) Privilegium von 1230 §. 18.

31) Schöffenbrief von 1295 §. 23 und von 1304 §. 62 bei T. u. St. p. 431 u. 462.

32) Stadtr. von 1276 §. 63.

33) Urk. von 1357 bei Ochs, II, 198.

34) Urk. von 1325 u. 1349 bei Senckenberg, sel. jur. II, 137.

35) Urk. von 1209 bei Donandt, I, 94. sub jure quod vocant wiebelethe ita ut ab omni jure — et judicio sint exempte et nulli de eis aliquid respondeant nisi — vrgl. oben §. 89—91.

36) Urk. von 1285, 1297 u. 1299 bei Moritz, I, 177, 180 u. 181.

37) Urk. von 1355 u. 1566 bei Moser, reichsst. Handb. II, 46 u. 88.

38) Urk. von 1431 u. 1447 bei Rathmann, III, 87 u. 121.

39) Gerichtsbrief von 1405 bei Schoepflin, II, 314.

40) Urk. von 1284 bei Schoepflin, II, 28.

Gerichtsbarkeit), so blieben sodann meistentheils beide Beamten,
von nun an aber als Immunitäts- oder landesherrliche Beamten
neben und über einander in der Stadt. Hatte dagegen früher kein
Gaugraf seinen Sitz in der Stadt, wohl aber ein Centenarius oder
Vicarius, so wurde nun dieser ein landesherrlicher Beamter, und
die hohe Gerichtsbarkeit wurde entweder ihm oder einem anderen
landesherrlichen Beamten übertragen. In vielen Städten befand
sich aber vor dem Erwerbe des Comitates von den Bischöfen und
Aebten gar kein öffentlicher Beamter in der Stadt, wohl aber ein
herrschaftlicher Beamter. In diesem Falle erhielt nun meistentheils
der herrschaftliche Beamte die niedere öffentliche Gerichtsbarkeit und
für die hohe wurde ein eigener Beamter von dem Immunitätsherrn
ernannt. In einigen wenigen Immunitätsstädten, in welchen nicht
die volle öffentliche Gewalt in die Hände der Immunitätsherren
gekommen war, mußten indessen andere besondere Einrichtungen getroffen werden. Meistentheils findet man jedoch, wie in den Königsstädten, so auch in den Immunitätsstädten zwei öffentliche, nun
also landesherrliche Beamten, in der Stadt, in einigen Immunitätsstädten jedoch auch nur einen landesherrlichen Beamten.

§. 489.

Zwei landesherrliche Beamte findet man in vielen
Städten, insbesondere auch in Köln, Mainz und in Trier, in welchen Städten schon zur Fränkischen Zeit ein Graf seinen Amtssitz
hatte.

Köln lag im Kölngau. Nachdem der Ort eine Stadt (urbs)
oder eine Burg geworden war, nannte man den alten Gaugraf
einen Stadtgraf oder Burggraf (comes urbanus [1]), burgicomes [2]),
burgravius [3]) oder auch urbis prefectus) [4]). Und die Gaugrafschaft wurde nun eine Burggrafschaft [5]). Seit dem Erwerbe des

---

1) Urk. von 1083 u. 1143 bei Lacomblet, I, 152 u. 238.
2) Urk. von 1117 bei Lacomblet, I, 184.
3) Urk. von 1169 bei Lacomblet, I, 302. Urk. von 1187 bei Clasen,
   Schreinspraxis, p. 72.
4) Urk. von 1032, 1061, 1085, 1090 u. 1159 bei Lacomblet, I, 104,
   126, 153, 155, 157 u. 276.
5) Urk. von 1187 bei Clasen, Schreinspr. p. 72. und Quellen, I, 594.

Comitates wurde der Erzbischof selbst der Gerichtsherr, der Burg=
graf alſo ein erzbiſchöflicher von dem Erzbiſchof ernannter Beamter [6]).
In der Mitte des 12. Jahrhunderts wurde die Burggrafſchaft den
Herren von Arberg als Erblehen verliehen [7]), im Jahre 1187 aber
von dieſen die burggräfliche Gerichtsbarkeit mit Ausnahme des
Witzigdings an einen Kölner Bürger verpfändet [8]). Im Jahre
1279 haben jedoch die Erzbiſchöfe die Burggrafſchaft wieder zurück=
gekauft [9]) und ſeitdem iſt ſie denn auch bei dem Erzſtifte geblie=
ben [10]). Die Burggrafen von Köln ſind demnach als erzbiſchöfliche
Beamte an die Stelle der Gaugrafen getreten. Ihre Amtsgewalt
iſt aber dieſelbe geblieben. Sie hatten nach wie vor den Vorſitz bei
dem ächten Ding in der Stadt, bei dem ſogenannten Witzigding
(wizzeht binc, wizzich binc, wizzliche binc, oder witzgebinge). Sie
hatten ferner über das in der Stadt liegende Erb und Eigen zu
erkennen (de hereditatibus infra Coloniam sitis) [11]). Auch hatten
die Burggrafen den Blutbann und den Vorſitz bei den Kampfge=
richten (burgravius pugnam ratione banni sui judicabit). Und
wenn der Erzbiſchof ſelbſt zu Gericht ſaß, ſollten ſie ihm als ſein

---

burchravius — jurisdictionem comicie que burgraschaf dicitur —.
Urk. von 1279 bei Lacomblet, II, 426. und Securis, p. 17. comitatum
Coloniensem, qui dicitur burggraschaf — in eodem comitatu et
officio quod dicitur burggraschaf —.

6) Arg. Urk. von 979 in Quellen zur Geſch. von Köln, I, 470.

7) Urk. von 1279 bei Lacomblet, II, 426. — burggraschaf, a nobis
et ecclesia Colon. per sucessionem paternam teneret in feudo
— Urk. von 1274 bei Ennen, Geſch. I, 568. Nach der Urk. von 1169
bei Lacomblet, I, 302 u. 303. war der Burggraf ſchon damals ein Ge=
treuer des Erzbiſchofs und es wird mehrmals von dem jus burgravii
et successorum suorum ab ecclesia Coloniensi ab antiquo ge=
ſprochen.

8) Urk. von 1187 bei Claſen, Schreinſpr. p. 72. und Quellen, I, 594.
domus cum curte sua et praefata jurisdictio tota (burgraschaft)
cum omni fructu et utilitate praeter id quod Ruminge dicitur et
preter tria wizliche dinc pignus sint predicti Symonis —. Die
Urk. iſt wahrſcheinlich vom Jahr 1197. Ennen, Geſch. I, 558 Not. 1.

9) Urk. von 1279 bei Lacomblet, II, 426.

10) Weiſthum von 1375 bei Grimm, II, 746 u. 748.

11) Urk. von 1169 bei Lacomblet, I, 302 u. 304. Claſen, Schreinſpr.
p. 54 u. 72.

Stellvertreter oder Vogt zur Seite sitzen (quando nos vel successores nostros judicio sanguinis presidere contigerit dictus burgravius noster esse debet advocatus) ¹²). Die Burggrafen hatten
ferner zu schützen und zu schirmen. Ihnen gebührte daher auch
der Schutz und das Geleit der Juden ¹³). Auch hatten die Burggrafen die Aufsicht über die Stadtmauern und Stadtgraben ¹⁴)
und über den städtischen Burgbau überhaupt. Daher hatten sie
denn auch das Recht die sogenannten Ueberzimmer, d. h. die Vor-
und Ueberbaue zu brechen ¹⁵). Man nannte dieses Recht die
Räumung (Ruminge) und es war damit die Baupolizei in der
Stadt verbunden ¹⁶). Wie die Gaugrafen, so hatten auch die
Burggrafen einen Stellvertreter nicht bloß in der Altstadt, sondern
auch in den Vorstädten Niederich und Overburg ¹⁷), welcher bald
vicarius, bald judex, subcomes oder secundus comes genannt
worden ist ¹⁸). Seitdem die Burggrafschaft von dem Erzstifte wieder eingelößt worden war, seitdem waren die Erzbischöfe selbst die
Burggrafen. Und sie wurden auch Burggrafen genannt ¹⁹), und
auch beim kaiserlichen Hofgericht als solche anerkannt ²⁰). Ihre
Stellvertreter aber erhielten nun den Titel Grafen (Greve) ²¹), wiewohl sie als bloße Stellvertreter im Grunde genommen, wie auch
der von ihnen zu leistende Amtseid beweißt, bloße Vicegrafen,
eigentlich Viceburggrafen waren ²²). Der herrschaftliche Beamte

---

12) Urk. von 1169 bei Lacomblet, I, 302.
13) Urk. von 1169 bei Lacomblet, I, 303. conducere judeos infra dioe-
cesin volentes Coloniam exire vel intrare de quo conductu —.
14) Urk. von 1180 bei Lacomblet, I, 334. assensu burgravii opus fos-
sati ad decorem et munitionem civitatis.
15) Urk. von 1169, 1180 u. 1237 bei Lacomblet, I, 302, 334, II, 114.
Clasen, p. 40. und oben §. 193.
16) Urk. von 1187 bei Clasen, Schreinspr. p. 72. und Quellen, I, 594.
Ennen, Gesch. I, 570—572.
17) Clasen, Schreinspr. p. 54.
18) Schiedsspruch von 1258 bei Lacomblet, II, 245 Nr. 12 und 249 Nr. 12.
Urk. von 1106 u. 1159, eod. I, 174 u. 276. Clasen, p. 54.
19) Urk. von 1363 u. 1467 in Apologie des Erzstifts, II, 100 u. 183.
20) Ennen, Gesch. I, 553—554.
21) Grimm, II, 747 u. 748. Urk. von 1467 in Apologie, II, 183.
22) Eid von 1449 in Apologie, II, 179 u. 180.

des Bischofs war der **Stadtvogt** (advocatus urbis) 23), der öfters
auch bloß Vogt (advocatus) 24), ursprünglich auch Schultheiß genannt worden ist 25). Als herrschaftlicher Beamter mußte er seine
Gerichtssitzungen im Bischofshofe (in curia nostra episcopali) halten 26). Außer der herrschaftlichen Gerichtsbarkeit über die erzbischöflichen Grundholden hatte er frühe schon auch die niedere
öffentliche Gerichtsbarkeit (die Centgrafengewalt) über die ganze
Stadt erhalten, deren widerrechtliche Ausdehnung zu dem merkwürdigen Weisthum von 1169 geführt hat. Nach diesem Weisthum sollte er gemeinschaftlich mit dem Burggrafen über alle Civilsachen erkennen, die hohe Gerichtsbarkeit mit dem Blutbann und
das Erkenntniß über Erb und Eigen aber dem Burggrafen vorbehalten sein 27). Der Vogt blieb jedoch nach wie vor ein herrschaftlicher Richter, der seine Amtsgewalt von dem Erzbischof erhielt.
Er hatte daher die Parteien in **seines Herrn Namen** vorzu-
laden und unter **seines Herrn Banne** zu Gericht zu sitzen
(bannete bit mins herrin banne), während der Burggraf, der
seinen Bann von dem König selbst zu erhalten pflegte, mit **eigenem Banne** seine Vorladungen machen und unter seinem **eigenen Banne** zu Gericht sitzen durfte (bannete bit minin banne) 28).
Das Amt des Vogtes wurde jedes Jahr von dem Erzbischof neu
besetzt, im Jahre 1169 aber dem Ritter von Eppendorf und seinen
Erben zu Lehen gegeben 29). Ein später beabsichtigter Rückkauf
des Amtes 30) kam, wie es scheint, nicht zu Stand. Denn noch in
den Jahren 1280 und 1288 war jenes Geschlecht im Besitze der

---

23) Urk. von 1061, 1083 u. 1085 bei Lacomblet, I, 126, 152, 153 u. 155.

24) Urk. von 1032 bei Lacomblet, I, 104.

25) Urk. von 1169 bei Lacomblet, I, 302. quod advocatus noster qui
   in eodem privilegio scoltetus archiepiscopi coloniensis nominabatur.

26) Urk. von 1169 bei Lacomblet, I, 302.

27) Zwei Urk. von 1169 bei Lacomblet, I, 302 u. 304. und Quellen, I,
   557 u. 560.

28) Weisthum von 1169 in Quellen, I, 556. Lacomblet, I, 302.

29) Urk. von 1169 bei Lacomblet, I, 304. vgl. Urk. von 1263 in Quellen,
   II, 486.

30) Urk. von 1264 bei Lacomblet, II, 317.

Vogtei [31]). Auch wird noch in dem Weisthum von 1375 eines
Vogtes von Köln erwähnt. Gerichtsbarkeit scheint er aber damals
nicht mehr gehabt zu haben. Die fortwährenden Streitigkeiten des
Vogtes mit dem Burggrafen wegen Ausdehnung seiner Gerichts=
barkeit [32]) haben nämlich zur Beschränkung und zuletzt zum Unter=
gang der Vogtei geführt. Seitdem der Erzbischof die Burggraf=
schaft erworben hatte, also im Besitze der hohen und niederen
öffentlichen Gerichtsbarkeit war, seitdem waren zwei Gerichte für
die öffentliche Gerichtsbarkeit nicht mehr nothwendig, und wegen
der fortwährenden Streitigkeiten des Vogtes nur störend und lästig,
nicht bloß für den Erzbischof, sondern auch für die Stadt selbst.
Dies bewog schon im Jahre 1263 den Erbvogt Rutger seine Amts=
gewalt in einem Vertrage mit der Stadt auf den Schutz und
Schirm der Stadt zu beschränken [33]). Im Jahre 1288 ließ zwar
der Vogt seine Gerichtsbarkeit wieder von der Stadt anerkennen [34]).
Es scheint jedoch, daß er sie nicht wieder erhalten hat. Denn auch
nach dem Weisthum von 1375 bestand seine Amtsgewalt bloß
darin, daß er nichts gegen die hohen und niederen Gerichte thun,
sie nicht hindern und beim Vollzuge der gefundenen Urtheile seinen
Beistand leihen sollte („dat der vaide von Cölne wider scheffen
„urtheil nit doin en soll, noch dat gericht — hinderen, mer sie
„sullen der scheffen urtel in den gerichten bystendig sein, dat sie
„gehalden weren") [35]). Von einer Gerichtsbarkeit war demnach
nicht mehr die Rede, und seit dem 15. Jahrhundert hat sich auch
die Vogtei noch dem Namen nach verloren [36]). Nur in dem Titel
eines Erbvogtes zu Köln, welchen die Grafen von Bentheim auch
in späteren Zeiten noch geführt haben, hat sich wenigstens noch
eine Spur ihres früheren Daseins erhalten. So lange sie übri=
gens bestanden hat, hatte auch der Vogt seinen Stellvertreter, der
bald vicarius, bald judex, subadvocatus oder secundus advocatus

---

31) Urk. von 1280 bei Lacomblet, II, 440. Ennen, Gesch, I, 577.
32) Urk. von 1274 u. a. m. bei Ennen, Gesch. I, 568 Not. u. 578—579.
33) Urk. von 1263 in Quellen, II, 486.
34) Urk. von 1288 bei Ennen, Gesch. I, 577. Not.
35) Grimm, II, 746 u. 748.
36) Ennen, Gesch. I, 577. Not.

genannt worden ist [37]). Der Burggraf und der Stadtvogt hatten demnach jeder seinen Stellvertreter, so daß es im Ganzen vier Richter gewesen sind. Als Inhaber der öffentlichen Gewalt wurden sie auch Gewaltbot (potens nuncius) [38]), Gewelbe, Fronngewelbe oder Bronegewelte [38a]) und, wie in Italien, potestas civitatis genannt [39]). Neben ihnen kommen auch noch mehrere Stiftsvögte vor [40]). Nach Walter soll seit dem Jahre 1146 das Amt eines Stadtvogtes mit dem Amte des Stiftsvogtes (mit welchem Stiftsvogte?) vereiniget und die vereinigten Aemter sodann im Jahre 1169 dem Rittergeschlechte der von Eppendorf zu Lehen gegeben worden sein [41]). In den Urkunden steht jedoch davon nichts.

Mainz lag in dem Mainzgau. Seit dem Erwerbe des Comitates wurden die Erzbischöfe von Mainz die Gerichtsherrn und die Gaugrafen erzbischöfliche von dem Erzbischof ernannte Beamte [42]). Ihr Amt blieb nach wie vor, wie in Köln, ein comitatus [43]). Ihr Amtstitel war daher Graf, Stadtgraf oder Burggraf (comes oder urbis comes [44]), urbis prefectus [45]), prefectus civi-

----

37) Clasen, Schreinspr. p. 54. Urf. von 1106 u. 1159 und Schiedsspruch von 1258 Nr. 12 bei Lacomblet, I, 174, 276, II, 245 u. 249.

38) Clasen, p. 55.

38a) Clasen, p. 48, 50 u. 71. Ennen, Gesch. I, 586. Not.

39) Clasen, Schreinspr. p. 48. Clasen, das edele Cöllen, p. 30.

40) Urf. von 1061 bei Lacomblet, I, 126. Franco urbis prefectus. Ruker advocatus noster. Heimo urbis advocatus. vgl. Ennen, Gesch. I, 573 ff., 458.

41) Walter, Rechtsgesch. I, 231 f.

42) Arg. Urf. von 979 in Quellen zur Gesch. von Köln, I, 470.

43) Urf. von 1112 bei Guden, I, 390. areisque infra muros civitatis in comitatu Arnoldi. In Urf. von 1124 bei Joannis, rer. Mogunt. II, 463 f. wird von einem comitatus civitatis und von einem advocatus urbis gesprochen. Und die Stadtmark oder vielmehr der Stadtgerichtsbezirk wird noch eine Grafschaft genannt in Urf. von 1277 bei Guden, II, 443. — in terminis comecie Moguntine civitatis — vrgl. oben §. 470.

44) Urf. von 1057 bei Wenck, II, 46. Urf. von 1123 bei Guden, I, 55.

45) Urf. von 1069 u. 1135 bei Guden, I, 115, II, 7. Böhmer, fontes, III, 251.

tatis [46]), praetor urbis) [47]) oder auch advocatus urbis. Seit der Mitte des 11. Jahrhunderts strebten die Burggrafen nach Unab=hängigkeit und nach Erblichkeit ihres Amtes. Denn wir sehen den damaligen Grafen Erkenbald im Kampfe mit dem Erzbischof. Der Graf war zwar noch ein erzbischöflicher Beamter und wurde auch noch so genannt. Er wollte sich jedoch unabhängig von dem Erz=bischof machen und die erzbischöflichen Rechte nicht mehr anerken=nen, und herrschte ganz willkürlich in der Stadt [48]). Mit der Stadtgrafschaft oder Burggrafschaft war auch die Schirmvogtei über die Kirche verbunden [49]). Und seit dem 12. Jahrhundert waren beide Aemter erblich zuerst in den Händen der Grafen von Looz und später in den Händen der Grafen von Rieneck [50]). Am An=fang des 13. Jahrhunderts kam die Grafschaft wieder an das Erz=stift. Und seitdem wurde ein Theil der öffentlichen Gewalt, wie wir gesehen, dem Kämmerer übertragen (§. 485). Die gesammte öffentliche Gewalt kam jedoch nicht an den Kämmerer. Die hohe Gerichtsbarkeit mit dem Blutbann und mit der Gerichtsbarkeit über die Handwerker und über die öffentlichen Frauen wurde vielmehr einem Gewaltboten (Waltpoden) übertragen [51]). Gewaltboten, Waltboten, Gewaltherren oder gewaltige Herren, Gewalten, Fron=gewalten, nuncii potentes oder potestates wurden nämlich öfters die Inhaber der öffentlichen Gewalt genannt [52]). Und so kommen denn auch in Mainz seit dem 12. Jahrhundert solche Waltpoden oder Walpoden vor, welche zuweilen auch Gewaltsboten und vice-

---

46) Urk. von 1135 bei Guden, I, 120.

47) Böhmer, font. III, 235.

48) Böhmer, font. III, 235, 251 u. 252.

49) Urk. von 1123 bei Guden, I, 55. Comes urbis et ecclesie advoca-tus Arnoldus.

50) Arnold, I, 78—81.

51) Grimm, I, 532 u. 533. Urk. von 1470 bei Schunk, Beitr. zur Mainzer Gesch. III, 272—73.

52) Meine Geschichte der Markenverfassung, p. 380 u. 381. Ein altes glossar. bei Suhm, p. 299. erklärt das Wort also: exactor, wald-bodo, qui penas exigit. Stadtrecht von Wiehe aus 15. sec. bei Walch, III, 57. „Auch soll kein Vogt noch Gewaltiger unsers „Herrn" — und oben Not. 38—39.

domini genannt worden sind [53]). Die Erzbischöfe pflegten das
Waltbotenamt auf kürzere oder längere Zeit zu verleihen. Spä=
terhin wurde es erblich in dem Patricier Geschlechte der Waltbot=
ten. Seitdem hörte das Amt auf ein wirkliches Amt zu sein. Es
wurde vielmehr nun zu einer bloßen Würde [54]). Neben dem Stadt=
grafen und Waltboten kommt auch noch ein Schultheiß vor [55]).
Er ist offenbar an die Stelle des alten herrschaftlichen Beamten,
des centurio oder tribunus, getreten (§. 143), hat einen Theil
der öffentlichen Gerichtsbarkeit (die Civilgerichtsbarkeit) erhalten
und war seit dem 13. Jahrhundert, wie wir gesehen, der erste Bei=
sitzer des Kämmerers bei dem Stadtgerichte. In Abwesenheit des
Kämmerers war jedoch der Schultheiß dessen Stellvertreter, der
seine Geschäfte zu besorgen und insbesondere auch die Gerichte (das
Ungebodending) zu präsidiren hatte [56]). Und im Verhinderungs=
falle des Kämmerers und des Schultheiß führte einer der Richter
den Vorsitz bei Gericht [57]). Seitdem die Martinsburg in Mainz
erbaut worden war, erhielten öfters auch die Kommandanten dieser
Burg den Titel Burggrafen [58]). Sie dürfen aber natürlich nicht
mit den alten Burggrafen verwechselt werden.

Trier lag im Triergau und das städtische Gebiet bildete
einen eigenen Comitat (§. 470). Gleichzeitig mit der Immunität
von den öffentlichen Gerichten und mit der Grafengewalt, welche
das Erzstift erhalten hatte, wurde das erzbischöfliche Territorium
als eine Grafschaft anerkannt (quia comitatum de eo factum

---

53) Urf. von 1128 u. 1135 bei Guden, I, 75 u. 120, II, 499—505.

54) Guden, II, 499 ff.

55) Urf. von 1124, 1128, 1135 bei Guden, I, 63, 75, 120, II, 481 ff.
Grimm, I, 632.

56) Rechte eines Camerers zu Mentze bei Guden, II, 461. „Wan der
„Camerer nit einheimisch were, so mag der Schultheis Geleid geben —.
„Der Schultheis und die Richter sollen keine Sach besagen dan vor
„einem Camerer. Were er aber nit mehr in der Stat oder Burgbann,
„so mogen die Richter vor einem Schultheis besagen." Urtheilsbriefe
von 1309, 1316, 1332 u. a m. bei Guden, II, 451, 453, 457, 459
u. 460.

57) Urtheilsbriefe von 1408 bei Guden, II, 459 u. 460.

58) Guden, II, 505.

esse dinoscitur) [59]). Darum waren und hießen die Schirmvögte
der Kirche auch Grafen [60]). Und Theoderich wird daher bald erz=
bischöflicher Graf (comes noster) [61]) bald Burggraf (comes urbis
oder comes Trevirorum) [62]), bald aber auch major domus ecclesiae Trevirorum comes genannt [63]). Im 12. Jahrhundert erhielten die Pfalzgrafen bei Rhein die Schirmvogtei von den Erzbi=
schöfen als ein erbliches Lehen. Sie wurden daher advocati ecclesiae majoris genannt [64]). In dieser Eigenschaft unterstützten
die Pfalzgrafen die Bürger von Trier gegen den Erzbischof, als
diese gegen dessen Willen eine Eidgenossenschaft eingehen wollten
(§. 47 u. 54). Und der Kaiser entschied bei jener Gelegenheit,
daß die Gerichtsbarkeit zwischen dem Erzbischof und dem Pfalz=
grafen getheilt werden solle [65]). Im Jahre 1197 verzichteten die
Pfalzgrafen auf die Vogtei und auf die dazu gehörigen Lehen [66]).
Es scheint jedoch dieser Verzicht keine Folge gehabt zu haben.
Denn die Pfalzgrafen blieben nach wie vor Schirmvögte von Trier.
Sie waren es wenigstens noch im 14. Jahrhundert [67]). Erst im
Jahre 1364 wurde bei Beendigung des Kampfes zwischen dem
Erzbischof und der Stadt und dem Grafen von Spanheim von
dem Kaiser Karl IV die Vogtei dem Erzbischof zugesprochen und
derselbe zum „hern und vogte" der Stadt erklärt [68]). Neben dem
Vogt stand auch in Trier noch ein erzbischöflicher Schultheiß
für die niedere Gerichtsbarkeit [69]).

---

59) Urk. von 898, 902, 947 bei Hontheim, I. 237, 253 u. 282.
60) Urk. von 947 bei Hontheim, I, 282. comitem ac advocatum S. Trevirens. ecclesie.
61) Urk. von 1065 bei Hontheim, I, 407.
62) Ekkehard ad an. 1067, Sigebert. ad 1068. Annal. Sax. ad 1066 bei Pertz, VIII, 199, 362 u. 694.
63) Lambert ad 1067 bei Pertz, VII, 173.
64) Urk. von 1107 u. 1157 bei Hontheim, I, 484 u. 579.
65) Urk. von 1161 bei Hontheim, I, 594. uterque, Archiepiscopus et comes Palatinus debitam justitiam in civitate habeat et con- suetam.
66) Urk. von 1197 bei Hontheim, I, 629.
67) Stadtrecht aus 14. sec. bei Lacomblet, Archiv, I, 267 u. 268.
68) Spruch von 1364 bei Hontheim, II, 233 u. 234.
69) Stadtrecht aus 14. sec. bei Lacomblet, Archiv, I, 259—261, 263 265—268. Urk. von 1285, eod. I, 270. und oben §. 54.

§. 490.

Regensburg lag im Donaugau und sein Gebiet bildete einen eigenen Comitat. Der Bischof von Regensburg hat aber, wie wir gesehen, die Grafschaftsrechte in der Stadt nicht erworben. Daher blieben daselbst die alten Gaugrafen (comites) [1]. Da jedoch die Stadt, wie alle Deutschen Städte, eine Burg (urbs) geworden war, so wurden nun die Gaugrafen meistentheils Burggrafen (prefectus urbis [2]), prefectus civitatis [3]), praeses urbanus [4]), pretor urbis [5]), purggravius [6]), oder burcgravius) [7]), öfters aber auch bloß prefectus oder prefectus Ratisponensis genannt. Die Burggrafen von Regensburg hatten dieselbe Gewalt, wie die Burggrafen in Köln u. a. m. Sie hatten die hohe Gerichtsbarkeit mit dem Blutbann und erkannten in ihrem Burgbing (placitum burcgravii) über Erb und Eigen und über den Uebertrag der Erbgüter [8]). Ihr Amt wurde bereits im 11. Jahrhundert erblich, zuerst in dem Geschlechte der Grafen von Rietenburg und zuletzt in den Händen der Herzoge von Baiern. Die schon seit der Fränkischen Zeit neben und unter ihnen stehenden Vicarii und Subvicarii waren offenbar mit der niederen öffentlichen Gerichtsbarkeit beauftragt. Außerdem hatten aber die Burggrafen auch noch einen herrschaftlichen Beamten, den tribunus, in der Stadt, welcher die herrschaftlichen Angelegenheiten und die herrschaftliche Gerichtsbarkeit auf ihren Grundbesitzungen in der Stadt zu besorgen hatte, wie der Probst jene des Bischofs besorgte. Dieser tribunus wurde späterhin Schultheiß (sculteta [9]) oder Sculthaiz) genannt [10]). Und die Burggrafen haben ihm in späteren

---

1) Urk. von 1064 u. 1071 bei Ried, I, 160 u. 162. und oben §. 470.
2) Urk. von 990, 991, 996, 1111, 1133 u. 1181 bei Ried, I, 112, 113, 171, 195 u. 253.
3) Urk. von 1089 bei Ried, I, 167.
4) Urk. von 1072 bei Ried, I, 163.
5) Urk. von 1071 bei Ried, I, 162.
6) Urk. von 1147 u. 1166 bei Ried, I, 218 u. 239.
7) Urk. von 1157 u. 1183 bei Ried, I, 229 u. 262.
8) Urk. von 1183 bei Ried, I, 262.
9) Urk. von 1157 bei Ried, I, 228.
10) Quellen zur Bair. Gesch. I, 111.

Zeiten die gesammte öffentliche Gerichtsbarkeit übertragen, bis das Schultheißenamt an die Stadt selbst kam (§. 143, 470, 478, 484).

Straßburg lag in einem eigenen Comitat im Elsaßgau [11]). Das städtische Gebiet scheint aber keinen eigenen Comitat gebildet zu haben. Daher war der Inhaber des Blutbanns kein Stadtgraf und kein Burggraf, sondern ein Vogt. Zwar kommt auch in Straßburg ein Burggraf vor. Er war aber kein öffentlicher, son= dern ein herrschaftlicher Beamter, der zwar einige öffentliche Rechte in der Altstadt, aber keine öffentliche Gerichtsbarkeit hatte. Die öffentliche Gerichtsbarkeit in der Stadt wurde vielmehr, seitdem die Stadt Immunität und mit dieser Freiheit von dem Zutritt der Gaugrafen erhalten hatte, von dem bischöflichen Vogt [12]) und von dem Schultheiß besorgt. So wie aber in Mainz und in Regens= burg neben den öffentlichen Beamten auch noch ein herrschaftlicher centurio oder tribunus gestanden hat, so stand auch in Straßburg neben dem Vogt und dem Schultheiß noch der herrschaftliche Burg= graf, welcher in der Altstadt die herrschaftlichen Angelegenheiten und die herrschaftliche Gerichtsbarkeit zu besorgen hatte (§. 22). Daher findet man frühe schon, längst vor dem alten Stadtrechte drei Stadtrichter (judices civitatis) neben einander, einen advo- catus civitatis (den bischöflichen Vogt), einen urbis prefectus (den Burggraf) und einen causidicus, den späteren Schultheiß [13]). Schon seit dem Jahre 1123 kommt auch der Titel Burggraf (burcravius) vor [14]). Späterhin werden abwechselnd scoltetus und prefectus [15]), oder scultetus und burggravius [16]) oder auch noch causidicus und burggravius neben einander unter den bischöflichen Ministerialen genannt [17]). Der Schultheiß und der Burggraf waren nämlich

---

11) Urk. von 1040 bei Schoepflin, I, 160. in pago Alsatiae ante portam Argentinae civitatis in monasterio S. Petri in comitatu Hugonis —.

12) Urk. von 982 bei Grandidier, II, 41. nisi ille quem episcopus ejusdem civitatis sibi advocatum elegerit.

13) Urk. von 1129 u. 1154 bei Schoepflin, I, 207 u. 243.

14) Urk. von 1123 bei Neugart, II, 54.

15) Urk. von 1201 bei Schöpflin, I, 311.

16) Urk. von 1196 bei Schoepflin, I, 304.

17) Urk. von 1200 bei Schoepflin, I, 309.

von je her bischöfliche Ministerialen und auch nach dem alten Stadtrechte mußten sie noch aus den Ministerialen genommen werden [18]). Erst seit dem Revers von 1263 durften auch Bürger zu Schultheißen ernannt werden. Die Burggrafen dagegen mußten nach wie vor Ministerialen sein [19]). Das Schultheißenamt und das Burggrafenamt (burgraviatus et scultetatus officium) pflegte nach einem alten Herkommen von dem Bischof auf Lebenszeit verliehen zu werden. Und die Bürgerschaft fand dabei so sehr ihr Interesse, daß als der Bischof Heinrich von Stahleck von jenem Herkommen abgehen wollte, der Stadtrath und die Bürgerschaft sich mit aller Entschiedenheit dagegen erklärten [20]). Der Vogt wurde zwar ebenfalls vom Bischof ernannt. Er war jedoch kein bischöflicher Ministeriale. In der Urkunde von 1129 wird der advocatus civitatis unter den fürstlichen Personen genannt. Und auch nach dem Stadtrechte noch brauchte er kein Ministeriale zu sein [21]). Bei der Besetzung der Vogtei oder wenn sie zu Lehen gegeben werden sollte, wurden jedoch die bischöflichen Ministerialen und die Bürger beigezogen [22]). Der Vogt hatte den Blutbann und den Vollzug der peinlichen Erkenntnisse. Er sollte seine Sitzungen in der bischöflichen Pfalz halten. Den Blutbann übte er jedoch nicht selbst aus. Er ließ ihn vielmehr durch den Schultheiß ausüben und verlieh ihm zu dem Ende den Bann [23]). Die Gewalt des Vogtes war demnach nicht groß. Schon im 13. Jahrhundert war das Amt, abgesehen von den damit verbundenen Lehen und Rechten, ein leerer Titel. Um so leichter konnte sich daher die Stadt selbst in den Besitz der Kriminalgerichtsbarkeit setzen und später auch noch die Vogtei selbst an sich bringen. Nach dem Stadtrechte aus den Zeiten des Bischofs Heinrich von Stahleck soll der Stadtrath schon im Jahre 1283 die Strafgerichtsbarkeit

---

18) Stadtrecht, c. 6 u. 7 bei Grandidier, II, 44.

19) Revers von 1263 §. 2 u. 3 bei Schilter zu Königshoven, p. 729.

20) Urk. von 1276 bei Schoepflin, II, 13. Revers von 1263 §. 2.

21) Urk. von 1129 bei Schoepflin, I, 207. Stadtrecht, c. 11 u. 12 bei Grandidier, II, 47 u. 95. Not.

22) Stadtrecht, c. 43. Urk. von 1219 bei Schoepflin, I, 337.

23) Stadtrecht, c. 11, 19—23 u. 42.

v. Maurer, Städteverfassung. III. 26

beſeſſen haben 24). Die Vogtei wurde zu Lehen gegeben, unter gewiſſen Vorausſetzungen jedoch der Rückfall vorbehalten. Zuerſt wurde ſie den Herren von Rapoltſtein 25), ſpäter den Herren von Lichtenberg, den ſpäteren Grafen von Hanau Lichtenberg verliehen 26). Wegen der damit verbundenen Güter und Rechte war die Vogtei ſelbſt von den vornehmſten Herren geſucht. Man findet daher unter den Vögten von Straßburg einen Grafen von Luxemburg 26a), mehrere Grafen von Hunesfeld und von Huneburg 26b), und ſeit dem 13. Jahrhundert die Herren von Lichtenberg 26c). Die nach Freiheit ſtrebenden Bürger ließen ſich daher von dem Biſchof und von dem Domkapitel mehrmals eidlich geloben, die Vogtei weder an den Kaiſer oder König, noch an einen Herzog oder an einen ihres Geſchlechtes zu Lehen geben oder veräußern zu wollen 27). Auch die Herren von Lichtenberg mußten verſprechen, die ihnen erblich verliehene Vogtei an keine persona illustris zu veräußern 28). Nichts deſto weniger wurde ſie im Jahre 1283 an Rudolf von Habsburg verkauft 29), der Verkauf jedoch, wie es ſcheint, nicht vollzogen. Denn die Vogtei blieb nach wie vor im Beſitze der Herren von Lichtenberg bis ins 15. Jahrhundert. Im Jahre 1480 wurden die Grafen von Hanau Lichtenberg zum letzten Male mit jenem Amte belehnt. Schon vorher hatte indeſſen die Stadt die Kriminalgerichtsbarkeit erworben und im Anfang des 16. Jahrhunderts hat ſie auch noch die Vogtei an ſich gekauft. Nichts deſto weniger führten die Grafen von Hanau noch bis ins 17.

---

24) Mpt. bei Wencker, apparat. archiv. p. 62. vergl. Grandidier, II, 98.

25) Urk. von 1219 bei Schoepflin, I, 337 u. 338.

26) Urk. von 1238, 1249, 1252, 1256, 1259, 1262 u. 1272 bei Schoepflin, I, 381, 401, 407, 416, 428, 436 u. 470.

26a) Grandidier, oeuvers inéd. II, 399. Not. 1.

26b) Urk. von 1196 bei Schoepflin, als. dipl. I, 304. — Ruodolfus advocatus de Hunesvelt, — Heinricus advocatus de Huneburc —.

26c) Schoepflin, Als. illustr. II, 330.

27) Urk. von 1220, 1244 u. 1247 bei Schoepflin, I, 342, 388 u. 396.

28) Urk. von 1249 bei Schoepflin, I, 401.

29) Annales Colmar. ad 1283 bei Boehmer, font. II, 18. und Pertz, XVII, 210. Rex Rudolfus emit jus seu advocatiam dominorum de Lichtenberg quam habebant super civitatem Argentinensem.

Jahrhundert den Titel eines Ober= oder Erbvogtes zu Straß=
burg [30]). Der Schultheiß hatte die Civilgerichtsbarkeit und in
Frevelsachen auch die Strafgerichtsbarkeit. („der Schultheiße der
„rihte umb Diupstal, umb frevele, umb geltschuld“). Aber auch der
Blutbann pflegte ihm von dem Vogte übertragen zu werden [31]).
Zur Ausübung der Civilgerichtsbarkeit („nur in geltschulde“) durfte
er statt Seiner zwei Richter ernennen [32]). Die Gerichtssitzungen
des Schultheiß und der beiden Richter waren öffentlich auf dem
Markte bei St. Martin [33]). Im Jahre 1288 ward das Schult=
heißenamt dem berühmten Geschlechte der von Zorn zu Lehen ge=
geben, welches sich seitdem von Zorn Schultheiß geschrieben
hat. Allein schon im Jahre 1343 ist das Amt der Stadt versetzt
worden. Und wiewohl die Bischöfe von Straßburg nicht lange
nachher, im Jahre 1354, das Amt wieder an sich gezogen und es
von Neuem den Zornen verliehen haben, behielt dennoch der Stadt=
rath seit jener Zeit eine mit dem Schultheiß konkurrirende Gerichts=
barkeit. Man nannte die mit der Gerichtsbarkeit beauftragte Ab=
theilung des Stadtraths das Stadtgericht und zum Unterschiede
davon das Schultheißengericht, weil es mit dem Blutbann auch
den Stock, d. h. den Stock und Galgen hatte, das Stockgericht.
Und beide Gerichte erhielten sich neben einander bis ins 16. Jahr=
hundert. Seit der Reformation gerieth jedoch das bischöfliche
Schultheißengericht mehr und mehr in Verfall. Um ihre
Schulden zu bezahlen versetzten es die Bischöfe im Jahre 1597 an
die Stadt. Durch den Hagenauer Vertrag vom Jahre 1604 wurde
jene Veräußerung bestätiget und im Jahre 1606 das Schultheißen=
gericht mit dem Stadtgerichte vereiniget, welches sodann unter dem
Titel des kleinen Senates bis auf unsere Tage gekommen
ist [34]). Der Burggraf endlich war ein herrschaftlicher Beamter
des Bischofs, auch ursprünglich wohl kein Königlicher Beamter.
Denn die Altstadt, welcher er vorstand, gehörte dem Bischof. Nur
der Bischof hatte daselbst eine Burg. Die Königliche Burg lag,

---

30) Grandidier, II, 98 u. 99.
31) Stadtrecht, c. 10—12.
32) Stadtrecht, c. 8 u. 14.
33) Stadtrecht, c. 15.
34) Grandidier, II, 100 u. 101. Schilter zu Königshoven, p. 729.

wie wir gesehen, nicht in der Altstadt. Der Burggraf konnte daher auch nicht von der Königsburg seinen Namen haben. Als herr=schaftlicher Beamter mußte er seine Gerichtssitzungen in der bischöf=lichen Burg (in der Pfalz des Bischofs) halten [35]), während die öffentlichen Richter ihre Sitzungen auf dem Markte bei St. Mar=tin hielten. Auch gingen die Berufungen von seinem herrschaft=lichen Gerichte und die Beschwerden über den Ungehorsam der unter ihm stehenden Handwerker an den Bischof, als an den Grund=herrn [36]). Seit dem Ende des 13. Jahrhunderts wurde das Amt zu Lehen gegeben, zuerst einem Straßburger Geschlechte, welches von dem Amte den Geschlechtsnamen Burggraf geführt hat, dann noch mehreren anderen Geschlechtern. Die Revolution vom Jahre 1332 vernichtete die Gerichtsbarkeit des Burggrafen in Handwerksangelegenheiten und späterhin verlor das Amt selbst alle Bedeutung. Die fortwährenden Streitigkeiten mit der Stadt be=wogen daher die Bischöfe im Jahre 1576 das Burggrafenamt mit dem Schultheißenamte zu vereinigen. Und mit diesem ist es sodann im Jahre 1604 von der Stadt erworben worden [37]).

§. 491.

Auch in Speier standen, seitdem der Bischof die öffentliche Gewalt erworben hatte, zwei landesherrliche Beamte, der Vogt und der Schultheiß, neben einander. Der Vogt wurde von dem Bi=schof ernannt [1]) und öfters auch Burggraf (comes [2]), burggra=vius [3]), urbis praefectus [4]) oder praefectus [5]), zuweilen auch, weil er zu gleicher Zeit Schirmvogt der Kirche war, Spirensis ecclesiae praefectus genannt [6]). Der Schultheiß ist ursprünglich, wie in

---

35) Stadtrecht, c. 45.

36) Stadtrecht, c. 44 u. 46. vergl. oben §. 22 u. 468.

37) Grandidier, II, 102 u. 103.

1) Urk. von 969, 989 u. 1003 bei Remling, p. 15, 19 u. 21.

2) Urk. von 1146 bei Hontheim, I, 554. comes de Spira.

3) Urk. von 1280 bei Besold, docum. rediv. p. 808

4) Urk. von 1104 bei Schoepflin, I, 184.

5) Urk. von 1101 u. 1111 bei Remling, p. 77 u. 89. Annal. Hildens. ad 1105 bei Pertz, V, 109.

6) Urk. von 1127 bei Mone, Anzeiger, VII, 447.

Mainz und Regensburg, ein herrſchaftlicher Beamter des Biſchofs
geweſen, welcher wahrſcheinlich an die Stelle des biſchöflichen tribunus getreten iſt (§. 143). Erſt ſeit dem Anfang des 13. Jahrhunderts tritt der Name scultetus [7]) oder officialis scultetus hervor [8]). Die im Jahre 1291 entſtandenen Streitigkeiten mit dem
Biſchof führten zu dem Vergleiche von 1294, nach welchem das
Vogt- und Schultheißenamt jedes Jahr aufgegeben und nach dem
Ausſpruch des Stadtraths (secundum dictum et sententiam consulum) wieder beſetzt werden ſollte [9]). Das Recht der Ernennung
ging demnach nun auf den Rath über und dem Biſchof blieb nur
noch die Belehnung mit dem Amte, d. h. die Einſetzung in das
Amt oder die Amtsinveſtitur, welche indeſſen bald zu einer leeren
Formalität ward. Ueber dieſe Amtsinveſtitur findet ſich im Archive zu Speier ein äußerſt intereſſantes Weisthum. Ich theile es
daher in der Anlage mit [10]). Danach mußten die Aemter jedes
Jahr um Dreikönig in ſimboliſcher Weiſe durch Niederlegen der
weißen Stäbe vor den Füßen des Biſchofs oder ſeines bevollmächtigten Stellvertreters niedergelegt und eben ſo mittelſt Uebergabe
jener Stäbe wieder beſetzt werden. Sehr zweckmäßig war dabei
die Vorſchrift des Erkundigens nach den vorhandenen Beſchwerden
über die Beamten des vorigen Jahres, nachdem dieſe ihre Stäbe,
d. h. ihr Amt niedergelegt hatten, indem dadurch jeder Gekränkte
oder Verletzte vor der verſammelten Gemeinde die Gelegenheit erhielt, ſeine Beſchwerden vorbringen zu können. Eine Vorſchrift,
welche jedoch ſehr bald ebenfalls zu einer bloßen Formalität wurde.
Der Vogt hatte urſprünglich, wie der Vogt in Straßburg u. a. m.
den Blutbann und präſidirte das Gericht gemeinſchaftlich mit dem
Schultheiß [11]). Seitdem jedoch der Stadtrath die Kriminalgerichts-

---

7) Rau, I, 13 u. 14.

8) Sententia von 1231 bei Pertz, IV, 280.

9) Urk. von 1294 bei Lehmann, p. 579.

10) Anhang Nr. III. vergl. Lehmann, p. 281 u. 333. Das alte Weisthum, welches Mone (Zeitſchr. I, 19—21) in die Jahre 1340 bis
1347 ſetzt, gehört jedenfalls ſeinem Inhalte nach in eine weit frühere
Zeit. Der Schultheiß erſcheint daſelbſt noch als ein herrſchaftlicher
Beamter des Biſchofs.

11) Urk. von 1265 bei Rau, I, 13.

barkeit an sich gebracht hatte, sank der Vogt zu einem bloßen Gehilfen des Schultheiß und des Kämmeres herab [12]). Auch hatte
er nur noch auf besonderes Erfordern Zutritt zu dem Stadtrath [13]). Wann der Stadtrath die Kriminalgerichtsbarkeit erworben hat, liegt völlig im Dunkeln. Es muß dieses jedoch im Laufe
des 13. Jahrhunderts geschehen sein. Der Rath ließ nämlich durch
vier aus seiner Mitte genommene Richter den Blutbann ausüben.
Und man nannte diese Richter aus dem Rathe, weil sie jeden Monat wechselten, Monatrichter („Mantrichtere" oder „Richtere
„des Mandes"). Und dieser Monatrichter wird bereits in einer
Urkunde von 1304 als einer damals schon bestehenden Einrichtung
erwähnt [14]). Es dauerte indessen lange Zeit bis dieses Recht von
den Bischöfen anerkannt worden ist. Denn noch im Jahre 1419
nahmen die Bischöfe die Kriminalgerichtsbarkeit in Anspruch und
erklärten die Gerichtsbarkeit der vier Richter aus dem Rath (der
Monatrichter) für eine Anmaßung des Rathes [15]). Der Schultheiß hatte wie in Straßburg über Schuldsachen und über Frevel
zu erkennen (violentia que wrevele dicitur) [16]). Auch mußten
alle Käufe und Verkäufe, Schenkungen u. s. w. bei ihm vorgenommen und die Wehrbriefe von ihm ausgefertiget werden. Nur
was Erb und Eigen betraf gehörte vor den Kämmerer [17]). Die
Gerichtsbarkeit des Schultheiß wurde jedoch frühe schon durch die
konkurrirende Gerichtsbarkeit des Bürgermeisters und des Stadtraths beschränkt und untergraben (§. 436 u. 438). Dies hatte
nun aber unter Anderem auch die Folge, daß der Rath mit den
aller unbedeutendsten Streitigkeiten behelliget worden ist. („daß

---

12) Gerichtsordnung von 1327 §. 3 bei Lehmann, p. 292 u. 293.

13) Rau, I, 19.

14) Brief von 1304 bei Lehmann, p. 589. — „so sollen die Richtere
 „des Mandes das vestiglich richten." vergl. noch die Vierrichter
 Ordnung von 1314 bei Rau, II, 26. und die Strafordnung von 1328
 §. 5 ff. bei Lehmann, p. 284 ff.

15) Lehmann, p. 803 u. 807 ff.

16) Sententia von 1231 bei Pertz, IV, 280. Rau, I, 14.

17) Rau, I, 14, II, 25. Gerichtsordnung von 1327 und Wehrbriefe von
 1291, 1294, 1304, 1308, 1312 u. 1316 bei Lehmann, p. 292 bis 306.
 vergl. oben §. 485.

„Einer mit dem andern mutwillet vnd einen Rat mumet vnd vn=
„müzzig machet dicke vmbe soliche sache die sie billichen vor den
„gerichten vnserer stetbe vzbrügent")". Daher wurde im Jahre 1351
verordnet, daß zwar eine Berufung von dem Schultheißen= und
Kämmerergerichte an den Rath erlaubt sein, bei jeder direkt an
den Rath gebrachten Civilklage aber die unterliegende Partei außer
den Kosten auch noch eine Strafe (ein Pfund Heller) zu entrichten
haben solle [18]). In Speier gab es keine Schöffen. Das Urtheil
wurde daher von dem Gerichtsumstand gefunden [19]). Seit dem
14. Jahrhundert erhielt aber der Schultheiß vier Rathsherren (die
sogenannten Gerichtsherren) als ständige Beisitzer. Und diese wur=
den von dem sitzenden Rathe aus den ausgehenden Rathsherren
(„vom aufzgeenden Rate") ernannt [20]). Außer den Gerichtsherren
wurden auch noch vier Fürsprechen ernannt, welche die Par=
teien zu berathen und außerdem auch noch das Interesse des Ra=
thes und der Stadt selbst zu wahren hatten [21]). Das Gerichts=
haus, ein „enges Häußlin ohne Stuben", stand auf dem
Ledermarkt. Später wurde es abgebrochen und die Gerichtssitzun=
gen in den Rathshof verlegt [22]). Nach der Gerichtsordnung von
1327 war das Verfahren sehr einfach. Die Klage sollte von dem
Gerichtsschreiber niedergeschrieben, der Gerichtsbrief sodann dem
Kläger zugestellt und dem Beklagten ein Termin von 6 Wochen
gesetzt werden. Bezahlte der Beklagte innerhalb dieses Termines
nicht, so sollte er nun von dem Knecht des Schultheiß „zu Huß
„oder zu Hof, oder Mund wider Mund" vorgeladen wer=
den. In der Sitzung mußten die Parteien, wie bei anderen alt=
germanischen Gerichten [23]), eine bestimmte Zeit auf einander war=
ten. Erschien bloß der Beklagte, so war er sodann klaglos („ledig
„und loß derselben Klage"), d. h. er wurde von der Klage losge=

---

18) Rathsordnung von 1351 bei Rau, II, 26 u. 38.
19) Urkunden bei Lehmann, p. 303—306 u. 334. — „nach der Burger
„Urtheil" —. vergl. oben §. 161.
20) Rau, II, 25. Lehmann, p. 292.
21) Rau, II, 25 u. 37 ff.
22) Lehmann, p. 291 u. 292.
23) Meine Geschichte des altgermanischen Gerichtsverfahrens, p. 51, 52, 54,
56 u. 209 ff.

sprochen. War dagegen der Kläger erschienen, der Beklagte aber
ausgeblieben, so mußte, ehe derselbe verurtheilt werden konnte, die
Vorladung drei Mal wiederholt, in jeder Sitzung die vorgeschriebene
Zeit von dem Kläger auf ihn gewartet und sobann ein Gerichtsbrief gegen den nicht erschienenen Beklagten genommen werden.
Den Gerichtsbrief erhielt sobann der Vogt, um das Urtheil zu
vollziehen [24]).

In Worms hatte der Bischof zwar schon in den Jahren
979 und 985 den Comitat erworben (§. 487). In den Besitz
jenes Rechtes ist er jedoch erst im Anfang des 11. Jahrhunderts
gekommen, nachdem die feste Burg des Herzogs Otto erworben
und der Herzog selbst aus der Stadt entfernt worden war. Auch
leitet der Bischof Burchard selbst erst von jener Zeit seine Herrschaft in der Stadt her. Und erst seit jener Zeit ist der Klerus
Herr der verschiedenen Richter, also Gerichtsherr geworden [25]). Daher wurde seitdem der bischöfliche Vogt öfters auch Stadtgraf
oder Burggraf, und abwechselb bald comes civitatis [26]), urbis
praefectus [27]) oder burggravius [28]), bald aber auch advocatus [29])
oder advocatus majoris domus Wormatienses ecclesiae genannt [30]). Der Burggraf war anfangs ein bischöflicher, entweder
von dem Bischof ernannter oder von ihm belehnter Beamter. Denn
er gehörte zu den Getreuen des Bischofs [31]). Das Amt muß aber
frühe schon erblich geworden sein. Denn durch die Heirath der

---

24) Gerichtsordnung von 1327 bei Lehmann, p. 292 u. 293.
25) Thietmar bei Pertz, V, 804. Urbs Wormacensis gaudet tempori-
　　bus istis libertate sua — et judices varios clerus nunc deprimit
　　illos. Urk. von 1016 bei Schannat, II, 42. redacta Wormatia in
　　potestatem beati Petri. Vita Burchardi bei Pertz. IV, 836 in f.
　　Arnold, I, 42—45.
26) Urk. von 1016 u. 1106 bei Schannat, II, 41, 61 u. 62. Urk. von
　　1106 in Wirtemberg. Urkb. I, 412.
27) Urk. von 1141 u. 1166 bei Schannat, II, 72 u. 82.
28) Annal. Worm. bei Boehmer, font. II, 200.
29) Urk. von 1156 u. 1220 bei Moritz, II, 147 u. 157. Leges St. Petri
　　von 1024, pr. u. §. 20, 21 u. 30 bei Grimm, I, 804.
30) Urk. von 1158 bei Schannat, II, 80.
31) Urk. von 1106 bei Schannat, II, 62. Comitis Wernheri petitione
　　aliorumque optimatum suorum consilio —.

Erbtochter des letzten Grafen von Neckarau kam es an den Grafen Simon von Saarbrücken [32]). Nach dem Aussterben der Grafen von Saarbrücken succedirten die Grafen von Zweibrücken in die mit der Vogtei verbundenen Lehen, nicht aber in das Amt. Es scheint demnach, daß das Amt durch einen Verzicht des Grafen Simon oder aus einem anderen Grunde bei seinem Tode erloschen ist. Jedenfalls war der Graf Simon der letzte Schirmvogt und Burggraf von Worms [33]). Nichts desto weniger behauptete noch im Jahre 1261 ein Graf von Zweibrücken, daß er der Burggraf von Worms sei. (asserens se esse burggravium Wormatiensem). Er wurde jedoch mit einem jährlichen Zins von 12 Pfund Pfennigen abgefunden [34]). Der Burggraf hatte einen Stellvertreter in der Stadt, welcher ebenfalls praefectus genannt worden ist [35]). Er wurde, seitdem der Bischof Herr in der Stadt geworden war, ein bischöflicher Beamter, aber nach wie vor praefectus [36]), comes oder comes civitatis [37]) und späterhin, wie in Köln, Greff oder Greve genannt. Neben dem Burggrafen und dessen Stellvertreter stand seit dem 12. Jahrhundert ein Schultheiß [38]). Er scheint ursprünglich ein königlicher Beamter gewesen und villicus genannt worden zu sein [39]). Er wurde frühe schon ein bischöflicher Beamter. Ohne Zustimmung des Königs sollte jedoch der Bischof das Amt (officium sculteti) nicht zu Lehen geben [40]). Späterhin kam aber das Recht den Greven und den Schultheiß zu ernennen an den Stadtrath und dann wieder an den Bischof zurück. Wäh-

---

32) Urk. von 1141, 1158 u. 1166 bei Schannat, II, 72, 80 u. 82. Arnold, II, 115 u. 116.

33) vergl. über dieses Alles Crollius, orig. Bipont. I, 239, 259—266 u. 272—274.

34) Annal. Worm. ad 1261 bei Boehmer, font. II, 200 u. 201.

35) Urk. von 1156 bei Moritz, II, 148.

36) Urk. von 1220 u. 1236 bei Moritz, II, 158 u. 172.

37) Urk. von 1231 bei Moritz, II, 160. Annal. Worm. bei Boehmer, font. II, 213 u. 214.

38) Urk. von 1156, 1220 u. 1236 bei Moritz, II, 147, 148, 158 u. 172.

39) Privilegium von 1190 bei Boehmer, fontes, II, 215—216. Zorn, Chr. ed. Arnold, p. 59 f

40) Urk. von 1238 bei Schannat, II, 120.

rend der fortwährenden Kämpfe der Bürgerschaft mit dem Bischof
waren nämlich alle Rechte und so denn auch das Recht jene Be=
amten zu ernennen streitig geworden. Bereits im Jahre 1190
sollte der Schultheiß von dem Stadtrath gewählt, damals aber
noch von dem Kaiser investirt werden [41]). Schon in der zweiten
Hälfte des 13. Jahrhunderts wurde jedoch der Schultheiß gemein=
schaftlich von dem Bischof und dem Stadtrath ernannt [42]). Und
nicht lange nachher nahm der Stadtrath allein das Recht den
Schultheiß und den Greven aus der Bürgerschaft selbst zu ernen=
nen als ein althergebrachtes Recht in Anspruch („als iz von alther
„herchomen ist“) [43]). Die Bürger waren sogar berechtiget das
Schultheißenamt zu verkaufen [44]). Späterhin ging jedoch das Recht
den Schultheiß und den Greven zu ernennen wieder auf den Bi=
schof über. Wie in Speier, so mußten nämlich auch in Worms
die Schultheißen, Greven und Richter jedes Jahr, und zwar am
St. Martinstage, ihr Amt in die Hände des Bischofs aufgeben
und der Bischof besetzte sodann jene Aemter wieder für ein Jahr,
und er durfte dazu einen Geistlichen oder auch einen in der Stadt
wohnenden Bürger ernennen [45]). Seit dem Anfang des 16. Jahr=
hunderts sollte jedoch der Bischof jedes Jahr aus den aus dem
Rathe austretenden Rathsherren, und zwar den Schultheiß aus
den austretenden Rittern oder Geschlechtern und den Greven aus
den austretenden Rathsherren von den Zünften ernennen [46]). Der
Stadtgraf (Greve) hatte ursprünglich den Blutbann zu besorgen
und daher auch die Ketzer zu verbrennen [47]). Da jedoch die Kri=

---

41) Böhmer, font. II, 215—216.

42) Urk. von 1283 bei Moritz, II, 40. quod scultetum civitatis ab ipso
et consulibus praefectum —. Annal. Worm. bei Boehmer, II, 211.
Scultetus Worm. qui in die St. Martini a domino episcopo et
consulibus eligitur et constituitur —.

43) Urk. von 1305 bei Moritz, II, 182. Vergleich von 1366 §. 2 bei
Schannat, II, 182.

44) Urk. von 1293 bei Boehmer, font, II, 240.

45) Vergleich von 1366 §. 2. und Alte Rathsordnung bei Schannat, II,
182, 440 u. 443.

46) Rachtung von 1519 §. 20, 21 u. 23 bei Schannat, II, 325.

47) Urk. von 1231 bei Moritz, II, 160. vergl. Urk. von 1014 u. 1056
bei Sehannat, II, 40 u. 57.

minalgerichtsbarkeit schon im Jahre 1156 an den Stadtrath ge=
kommen war, so ist späterhin dem Greven nur noch der Vollzug
der Strafurtheile geblieben, wie in Köln dem Greve und in Speier
und in Basel dem Vogt [48]). Auch sollte der Greve im Stadtge=
richte unter den Schöffen sitzen und mit ihnen als erster Votant
das Urtheil finden, wie in Magdeburg der Schultheiß und in Ulm
der Stadtammann, wenn daselbst die Burggrafen und die Reichs=
vögte zu Gericht saßen [49]). Der Schultheiß hatte von je her
die Civilgerichtsbarkeit zu besorgen. Und seit dem 16. Jahrhundert
war er der Vorstand des Stadtgerichts und seine Beisitzer waren
10 Schöffen und der Greve [50]).

§. 492.

In Augsburg standen ebenfalls zwei Beamte neben einan=
der, ein Vogt und ein Burggraf. Da jedoch Augsburg, wie wir
gesehen, unter der Reichslandvogtei stand, so konnte der Bischof
weder den Blutbann noch das Recht den Vogt zu ernennen erwer=
ben. Es wurde ihm vielmehr, wie der Aebtissin in Zürich, nur
die Civilgerichtsbarkeit übertragen [1]). Ursprünglich ernannte daher
der Kaiser den Landvogt (advocatus provinciae, praefectus oder
praefectus imperialis), welcher zu gleicher Zeit auch Stadtvogt
(advocatus civitatis oder praefectus civitatis) war [2]). Das Amt
(advocatia sive praefectura) wurde späterhin erblich in dem Ge=
schlechte der Grafen von Schwabeck [3]). Und diese ernannten so=

---

48) Alte Rathsordnung bei Schannat, II, 443. Annal. Worm. bei Boeh=
   mer, II, 213.
49) Rachtung von 1519, §. 20 u. 21. vergl. oben §. 476.
50) Rachtung von 1519, §. 20, 21, 25 u. 26.
1) Stadtrecht von 1156 in Mon. Boic. 29, I, p. 330. omnis satisfactio
   in civitate bonis redimenda ad episcopi justiciam pertinet. ex=
   cepta temeritate et injusticia et his etiam exceptis. qui morte
   plectendi et truncandi.
2) Gassar. ad 1058, 1090 u. 1276 bei Mencken, I, 1397, 1409, 1458
   u. 1459. Manche halten ohne allen Grund den Stadtvogt für einen
   bischöflichen Beamten. vergl. Chroniken von Augsburg, I, p. XXI u.
   XXIII .
3) Gassar. ad 1090, 1121 u. 1131 bei Mencken, I, 1409, 1410 u.
   1415.

dann, wie die Burggrafen von Köln und von Regensburg, einen
Stellvertreter für die Stadt, welcher daher Stadtvogt, subpraefec-
tus, praetor oder praetor urbanus oder auch vice advocatus genannt worden ist. Und solche Stadtvögte waren unter Anderen
Werner von Schwangau und Werner von Anblau⁴). Oefters
scheint auch der Bischof den Reichsvogt zu seinem Schirmvogt ernannt zu haben, wie dieses z. B. der Bischof Herrmann gethan
hat⁵). Darum darf aber doch die Reichsvogtei nicht mit der
Schirmvogtei verwechselt werden, wie dieses Arnold (I, 107 u.
108) gethan hat. Nach dem Aussterben der Grafen von Schwabeck
(1162) zog Friedrich II die Reichsvogtei als ein erledigtes Reichslehen ein und ernannte nun selbst wieder einen Stadtvogt (praetor)⁶). Und auch späterhin blieb die Vogtei mit dem Herzogthum
vereiniget. Die Hohenstaufen ernannten daher als Herzoge von
Schwaben den Stadtvogt von Augsburg⁷). Als im Jahre 1174
Friedrich II nach Italien zog übergab er das Herzogthum Schwaben und die Stadtvogtei (civitatis advocatia) seinem Sohne Fried-
rich⁸). Im Jahre 1268 verpfändete der unglückliche Konradin,
um die Kosten zu seinem Heerzuge nach Italien zu bestreiten, die
Stadtvogtei an den Pfalzgrafen bei Rhein⁹). Rudolf von Habsburg erkannte aber die Verpfändung nicht an und seitdem ernannte
denn wieder der Kaiser den Landvogt und der Landvogt als seinen
Stellvertreter den Stadtvogt¹⁰). Die Bischöfe machten zwar
mehrmals den vergeblichen Versuch die Vogtei an sich zu bringen¹¹).
Auch wurde die Vogtei mehrmals verpfändet¹²). Sie blieb jedoch

4) Gassar. ad 1084 u. 1135 bei Mencken, I, 1407, 1419, 1458 u.
   1459. Urk. von 1162 in Mon. Boic. 33, I, p. 42. Arnolfus camerarius qui tunc temporis fuit in vice advocati —. von Stetten,
   Gesch. I, 57 u. 58.
5) Gassar. ad 1131 bei Mencken, I, 1410.
6) Gassar. ad 1162 bei Mencken, I, 1427.
7) von Stetten, I, 61—64.
8) Gassar. bei Mencken, I, 1430
9) Urk. von 1268 in Mon. Boic. 30, I, p. 366 u. 369.
10) von Stetten, I, 77, 81, 87, 88, 90, 94, 95 u. 102.
11) von Stetten, I, 75, 77 u. 174. vergl. hierüber Frensdorff in Chro-
    niken von Augsburg, I, p. XXVI—XXVIII.
12) Urk. von 1262 u. 1268 bei Gengler, cod. jur. mun. I, 74 u. 75.
    von Stetten, I. 95 u. 124.

nach wie vor bei dem Reich, bis sie an die Stadt selbst kam. Der
Vogt wurde daher auch Reichsvogt oder Königsvogt („Chunges
„Vogt") genannt [13]) und hielt seine Sitzungen in der Pfalz. („uf
„der phallenz") [14]). Im Jahre 1426 erhielt die Stadt das Recht
den Landvogt und den Stadtvogt zu ernennen. Sie mußte ihn
jedoch dem Kaiser zur Bestätigung präsentiren. Auch behielt sich
der Kaiser die Verleihung des Blutbanns vor. Dieser sollte dem
Landvogt vom Kaiser und sodann dem Stadtvogt von dem Land=
vogt verliehen werden [15]). Auch hatte die Stadt im Laufe des 15.
Jahrhunderts den Blutbann erworben, und der Kaiser Karl V
diese Verleihung nochmals bestätiget [16]). Der Vogt hatte den Blut=
bann und, wie der Burggraf zu Köln und zu Regensburg, über
Erb und Eigen zu erkennen. („vmbe gülte, vmbe aigen, vmbe lip=
„gebinge"). Jedes Jahr sollten drei ächte Dinge (placita legitima)
von ihm entweder in der Pfalz oder im Dinghause gehalten und
die Urtheile von den Bürgern gefunden werden [17]). Mit dem
Blutbann war auch der Schutz und Schirm der Bürger verbunden.
Als daher der alte Stolzhirsch im Jahre 1303 Unruhen erregte,
wurde er vor den Vogt geladen und von diesem mit seinem Anhang
aus der Stadt verwiesen und sein Vermögen eingezogen [18]). Seit=
dem die Stadt den Blutbann erworben hatte, seitdem fällte der
Stadtrath das peinliche Urtheil unter dem Vorsitze des Vogtes.
Seit dem Jahre 1512 sollte jedoch der Vogt nur noch bei Lebens=
strafen den Vorsitz führen, in anderen Fällen aber keinen Zutritt
mehr in den Rath haben [19]).

Der Burggraf (urbis praefectus, aber auch urbicomes [20])
und burggravius genannt) [21]), war ursprünglich ein herrschaftlicher

---

13) Urk. von 1303 bei von Stetten, Gesch. der Geschl. p. 380.
14) Stadtr. von 1276 bei Freyberg, p. 85.
15) Privilegium von 1426 bei Moser, reichsst. Handb. I, 96 u. 97.
16) Privilegium von 1521 bei Moser, I, 107.
17) Stadtrecht von 1156 in Mon. Boic. 29, I, p. 331. Stadtrecht von
1276 bei Freyberg, p. 9, 48—51, 84 u. 85.
18) Urk. von 1303 bei Stetten, Gesch. der Geschl. p. 380.
19) von Stetten, I, 170 u. 272.
20) Urk. von 1163 in Wirtemberg Urb. II, 143.
21) Urk. von 1262 in Mon. Boic. 33, I, p. 97. officium prefecti seu
burgravii —.

Beamter des Bischofs (§. 468). Seitdem jedoch der Bischof die
niedere öffentliche Gewalt (die Centgrafengewalt) erworben hatte,
wurde ihm auch noch die öffentliche Gerichtsbarkeit mit Ausnahme
des Blutbanns übertragen. Er sollte jeden Tag zu Gericht sitzen
und die Bürger das Urtheil finden (secundum urbanorum justiciam). Auch hatte er die Aufsicht über die Gewerbsleute und die
Gerichtsbarkeit in allen Gewerbssachen [22]). Aus seinem Gericht
ist das Stadtgericht hervorgegangen. Es scheint, daß er anfangs
das Recht die Gerichtsbeisitzer zu ernennen gehabt hat, daß ihm
aber dieses Recht frühe schon von der Stadt entzogen worden ist [23]).
Nach einer Rathsordnung von 1491 sollte das Stadtgericht aus
12 Beisitzern, aus zwei Rathsherren von den Geschlechtern, aus
zwei von der Kaufmannschaft, aus einem von der Weberzunft und
aus sieben von den anderen Zünften, bestehen. Und im Jahre
1501 wurde ihre Anzahl auf 18 vermehrt [24]). Der Burggraf
hatte zwar noch Zutritt zu dem Gerichte. Bei den fortwährenden
Kämpfen mit den Zünften trat jedoch der bischöfliche Burggraf
mehr und mehr in den Hintergrund und sank zuletzt herab zu
einem bloßen Figuranten, bis ihm im Jahre 1546 auch noch der
Zutritt zu dem Stadtgerichte gänzlich verboten, der Bezug seiner
hergebrachten Gefälle aber gelassen worden ist [25]).

In Basel waren die Bischöfe seit dem 11. Jahrhundert
Herren der Stadt und im Besitze der öffentlichen Gewalt, welche
sie durch einen Vogt und durch einen Schultheiß ausüben ließen.
Die Bischöfe hatten daher das Recht den Vogt (advocatus civitatis
oder advocatus Basiliensis) zu ernennen [26]). Sie ernannten anfangs die Grafen von Homburg, seit dem Anfang des 13. Jahrhunderts aber über hundert Jahre lang allzeit einen Ritter von
Basel, also einen Vogt aus ihren Dienstmannen. Und diese Ritter
waren natürlich viel abhängiger von dem Bischof als früher die

22) Stadtrecht von 1156 in Mon. Boic. p. 330, 331 u. 332. Stadtrecht
    von 1276 bei Freyberg, p. 115 ff. u. 137—140. Gassar. ad 1276
    bei Mencken, I, 1459.
23) von Stetten, Gesch. I, 174.
24) von Stetten, I, 232 u. 254.
25) von Stetten, I, 402. Jäger, Gesch. von Augsburg, p. 57, 58 u. 110.
26) Bischofsrecht §. 1 bei Wackernagel, p. 17. Urk. von 1179 u. 1210

Grafen von Homburg [27]). Im 13. und 14. Jahrhundert wurde den Bischöfen das Recht die Vogtei zu verleihen wieder entzogen und von dem Kaiser selbst ausgeübt [28]). Im Jahre 1386 wurde aber die Vogtei und das Recht das „Amt zu besetzen und zu entsetzen" an die Stadt verpfändet [29]), und in den Jahren 1401 und 1422 diese Verpfändung nochmals von den Kaisern bestätiget [30]). Auch ist die Stadt späterhin im Besitze der Vogtei geblieben, indem das Reich außer Stand war sie wieder einzulösen. Da sie jedoch nur pfandweise in den Besitz der Stadt gekommen war, so wurde der Vogt nach wie vor bis ins 17. Jahrhundert Reichsvogt genannt [31]). Erst im Jahre 1653 ist verordnet worden, daß der Blutvogt nicht mehr Reichsvogt, sondern Stadtgerichtsvogt genannt werden solle [32]). Und im Jahre 1672 wurde, um auch noch die letzte Spur der ehemaligen Oberherrlichkeit des Deutschen Reiches zu vertilgen („alle vestigia und Schatten einer Subjection „und Dependenz vom Reich"), die Stelle selbst abgeschafft und das Amt des ehemaligen Reichsvogtes dem Schultheiß übertragen [33]). Der Vogt hatte ursprünglich den Blutbann und die Gerichtsbarkeit über Erb und Eigen [34]). Er hielt seine Sitzungen anfangs unter freiem Himmel vor einer Kapelle [35]), dann in einem Hause (in dem Hause zum Schlauch) [36]) und späterhin in dem Richthause (in

---

bei Ochs, I, 264, 265 u. 290 ff. Spruch von 1180 bei Pertz, IV, 164.

27) Heusler, p. 103. Ochs, I, 293 u. 294.

28) Heusler, p. 157, 199 u. 200. Kundschaft von 1401 in Rechtsquellen, I, 75. Ochs, II, 18, 305 u. 306.

29) Ochs, II, 303.

30) Ochs, II, 304, III, 19. Heusler, p. 326 u. 333.

31) Z. B. in den Jahren 1605, 1615, 1638 u. 1640 bei Ochs, VI, 764, 776 u. 804.

32) Ochs, VII, 18.

33) Rechtsquellen, I, 2, p. 596. Ochs, VII, 110 u. 111.

34) Das Bischofsrecht §. 1, 13 u. 14 bei Wackernagel, p. 17. Urk. von 1253, 1258 u. 1263 bei Ochs, I, 334, 336 u. 384.

35) Urk. von 1253 bei Ochs, I, 334. Actum ante capellam Sancti Brandini, infra muros civitatis Basil.

36) Urk. von 1258 bei Ochs, I, 336 u. 337. in domo quae zum Sluche (d. h. Schlauch) dicitur Basileae.

domo judicii) [37]). Seit dem im Jahre 1286 errichteten
Stadtfrieden wurde jedoch die Zuständigkeit des Vogtes bedeutend beschränkt. Die Handhabung des Stadtfriedens wurde nämlich dem Stadtrath übertragen und der Blutbann schon dadurch
dem Vogte theilweise entzogen (§. 432). Eine noch größere Beschränkung trat aber ein, seitdem im Jahre 1386 der Stadtrath
die Vogtei selbst erworben hatte und der Vogt ein städtischer Beamter geworden war. Denn nun übte der Stadtrath den Blutbann selbst aus und dem Vogte blieb bei der sogenannten Stüh-
lung im Hofe des Rathhauses nur noch der Vorsitz bei dem Blut-
oder Malefizgerichte („das Präsidium in Fried-, Frevel- und Cri-
minalsachen“) [38]). Im Uebrigen sank nun der Vogt, wie in Worms,
zu einem bloßen Vollzugsbeamten und Beisitzer des Schultheißengerichtes herab [39]), bei welchem er im sogenannten Nachgerichte bei
der Aburtheilung der geringeren Frieden und Frevel den Vorsitz [40]),
und auch bei dieser geringen Kompetenz noch die Unzüchter zu
Konkurrenten erhalten hatte [41]). In Abwesenheit des Schultheiß
hatte der Vogt auch bei dem Schultheißengerichte den Vorsitz [42]).
Und im Jahre 1672 wurde die Stadtvogtei ganz abgeschafft und
dem Schultheiß auch das Amt des Vogtes übertragen.

Der Bischof hatte übrigens den Blutbann nicht bloß in der
Altstadt, sondern auch in den Vorstädten. In der Vorstadt St.
Alban hatte er sich bei der Stiftung des Klosters St. Alban den
Blutbann ausdrücklich vorbehalten und er ließ ihn durch einen
eigenen Beamten ausüben [43]). Späterhin kam jedoch auch die

---

37) Urk. von 1263 bei Ochs, I, 384 u. 385. Gerichtsordnung aus 14.
sec., eod. II, 371. „in dem Hofe des Richthuses“ —.
38) Dienstordnung in Rechtsquellen, I, 1. p. 69—70. Ochs, II, 371. Urtheile von 1466 bei Ochs, IV, 164. und von 1468 u. 1478 bei Heusler, p. 204, 205—206. arg. Verordn. von 1672 in Rechtsquellen I, 2.
p. 596.
39) Dienstordn. §. 13 u. 28 in Rechtsquellen, I, 65 u. 69. Heusler,
p. 210. Ochs, II, 369.
40) Dienstordn. §. 30 u. 32. Ordnung des Nachgerichts von 1433 in
Rechtsquellen, I, 69, 70 u. 116.
41) Heusler, p. 210—211. vrgl. oben §. 440.
42) Heusler, p. 208 u. 210.
43) Urk. von 1083 bei Ochs, I, 237.

Vogtei in der Vorstadt St. Alban an das Haus Oesterreich. Der
Vogt wurde daher Oesterreichischer Vogt oder auch Schul=
theiß des Herzogs zu Alban genannt. Und er saß daselbst im
Namen des Kaisers zu Gericht [44]). Im Anfang des 15. Jahr=
hunderts hat jedoch die Stadt auch diese Vogtei erworben [45]).

Die Civilgerichtsbarkeit in der Altstadt hatte ein von dem
Bischof ernannter Schultheiß („der scultheizze riehtet umbe scult
„unbe umbe gelt unbe unreht") [46]). Der Schultheiß war daher
ein bischöflicher Dienstmann [47]). Und auch er hielt seine Sitzungen
im Richthause (in domo judicii) [48]). Auch in Kleinbasel hatte
der Bischof den Schultheiß zu ernennen. Im 14. Jahrhundert
wurde aber das Schultheißenamt in Kleinbasel an den Ritter von
Bärenfels verpfändet (§. 200) und im Jahre 1385 das Schul=
theißenamt in der Altstadt und in Kleinbasel von der Stadt selbst
erworben. In jenem Jahre wurde nämlich das Schultheißenamt
in der Altstadt der Stadt verpfändet, das Schultheißenamt in
Kleinbasel aber mit Zustimmung des Bischofs von den Pfandin=
habern eingelöst und sodann von der Stadt mit einem Unterschul=
theiß besetzt [49]). In der Vorstadt St. Alban hatte der Probst von
St. Alban den Schultheiß zu ernennen. Im Jahre 1383 wurde
aber auch dieses Gericht an die Stadt abgetreten und mit dem
Schultheißengerichte der Altstadt vereinigt [50]). Es gab demnach
seit dem Jahre 1385 zwei städtische Schultheißengerichte in der
Stadt, eines diesseits und eines jenseits des Rheins („die Schul=
„theissengerichte hiedissent unb enent Rins") [51]). Und sie blieben
auch späterhin bei der Stadt, wiewohl der Bischof im Jahre 1481
noch ein Mal den Versuch gemacht hatte, die verpfändeten Aemter

---

44) Arg. Kundschaft von 1401 in Rechtsquellen, I, 75. Heusler, p. 223 ff.
 Ochs, II, 274. Basel im 14. Jahrhundert, p. 104.
45) Kundschaft von 1401 in Rechtsquellen, I, 75—77. Ochs, II, 275.
46) Das Recht des Bischofs §. 1 u. 13 bei Wackernagel, p. 17.
47) Ochs, I, 255, II, 374. Not. vergl. oben §. 484.
48) Urk. von 1258 bei Heusler, p. 150.
49) Ochs, II, 279 u. 280.
50) Ochs, II, 272 und 273. Heusler, p. 223, 225 u. 226. und oben
 §. 121.
51) Ochs, II, 281. Not.

wieder einzulösen ⁵²). Bei dem Stadtgerichte in der Altstadt wur=
den in früheren Zeiten Ritter und Bürger als Urtheilsfinder bei=
gezogen (§. 817). Seit dem 14. Jahrhundert ernannte aber der
Stadtrath jedes Jahr zehen Richter oder Urtheilsfinder, einen Ritter,
zwei Achtbürger und sieben Zunftangehörige, welche daher die
Zehen genannt worden sind ⁵³). Seit dem 16. Jahrhundert, seit=
dem im Rathe keine Ritter und keine Achtbürger mehr saßen, nahm
man die Beisitzer zur Hälfte aus dem alten Rath und zur Hälfte
aus dem großen Rath. Und wiewohl es nun zwölf Beisitzer wa=
ren, so nannte man sie doch noch die Zehner ⁵⁴). Das Stadtge=
richt in Kleinbasel bestand außer dem Schultheiß aus 9 Beisitzern,
nämlich aus drei Stadträthen, aus drei Gesellschaftsmeistern und
aus drei Großräthen oder anderen Bürgern ⁵⁵).

§. 493.

In Magdeburg erhielten die Erzbischöfe im 10. Jahrhun=
dert die volle öffentliche Gewalt. Und sie ließen dieselbe durch
einen Burggrafen und einen Schultheiß ausüben (§. 90). Die
Burggrafen hatten den Blutbann und das Erkenntniß über Erb
und Eigen. Sie waren daher die höchsten Richter in der Stadt[1],
welche drei Mal im Jahre das ächte Ding (Botding) halten soll=
ten [2]. Mit der Burggrafschaft war auch die Schirmvogtei über
das Erzstift verbunden. Daher hatten die Burggrafen von Magde=
burg eine ähnliche Stellung wie die Burggrafen von Mainz,
Worms und Speier. Und, wie in dem Burggrafthum Nürnberg
und Friedberg erstreckte sich ihre Gerichtsbarkeit weit über das
städtische Gebiet. Auch der Stadtrichter (praefectus) von Halle

---

52) Ochs, IV, 376 u. 377.
53) Ochs, II, 364 u. 368. Rechtsquellen, I, 65 ff. Eid von 1381, eod.
   p. 89.
54) Ochs, VI, 369.
55) Ochs, VI, 370.
1) Schöffenbriefe aus 13. sec §. 7, von 1235 §. 2 u. 9 und von 1261
   §. 7 bei T. u. St p. 272, 295, 352 u. 364. Urkunden aus 12. sec.
   bei Leuckfeld, antiquit. Praemonstrat. monast. Magdeb. p. 99, 102,
   104, 107 u. 109.
2) Schöffenbriefe aus 13. sec. §. 7, von 1261, §. 7 und von 1304 §. 3
   bei T. u. St. p. 272, 352 u. 450

stand unter ihnen und sie hatten auch in jener Stadt den Blut=
bann [3]). Das Burggrafenamt war ein erzbischöfliches Lehen. Es
ward zuerst den Grafen von der Lausitz, dann aber den Grafen
von Querfurt und im Jahre 1269 den Herzogen von Sachsen zu
Lehen gegeben [4]). Im Jahre 1294 kauften die Bürger von Magde=
burg das Burggrafenamt in der Stadt mit der dazu gehö=
rigen Gerichtsbarkeit (burggravionatum et bannum ejusdem burg-
gravionatus intra muros Magdeburgenses — dat Burggraven
Ammecht binnen der stadt —). Sie überließen es aber dem Erz=
bischof unter der Bedingung, daß dasselbe nicht wieder verliehen
oder veräußert werden, vielmehr bei dem Erzstifte selbst bleiben solle.
Diese Zusage wiederholte der Erzbischof noch in demselben Jahre
mit dem Versprechen künftig dem von der Bürgerschaft gewählten
Schultheiß den Blutbann zu verleihen, die hergebrachten drei ächten
Dinge aber selbst zu präsidiren [5]). Von nun an wurde demnach
das Burggrafenamt in der Stadt nicht mehr verliehen. Die Erz=
bischöfe waren vielmehr selbst Burggrafen und führten in dieser
Eigenschaft den Vorsitz bei Gericht. In ihrer Abwesenheit waren
aber die Schultheiße ihre Stellvertreter [6]). Und dabei ist es auch
in späteren Zeiten geblieben, wiewohl die Herzoge von Sachsen
noch in der Mitte des 14. Jahrhunderts einen wiewohl vergeblichen
Versuch gemacht haben das Burggrafthum in der Stadt wieder
vollständig an sich zu bringen [7]). Der Schultheiß hatte ur=
sprünglich die Civilgerichtsbarkeit und geringere Vergehen ("Unge=
"buge") abzuurtheilen. In Schuldsachen sollte er alle Tage zu
Gericht sitzen, für die übrigen Fälle aber jährlich drei ächte Dinge
halten [8]). Auch das Erb und Eigen durfte in seinem Gerichte

---

3) Schöffenbrief von 1235 §. 2 u. 9 bei T. u. St. p. 295. Urk. von
1221 bei Dreyhaupt, Beschr. des Saalkreises, II, 461.

4) Sagittarius, hist. ducatus Magdeburg. bei Boysen, histor. Magazin,
I, 323, 327, 328, II, 40, 41, III, 30—33.

5) Sagittarius bei Boysen, III, 62 u. 63. Chron. Magdeb. bei Meibom,
II, 333. Urk. von 1294 bei Rathmann, II, 492. vrgl. noch eod. II,
163, 165 u. 193.

6) Rathmann, II, 320, 329, 437 u. 488.

7) Rathmann, II, 305—312.

8) Schöffenbriefe aus 13. sec. §. 7, von 1261 §. 9, 10 u. 12 und von
1304 §. 5, 6 u. 7 bei T. u. St. p. 272, 353 u. 450.

übertragen werden. Der Uebertrag mußte jedoch in dem Burggrafengerichte, wohin derselbe offenbar, wie in Köln, Regensburg
u. a. m. ursprünglich auch in Magdeburg gehört hat, bestätiget
werden [9]). Wenn bei einer handhaften That der Schultheiß oder
der Burggraf nicht anwesend war, so durften die Bürger einen anderen Richter wählen, wie dieses auch schon nach dem Sachsenspiegel erlaubt war [10]). Auch der Schultheiß war ein landesherrlicher Beamter. Denn er wurde von dem Erzbischof ernannt und
sollte seine Gewalt von ihm haben und von ihm mit dem Banne
belehnt werden („die schultheize sal haben die Gewalt van des
„Landes Herren, her sal ouch damite belent wesen —. Der schul-
„theize sol belehnt wesen — her sol auch den ban habben von
„deme Heren des Landes") [11]). Schon im 12. Jahrhundert wurde
das Amt ein erbliches Lehen. Der Erzbischof Wichmann machte
es aber im Jahre 1173 wieder zu einem persönlichen Amte (jus
officiale) [12]). Es wurde jedoch sehr bald wieder zu einem Erblehen, und blieb dieses sodann auch bis zum Jahre 1294 [13]). In
diesem Jahre kaufte nämlich die Bürgerschaft das Schultheißenamt
an sich. Sie überließ es jedoch ebenfalls dem Erzbischof unter der
Bedingung, daß er es nur einem Bürger von Magdeburg und
zwar dem von dem Stadtrath aus der Bürgerschaft Ernannten
ohne Widerrede verleihen, und die Bürgerschaft das Recht haben
solle, den also ernannten Schultheiß seines Amtes wieder zu ent-

---

8) Schöffenbriefe aus 13. sec. §. 7, von 1261 §. 9, 10 u. 12 und von
   1304 §. 5, 6 u. 7 bei T. u. St. p. 272, 353 u. 450.
9) Urk. aus 12. sec. bei Leuckfeld, p. 106 u. 107. Istaque coemptio
   in placito schultheti Magdeburgensis et deinde in placito burggravii Magdeburg. confirmata est. vrgl. Schöffenweisthum aus 13.
   sec. §. 7 bei T. u. St. p. 272.
10) Schöffenbriefe von 1261 §. 8 u. 10 und von 1304 §. 4 u. 6 bei T.
    u. St. p. 352 u. 450. Sächs. Lr. I, 55 §. 2.
11) Schöffenbrief von 1261 §. 10 und von 1304 §. 6 bei T. u. St. p. 353
    u. 450.
12) Urk. von 1173 bei Gercken, cod. dipl. Brand. VII, 17. quod offi-
    cium schultheti Magdeburgensis quod sub predecessoribus
    nostris in jus feodale laica manu usurpaverat. in jus offi-
    ciale requisivimus. Dieselbe Urkunde bei Ludewig, rel. Mpt. XII,
    470, der sie jedoch ins Jahr 1171 setzt.
13) Urk. aus 12. sec. bei Leuckfeld, p. 107 u. 108. Rathmann, II, 197.

setzen und einen Anderen an seine Stelle zu setzen. Und der erste in dieser Weise von dem Stadtrath ernannte und von dem Erz- bischof belehnte Schultheiß war ein Kürschnermeister [14]). Da nun der von dem Stadtrath ernannte Schultheiß den Vorsitz bei dem Schöffenstuhl und bei dem Kriminalgerichte zu führen und im Verhinderungsfalle des Erzbischofs auch noch dessen Stelle bei dem Burggrafengerichte zu vertreten hatte, so lag von nun an, zumal seitdem die Erzbischöfe nicht mehr selbst zu Gericht saßen, alle Ge- richtsbarkeit in den Händen des Stadtraths. Und er konnte ganz ungehindert seine Gewalt auch noch erweitern. Noch in demselben Jahre wurde das Erkenntniß über Erb und Eigen und der Eigen- thumsübertrag den Schöffen entzogen und dem Stadtrath im Bur- bing übertragen. Auch wurden die Schöffen ganz aus dem Stadt- rath entfernt [15]). Und im Jahre 1295 ist auch noch die Gerichts- barkeit der Schöffen auf Wunden, Entführung, Nothzucht, gewalt- same Einbrüche und auf Schuldforderungen beschränkt worden [16]).

Ueber diesen Schöffenstuhl muß hier noch Folgendes be- merkt werden. Weder der Burggraf noch der Schultheiß durfte ohne Schöffen zu Gericht sitzen. Um jedoch die Verhandlungen nicht aufzuhalten, sollten, wenn keine Schöffen anwesend waren, die umherstehenden Bürger um das Urtheil gefragt werden [17]). Die Anzahl der Schöffen hat im Laufe des 12. und 13. Jahrhunderts öfters gewechselt [18]). Nach dem Schöffenweisthum aus dem 13. Jahrhundert sollten es 12 Schöffen sein. Nach einer späteren Weisung genügte es aber, wenn es 7 bis 11 Schöffen waren [19]). Die Schöffen sollten auf Lebenszeit [20]), ursprünglich von dem

---

14) Chron. Magd. bei Meibom, II, 333. Magdeb. Schöppen Chron. bei Boysen, II, 196 u. 197. Urk. von 1294 bei Rathmann, II, 492, vrgl. noch eod. II, 165, 166 u. 197, III, 220.

15) Chron. Magdeb. bei Meibom, II, 333 u. 334. Urk. von 1294 bei Rathmann, II, 492.

16) Rathmann, II, 166 u. 167.

17) Stadtrecht von 1188 §. 8 bei T. u. St. p. 268. vrgl. noch Urkunden aus dem 12 sec. bei Leuckfeld, p. 64, 103, 105 u. 107.

18) Rathmann, II, 195 u. 196.

19) Schöffenweisthum aus 13. sec. §. 9 und von 1363 bei T. u. St. p. 272 u. 588.

20) Schöffenweisthum von 1304 §. 1 und von 1363 bei T. u. St. p. 449 u. 588.

Stadtrath gewählt werden und der Erwählte sollte ein freier Mann sein („und sal vry sin. — Scheppen kiesen von scheppenbahren „Fryen Lüden") 21). Und in den Jahren 1295 und 1336 wurden die Schöffen auch wirklich von dem Stadtrath gewählt 22). Späterhin erhielten aber die Schöffen das Recht sich selbst zu ergänzen, wenn Einer von ihnen starb 23). Und die Schöffen wußten auch in früheren und späteren Zeiten dieses Wahlrecht sowohl gegen den Stadtrath als gegen den Erzbischof selbst zu behaupten 24). Der Burggraf hatte das Recht die erwählten Schöffen zu bestätigen, ihnen den Schöffeneid abzunehmen und sie in ihr Amt einzusetzen oder zu investiren („den sal de Borchgrave stetigen und sueren „latzin tzo dem Gerichte. — Nach dem Eyde sal de Borchgrave „den Sceffin by der Hant nemen und uf de Bang setzen") 25). Und bis ins 15. Jahrhundert pflegten die Erzbischöfe selbst in ihrer Eigenschaft als Burggrafen den Schöffenstuhl zu präsidiren, so oft neugewählte Schöffen zu bestätigen waren 26). Auch in Halle hatten die Kurfürsten von Sachsen als Burggrafen das Recht die Schöffen in ihr Amt einzusetzen. Und noch im Jahre 1426 wurden Schultheiß und Schöffen von ihnen in die Gerichtsbank vor dem Roland zu Halle eingewiesen 27). Der Schöffenstuhl von Magdeburg hatte großen Ruf. Seine Entscheidungen galten allenthalben, wo das Magdeburgische Recht recipirt worden war, also nicht bloß in der Lausitz und in Schlesien, sondern auch in der Mark Brandenburg bis nach Polen. Auch sind dieselben wahrscheinlich eine Hauptgrundlage für den Sachsenspiegel geworden. Erst seit dem 15. Jahrhundert fing das Ansehen des Schöffenstuhles an zu wanken, seitdem die Berufung an ihn von den

21) Urk. von 1294 bei Rathmann, II, 492. Urk. von 1363 bei T. u. St. p. 588.
22) Rathmann, II, 167, 168 u. 273.
23) Urk. von 1363 bei T. u. St. p. 588. „stirft ir jenich, so sullen de „anderen Sceffin, de den noch leven, eynen anderen Sceffin in des „Doten Stede keysen."
24) Rathmann, II, 168, 320, 329—333 u. 488.
25) Urk. von 1363 bei T. u. St. p. 588. vrgl. noch Urk. von 1294 bei Rathmann, II, 492.
26) Rathmann, III, 23, 138 u. 293.
27) Rathmann, III, 63.

fremden Landesherrn verboten und im Jahre 1491 eine Berufung an den Erzbischof selbst eingeführt worden war, während bis dahin nur an das Kaiserliche Hofgericht von dem Schöffenstuhl appellirt werden durfte [28]).

§. 494.

In Würzburg erhielten die Bischöfe im Jahre 1017 die öffentliche Gewalt [1]). Und sie ließen dieselbe durch einen Burg= grafen und durch einen Schultheiß ausüben. Der Burggraf wurde abwechselnd praefectus urbis [2]), comes [3]), urbis comes oder co= mes urbanus [4]) und burcgravius oder burgravius genannt [5]). Der Burggraf war zu gleicher Zeit Stiftsvogt [6]). Das Amt kam wahrscheinlich schon im 11. Jahrhundert, jedenfalls aber im 12. in den erblichen Besitz der Grafen von Henneberg [7]). Ob die Gra= fen von Henneberg schon Gaugrafen, also Königliche Beamte ge= wesen sind, wie behauptet wird, liegt völlig im Dunkeln. Möglich wäre es jedoch, indem sie seit den ältesten Zeiten (seit dem 12. und 13. Jahrhundert) den zweiköpfigen schwarzen Adler in ihrem Schilde führen durften [8]). Jedenfalls war aber das Amt seit dem 12. Jahrhundert ein bischöfliches Lehen [9]). Die Burggrafen hatten

---

28) vrgl. Rathmann, III, 143, 241 u. 293.
1) Urk. von 1017 bei Lünig, Reichs Archiv, P. spec. cont. I, p. 324.
2) Urk. von 1091, 1094, 1095, 1098, 1100, 1108, 1119 u. 1121 bei Schannat, vindem. litt. I, 54, 55, 56, 60, 61, 66, 72 u. 73.
3) Urk. von 1099, 1103 u. 1104 bei Schannat, I, 57, 62 u. 63.
4) Urk. von 1155 bei Schannat, I, 79. Urk. von 1136, 1160, 1161, 1165, 1166 u. 1167 bei Lang, regest. 1, 143, 243, 245, 255, 257, 259 u. 263.
5) Urk. von 1140, 1151, 1157 u. 1172 bei Lang, I, 157, 201, 225 u. 279.
6) Urk. von 1128 u. 1150 bei Lang, I, 129 u. 197. comes et advoca- tus — advocato suo burcgravio —. Urk. von 1149 bei Lünig, R. Arch. spicil. eccles. P. II p. 992. Schultes, Henneberg. Gesch. II, 275.
7) Schultes, II, 277. Urk. von 1152 u. 1154 bei Lang, I, 205, 213 u. 215.
8) Schultes, II, 275 u. 276.
9) Schultes, II, 279. Lehnbrief von 1348 bei Schoettgen et Kreysig, II, 608.

den Blutbann und sie saßen öfters selbst zu Gericht auf der Brücke zu Würzburg, zuweilen gemeinschaftlich mit dem Schultheiß [10]). Sie hatten aber auch einen Stellvertreter, welcher in früheren Zeiten **vicarius praefecti** [11]), späterhin aber **Unterburggraf** oder auch **Burggraf** genannt worden ist. Das Rittergeschlecht der von Stein hatte das Amt mit den dazu gehörigen Gütern von den Grafen von Henneberg zu Lehen [12]). Seitdem die Bischöfe ihre Landeshoheit mehr und mehr geltend gemacht hatten, seitdem sank das Burggrafenamt zu einem bloßen Centgrafenamte herab und die Burggrafen selbst wurden zuweilen Centgrafen genannt [13]). Und seit dem Anfang des 16. Jahrhunderts ging das Burggrafenamt selbst unter. Mag das Sinken des Amtes oder das Bestreben der Bischöfe die ganze Grafschaft Henneberg in den Lehensverband zu ziehen, wie dieses im Lehensbriefe von 1348 geschehen war, die Veranlassung gewesen sein, — jedenfalls wollten die Grafen von Henneberg seit dem Ende des 15. Jahrhunderts sich nicht mehr mit jenem Amte belehnen lassen. Die Bischöfe versuchten es zwar noch im Jahre 1540. Die Grafen verweigerten aber die Belehnung. Und das Ganze endete mit einer Protestation des Bischofs und mit einer Gegenprotestation der Grafen [14]). Ein landesherrlicher **Schultheiß** kommt seit dem 12. Jahrhundert vor [15]) und er wird zuweilen auch **tribunus** genannt [16]). Er hatte

---

10) Urk. von 1456 bei Schultes, II, 275. — „an dem Bruckenn Gericht „sitzen nechst obin an eynem Schultheyßen sitzen" —.

11) Urk. von 1108 bei Schannat, II, 66 u. 67.

12) Lehnbriefe von 1317 u. 1456 bei Schultes, II, 29 u. 274. Lehensrevers von 1317 und Lehenbrief von 1497 bei Schoettgen et Kreysig, II, 607.

13) Urk. von 1497 bei Schoettgen et Kreysig, II, 607. „unser Burggrafen „Amt zu Würzburg, das man jezund nennet das **Zentgrafen**=**Amt**" —. In der Urk. von 1456 bei Schultes, II, 274., wo von dem „Greven Ampt zu Würzburg" die Rede ist, wird der Burggraf bald „Greve" bald „Zentgrave" genannt.

14) Die Urk. von 1541 u. 1546 bei Schoettgen et Kreysig, II, 615 ff. u. 618 ff. vrgl. Schultes, II, 280 u. 281.

15) Urk. von 1137, 1139, 1151, 1154, 1156, 1158, 1160, 1161, 1165, 1166, 1167 u. 1172 bei Lang, regest. I, 151, 159, 203, 219, 225, 233, 239, 243, 253, 255, 261, 263 u. 279. Urk. von 1155 u. 1156 bei Schannat vind. lit. I, 79 u. 80.

die niedere öffentliche Gewalt und wurde späterhin der Vorstand des Stadtgerichtes [17]). Seit dem Untergang der Burggrafschaft stieg seine Gewalt und Bedeutung. Denn die peinliche Gerichts= barkeit wurde nun mit dem Stadtgerichte vereiniget. Und der Schultheiß erhielt als Stellvertreter einen Unterschultheiß, er selbst aber den Titel Oberschultheiß. Das Zentgericht oder Landgericht von Würzburg, welches man insgemein von dem Orte, wo es gehalten wurde, das Brückengericht zu nennen pflegte [18]), wurde nämlich mit dem Stadtgerichte vereiniget und verordnet, daß dasselbe zu gleicher Zeit das Oberzentgericht, also das Appella= tionsgericht für die übrigen Zentgerichte des Hochstiftes sein solle [19]). Und das Stadtgericht, welches nun Stadt=, Saal= und Brü= ckengericht genannt worden ist, erhielt jetzt zwei Vorstände, das Stadtgericht als Civilgericht den Oberschultheiß oder Vicedom, das Stadtgericht als Kriminalgericht aber den Hofschultheiß, der jedoch ebenfalls eine mit dem Vicedom konkurrirende Civilge= richtsbarkeit hatte [20]).

Auch in Zürich standen zwei öffentliche Beamte neben ein= ander, ein Vogt und ein Schultheiß (§. 470 u. 484). Da je= doch die Aebtissin weder die herzoglichen noch die gaugräflichen Rechte erworben hatte, so waren die Vögte während der Zäringer Herrschaft herzogliche also landesherrliche Beamte und, seit dem Rückfall der Vogtei an das Reich, wieder von dem Kaiser er= nannte Reichsbeamte. Wie andere Reichsvögte, so hatten auch sie den Blutbann und das Erkenntniß über Erb und Eigen. Schon seit dem 13. und 14. Jahrhundert wurde indessen die Reichsvogtei

---

16) Urk. von 1158 bei Lang, I, 235.

17) Reformation des Stadtgerichtes zu Würzburg von 1582 bei Schneidt, thesaurus, II, 1003.

18) Ordnung des Brückengerichts von 1577 bei Schneidt, II, 990. „so „sollen sich die schöpffen samblen, vnd daß Lanndgericht jenseit Meins „an der Brücken besitzen, so solle alßdann der Schultheiß mit jhnen „sitzen, oder einer der da Bann hat, an seiner statt" —.

19) Verordnung von 1470 bei Schneidt, II, 735 u. 738. Ordnung des Brückengerichts von 1577, eod. II, 987, 989 u. 999. Verordnung von 1728 in Sammlung der Wirzburg. Landesordnungen. I, 780 u. 781.

20) Schneidt, elementa juris Wirzeburgensis, §. 23 bei Schneidt, the- saurus, I, 3523.

von dem Stadtrath untergraben und bereits im 15. Jahrhundert
voll ihm selbst erworben [21]). Der Schultheiß war ursprünglich
ein herrschaftlicher Beamter der Aebtissin. Er erhielt jedoch frühe
schon auch noch die niedere öffentliche Gewalt. Als Ausfluß der
dem Kaiser zustehenden oberst richterlichen Reichsgewalt mußte aber
die Aebtissin selbst diese öffentliche Gewalt von dem Kaiser als
Reichslehen empfangen [22]). Die öffentliche Gewalt des Schultheiß
war anfangs beschränkt auf den Geschäftskreis eines Zentgrafen.
Der Schultheiß hatte demnach über Frevel und über Geldschulden
zu erkennen. Seine Amtsgewalt gerieth jedoch schon seit dem 13.
und 14. Jahrhundert in Abhängigkeit von dem Stadtrath und
wurde daher in demselben Verhältnisse vermehrt, in welchem die
Reichsvogtei in der Stadt gesunken ist. Sie wurde auf das Er=
kenntniß über Erb und Eigen u. s. w. ausgedehnt und seit der
Reformation im Anfang des 16. Jahrhunderts das Schultheißen=
amt von der Stadt selbst erworben [23]).

Eben so standen in Weißenburg zwei öffentliche Beamte,
ein Stadtvogt und ein Schultheiß, neben einander. Allein
wie in Zürich, so war auch in Weißenburg nur der Schultheiß
ein landesherrlicher Beamter. Der Schultheiß war Vorstand
des Stadtgerichtes, welches von dem Ort wo es gehalten wurde
das Staffelgericht genannt worden ist. Und der Abt, späterhin der
Probst, hatte ihn zu ernennen, indem er von dem Kaiser mit diesem
Rechte belehnt war [24]). Das Staffelgericht bestand außer dem
Schultheiß, der ein Edelmann oder ein Hausgenosse sein mußte [25]),

---

21) Bluntschli, I, 139 u. 165—173.
22) Urk. von 1308 bei Neugart, II, 367.
23) Bluntschli, I, 173—176.
24) Ungedrucktes Mundatrecht: „Nachdem die hochwürdigen Fürsten und
„Herren vor Zeiten ein Abbt und jetzo ein Probst St. Peter und Paul
„auch Sanct Stephans Stift allhier zu Cron=Weißenburg zu der Römisch.
„Kayßerl. Mayst. und dem heiligen Röm. Reich zu lehen tragen,
„daß sie in der Statt Weyßenburg und in der ganzen Mundat die
„Schultheyßen zu setzen haben, so dann in deß h. Reichsstadt Weyssen=
„burg, daß Staffelgericht eines Schultheyßen in Mangel stehet, soll der
„Herr Probst ihnen einen andern geben.“
25) Mundatrecht: „Er (der Schultheiß) solle ein gebohrner Edelmann, ein

aus sieben Schöffen, wozu die jedes Jahr austretenden Rathsherren, die sogenannten Ausgänger genommen zu werden pflegten.
Es hatte über Erb und Eigen und über geringe Frevel zu erkennen. Und die Berufung ging von ihm an das Rittergericht [26]).
Der Stadtvogt war aber ein Reichsvogt, welcher wieder einen
Untervogt in der Stadt hatte. Er wurde wahrscheinlich wie in
Augsburg von dem Kaiserlichen Landvogt ernannt. Jedenfalls
hatte der Abt die Vogtei in Weißenburg weder in früheren noch in
späteren Zeiten erworben. Der Stadtvogt hatte den Blutbann
und das Geleitsrecht u. f. w., insbesondere auch die Verbindlichkeit
der Amtsinvestitur des neu ernannten Schultheiß beizuwohnen [27]).
Ob die Vogtei von dem Stadtrath erworben worden ist, weiß ich
nicht. Jedenfalls hat aber der Rath die Kriminalgerichtsbarkeit an
sich gebracht. Und von seinen Straferkenntnissen durfte an niemand
anders als an das Reichskammergericht appellirt werden [28]). Daher
war auch der Stadtrath gemeinschaftlich mit dem Abt Oberherr
des Munbats [29]).

§. 495.

In allen den bisher genannten Städten findet man demnach
zwei öffentliche Beamte. In vielen anderen Städten findet man indessen
nur einen einzigen öffentlichen oder landesherrlichen
Beamten. In vielen Bischofsstädten, in welchen die Bischöfe die
gesammte öffentliche Gewalt erworben hatten, ließen nämlich diese
die gesammte öffentliche Gewalt durch einen einzigen Beamten aus-

---

„Haußgenoß oder von der Röm. Kayserl. Mayst. oder einem Römischen
„König geadelt seyn" —.

26) Herzog, Elsaß. Chron. Weißenburg, p. 178 und oben §. 141 u. 351.

27) Mundatrecht: — „da erscheinen die Schöffen deß Staffelgerichts sambt
„ihrem schreiber und dreyen bütteln, sambt des H. Römischen Reichs
„Stattvogte und seyn Untervogt, Morgens zu früher Tags zeith an
„der Staffel — gehet der Schultheiß in den Ring, da pfleget ihme der
„Gericht schreiber seynen Eyd und Ordnung fürzulesen, darauff er dann
„folgendt gelobet und schwöhret" — vrgl. oben §. 466.

28) Herzog, p. 178.

29) Mundatrecht: — „der Abt und der Rath alß die oberherren der Mun-
„dat, als es herkommen ist" —.

üben, oder sie übertrugen ihrem Beamten in der Stadt nur einen
Theil der öffentlichen Gewalt, und ließen den übrigen Theil von
dem Landbeamten, in dessen Bezirk die Stadt lag, ausüben. In
vielen anderen Städten hatten aber die Grundherren nur einen
Theil der öffentlichen Gewalt, die Centgerichtsbarkeit, erworben,
und dann konnten sie natürlich auch ihren Beamten in der Stadt
nur die Gewalt, welche sie selbst hatten und keine größere über=
tragen. Das Letzte war zumal in den Abteistädten der Fall.

Einen einzigen landesherrlichen Beamten zur Aus=
übung der gesammten öffentlichen Gewalt findet man in
Hamburg, in Bremen, in Münster und in Konstanz. Die Gerichts=
verfassung in Hamburg liegt bis ins 13. Jahundert völlig im
Dunkeln. Denn es ist aus jener Zeit nichts weiter bekannt, als
daß die Stadt bereits im Jahr 837 einen Stadtgrafen gehabt hat
(§. 90). Seit dem 13. Jahrhundert kennt man aber nur einen
Vogt, keinen Schultheiß. Seitdem nämlich die Altstadt und die
Neustadt mit einander vereiniget worden waren, seitdem gehörte
die Stadt dem Grafen von Holstein (§. 16). Wie nämlich die
Bischöfe von Augsburg und Regensburg die öffentliche Gewalt in
der Stadt nur theilweise an sich gebracht haben, so hat in Ham=
burg der Erzbischof gar keine öffentliche Gewalt erworben. Ham=
burg war demnach eigentlich gar keine Bischofsstadt, vielmehr eine
gräflich Holsteinische Landstadt. Die Grafen von Holstein ernann=
ten aber zur Ausübung der Gerichtsbarkeit nur einen Vogt, keinen
Schultheiß. Diesem Vogt wurden schon im 13. Jahrhundert zwei
Rathsherren, die sogenannten Richteherren, beigeordnet und auch
im Uebrigen seine Amtsbefugnisse von dem Stadtrath beschränkt.
Auch wurde bereits seit dem 14. Jahrhundert eine Berufung von
seinen Entscheidungen an den Rath eingeführt. Die Vogtei hatte
daher keinen großen Werth mehr. Sie wurde im Jahre 1392 an
die Stadt von den Grafen verpfändet und ist auch späterhin bei
der Stadt geblieben, wiewohl die Grafen es im 16. Jahrhundert
nochmals versucht hatten, die Vogtei wieder einzulösen [1]). Seit
dem Erwerbe der Vogtei war aber Hamburg eine Reichsstadt.

Auch in Bremen kommt nur ein Vogt, kein Schultheiß
vor. Er wird insgemein Vogt und Stadtvogt, advocatus civitatis

---

[1]) Lappenberg, Hamburg. Rechtsalterthümer, I, Einleitung, p. 20—31.

oder Wicvogt genannt [2]). Seitdem die Bischöfe im 10. Jahrhundert Immunität von der öffentlichen Gewalt erlangt und mit dieser die öffentliche Gewalt selbst erworben hatten, seitdem hatten sie den Vogt zu ernennen [3]). Sie ernannten ihn anfangs aus den bischöflichen Ministerialen, seit dem 14. Jahrhundert aber aus den Bürgern [4]). Die Vogtei wurde mehrmals verpfändet, niemals aber an die Stadt selbst versetzt oder in anderer Weise veräußert [5]). Der Vogt hatte ursprünglich die gesammte öffentliche Gerichtsbarkeit in Civil= und in Strafsachen, und er sollte jedes Jahr drei ächte Dinge halten [6]). Wie in Hamburg, so wurden dem Vogt auch in Bremen, seit dem 13. Jahrhundert, zwei Rathsherren und in Kriminalsachen zwei sogenannte Blutherren beigegeben [7]). Auch ward im Uebrigen dessen Amtsgewalt nach und nach gänzlich untergraben. In Civilsachen wurde nämlich die Gerichtsbarkeit des Stadtraths mehr und mehr erweitert und durch Errichtung des Niedergerichtes im Jahre 1541 dem Vogte alle Gerichtsbarkeit in der Art entzogen, daß das Vogtsgericht im 17. Jahrhundert, ohne je abgeschafft worden zu sein, von selbst einging [8]). Der letzten Sitzungen des Vogtes wird am Anfang des 17. Jahrhunderts Erwähnung gethan. Damals saß derselbe und neben ihm sein Fronbot noch an allen Echtebingstagen an der gewohnten Gerichtsstelle auf der Straße zwischen den Rathhaus Pfeilern gegen den Markt, zwar nicht zu Gericht, denn Geschäfte hatte er keine mehr zu besorgen, sondern zum Vergnügen der schaulustigen Jugend. Und

---

2) Urk. von 1209 bei Donandt, I, 94. advocato civitatis, qui dicitur Wicvogt —. Assertio libertatis reip. Bremensis, p. 285 u. 697.

3) Urk. von 966, 1003, 1014, 1035 u. 1158 bei Lindenbrog, p. 131, 135, 136, 137 u. 162.

4) Donandt, I, 84 u. 131. Vertrag von 1259 in Assertio Brem. p. 744. „De Bischop schall macht hebben in der Stadt Bremen uth „den gemeenen Börgern, vnd anders nargen, einen Richte Vaget tho „kesen vnd tho setten.“

5) Assertio. p. 690 u. 784—788. Donandt, I, 132 ff.

6) Donandt, I, 78—84. Vertrag von 1259 in Assertio, p. 744. — „alle „jahr dre Echteding hegen“ —.

7) Orb. 21 bei Oelrichs p. 76 f. Assertio, p. 703, 733, 744 u. 772.

8) Donandt, I, 148—166.

wenige Jahre nachher war es auch noch mit diesen Scheinsitzungen zu Ende⁹). Aber auch in peinlichen Sachen ist die Gerichtsbarkeit nach und nach auf den Stadtrath übergegangen, so daß schon seit dem 15. Jahrhundert dem Vogte weiter nichts als der Vorsitz bei dem endlichen Rechtstag und der Vollzug des von dem Rath gefällten Erkenntnisses, also der bloße Schein einer Gewalt geblieben ist, wie dieses schon das Privilegium Kaiser Karls V von 1541 bemerkt hat¹⁰). Sintemal der Vogt an dem bereits gefundenen Erkenntnisse nichts ändern und der Rath sogar ohne Beiziehung des Vogtes voranschreiten durfte, wenn dieser sich jener Formalität nicht unterziehen konnte oder wollte¹¹). Wiewohl nun die Stadt niemals selbst die Vogtei erworben hat, so ward Bremen dennoch eine Reichsstadt, indem die gesammte Gerichtsbarkeit an den Stadtrath gekommen ist. Sie erhielt im Jahre 1420 die Verwaltung des unruhigen Butjadinger Landes direkt vom Kaiser und Reich¹²). Im Jahre 1431 wurde sie auf die Reichsmatrikel gesetzt und im Jahre 1473 zum Reichstag geladen¹³). Seit dem Ende des 15. Jahrhunderts leistete sie wirklich den Reichsdienst¹⁴). Auch wurde sie seit dem 15. Jahrhundert officiell eine Reichsstadt genannt und im Jahre 1646 von dem Kaiser und Reich als eine solche anerkannt¹⁵). Daher sollte der endliche Rechtstag nun nicht

---

9) Assertio Brem p. 751 u. 752.

10) Privileg von 1541 in Assertio lib. p. 327. und bei Moser, reichsst. Hdb. I, 226. — „ainen Vogt zu setzen, der doch weder Angrieff, ge-„fänglichen Endthalt, peinlich oder sonst Frag, noch Vrtheil zu fällen, „viel weniger zu exequirn, oder auch ichts zu disponirn oder einzureden, „dann allein zu einem blosen Schein daselbst nach ergangener „Vrtheil ohn ainig Veränderung oder Zusatz, dem Nachrichter in glei-„cher gestalt, wie der Raht demselben zuvor befohlen, zu exequirn nach-„mahls zu befehlen."

11) Privilegien von 1541 u. 1637 in Assertio, p. 325 — 331 u. 719. Donandt, I, 171 ff. u. 199—201.

12) Urk. von 1420 in Assertio, p. 460.

13) Matrikel von 1431 u. Urkb. von 1473 in Assertio, p. 407 u. 438 ff.

14) Urk. von 1478, 1488 u. 1602 in Assertio, p. 447—450.

15) Kaiserliche Declaration von 1646 in Assertio, p. 1003 u. 1004. vergl. noch p. 506, 507 u. 902. vergl. noch die Urk. von 1654 bei Moser, reichsst. Hdb. I, 247—251.

mehr, wie im 13. und 14. Jahrhundert, im Namen des Kaisers und des Erzbischofs [16]), sondern im Namen der Kaiserlichen Majestät und des hochweisen Rathes gehalten werden [17]).

Auch in M ü n st e r lag die gesammte öffentliche Gewalt in den Händen des Vogtes. Die Güter des alten Domes standen nämlich von je her unter einem Vogt. Wegen Mißbrauchs seines Amtes wurde derselbe schon im Jahre 1127 in seinem Amte beschränkt. Er sollte keine willkürliche Leistungen mehr erheben und sich nur dann in die Angelegenheiten des Domhofes und der bischöflichen Fronhöfe in der Stadt einmischen, wenn er von dem bischöflichen Villicus dazu aufgefordert worden war [18]). Später waren die Grafen von Thekenburg Erbvögte der bischöflichen Kirche und insbesondere auch des Brockhofes, des Bispingshofes und anderer Höfe des Domkapitels. Im Jahre 1173 überließen sie aber die Vogtei und das Recht die Vögte zu ernennen dem Bischof und dem Domkapitel [19]). Und seit dieser Zeit wurde die Vogtei nicht mehr erblich verliehen. Sie blieb vielmehr bei dem Bisthum. Daher mußte der neu ernannte Vogt beim Antritt seines Amtes dem Bischof und dem Domkapitel einen Amtseid leisten [20]). Nur der Kampvordeshof und das daselbst gestiftete Collegium des Heil. Mauritius standen nicht unter jenem Vogt. Sie hatten vielmehr einen eigenen Erbvogt, die Edeln von Steinvord, welche ihre Dienstleute mit der Vogtei belehnten, sodann aber die Vogtei an jenes Stift selbst abtraten [21]). Späterhin kam jedoch auch diese Vogtei, also die gesammte öffentliche Gerichtsbarkeit in der Stadt, an das Bisthum. Und das landesherrliche Stadtgericht bestand seitdem aus einem Stadtrichter (judex) und aus mehreren Schöffen (scabini civitatis) [22]).

Eben so findet man auch in K o n st a n z nur einen einzigen

---

16) Vertrag von 1259 in Assertio, p. 749.

17) Hegungsformeln des Hals= und Blutgerichtes in Assertio, p. 697, 698, 700, 773 u. 774.

18) Urk. von 1127 bei Wilkens, p. 4, 74 u. 75.

19) Urk. von 1173 bei Wilkens, p. 84.

20) Wilkens, p. 4 u. 5.

21) Urk. von 1283 u. 1294 bei Wilkens, p. 52, 139, 141 u. 142.

22) Urk. von 1229, 1262 u. 1327 bei Wilkens, p. 114, 128 u. 147.

landesherrlichen Beamten, welcher die gesammte öffentliche Gerichts=
barkeit zu verwalten hatte. Bereits im 12. Jahrhundert hatte
nämlich der Bischof Immunität von den öffentlichen Beamten und
sogar von dem Zutritt des Kaisers selbst erhalten [23]). Und er
hatte seitdem einen eigenen von ihm ernannten Beamten in der
Stadt, zuerst einen Stadtvogt (advocatus civitatis) [24]) und später
einen Amtmann (in praefata civitate habeat ministrum), durch
welchen er die hohe und niedere Gerichtsbarkeit in der Stadt (die
judicia alta et bassa) handhaben ließ [25]). Erst im Jahre 1384
erhielt die Stadt selbst den Blutbann [26]). Schon seit dem Jahre
1192 war jedoch die Stadt reichsunmittelbar. Denn der Kaiser
erklärte sie in diesem Jahre für frei von allen bischöflichen Steuern
und Leistungen [27]), und im Jahre 1357 nahm er sie auch noch
unter seinen besonderen Schutz [28]). Die Stadt war daher reichs=
steuerpflichtig [29]), stand unter der Landvogtei Schwaben (§. 466)
und erhielt bereits im Jahre 1249 das Privilegium nicht vom Reich
veräußert zu werden [30]). Im Jahre 1548 unterwarf sich aber die
Stadt dem Hause Oesterreich [31]).

Auch in Erfurt findet man ursprünglich, wie ich glaube,
nur einen einzigen öffentlichen Beamten (den Vogt) für die ge=
sammte öffentliche Gerichtsbarkeit. Neben dem Vogt findet man
zwar auch noch einen Vicedominus und mehrere Schultheiße, nach
der gewöhnlichen Ansicht sogar drei Schultheiße, worüber Lambert
geschrieben, die Sache aber nicht klar gemacht hat [32]). Allein der
Vicedominus und die Schultheiße waren herrschaftliche Beamte.
Der einzige öffentliche Beamte, den es ursprünglich in Erfurt ge=
geben hat, war der Vogt. Von einem zweiten öffentlichen Beamten

---

23) Urk. von 1155 bei Dümge, reg. p. 141. und bei Pistorius, III, 697.
und Neugart, II, 89.
24) Urk. von 1192 bei Dümge, p. 150.
25) Urk. von 1357 bei Pistorius, III, 698.
26) Urk. von 1384 bei Hugo, Mediat. Reichsst. p. 225.
27) Urk. von 1192 bei Dümge, p. 150.
28) Urk. von 1357 bei Pistorius, III, 698.
29) Urk. von 1310 bei Hugo, p. 224 f.
30) Urk. von 1249 bei Hugo, p. 224.
31) Hugo, p. 48.
32) Lambert, Gesch. von Erfurt, p. 13—20.

findet sich auch nicht eine Spur. Die Vogtei wurde frühe schon
(ex antiquo) den Grafen von Gleichen zu Lehen gegeben [33]). Die
Grafen von Gleichen führten daher den Titel Vogt (advocatus),
und auch Graf (comes) [34]) und Burggraf [35]). Sie besorgten aber
die Geschäfte nicht selbst. Sie ernannten vielmehr zu dem Ende
einen Stellvertreter, welcher ebenfalls Vogt (advocatus) genannt
worden [36]), im Grunde genommen aber bloßer Untervogt oder
Vicevogt gewesen ist. Im Jahre 1283 verkauften die Grafen die
Vogtei an die Stadt [37]), und die Stadt übertrug sodann die vogteiliche Gerichtsbarkeit (den Blutbann), wie wir sogleich sehen werden,
einem herrschaftlichen Schultheiß. Der Vicedominus (Vitzthum)
und die beiden Schultheiße, von denen öfters die Rede ist, waren
keine öffentlichen, vielmehr herrschaftliche Beamten. Der Vicedominus war offenbar der Stellvertreter des Erzbischofs von Mainz,
also ein herrschaftlicher Beamter. Ihm untergeordnet und seine
Stellvertreter waren die beiden Schultheiße [38]), der Stadtschultheiß
(scultetus civitatis) und der Schultheiß in Viele (scultetus in
plurali) [39]), welcher später immer der Schultheiß im Bruel [40]), und
sein Amt ein officium villicationis in Brulo genannt worden ist [41]).
Es ist daher sehr wahrscheinlich, daß die Benennung scultetus in
plurali nur eine falsche Lesart für scultetus in Bruelo oder,
wie er auch genannt wird, für scultetus in pluralio gewesen ist [42]).
Jedenfalls waren beide Schultheiße herrschaftliche Beamte. Denn
sie hatten auch nach dem Vibrabüchlein von 1332 noch die grundherrlichen Abgaben zu erheben und die grundherrliche Gerichtsbar-

---

33) Arg. Urk. von 1283 bei Lambert, p. 139. vergl. später §. 505.
34) Urk. von 1212 u. 1217 bei Lambert, p. 110 u. 111.
35) Lambert, p. 14.
36) Urk. von 1256 bei Lambert, p. 121.
37) Urk. von 1283 bei Lambert, p. 139.
38) Extractus ex libro de juribus vicedomini bei Falckenstein, Histor.
von Erfurt, p. 46 u. 47.
39) Urk. von 1256 u. 1291 bei Lambert, p. 121, 122 u. 145.
40) Vibrabüchlein von 1332 bei Falckenstein, p. 191, 201, 206 u. 207.
vergl. p. 47.
41) Lib. de jurib. vicedomini bei Falckenstein, p. 46.
42) vergl. Lambert, p. 20.

keit in der Stadt und im Bruel zu besorgen [43]). Einen dritten
Schultheiß, wie dieses Falckenstein (p. 42) und Lambert (p. 19)
annehmen, hat es aber gar nicht gegeben. Denn es ist in den
Urkunden und im Bibrabüchlein immer nur von zwei Schultheißen
die Rede [44]). Man spricht zwar auch noch von einem dritten
Schultheiß, welcher der Stellvertreter des Vogtes gewesen sein
soll [45]). Dem ist jedoch nicht so. Der Vogt behielt nämlich auch,
nachdem die Vogtei an die Stadt gekommen war, seinen alten
Namen Vogt [46]), die Vogtei, d. h. der Blutbann, wurde aber von
der Stadt dem Schultheiß im Bruel übertragen [47]), und daher dieser Schultheiß selbst zuweilen Burggraf genannt [48]). Im Jahre
1291 wurden nämlich die beiden vorhin erwähnten herrschaftlichen
Schultheißenämter von der Stadt erworben [49]). Die Stadt hatte
demnach nun nicht bloß den Vogt, sondern auch die beiden
Schultheiße zu ernennen. Statt nun für die Vogtei einen eigenen
Beamten zu ernennen, statt dessen übertrug sie die Vogtei dem
Schultheiß im Bruel. Dieser hatte demnach außer seiner hergebrachten Gerichtsbarkeit auch noch den Blutbann in der ganzen
Stadt zu handhaben [50]), während der andere Schultheiß (der Stadtschultheiß) nur eine niedere Gerichtsbarkeit mit Ausnahme des
Blutbanns [51]), nun aber offenbar die gesammte (auch die öffentliche) niedere Gerichtsbarkeit in seinem Gerichtsbezirke erhalten hatte.
Einen dritten Schultheiß als Stellvertreter des Vogtes hat es demnach gar nicht gegeben. Die beiden Schultheißenämter wurden
öfters, anfangs jedoch nur vorübergehend [52]), später aber für immer
mit einander vereiniget [53]). Und seitdem hatte ein einziger Schultheiß
die gesammte Gerichtsbarkeit zu besorgen.

---

43) Falckenstein, p. 47, 191 ff., 206.
44) Urk. von 1256 u. 1291 bei Lambert, p. 121, 122 u. 145. Falckenstein,
    p. 46, 47, 191 ff.
45) Lambert, p. 19.
46) Bibrabüchlein von 1332 bei Falckenstein, p. 194, 207 u. 211.
47) Bibrabüchlein, p. 192, 201, 206 u. 207.
48) Bibrabüchlein, p. 206 u. 210.
49) Urk. von 1291 bei Lambert, p. 145.
50) Bibrabüchlein p. 207.
51) arg. Bibrabüchlein, p. 205.
52) Bibrabüchlein, p. 191 u. 201.
53) Falckenstein, p. 42.

§. 496.

Außer jenen Städten, welche nur einen einzigen Beamten für die hohe und niedere öffentliche Gerichtsbarkeit erhalten hatten, findet man aber auch noch andere Bischofsstädte, z. B. Bamberg, und zumal Abteistädte, welche nur für die niedere öffentliche Gerichtsbarkeit in der Stadt einen eigenen Beamten erhalten haben.

Bamberg war noch zur Zeit der Errichtung des Bisthums im Jahre 1007 eine Königsstadt. Noch nach der Stiftungsurkunde von 1007 hatte der Kaiser, wenn auch auf Präsentation des Bischofs, den Reichsvogt oder Reichsburgvogt (advocatus burgi) zu ernennen [1]). Seit der in den Jahren 1034 und 1058 dem ganzen Bisthum und im Jahre 1103 auch der Stadt selbst ertheilten Immunität [2]) war nun zwar der Bischof berechtiget die Gerichte entweder selbst zu präsidiren oder zu dem Ende einen Stellvertreter zu ernennen. Da sich jedoch der Kaiser das Recht den von dem Bischof ernannten Beamten zu bestätigen vorbehalten hatte [3]), so scheint es der Bischof vorgezogen zu haben, gar keinen Vogt mehr zu ernennen. Wenigstens findet sich seitdem kein Vogt mehr in der Stadt. Der Bischof ernannte vielmehr einen Schultheiß für die Civilgerichtsbarkeit in der Stadt. Der Schultheiß bekam späterhin einen Stellvertreter, welcher wie in Würzburg den Titel Unterschultheiß, er selbst aber den Titel Oberschultheiß und später wie in Würzburg Vicedom erhielt. Hinsichtlich des Blutbanns ließ aber der Bischof die Stadt unter dem Zentgerichte jenes Territoriums. Die Stadt erhielt demnach kein eigenes Kriminalgericht. Erst im 17. Jahrhundert, seit dem Sinken der Zentgerichte, wurde ein eigenes Malefizamt für die Stadt errichtet [4]).

---

1) Zoepfl, das alte Bamberger Recht, p. 49.

2) Urf von 1034, 1058 u. 1103 in der Brandenburgischen Deduction Bamberg gegen Fürth. Bamberg. 1774, Codex probat. Nr. 23, 25 u. 27. In der Urkunde von 1103 heißt es: nullus ibi comes aut judex legem facere praesumat infra urbem, praeter episcoporum ejusdem loci. Omnis possessio pro emunitate habeatur.

3) Urf. von 1058 cit. nullus ibi comes aut judex legem facere praesumat, nisi quem per concessionem Regis — episcopus ejusdem loci deliberet.

4) Zoepfl, p. 51 ff. 82—85. Schuberth, p. 97—99 u. 117.

In vielen Abteiſtädten, in welchen die Aebte oder die
Aebtiſſinnen meiſtentheils Grundherren entweder der ganzen Stadt
oder doch wenigſtens eines Theiles der Stadt waren, erhielten dieſe
öfters nur die niedere öffentliche Gerichtsbarkeit, deren Beſorgung
ſie ſodann ihrem herrſchaftlichen Beamten, welchen ſie von früher
her in der Stadt hatten, zu übertragen pflegten. Hinſichtlich des
Blutbanns blieb demnach die Stadt unter dem Landvogt oder unter
dem Schirmvogt, wenn dieſer nicht, wie in Zürich und in Weißenburg, einen eigenen Stadtvogt geſetzt hatte. Dieſes war z. B. in
Seligenſtadt und in Rheinau der Fall.

In Seligenſtadt hatte der Abt den Schultheiß zu ernennen
und dieſer alle Gerichtsbarkeit außer dem Blutbann[5]). Der Blutbann gehörte dem Vogt, welchen der Erzbiſchof von Mainz als Inhaber der Vogtei zu ernennen hatte. Der Vogt war aber an die
Stelle des Gaugrafen getreten und hatte dieſelbe Kompetenz. Das
Gebiet der Abtei wurde daher ſelbſt eine Grafſchaft (comitia
oder comitatus) und die Stadtbürger, weil ſie das Gaugericht
(ſpäter das Vogteigericht) beſuchen mußten, Grafſchaftsmänner
genannt. Und zwei Mal im Jahre ſollte der von dem Erzbiſchof
ernannte Vogt das Gericht halten, einmal im Frühjahr und einmal
im Herbſt. Man nannte daher dieſe Gerichte Maidinge und
Herbſtdinge[6]). Dieſe Gerichtsverfaſſung erhielt ſich jedoch nur
bis ins 16. Jahrhundert. Die Bürger von Seligenſtadt hatten
ſich nämlich an dem Bauernaufſtande im Jahre 1525 betheiligt.
Zur Strafe dafür wurde ihnen im Jahre 1527 ihre alte Verfaſſung
von dem Erzbiſchof von Mainz, dem ehemaligen Schirmherrn und
damaligen Landesherrn, genommen. Das Schultheißenamt ſollte
zwar unter dem Namen Währungs= und Fladengericht fortdauern, aber nur noch eine ſehr beſchränkte Gerichtsbarkeit bei
Immobiliarverkäufen behalten[7]). Die übrige Gerichtsbarkeit ſollte
von zwei landesherrlichen Gerichten verwaltet werden, die Strafgerichtsbarkeit von dem Zentgerichte mit einem Zentgrafen an

---

5) Weiſthum von 1339 bei Steiner, p. 136, 354 u. 385.
6) Die Weiſthümer bei Steiner, p. 346 ff und Grimm, I, 505 u 506.
   Kindlinger, Hörigk. p. 420.
7) Steiner, p. 147.

der Spitze, und die Civilgerichtsbarkeit von dem Stadtgerichte, welches unter dem Vorsitze des Vogtes (des Fauths) aus fünf Raths- oder Gerichtsherrn bestehen und im Verhinderungsfalle des Vogtes von dem Zentgrafen präsidirt werden sollte [8]). Diese Verfassung hat sich bis zum Jahre 1772 erhalten. In diesem Jahre wurde aber das Vogteiamt (die Fauthei) von dem Stadtrathe getrennt und dem landesherrlichen Fauth die ganze städtische Gerichtsbarkeit übertragen [9]).

Eben so hatte in dem Städtchen Rheinau der Abt den Schultheiß zu ernennen, dieser aber nur die Civilgerichtsbarkeit zu besorgen. Denn der Blutbann stand unter dem Stiftsvogt [10]). Späterhin erhielt die Stadt selbst das Recht den Schultheiß zu wählen. Seitdem mußte der Schultheiß, wie in Speier, jedes Jahr sein Amt aufgeben und sich einer neuen Wahl unterziehen. Ehe aber zur Neuwahl geschritten ward, sollte der Abt wegen dessen Verwaltung im vergangenen Jahre Umfrage halten und den Schultheiß bestrafen, wenn er etwas Strafbares begangen haben sollte [11]).

Auch in Lindau hatte die Aebtissin und in Kempten der Abt nur das Recht einen Ammann für die Civilgerichtsbarkeit zu ernennen. Hinsichtlich des Blutbanns blieben beide Städte unter der Reichsvogtei. Zwar wurde die Vogtei auch in diesen Städten öfters verpfändet, z. B. die Vogtei in Lindau an die Grafen von Bregenz [12]) und die Vogtei in Kempten an die Herzoge von Teck und an die Grafen von Montfort und an den Abt selbst [13]). Die Vogtei wurde jedoch immer wieder an das Reich eingelöst. Daher blieben jene Städte nach wie vor Reichsstädte und sie blieben dieses um so sicherer, seitdem sie selbst mit der hohen und niederen Gerichtsbarkeit auch den Blutbann an sich gebracht hatten [14]).

---

8) Steiner, p. 142—144, 369, 370 u. 371.

9) Steiner, p. 144 u. 324.

10) Oeffnung §. 2, 4, 6 u. 7 bei Schauberg, I, 161. und Grimm, I, 286 u. 288.

11) Spätere Oeffnung bei Schauberg, I, 159.

12) Urk. von 1334 bei Heider, p. 485.

13) Haggenmüller, I, 143 u. 144.

14) Privilegien von 1400 u. 1488 bei Moser, reichsst. Handb. II, 54 u.

§. 497.

In den meisten Immunitätsstädten, in fast allen Bischofsstädten und auch in einigen Abteistädten, findet man demnach, wie
in den alten Gaugrafschaften, zwei öffentliche Beamte. Die
höheren Beamten, welche seit der vollständigen Immunität der
Stadt von der öffentlichen Gewalt an die Stelle der Gaugrafen
getreten sind, nannte man insgemein Stadtgrafen, Burggrafen oder Vögte. Die verschiedene Benennung hatte keinen
tieferen Grund und war meist zufällig. Daher wurde der Titel
Stadtgraf, Burggraf und Vogt öfters abwechselnd, wie wir gesehen,
in einer und derselben Stadt gebraucht, z. B. in Mainz, Trier,
Worms, Speier u. a. m. Indessen scheint es doch, daß man dem
Titel Stadt- oder Burggraf in jenen Städten den Vorzug gegeben habe, in welchen zur Zeit der Immunität von der öffentlichen
Gewalt bereits schon ein Gaugraf in der Stadt angestellt war.
Man pflegte in diesem Falle dem vorgefundenen Beamten den
Grafentitel zu lassen. Und der frühere Gaugraf wurde nun nur
ein landesherrlicher Beamter, ein landesherrlicher Stadt- oder Burggraf. Dieses scheint insbesondere in Köln, Mainz, Worms, Würzburg und Regensburg, vielleicht auch in Magdeburg der Fall gewesen zu sein. Den Titel Vogt dagegen erhielten die höheren
Stadtbeamten meistentheils in jenen Städten, in welchen, wie z. B.
in Trier, Straßburg, Basel, Speier, Bremen und Münster, die
Vogtei über die Kirche mit der Stadtvogtei verbunden war, dann
in jenen Städten, welche unter einer Reichsvogtei gestanden und
nun die Städte ihre eigenen Stadvögte als Stellvertreter und
Untervögte des Reichslandvogtes erhalten haben, wie dieses z. B.
in Augsburg, Weißenburg und Zürich der Fall war. Jedenfalls
waren aber diese Beamten in der Stadt an die Stelle des
Gaugrafen getreten. Sie hatten daher auch dieselbe Amtsgewalt und Kompetenz, also das Erkenntniß über Erb und
Eigen, dann den Blutbann und den in der öffentlichen Gewalt
liegenden Schutz und Schirm. Weshalb denn auch das Geleitwesen
unter ihnen stand. Indessen hatte doch auch diese Regel wieder

---

113. Beschreibung der Reichslandvogtei von 1594 bei Wegelin, II,
166.

ihre Ausnahmen. Denn der Burggraf von Korvei [1]), der auch praefectus und praetor urbis genannt wurde [2]), war offenbar kein alter Gaugraf. Auch ist das Burggrafenamt in jener Stadt bald wieder verschwunden, seitdem ein Ministeriale des Abtes, der Truchses Rabano, das Amt erblich an sich reißen wollte [3]). Und in Augsburg und in Straßburg sind die Burggrafen ursprünglich sogar herrschaftliche Beamte gewesen, welche späterhin erst öffent= liche Gewalt, und zwar nicht einmal die hohe, sondern nur die niedere öffentliche Gerichtsbarkeit oder auch nur einen Theil der= selben erhalten haben. Meistentheils nannte man jedoch diejenigen Beamten, welche mit der Handhabung der niederen öffentlichen Ge= richtsbarkeit beauftragt waren, Schultheiße, öfters auch Am= männer und in Mainz seit dem 13. Jahrhundert Kämmerer. In sehr vielen Städten, in welchen die Bischöfe und Aebte einen herrschaftlichen Beamten in der Stadt hatten, wurde nämlich dieser mit der Handhabung der niederen öffentlichen Gewalt beauftragt, und auf diese Weise ein Theil der öffentlichen Gewalt mit der grundherrlichen vereiniget und demselben Beamten anvertraut, und dieser sodann Schultheiß, z. B. in Basel, Speier, Mainz, Re= gensburg und Zürich, oder Ammann z. B. in Lindau und Kemp= ten, oder auch Vogt z. B. in Köln, oder Kämmerer z. B. in Mainz, oder Burggraf z. B. in Augsburg genannt. In anderen Städten, in welchen sich kein herrschaftlicher Beamter vorfand, wurde zu dem Ende ein eigener Beamter ernannt und dieser so= dann ebenfalls Schultheiß oder Ammann genannt. Jedenfalls erhielten aber anfangs diese Schultheiße, Vögte und Ammanne die= selbe Gewalt, welche nach der alten Verfassung die Centenare und Vicare gehabt hatten, nämlich die gesammte Civilgerichtsbarkeit mit Ausnahme des Erkenntnisses über Erb und Eigen und die Straf= gerichtsbarkeit mit Ausschluß des Blutbanns, eine Gewalt, welche jedoch in vielen Städten späterhin noch erweitert, in einigen Städten aber auch beschränkt worden ist, wie dieses z. B. in Seligenstadt

---

1) Urf. ohne Datum bei Treuer, Gesch. der Münchhausen, II, 7. Lu= dolphus dictus burchgravius.
2) Urf. von 1116 bei Falke, p. 582.
3) Urf. von 1150 bei Schaten, I, 546.

geschehen ist. In den meisten Städten waren die Stadt= und
Burggrafen und die Stadtvögte zu gleicher Zeit auch Schirmvögte
der Kirche, z. B. in Mainz, Worms und Speier, zuweilen sogar
Schirmvögte des ganzen Stiftes, z. B. in Magdeburg. Denn auch
die Stadt= oder Burggrafen hatten, wenn keine eigene Schirmvögte
vorhanden waren, die Kirche zu schützen und zu schirmen. Die
Schirmvogtei konnte demnach sehr wohl mit der Stadt= oder Burg=
grafschaft verbunden werden und ist auch öfters verbunden gewesen.
Nur in jenen Städten, in welchen die Bischöfe und die Aebte die
Burggrafen oder Stadtvögte nicht zu ernennen hatten, standen
eigene Schirmvögte neben den Burggrafen oder Stadtvögten, z. B.
in Regensburg und meistentheils auch in Augsburg. Auch waren
die Burggrafen und Stadtvögte öfters zu gleicher Zeit Landvögte
oder doch Stellvertreter der Landvögte, z. B. in Augsburg, Ulm
und Weißenburg. Und die Burggrafen von Nürnberg waren zu
gleicher Zeit Kaiserliche Landrichter. In späteren Zeiten wurden
öfters die verschiedenen Aemter mit einander vereiniget, die Stadt=
vogtei mit dem Schultheißenamte in Magdeburg und Frankfurt,
das Burggrafenamt mit dem Schultheißenamt in Regensburg und
Würzburg. Das Schultheißenamt haben viele Städte an sich ge=
bracht, und viele Städte auch noch die Vogtei oder das Burg=
grafenamt. Und die letzteren wurden sodann meistentheils Reichs=
städte.

§. 498.

Wie in den Reichsstädten, so saßen auch in den Bischofs=
städten und in den Abteistädten und ursprünglich wohl auch in
allen übrigen Städten, in welchen zwei öffentliche Beamte neben
einander standen, beide Richter als redende und schweigende
Richter neben einander zu Gericht, um einander gegenseitig zu
unterstützen und zu ergänzen (§. 475 u. 476). Der Vorsitzende
hatte den Gerichtsstab in der Hand und war der redende Richter,
der Andere aber saß schweigend ihm zur Seite bis ein Gegenstand
seiner Kompetenz zur Verhandlung kam Denn in diesem Falle
hatte ihm der Vorsitzende den Richterstab zu übergeben. Und der
bisher schweigende Richter ward nun der redende, der bis dahin
redende Richter aber der schweigende, wie dieses auch in Dürkheim,

wie wir gesehen, gehalten zu werden pflegte [1]). So saßen im Städtchen Rheinau der Vogt und der Schultheiß neben einander. In den Frevelsachen hatte der Schultheiß den Stab · in der Hand und der Vogt saß als schweigender Richter an seiner Seite. Kam aber eine todeswürdige Sache zur Verhandlung, so übergab der Schultheiß den Gerichtsstab dem Vogt und dieser richtete sodann über das Blut [2]). Eben so saß in Speier der Schultheiß neben dem Vogt, in Würzburg der Burggraf neben dem Schultheiß (§. 491 u. 494), und in Erfurt der Vogt neben dem Schultheiß [3]). Auch sollte in der Stadt Selz in den drei Vollbingen der Schul= theiß als fragender Richter den Vorsitz bei Gericht führen, der Vogt aber als schweigender Richter der Sitzung beiwohnen [4]). In Köln saß neben dem redenden Vogt oder Schultheiß der Burggraf oder Gräv als schweigender Richter, sowohl in der Stadt selbst [5]), als in der Vorstadt Niederich und wahrscheinlich auch in den übrigen Vorstädten [6]). Auch in Basel hatte der Vogt gemeinschaftlich mit dem Schultheiß den Vorsitz bei dem Stadtgerichte [7]). Eben dieses

---

1) Meine Gesch. der Markenverfassung, p. 401.

2) Oeffnung §. 6 bei Schauberg, I, 161. „Item der schultes hatt vber „all boussen vnd freffly zerichten vsgenommen vber die tatt deß tods. „vnnd so es darzuo kumpt. das ain vbeltatt den tod betrifft. soll ain „schulttes die clag besitzen. vnnd demnach mit rechtlicher vrtail ainem „vogt die clag zuokennt vnd der stab übergeben werden. Derselbige „vogt hat dann witter zesitzen. vnd vber das bluot zerichten."

3) Bibra, Beschreibung aller Gerechtigkeit von 1332 bei Falckenstein, Er= furt p. 207. „Der Erffurttische Voigt hat zu richten Blutsachen, sitzt „mit dem Schultheißen im Gerichte, und nimmt von allem des Ge= „felt vom Stabe 3 Pf., wo der Schultheiß nimmt 4 Pfen." —

4) Grimm, I, 760, §. 6, 36 u. 38. Der §. 6 sagt: „Der schultesse sol „ouch da siczhen unt der vougt, unt sol der schultesse fragen nah bes „stiftes rehten, unt ouch nah der stete rehte, unt nah bes stiftes eigen, „unt sol ein vougt baz furhoren."

5) Urk. von 1169 bei Lacomblet, I, 302. quod advocatus noster qui in privilegio scoltetus archiepiscopi nominabatur una cum burg- gravio in omnibus causis judicio presidere debet. Urk. von 1287 u. 1361 bei Clasen, Schreinspraxis, p. 46 u. 51. — venientes in legitimum placitum coram urbis comite et advocato —.

6) Clasen, p. 54.

war auch in den Vorstädten von Basel der Fall, so lange diese noch
ihre eigene Gerichtsbarkeit hatten. Daher saß bei dem Vogtgerichte
in der Vorstadt St. Alban neben dem Schultheiß des Vogtes, wel=
cher den Stab in der Hand hatte, der Schultheiß des Probstes von
St. Alban, der für den Probst zwei Drittheile der Bußen zu be=
ziehen hatte, die er aber auch während der Gerichtssitzung erlassen
konnte [8]). In Magdeburg sollte der Schultheiß dem Gerichte
des Burggrafen beiwohnen und daselbst das erste Urtheil finden [9]).
In Bamberg bei dem Zentgerichte der Schultheiß neben dem
Zentgrafen („der schultheiz oder sein gewalt neben in mit seinem
stab") [10]).

Auch die Gerichtsherren selbst saßen zuweilen als redende
oder schweigende Richter an der Seite des redenden Richters zu
Gericht. So pflegten in Basel die Bischöfe selbst dem Vogteige=
richte als schweigende Richter beizuwohnen (si episcopus et advo-
catus simul sederint in sede judiciaria advocatus judex erit).
Die Bischöfe durften aber auch als redende Richter den Vorsitz bei
Gericht führen. Und sie thaten dieses zumal in Abwesenheit des
Vogtes. (Si vero advocatus absens fuerit Episcopus omnia cum
integritate judicabit et manu propria recipiet compositiones) [11]).
Eben so saßen die Grafen von Henneberg als Burggrafen zu
Würzburg schweigend neben dem Schultheiß auf der Brücke zu
Würzburg zu Gericht [12]). Wenn der Erzbischof von Köln als
redender Richter zu Gericht saß, sollte der Burggraf als sein Vogt
schweigend ihm zur Seite sitzen [13]). Eben so wohnte der Abt von
Seligenstadt als Inhaber der niederen Gerichtsbarkeit (des Schul=
theißengerichtes) schweigend dem Vogteigerichte bei, und der von dem

---

7) Urk. von 1236 u. 1253 bei Ochs, I, 310 u. 334. Urk. von 1202,
1253 u. 1257 bei Heusler, p. 148.

8) Basel im 14. Jahrhundert, p. 104.

9) Schöffenbrief von 1261, §. 7 und von 1304, §. 3 bei T. u. St. p. 352
u. 450.

10) Stadtrecht, §. 137 bei Zöpfel, p. 40.

11) Urk. um das Jahr 1216 bis 1220 bei Ochs, I, 291. Rechtsquellen
von Basel, I, 2 u. 3.

12) Urk. von 1456 bei Schultes, Henneberg. Gesch. II, 275. vrgl. oben
§. 494.

13) Urk. von 1169 bei Lacomblet, I, 302. vrgl. oben §. 489.

Erzbischof von Mainz ernannte Vogt hegte als redender Richter das Gericht. Da jedoch auch Civilstreitigkeiten, die zur Zuständigkeit des Schultheiß gehörten, daselbst abgeurtheilt werden konnten, in welchem Falle ohne allen Zweifel der Vogt den Gerichtsstab dem Schultheiß oder dem Abt selbst übergeben mußte, so wurde das Gericht nicht bloß im Namen des Erzbischofs als Inhabers der Vogtei, sondern auch im Namen des Abtes und des Gotteshauses gehegt[14]. In Magdeburg scheint der Erzbischof, wenigstens eine Zeit lang, immer dem Burggrafengericht beigewohnt zu haben. Denn nach der Glosse zum Sächsischen Weichbild sollte der Burggraf nur in Gegenwart des Erzbischofs sein Gericht halten[15].

§. 499.

Durch den Erwerb des Comitates in der Stadt sind die Bischöfe und Aebte selbst die Gerichtsherren geworden (§. 488). Daher waren und schrieben sich nun die Erzbischöfe von Köln selbst Burggrafen (§. 489), und die Bischöfe von Augsburg wurden zum Unterschiede von ihren Stellvertretern, den Burggrafen, oberste Burggrafen genannt[1]), wie denn auch die Erzbischöfe von Magdeburg (§. 493) und später die Kurfürsten von Sachsen Burggrafen von Magdeburg, die Herzoge von Baiern Burggrafen von Regensburg und die Kurfürsten von Brandenburg Burggrafen von Nürnberg gewesen und auch so genannt worden sind. Als Gerichtsherren konnten sie natürlicher Weise selbst zu Gericht sitzen. Und so saßen denn wirklich auch die Erzbischöfe von Köln öfters

---

14) Grimm, I, 505 u. 506. „Daz gericht sal besitzen unser her der apt, „eyn faudt zu Selgenstat von unserm gnedigen hern wegen zu Mentz „oder wene syne gnade von syne wegen datzu bescheyt — und wenn „daz gericht also bestalt ist, so sal dan ein faudt zu Selgenstatt oder „wer da sitzet von unsers gnedigen hern wegen zu Mentze daz gericht „hegen, —, er sal isz hegen von unszers gnedigen hern wegen zu „Mentze, von unsers herrn des apts wegen, von des gotshusz „wegen" —.

15) Glosse zum Weichbild, art. 47. „Und so der Burggraff das vogtding „sitzt, so sol der Bischoff von Magdeburg gegenwertig sein."

1) Stadtr. bei Freyberg, p. 125. — „wan er oberster burggrafe ist" —.

selbst zu Gericht [2]). Eben so die Bischöfe von Basel [3]). Nur
wenn es an die blutige Hand ging sollten sie abtreten und dem
Vogt den Vorsitz und das Erkenntniß überlassen [4]). Auch die Erz=
bischöfe von Magdeburg saßen bis ins 15. Jahrhundert selbst zu
Gericht [5]). Eben so die Bischöfe von Straßburg [6]), Bamberg [7])
und von Speier [7a]) u. a. m.

Die in der Stadt angestellten öffentlichen, nun landes=
herrlichen Beamten waren nichts anderes als die Stellvertreter
und Bevollmächtigten jener Gerichtsherren, von welchen sie ihre
Amtsgewalt erhalten und in deren Namen sie dieselbe auszuüben
hatten. So waren in Seligenstadt die Vögte die von dem
Erzbischof von Mainz ernannten Stellvertreter, welche im Namen
des Erzbischofs das Vogteigericht hegten („ein saubt oder wer da
„sitzet von unsers gnedigen hern wegen zu Mentze daz gericht he=
„gen"). Und die Schultheiße waren die Stellvertreter und die
Bevollmächtigten des Abtes von Seligenstadt [8]). In Basel waren
die Vögte und die Schultheiße solche Stellvertreter und Bevoll=
mächtigte des Bischofs [9]). Eben so in Straßburg der Vogt, der
Schultheiß und der Burggraf [10]), und in Köln der Burggraf

---

2) Urk. von 1230 bei Clasen, Schreinspr. p. 72. Hagen, Reimchronik.
V. 1450. „Der Bischoff geinck zo gerichte sitzen up den sal" —.
Schiedsspruch von 1258 §. 13 und Urk. von 1259 bei Lacomblet, II,
245 u. 258.

3) Basel im 14. Jahrhundert, p. 363. Urk. um 1218 bei Ochs, I, 291.
vrgl. oben §. 488.

4) Bischofs= und Dienstmannenrecht, §. 14 bei Wackernagel, p. 20. und
in Rechtsquellen von Basel, I, 11. „Swel Sache der Bischof selbe
„riehten wil oder mit rehte vor in gezogen wirt, die richtet er. get
„amblutich hant, so gat er bannen vnd heizet den vogt rehte riethen".

5) Urk. aus 12. sec. bei Leuckfeld, p. 100. vrgl. oben §. 493.

6) Stadtrecht, c. 13 bei Grandidier, II, 48.

7) Urk. von 1103 in der Deduction Bamberg gegen Fürth, cod. prob.
Nr. 27.

7a) Sententia von 1193 bei Pertz, IV, 568. in Mon. Boic. 31, I,
p. 443

8) Grimm, I, 505 u. 506.

9) Bischofs= und Dienstmannenrecht, §. 1 u. 14 bei Wackernagel, p. 17
und Rechtsquellen von Basel, I, 6.

10) Stadtrecht, c. 7, 11 u. 13 bei Grandidier, II, 44.

eben sowohl wie der Vogt oder Schultheiß [11]). Daher saßen diese Beamten auch in Köln im Namen des Erzbischofs zu Gericht [12]). Und, wenn das Urtheil gescholten wurde, ging die Berufung an den Erzbischof, von welchem als dem obersten Gerichtsherrn (summus judex) alle Gerichtsbarkeit ausging [13]).

Als bloße Bevollmächtigte und als Stellvertreter erhielten sie natürlicher Weise ihre Ernennung von ihren Vollmachtgebern, deren Stelle sie vertraten. Anfangs behielten sich zwar die Kaiser noch das Recht die von den geistlichen Immunitätsherren ernannten Beamten zu bestätigen und sie in ihr Amt einzusetzen vor, z. B. in Magdeburg die Bestätigung des von dem Erzbischof ernannten Vogtes [14]). Eben so in Bremen [15]) und in Bamberg die Bestätigung des von dem Bischof ernannten Vogtes [16]). Allein sehr früh ist dieses Bestätigungsrecht von den Kaisern selbst wieder aufgegeben worden, z. B. in Magdeburg [17]). In anderen Städten, z. B. in Bamberg, veranlaßte das vorbehaltene Bestätigungsrecht den Bischof die Stelle lieber gar nicht wieder zu besetzen (§. 496). In den meisten Städten hat sich jedoch jenes Bestätigungsrecht stillschweigend verloren, und dann ist nur noch die Verleihung des

---

11) Urk. von 1160 u. Schiedsspruch von 1258 Nr. 1 u. 2. bei Lacomblet, I, 302 u. II, 244 f.

12) Urk. von 1155 bei Ennen, Gesch. I, 555.

13) Schiedspruch von 1258, Nr. 1, 2 u. 40 in Quellen, II, 381 u. 384. Lacomblet, II, 244 u. 246.

14) Urk. von 965 bei Rathmann, I, 382. nullus comes vel vicarius — in eadem civitate — potestatem habeat, nisi ipse — advocatus, quem nostro consensu sibi et eidem ecclesiae praeficiendum elegerit.

15) Urk. von 966 bei Lindenbrog, p. 131. Nemo inibi aliquam sibi vindicet potestatem, nisi Archiepiscopus et quem ipse ad hoc delegaverit manu nostra signato, et annuli nostri impressione roborato.

16) Urk. von 1058 in Deduction Bamberg gegen Fürth, cod. prob. Nr. 25, vrgl. oben §. 496.

17) Urk. von 973 bei Rathmann, I, 383 ne quivis comes aut judex, vel vicarius publicus in Magdeburg civitate — aliquam potestatem habeat aut bannum, nisi advocatus, quem Archiepiscopus secundum suum libitum sibi elegerit —.

Blutbanns, also eine Art von Amtsinvestitur, wie wir sehen wer=
den, den Kaisern geblieben. Das Recht ihre Stellvertreter zu er=
nennen lag demnach von nun an ganz uneingeschränkt in den
Händen der Erzbischöfe, Bischöfe und Aebte. In Köln ernannten
die Erzbischöfe, wie wir gesehen, den Burggrafen eben sowohl wie
den Vogt oder Schultheiß. Eben so die Bischöfe von Speier,
Worms und Mainz den Burggrafen und den Schultheiß, und die
Erzbischöfe von Mainz auch noch den Kämmerer, die Stadtrichter,
den Waltboten u. a. m. [18]). Die Bischöfe von Basel, Straßburg
und Bamberg den Vogt und den Schultheiß. Die Bischöfe von
Bremen und Münster den Vogt. Die Bischöfe von Konstanz den
Ammann. Die Ernennung geschah meistentheils auf ein Jahr
oder auch auf mehrere Jahre. Daher mußten die Beamten nach
Ablauf dieser Zeit ihr Amt in feierlicher Weise niederlegen und sich
einer neuen Wahl oder Ernennung unterwerfen, z. B. in Speier,
wie wir gesehen, jedes Jahr. Auch konnten die Bischöfe und Aebte
ihre Beamten nur für ihre eigene Lebenszeit ernennen. Daher
waren bei dem Tode eines Bischofs oder Abtes alle Aemter ledig
und mußten von dem neuen Landesherrn neu wieder besetzt werden,
z. B. in Basel [19]).

    Auch die Stellverteter der Immunitätsherren führten
meistentheils den Titel Burggrafen, Stadtgrafen oder
Greven, z. B. in Köln, Mainz, Worms, Speier, Augsburg,
Magdeburg und eine Zeit lang auch in Regensburg, oder den
Titel Vogt, z. B. in Basel, Speier, Bremen u. a. m., wiewohl
sie im Grunde genommen nur Viceburggrafen, Vicestadtgrafen und
Vicevögte und die Immunitätsherren selbst, als Inhaber der Burg=
oder Stadtgrafschaft und der Vogtei, die eigentlichen Burggrafen,
Stadtgrafen und Schirmvögte waren. Sie ernannten die ihre
Stelle vertretenden Burggrafen und Vögte meistentheils aus dem
Herrenstande, die Schultheiße dagegen und die Ammanne, und in
Augsburg und Straßburg auch die Burggrafen aus den bischöf=
lichen Ministerialen. In manchen Städten, z. B. in Straßburg [20]),
mußten sogar jene Beamten aus den Ministerialen, aus dem

---

18) Urk. von 1470 bei Schunk, Beitr. zur Mainzer Gesch. III, 272.
19) Bischofsrecht, §. 4.
20) Stadtrecht, c. 6 bei Grandidier, II, 44.

„gesinde sines Goteshuses" genommen werden, bis späterhin auch Stadtbürger dazu ernannt werden durften und dazu ernannt werden mußten.

§. 500.

Sehr häufig wurden jene Aemter zu Lehen gegeben und zwar als erbliche Lehen verliehen. So wurde, wie wir gesehen, die Burggrafschaft in Köln, Mainz, Worms, Trier, Regensburg, Würzburg und Magdeburg, und die Stadtvogtei in Straßburg und Augsburg zu Lehen gegeben. Eben so das Schultheißenamt in Basel [1]), in Straßburg und Magdeburg, und die Vogtei oder das Schultheißenamt in Köln. Die mit ihrem Amte belehnten Burggrafen, Vögte und Schultheiße durften nun natürlicher Weise selbst zu Gericht sitzen. Und sie pflegten dieses auch öfters zu thun, z. B. in Würzburg die Grafen von Henneberg in ihrer Eigenschaft als Burggrafen zu Würzburg (§. 494). Sie durften aber ebenfalls wieder einen Stellvertreter ernennen, welcher sodann statt ihrer zu Gericht saß. So hatten in Köln die Burggrafen einen eigenen Vicarius oder Untergrafen in der Altstadt und in der Vorstadt, und auch die Vögte hatten daselbst einen Vicarius oder Untervogt. Eben so hatte in Straßburg der Schultheiß zwei Richter als seine Stellvertreter und in Würzburg der Oberschultheiß einen Unterschultheiß. Und in Worms hatte der Burggraf einen Stellvertreter, welcher ebenfalls Burggraf (praefectus) oder Stadtgraf (Greve) genannt worden ist, und in Augsburg der Erbvogt einen Stellvertreter, welcher den Titel Stadtvogt geführt hat. In diesem Falle wurden sodann die Gerichte nicht im Namen des Erzbischofs oder des Bischofs, vielmehr im Namen ihres mit dem Amte belehnten Stellvertreters, also z. B. in Köln im Namen des Burggrafen gehegt. Erst seitdem die Erzbischöfe von Köln die Burggrafschaft wieder an sich gebracht hatten, also selbst wieder Burggrafen waren, sollten auch die Gerichte wieder im Namen der Erzbischöfe gehegt und die Urtheile in ihrem Namen gesprochen, und nicht mehr im Namen des Burggrafen gehandelt werden [2]).

---

1) Heusler, p. 207.
2) Schöffenweisthum von 1375 bei Grimm, II, 748. vgl. oben §. 469.

In sehr vielen Städten wurden jene Aemter verpfändet, z. B. das Burggrafenamt in Köln, die Vogtei in Basel, Augsburg, Lindau, Kempten, Bremen und Hamburg, das Schultheißenamt in Basel und Regensburg und das Ammanamt in Lindau. Oefters wurden jene Aemter auch verkauft mit dem Rechte der Wieder= einlösung, was dem Erfolge nach einer Verpfändung gleichkommt. Das Schultheißenamt in Worms z. B. wurde verkauft [3]). Und die Pfandinhaber oder Käufer hegten und pflegten· sodann jene Aemter entweder selbst, oder sie ließen dieselben durch von ihnen ernannte Stellvertreter in ihrem Namen hegen und pflegen, z. B. in Basel u. a. m. [4]). Und die Stellvertreter dieser Stellvertreter nannte man sodann Untervögte z. B. in Basel [5]), Unter= schultheiße oder Viceschultheiße z. B. in Basel [6]), oder vicepraefecti, z. B. in Augsburg [7]). In mehreren Städten wurden jene Aemter an die Stadt selbst verpfändet, z. B. die Vogtei in Hamburg und das Schultheißenamt in Basel. In den meisten Bischofsstädten und Abteistädten haben aber die Städte die an andere verpfändeten Aemter oder die erblich verliehe= nen Aemter mittelst Einlösung oder Kauf an sich gebracht, z. B. in Erfurt im Jahre 1283 die Vogtei mit dem Vogtesding und im Jahre 1291 die beiden Schultheißenämter [8]). Und im einen wie in dem anderen Falle wurden sie sodann, wenn sie sich im Besitze der Burggrafschaft oder der Vogtei erhalten konnten, Reichsstädte. Nur in Bremen ist die Vogtei und in Würzburg das Burggrafenamt von selbst untergegangen, in Bremen, weil die Vogtei zuletzt ohne alle Kompetenz war, in Würzburg dagegen, weil die Grafen von Henneberg sich nicht mehr mit dem Burggrafenamt belehnen lassen

---

3) Urk. von 1293 bei Böhmer, fontes, II, 240.

4) Urk. von 1302 bei Heusler, p. 199 n. 1. — „Ich Peter der Gabeler „vogt ze Basele an mins herren stat von Rötenlein — das ich „ze gerichte sas an mins herren stat Peters des Schalers schul= „theissen ze Basele" —.

5) Beispiele bei Heusler, p. 200 n. 1.

6) Heusler, p. 207.

7) Urk. von 1262 in Mon. Boic. 33, I p. 98

8) Urk. von 1283 und 1291 bei Lambert, p. 139 u. 145. Die Stadt= vogtei blieb jedoch eine Zeit lang noch streitig. Michelsen, Rathsver= fassung von Erfurt, p. 3—5 u. 10.

wollten. In Konstanz erhielt die Bürgerschaft den Blutbann von dem Kaiser Wenzel nicht nur über ihre Vogtleute, Eigenleute und Hintersassen, sondern auch über fremde Verbrecher, welche sie auffangen und vor Gericht bringen konnte [9]).

§. 501.

Mit der öffentlichen Gewalt haben die Immunitätsherren auch ein Recht auf die öffentlichen Dienste und Steuern erhalten. Mit der gesammten öffentlichen Gewalt war nämlich auch das Recht auf den alten Königsdienst auf die Bischöfe und Aebte übergegangen. Und sie nahmen nun diesen Dienst und in ihrer Eigenschaft als Gerichtsherren auch den alten Beamtendienst in eigenem Namen und Kraft eigenen Rechtes in Anspruch [1]). Wie in den Reichsstädten die Bürger Reichsunterthanen und als solche dem Kaiser und Reich reichsdienstpflichtig waren, so waren nun auch in den Bischofsstädten und in den Abteistädten die Stadtbürger landesherrliche Unterthanen und als solche ihrem Landesherrn die landesherrlichen Dienste und Steuern schuldig. Daher sollten, nach dem Vertrage der Stadt mit dem König Philipp, die Bürger von Köln dem Erzbischof als ihrem Landesherrn dienen (civitas serviet ei, in quibus debet) [2]). Eben so waren die Bürger von Magdeburg ihrem Landesherrn Herrendienste schuldig [3]). Diese bestanden hauptsächlich in der Pflicht den Landesherrn, wenn er in ihre Stadt kam, zu beherbergen und zu verpflegen, sodann in der Pflicht zum landesherrlichen Kriegsdienst und in der Pflicht den Landesherrn zu unterstützen, wenn er nach Hof ging oder einem Römerzug beiwohnte.

Das Recht der Bischöfe und Aebte auf Beherbergung und Verpflegung, wenn sie in die Stadt kamen, hat ursprünglich gewiß allenthalben bestanden. Da jedoch die Bischöfe und Aebte in ihren Bischofs- und Abteistädten selbst zu wohnen pflegten, so wurde jenes Recht seltener von ihnen in Anspruch genommen, und es hat sich sodann, bei dem Streben jener Städte nach Freiheit,

---

9) Lender, Beitr. zur Gesch. von Konstanz, p. 23. Urk. von 1384 bei Hugo, Mediat. Reichsst. p. 225.
1) Meine Gesch. der Fronh. III, 408 ff.
2) Vertrag von 1206 in Quellen, II, 27.
3) Schöffenbrief von 1304 §. 138 bei T. u. Stenzel, p 477.

nach und nach gänzlich verloren. In Straßburg war schon zur
Zeit des alten Stadtrechtes das Recht des Bischofs in dieser Be=
ziehung auf fast nichts beschränkt [4]). Und in Speier mußten die
Bischöfe bereits im Jahre 1294 auf diese und andere Dienste gänz=
lich verzichten [5]).

Eben so hatten die Immunitätsherren mit dem Königsdienste
auch ein Recht auf den **Kriegsdienst** erworben. Daher mußten
im Nothfalle auch die Stadtbürger und zwar auf eigene Rechnung
gerüstet ins Feld ziehen. Noch Rudolf von Habsburg befahl den
Bürgern von Basel, daß sie ihrem Bischof Kriegs= und andere
Dienste leisten sollten [6]). Der landesherrliche Heerdienst wurde
aber auch in den Immunitätsstädten frühe schon, wie wir gesehen,
auf die Vertheidigung der Stadt und auf die Vertheidigung des
Landes, das heißt auf die Landwehr beschränkt. So mußten die
Bürger von Magdeburg 40 auf eigene Rechnung bewaffnete Leute
zur Landwehr (pro defensione patrie — expeditionem) stellen.
Und die zurückbleibenden Bürger sollten die Stadt selbst vertheidi=
gen (alii domi remanentes ad defensionem civitatis) [7]). Zum
auswärtigen Heerdienst waren die Stadtbürger in der Regel gar
nicht verpflichtet. Diesen konnten daher auch die Bischöfe nur bitt=
weise oder auf vertragsmäßigem Wege erlangen. Daher findet
man auch in vielen Städten solche Verträge des Bischofs und der
Stadt zur gegenseitigen Unterstützung, z. B. in Worms im 14.
Jahrhundert [8]), in Bremen das ganze 13., 14. und 15. Jahrhundert
hindurch bis ins 16. [9]). Da indessen die Bischöfe die Inhaber des

---

4) Stadtrecht, c. 90 u. 91 bei Grandidier, II, 79. Meine Gesch. der
    Fronh. III, 420.

5) Urk. von 1294 bei Lehmann, p. 579. quod de civibus — nullas her-
    bergas — aut alia genera servitiorum qualiacunque. Urk. von
    1365 bei Lehmann, p. 730. — „kein Herberge — noch keinerley andere
    „Dienst" —.

6) Urk. von 1285 bei Ochs, I, 432. statuimus et volumus, quod cives
    — in expeditionibus et modis aliis servient.

7) Schöffenweisthum aus 13. sec. §. 4 bei T. u. St. p. 271. Meine
    Gesch. der Fronh. III, 462 ff. und oben §. 128, 129, 427.

8) Urk. von 1360 bei Glafey, annect. p. 333.

9) Verträge von 1233, 1295, 1301, 1325, 1337, 1363, 1425, 1474, 1499
    u. 1599 in Assertio lib. p. 480—484.

alten Königsdienstes, also die eigentlichen Kriegsherren waren, so
durfte ohne ihre Zustimmung keine neue Burg, keine Wicburg, in
der Stadt angelegt werden, z. B. in Basel [10]). Sogar die Könige
selbst haben auf das Recht auf geistlichem Gebiete neue Burgen
und Städte, welche damals ebenfalls Burgen waren, zu errichten
ausdrücklich verzichtet [11]). Und wenn die Immunitätsherren a n
d e n K ö n i g s h o f reisten oder zu einem Römerzug aufgeboten
wurden, mußten auch die Stadtbürger b e i s t e u e r n. So die Bürger
von Augsburg, wenn der Bischof nach Hof ging oder sonst des
Reiches oder der Kirche wegen reiste oder an einem Römerzug
Theil nahm (pro ecclesiae suae necessitate curiam adierit —
quando romam ibit in expeditionem vel ad suam consecratio-
nem) [12]). Eben so die Bürger von Basel, wenn der Bischof einen
Römerzug mitmachte oder an den Kaiserlichen Hof reiste. (pro
expeditione imperiali vel pro itinere ad curiam) [13]). Und in
Worms sollten dem Bischof nicht bloß die Fiscalinen zum Königsdienst und zum Kriegsdienst beisteuern (ad regale servitium et
ad expeditionem) [14]), sondern auch die übrigen Bürger [15]). Daher
machte es großes Aufsehen als im Jahre 1231 die Bürger die von
dem Bischof begehrte Beisteuer (subsidium), um den Reichstag zu
Ravenna zu besuchen, verweigerten [16]). Außerdem erhielten aber
die Bischöfe bei ihrem feierlichen Eintritt in die Stadt auch noch

---

10) Spruch von 1180 bei Pertz, IV, **164**. nulli personae licere muni-
　　cionem aliquam novam que vulgo dici possit Wicborc in civitate
　　praeter ipsius episcopi voluntatem vel erigere vel erectam tenere.
　　vergl. oben §. 176.
11) Confoederatio von 1220 § 9 und Constitutio von 1232 bei Pertz,
　　IV, 237 u. 291.
12) Stadtrecht von 1156 in Mon. Boic. 29, I, p. 330.
13) Urk. um 1218 bis 1221 bei Ochs, I, 29. und in Rechtsquellen von
　　Basel, I, 2. Meine Gesch. der Fronhöfe, III, 414.
14) Leges S. Petri, von 1024 §. 29 bei Grimm, I, 807.
15) Annal. Worm. ad 1262 bei Boehmer, font. II, 202. Ad subsidium
　　hujus guerre dederunt cives. Urk. von 1360 bei Glafey, p. 333.
16) Annal. Wormat bei Boehmer, font. II, 161. cum episcopus, volens
　　arripere iter ad curiam domini imperatoris —, peteret subsidium
　　a civibus —. Sed ipsi cives sibi in suis precibus nil consense-
　　runt, nec in aliquo sibi succurrere voluerunt —.

Geschenke von dem Rath, bestehend in Wein, Hafer, Fischen und in einem vergoldeten Becher, z. B. in Worms [17]) und in Basel [18]). Die Bischöfe und Aebte hatten demnach in ihren Immunitäts= städten dasselbe Besteuerungsrecht, welches die Deutschen Kö= nige in den Reichsstädten gehabt haben. Und diesen Steuern waren auch in den Bischofs= und Abteistädten alle Einwohner unter= worfen, mit Ausnahme der in der Stadt ansäßigen Ritter und der Geistlichen. Die in der Stadt angesessene Ritterschaft und Geistlichkeit war zwar, ursprünglich wenigstens, den städtischen Steuern und Abgaben unterworfen, nicht aber den öffentlichen oder landesherrlichen Steuern. Da nämlich die Ritter ihrem Landesherrn den Ritterdienst in Person leisten mußten, so brauch= ten sie nicht dafür zu steuern (§. 376, 395 u. 480). Und auch die Geistlichen wurden frühe schon von der Entrichtung der öffent= lichen Steuern befreit. Schon der Landfrieden von 1158 befreite die Kirchen in den Städten von den willkürlichen Steuern [19]). Und auf dem Reichstage zu Mainz im Jahre 1182 wurden die Geistlichen, wenn sie keinen Handel trieben, auch noch von allen übrigen öffentlichen Steuern und Fronen befreit [20]). Um die Kauf= leute herum drehte sich demnach auch in dieser Beziehung die städtische Verfassung. Und wie in anderer so hat auch in dieser Beziehung Recht und Pflicht der Kaufleute zur weiteren Aus= bildung der städtischen Verfassung wesentlich beigetragen.

Allein nicht bloß das Besteuerungsrecht, auch die bereits schon bestehenden öffentlichen Steuern selbst wurden den Bischöfen und Aebten übertragen. So in Worms, Mainz und Köln alle Arten von öffentlichen Steuern und Abgaben (das toletum, ban= num und das sogenannte Stufkorn) [21]). Eben so in Speier

---

17) Zorn, Chron. p. 191 u. 192.

18) Ochs, II, 336 u. 337. Not.

19) Pertz, IV, 112. Illicitas exactiones ab ecclesiis — per civitates et castella prohibemus.

20) Pertz, IV, 165 — ecclesie Wormaciensis ministros, qui certi et publici mercatores non sunt, ab omnibus angariis et perangariis, ab exactionibus et collectis, auctoritate imperiali absolvimus —. vergl. §. 376.

21) Urk. von 979 u. 995 bei Moritz, I, 208 u. 259. negotiationis uti-

(stopha und herbannus) [22]), in Mainz (census ab antiquo statutus) [23]), in Trier (omne tributum) [24]), in Chur (omnis census a liberis hominibus solvendus et hostisana) [25]), in Basel (episcopo in talliis, stüris, exactionibus servient) [26]), in Regensburg [27]) u. a. m. In einigen wenigen Bischofs= und Abteistädten haben sich übrigens auch in späteren Zeiten noch die Reichssteuern und die alten Königszinse erhalten. Noch im 13. und 14. Jahrhundert wurden die Reichssteuern in Konstanz und Lindau [28]), in Kempten und in St. Gallen, und die Königszinse in Hamburg, in Bremen, in Speier u. a. m. erhoben. Seit dem 13. und 14. Jahrhundert wurden sie indessen mehr und mehr verpfändet. Und zuletzt kamen sie fast allenthalben in die Hände der Städte selbst. So wurde die Reichssteuer in Kempten im Laufe des 14. Jahrhunderts an die Herzoge von Tek, dann an die Grafen von Montfort und zuletzt an die Stadt selbst verpfändet [29]). Eben so wurde die Reichs= steuer von St. Gallen vom Reich veräußert und im Jahre 1417 von der Stadt eingelöst [30]). Auch wurden die Königszinse in Hamburg und in Bremen an verschiedene geistliche und weltliche Korporationen so wie an einzelne bürgerliche Geschlechter verpfändet, bis sie auch dort meistentheils in die Hände der Stadt ge= kommen sind [31]). Neue öffentliche Steuern sollten jedoch ohne Zustimmung der Bürger nicht erhoben werden, weder in Mainz [32]), noch in Worms [33]), noch in Speier [34]) noch a. m. Im

---

litates toletis videlicet et bannis. — Urk. von 985 bei Securis, p. 8. Urk. von 858 u. 898 bei Schannat, II, 6 u. 15 modium Regis, quod alias Stuffkorn nuncupatur.

22) Urk. von 670 u. 782 bei Remling, p. 2 u. 5.

23) Privilegium von 1244 §. 2 bei Guden, I, 580.

24) Urk. von 902 bei Hontheim, I, 253.

25) Urk. von 1036 bei Boehmer, regest. Nr. 1412.

26) Urk. von 1285 bei Ochs, I, 432.

27) Privileg von 1230 §. 21. collectas det nobis et episcopo —.

28) Urk. von 1360 bei Wegelin, II, 71.

29) Haggenmüller, I, 143—145.

30) Heider, p. 630 f.

31) Meine Gesch. der Fronh., III, 358—361.

32) Privilegium von 1244, §. 1 u. 2 bei Guden, I, 580. Urk. von 1349 bei Senckenberg, sel. jur. II, 141.

14. Jahrhundert erklärten noch die Bürger von Würzburg ihrem Landesherrn, „Wollte ein Herr auch neue Gebot und Satz setzen, „daß ist also Herkommen, daß er das ohne die Bürger nicht thun „soll; wann er aber das thun wollt, und sein Gericht wollt anderst „setzen, denn sie von Alters herkommen war, darwider die Bürger „alleweg gewesen" [35]). Als daher der Bischof von Konstanz im Jahre 1192 die Bürger von Konstanz gegen ihren Willen besteuern wollte, erhoben diese Beschwerde bei dem Kaiser und erlangten von ihm die Bestätigung ihrer hergebrachten Steuerfreiheit [36]). Und späterhin mußten die Bischöfe auch noch auf alle hergebrachten Steuern verzichten, die Erzbischöfe von Mainz auf alle Beten und Steuern [37]), die Bischöfe von Konstanz auf alle Fälle, Gelasse und Hauptrechte („vegeben und abgelaufen hand alle Fälle, geläse un= „gnosain vnd hoptrecht") [38]), und die Bischöfe von Speier auf alle hergebrachten Steuern, gleichviel welchen Namen sie hatten. (nullas exactiones, sturas, herbergas, banwin, hersture, collectas seu aliquas precarias alias recipiemus aut extorquebimus) [39]). Wobei es denn auch späterhin geblieben ist [40]). Auch in Magdeburg sagten sich die Bürger im Anfang des 16. Jahrhunderts von allen Steuern los, indem sie behaupteten nach ihren Privilegien zu keiner Steuer verpflichtet zu sein [41]).

---

33) Annal. Worm. ad 1262 bei Boehmer, font. II, 202.

34) arg. Urk. von 1198 bei Lehmann, p. 496.

35) Schuberth, Staats= u. Gerichtsverfassung von Bamberg, p. 87.

36) Urk. von 1192 bei Dümge, reg. p. 150. — quod civitas et burgenses — nullam petitionem seu collectam ipsi episcopo vel advocato civitatis vel successoribus suis facere debeant.

37) Urk. von 1135 bei Guden, I, 119. Urk. von 1325 u. 1349 bei Senckenberg, sel. jur. II, 131, 157 u. 161.

38) Urk. um 1375 bei Lender, Konstanz, p. 20. Bestätiget in den Jahren 1384 und 1387 eod. p. 21.

39) Urk. von 1294 bei Lehmann, p. 579. und Rau, I, 18.

40) Urk. von 1359 u. 1365 bei Lehmann, p. 716 u. 730. — „kein Beth, „Steur, Herberge, Bannwein, Heersteur, Schatzung, Lehnung — „fordern."

41) Rathmann, III, 306 u. 438. IV, 2. p. 23.

§. 502.

Auch das Münzrecht und das Zollrecht gehörte ursprüng=
lich zu den Rechten der öffentlichen Gewalt. Es wurde aber frühe
schon auf die Bischöfe und Aebte übertragen. Und die Könige
selbst verzichteten auf die Ausübung des Münz= und Zollrechtes
in dem Gebiete eines Bischofs oder Abtes und auf das Recht neue
Münzen und neue Zölle daselbst zu errichten [1]). In jenen Städten,
in welchen bereits Münzen bestanden, wurde diese den Bischöfen
und vielen Aebten, hie und da schon von den Fränkischen Königen
übertragen, z. B. in Straßburg [2]), in Worms [3]), in Speier [4]), in
Mainz [5]), in Trier [6]), in Magdeburg [7]), in Bremen [8]), in Basel [9]),
in Konstanz [10]), in Zürich [11]), in Augsburg [12]), in Köln [13]) u. a. m.
Auch erhielten sie das Recht neue Münzen in jenen Städten zu
errichten, in welchen bis dahin noch keine bestanden, z. B. in Straß=
burg [14]), in Bremen [15]) u. a. m. Zur Besorgung des Münz=
wesens wurden öfters eigene Münzbeamte in größerer oder ge=

---

1) Confoederatio von 1220 §. 2 u. 10. und Constit. von 1232 bei
　Pertz, IV, 236 u. 292.

2) Urk. von 774 bei Grandidier, I, preuv. p. 112. Urk. von 974 bei
　Schoepflin, I, 125.

3) Urk. von 858, 898 u. 1044 bei Schannat, II, 6, 15 u. 55.

4) Urk. von 946 bei Remling, p. 12.

5) Urk. von 974 bei Guden, I, 7.

6) Urk. von 902 bei Hontheim, I, 253.

7) Urk. von 965 u. 973 bei Rathmann, I, 380 u. 383.

8) Urk. von 888 bei Lappenberg, Hamb. Urkb. I, 33. percussuram num-
　morum —. Urk. von 966, 1003, 1014 u. 1158 bei Lindenbrog,
　p. 131, 135, 136 u. 162.

9) Urk. von 1149 bei Ochs, I, 258. Heusler, Verf. Gesch. p. 11. Urk.
　von 1149 u. 1152 bei Wackernagel, Bischofsrecht, p. 22 u. 33.

10) Urk. von 1155 bei Neugart, II, 86. und Pistorius, III, 695.

11) Bluntschli, I, 126—128.

12) Stadtrecht von 1156 in Mon. Boic. 29, II, p. 330. Stadtrecht von
　1276 bei Freyberg, p. 10 ff. bei Walch, IV, 35 ff. §. 16 ff.

13) Urk. von 1204 bei Lacomblet, II, 7.

14) Urk. von 974 bei Schoepflin, I, 125.

15) Urk. von 888 bei Lappenberg, I, 33. Urk. von 966 bei Lindenbrog,
　p. 131.

ringerer Anzahl von den Bischöfen und Aebten ernannt. Ander=
wärts wurde das Münzamt verpachtet oder zu Lehen gegeben. Und
die mit diesem wichtigen Amte belehnten Münzer Hausgenossen
haben sich allenthalben zu großem Ansehen und Reichthum erhoben,
und in Speier und in Weißenburg sogar das Stadtregiment selbst
an sich gebracht. Nach und nach kam jedoch auch dieses wichtige
Recht in Abhängigkeit von dem Stadtrath und zuletzt durch Ver=
kauf oder Verpfändung in den Besitz der Stadt selbst (§. 77
u. 141).

Mit der Münze wurden meistentheils gleichzeitig auch die
Zölle auf die Bischöfe und auf viele Aebte übertragen, z. B. in
Straßburg[16]), in Worms[17]), in Speier[18]), in Mainz[19]), in
Trier[20]), in Regensburg[21]), in Magdeburg[22]), in Zürich[23]), in
Konstanz[24]), in Köln[25]), in Münster, Basel u. a. m. Auch
wurde ihnen das Recht neue Zölle zu errichten zugestanden, z. B.
in Bremen[26]) u. a. m. Und in vielen Städten haben sich auch in
späteren Zeiten diese bischöflichen Zölle noch neben den städtischen
Zöllen erhalten, z. B. in Worms[27]), in Speier, in Basel u. a. m. In
Speier war der bischöfliche Zoll doppelter Art, entweder ein Jag=
zoll, wenn er von dem Fuhrwerk erhoben ward, oder ein Pfund=
zoll, wenn er von den Waaren erhoben zu werden pflegte. Auch
die Fähre über den Rhein mit dem Fergenmeisteramte ge=

---

16) Urk. von 774 bei Grandidier, I, preuv. p. 112.
17) Urk. von 798, 858, 898 u. 973 bei Schannat, II, 1, 6, 15 u. 23.
18) Urk. von 946 bei Remling, p. 12.
19) Urk. von 974 bei Guden, I, 7.
20) Urk. von 902 bei Hontheim, I, 253.
21) Urk. von 916 bei Ried, I, 94.
22) Urk. von 965 u. 973 bei Rathmann, I, 380 u. 383.
23) Bluntschli, I, 126.
24) Urk. von 1155 bei Neugart, II, 86.
25) Urk. von 1204 bei Lacomblet, II, 7.
26) Urk. von 888 bei Lappenberg, I, 33. Urk. von 966, 1003 u. 1158
bei Lindenbrog, p. 131, 135 u. 162.
27) Vergleich von 1407 §. 13, Urk. von 1424 u. 1430. Nachtung von
1519 §. 33 u. 34 und Urk. von 1567 bei Schannat, II, 230, 233,
235, 329 u. 427.

hörte dem Bischof, und der bischöfliche Zöllner war daselbst zu glei=
cher Zeit der Fergenmeister [28]). In Basel war der Bischofszoll
theils eine Handlungsabgabe theils ein Transitzoll. Man
nannte ihn daher einen fürgehenden Zoll und, wie in Speier,
einen Pfundzoll [29]). Auch die Bischöfe waren öfters in Geld=
verlegenheit und versetzten daher ihre Zölle oder gaben sie zu
Lehen. Und so kamen denn auch die bischöflichen Zölle öfters in
die Hände der Städte. In Straßburg wurden sie mehrmals an
einheimische und auswärtige Geschlechter versetzt und verliehen, auch
an die Stadt selbst verpfändet, und im Jahre 1604 durch den
Hagenauer Vertrag der Stadt für immer übertragen [30]). Eben so
in Köln schon im 12. und 13. Jahrhundert [31]). In Basel wur=
den die Bischofszölle im Jahre 1373 der Stadt verpfändet und,
nachdem diese Verpfändung im Jahre 1401 nochmals bestätiget
worden war, seitdem auf Rechnung der Stadt erhoben [32]). In
Regensburg wurden im Jahre 1388 die Zölle und andere Abgaben
an die Stadt verpfändet [33]). Auch in Münster hatte der Bischof
eine Zeit lang seine Zölle den bischöflichen Ministerialen zu Lehen
gegeben [34]). Zur Erhebung der landesherrlichen Zölle stellten die
Bischöfe und Aebte insgemein eigene Beamte, sogenannte Zöllner
(thelonearii) an, z. B. in Straßburg [35]), in Köln [36]), in Zürich [37]),
in Mainz [38]), in Speier, Worms u. a. m. Diese Beamten hatten
außer der Erhebung des Zolls auch noch die Aufsicht über den
Bau und die Unterhaltung der Brücken. Denn aus den Zoll=
einnahmen wurden dergleichen Bauten bestritten, z. B. in Straß=

---

28) Lehmann, p. 334 u. 335.
29) Ochs, II, 412 ff. Not. u. V, 99. Bischofsrecht §. 9.
30) Grandidier, II, 103 u. 104.
31) Ennen, Gesch. I, 613—614.
32) Ochs, II, 221, 222, 412 ff., III, 19, V, 99
33) Gemeiner, II, 244.
34) Urk. von 1217 bei Wilkens, p. 111.
35) Stadtrecht, c 7, 47, 49 u. 56 bei Grandidier, II, 45. Revers von
     1263 §. 4 bei Schilter zu Königsh. p. 730.
36) Urk. von 1159 bei Lacomblet, I, 276.
37) Urk. von 947 bei Neugart, I, 592,
38) Privilegium von 1244 §. 3 bei Guden, I, 580.

burg [39]). Auch hatten die Zöllner öfters die Aufsicht über die
Maße und daher diese mit einem glühenden Eisen zu zeichnen und
die darüber entstandenen Streitigkeiten zu entscheiden, z. B. in
Straßburg [40]). In Speier hatten die Zöllner, wie wir gesehen,
auch die Fähre über den Rhein zu besorgen. Die Steuern und
anderen landesherrlichen Gefälle in den Städten wurden insgemein
von den bischöflichen Kämmerern (§. 485), zum Theile auch von
den Städten selbst erhoben und dann erst an die bischöflichen Kassen
abgeliefert (§. 429).

Auch das Recht Märkte anzulegen gehörte frühe schon
zu den Rechten der öffentlichen Gewalt. Man findet daher die
ersten Märkte in den Königsstädten. Mit den übrigen Rechten
der öffentlichen Gewalt wurde aber auch dieses Recht auf die Bischöfe und Aebte übertragen. Und so erhielten denn nach dem
Vorbilde der Königsstädte auch die Bischofsstädte und viele Abteistädte frühe schon das Marktrecht mit den dazu gehörigen Freiheiten
und fiskalischen Einkünften (§. 75, 76 u. 481).

Auch die Gerichtsgefälle, welche der Königliche Fiskus
in der Stadt von den freien und unfreien Leuten und von den
hörigen Colonen zu erheben hatte, wurden auf die Bischöfe und
Aebte übertragen, z. B. in Worms [41]), in Speier [42]), in Köln und
Mainz [43]), in Konstanz [44]) u. a. m. Eben so auch alle übrigen
fiskalischen Einkünfte, welche der Königliche Fiskus in der Stadt
zu beziehen hatte, z. B. in Worms [45]), in Köln und Mainz [46]), in
Trier [47]), in Magdeburg [48]) u. a. m.

---

39) Stadtrecht, c. 58.

40) Stadtrecht, c. 56 u. 57 bei Grandidier, II, 65 u. 103.

41) Urk. von 858 bei Schannat, II, 6. quicquid in dominicum fiscum
de civitate infra et extra in vadiis aut fredis sive justitiis legalibus redigi potest. Urk. von 973, eod. p. 23. quae infra aut
extra urbem in dominicum fiscum redigi aliquomodo potuerant,
in banno, quod penning — ban vulgariter dicunt, aut — fredo —
sive ullis justicys legalibus, vadiis —.

42) Urk. von 670 u. 782 bei Remling, p. 2 u. 5.

43) Urk. von 979 in Quellen zur Gesch. von Köln, I, 470.

44) Urk. von 1155 bei Neugart, II, 86. — seu in caeteris justitiis —.

45) Urk. von 858, 898 u. 937 bei Schannat, II, 6, 14, 15 u. 23. —

Die Gerichtsgefälle und die übrigen fiskalischen Einkünfte sollten demnach, wie es die angeführten Urkunden klar und deutlich aussprechen, auf den Bischof übergehen. Ganz buchstäblich darf dieses jedoch nicht genommen werden, wie dieses schon Nitzsch und Heusler bemerkt haben. Denn in Basel erhoben die Könige noch bis zum Jahre 1279 das sogenannte Zollholz [49]). Alle Bischofs=städte blieben noch, wie wir sehen werden, reichsdienst= und reichs=steuerpflichtig (§. 504). Auch verfügten die Könige nach wie vor über die in den Bischöfsstädten zu erhebenden Zölle. Oder es wurde die Steuer wenigstens nur zum Theile auf den Bischof über=tragen. So sollte z. B. in Basel der Bischof nur zwei Drittheile der Steuer (exactio oder Gewerf), der Vogt aber das andere Drittheil erhalten [50]). Auch die Gerichtsgefälle gingen nicht voll=ständig auf den Bischof über. Der Bischof pflegte vielmehr nur zwei Drittheile und der Vogt das letzte Drittheil zu erhalten, z. B. in Basel u. a. m. [51]), insbesondere auch in Worms. Daß aber dieses dem Vogt zufallende Drittheil nach wie vor als dem könig=lichen Fiskus gehörig betrachtet worden ist, geht zumal aus einer Wormser Urkunde hervor, nach welcher auch dieses Drittheil noch auf den Bischof übertragen wurde, während es bis dahin als zum königlichen Fiskus gehörig betrachtet worden ist [52]). Auch in den

---

quasdam res juris Regalis infra civitatem — quidquid in dominicum fiscum de civitate — quidquid ad nostrum usum et jus
pertinet — quasdam res juris nostri infra civitatem — quidquid
ad opus Reginm in ipsa civitate fiscus dominicus — et alias utilitates omnes, quae infra aut extra urbem in dominicum fiscum
redigi aliquomodo potuerant.

46) Urk. von 979 in Quellen, I, 470.

47) Urk. von 902 bei Hontheim, I, 253. cum fiscalibus omnibus —.

48) Urk. von 965 bei Rathmann, I, 380.

49) Urk. von 1279 bei Herrgott, II, 2. p. 490. Bischofsrecht, §. 9.

50) Urk. bei Ochs, I, 290. Bischofsrecht §. 2. Eben so noch an vielen
anderen Orten. Wackernagel, Bischofsr. p. 29.

51) Urk. bei Ochs, I, 292. Bischofsrecht §. 1 u 14.

52) Urk. von 985 bei Schannat, II, 26 f. — ecclesia tam in toletis,
quam bannis, duas tantum totius utilitatis partes tenuit, tertia,
ut omnibus provinciae optimatibus notum est, regio et imperiali fisco suo reservata.

Abteiftädten und in anderen Städten pflegte übrigens jene Thei=
lung der Gerichtsgefälle zu zwei und ein Dritttheil vorzukommen [53].
Im späteren Mittelalter wurden jedoch die zwei Drittheile oder
auch drei Viertheile zuweilen den Bürgern (civibus) und das letzte
Dritttheil oder Viertheil dem Stadtrichter übertragen, z. B. in Quedi=
linburg [54]), in Lübeck [55]).

§. 503.

Seit dem Erwerbe der öffentlichen Gewalt waren die Bischöfe
und viele Aebte die Schutz= und Schirmherren der Stadt. Die
Bürger mußten ihnen daher huldigen [1]). Diesen Huldigungs=
eid benutzten nun die emporstrebenden Städte, um ihre Freiheiten
und Rechte möglichst zu sichern und noch zu erweitern. Sie leisteten
nämlich den Huldigungseid nur für so lange Zeit, als auch der
Bischof seine Verbindlichkeiten gegen die Stadt erfüllen werde, z. B.
in Köln („vort huldin wir vrie burgere van kolne unsme heirren
„— hoilt inde getruwe ze sine, als verre als hey uns helt unse
„recht inde unse alde gnyde gewoynde") [2]). Oder sie huldigten erst
dann, wenn entweder der Bischof selbst der Stadt einen Eid ge=
leistet hatte, z. B. in Köln [3]), oder wenn der Bischof vorher we=
nigstens einen Revers oder eine neue Handfeste ausgestellt
und darin die städtischen Freiheiten und Rechte neuerdings bestätiget
und beschworen hatte. In Straßburg und Basel kamen diese

---

53) Urk. von 823 bei Schoepflin, I, 70.
54) Urk. von 1134 bei Erath, p. 81. — tres partes civibus, quarta
pars cedat in usum judicis. In der Urk. von 1038, eod. p. 60.
heißt es: tres partes mercatoribus, quarta cedat iudici civitatis. Denn die Bürger wurden damals noch Kaufleute genannt. vergl.
oben §. 81.
55) Lüb. R. cod. I. §. 28, II, 43, 51, III, 142.
1) Meine Gesch. der Fronhöfe, III, 55 f.
2) Ennen, Gesch. I, 616. Not.
3) Urk. von 1258 bei Ennen, Gesch. I, 616. — „ihre Hulde erneue, wie
„es gewöhnlich ist, und der Erzbischof soll ihr wieder geloben mit guter
„Treue, daß er rc." Urk. von 1287 bei Lacomblet, II, 492. — pre-
stitimus corporaliter iuramentum, quod quoad vixerimus ipsorum
jura, libertates et bonas consuetudines servabimus —.

Reverse und Handfesten seit dem 13. Jahrhundert vor. Der Hul=
digungseid wurde aber damals schon nicht mehr dem Bischof, son=
dern nur noch in seiner Gegenwart dem Stadtrath und der ver=
sammelten Bürgerschaft geleistet [4]). In Mainz mußte der neuge=
wählte Erzbischof seit dem Jahre 1244 vor der Huldigung einen
Revers über die Aufrechthaltung und Beobachtung der städtischen
Rechte und Freiheiten ausstellen [5]) und in Bremen seit dem
Jahre 1226 [6]). Der Huldigungseid wurde auch in Bremen ur=
sprünglich von der gesammten Bürgerschaft geleistet [7]). Späterhin
huldigten aber zwei Rathsherren (die beiden Kämmerer) im Namen
der Stadt. In der alten Eidesformel war es jedoch nicht aus=
drücklich gesagt, daß dieses namens der Stadt geschehen solle. Da=
her verweigerte der Stadtrath im Jahre 1580, aus allzugroßer
Vorsicht, die Aufnahme der Worte „von wegen eins E. Raths
„und gantzer Gemeinheit dieser Statt" in die Eidesformel,
als wenn die beiden Kämmerer persönlich und nicht im Namen der
Stadt ihrem Landesherrn zu huldigen hätten [8]). In Speier
kommen diese Reverse erst seit dem Jahre 1280 vor [9]) und in
Worms seit dem Jahre 1283 [10]). Aus diesen Reversen und Hand=
festen sind späterhin die bischöflichen Wahlkapitulationen hervor=
gegangen [11]).

Die Huldigung geschah meistentheils bei Gelegenheit des
feierlichen Eintritts des neu gewählten Bischofs in die Stadt. Da=

---

4) Revers von 1263 bei Schilter, Königsh. p. 729. Handveste von 1399
   bei Ochs, I, 365 ff. u. 496, und von 1337 bei Wackernagel, Bischofs=
   recht, p. 24. Daß aber die erste Handfeste schon vom Jahre 1260 ist,
   geht aus den beiden Handfesten von 1337 u. 1399 hervor. vergl. oben
   §. 53, 155 u. 435.
5) Privilegium von 1244 bei Guden, I, 582.
6) Urk. von 1226 bei Cassel, Sammlung ungedr. Urk. p. 119. Huldi=
   gungsformel von 1580 in Assertatio lib. Brem. p. 579. vergl. Do=
   nandt, I, 106 ff., der jedoch keinen richtigen Begriff von dem Ursprung
   der Huldigung hat.
7) Assertio, p. 577.
8) Assertio, p. 276, 277 u. 579. vergl. Donandt, I, 107 u. 108.
9) Revers von 1280 bei Lehmann, p. 567.
10) Vergleich von 1283 bei Schannat, II, 145. Zornius, p. 248.
11) Meine Gesch. der Fronhöfe, III, 58.

her kamen im Jahre 1293 die Städte Mainz, Speier und Worms
mit einander überein, dem neuen Bischof erst dann den Zutritt in
die Stadt zu gestatten und ihm erst dann zu huldigen, wenn er
vorher die hergebrachten Rechte und Freiheiten der Stadt bestätiget
und beschworen habe [12]). Und lange Zeit wurde dieser Grundsatz
von den Städten Mainz [13]) und Speier aufs Strengste gehandhabt [14]). In Speier war man so vorsichtig dem Bischof erst
dann die Thore zu öffnen und ihm den feierlichen Einzug erst
dann zu gestatten, wenn er zuvor den Revers in gehöriger Form
ausgestellt hatte. Der Bischof wurde nämlich am Tage seines
feierlichen Einritts zuerst allein mit einem kleinen Gefolge zu dem
äußersten Thore (dem Kreutzthore) eingelassen. Hier mußte er die
Beobachtung der Rechte und Freiheiten der Stadt eidlich geloben
und den üblichen Revers ausstellen. Dann erst wurde sein größeres
Gefolge, jedoch nicht mehr als 350 Reisige eingelassen und ihm
auch das zweite Thor (das St. Jlgenthor) und die übrigen Stadtthore geöffnet, durch welche er nun seinen feierlichen Einzug hielt.
Worauf ihm sodann die gesammte Bürgerschaft vor der bischöflichen
Pfalz huldigte [15]). In Straßburg, wo die Bürgerschaft dem
Bischof selbst nicht mehr gehuldiget, den Huldigungseid vielmehr
nur noch in seiner Gegenwart geleistet hat, mußte nichts desto weniger der Bischof vor seinem feierlichen Einritt in die Stadt den
üblichen Revers ausstellen und die städtischen Privilegien beschwören. Im Jahre 1507 reisten zur Abnahme dieses Eides städtische
Abgeordnete nach Zabern, wo sich der Bischof damals aufhielt. Und
sie gebrauchten die Vorsicht vor der Thüre des Saales, in welchem
der Eid geleistet werden sollte, erst noch die mitgebrachten Copien
mit dem Reverse des Bischofs zu vergleichen, um nicht bei der
Eidesleistung betrogen zu werden. Was jedenfalls kein allzugroßes
Vertrauen voraussetzt [15]ₐ). Auch in Worms erfolgte im Jahre

---

12) Urk. von 1293 bei Senckenberg, sel. jur. II, 124. und Schaab, Gesch.
des rheinischen Städtebundes, II, 68.

13) Rathsbeschluß von 1348 und Privilegium von 1349 bei Senckenberg,
sel. jur. II, 133 u. 143.

14) Reverse von 1303 u. 1365 bei Lehmann, p. 636 u. 730.

15) Lehmann, p. 328—330 u. 944—946.

15a) Hegel, die Chroniken der oberrheinischen Städte. I, Einleitung, p. 67.

1293 die Huldigung erst nachdem der Bischof jenen Revers aus=
gestellt und beschworen hatte [16]). Späterhin wurde jedoch bei den
fortwährenden Streitigkeiten des Bischofs mit der Stadt die Aus=
stellung eines solchen Reverses öfters wieder verweigert. Daher ist
der feierliche Einritt zuweilen gänzlich unterblieben [17]) oder er hatte
statt, aber ohne die Ausstellung eines förmlichen Reverses [18]). Auch
im Jahre 1411 wurde die Huldigung wieder begehrt bei Gelegen=
heit des feierlichen Einritts. Sie wurde als ein althergebrachtes
Recht in Anspruch genommen, des gleichfalls althergebrachten Re=
verses aber keine Erwähnung gethan [19]), im Jahre 1483 jedoch
nur unter der Bedingung von der Bürgerschaft zugestanden, daß
der Bischof vorher den üblichen Revers ausstelle [20]). Und diese
Bedingung ist denn auch in die Rachtung von 1519 aufgenommen
und späterhin allzeit beobachtet worden [21]). Auch sollte der Bi=
schof bei seinem Einritt nicht über 400 Personen bei sich haben [22]).
In Magdeburg huldigte die Bürgerschaft dem Erzbischof erst
seit dem Jahre 1330. Aber auch in Magdeburg wie in Halle
mußte der Erzbischof vor der Huldigung sogenannte Reversalien
oder Huldebriefe ausstellen, in welchen er versprach, jene Städte
in ihren Rechten lassen und schützen zu wollen [23]). Auch in Pas=
sau [24]) und in Konstanz u. a. m. mußten mit dem Bürgermeister
und Rath die volljährigen Bürger sammt und sonders dem Bischof
huldigen [25]).

Not. Ich benutze diese Gelegenheit, um mein Bedauern auszudrücken,
daß dieses wichtige Buch erst nach Vollendung meines Werkes erschienen
ist. Also nicht mehr von mir benutzt werden konnte.

16) Böhmer, fontes, II, 240. Schannat, II, 150.
17) Chron. Worm. bei Ludewig, rel. Mpt. II, 153.
18) Arnold, II, 306 u. 307.
19) Spruch von 1411 bei Schannat, II, 226.
20) Spruch von 1483 bei Schannat, II, 249. Zorn, Chron. p. 191, 193
    bis 195.
21) Rachtung von 1519, §. 57 u. 58 bei Schannat, II, 337.
22) Zorn, p. 195 u. 216.
23) Rathmann, II, 270, 385, 393, 486, III, 6—8, 112, 121, 203—205,
    220 u. 304.
24) Urk. von 1429 u. 1455 in Mon. Boic., 28, II, p. 451 u. 455.
25) Urk. von 1357 bei Pistorius, III, 698.

Sehr merkwürdig ist auch der feierliche Eintritt des Erzbischofs
von Köln in der Stadt Köln und die darauf folgende Huldigung
der Bürgerschaft. Der feierliche Eintritt in Köln datirt wahrschein=
lich aus den Zeiten der Verlegung der erzbischöflichen Residenz nach
Bonn, also aus der Mitte des 13. Jahrhunderts. Und die feier=
liche Inthronisirung in der Mariengraben Kirche hatte bereits im
Jahre 1271, als Engelbert II nach mehrjähriger Gefangenschaft
sich wieder mit der Stadt versöhnt hatte, in derselben Weise statt
wie später [26]). Nach einer uns erhaltenen Beschreibung vom Jahre
1488 hatte damals der feierliche Eintritt in folgender Weise statt.
An dem dazu bestimmten Tage ritt der neue Erzbischof, umgeben
von den Erbbeamten des Stiftes und von ihrem Gefolge auf der
Straße von Bonn gegen die Stadt Köln. Die Herzoge von Jü=
lich und Berg und von Cleve hatten, ein jeder von ihnen 300
Pferde bei sich und die übrigen zusammen noch 500 Pferde. Vor
der St. Severinspforte auf dem Felde wurde der Erzbischof von
den beiden Bürgermeistern von Köln und von 400 Bürgern zu
Pferd feierlich empfangen. Sowohl die Erbbeamten mit ihrem Ge=
folge als die Bürgermeister und die Bürger waren in Uniform („in
„einer Kleydung — in einer kleidongen alsamen gekleidt"). Nach
dem feierlichen Empfang ergriff der erste Bürgermeister das Wort.
Er fragte, ob seine Gnaden willens sei einzureiten und zuvor die
Rechte und Freiheiten der Stadt zu bestätigen und zu beschwören.
Denn nur in diesem Falle werde man ihm den Eintritt gestatten
(„wulde ban sin gnade der Stat ire alde privilegia na alder ge=
„woinheit bestedigen, so wulden sie sich zu dem inriden gutwillig
„bewiesen"). Nachdem hierauf der Erzbischof die Freiheiten bestä=
tigt und beschworen hatte, versprachen sodann auch die Bürger=
meister, daß nun auch dem Erzbischof gehuldigt werden solle. Man
werde jedoch die Huld und Treue nur so lang halten, als der Erz=
bischof selbst sein Wort halten werde („hoult ind getruwe zo syn,
„also lange as hey uns in rechten helt ind eren, ind unse gude
„alde gewoinden, die wir ind unse vurfaeren herbracht haint").
Nun erst wurden die Pforten geöffnet und der feierliche Einzug in
die Stadt hatte statt. Der Zug ging durch die St. Severinspforte

---

26) Hagen, Reimchronik, V, 6271—82.

nach der Mariengraden Kirche. Dort kleidete sich der Erzbischof
um. Er verkleidete sich, wie die alte Beschreibung sagt, d. h. er
legte die ritterliche Rüstung ab und den erzbischöflichen Ornat an,
und ging sodann in den Dom. Ehe er aber den Dom betrat mußte
er auf der Treppe der Mariengraden Kirche die städtischen Freiheiten
nochmals beschwören. In dem Dom wurde ein te Deum abgehal=
ten. Nach dessen Beendigung ging der feierliche Zug zuerst nach
dem Hochgerichte und dann nach dem Officialate und, nachdem der
Erzbischof an beiden Orten von dem Gerichte feierlich Besitz ge=
nommen hatte, in den Domhof, wo nun auch von der Bürgerschaft
dem Erzbischof gehuldigt ward. Die Huldigung wurde von den
beiden Bürgermeistern namens der Gemeinde in der Art vorgenom=
men, daß der erste Bürgermeister dem anderen den Eid vorstabte
und dieser sodann im Namen des Raths und der Bürgerschaft den
Huldigungseid leistete („und der zwoire also von wegen des Raits
„vur die gantze gemeynde in presentia totius consulatus"). Den
Beschluß machte ein Festessen beim Erzbischof, welchem an den fol=
genden Tagen auf dem Markte noch Ritterspiele und in dem Bi=
schofshofe wie in den Höfen der Fürsten festliche Tänze und andere
Banckette und Essen in Menge nachfolgten [27]).

In manchen Bischofsstädten scheint indessen die Bürgerschaft
dem Bischof niemals gehuldigt, ihn also nicht als ihren Landes=
herrn anerkannt zu haben. In Augsburg wenigstens finde ich
keine Spur einer solchen Huldigung. Und in Regensburg
konnte ohnedies von einer Huldigung keine Rede sein, indem da=
selbst der Bischof die öffentliche Gewalt über die ganze Stadt nicht
erworben hat. In Augsburg wurde zwar die Huldigung im Jahre
1404 von dem neu ernannten Bischof Eberhard begehrt, von der
Bürgerschaft aber ganz entschieden verweigert, worauf der Bischof
seine Residenz nach Dillingen verlegte, einige Zeit nachher aber
ohne seinen Zweck erreicht zu haben wieder nach Augsburg zurück=
kehrte [28]).

---

27) Diese interessante Beschreibung bei Lacomblet, Archiv, II, 180—190.
28) Jäger, Gesch. von Augsburg, p. 89 u. 90.

c. **Rechte des Kaisers in den Bischofsstädten und in den Abteistädten.**

§. 504.

Die Bischofsstädte und viele Abteistädte waren demnach, seit=
dem die Bischöfe und Aebte die öffentliche Gewalt in der Stadt
erworben hatten, landesherrliche jenen Inhabern der öffent=
lichen Gewalt unterworfene Städte. Ganz unabhängig von
dem Kaiser und Reich wurden sie aber deshalb doch nicht. Sie
sind vielmehr in einem gewissen Sinn nach wie vor Reichsstädte
geblieben. Wie in anderen Immunitätslanden, z. B. in den Ab=
teien Maasmünster [1]), Siegburg [2]), Benediktbeuern [3]) u. a. m., so
durfte nämlich auch in diesen Immunitätsstädten der Blutbann
von den bischöflichen Beamten nicht ausgeübt werden, ehe ihnen
von dem Kaiser der Blutbann verliehen worden war. So war es
in Köln [4]), in Straßburg [5]), in Augsburg [6]), in Magdeburg [7])
u. a. m. Und die Kaiser machten dieses Recht bei jeder Gelegen=
heit selbst dann noch geltend, als die Städte selbst bereits den Blut=
bann erworben hatten, also schon im Allgemeinen mit dem Blut=
bann belehnt worden waren, wenn sie nicht ausdrücklich auf dieses
Recht verzichtet hatten, wie dieses z. B. in Lindau der Fall war [8]).
Hieraus darf jedoch nicht mit Eichhorn, Donandt u. a. gefolgert

---

1) Urk. von 823 bei Schoepflin, I, 70. sed ipse advocatus cui nos
vel successores nostri bannum super abbaciam eandem dabimus.
2) Urk. von 1071 bei Lacomblet, I, 139.
3) Urk. von 1136 u. 1155 in Mon. Boic. VII, 95 u. 107.
4) Urk. von 1169 bei Lacomblet, I, 302. und Quellen, I, 556. — bannum judicii ab imperio tenet —. Bei Securis p. 24. ist diese Stelle
ungenau abgedruckt.
5) Stadtrecht, c. 11 bei Grandidier, II, 47.
6) Privileg von 1426 bei Moser, reichsst. Handb. I, 97.
7) Magdeburg. Schöppenchronik, B. II p. 210. — „wente he (der borch=
„greve) entpfenget den ban van dem konige ane middel und liet den
„ban an den schulteten" —. vrgl. Sächs. Weichbild, art. 11.
8) Privileg von 1400 bei Moser, reichsst. Handb. II, 113. und Heider,
p. 180. „vnd wie offt sie einen Amman in derselben Stadt zu Lindaw
„setzen wöllen: daß der mit demselben setzen vnd erwehlen, den Bann
„über das Blut zu richten, haben soll, vnd deß nicht von newem für=
baß empfahen, bedörfen".

werden, daß die bischöflichen Burggrafen und Vögte durch diese Bannverleihung Königliche Beamte geworden seien [9]). Denn die Bischöfe hatten sie, wie wir gesehen, zu ernennen und auch ihres Amtes wieder zu entsetzen. Auch sollten sie, wie es öfters ausdrücklich heißt, an die Stelle der königlichen Beamten treten, z. B. in Worms [10]). Allein in einer gewissen Abhängigkeit vom Deutschen König sind sie wegen dieser Königlichen Verleihung dennoch geblieben, indem sie vor der Bannverleihung den Blutbann nicht ausüben durften. Auch haben sich die Vögte bei ihren Eingriffen in die Rechte des Stiftes zuweilen als Stellvertreter des Königs gerirt, z. B. im Jahre 1190 in Basel (auctoritate domini regis, cuius vice in civitate nostra presidebat) [11]). Der Vogt von Basel nahm sogar im Namen des Kaisers die erblosen Güter in Anspruch [12]). Und selbst die Könige haben zuweilen die Burggrafen und Vögte als königliche Beamten in Anspruch genommen. Dies that z. B. König Albrecht während seiner Streitigkeiten mit dem Erzbischof Wicbold in Köln. Daher erhielt der Bischof von Lüttich und der Graf von Cleve den Auftrag die Sache zu untersuchen und zu entscheiden, ob die Burggrafschaft zu Köln ein Reichslehen oder ein erzbischöfliches Lehen sei („sulen erbaren uf „iren eyt umbe die börkraffschaft zu Kolen, und ist daz si lediklich „zu dem Riche horet, so sulen wir si behalden, ist aber daz si an „den stift horet zu Kolen, so sal si der Erzbischof behalden“.) [13]). Die Untersuchung hatte jedoch keine Folge. Der Erzbischof blieb daher im Besitze des burggräflichen Amtes [14]). Dazu kam, daß auch die Bischofs- und Abteistädte, wie andere geistliche Immunitätslande, noch unter dem besonderen unmittelbaren Schutze des Königs

---

9) Eichhorn in der Zeitschrift für geschichtl. Rechtswissenschaft, I, 221. Donandt, I, 51.
10) Urk. von 858 u. 973 bei Schannat, II, 6 u. 24. coram advocato praefatae ecclesiae, quasi coram regio exactore, totum — persolvant.
11) Heusler, Vrf. Gesch. p. 44.
12) Urk. von 1365 bei Heusler, p. 199 n. 3. — „wand dasselbe gut were „ym angefallen von uyns Keysers wegen“ —.
13) Vergleich von 1302 bei Lacomblet, III, 15.
14) Ennen, Gesch. I, 553—554.

(specialis regie majestatis tuicio) zu ftehen pflegten [14a]), und da=
her den Königsftädten (urbes regales) gleichgeftellt und in einem
gewiffen Sinne auch noch Königsftädte (urbes regiae) genannt [15])
und als Königsftädte behandelt worden find [16]), daß die Gewalt
des bifchöflichen und erzbifchöflichen Vogtes felbft öfters noch, wie
in den Reichsvogteien, eine Königsgewalt („dhe koninclike wolt"
oder „de koninclike walt") oder eine potestas regalis [17]), der von
dem landesherrlichen Vogt gehandhabte Bann ein Königsbann,
die öffentliche Landftraße eine Königsftraße oder eine König=
liche Heerftraße („des koninges herftrate") [18]), die althergebrachte
Bete eine Königsbete („des Conngs bede") [19]) und der alther=
gebrachte Zins ein Königszins genannt worden ift [20]).

Wie in anderen unter dem unmittelbaren Schutze des Königs
und unter der Reichsvogtei ftehenden Orten mußten daher die
Deutfchen Könige, wenn fie in eine Bifchofsftadt kamen, von den
Bürgern beherbergt und verpflegt werden, z. B. in Straßburg [21]),
in Bafel [22]), in Augsburg [23]), in Worms [24]), in Magdeburg bis

---

14a) Z. B. Straßburg. Urk. von 1205 bei Schoepflin, I, 311.

15) Z. B. Augsburg in Urk. von 1231 in Mon. Boic., 30, I p. 178.

16) Von Bremen wird ausdrücklich gefagt, daß die Stadt jure, quale
caeterarum regalium urbium behandelt werden folle, in Urk. von
966, 1003 u. 1158 bei Lindenbrog, p. 131, 135 u. 162. Und von
Selz heißt es sicut in aliis regalibus, in Urk. von 993 bei Schoepflin, I, 138.

17) Z. B. in Bremen nach Statut von 1303 art. 80 u. 118 und Statut
von 1433, art. 83 u. 88 bei Oelrichs, Sammlung alter und neuer
Gefetzbücher von Bremen, p. 113, 136, 541 u. 542. Donandt, I, 51.
Und in Hamburg felbft die Gewalt des Stadtrathes noch im 16. sec.
nach Receß von 1529, art. 20 Not.

18) Brem. Statut von 1303, art. 118 und Statut von 1433 art. 83 bei
Oelrichs, p. 136 u. 540.

19) Quellen zur Gefch. von Köln, I, 438.

20) Meine Gefch. der Fronhöfe, III, 356—361.

21) Stadtrecht, c. 92 bei Grandidier, II, 79.

22) Ochs, I, 291, III, 105. Not. und IV, 222. Heusler, Vrf. Gefch. p. 13.
Meine Gefch. der Fronhöfe, I, 454 u. 455.

23) Königshoven, p. 369. „zuletzt kam keifer Friederich gon Augsburg,
und lag ein gut zyt do, und öffent und truncent, und wolten niemau
„nit geben umb das fine, und lag alfo zu Aufpurg".

zum Jahre 1209 [25]), in Metz [26]) u. a. m., in Speier sogar von
den Geistlichen [27]). Darum sollte der Reichsvogt in Basel, wenn
der König dahin kam, keinen Antheil an den Beiträgen der Bürger
haben. Denn die gesammte Einnahme sollte zur Beherbergung
des Königs verwendet werden [28]). Die Beherbergung und Ver=
pflegung des Königs wurde nämlich in den meisten Bischofs= und
Abteistädten als eine Pflicht der Bischöfe und Aebte betrachtet, z. B.
in Metz [29]). Diese pflegten aber zu dem Ende, wie überhaupt zur
Bestreitung des ihnen obliegenden Reichshof= und Reichsheerdienstes,
eine Steuer von ihren freien und hörigen Unterthanen zu erheben.
Diese Steuern nannte man exactiones pro expeditione imperiali
vel pro itinere ad curiam [30]), nummi domini regis [31]), denarii
ad regale servitium et ad expeditionem [32]), stipendia [33]), sup-
plementum, quod ad servitium regium conferebant [34]), debitum
regiae servitutis [35]), Hofsteuer und Heersteuer [36]). Da nun in
Basel u. a. m., wie wir gesehen, der Reichsvogt den dritten Theil

---

24) Zorn, Chron. p. 127.

25) Urk. von 1209 in Orig. Guelf. III, 640. — nec sumens hospitia,
quae vulgariter herbergaria nuncupantur —.

26) Alte Handschrift in Hist. de Metz, II, 348.

27) Urk. von 1101 bei Remling, p. 77. ut nullus in alicuius fratris curte,
ubi ipse habitat, eo nolente hospitetur, nisi imperatore vel
rege ibi curiam habente —. Lehmann, p. 729. Meine Gesch.
der Fronhöfe, III, 383—389.

28) Urk. bei Ochs, I, 291. u. Rechtsquellen von Basel, I, 2.

29) Alte Handschrift in Hist. de Metz, II. 348.

30) Urk. in Rechtsquellen I, 1 u. 2. und bei Ochs, I, 290 f.

31) Urk. von 1234 bei Heusler, Vrf. Gesch. von Basel, p. 13. Item ad-
veniente domino imperatore vel rege Basileam, si episcopus servitium ei dederit, quattuor nummos qui dicuntur domini regis
accipiat —.

32) Leges famil. St. Petri von 1024 §. 29 bei Grimm, I, 807.

33) Urk. von 1153 bei Lacomblet, I, 258.

34) Cod. Lauresham. I, 246.

35) Urk. von 1171 in Mon. Boic. 29 I p. 401.

36) Augsburger Stadtr. §. 89 u. 259 bei Walch, IV, 113 u. 266. Urk.
von 1171 in Mon. Boic. 29, I, p. 402. — servicio quod vulgo dicitur herstiure. vgl. Meine Gesch. der Fronhöfe, III, 373 ff., 379 ff.,
391 ff., 406 ff., 413 ff., 510—511.

dieser Steuer erhalten sollte (§. 502), so war für den Fall, daß der König selbst nach Basel kam, vorgeschrieben, daß der Vogt keinen Antheil an jener Steuer haben solle. (Et si dominus imperator Basileam venerit, — quicquid beneficii burgenses episcopo inpenderint in eo nil juris advocatus habebit). Denn die ganze Steuer sollte in diesem Falle zur Beherbergung und Verpflegung des Königs verwendet werden.

Auch erhielten die Deutschen Könige und auch die Königinnen, wenn sie in eine Bischofsstadt kamen, gewisse Geschenke, die Könige zumal bei ihrem ersten Einritt oder bei der Huldigung. So erhielt der König Wenzel, als er im Jahre 1378 zur Huldigung nach Speier kam einen goldenen Kopf mit dem böhmischen Wappen, zwei Salmen, ein Fuder Wein und fünfzig Malter Hafer. Ruprecht von der Pfalz erhielt aber im Jahre 1400 in Speier einen vergoldeten Kopf im Werth von 85 Gulden und die Königin ein kleineres Köpflein im Werthe von 43½ Gulden, sodann noch ein Fuder Wein, vier Salmen und hundert Malter Hafer. Eben daselbst erhielt König Sigismund im Jahre 1414 einen kostbaren vergoldeten Kopf, drei Fuder Wein und 24 Malter Hafer, und im Jahre 1434 eine Summe von 600 Gulden. Auch König Friedrich III erhielt im Jahre 1442 bei der Huldigung in Speier einen vergoldeten Kopf nebst Wein und Hafer [37]). Eben so wurden in Worms der Königin Anna im Jahre 1273 köstliche Kleinode im Werth von 60 Mark verehrt. Der König Ruprecht dagegen erhielt im Jahre 1400 ein Fuder Wein, 50 Malter Hafer und Fische und die Königin einen silbernen Kopf, ein halbes Fuder Wein und ebenfalls Fische. König Sigismund erhielt im Jahre 1414 zwei Fuder Wein, 12 Hechte und Karpfen, einen Salmen und einen vergoldeten Kopf mit dem Reichs= und Stadtwappen. Friedrich III wurden im Jahre 1442 drei Fuder Bockenheimer Wein, hundert Malter Hafer und eine vergoldete Flasche in der Form einer Muschel verehrt. Und Maximilian I erhielt im Jahre 1494 mehr als vier Fuder Wein, 120 Malter Hafer, zwei Salmen, 40 andere Fische und zwei vergoldete Scheuern geschenkt, eine im Werthe von 150 Gulden für den König selbst und eine im Werthe von 115

---

37) Lehmann, p. 728, 773, 797, 829 u. 840.

Gulden für die Königin [38]). Meistentheils wurde außerdem auch noch das Gefolge des Königs reichlich beschenkt, z. B. im Jahre 1378 in Speier [39]).

Und wenn der König in eine Bischofsstadt kam, stand ihm die Ausübung der Reichsgewalt zu. Ursprünglich hatte der König dieses Recht in allen Städten des Reichs. So oft er dahin kam waren ihm die Gerichte, der Zoll und die Münze ledig. Und er konnte nun selbst zu Gericht sitzen. Daher sollten ihm auch die Gefangenen ledig sein (§. 476). Es war dieses, wie es bereits Gaupp sehr richtig bemerkt hat, ein Rest der ehemaligen Reichs= unmittelbarkeit aller, auch der in den landesherrlichen Territorien liegenden Städte [40]). Die Schöffen von Magdeburg sprechen noch ganz allgemein: „sitzt der König Gericht in einer Stadt, da Weich= „bilden Recht ist, so mag man da für ihm ortel finden vnd schel= „ten" [41]). In den Bischofsstädten hat sich dieses Recht nur länger als in den übrigen Territorialstädten erhalten. Wie wohl nämlich die öffentliche Gewalt in denselben mit dem Zoll= und Münzrecht auf die Bischöfe übergegangen war, so behielt dennoch der König, wenn er daselbst seinen Hof hielt, verfassungsmäßig das Recht die Reichsgewalt auszuüben, z. B. in Straßburg, in Magdeburg u. a. m., und zwar nicht bloß während seines Aufenthaltes, sondern auch noch 8 Tage vorher und 8 Tage nachher. Und dazu gehörte ins= besondere auch der Vorsitz bei Gericht, und die Erhebung der Zölle und das Münzrecht [42]). Dieses war insbesondere auch in Metz, der Theorie nach bis ins 15. Jahrhundert, der Fall. Die Münze

---

38) Zorn, worms. Chron. p. 127, 151, 181, 187 u. 199.

39) Lehmann, p. 729. Meine Gesch. der Fronhöfe, III, 385—386.

40) Gaupp, Deutsche Stadtrechte im Mittelalter, I, 15. vrgl. Meine Ge= schichte der Fronhöfe, III, 382 f.

41) Schöffen Urtheil, cap. 4. dist. 4 bei Zobel, p. 475.

42) Urk. von 1209 in Orig. Guelf. III, 639. Romani imperatores et reges — in omnibus civitatibus et oppidis ecclesiarum imperii, durantibus curiis imperialibus in illis, accipere consueverint the- loneum et monetam, et in suos usus convertere, — Con- foederatio cum principibus ecclesiasticis von 1220 §. 10 bei Pertz, IV, 237. Stadtrecht von Straßburg, c. 13 bei Grandidier, II, 48. Urk. von 1216 bei Meibom, II, 377.

gehörte dem Kaifer, wenn er in die Stadt kam und auch noch 8 Tage vorher und 8 Tage nachher. (Messire ly Emperour — se fait faire telle monnoye et en telle flour (coin) comme il veult. Cette monnoye doit corre (avoir cours) VIII jours devant sa venue, et tant comme il est dans la ville; et VIII jours après son allée (sa sortie) —). Die Schlüssel der Stadt gehörten dem Kaifer (et si sont (à lui appartiennent) les clefs de la porte). Sie mußten ihm daher, wenn er sich der Stadt näherte, von einem der Bürgermeister übergeben werden. (Messire l'Emperour ait teil droit en ceste ville, que si il vient en la ville de quelque part qu'il viegne, li Maire de Porte — muzelle li doit porter les clefs de la ville, trois lieues encontre lui, et se li doit présenter les clefs de la ville). Und so lang der Kaifer in der Stadt anwesend war, hatte niemand Gerichtsbarkeit als er selbst oder sein Bevollmächtigter. (Tant comme Messire li Emperour est en ceste ville nuls hons (nulle personne) ni ait ne bans, ne justice, ne destroit, se Messire li Emperour, non ou ses commandemens). Und noch im 15. Jahrhundert mußten diese Rechte des Kaifers jedes Jahr bei den feierlichen Jahressitzungen von dem Schöffenmeister namens des Kaifers verlesen werden [43]).

Auch behielten die Könige lange Zeit noch eine Oberherrlichkeit über die Zölle und eine Oberaufsicht über die ganze Stadt. Denn wiewohl sie die Zölle auf die Bischöfe übertragen und selbst auf das Zollrecht verzichtet hatten (§. 502), fuhren sie dennoch fort Andere von der Entrichtung der bischöflichen Zölle zu befreien, z. B. das Kloster Lorsch u. a. m. [44]). Und ihr Oberaufsichtsrecht machten sie in früheren und späteren Zeiten durch Königliche Kommissäre, welche sie in die Bischofsstädte wie in die übrigen Reichsstädte schickten, geltend, z. B. in Augsburg, Speier, Regensburg, Hamburg, Nordhausen u. a. m. [45]). Sogar Verfassungs-

---

43) Alte Handschrift in Histoire de Metz, II, 347—349. vrgl. Droits que l'Emperour avoit autrefois à Metz. Calmet, hist. de Lorraine, V, preuv. p. 130—131.

44) Urk. von 858 im Codex Lauresham. I, 65.

45) Rau, II, 19. Gemeiner, IV, 40 ff., 234 ff. u. 248 ff. Hübbe, die Kaiserlichen Commissionen in Hamburg. Hamburg. 1856. Förstemann, Chronik von Nordhausen, p. 190.

änberungen wurben lange Zeit nicht ohne Zuziehung Kaiferlicher Kommiffäre vorgenommen ober bie neuen Verfaffungen wenigftens zur Beftätigung bem Kaifer vorgelegt, wie biefes z. B. in Augs= burg ber Fall war.

Die Bürger in ben Bifchofsftäbten unb in vielen Abteiftäbten finb bemnach in einem gewiffen Sinne fortwährenb Reichsunter= thanen geblieben. Sie mußten noch lange Zeit manche Abgaben unb Steuern ganz ober theilweife, insbefonbere auch einen Theil ber Gerichtsgefälle an ben königlichen Fiskus entrichten (§. 502). Sie waren als Reichsunterthanen reichsbienft= [46]) unb reichs= fteuerpflichtig, z. B. bie Bürger von Speier [47]), von Worms [48]), von Bafel [49]), von Magbeburg [50]), von Straßburg [51]), von Köln [52]), von Regensburg [53]), von Augsburg, Kempten, Linbau, von St. Gallen u. a. m. [54]). Frei von ber Reichsfteuer waren nur bie Dienftleute (Minifterialen) bes Bifchofs, in manchen Stäbten auch bie Domherren, unb bie in ben Bifchofsftäbten angefeffenen Ritter, inbem biefe bem Bifchof unb bem Reiche perfönlich bienen, bas heißt Hof=

---

46) Urk. von 1255 bei Lehmann, p. 533. cum dilecti et fideles nostri cives Spirenses nobis et imperio servierint fructuose —. Magbe= burg. Schöffenbrief von 1304 §. 138 bei T. u. St. p. 477. — „bes „Riches Dienft buzen Lanbe." Meine Gefchichte ber Fronhöfe III, 397—398.

47) Urk. von 1198 bei Lehmann, p. 496.

48) Urk. von 1182 bei Pertz, IV, 165. Urk. von 1213 bei Schannat, II, 98.

49) Urk. bei Ochs, I, 291. — pro expeditione imperiali vel pro itinere ad curiam —.

50) Urk. von 1209 in Orig. Guelf. III, 640. Urk. von 1216 bei Mei= bom, II, 377. omnes homines civitatis — regales talliae, petitio- nes aut exactiones —.

51) Urk. von 1122 u. 1156 bei Würdtwein, nov. subs. VII, 501 u. 182—183 — servitia publica —. Urk. von 1205 bei Schoepflin, I, 311.

52) Urk. von 1153 bei Lacomblet, I, 258.

53) Privileg. von 1230, §. 20 u. 21.

54) Stabtbrief von 1387 bei Lehmann, p. 766. Gengler, cod. jur. munic. p. 80 ff. Meine Gefch. ber Fronhöfe, III, 407. unb oben §. 462 u. 463.

und Heerdienste leisten mußten [55]: Auch bezog sich diese Dienst=
und Steuerfreiheit nur auf die Reichs=Dienste und Steuern, nicht
auf die städtischen. Denn zu den städtischen Diensten und Abgaben
waren auch die Edelleute und die Geistlichen verbunden (§. 375).
Daher sollten auch die von der Reichssteuer befreiten Geistlichen,
wenn sie Handel trieben, als Gewerbsleute (qui certi et publici
mercatores sunt) unter dem Stadtgerichte stehen und den Ge=
meindediensten und Abgaben unterworfen sein, z. B. in Worms
und Straßburg [56]. Und die Bischofsstädte leisteten auch den Deut=
schen Königen sehr große Dienste. Denn sie waren eine Zeit lang
ihre einzige Stütze im Reich (§. 128). Speier diente noch im
Jahre 1355 Karl IV mit hundert Pferden und Knechten über das
lombardische Gebirg und im Jahre 1401 Ruprecht von der Pfalz
mit zehn Gleven gegen den Herzog von Mailand [57] und Straß=
burg im Jahre 1401 Ruprecht von der Pfalz mit zwanzig Gleven
und im Jahre 1451 Friedrich III mit sechszehn Gleven bei ihren
Römerzügen [58]. Von den gewöhnlichen Heerzügen waren jedoch
Basel, Worms, Regensburg und andere Freistädte, späterhin also
auch Speier und Straßburg frei. Sie mußten sich indessen eine
eine Zeit lang noch zu freiwilligen Beiträgen verstehen, bis auch
diese sich späterhin verloren (§. 463). Eben so haben sich die
Reichssteuern in jenen Bischofsstädten, welche sich zu Freistädten
erhoben, späterhin verloren. Der Stadt Speier wurde bereits im
Jahre 1198 [59] und Straßburg im Jahre 1219 versprochen, daß
nur noch die hergebrachten Beten und Zinsen erhoben werden
sollten [60]. In Worms wollten die Könige ihre Bete nur noch
durch den Bischof erheben lassen [61]. Und in Basel sollte nach

---

55) Urk. von 1182 bei Pertz, IV, 165. Urk. von 1171 in Mon. Boic.
　　29, I, p. 401 u. 402. Basler Bischofsrecht §. 2. Urk. von 1147 im
　　Cod. Lauresh. I, 246. Meine Gesch. der Fronhöfe, III, 307—308
　　u. 408.

56) Urk. von 1182 bei Pertz, IV, 163. Stadtrecht von Straßburg. c. 38
　　u. 93 bei Grandidier, p. 57 u. 79 und oben §. 262 u. 529.

57) Lehmann, p. 714 u. 775.

58) Die Urkunden bei Wencker, von Gleven Burgern, p. 10—20.

59) Lehmann, p. 496. und Remling, p. 137.

60) Urk. von 1219 bei Schoepflin, I, 336.

einem Uebereinkommen Friedrich II nur noch die Hälfte der Steuer (des Gewerfes) von dem König, die andere Hälfte aber von dem Bischof erhoben werden [62]). Wie in anderen Freistädten so hat sich jedoch auch in Straßburg, Speier, Worms u. a. m. die Reichs= steuer späterhin gänzlich verloren, wenn sie auch nicht durch kaiser= liche Privilegien, wie dieses meistentheils der Fall war, ausdrücklich abgeschafft worden waren.

Die Bischofsstädte waren dem König auch Treue schuldig [63]) und mußten ihm daher huldigen. In jenen Städten in welchen die Vogtei gar nicht auf den Herrn der Stadt übergegangen, die Vogtei vielmehr eine reichsunmittelbare wirkliche Reichsvogtei geblieben war, in jenen Städten waren natürlicher Weise auch die Bürger reichsunmittelbare Unterthanen geblieben, und mußten daher der Vogtei des Reiches wegen huldigen, z. B. in Weißenburg [64]) und in Kempten [65]). Allein auch in den übrigen Bischofs= und Abtei= städten, in welchen die gesammte öffentliche Gewalt auf den Bischof und Abt übergegangen war, nahmen die Deutschen Könige die Huldigung in Anspruch und sie wurde ihnen auch wirklich geleistet. König Philipp ließ sich im Jahre 1206 von den Bürgern zu Köln huldigen [66]). Eben so ließ sich Rudolf von Habsburg im Jahre 1284 in Worms von den Bürgern der rheinischen Städte huldi= gen [67]). Auch in Augsburg wurde Rudolf von Habsburg, Kaiser Adolf, Friedrich III, Karl V und den späteren Kaisern gehuldi= get [68]). Eben so ward die Pflicht zur Huldigung von den Städten

---

61) Urk. von 1213 bei Schannat, II, 98.

62) Das Bischofsrecht, §. 2 bei Wackernagel, p. 17.

·63) Urk. von 1112 bei Moritz, II, 142. ob firmam et inviolabilem fidem quam Wormacienses cives — et nobis servare debent.

64) Urk. von 1292 bei Schoepflin, II, 55. quod a civibus Wissenburgensibus juramentum recepimus in hunc modum, quod ipsi in omnibus, in quibus nobis et imperio ratione advocatie de jure tenentur, nobis obediant fideliter sine dolo. — vergl. oben §. 494

65) Haggenmüller, I, 145.

66) Urk. von 1206 in Quellen, II, 27. Der Huldigungseid bei Ennen, Gesch. II, 409. Not.

67) Annal. Colmar. bei Boehmer, font. II, 20. und Urstis., II, 20.

68) von Stetten, Gesch. I, 77, 83, 211, 316, 529, 571, 655 u. 833.

Lindau, Kempten, St. Gallen u. a. m. anerkannt [69]). Und noch
im Jahre 1473 leisteten die freien Reichsstädte Köln, Speier, Straß=
burg und Basel den Huldigungseid, wie ihn die Freistädte zu leisten
pflegten [70]). In Metz huldigten zwar nicht die Bürger selbst, wohl
aber der Schöffenmeister und die XIII, so oft der Kaiser dahin
kam. (Nous les Magistres-Eschevins et Treize jurés de la cité
de Metz, pour et au nom de tout le corps d'icelle —) [71]).

Diese Huldigung wurde nun auch von den Bischofsstädten
dazu benutzt, ihre Rechte und Freiheiten möglichst zu sichern und
noch zu erweitern. Sie ließen sich nämlich auch von den Deutschen
Königen sogenannte Freiheitsbriefe oder Gnadenbriefe oder Reverse
ausstellen, und darin ihre Rechte und Freiheiten bestätigen, die
Stadt Speier z. B. von jedem neuen Kaiser [72]), die Stadt Köln
von den Königen Wilhelm und Richard, ehe sie diesen die Erlaub=
niß ertheilten, ihren Einzug in die Stadt zu halten [73]). Und im
Jahre 1293 kamen Mainz, Speier und Worms mit einander über=
ein, auch dem Kaiser erst dann zu huldigen, wenn er einen schrift=
lichen Revers ausgestellt und darin die städtischen Freiheiten be=
stätiget habe [74]). Nur die Erbhuldigung wurde von den freien
Reichsstädten, also von den meisten Bischöfsstädten, verweigert
(§. 463).

Diese doppelte Abhängigkeit der Bischofsstädte und vieler Abtei=
städte von ihrem Landesherrn und von dem Deutschen König und
dem Reich führte in den meisten geistlichen Immunitätsstädten zu
einem schwankenden Zustand und zu fortwährenden Reibungen und
Kämpfen der Bürgerschaft mit ihrem Landesherrn. In Bremen
dauerte dieser schwankende Zustand bis ins 17. Jahrhundert, indem
die Stadt, je nach ihrem augenblicklichen Vortheil, sich bald als
unmittelbare Reichsstadt bald als eine erzbischöfliche Landstadt ge=

---

69) Stadtbrief von 1387 bei Lehmann, p. 766.
70) Heusler, Stadtverf. von Basel, p. 318 u. 319.
71) Alte Handschrift in Hist. de Metz, II, 355—356.
72) Freiheitsbriefe von 1255, 1258, 1273, 1293 u. 1299 bei Lehmann,
　　p. 533, 537, 561, 574 u. 624.
73) Urk. von 1247 u. 1257 in Quellen, II, 266 u. 369. Ennen, Gesch.
　　II, 409.
74) Urk. von 1293 bei Senckenberg, sel. jur. II, 123.

rirte. Während sie sich seit dem Ende des 14. Jahrhunderts als reichsunmittelbare Stadt benahm, in direkter Verbindung mit dem Reiche war und auf der Reichsmatrikel stand, Reichsdienste leistete, Zutritt zum Reichstag hatte und in allem Uebrigen als Reichs= stadt behandelt worden ist, benahm sie sich auf der anderen Seite, so oft es ihr vortheilhafter schien, auch als eine erzbischöfliche Land= stadt, schloß sich an die erzbischöflichen Landstände an, huldigte dem Erzbischof und zahlte ihm die landesherrliche Bete. Erst seit dem 17. Jahrhundert gerirte sie sich ganz entschieden wieder als eine Reichsstadt und wurde dann auch als eine solche anerkannt [75]). Auch in Worms dauerte jener schwankende Zustand das ganze 15. Jahrhundert hindurch fort bis ins 16. Die Stadt war sogar mehrmals in Gefahr ihre Reichsunmittelbarkeit gänzlich zu verlieren. Im Anfang des 16. Jahrhunderts wurde aber der Kaiser als der „rechte Herr" der Stadt anerkannt und ihm der Eid der Treue geleistet [76]). Und in weitläufigen Abhandlungen ward nun aus= einander gesetzt, daß der in früheren und späteren Zeiten dem Bi= schof geleistete Eid im Grunde genommen kein Unterthaneneid, also kein wahrer Huldigungseid gewesen sei [77]). Nichts desto weniger war die Eigenschaft einer freien Reichsstadt noch im 18. Jahrhundert zwischen dem Bischof und der Stadt streitig. Daher wurde die Wormser Untergerichtsordnung niemals von dem Bischof anerkannt und auch von dem bischöflichen Hofgerichte nicht darauf erkannt. In Speier scheint die Herrschaft des Bischofs gleich von Anfang an keine tiefere Wurzeln geschlagen zu haben. Denn schon seit der Mitte des 13. Jahrhunderts ließ sich die Stadt, wie wir gesehen, ihre Freiheiten von dem jedesmaligen Kaiser bestätigen und wurde auch als eine reichsunmittelbare Stadt von dem Kaiser behandelt [78]). Auch stand die Stadt lange Zeit noch unter dem Kaiserlichen Landvogt des Speiergaus. Die freiere Stellung der Stadt führte frühe schon zum Kampf mit dem Bischof. Sie er=

---

75) Donaudt, I, 56—59 u. 224—226. vergl. oben §. 495.
76) Urk. von 1508 u. 1521 bei Moritz, II, 114 u. 220. Nachtung von 1519 §. 12 bei Schannat, II, 321.
77) Apologie der Stadt Wormbs, p. 20—35. Moritz, II, 109—117.
78) Urk. von 1267 bei Lehmann, p. 547. quod cives Spirenses sunt imperio annexi —. Rau, I, 20. Not.

leichterte diefen Kampf, welcher daher bereits im Jahre 1294 mit dem Verlufte der oberften Gewalt in der Stadt geendiget hat[79]). Der Kampf mit dem Bifchof dauerte zwar nach wie vor fort. Der Kaifer felbft war aber feitdem wieder der eigentliche Inhaber der öffentlichen Gewalt in der Stadt, wie diefes auch im Jahre 1480 ganz offen von dem Stadtrath ausgefprochen worden ift („da doch „der Rath keinen andern Oberherrn als Kayf. Maj. hatten“)[80]). Da jedoch die Stadt die wichtigften Rechte der öffentlichen Gewalt, ins= befondere auch die Gerichtsbarkeit an fich gebracht und auch keine Berufung mehr an die Reichsgerichte ftatt hatte, fo waren im Grunde genommen die Rechte der öffentlichen Gewalt an die Stadt gekommen, und der Stadtrath führte nun das Stadtregiment im Namen des Kaifers („der Rath habe von Gnaden Kayf. Maj. „und an Dero ftatt das Regiment als Oberherr in der „Stadt Speyer, und gebe auff folche Weiß und in Krafft deffen „Glaid, machte Gebott, Verbott, Bündniß und Befrie= „digung in ihrer Stadt, wie, mit wem, und wo fie wolten“)[81]).

Eben fo wurde auch in den übrigen Bifchofsftädten gekämpft. Und in Bafel, Mainz, Köln, Magdeburg u. a. m. hörten jene Kämpfe faft gar nicht mehr auf. Meiftentheils ftanden die Kaifer auf Seiten der gegen den Bifchof oder den Abt ankämpfenden Städte. Sie unterftützten demnach den Aufruhr gegen die gefetz= liche Gewalt. Sie erklärten jene Städte für reichsunmittelbare Städte, zogen fie zu den Reichstagen und begehrten und erhielten Reichsdienfte von ihnen. Daher find jene Städte meiftentheils wirkliche Reichsftädte, mehrere fogar freie Reichsftädte geworden und diefes fodann bis auf unfere Tage geblieben. Nicht alle Bi= fchofsftädte und Abteiftädte konnten jedoch ihre Reichsunmittelbar= keit behaupten, Mainz, Trier, Erfurt, Würzburg, Bamberg, Fulda, Münfter und Osnabrück mußten fich ihrem Landesherrn wieder unterwerfen. Meiftentheils war hiebei das Befatzungsrecht ent= fcheidend. Konnten die Bürger das eigene Befatzungsrecht in der Stadt gegen den Bifchof behaupten, fo blieben fie Reichsftädte. Konnten fie diefes aber nicht, konnten fich vielmehr die Bifchöfe

---

79) Rau, I, 16—18. und oben §. 491.
80) Lehmann, p. 951.
81) Erklärung von 1480 bei Lehmann, p. 950 u. p. 254.

selbst des Besatzungsrechtes wieder bemächtigen, wie dieses im Jahre 1462 in Mainz gelungen ist, so sanken sodann die Städte wieder zu Landstädten herab. So die eben erwähnten Bischofsstädte. Auch in ihnen hat zwar, z. B. in Osnabrück u. a. m., der zwischen der Reichsunmittelbarkeit und der Landeshoheit hin und her schwan= kende Zustand noch das ganze 16. Jahrhundert hindurch gedauert. Allein im 17. Jahrhundert, nach dem dreißigjährigen Kriege, hat auch in ihnen die Landesherrschaft gesiegt [82]). Eben so war es in Magdeburg. Auch nach der furchtbaren Zerstörung der Stadt im dreißigjährigen Kriege blieb nämlich Magdeburg noch eine reichs= unmittelbare Stadt. Im Jahre 1638 hatte sie noch die Kaiserliche Bestätigung ihrer Freiheiten erhalten und sodann ihr Stadtregiment geordnet und eine eigene Besatzung erhalten. Auch der West= phälische Frieden schien ihrer Reichsfreiheit günstig zu sein. Sie konnte daher die landesherrliche Huldigung fortwährend verweigern. Allein bereits im Jahre 1666 hat der Vergleich von Kloster Bergen dieses Alles geändert. Die Stadt mußte sich wieder der Landes= hoheit unterwerfen, dem Landesherrn die Erbhuldigung leisten und eine landesherrliche Besatzung aufnehmen. Damit war aber die Reichsunmittelbarkeit für immer dahin [83]).

4. Die öffentliche Gewalt in den Landstädten.

a. Im Allgemeinen.

§. 505.

Landstädte oder Territorialstädte nannte man alle jene Städte, welche, weil sie in einer Erbgrafschaft oder in einer erblichen Vogtei lagen, in keiner direkten Verbindung mehr mit Kaiser und Reich standen (§. 466). So lag z. B. Bonn im alten Bonngau (§. 470). Mit der Grafschaft in jenem Gau war aber auch Bonn an das Erzstift Köln und dadurch außer alle direkte Verbindung mit dem Kaiser und Reich gekommen. Heidelberg lag

---

82) Stüve, Gesch. der Stadtverfassung von Osnabrück in Mittheilung. des histor. Vereins zu Osnabrück, VIII, 57—61.

83) Westphäl. Frieden, art. XI, §. 7 u. 8. Vergleich von 1666 bei Rath= mann, IV. 2. p. 343—352 u. 332.

im Lobdengau und in der Grafschaft auf dem Stahlbohel, und war mit jener Grafschaft an die Pfalzgrafen bei Rhein gekommen. Coesfeld aber und Münster lagen in erblichen Vogteien und waren mit diesen an die Bischöfe von Münster gekommen (§. 466). Eben so lag Erfurt im 13. Jahrhundert in der erblichen Vogtei der Grafen von Gleichen, welche damals auch in der Stadt die Vogtei hatten [1]). Auch Erfurt stand demnach damals in keiner direkten Verbindung mehr mit Kaiser und Reich, bis die Vogtei in dem Jahre 1283 von jenen Grafen an die Stadt verkauft worden war [2]). Mit der Erblichkeit der Gaugrafschaft und der Vogtei war nämlich das Amt zu einer selbständigen von dem Kaiser und Reich unabhängigen Herrschaft geworden. Die erblichen Inhaber der öffentlichen Gewalt in der Stadt waren demnach nun die Herren der Stadt, z. B. die Herzoge von Zäringen die Herren der Stadt Freiburg (domini civitatis) [3]), die Grafen von Gleichen die Herren der Stadt Erfurt (domini civitatis) [4]). Und sie waren dieses ganz in demselben Sinne wie auch die Kaiser die Herren in den Reichs= städten und die Landesherrn die Herren ihrer Territorien [5]), und wie daher auch die Erzbischöfe von Mainz [6]) und die Landgrafen von Thüringen Herren (domini) von Erfurt gewesen sind [7]). Die in einer Erbgrafschaft oder in einem landesherrlichen Territorium liegenden Städte wurden deshalb auch landesherrliche Städte und, seitdem die Landesherrn auch noch die herzoglichen Rechte erworben hatten, fürstliche Städte genannt. Zu ihnen gehörten indessen nicht bloß die alten Grafschaftsstädte und die in einer erb=

---

1) Tittmann, Geschichte Heinrichs des Erlauchten, I, 61 u. 62,

2) Urk. von 1283 bei Lambert, Gesch. von Erfurt, p. 139. Auch von Falckenstein, Hist. von Erfurt, p. 85—87. nimmt, wiewohl aus einem anderen Grunde an, daß Erfurt damals keine Reichsstadt war.

3) Stiftungsbrief von 1120, §. 18, 19, 31, 32, 34 u. 35.

4) Urk. von 1277 bei Mencken, I, 539.

5) vergl. Meine Einleitung zur Gesch. der Mark=, Hof= ꝛc. Verf. p. 122 —124.

6) Urk. von 1256 bei Lünig, Reichsarchiv. P. spec. cont. 4, Abth. 2. p. 428.

7) Addit. ad Lambert. annal. ad an. 1175 bei Pistorius, I, 429. und Mencken, II, 479. vergl. Tittmann, I, 63 u. 67.

lichen Vogtei liegenden Städte, sondern auch noch die grund=
herrlichen in einer Erbgraffchaft oder in einem landesherrlichen
Territorium liegenden Städte. Denn, wie andere Grundherrschaften,
so standen auch die grundherrlichen Städte unter der öffentlichen
Gewalt. Sie standen demnach auch dann noch unter ihr, nachdem
die Inhaber der öffentlichen Gewalt ihr Amt erblich gemacht hatten.
Waren nun die Inhaber der öffentlichen Gewalt zu gleicher Zeit
selbst Grundherren der Stadt, entweder der ganzen Stadt oder
eines Theiles derselben, so blieben sie dieses auch dann noch, nach=
dem sie die öffentliche Gewalt erblich an sich gebracht hatten. So
waren in der Stadt Münster die Bischöfe von Münster die Grund=
herren eines großen Theiles der Stadt, und sie blieben dieses auch
dann noch, nachdem sie die Schirmvogtei an sich gebracht und mit
ihr die öffentliche Gewalt erworben hatten (§. 466). Eben dieses
war in Wesel der Fall. Die Grafen von Cleve waren daselbst
Inhaber der öffentlichen Gewalt und Grundherren in einem großen
Theile der Stadt. Und, als sie den Ort zur Stadt erhoben und
mit einem freien Stadtrecht beschenkt hatten, behielten sie sich die
grundherrlichen Rechte ausdrücklich vor[8]). In Schwaney waren
die Bischöfe von Paderborn und die Ritter von Herse mit einander
die Grundherren. Sie wurden daher domini terrae genannt. Die
Bischöfe waren aber zu gleicher Zeit auch Inhaber der öffentlichen
Gewalt[9]). In Erfurt hatten die Grafen von Gleichen und auch
die Erzbischöfe von Mainz Grundbesitz, sogenannte Kameralgüter[10]).
Und es dürfte nicht leicht einen Landesherrn gegeben haben, der
nicht wenigstens in den größeren Städten seines Territoriums einen
mehr oder weniger ausgedehnten Grundbesitz gehabt hätte. Mit
dem erblichen Comitat waren ja alle die ausgedehnten aus der alten
Markenverfassung auf die Deutschen Könige übergegangenen Mark=

8) Privilegien von 1277 u. 1311 bei Wigand, Archiv, IV, 398 ff. Pri=
vileg von 1311, eod. p. 399. salvo nobis jure nostro, si quid in
bonis aut hominibus habeamus —. „behaldende unß all unse rechte,
„so wat wy hebben in den guede offte in den lueden·"
9) Urk. von 1344 bei Wigand, Archiv, I, 4. p. 99—102.
10) Urk. von 1265 bei Falckenstein, Erf. Hist. p. 106. — casas in illo
camerae nostro loco — camerae nostrae locum —. vergl. Titt=
mann, Gesch. Heinrichs des Erl. p. 61.

ländereien und markgrundherrlichen Rechte auf die Landesherrn übergegangen, wie im ganzen Territorium so insbesondere auch in den in dem Territorium liegenden Städten (§. 458). Indessen sind denn doch nicht alle Landstädte grundherrliche oder gemischte Städte gewesen. Sehr viele von ihnen, in welchen weder der Landesherr noch ein anderer Grundherr angesessen war, blieben vielmehr in früheren und späteren Zeiten freie Landstädte. Die Städtchen Alzei, Rockenhausen u. a. m. waren ursprünglich Salland (terra salica) eines in jener Gegend begüterten Grafen. Jene Ortschaften fielen aber schon im 9. Jahrhundert an den König= lichen Fiskus in Frankfurt [11]). Späterhin kamen sie mit anderen Reichsländereien an die Pfalzgrafen bei Rhein. Das Städtchen Rockenhausen insbesondere kam zuerst an die Raugrafen und von diesen sodann an die Pfalzgrafen. Eine Grundherrschaft kam jedoch daselbst nicht auf. Daher blieben die Bürger frei von grundherr= lichen Beten und Steuern. Und die Bürgerschaft bestand aus edlen und unedlen Bürgern und Bauern („allerley lute sie sin edel oder „vnedel burgere oder gebure") [12]).

§. 506.

Wie die Kaiser in den Reichsstädten und die Bischöfe und Aebte in ihren Immunitätsstädten (§. 468, 484 u. 485), so stellten nun auch die Landesherrn in ihren landesherrlichen Städten grund= herrliche Beamte an zur Erhebung der ihnen gehörenden grund= herrlichen Gefälle und zur Besorgung der grundherrlichen Gerichts= barkeit in der Stadt. Wie in den Bischofsstädten so führte der grundherrliche Beamte auch in den landesherrlichen Städten öfters den Titel Kämmerer, z. B. in Wien [1]), in Prag [2]), in Brünn [3])

---

11) Urk. von 897 bei Schannat, II, 10—11. decimationem totius nostrae salicae terrae in his locis — quorum (nämlich comitis et A. suae conjugis) eadem praedia antea fuerant, donec legaliter in palatio Frankenfurt ad nostrum dominium fiscata sunt
12) Urk. von 1407 in Acta acad. Palat. I, 54 u. 56.
1) Urk. von 1204 bei von Hormayr, Wien, I, 1. Urkb. p. 48.
2) Rößler, Einleitung, p. 90.
3) Judenrecht von 1268 §. 4 bei Senckenberg, vision. p. 313. und die Judenrechte, §. 120 bei Rößler, p. 369.

u. a. m., und er hatte auch in den landesherrlichen Städten Ge=
richtsbarkeit über die Juden (§. 300). Diese landesherrlichen
Kämmerer in den Städten scheinen sehr verbreitet gewesen zu sein.
Denn schon in dem Landfrieden von 1158 wurde ganz allgemein
verordnet, daß, wenn ein Kaufmann die in der Stadt gekauften
Waaren dem Heere zu theuer verkaufte, der Kämmerer ihm sein
ganzes Waarenlager (omne forum suum) wegnehmen und ihn
scheeren und auf die Wange brennen lassen solle [4]). Es wird
demnach vorausgesetzt, daß sich in jeder Stadt ein landesherrlicher
Kämmerer befinde. In anderen Städten besorgten die herrschaft=
lichen Villici und Schultheiße die Erhebung der grundherrlichen
Gefälle und die grundherrliche Gerichtsbarkeit in der Stadt. In
Erfurt z. B. hatten die Erzbischöfe von Mainz zwei Schultheiße,
welche abwechselnd auch Villici genannt wurden. Der Eine befand
sich in der Stadt selbst und der Andere in der Vorstadt im Bruel [5]).
Und außer der Gerichtsbarkeit hatten sie auch die Erhebung der
herrschaftlichen Gefälle zu besorgen. Eben so hatten die Erzbischöfe
von Köln mehrere herrschaftliche Beamte auf ihren verschiedenen
Fronhöfen in Bonn, z. B. einen villicus curie auf dem Wichels=
hofe [6]) und einen Meier (Meyger oder officiatus) auf dem Hofe
Merhausen [7]), welche die herrschaftlichen Gefälle erheben und die
Hofgerichte zu präsidiren hatten. Und diese Hofgerichte dauerten
längere Zeit auch dann noch fort, nachdem der Ort im Jahre 1243
zur Stadt erhoben worden war und einen eigenen landesherrlichen
Stadtrichter erhalten hatte.

Zu den landesherrlichen Städten gehörten endlich auch noch
diejenigen Königs= oder Reichsstädte, welche von einem Landesherrn
erworben und der Landeshoheit bleibend unterworfen worden sind,
wie dieses z. B. bei Kaiserslautern, Oppenheim und Neckargemünd

---

4) Landfrieden von 1158 §. 17 bei Pertz, IV, 108.

5) Urk. von 1125 bei Falckenstein, Thüring. Chron. II, 484. — sculteto
    de Brularis — villico de Brularis — scultetus et alius scultetus.
    vergl. Falckenstein, Hist. von Erfurt, p. 1015. und der Erste wurde
    auch villicus civitatis genannt in Urk. von 1228 bei Guden, I, 499.

6) Urk. von 1211 bei Lacomblet, Archiv, II, 305.

7) Urk. von 1325 und 1347 und Weisthum aus 14. sec. bei Lacomblet,
    Arch. II, 299, 309 u. 317.

in der Pfalz (§. 479), bei Boppard, Altenburg, Chemnitz, Zwickau,
Donauwörth u. a. m., insbesondere auch bei Erfurt der Fall war.
Auch Erfurt war nämlich ursprünglich eine Königsstadt. Und auch
die Verfassungsgeschichte dieser Stadt ist keineswegs so verworren,
wie dieses Tittmann glaubt, wie es aber wirklich der Fall wäre,
wenn es daselbst drei Inhaber der öffentlichen Gewalt neben einander, die Grafen von Gleichen, die Erzbischöfe von Mainz und die
Landgrafen von Thüringen gegeben hätte, wie dieses Tittmann annimmt [8]). Dem ist aber nicht so. Die Verfassung von Erfurt
hat sich nämlich in ganz ähnlicher Weise, wie die Verfassung aller
übrigen Bischofsstädte gebildet. Wie in anderen Bischofsstädten der
Bischof so erhielt auch in Erfurt der Erzbischof von Mainz den
Comitat. Und wie andere Bischöfe so gab auch er die Vogtei als
ein erbliches Lehen hin. Denn die Vogtei der Grafen von Gleichen
war ein erzbischöfliches Lehen [9]), keine Reichsvogtei, wie dieses Tittmann annimmt. Daher fiel die Vogtei, welche die Grafen an die
Stadt verkauft hatten, späterhin beim Erlöschen des Grafengeschlech-
tes nicht an das Reich, vielmehr an die Erzbischöfe von Mainz
zurück. Wie Augsburg, Konstanz u. a. m. unter der Reichslandvogtei von Schwaben (§. 466), so stand nun auch Erfurt zwar
nicht unter einer Reichslandvogtei, wohl aber, was im Effect dasselbe war, unter der Landgrafschaft von Thüringen. Daher wurde
Erfurt erst seit der Befreiung von der Landgrafschaft in der That
eine erzbischöflich Mainzische Landstadt.

Rechte der Kaiser in den landesherrlichen Territorien und Städten.

§. 507.

Die Schließung der Territorien gegen Kaiser und Reich ist
nämlich nicht mit einem Schlage, vielmehr nur nach und nach er-
folgt. Daher hatte der Kaiser lange Zeit noch manche Rechte in
den Territorien, welche er selbst ausübte oder durch Reichslandvögte oder Landgrafen ausüben ließ, und welche sich erst später seit

---

8) Tittmann, p. 60—69.
9) Falckenstein, Hist. von Erfurt, p. 83.

dem völligen Schließen der Territorien verloren haben. Die meisten
landesherrlichen Städte waren nämlich ursprünglich reichsunmittelbare Königsstädte, sogenannte Grafschafts = oder Comitatsstädte.
Und ein Rest jener ehemaligen Reichsunmittelbarkeit hat sich lange
Zeit, wenigstens noch zur Zeit der Rechtsbücher, in dem Rechte
des Kaisers die Reichsgewalt in allen Städten des Reiches aus=
üben zu dürfen, so oft er dahin kam, erhalten. In Kaiserslautern
durften die Kaiser noch in den zum Theile von Kaiser Friedrich I
angelegten Fischweiern (in den sogenannten Wagen oder Wogen),
so oft sie nach Lautern kamen, fischen und dieses sogar noch zu
einer Zeit thun, als jene Fischweier dem Reiche nicht mehr ge=
hörten [1]). Auch in dem Schöffenbriefe für Görlitz ist neben dem
Herrendienst auch noch vom Reichsdienst die Rede [2]). Ohne Er=
laubniß des Kaisers und des Reiches durfte ursprünglich kein Ort
mit Mauern umgeben und dadurch zu einer Stadt erhoben werden.
Erst im Jahre 1231 erhielten dieses Recht auch die Landesherrn
(§. 6 u. 30). Ueberhaupt hatte nur allein der Kaiser das Recht
den Städten Freiheiten und Privilegien zu ertheilen (nullus prin-
ceps aut dominus potest alicui opido conferre vel concedere
aliquas libertates, vel etiam privilegiare eosdem, absque manu
et expresso consensu regis in cuius regno dominium ipsius domini situm extitit). Als dieses aber der Graf von Jülich dennoch
ohne Zustimmung des Kaisers gethan hatte, so wurden diese Frei=
heiten im Jahre 1310 von dem Fürstengerichte zu Speier vernich=
tet [3]). Das Städtchen Rockenhausen in der Pfalz erhielt noch im
Jahre 1332, auf ausdrückliches Begehren des Raugrafen Heinrich,
die Rechte und Freiheiten der Reichsstadt Frankfurt von Kaiser
Ludwig dem Baier, und im Jahre 1407 wurden jene Freiheiten
von Kaiser Ruprecht nochmals bestätiget und vermehrt [4]). Auch
das Recht Märkte oder neue Münzen oder Zölle zu errichten oder
die Zollfreiheit zu verleihen war ursprünglich ein Vorrecht des
Kaisers (§. 75, 76, 78 u. 79). Als daher der Graf von Jülich

---

1) Weisthum bei Grimm, I, 773. vergl. §. 468.
2) Schöffenbrief von 1304, §. 138 bei T. u. St. p 477.
3) Pertz, IV, 500.
4) Urk. von 1332 u. 1407 in Acta acad. Palat. I, 53—58.

seinen landesherrlichen Städten die Zollfreiheit ohne Zustimmung
des Kaisers verliehen hatte, so wurde sie im Jahre 1310 von dem
Fürstengerichte zu Speier wieder aufgehoben, wiewohl dem Grafen
die Zölle selbst bereits von dem Kaiser verliehen worden waren [5].
Auch die Reichszölle und Reichssteuern wurden eine Zeit lang noch
von dem Kaiser und Reiche in den landesherrlichen Territorien
erhoben, bis sie auf die Landesherrn selbst übertragen worden sind.
So erhielten die Erzbischöfe von Köln die Reichszölle zu Andernach, Bonn und Neuß erst im Jahre 1298 [6]. In anderen Territorien wurden die Reichszölle und Münzen theils früher theils
später auf die Landesherrn übertragen, z. B. in Sachsen [7]. Oefters wurden sogar die bereits schon verliehenen Zölle wieder wider-
rufen, z. B. in den Städten am Rhein [8], bis zuletzt alle Zölle
und die übrigen fiskalischen Einkünfte von dem Reich veräußert
worden sind. Dieses gilt insbesondere auch von den Reichssteuern.
Sie sollten zuerst nicht mehr ohne Zustimmung des Landesherrn,
z. B. in Magdeburg [9], und zuletzt von dem Kaiser gar nicht mehr,
vielmehr nur noch von dem Landesherrn selbst erhoben werden.
Und so sind denn nach und nach alle Rechte der öffentlichen Gewalt auf die Landesherrn übergegangen und sodann die landesherrlichen Territorien gegen den Kaiser und das Reich gänzlich
geschlossen worden. Die wenigen Rechte, welche auch dann noch
dem Kaiser geblieben sind, nannte man seit dem westphälischen
Frieden Kaiserliche Reservatrechte.

b. Rechte der öffentlichen Gewalt.

1) Bann- und Schirmgewalt.

§. 508.

Zu den auf die Landesherrn übergegangenen Rechten der
öffentlichen Gewalt gehörten insbesondere das Gebot und Verbot

---

5) Pertz, IV, 501.
6) Urk. von 1298 bei Lacomblet, II, 586.
7) Tittmann, p. 194 ff. u. 204 ff.
8) Constit. von 1301 bei Pertz, IV, 474.
9) Urk. von 1216 bei Meibom, II, 377.

ober das Bannrecht und die damit verbundene Schirmgewalt,
das sichere Geleit und die öffentliche Gerichtsbarkeit.

Wie in den Reichsstädten dem Deutschen König und in den
Bischofs= und Abteistädten dem Bischof und Abte (§. 469 u. 488),
so gehörte in den Landstädten das Recht zu gebieten und zu
verbieten oder das Bannrecht dem Landesherrn. Mit dem
erblichen Comitat und mit der erblich gewordenen Vogtei ist näm=
lich auch das Recht des Gebotes und des Verbotes (das Bann=
recht) auf die Landesherrn übergegangen. Dieser Uebergang hat
jedoch nicht immer auf einer Königlichen Verleihung beruht, wie
dieses bei den Bischofsstädten der Fall war. Er ist vielmehr meisten=
theils in aller Stille im Laufe der Zeit vor sich gegangen. Daher
wird desselben in den Urkunden nur sehr selten erwähnt, oder
wenigstens nur dann erwähnt, wenn dazu eine Veranlassung ge=
geben war. So mußten z. B. im Jahre 1487, nach einem vergeb=
lichen Versuche der Stadt Fulda sich zu einer freien Reichsstadt zu
erheben, der Bürgermeister und Stadtrath einen feierlichen Eid
leisten, „daß die Stadt Fulda weder eine freye noch reichs Stadt
„seye, sondern ein Apt von Fulda seye ihr Herr mit habender
„Obrigkeit, gebot und verbot, setzen und entsetzen" [1]).
Daß aber auch in allen anderen Landstädten das Bannrecht auf
die Landesherrn übergegangen ist, leidet jedenfalls gar keinen Zwei=
fel. Und auch dieses Bannrecht umfaßte den gesammten Königs=
bann mit Einschluß des Blutbanns. Dieser wurde öfters sogar
noch in den Landstädten Königsbann (bannum Regis) genannt,
z. B. in Medebach [2]) und in Herfort [3]). Mit dem Rechte zu ge=
bieten und zu verbieten war allzeit auch das Recht Verordnun=
gen zu machen verbunden. Dieses Recht wurde von je her als
ein wesentlicher Bestandtheil des Bannrechtes betrachtet. Die Erz=
bischöfe von Köln bedienten sich bereits im 12. Jahrhundert dieses
Rechtes, um in Andernach eine neue Gerichtsordnung zu erlassen
und ein neues Schöffengericht einzuführen [3a]). Seit dem Steigen
der Gewalt des Stadtraths ist zwar auch in den Landstädten jenes

---

1) Thomas, Fuld. Pr. R. I, 114.
2) Stadtrecht von 1165 §. 2 bei Seibertz, II, 1. p. 73.
3) Urk. von 1281 §. 4 bei Kindlinger, Hörigk. p. 264.
3a) Urk. von 1171 bei Günther, I, 407 ff.

Recht mehr und mehr beschränkt, in keiner landesherrlichen Stadt
aber ganz aufgehoben worden. Die von dem Stadtrath oder von
den Zünften gemachten Verordnungen mußten fast allenthalben
dem Landesherrn zur Bestätigung vorgelegt werden. In vielen
Städten machten die Landesherrn jene Verordnungen gemein=
schaftlich mit dem Stadtrath, z. B. die Gewerbsordnungen. So
machten die Herzoge von Baiern im Jahre 1433 in München eine
Wein= und Metschenkordnung gemeinschaftlich mit dem Stadt=
rath [4]. Auch blieb die städtische Verwaltung und das Zunftwesen
allenthalben in großer Abhängigkeit von der Landesherrschaft, je
nach den Umständen in einer Landstadt mehr in der anderen we=
niger. Auch sollte ursprünglich ohne landesherrliche Zustimmung
keine neue Steuer aufgelegt werden, z. B. in Konstanz noch im
14. Jahrhundert [5]. Dieses gilt insbesondere von der Anlegung
neuer indirekter Steuern. So wie umgekehrt auch die Landesherrn
ohne Zustimmung der Städte keine neue öffentliche Steuern ein=
führen sollten (§. 428). Auch durfte sich ohne landesherrliche Be=
stätigung keine Zunft bilden und keine Zunftordnung erscheinen
(§. 266, 275 u. 276). Darum ließen die Bader zu Berlin und
Köln ihre im Jahre 1462 gemachten Willküren im Jahre 1486
von dem Markgrafen bestätigen [6]. In manchen Landstädten war
sogar zur Abhaltung einer Gemeindeversammlung die landesherr=
liche Erlaubniß nothwendig, z. B. in Salzwedel zur Haltung einer
Bauersprache oder einer anderen Versammlung oder Einigung [7].
Anderwärts sollten sich selbst die Zünfte ohne Erlaubniß der lan=
desherrlichen Beamten nicht mehr versammeln, z. B. in Seligen=
stadt seit dem 16. Jahrhundert [8]. Seit dem 15. und 16. Jahr=
hundert stieg nämlich auch in den Landstädten wieder die landes=
herrliche Gewalt. Schon Markgraf Friedrich konnte im Jahre 1434

---

4) Verordnung von 1433 in Mon. Boic. 35, II, p. 312—314.
5) Urk. von 1357 bei Pistorius, III, 699.
6) Bestätigungsbrief von 1486 bei Zimmermann, II, 246.
7) Verhandlung von 1485 bei Zimmermann, II, 240. — „kein Bawer=
   „sprake hollden, ouch kein sunderlich Sammlung oder Voreynunge, das
   „man heißt ein deputacio haltenn sollet" —.
8) Stadtordnung von 1527 bei Steiner, Seligenstadt, p. 371.

seiner Landstadt Baireuth, ohne auf Widerstand zu stoßen, eine
Stadt= und Gerichtsordnung geben, nach welcher der Stadtrath
jährlich unter Mitwirkung des landesherrlichen Vogtes erneuert
werden sollte [9]). Und der Erzbischof Albrecht von Mainz konnte
sogar, freilich erst im Jahre 1527 nach unterdrücktem Bauernkriege,
die Freiheiten seiner Landstadt Seligenstadt ganz aufheben und
ohne Mitwirkung des Stadtrathes eine neue Stadtordnung er=
lassen [10]).

Ein weiteres Recht der öffentlichen Gewalt war die Schirm=
gewalt. Und mit der übrigen öffentlichen Gewalt ist auch diese
auf die Landesherrn übergegangen. In Brakel benutzten die Bi=
schöfe von Paderborn, welche daselbst Landesherrn waren, ihre
Schirmgewalt, um sich in die Streitigkeiten der Stadt mit ihrer
Grundherrschaft und mit dem Stadtrath einzumischen, und die
Bürgerschaft gegen jene zu schützen und zu unterstützen (§. 168).
In Salzwedel schützten die Markgrafen von Brandenburg den
Rath gegen die Gemeinde, und umgekehrt auch die Gemeinde wie=
der gegen den Rath, wenn dieser im Unrecht war [11]). Auch in
Freiburg im Breisgau [12]) und in den Bairischen Städten hatten
die Landesherrn und die landesherrlichen Beamten die Bürger zu
schützen und zu schirmen, z. B. in den Städten Rain, Landsberg
u. a. m. [13]). Um dieser Schirmgewalt willen ließen viele Land=
städte ihre hergebrachten Rechte und Freiheiten von ihren Landes=
herrn bestätigen und bei jedem Regierungswechsel von dem neuen
Landesherrn abermals bestätigen, z. B. die Bürger von Landsberg
in Baiern [14]), die Bürger von Berlin und Köln u. a. m. [15]).
Diese Schirmgewalt wurde nach und nach zu einer landesherr=
lichen Vogtei ausgebildet, welcher sodann auch die meisten Land=
städte unterworfen worden sind. So wie nämlich in den reichs=

---

9) Lang, Gesch. von Baireuth, I, 56.

10) Stadtordnung von 1527 bei Steiner, p. 368

11) Verhandlung von 1485 bei Zimmermann, II, 241.

12) Urk. von 1293 u. 1368 bei Schreiber, I, 124 u. 542.

13) Urk. von 1323, 1364, 1373 u. 1377 bei Lori, p. 46, 67, 72 u. 77.

14) Urk. von 1364 u. 1377 bei Lori, p. 66 u. 77.

15) Urk. von 1298, 1337, 1338, 1363 u. 1373 bei Fidicin, I, 52, 54, 55
    u. 63	vergl. noch oben §. 158.

unmittelbar gebliebenen Herrschaften die Reichsschirmgewalt zu einer
Reichsvogtei ausgebildet worden ist, und diejenigen Reichsstädte,
welche der Reichsvogtei unterworfen waren, gemeine Reichs=
städte genannt worden sind, während jene Reichsstädte, welche
sich von der Reichsvogtei freigemacht oder diese selbst erworben
hatten, freie Reichsstädte hießen (§. 462—464), so bildete sich
auch in den landesherrlichen Territorien ein Unterschied zwischen
mittelbaren und unmittelbaren oder freien Landstädten
aus. Diejenigen Landstädte nämlich, welche sich der landesherrlichen
Vogtei unterwerfen mußten, standen nicht direkt unter dem Landes=
herrn. Sie wurden daher mittelbare Städte genannt. Und
sie waren, wie die gemeinen Reichsstädte, den vogteilichen Abgaben
unterworfen. Jene Landstädte dagegen, welche der landesherrlichen
Vogtei nicht unterworfen waren, standen eben so direkt unter dem
Landesherrn, wie die freien Reichsstädte unter dem Kaiser und
Reich. Sie wurden daher unmittelbare oder freie Land=
städte genannt. Wie die freien Reichsstädte, so waren auch sie
keinen vogteilichen Abgaben unterworfen und als unmittelbare
Städte erhielten sie späterhin Zutritt zu den Landständen, weil sie
sonst nicht vertreten gewesen wären. Die unmittelbaren Landstädte
hatten demnach in den landesherrlichen Territorien eine ähnliche
Stellung, wie die freien Reichsstädte dem Kaiser und Reich
gegenüber.

Mit der Schirmgewalt hing auch das Geleitwesen und
der Schutz der Landstraßen zusammen. Die Landesherrn er=
hielten dieses Recht durch Königliche Verleihung [16]). Sie hatten
es daher ursprünglich in allen ihren Landstädten. So die Herzoge
von Zäringen in Freiburg [17]), die Aebte von Korvei in Hörter [18]),
die Herzoge von Baiern in Landsberg u. a. m= [19]), die Markgrafen
von Brandenburg in Frankfurt an der Oder, in Stendal u. a. m.,

---

16) Constit. Friderici II von 1232 bei Pertz, IV, 292. Conductum principum per terram eorum, quam de manu nostra tenent in feodo.
17) Stiftungsbrief von 1120 §. 3 und Stadtrodel, §. 5 u. 7 bei Gaupp,
II, 19 u. 29.
18) Sühnebrief von 1332 bei Wigand, Gesch. von Korvei, I, 334.
19) Urk. von 1373 bei Lori, p. 72.

bis der Mißbrauch dieses Rechtes und die damit zusammenhängen=
den Erpressungen zur Befreiung von den damit verbundenen Ab=
gaben, hin und wieder auch von dem Geleitrechte selbst geführt
haben (§. 87).

2) Oeffentliche Gerichtsbarkeit in den Landstädten.

§. 509.

Auch die mit dem Bannrechte und mit der Schirmgewalt
verbundene öffentliche Gerichtsbarkeit ist auf die Landes=
herrn übergegangen. Und wie die Bischöfe und Aebte in den Bi=
schofs= und Abteistädten so waren nun auch die Landesherrn in
ihren Landstädten die Gerichtsherren, von denen die öffentliche
Gerichtsbarkeit in der Stadt ausging. Da jedoch die Immunität
von dem Gau= und Landgerichte und das Recht der Bürger vor
keinem auswärtigen Gerichte, vielmehr immer nur in der Stadt
selbst belangt zu werden, ein wesentliches Erforderniß eines jeden
Stadt= oder Weichbildrechtes (§. 471 u. 488), also auch des Rech=
tes der Landstädte von Soest[1]), von Freiburg[2]), von Medebach[3]),
von Osnabrück[4]), von Siegburg[5]), von Hagen[6]), von Mün=
chen[7]) u. a. m. war, so erhielten nun auch die Landstädte ihr eige=
nes Stadgericht, wenigstens für die Civilgerichtsbarkeit, öfters aber
auch für den Blutbann, z. B. Stade[8]), Coesfeld[9]), Bocholt[10]),

---

1) Stadtrecht von 1120 §. 16. Urt. von 1371 bei Seibertz, II, 1.
   p. 619.
2) Stadtrobel §. 54.
3) Stadtrecht von 1165 §. 2 u. 17.
4) Urk. von 1171 bei Möser, Osn. Gesch. II, 306.
5) Urk. von 1182 bei Lacomblet, I, 342.
6) Stadtrecht von 1296 §. 2 bei Seibertz, II, 1. p. 572.
7) Urk. von 1294 bei Bergmann, II, 10. Stadtrecht §. 402.
8) Urk. von 1209 bei Pufendorf, II, 155. — et judicio sint exceptae,
   et nulli de eis aliquid respondeant nisi soli advocato civitatis
   qui dicitur Wikvogt —.
9) Urk. von 1197 bei Niesert, Münster. Urtb. I, 2. p. 471—479.
10) Urk. von 1206 bei Wigand, Archiv, II, 340.

Soeſt [11]), Medebach [12]), München, die ſchleſiſchen Städte ſeitdem
ſie Deutſches Recht erhalten hatten, u. a. m. Auch Mannheim
und Heidelberg, Neckargemünd, Kaiſerslautern und andere Städte
in der Pfalz hatten ihr eigenes Stadtgericht mit ihrem eigenen
Blutbann. Sie ſtanden daher weder unter den Oberämtern noch
unter den Zentgerichten, vielmehr unmittelbar unter der Landes=
regierung und unter dem landesherrlichen Hofgerichte [13]). Denn
mit der Erhebung eines Ortes zur Stadt oder mit der Ertheilung
des Stadt= oder Weichbildrechtes hörte die Gerichtsbarkeit des Gau=,
Land= oder Zentgerichtes auf. Es mußte deshalb zur Ausübung
der öffentlichen Gerichtsbarkeit in der Stadt ein eigenes Stadtgericht
errichtet werden. Daher mußten die erblichen Inhaber des Comi=
tates oder der Vogtei öfters, wenn ein Ort Weichbildrecht erhielt,
auf die ihnen zuſtehende öffentliche Gerichtsbarkeit in der Stadt,
d. h. auf die Gerichtsbarkeit des Gau= oder Landgerichts in der
Stadt, verzichten, z. B. in Bochold und in Coesfeld, und es wurde
ſodann ein eigenes öffentliches Gericht in der Stadt errichtet
(§. 89 ff.). Die Stadtgerichte blieben nämlich nach wie vor
öffentliche von den Landesherrn abhängige Gerichte. Wenn
daher die Gerichtsbarkeit der Gau= oder Landgerichte aufhörte, ſo
mußte ein eigenes öffentliches Gericht für die Stadt errichtet werden.
Oefters behielten ſich nun die Landesherrn, wenn ſie einen Ort
zur Stadt erhoben und demſelben Stadt= oder Weichbildrecht er=
theilten, die öffentliche Gerichtsbarkeit in der Stadt ausdrücklich
vor, z. B. in Bonn [14]), in Rüden [15]), in Schwaney [16]) u. a. m.
Allein auch dann, wenn ſich die Landesherrn die öffentliche Gewalt
nicht ausdrücklich vorbehalten hatten, verſtand ſich dieſes von ſelbſt.
Denn durch die einer Stadt ertheilte Immunität von dem Land=
gerichte wurde die landesherrliche Gerichtsbarkeit keineswegs auf
die Stadt übertragen. Die Stadt blieb vielmehr nach wie vor
eine landesherrliche Stadt, der Landesherr alſo auch Gerichtsherr

---

11) Stadtrecht von 1120, §. 7, 14—17 u. 25.

12) Stadtrecht von 1165 §. 2—4.

13) Widder, I, 84, 124, 130, 148, 359 u. IV, 209.

14) Urk. von 1243 bei Lacomblet, II, 148.

15) Urk. von 1200 bei Wigand, Archiv, VI, 194.

16) Urk. von 1344 bei Wigand, I, 4. p. 99.

in der Stadt. Die Landesherrn mußten daher zur Besorgung der öffentlichen Gerichtsbarkeit in der Stadt eigene Stadtgerichte errichten, in vielen Städten der Mark Brandenburg [17]) u. a. m. Nur die kleineren Landstädte, in welchen die Marktfreiheit zu keiner besonderen Blüthe geführt hat, erhielten kein eigenes Stadtgericht. Sie blieben vielmehr nach wie vor unter dem landesherrlichen Vogtgericht z. B. in der Mark Brandenburg [18]), oder unter dem Landgerichte, z. B. in Baiern sehr viele Landstädte und selbst die alte Stadt Vorstadt Au, welche erst seit einigen Jahren mit München vereiniget worden ist. Allein selbst in diesen kleineren Landstädten brauchten sich lange Zeit die Bürger vor keinem auswärtigen Gerichte zu stellen. Daher mußte das Landgericht für die Bürger in der Stadt selbst gehalten werden, wie in Speier (§. 90), so auch in Höchstett, wo der landesherrliche Landvogt zwar den Vorsitz in dem Stadtgericht führte, die Stadträthe aber das Urtheil zu finden hatten [19]). Eben so war es in den schlesischen Städten. In ihnen pflegte die niedere oder die Civilgerichtsbarkeit an die Stadt, meistentheils aber an die Gründer und Unternehmer der Stadt abgetreten, und nur der Blutbann mit der hohen Gerichtsbarkeit dem Landesherrn und dem landesherrlichen Beamten vorbehalten zu werden. Allein auch dieses hohe Gericht mußte in der Stadt selbst gehalten werden (in ipsa civitate coram nostro judice) [20]). Selbst bei Berufungen an das landesherrliche Hofgericht brauchten die Bürger nicht außerhalb ihrer Mauern vor Gericht zu erscheinen. Das Hofgericht mußte vielmehr in der Stadt selbst gehalten und mit Schöffen aus der Stadt besetzt werden, z. B. in Glogau [21]), in Breslau [22]), in

---

17) Kühns, Geschichte der Gerichtsverfassung in der Mark Brandenburg, I, 193 ff., II, 192 ff.

18) Kühns, II, 181 ff.

19) Beschreibung der Dorfrechte von 1471 in Münchner gel. Anzeigen von 1838, p. 140 f. — „Stadtgericht zu Höchstett besitzt der Herrschaft „Landvogt mit dem Gerichts Stab, und die vom Rath zu Höchstätt „sind Urteilsprecher" —.

20) Urk. von 1250 bei T. u. St. p. 321. vrgl. oben §. 10.

21) Weisthum von 1302 §. 7 bei T. u. St. p 445. „Wer Burger czu „Glogow ist und wirt geczogen aber her czie sich vor unsers Herren

Goldberg [23]), in Freiburg u. a. m. [24]). Was aber hier von den
schlesischen Städten bemerkt worden ist, gilt offenbar von ganz
Deutschland, indem in den schlesischen Städten kein besonderes
Recht, vielmehr das damals allgemein geltende Deutsche Recht eingeführt werden sollte und in der That auch eingeführt worden ist.

§. 510.

Wie in den meisten Reichsstädten und in den Bischofs- und
Abteistädten, so findet man auch in vielen Landstädten zwei
öffentliche oder landesherrliche Beamte. In Soest stand
ein landesherrlicher Vogt neben dem landesherrlichen Schultheiß.
Der Vogt hatte wie in anderen geistlichen Territorien den Blutbann [1]) und der Schultheiß, offenbar der alte herrschaftliche Villicus oder Schultheiß des Fronhofes in Soest, welchem die niedere
öffentliche Gerichtsbarkeit übertragen worden war [2]), hatte die Civilgerichtsbarkeit zu besorgen [3]). Im Jahr 1278 brachte die Stadt
die Vogtei mit dem Blutbann käuflich an sich [4]). Daher besorgte
seitdem der Stadtrath die Kriminalgerichtsbarkeit in erster und letzter Instanz. Die landesherrliche Regierung zu Cleve durfte zwar
Kraft des dem Landesherrn zustehenden Oberaufsichtsrechtes die
Akten inspiciren. Eine Berufung an das landesherrliche Hofgericht

---

„Antlitze, des Fürsten, aber vor synen Hoverichter, den Burger sal man
„nicht czihen buzzen der Stat Glosse, sunder in der Stat sal her ant-
„worten und der Stat syeben Scheppfen sullen volgen und in dem Ge-
„richte siczczen“ —. Urk. von 1323, eod. p. 208. Not. — coram
nobis vel nostro judice, infra plancas ipsius Glogoviensis civitatis,
debeat respondere et non extra civitatem ad respondendum trahi
debet.

22) Weisthum von 1302 pr. u. §. 7 bei T. u. St. p. 444 u. 445.
23) Urk. von 1357 bei T. u. St. p. 576.
24) Urk. von 1337 bei T. u. St. p. 546. vrgl. noch p. 208.
 1) Stadtrecht von 1120 §. 7—16 u. 25. Schrae, art. 14 bei Emminghaus, p. 143 und bei Seibertz, III, 390.
 2) Urk. von 1166 u. 1275 bei Kindlinger, M. B. II, 197, III, 1. p. 264
   u. 270. Urk. von 1178 bei Haeberlin, analect. med. aev. p. 506.
 3) Stadtrecht von 1120, §. 1, 16, 33 u. 34.
 4) Urk. von 1278 bei Kindlinger, III, 1. p. 217.

hatte aber nicht statt [5]). Es blieb demnach nun nur noch ein landesherrlicher Beamter, der Schultheiß, in der Stadt [6]). Er erhielt später den Titel Großrichter (grote Richter) und die gesammte Civilgerichtsbarkeit in erster Instanz. Und sein Gericht wurde das Gericht der vier Bänke genannt [7]). Zu seiner Beaufsichtigung wurden ihm zwei Bürger, die sogenannten Großrichtleute oder Erbrichter (Erffrichter oder Erbrichter) beigegeben, welche jedoch das Urtheil nicht mit zu finden und außer dem Gerichtsbeisitze auch noch andere Functionen hatten [8]). Die Berufung von diesem landesherrlichen Gerichte erster Instanz ging an den Stadtrath, von diesem aber sobann weiter an das landesherrliche Hofgericht zu Cleve [9]). Außer diesen beiden ursprünglich landesherrlichen Gerichten wird indessen im alten Stadtrecht und später noch eines Probsteigerichtes, eines Freigerichtes und eines Gogerichtes erwähnt. Allein der Probst und sein Stellvertreter der Official hatten keine öffentliche vielmehr die geistliche Gerichtsbarkeit mit dem Sentgerichte und die Civilgerichtsbarkeit über die Geistlichen selbst [10]). Und hinsichtlich des Freigerichtes und des Gogerichtes hatte es folgende Bewandniß. Die Soester Börde, in welcher auch die Stadt Soest lag, war ursprünglich eine Mark [11]), welche seit Karl dem Großen einer Gaugrafschaft unterworfen, diese aber später, wie in ganz Westphalen, in eine Gografschaft und in eine Freigrafschaft aufgelößt worden ist. Auch die Stadt

---

5) Receß von 1688, art. 5 und Declaration von 1694, art. 11 bei Emminghaus, II, 494 u. 499; vrgl. eod. I, 30, 31, 48 u. 49.

6) Alte und neue Schrae, art. 4 u. 6 bei Emminghaus, II, 139, 140 u. 199.

7) Schrae, art. 6 u. 13 bei Emminghaus, II, 140 u. 143, vrgl. eod. I, 26 ff.

8) Schrae, art. 12 bei Emminghaus, II, 142, vrgl. noch I, 40 und II, 25, 53, 387 u. 558.

9) Vertrag von 1444, Receß von 1666, von 1686, art. 3, von 1688, art. 3, von 1697, art. 10 u. von 1718, art. 12 bei Emminghaus, II, 25, 479, 491, 494, 525 u. 547. vrgl. eod. I, 28 ff. u. 43 ff.

10) Stadtrecht von 1120, §. 2—6 Schrae, art. 4 u. 5 bei Emminghaus, II, 139 u. 199.

11) Meine Einleitung zur Gesch. der Mark=, Dorf= 2c. Verfassung, p. 66—68.

stand ursprünglich unter diesen Gerichten. Eine Urkunde über den
Bestand des Marschallamtes in Westphalen aus dem 13. Jahrhun=
dert erwähnt noch des Rechtes des Freigrafen und des Gografen
bei dem in der Stadt zu haltenden Freiding und Goding den Vorsitz
zu führen [12]). Seitdem jedoch der Ort zur Stadt erhoben und mit
einem eigenen Stadtgericht begnadiget worden war, seitdem wurden
beide Gerichte, das Gogericht [13]) und das Freigericht auf das Land,
das heißt auf das zur Stadt gehörige Gebiet beschränkt [14]). Beide
Gerichte waren landesherrliche Gerichte. Daher hatte der Erz=
bischof von Köln in seiner Eigenschaft als Herzog von Westphalen
den Gografen und den Freigrafen zu ernennen. Und als Stell=
vertreter des Herzogs wurde der Gograf selbst zuweilen Vice=
herzog (vicedux gogravius) genannt [15]). Späterhin wurden auch
diese Gerichte (das Freigericht und das Gogericht) von der Stadt
erworben [16]) und sodann beide Gerichte lange Zeit von dem von
dem Stadtrath ernannten Freigrafen und Gografen an den alther=
gebrachten Malstätten gehegt [17]). Seitdem jedoch die zum Fronhofe
in Soest gehörigen Villikationen mit den dazu gehörigen Bauer=
schaften mit der Stadt vereinigt und von der Gerichtsbarkeit der
Freigerichte und Gogerichte befreit worden waren [18]) und sodann

---

12) Bei Seibertz, II, 1. p. 625. quod dictum judicium vridinch quod
   consuevit ipse comes infra opidum presidere — quod vicedux
   gogravius, quia judicium gograviatus in opido Susatensi —.

13) Stadtrecht von 1120, §. 25. nisi prius fuerit proclamatum ad judicium rurensis gogravii —. Schrae, art. 10 u. 15 bei Emminghaus, p. 142, 148 u. 203. — „so mughen sey bey Ghogherichte hir
   „buten der Stat hailben." Bestand des Marschallamts in Westphalen
   bei Seibertz, II, 1 p. 619—620 u. 625.

14) Urk. von 1278 bei Kindlinger, M. B. III, 1, p. 218 und Seibertz,
   II, 1, p. 466. — judicia nostra que vrydinck appellantur quibus
   presidere solemus extra muros Susaciensis opidi —.

15) Bestand des Marschallamtes aus 13. sec. bei Seibertz, II, 1. p. 625,
   643 u. 644.

16) Urk. bei Seibertz, II, 1. p. 619. Not. Meine Einleitung zur Gesch.
   der Mark=, Dorf= 2c. Brf. p. 68.

17) Vertrag von 1444, 1481 u. 1522 bei Emminghaus, II, 24, 41, 52,
   54 u. 66. und Seibertz, II, 1, p. 625.

18) Bestand des Schultenamts zu Soest von 1275—1333 bei Seibertz, II,
   1 p. 453 u. 456. und Kindlinger, III, 1, p. 263 u. 269. — liberi

die gesammte Civilgerichtsbarkeit mit dem Schultheißengerichte, dem späteren Gerichte der vier Bänke vereiniget, die Kriminalgerichtsbarkeit aber dem Stadtrath übertragen worden war, seitdem hat sich das **Gogericht**, ohne je abgeschafft worden zu sein, verloren oder ist vielmehr mit dem Gerichte der vier Bänke vereiniget worden. Dem **Freigerichte** aber ist seitdem nur noch die Entscheidung der Gränz- und Wegestreitigkeiten geblieben [19]). Und zuletzt haben nur noch einige an den alten Richtstäbten stehen gebliebene steinerne Tische und der fortwährend von jedem Rathsherren zu leistende Freischöffeneid an das frühere Dasein der Freigerichte erinnert [20]).

Wie in **Soest** so standen auch in **Medebach** zwei landesherrliche Beamte, ein Vogt und ein Stadtrichter (judex oder villicus) neben einander. Der Vogt hatte den Blutbann. Er saß daher unter Königsbann zu Gericht (sub Regis banno). Sein Gericht (colloquium advocati) sollte dreimal im Jahre gehalten und das Urtheil von Schöffen gefunden werden (judicio scabinorum). Der Stadtrichter, offenbar der alte mit der niedern öffentlichen Gerichtsbarkeit beauftragte herrschaftliche Villicus, hatte die Civilgerichtsbarkeit zu besorgen, und die kleinen Diebstähle und Frevel, jedoch ohne Königsbann mit den Bürgern zu entscheiden (villicus sine banno cum civibus judicare debet) [21]).

Auch in **Herfort** stand neben dem landesherrlichen Vogt noch ein Stadtrichter (judex civitatis). Die Vogtei in der Stadt wie im ganzen Stifte gehörte in früheren Zeiten dem Erzbischof von Köln und seit dem Jahr 1547 den Herzogen von Jülich. Der von dem Landesherrn ernannte Vogt wurde öfters auch Gograf genannt. Er hatte, wie die alten Gaugrafen außer dem Blutbann auch noch die Gerichtsbarkeit über das freie Eigen und über die persönliche Freiheit [22]). Das von ihm dreimal im Jahre

---

ab omni iudicio libero et gograviatus, ita quod scultetus curtis iudicat in omnibus istis — vrgl. oben §. 63 u. 201.

19) Receß von 1665, art. 10 u. von 1686, art. 6 bei Emminghaus, II, 474 u. 484.

20) Emminghaus, I, 56. Not. und 57. Not. Geck, Beschreibung von Soest, p. 132.

21) Stadtrecht von 1165, §. 2—4, 19 u. 21 bei Seiberz, II, 1. p. 73.

22) Urk. von 1251 §. 4 bei Kindlinger, Hörigk. p. 264. siquis aliquem civem repetendum duxerit tanquam proprium suum, coram

in der Stadt zu haltende Gericht wurde Vogtding (Voghetdyngh) genannt und unter Königsbann gehegt. Außerdem hatte der Gograf auch noch das alte Grafengericht auf dem Lande (auf dem Gau), das sogenannte Goding (godingh) im Namen des Landesherrn zu hegen, bei welchem sämmtliche in dem Stifte Herfort gelegenen Kirchspiele (Kerspel) zu erscheinen hatten [23]. Das von dem Stadtrichter präsidirte Gericht wurde Burggericht (borch gherichte oder borchding) genannt. Es gehörte ursprünglich einem Rittergeschlechte, kam aber späterhin ebenfalls an den Erzbischof von Köln [24]. Der Stadt= oder Burgrichter saß nicht unter Königsbann zu Gericht [25]. Er hatte, wie viele andere Burggrafen, über Victualienkäufe, über unrechtes Maß und Gewicht, und über andere kleine Streithändel, dann über die in dem Burgbann gelegenen Weichbildgüter, überhaupt über alle nicht zur Vogtei gehörige Civilstreitigkeiten zu entscheiden [26]. Dieses Burggericht darf übrigens nicht mit dem Burgerichte verwechselt werden, von welchem bereits die Rede gewesen ist (§. 455).

Auch in Heidelberg und in vielen anderen alten Land=

---

nullo jus suum poterit prosequi et consequi, nisi coram advocato a nobis constituto et sub banno, qui vulgariter bannus Regius appellatur —. Rechtsbuch von Herfort aus 14. sec. bei Wigand, Archiv, II, 1. p. 24. „De hogheste richtere to her=
„vorde dat is de gogreve. wente he richtet to hande vnde to
„halse vnde dynghet vnder Koninghes banne vmme vry
„vnde vmme eghen dat to Hervorde gheleghen is“ vrgl. noch p. 26.
Schöffenbuch aus 14. sec. bei Meinders, de judic. centenariis, p. 269, 270 u. 274.

23) Rechtsbuch bei Wigand, p. 24 ff. u. 27.
24) Rechtsbuch bei Wigand, p. 10 u. 31.
25) Rechtsbuch, l. c. p. 49.
26) Rechtsbuch, l. c. p. 10. „dat borch gherichte — richtet over allerhande
„spisekop. vnde over allerhande wanmate vnde vnrechte waghe
„vnde vnrechte schepeln. vnde vmme scheldwort. vmme stote
„vnde vmme sleghe wat al solikes ghevelle. Se richtet ok vmme
„wicbelde got. dat hir ghelegen is. dat sint hus gharden tyns de
„in husen eder in gharden ghelegen is“. und p. 49. „dat borchrichte
„dar van se moghen richten vmme wicbelde god.“ vrgl. Urk. von 1281,
§. 5 bei Kindlinger, Hör. p. 265.

städten standen zwei landesherrliche Beamte neben und über einander, in Heidelberg ein Vogt neben und über dem Schultheiß [27]).
Eben so in den Städten der Mark Brandenburg und in Schlesien,
über welche nun noch Einiges bemerkt werden soll.

§. 511.

In den Städten der Mark Brandenburg kommen zweierlei Gerichte vor, das oberste und das niederste Gericht (judicium
supremum und judicium infimum, zuweilen auch judicium altum
et bassum oder superius et bassum [1]) und „hogest" oder „sibest
„gerieht" genannt) [2]). Das oberste Gericht (judicium supremum),
zu welchem auch der Blutbann gehört hat, war meistentheils in
den Händen des Landesherrn und zwar nicht in seiner Eigenschaft
als Grundherrn, wie dieses Zimmermann glaubt [3]), vielmehr als
Inhaber der öffentlichen Gewalt, wie anderwärts auch. In vielen
Städten war jedoch diese oberste Gerichtsbarkeit frühe schon von
ihm versetzt oder verkauft worden [4]), öfters an einzelne Bürger,
z. B. in Frankfurt an der Oder, in Stendal und Britzen [5]), insgemein aber an die Stadt selbst oder an den Stadtrath, z. B. in
Berlin, Spandau, Arnswald, Friedeberg, Königsberg, Kritz u. a.
m. [6]). Die Landesherrn ließen die hohe Gerichtsbarkeit, so lange
sie noch in ihren Händen war, durch ihre Vögte oder Burggrafen
ausüben [7]), z. B. in Brandenburg durch den Burggrafen (burggravius, comes burgi und comes in burgo, zuweilen aber auch

---

27) Urf. von 1219, 1220, 1229 u. 1230 bei Guden, syl. p. 110, 114,
    170 u. 173. — scultetus in Heidelberg — advocatum in Heidel-
    berg —.
1) Urkunden bei Zimmermann, I, 147 u. 148 Not.
2) Urf. von 1328 bei Fidicin, II, 28.
3) Zimmermann, märkische Städtevrf. I, 137 f.
4) Landbuch der Mark Brandenburg, ed. Fidicin, p. 32. Judicium su-
    premum habet dominus in singulis suis civitatibus et in quibus-
    dam villis, nisi per vendicionem vel obligacionem in ali-
    quibus esset alienatum.
5) Landbuch, p. 28, 29 u. 30.
6) Landbuch, p. 29, 31 u. 32
7) Kühns, Geschichte der Gerichtsverfassung in Brandenburg, I, 92—156.
    II, 7 ff.

comes et castellanus in Brandenburc genannt) [8]) und auch in Stendal ursprünglich durch einen Burggrafen [9]) und später durch einen landesherrlichen Vogt (advocatus noster) [10]). Zwar hätt Zimmermann diesen Burggrafen für einen bloß militärischen Beamten [11]), wie es denn in der Mark Brandenburg wirklich Burggrafen gegeben hat, welche keine Gerichtsbarkeit hatten, vielmehr bloße militärische Beamten waren [12]). Da derselbe jedoch Gerichtsbarkeit hatte, von welcher die Bürger von Stendal befreit worden sind, so muß er doch etwas mehr als ein militärischer Beamter, vielmehr auch in Stendal dasselbe gewesen sein, was die Burggrafen von Magdeburg u. a. m. waren. Da indessen die Burggrafen keine von den landesherrlichen Vögten verschiedene Gewalt hatten, so hat sich späterhin der Titel Burggraf verloren, der Titel Vogt aber erhalten.

Auch die niedere Gerichtsbarkeit (judicium infimum) gehörte ursprünglich dem Landesherrn als dem Inhaber der öffentlichen Gewalt. Aber auch sie wurde frühe schon theils an einzelne Bürger, z. B. in Lentzen, theils an die Stadt selbst, z. B. in Templin verpfändet [13]), oder auch dem Schultheiß oder dem Erbauer der Stadt, insgemein einem Ritterbürtigen, als Amtslehen (beneficiali jure) erblich verliehen, z. B. in Stendal u. a. m. [14]). Der Schultheiß wurde öfters auch praefectus oder praefectus civitatis ge-

---

8) Urk von 1187 u. 1197 bei Gercken, Stiftshistorie, p. 381 u. 394.

9) Urk. von 1215 bei Lenz, Brandb. Urk. I, 24. und bei Gercken, cod. Brandb. V, 74. ad petitionem civium Stendalensium et consulum gravamen, quod idem Stendalenses pro importunitate borggravii, quem habere consueverunt, penitus relaxavimus, statuentes, ut in civitate deinceps placito et jure non teneantur stare borggravii.

10) Urk. von 1282 bei Lenz, I, 109 Urk. von 1272 bei Gercken, vet. march. I, 13.

11) Zimmermann, I, 41 u. 42. Not.

12) Kühns, I, 101 u. II, 5 u. 6.

13) Landbuch, p. 30 u. 31.

14) Gründungs Urkunde bei Beckmann, V, 1. 2. p. 150. Urk. von 1282 bei Lenz, I, 109. civitati et burgensibus dedimus, ut habeant in pheodatum judicem sive scultetum virum hereditarium — Wohlbrück, Gesch. von Lebus, I, 186 ff. vrgl. oben §. 10.

nannt, z. B. in Berlin und in Köln an der Spree [15]. Daher nannte man das Schultheißenamt auch eine Präfectur (praefectura vel judicium, — praefectura judicii oder judicium seu praefectura civitatis), z. B. in Stendal [16]) und in Seehausen [17]).

Seit dem 14. Jahrhundert, seitdem die Städte mehr und mehr nach Unabhängigkeit strebten, seitdem strebten sie auch nach dem Erwerbe der öffentlichen Gerichtsbarkeit, der hohen eben sowohl wie der niederen. Und so erwarb denn die Stadt Seehausen im Jahre 1335 die niedere Gerichtsbarkeit oder das Schulzengericht von den Markgrafen [18]), Neustadt Eberswalde in den Jahren 1326 und 1373 die niedere Gerichtsbarkeit, und in den Jahren 1543 und 1573 auch noch die hohe oder das Obergericht mit dem Blutbann [19]), Strausberg im Jahre 1418 die niedere Gerichtsbarkeit und im Jahre 1510 das Obergericht, Oderberg aber im Jahre 1486 die niedere Gerichtsbarkeit [20]) und die Stadt Arneburg im Jahre 1352 die hohe Gerichtsbarkeit [21]). Auch die Stadt Altbrandenburg besaß bereits im Jahre 1315 den Königsbann und im Jahre 1459 wurde ihr auch noch das Obergericht verpfändet [22]). Die Stadt Müncheberg hatte bereits im Jahre 1388 das oberste Gericht [23]) und im Jahre 1502 auch noch das Schulzenamt oder das unterste Gericht erworben [24]), welches bereits in den Jahren 1485 und 1501 an einen Bürger verkauft worden war [25]). Die hohe und die niedere Gerichtsbarkeit hatte Berlin und Köln an der Spree schon vor dem Jahre 1328 [26]), Prenzlau im Jahre 1324

---

15) Urk. von 1319 bei Fidicin, II, 18.

16) Urk. von 1828 bei Lenz, I, 109. Stiftungs Urk. bei Beckmann, V, 1. 2. p. 150.

17) Urk. von 1335 bei Beckmann, V, 1. 5. p. 32.

18) Urk. von 1335 bei Beckmann, Beschreibung der Mark, V. 1. 5 p. 32.

19) Fischbach, Städtebeschreibung, I, 133, 134 u. 173.

20) Fischbach, I, 393 u. 433.

21) Urk. von 1352 bei Beckmann, V, 1. 9. p. 12. Die Bestätigungs Urk. von 1441 bei Zimmermann, I, 146 Not. 20.

22) Zimmermann, I, 140. Not. 7 u. 8 —.

23) Urk. von 1388 bei Gercken, cod. Brandb. IV, 603.

24) Zimmermann, I, 114.

25) Urk. von 1485 u. 1501 bei Gercken, IV, 614, 616 u. 619.

26) Urk. von 1328 bei Fidicin, II, 28.

und Wusterhausen im Jahre 1325 erworben [27]). Manche Städte
hatten sich auch die Gerichtsbarkeit angemaßt, z. B. Neubranden=
burg die hohe Gerichtsbarkeit [28]). Auch suchten die Städte zu ver=
hindern, daß die niedere Gerichtsbarkeit nicht wieder mit der hohen
in den Händen der Landesherrn vereiniget wurde. Sie ließen sich
daher von dem Markgrafen versprechen, daß weder er selbst noch
sein Vogt das Schulzenamt kaufen oder sonst erwerben solle, z. B.
Stendal [29]). Auf diese Weise ist denn in den meisten Städten in
der Mark die niedere, und in sehr vielen auch die hohe Gerichts=
barkeit in die Hände der Städte gekommen. Nur in einigen klei=
neren Städten ist die niedere Gerichtsbarkeit als Erblehen in den
Händen von Edelleuten und zwar bis in neuere Zeiten geblie=
ben [30]). In fast allen Städten haben sich aber die landesherrlichen
Vögte verloren [31]). Daher wurde nun die gesammte öffentliche
Gerichtsbarkeit in den Händen des Stadtrichters oder des Schul=
theiß vereiniget. Nur noch der Ertrag der Gerichtseinkünfte wurde
nach wie vor mit dem hohen Richter oder dem Landesherrn in der
Art getheilt, daß dem Landesherrn zwei Theile, dem Stadtrichter
aber nur ein Drittheil zufallen sollte, was denn manche veranlaßt
hat, den Unterschied zwischen hohen und niederen Gerichten bloß
auf diese Vertheilung der Gerichtseinkünfte zu beziehen, worauf
jedenfalls ursprünglich jener Unterschied nicht beschränkt war [32]).

Durch den Erwerb des Stadtrichteramtes von Seiten einer
Stadt wurde übrigens die rechtliche Natur des Amtes keineswegs
verändert. Da nämlich das Schulzenamt, mit welchem nun auch
die hohe Gerichtsbarkeit vereiniget war, in den märkischen Städten
ein Erblehen gewesen und diese auch nach dem Erwerbe von
Seiten der Stadt noch geblieben ist, so wurde nun der Magistrat
und der von ihm aufgestellte Richter von dem Landesherrn mit dem
Amte belehnt und bei jedem Regierungswechsel die Lehnware er=

---

27) Zimmermann, I, 147.
28) Landbuch, p. 30. Judicium supremum usurpant sibi consules.
29) Urk. von 1282 bei Lenz, I, 109.
30) Wohlbrück, Lebus, I, 190 u. 191.
31) Zimmermann, I, 143 u. 151.
32) vrgl. Zimmermann, I, 137 ff. u. 152.

hoben [33]). Seit dem 15. Jahrhundert fingen aber die Markgrafen
an die hohe Gerichtsbarkeit mit dem Blutbann in den Städten
wieder an sich zu ziehen. Frankfurt an der Oder mußte in den
Jahren 1480 und 1499 darauf verzichten. In Stendal wurde das
oberste Gericht im Jahre 1488 bei Gelegenheit des Aufstandes
wegen der Bierziese zur Strafe eingezogen [34]). Und nach der Po=
lizeiordnung von 1540 wurde auch die Blutgerichtsbarkeit wo nicht
in allen doch in vielen Städten wieder dem Landesherrn vorbehal=
ten [35]). Daß nach jener Polizeiordnung die Blutgerichtsbarkeit in
allen Städten dem Magistrat gehört, den landesherrlichen Be=
hörden aber eine bloße Oberaufsicht zugestanden habe, wie dieses
Zimmermann meint, ist offenbar unrichtig [36]). Die Worte: „Da
„aber in den Städten die Gerichte Unser", bilden den
Gegensatz gegen den vorhergehenden Absatz, in welchem von den
den Städten gehörenden Blutgerichten die Rede war. Sie sind
daher von jenen Städten zu verstehen, in welchen „die Gerichte
Unser" d. h. dem Landesherrn gehörten. Es hat demnach nach
der Polizeiordnung Städte gegeben, in welchen die Blutgerichtsbar=
keit den Städten gehört hat, und wieder andere, in welchen sie
dem Landesherrn vorbehalten war. Auch der Receß von 1550
steht dieser Ansicht nicht entgegen. Denn dort ist nicht von der
Blutgerichtsbarkeit, sondern von der Civilgerichtsbarkeit die Rede.

§. 512.

Wie in den märkischen Städten so wurden auch in den
schlesischen Städten zweierlei öffentliche Gerichte unterschieden.
Die hohe Gerichtsbarkeit mit dem Blutbann hatte insgemein der
landesherrliche Vogt (advocatus noster), die niedere oder die Civil=
gerichtsbarkeit aber der Erbrichter (judex hereditarius), z. B. in
Görlitz. Und in beiden Gerichten hatten Schöffen aus der Stadt
(scabini cives oder scabini civitatis) das Urtheil zu finden [1]).

---

33) Zimmermann, I, 155 u. 156.
34) Zimmermann, I, 149, 150 u. 156.
35) Polizeiordnung von 1540, cap. 13 bei Mylius, V, 16.
36) Zimmermann, III, 178.
1) Urk. von 1302 §. 7, von 1303 bei T. u. St. p. 445, 146 u. 447.

Wie in den märkischen Städten so wurden nämlich auch in den schlesischen Städten dem Erbauer und Gründer der Stadt nach Deutschem Recht die niedere Gerichtsbarkeit als Amtslehen erblich übertragen [2]), öfters sogar die hohe Gerichtsbarkeit mit dem Blut= bann, z. B. in Freiwalde [3]), in Löwenberg [4]), in Liegnitz [5]) und in Schweidnitz [6]). Daher wurde der Stadtrichter insgemein Erb= richter oder judex haereditarius [7]) oder auch Erbvogt (advocatus haereditarius) genannt [8]), indem das Stadtgericht insgemein eine Erbvogtei (advocatia hereditaria [9]), advocatia jure hereditario oder opidi advocacia) [10]) oder ein Erbgericht (judicium heredita= rium) genannt worden ist [11]).

Aber auch in den ehemals grundherrlichen Städten standen zwei öffentliche Gerichte neben einander. . So oft nämlich eine grundherrliche Stadt zu einer freien Stadt erhoben wurde, pflegte die niedere öffentliche Gerichtsbarkeit den ehemaligen Grundherren überlassen und nur die hohe Gerichtsbarkeit mit dem Blutbann dem Landesherrn vorbehalten zu werden, z. B. in Glogau [12]) und in Steinau [13]).

Für die hohe Gerichtsbarkeit und den Blutbann ernannten nun die Landesherrn in manchen Städten einen eigenen landes= herrlichen Vogt. Aber auch in jenen Städten, in welchen sich kein eigener landesherrlicher Stadtvogt befand, mußte die hohe Gerichts= barkeit in der Stadt selbst ausgeübt werden (§. 509). Die Vogtei in den schlesischen Städten pflegte, wie wir gesehen, dem Erbauer der Stadt erblich übertragen zu werden. Daher findet man die

---

2) T. u. St. p. 182 u. 183.

3) Urk. von 1295 bei T. u St. p. 427.

4) Urk. von 1217 bei T. u. St. p. 277.

5) Urk. von 1252 bei T. u. St. p. 324.

6) Urk. von 1293, §. 9 u. 18 und Handfeste von 1328, §. 7 u. 28 bei T. u. St. p. 421 u. 520.

7) T. u. St. p. 368, 446 u. 523 §. 28.

8) T. u. St. p. 422 §. 18, 424, 582 u. 590 §. 1.

9) T. u. St. p. 582, 613 u. 628.

10) T. u. St. p. 427 u. 564.

11) T. u. St. p. 329 u. 368.

12) Urk. von 1253 bei T. u. St. p. 332.

13) Urk. von 1243 bei T. u. St. p. 305.

Erbvogtei meistentheils in den Händen bürgerlicher Geschlechter,
z. B. in der Neustadt Breslau [14]), und auch in der Altstadt Breslau
in den Händen der Geschlechterfamilie Schartelzan [15]). Seit dem
14. Jahrhundert strebten indessen auch die schlesischen Städte nach
dem Besitze der Erbvogtei in der Stadt. Und die meisten Städte,
Breslau schon in den Jahren 1324 und 1329 [16]), haben sie auch
mit Zustimmung der Landesherrn an sich gekauft [17]) und die nun
ihnen gehörige Erbvogtei durch einen von dem Stadtrath ernannten
Untervogt oder Richter ausüben lassen [18]).

§. 513.

In vielen anderen Landstädten findet man aber auch nur
einen einzigen landesherrlichen Beamten, entweder für die
gesammte hohe und niedere Gerichtsbarkeit, oder für die niedere
Gerichtsbarkeit allein, wie dieses auch in vielen Reichsstädten und
in nicht wenigen Bischofs- und Abteistädten der Fall war (§. 474
u. 495). Einen einzigen landesherrlichen Beamten,
welcher die hohe und niedere Gerichtsbarkeit zu besorgen
hatte, findet man in Freiburg im Breisgau und in Freiburg im
Uechtlande, in Burgdorf, in Büren und in Meppen. Das alte
Stadtrecht von Freiburg im Breisgau nennt nur einen einzigen Stadtrichter, welcher bald Vogt bald Schultheiß genannt wird.
Die Bürgerschaft sollte ihn wählen und dem Landesherrn zur Bestätigung präsentiren [1]). Nach der Verfassungsurkunde von 1293 hatte
ihn aber der Landesherr wieder zu ernennen. Er sollte jedoch das
Amt einem Rathsherren leihen („der herre sol ouch daz schulthei-
„zentuom lihen eime der vierundzweinzigen"). Und erst dann, wenn
es kein Rathsherr annehmen wollte, durfte er einem Anderen das

---

14) Grünhagen, Breslau, p. 46. Urk. von 1290 bei T. u. Stenzel, p. 405.
15) Urk. von 1292 u. 1306 bei T. u. Stenzel, p. 417 u. 479. Wernerus
    Schartelzan hereditarius advocatus in Wratislavia. Grünhagen,
    p. 23, 25 u. 45.
16) Grünhagen, p. 26, 45 u. 46.
17) Urk. von 1362, 1387 u. 1392 bei T. u. St. p. 581, 604 u. 613.
18) Urk. von 1553 bei T. u. St. p. 628, vgl. noch p. 244 u. 245.
    Grünhagen, p. 45.
1) Stiftungsbrief von 1120 §. 6. Stadtrodel, §. 10

Amt übertragen. Auch durfte es der Landesherr, nachdem er es einem Rathsherren angeboten hatte, an den Meist Bietenden verkaufen („daz schultheizentuom verkoufen"). Wenn jedoch der Schultheiß zu Gericht saß sollten zwei Rathsherren an seiner Seite sitzen („der vierundzweinzigen süln ouch zwene allewegent sin an „dem gerichte bi dem schultheizen swenne er richtet") [2]). Und so ist es auch eine Zeit lang noch späterhin geblieben [3]). Gegen Ende des 14. Jahrhunderts erhielt jedoch die Stadt wieder das Recht das Schultheißenamt mit einem Rathsherren zu besetzen [4]). Späterhin wurde indessen das Amt gegen die verbrieften Freiheiten der Stadt von dem Landesherrn mehrmals versetzt und verpfändet, zuerst an mehrere Ritter, zuletzt aber an die Stadt selbst, bei welcher es sodann auch geblieben ist [5]). Auch in Freiburg im Uechtlande hat es nur einen einzigen Stadtrichter gegeben, welcher bald Vogt bald Schultheiß genannt worden ist. Die Bürgerschaft hatte ihn zu wählen und dem Landesherrn zur Bestätigung zu präsentiren [6]). Eben so gab es in Coesfeld nur einen Stadtrichter für die hohe und niedere Gerichtsbarkeit. Er war ein landesherrlicher Beamter, welcher im Namen des Landesherrn das Stadtgericht hegte. In Civilsachen waren die beiden Bürgermeister seine Beisitzer. In Kriminalsachen hatte aber der Bürgermeister und Rath die Untersuchung und Bestrafung und nur bei der Verkündung des Urtheils in der letzten Sitzung der Stadtrichter den Vorsitz [7]). Auch in Büren hatte der Stadtrichter den Blutbann [8]). Eben so in Meppen. Seitdem die Stadt Immunität von dem Gogerichte erhalten hatte [9]), seitdem bestand das Stadtgericht aus einem

---

2) Urk. von 1293 bei Schreiber, I, 1. p. 124.

3) Verfassung von 1368 bei Schreiber, I, 541

4) Urk. von 1383 u. 1388 bei Schreiber, II, 35 u. 58.

5) Urk. von 1409, 1429, 1459 u. 1460 bei Schreiber, II, 227—234, 385 u. 462—465.

6) Handfeste von 1249 §. 1, 2, 41 u. 144 bei Gaupp, II, 83 ff.

7) Sökeland, p. 15, 59 u. 60. vrgl. oben §. 466.

8) Stadtrecht aus 14. sec. bei Wigand, Archiv, III, 3. p. 30, vrgl. oben §. 455.

9) Urk. von 1387 bei Diepenbrock, p. 660.

landesherrlichen Richter mit Kornoten [10]). Späterhin kam die Ge=
richtsbarkeit an die Stadt und an den Stadtrath. Nur bei schwe=
ren Verbrechen mußten die Akten zur Fällung des Straferkennt=
nisses an die landesherrlichen Beamten eingeschickt werden [11]). In
Braunschweig findet man zwar mehrere landesherrliche Vögte
neben einander, Einen in der Altstadt, Neustadt und in dem Ha=
gen, und noch einen Anderen in der Altewieck und in dem Sack [12]).
Da jedoch jeder von ihnen einem besonderen Stadttheil vorstand
und die gesammte Gerichtsbarkeit unter sich hatte, so hat es im
Grunde genommen auch in Braunschweig in jedem Stadttheil nur
einen einzigen Vogt gegeben. Wenn der Vogt in einem Weichbilde
zu Gericht saß mußten immer zwei Rathsherren, sogenannte Richte=
herren, von des Raths wegen an seiner Seite sitzen. Schon im
Laufe des 14. Jahrhunderts wurde aber die gesammte Vogtei in
der Stadt theils durch Kauf theils durch Verpfändung von der
Stadt erworben [13]). Und der gemeine Stadtrath hatte seitdem die
beiden Vögte zu ernennen, von denen der Eine in der Altstadt
und der Andere in dem Hagen seinen Sitz haben sollte [14]).

In anderen Landstädten hatte der Stadtrichter nur die
niedere Gerichtsbarkeit (die Civilgerichtsbarkeit), und dann
stand die hohe Gerichtsbarkeit mit dem Blutbann unter dem landes=
herrlichen Beamten der Herrschaft oder des Territoriums, in wel=
chem die Stadt lag. So hatte der Stadtrichter (praefectus) in
Halle nur die Civilgerichtsbarkeit. Die hohe Gerichtsbarkeit mit
dem Blutbann stand unter dem Burggraf von Magdeburg, der
dreimal im Jahr das hohe Gericht in der Stadt halten mußte [15]).
Der Stadtrichter wurde insgemein Schultheiß genannt. Er war

---

10) Urk. von 1403, 1408, 1435, 1438 u. 1444 bei Diepenbrock, p. 665,
   666, 671, 673 u. 675.
11) Diepenbrock, p. 143, 189, 190 u. 198.
12) Altes Stadtrecht bei Leibnitz, III, 434 ff. und Urk. von 1240 in
   Orig. Guelf. IV, 183. vrgl. p. 107.
13) Urk. von 1363 in Kroniken der niedersächs. Städte I. p. XXX.
14) Ordinarius senatus Brunsv. von 1408, §. 10, 31—33 u. 46 bei
   Leibnitz, III, 452 ff. Havemann, I, 613.
15) Schöffenbrief von 1235, §. 2—9 bei T. u. St. p. 295. Urk. von
   1221 u. 1266 bei Dreyhaupt, II, 461 u. 478. vrgl. oben §. 493.

ein landesherrlicher Beamter und erhielt sein Amt von dem Erzbischof von Magdeburg als Mannlehen verliehen ¹⁶). Im Jahre
1474 kam jedoch ein Vergleich zwischen dem Erzbischof und dem
Stadtrath zu Stand, nach welchem das Schultheißenamt gegen
Bezahlung von 200 Gulden der Stadt gehören und von dem Stadtrath besetzt, der von dem Rath Ernannte aber von dem Erzbischof
in das Amt eingesetzt und belehnt werden sollte ¹⁷). Diese Ernennung und Präsentation des Ernannten zur landesherrlichen Belehnung und Bestätigung dauerte bis zum Jahre 1683. Seitdem
nämlich das Erzstift ein weltliches Herzogthum geworden und an
Kurbrandenburg gekommen war, seitdem wurde der Schultheiß von
dem Kurfürsten ernannt. Die Form der Belehnung mit dem Amte
wurde zwar beibehalten, auch ein Lehenbrief ausgestellt. Der neu
ernannte Schultheiß mußte jedoch einen Revers ausstellen und darin
versprechen, daß er auf erhaltenen Befehl jeder Zeit wieder abtreten
werde. Das Schultheißengericht wurde auf dem Berge vor dem
Roland gehalten und wurde daher auch das Berggericht und
der Schultheiß selbst seit dem 17. Jahrhundert Bergrath genannt. Das Schultheißengericht hatte die Civilgerichtsbarkeit in
der Stadt und in den Vorstädten. Die Schöffen dieses berühmten
Gerichtes hatten in früheren Zeiten wie die Schöffen in Magdeburg das Recht sich selbst zu ergänzen. Seit der kurbrandenburgi-
schen Herrschaft wurden jedoch auch die Schöffen von dem Landesherrn ernannt ¹⁸). Der Blutbann stand ursprünglich, wie wir gesehen, unter dem Burggrafen von Magdeburg. Späterhin kam
derselbe mit dem Burggrafthum an Kursachsen und wurde von
diesem, wahrscheinlich im Jahre 1425, der Stadt und dem Stadtrath überlassen. Seit dem Erwerbe der Kriminalgerichtsbarkeit ließ
sie der Stadtrath durch einen von ihm ernannten Burggrafen ausüben bis ins Jahr 1685. In dem Receß von 1685 verzichtete
aber die Stadt auf das Burggrafthum, behielt jedoch die Kriminalgerichtsbarkeit, welche ihr in jenem Receß neuerdings bestätiget

---

16) Lehenbrief von 1456 bei Dreyhaupt, II, 470.
17) Vertrag von 1474 bei Dreyhaupt, II, 474 f.
18) Dreyhaupt im Auszug, I, 61, 110, 115, 279 und II, 428 u. 435—
441. vrgl. 539.

worden ist. Von der Gerichtsbarkeit des Stadtrathes wurde nur
ausgenommen die Aufhebung der todten Körper, die Hegung des
hochnothpeinlichen Halsgerichtes vor dem Roland und der Vollzug
des von dem Rath erlassenen Straferkenntnisses. Auf Requisition
des Rathes sollte dieses von dem Schultheiß und den Schöffen be=
sorgt werden. Zu dem Ende hatte eine feierliche Einweisung des
neu ernannten Schultheiß in die peinliche Gerichtsbank vor dem
Roland statt [19]). In Meiningen stand ein Schultheiß an der
Spitze des Stadtgerichtes. Dieses hatte jedoch nur die Civilgerichts=
barkeit zu besorgen. Alles was an den Hals oder an die Hand
ging, also die hohe Gerichtsbarkeit mit dem Blutbann, gehörte an
das Landgericht. Der Schultheiß wurde von dem Stadtrath und
der Gemeinde gewählt, sodann aber von dem Landesherrn (dem
Hochstifte Würzburg) aufgenommen ("von vnnsern gnebigen
"hern von Würtzpurgk auffgenomen"), das heißt bestätiget und
in sein Amt eingesetzt [20]). Eben so stand die hohe Gerichtsbarkeit
in jenen Städten in der Mark und in Schlesien, welche
keinen eigenen Stadtvogt für die hohe Gerichtsbarkeit erhalten
hatten, unter dem landesherrlichen Vogte des Landes (§. 509 u.
512). Dasselbe war in Brakel der Fall. Daselbst gehörte die
niedere Gerichtsbarkeit den Rittern von Brakel als erblichen In=
habern der niederen Vogtei. Sie hatten außer dem mehrmals im
Jahre zu hegenden feierlichen Vogteigerichte (in judicio solemni,
quod vulgariter dicitur Vogething) auch noch ein tägliches Ge=
richt (cottidianum judicium) für die täglich vorfallenden Streitig=
keiten [21]). Die hohe Gerichtsbarkeit gehörte aber dem Stifte Pa=
derborn, welches jedoch zu dem Ende keinen eigenen Beamten in
der Stadt selbst hatte (§. 168). Auch hier in München hat es
seit dem 12. Jahrhundert und in Landshut seit dem 13. nur
einen Stadtrichter (judex in civitate oder judex civitatis) gege=

---

19) Dreyhaupt im Auszug, I, 86, II, 360—362, 434, 437, 439 u. 447 f.
    Receß von 1685 bei Dreyhaupt, II, 489 ff. Urkunde über die Ein=
    weisung des Schultheiß von 1450 u. 1584 bei Dreyhaupt, II, 471—
    473 u. 475—478.
20) Grimm, III, 598 u. 599 f.
21) Url. von 1259 u. 1309 bei Wigand, Archiv, IV, 179 f. u. V, 157.

ben [22]). Er war ursprünglich ein landesherrlicher Beamter. Bereits im Jahre 1294 wurde indessen in München die Civilgerichtsbarkeit an die Stadt abgetreten und dem Landesherrn nur noch der Blutbann vorbehalten [23]). Die Stadt, d. h. der Rath und die Gemeinde, hatte seitdem den Stadtrichter zu ernennen, der Herzog aber den von der Stadt Ernannten zu bestätigen und in sein Amt einzusetzen [24]). Die hohe Gerichtsbarkeit mit dem Blutbann blieb jedoch unter dem Herzog selbst und unter seinem Vicedom [25]). Späterhin pflegte aber auch noch der Blutbann dem Stadtrichter von dem Herzog verliehen zu werden [26]).

§. 514.

In Höxter endlich findet man sogar drei verschiedene landesherrliche Beamte neben einander, einen Stadtgrafen, einen Vogt und einen Stadtrichter. Der Stadtgraf (comes civitatis Huxariensis [1]) oder comes villae Huxariae) [2]), dessen Amt eine Grafschaft in der Stadt genannt worden ist [3]), war von dem Abt von Korvei mit seinem Amte belehnt. Er hatte es als Erblehen. Später wurde das Amt an die Stadt versetzt und im Jahre 1499 an die Stadt verkauft [4]). Der Graf hatte die hohe Gerichtsbarkeit mit dem Blutbann und er präsidirte auch in späteren Zeiten noch das peinliche Halsgericht. Er führte, wahrscheinlich wegen der Verleihung des Banns von dem Kaiser, den Vorsitz im Namen des

---

22) Mon. Boic. VIII, 415 u. 473. Stadtrecht von Landshut von 1279, §. 7.

23) Urk. von 1294 bei Bergmann, II, 10. „Swenn och wir hingelazzen „unser gericht, so haben wir selb vber nicht ze richten, wan vber den „totflac."

24) Urk. von 1294 u. 1347 bei Bergmann, II, 9 u. 63. Stadtrecht art. 101, §. 8. bei Auer, p. 296. Alte Ordnung bei Lipowsky, Urgesch. von München, I, 161. Not.

25) Urk. von 1294 u. 1347 bei Bergmann, II, 10 u. 63.

26) Alte Ordnung bei Lipowsky, I, 162. Not.

1) Urk. von 1275 bei Scheidt, vom Adel, p. 23.

2) Urk. von 1149 u. 1190 bei Treuer, Münchhausen, II, 3 u. 7.

3) Urk. von 1326 bei Falke, p. 690. judicium in Huxaria quod vulgari nomine eyn Gravscap appellatur —.

4) Wigand, Gesch. von Korvei, I, 310—312.

Kaisers [5]). Seitdem das Grafengericht an die Stadt gekommen war, seitdem ward es ein städtisches Untergericht, welches nur noch über unbedeutende Vergehen zu richten hatte. Während demnach der Gerichtsgräve fortfuhr im peinlichen Halsgerichte nach alter Weise zu präsidiren, war er im Grunde genommen zu einem unbedeutenden Unterrichter oder Polizeirichter herabgesunken [6]). Die Idee des alten Grafengerichtes hatte sich sogar in der Art verloren, daß man seit dem 17. Jahrhundert daraus eine ganz eigene Art von Untergericht, ein sogenanntes Grasgericht oder einen Grasstab gemacht hat, indem man in den alten Urkunden Grafcap statt Gravscab gelesen hat. Selbst Riccius glaubte noch an die Existenz dieses Grasgerichtes. Er hielt es für ein althergebrachtes absonderliches Gericht [7]). Uebrigens ist auch Wigand im Irrthum, wenn er glaubt, daß der Blutbann nicht der Stadt gehört habe. Mit der Grafschaft hatte sie vielmehr auch den Blutbann erworben. Auch war das Halsgericht an die Stadt verkauft worden [8]). Daher hatte der Stadtrath das Straferkenntniß zu finden [9]).

An der Seite des Stadtgrafen stand ein Schirmvogt für die Güter der Kirche. Die Schirmvogtei über Höxter hatten anfangs die Grafen von Pirmont und seit 1265 die Herzoge von Braunschweig von dem Abte zu Lehen. Auf diese Weise wurden die Herzoge von Braunschweig die Schirmvögte von Höxter. Zur Verwaltung des Amtes ernannten sie einen Vogt, welcher als Stellvertreter des Schirmvogtes auch zum peinlichen Halsgericht Zutritt hatte [10]).

---

5) Modus procedendi des peinlichen Halsgerichts von 1605 bei Wigand, I, 313. Not.
6) Statut von 1580 bei Wigand, I, 313. Not.
7) Riccius, Entwurf von Stadtgesetzen, p. 180.
8) Urk. von 1376 bei Wigand, denkwürdige Beitr. für Gesch. p. 147.
9) Wigand, I, 313 u. 324.
10) Wigand, I, 315—317 u. 319. Urk. von 1265 bei Wigand, denkwürdige Beiträge für Gesch. p. 107 f. Aus mehreren Urkunden geht indessen hervor, daß auch die Landgrafen von Hessen Schirmherren von Höxter waren. vergl. Urk. von 1602 u. 1638 bei Wigand, denkwürdige Beiträge zur Gesch. p. 15, 16 u. 48.

Der dritte Beamte in der Stadt war der Stadtrichter oder Pfennigmeister. Die Stadt hatte nämlich seit dem 14. Jahrhundert einen eigenen Stadtrichter (judex). Wie die Stadt zu diesem Rechte gelangt ist, liegt völlig im Dunkeln. Wahrscheinlich hängt es mit dem Erwerbe der Grafschaft zusammen. Nachdem ihr nämlich im 14. Jahrhundert das Amt des Stadtgrafen versetzt worden war, ließ sie wahrscheinlich dem Grafen selbst nur noch den Blutbann und ernannte für die Civilgerichtsbarkeit einen eigenen Richter, oder vielmehr sie beauftragte den Stadtkämmerer oder den Pfennigmeister mit der Handhabung der Civilgerichtsbarkeit [11]). Auch dieser Pfennigmeister hatte Zutritt zu dem peinlichen Halsgerichte. Der Gräve hatte den Vorsitz. Ihm zur Rechten saß der Pfennigmeister und diesem zur Rechten der Braunschweigische Vogt. Und das Halsgericht wurde im Namen der drei Herrschaften, im Namen Braunschweigs, des Stiftes Korvei und der Stadt Höxter gehegt [12]).

§. 515.

In vielen Landstädten findet man demnach, wie in den meisten Bischofs- und Abteistädten, zwei öffentliche Beamte, in vielen anderen aber auch nur einen. Die höheren Beamten nannte man auch in den Landstädten insgemein Vögte, Stadtgrafen oder Burggrafen. Vögte nannte man sie z. B. in Soest, Herfort, Heidelberg, Stendal und in vielen Städten in der Mark Brandenburg und in Schlesien. Stadtgrafen nannte man sie in Höxter und Burggrafen in Brandenburg, in Stendal u. a. m. Zumal in den sächsischen Städten findet man eine Menge Burggrafen. Sie hatten jedoch nicht alle ein Burggrafenamt, sondern nur den Titel eines Burggrafen, weil sie entweder bloße Militärbeamte waren oder aus einer burggräflichen Familie abstammten [1]). Zuweilen

---

11) vrgl. Wigand. I, 321.
12) Modus procedendi von 1605 bei Wigand, I, 319 u. 325. und bei Wigand, denkwürdige Beitr. p. 169. Meine Gesch. der Markenverf. p. 403.
1) Tittmann, Gesch. Heinrichs des Erlauchten, I, 33 u. 39—45. vergl. oben. §. 511.

werden die höheren Stadtbeamten abwechselnd Grafen und Vögte genannt, z. B. in Andernach [2]). Anderwärts nannte man sie auch Gografen, z. B. in Herfort, oder Wicgrafen, z. B. in Min= den abwechselnd comes civitatis [3]), wigravius, wiggravius, wich= gravius [4]), Wychgravius oder Wickgravius civitatis [5]), sodann Wikvögte, z. B. in Stade [6]), zuweilen auch Dinggrafen, z. B. in der Stadt Borken [7]), vielleicht auch Tungrafen, so viel als Stadtgrafen, z. B. in Hörter [8]), denn von einem Gemeinde= vorsteher oder tunginus dürfte wohl hier keine Rede sein [9]). Alle diese höheren Beamten sind auch in den Landstädten an die Stelle der Gaugrafen getreten. Sie hatten daher dieselbe Gewalt, den Blutbann und die Gerichtsbarkeit über das freie Eigen und über die persönliche Freiheit, z. B. in Herfort u. a. m.

Die niederen öffentlichen Beamten führten auch in den Landstädten, wie in den Bischofs= und Abteistädten, insgemein den Titel Schultheiß, z. B. in Soest, Heidelberg, Burgdorf, in den Städten der Mark Brandenburg u. a. m., dann Stadtrichter (judex civitatis) z. B. in Hörter, Herfort, Meppen, München u. a. m., Stadtrichter oder Villicus z. B. in Medebach, Burgrichter z. B. in Herfort, praefectus oder praefectus civitatis z. B. in Halle, in Berlin und in Köln an der Spree, Präfectus oder Schultheiß z. B. in Arberg [10]), Vogt oder Schultheiß z. B. in Freiburg im Breisgau und in Freiburg im Uechtlande, Erbvogt oder Erbrichter in den schlesischen Städten,

---

2) Urk. von 1171 bei Günther, I, 409. — legitimis jurisdictionibus que annuatim coram comite vel advocato ventilantur — a capitosa comitum et advocatorum impetitione —.

3) Urk. aus 12. sec. bei Würdtwein, subs. dipl. VI, 348.

4) Urk. von 1302 u. 1312 bei Würdtwein, subs. dipl. X, 47 u. 59. Urk. von 1196 u. 1296 bei Falke, trad. Corb. p. 852 u. 853.

5) Urk. von 1261 u. 1364 bei Treuer, Münchhausen, II, 14 u. 33.

6) Stadtrecht von 1209 bei Pufendorf, II, 155.

7) Urk. von 1265 bei Lacomblet, II, 321. in judicio coram thin= gravio —.

8) Chron. Hux. ad an 1168 bei Wigand, I, 328. thungravio seu villae praefectus.

9) Meine Gesch. der Marlenverfassung, p. 139.

10) Handfeste von 1271 bei Walther, p. 26.

Schultheiß oder Ammann (minister) z. B. in Winterthur [11]), oder auch Stadtkämmerer oder Pfennigmeister z. B. in Höxter. Wie in den Bischofs = und Abteistädten so wurde nämlich auch in jenen Landstädten, in welchen der Landesherr einen herr= schaftlichen Beamten hatte, diesem die niedere öffentliche Gerichts= barkeit übertragen. Daher pflegte dieser nach wie vor auch noch Villicus, Ammann, Vogt, Kämmerer oder Pfennigmeister genannt zu werden. Auch hatten diese Schultheiße, Stadtrichter, Vögte, Ammanne und Pfennigmeister dieselbe Amtsgewalt wie vordem die alten Centenare, also die Civilgerichtsbarkeit mit Ausnahme des Erkenntnisses über freies Eigen und über persönliche Freiheit, und die Strafgerichtsbarkeit ohne den Blutbann.

§. 516.

In jenen Städten, in welchen zwei öffentliche Beamte neben und über einander gestanden haben, saßen öfters auch in den Land= städten beide Richter neben einander zu Gericht als redende und schweigende Richter. So hatte in Görlitz der Schultheiß oder Erbrichter in den minder wichtigen Civilsachen den Vorsitz bei Gericht in Gegenwart des Vogtes (cum advocato nostro judex hereditarius noster, qui fuerit, in persona propria adesse debeat et judicio presidere). Wenn jedoch eine Beschwerde gegen den Erbrichter vorgebracht wurde, so hatte der Vogt zu entscheiden und der Erbrichter sich zu verantworten [1]). Eben so saß in Dürk= heim der Vogt als schweigender Richter neben dem redenden Schultheiß bis ein Gegenstand seiner Kompetenz zur Verhandlung kam, in welchem Falle sodann der bisher schweigende Vogt den Vorsitz übernahm und der Schultheiß nun schweigender Richter ward [2]). Und in Höxter saßen beim peinlichen Halsgerichte sogar drei Beamte neben einander. Neben dem Gräve auch noch der Pfennigmeister und neben diesem der Vogt (§. 498 u. 514).

---

11) Stadtrecht von 1264 §. 2 u. 3 und von 1297 §. 2 u. 3. bei Gaupp, I, 135 u. 139.

I) Urk. von 1303 bei T. u. St. p. 446.

2) Dürkheimer grünes Buch in meiner Gesch. der Markenverfassung, p. 401 Not. vergl. oben §. 498.

Die Kompetenz der öffentlichen Beamten war beschränkt auf die Angelegenheiten der öffentlichen Gewalt. Denn in die An= gelegenheiten der Stadtgemeinde durften sie sich eben so wenig mischen, als die Beamten der öffentlichen Gewalt sich in die Angelegenheiten der großen Marken mischen durften ³), z. B. in Ens ⁴), in Wien ⁵), in Heimburg ⁶) u. a. m. Daher hatten die Beamten der öffentlichen Gewalt keinen Zutritt zu dem Stadt= rath, z. B. in Dürkheim der Vogt ⁷), oder sie hatten wenigstens nur dann Zutritt, wenn sie zur Sitzung eingeladen worden waren, wie dieses im alten Stadtrecht von München ausdrücklich bestimmt war ⁸). Und in jenen Städten, in welchen in früheren Zeiten ein herrschaftlicher oder öffentlicher Beamter den Vorsitz im Stadtrath gehabt hat, suchte man ihn späterhin ganz aus dem Rath zu ver= drängen (§. 160). Nur im Nothfalle, wenn es innere Bewegungen und Kämpfe unter den Bürgern nothwendig machten, griffen die Landesherrn in die städtischen Angelegenheiten ein, und auch dann meistentheils nur als dazu aufgeforderte Schiedsrichter. So in Stendal die Markgrafen von Brandenburg bei den im Jahre 1285 zwischen der gemeinen Bürgerschaft mit den alten Geschlechtern ent= standenen Streitigkeiten ⁹). Wenn sich nun aber die öffentliche Gewalt dennoch ohne Noth und unaufgefordert in die Angelegen= heiten der Stadtgemeinden mischte, oder wenn die Inhaber der öffentlichen Gewalt in anderer Weise gegen die Rechte und Frei= heiten der Stadt handelten, so durften sich die Bürger sodann von ihrem Landesherrn lossagen und einen anderen Landesherrn wählen, ein Recht welches auch schon die Märker in den alten großen Marken gehabt haben ¹⁰). Dieses Recht hatten insbesondere auch

---

3) Meine Gesch. der Markenverfassung, p. 400.
4) Stadtrecht von 1212, §. 25.
5) Stadtrecht von 1221, §. 56.
6) Stadtrecht aus 13. sec. §. 7 bei Senckenberg, vision. p. 281
7) Meine Gesch. der Markenverfassung, p. 305.
8) Urk. von 1294 bei Bergmann, II, 9. „Swer och Stat Rihter ist, „der hat nicht ze schaffen bi den Burgaern, da si sitzent bi der Stat ge= „schaeft, vnd ob ir saetzen, ez si danne, daz si in zu in biten oder „laden" —.
9) Urk. von 1285 bei Lenz, I, 128. und oben §. 156.
10) Meine Gesch. der Markenverfassung, p. 154, 336 u. 390.

die Städte Stendal, Tangermünde und Osterburg in der Mark
Brandenburg und zwar selbst urkundlich. Sie durften ihren alten
Herrn verlassen und sich einen anderen wählen, wenn die Markgrafen ihr gegebenes Wort und ihre gegebene Zusage nicht halten
wollten [11]). Dasselbe Recht hatte auch die Bürgerschaft von Köln.
Und die Ritterschaft in Baiern war nach den Freiheitsbriefen sogar
berechtiget, den Herzog zu bekämpfen [12]).

§. 517.

Wie die Kaiser in den Reichsstädten und die Bischöfe und
Aebte in den Bischofs- und Abteistädten, so waren auch die Lan-
desherrn in ihren Landstädten die Gerichtsherren. Sie durften
daher selbst zu Gericht sitzen, z. B. in Soest die Erzbischöfe von
Köln [1]), in Freiburg im Uechtlande [2]) und in Burgdorf die Herzoge von Zäringen und nach ihrem Aussterben die Grafen von
Kyburg [3]), in Glogau und in Breslau die Herzoge von Schlesien [4]).
Die landesherrlichen Beamten waren demnach bloße Stellvertreter des Landesherrn. Wenn daher der Landesherr die erbliche
Vogtei hatte, so war der von ihm ernannte Beamte sein Vicevogt (vice advocatus) z. B. in Coesfeld [5]), und wenn der Lan-
desherr das Herzogthum inne hatte, so war der von ihm ernannte
Beamte sein Viceherzog (vicedux), z. B. der Gograf in Soest [6]).

---

11) Urk. von 1282 bei Lenz, I, 109—110. quod si quicquam de omnibus premissio infrigeremus, quod absit, ex tunc dicti burgenses
habebunt liberum arbitrium, ut — libere se divertere poterunt ad alium dominum, ad quem duxerint divertendum,
donec talis injuria et violencia per nos fuerit ex integro re-
tractata.

12) Meine Gesch. der Fronh. III, 516 und oben §. 503.

1) Bestand des Marschallamtes in Westphalen aus 13. sec. bei Seibertz,
II, 1. p. 624 u. 625. cum archiepiscopus vult presidere judicio,
quod botdynk dicitur — et potuit infra opidum presidere ipse
archiepiscopus —.

2) Handfeste von 1249 §. 4 u. 5 bei Gaupp, II, 83.

3) Handfeste von 1316 §. 12 u. 13 bei Gaupp, II, 121.

4) Urk. von 1302 §. 7 und von 1326 bei T. u. St. p. 208 Not. u. 445.

5) Urk. von 1197 bei Niesert, I, 2 p. 478.

6) Bestand des Marschallamtes aus 13. sec. bei Seibertz, II, 1, p. 625.
quod vicedux gogravius —.

Meistentheils führten jedoch diese Stellvertreter den Titel Stadt-richter (judex), z. B. in Brakel [7]), in Prozelten [8]), in München, in Höxter u. a. m., oder Stadtgraf (Gräve) in Höxter, Ander-nach und in Minden, sodann Burggraf in Brandenburg und Stendal, oder Burgrichter und Gograf in Herfort, Wicgraf oder Wicvogt in Minden und Stade, oder, wie wir gesehen, Vogt, Schultheiß, Ammann oder Präfect.

<h2 style="text-align:center">§. 518.</h2>

Das Recht seinen Stellvertreter zu ernennen hatte ursprünglich jeder Landesherr. Wie die städtischen Beamten (§. 453), so pflegten auch die landesherrlichen Beamten einen Be-stallungsbrief zu erhalten, in welchem ihre Rechte und Ver-bindlichkeiten aufgezählt waren, z. B. die Vögte in Bremen seit dem Jahre 1399 [1]).

Der Gehalt dieser Beamten bestand meistentheils in einem Antheil an den Geldstrafen, in einem Antheil an dem Werthe der mit Beschlag belegten Gegenstände, dem sogenannten Fürfang (§. 562) und in anderen mit dem Amte verbundenen Gefällen, welche sie für ihre eigene Rechnung einnehmen durften und daher ihrem Gerichtsherrn nicht zu verrechnen brauchten. Oefters erhiel-ten sie dazu noch ein Amts- oder Lehengut. Zuweilen auch noch ein Amtskleid aber späterhin erst einen fixen Gehalt. Der bischöf-liche Vogt in Bremen bezog sehr bedeutende Gebühren von den Gerichten, von den Bürgern und von den Gewerbsleuten. Auch erhielt er, wie die anderen landesherrlichen Diener, jedes Jahr ein Amtskleid ("Ock höret dem Vagede van synem gnädigen Heren alle „jahr sine Klebinge, glyck sinen andern benern") [2]). Der bischöf-liche Schultheiß in Worms erhielt im 13. Jahrhundert jährliche Abgaben von den Bürgern, von den Amtleuten und Heimburgern, von den Weineichern, Kornmessern, Metzgern, Schustern und Ju-den [3]). Dazu kamen noch andere Nebenbezüge (das „Gelot so in

---

7) Urf. von 1289 bei Wigand, Archiv, IV, 3.
8) Urf. von 1355 bei Guden, III, 386.
1) Donandt, I, 132. Not.
2) Vertrag von 1259 in Assertio lib. Brem. p. 744 ff.
3) Annal. Worm. bei Böhmer, fontes, II, 212.

„die Buchs gefallen ist") und seit dem Anfang des 16. Jahrhun=
derts auch noch ein fixer Gehalt („ein fuder Wein und vier Gul=
den darzu") [4]). In Straßburg fielen alle Geldstrafen zu einem
Drittheil an den Vogt und zu zwei Drittheilen an den Schultheiß.
Außerdem hatte der Vogt noch ein bedeutendes Lehen und auch der
Schultheiß sein Amtsgut („sine Schuhebusen" oder „Schuhbuze") [5]).
Da die Einnahmen der landesherrlichen Beamten sehr bedeutend
zu sein pflegten, so mußten öfters sie selbst wieder eine Abgabe
von ihrem Amte entrichten, wie dieses auch viele Gemeinde=
beamten in den Dörfern und in den Städten thun mußten [6]). So
mußte der Schultheiß in Worms nach einem alten Herkommen
eine jährliche Gilte an den Bischof entrichten („di gült die er gibt
„von seinem ampt, als es von alter herkomen ist"), bestehend in
Naturallieferungen [7]). Im Jahre 1526 wurde diese Gilte, be=
stehend in „zwo zinnen fleschen voll Weins und einem roten Seckel,
„darin drithalb Pfund heller", in eine jährliche Abgabe von drei
Gulden verwandelt [8]). In Straßburg waren der Schultheiß und
die Richter dem Bischof sogar herrschaftliche (d. h. grundherrliche)
Dienste und Leistungen schuldig [9]). In Mainz sollte der landes=
herrliche Kämmerer, ehe die Sitzung begann, dem Schultheiß und
den Richtern eine Suppe mit gesottenen Hühnern geben [10]). Und
in Nürnberg hatte der Schultheiß nach jeder Rügesitzung den ge=
schwornen Meistern ein Geschenk in Wein und in Geld zu machen
und ihnen ein Essen zu geben („drey Essen, das ist jeglichem zwey
„Ähr, ein eingemachtes, ein Bratens, vnd Keß darzu") [11]).

---

4) Rachtung von 1519 §. 25 bei Schannat, II, 326.

5) Stadtrecht, §. 40, 41 u. 100 bei Grandidier, II, 56. und oben §. 490.

6) Meine Gesch. der Dorfvrf. II, 113. ff. u. oben §. 454.

7) Vergleich von 1283 §. 4, bei Schannat II, 145. Annal. Worm. bei
Böhmer, font. II, 211 u. 212.

8) Rachtung von 1526 bei Schannat, II, 400.

9) Stadtrecht, c. 94, 95, 97—100 bei Grandidier, p. 80 ff. vrgl. oben
§. 22.

10) Grimm, I, 533 u. 534.

11) Verzeichniß von 1385 bei Stromer, Gesch des Reichsschultheisenamtes,
p. 104 u. 105.

§. 519.

In vielen Städten wurde das Amt zu Lehen gegeben, verpfändet oder sogar verkauft. Zu Lehen wurde gegeben das Schultheißenamt in Halle, in Stendal und in anderen Städten in der Mark Brandenburg, dann die Vogtei in vielen schlesischen Städten, und das Stadtgrafenamt in Höxter ehe es verpfändet worden ist. Verpfändet wurde das Grafenamt in Höxter, ehe es an die Stadt verkauft worden ist, dann das Schultheißenamt späterhin in Freiburg im Breisgau und in mehreren Städten der Mark Brandenburg. Und verkauft wurde das Schultheißenamt späterhin in Halle, in den märkischen Städten und im 13. Jahrhundert auch in Freiburg im Breisgau. Auch die durch Belehnung oder Verpfändung oder durch Kauf erblich gewordenen Inhaber des Amtes waren nun Gerichtsherren geworden. Sie konnten daher, wie jeder andere Gerichtsherr, selbst zu Gericht sitzen. Sie durften aber auch, wenn sie nicht selbst zu Gericht sitzen konnten oder wollten, einen Stellvertreter (einen Untervogt oder Unterschultheiß oder einen Richter) ernennen. So die Erbvögte in Neisse [1]), in Braunschweig [2]), in Münsterberg [3]), in Steinau [4]), in Prenzlau [5]) u. a. m. In vielen Landstädten ist die Gerichtsbarkeit von der Stadt selbst erworben worden, entweder durch freiwillige Abtretung von Seiten des Landesherrn, z. B. ursprünglich in Freiburg im Breisgau, in Freiburg im Uechtlande und hier in München, oder durch Verkauf oder Verpfändung, z. B. in Soest, Höxter, Coesfeld, Braunschweig, Meppen, in den meisten Städten in der Mark Brandenburg und in Schlesien und seit dem

---

1) Urf. von 1553 bei T. u. St. p. 628. „die Erbvogtei vonn eez „lichenn vom Abell, welche nitt alleweg zur Stelle habenn sein kon „nenn, gehaldenn und durch Substituten oder Undervögte die „Gerichte verwehset wordenn sein" —.

2) Stadtrecht von 1227 in Orig. Guelf. IV, 107. „Swelich Vogt einen „Richtern set an sine stet" —. Stadtrecht von 1232 bei Leibnitz, III, 434.

3) Im Jahr 1309 bei T. u. St., p. 182. Not.

4) Urf. von 1243 bei T. u. St. p 305.

5) Zimmermann, I, 71. Not. 6.

15. Jahrhundert auch in Halle und in Freiburg im Breisgau. Oefters wurde die hohe Gerichtsbarkeit mit dem Blutbann von den Städten erworben und dann übte meistentheils der Stadtrath selbst die Kriminalgerichtsbarkeit aus, z. B. in Soest, Höxter, Coes=feld und in vielen märkischen Städten. Noch häufiger wurde aber nur die niedere Gerichtsbarkeit (die Civilgerichtsbarkeit) von den Landstädten erworben, z. B. in den meisten Städten der Mark Brandenburg und in Schlesien, in Meppen u. a. m. In jenen Städten, in welchen nicht der Stadtrath selbst die Gerichtsbarkeit ausübte, ernannte der Stadtrath zu dem Ende einen Stadtrich=ter, z. B. in Freiburg im Breisgau, in Freiburg im Uechtlande, in Bern, in München, in Höxter und in vielen märkischen und schlesischen Städten. Meistentheils blieb indessen auch in diesen Städten dem Landesherrn das Recht den von dem Stadtrath er=nannten Beamten zu bestätigen und das Recht ihn in das Amt einzusetzen oder das Recht der Amtsinvestitur, z. B. in München, in Bern u. a. m., ursprünglich auch in den beiden Freiburg im Breisgau und im Uechtlande, hier in München auch noch das Recht der Belehnung mit dem Blutbann. Wenn das Amt, wie z. B. in den märkischen Städten, ein Erblehen war, so blieb es dieses auch noch nach dem Erwerbe der Gerichtsbarkeit von der Stadt. Der von der Stadt ernannte Richter mußte daher von dem Landesherrn mit dem Amte belehnt werden.

3) Landesherrliche Dienste und Steuern.

§. 520.

Wie die Bischöfe und Aebte so haben auch die übrigen Lan=desherrn mit der öffentlichen Gewalt auch ein Recht auf die öffentlichen nun landesherrlichen Dienste und Steuern er=halten. Denn auch auf sie ist der alte Königsdienst übergegangen. Und wie die in den Bischofs= und Abteistädten wohnenden Bürger landesherrliche Unterthanen geworden waren, so auch die in einer Landstadt wohnenden Leute. Daher waren auch sie den landes=herrlichen Diensten und Steuern unterworfen, und zwar nicht bloß die Stadtbürger, sondern auch die übrigen Bewohner der Landstadt, gleichviel, ursprünglich wenigstens, ob sie Freie oder Unfreie, Mini=

sterialen, Ritter oder Geistliche waren. Denn die Einen wie die
Anderen standen unter der öffentlichen Gewalt. Sie waren daher
auch den in der Stadt zu leistenden landesherrlichen Diensten und
Steuern unterworfen. So war es in Soest [1]). Eben so ursprünglich offenbar auch in allen anderen alten Landstädten. Denn
die Landesherrn hatten in den Landstädten dieselben Rechte, welche
die Deutschen Könige in den Reichsstädten gehabt haben. Die
landesherrlichen Dienste und Leistungen bestanden daher in der
Pflicht den Landesherrn, wenn er in eine Landstadt kam, zu beherr-
bergen und zu verpflegen, ihm gewisse Frondienste und den landesherrlichen Heerdienst zu leisten, und in der Pflicht den Landesherrn zu unterstützen und ihm in diesen Fällen Steuern zu entrichten.

Die Pflicht der Stadtbürger den Landesherrn, wenn er in
eine Landstadt kam, würdig zu empfangen und ihn zu beherbergen hat ohne allen Zweifel ursprünglich allenthalben bestanden. So frühe schon in Soest, wenn der Erzbischof von Köln
dahin kam, und auch in späteren Zeiten noch in Schleswig, in
Kiel und in Apenrade, wenn die Herzoge von Holstein und Schleswig sich dort einfanden. Eben so in Hamburg, wenn die Könige
von Dänemark als Herzoge von Holstein dahin kamen, und in
Oldenburg u. a. m., so oft sich die Landesherrn daselbst aufhielten [2]).
In Morchingen in der Grafschaft Salm mußten die Bürger nicht
bloß die Herrschaft selbst, sondern auch ihre Gäste beherbergen und
die mitgebrachten Pferde mit allem Nöthigen versehen [3]). Von

---

1) Stadtrecht von 1120, §. 53. ut omnes in opido nostro commorantes sive liberi sive ministeriales nobiscum starent et labores ad
seruiendum domino nostro Archiepiscopo uel Imperatori nostro
equali proportione subuenirent. In der alten Schrae von 1350
§. 143 bei Seibertz, III, 2. p 401. ist jedoch von keinen Ministerialen
u. s. w. mehr die Rede. Es heißt vielmehr: „Alle bey gheyne. bey
„binnen der stat wonet. ghaft. vrome. efte man. sey sin vryg efte eghen.
„bey sulen cost. arbeyt. deynst. vnde schot doyn van erme ghude. also
„vnse borghere doyt."

2) Meine Gesch. der Fronh. III, 419—121.

3) Stadtordnung von 1345 bei Koenigsthal, I, 2, p. 6. „yeder burger
„ist schuldich stallung in seinem haus zu geben. Der Herschafft Gest
„zu beherbergen vnd zu legern. Auch Heu vnd stro um drei schwartz
„Tornus."

dieser sehr lästigen Pflicht den Landesherrn oder seine Leute zu be=
herbergen und zu verpflegen haben sich jedoch frühe schon manche
Landstädte frei zu machen gewußt, z. B. Freiburg im Uechtlande⁴),
Wien⁵) u. a. m. Auch die alten Spanndienste und andere
Frondienste, welche in früheren Zeiten dem König und dann auch
den Landesherrn geleistet werden mußten, findet man noch längere
Zeit in den Landstädten, z. B. noch im 15. Jahrhundert in den
Städten der Mark Brandenburg die Pflicht Rüstwagen mit den
nöthigen Pferden und Dienern zu stellen zum Transporte der lan=
desherrlichen Familie von einem Orte zum anderen⁶). Eben so
in Winterberg in der alten Grafschaft Spanheim die Pflicht der
Stadtbürger zwei Mal im Jahre, zur Erndte= und Herbstzeit, ihrer
Herrschaft Wagenpferte zu stellen⁷). Auch in Morchingen mußte
jeder Bürger einen Wagen mit 6 Pferten zu Raisen und zu an=
deren Diensten halten⁸). Insbesondere auch zum landesherrlichen
Heerdienste waren ursprünglich alle Stadtbürger verbunden.
Denn der Kriegsdienst gehörte zu dem auf die Landesherrn über=
gegangenen Königsdienst. Viele Landstädte waren nun zu jeder
Art von Kriegsdienst, d. h. zur Raise⁹), manche sogar zu landes=
herrlichen Fehde verpflichtet, z. B. die Bürger von Neuenburg¹⁰),

---

4) Handfeste von 1249, §. 9 bei Gaupp, II, 84.

5) Stadtrecht von 1296 §. 3 bei Senckenberg, vision, p 285

6) Zimmermann, I, 325 Meine Gesch. der Fronh. III, 417 ff. u. 446 ff.

7) Stadtrecht von 1331 bei Walch, VI, 261. „Auch sint ons dieselbin
„Burger die hure hant schuldig onser Waginferte mit Namen zwa
„Verte zu Gauwe.wert, und zwa eine Mile omb Wynthurberg wan
„wir wollin, die Waginferte sullen sie ons darin halb zu erne vnd halb
„zu Herbiste.“

8) Stadtordnung von 1345 bei Koenigsthal, I, 2. p. 6.

9) Stadtrecht von Winterberg von 1331 bei Walch, VI, 261. „Wer iz
„auch daz wir reisin wolbin von onsirn obir onsir Frunde vnd Mage
„wegin so suln ons onsir borger helfin und nachfolgin gewapint —.
„wer iz baz wir nit selber reysten so suldin sie onsern geweldigin
„Bodin nachfolgin.“ Die Bürger von Hörter nach Urk. von 1265 bei
Wigand, denkwürdige Beitr. für Gesch. p. 107. cives Huxarienses
ad expeditiones nostras cum indiguerimus, tenebuntur —. vergl.
noch Urk. von 1337, eod. p. 162. Meine Gesch. der Fronh. III,
451 ff. und oben §. 128.

10) Freiheitsbrief von 1214 bei Walther, p. 18.

die Bürger von Schöneck in der Eifel [11] u. a. m. Die meisten Landstädte waren jedoch nur zur Vertheidigung der Stadt und entweder zu gar keinem auswärtigen Kriegsdienst, z. B. Berlin und Köln an der Spree, Stendal, u. a. m. (§. 129), oder doch nur zur Vertheidigung des Landes, das heißt zur Landwehr verpflichtet (ad nullam expeditionem, praeter eam, que fuerit ad defensionem tocius terre), z. B. die Bürger von Steinau [12] und von Glogau in Schlesien und von vielen anderen Landstädten mehr [13]. Und auch dieses meistentheils nur eine ganz kurze Zeit oder eine kurze Strecke, so daß die Bürger am Abend oder wenigstens am anderen Tage wieder zu Haus sein konnten (§. 129). Die Bürger von Morchingen sollten ihrer Herrschaft zwei Tage und zwei Nächte lang auf eigene Kosten zu Fuß und zu Roß zur Raise folgen. Der weitere Dienst ging aber auf Rechnung der Herrschaft [14]. Das Recht der Landesherrn den Heerdienst zu verlangen hat demnach in allen Landstädten, wenn auch in einer beschränkten Weise bestanden. In der Wirklichkeit war es jedoch meistentheils anders. Denn nicht wenige Landstädte folgten ihrem Landesherrn nur dann noch in den Krieg und öffneten ihm nur dann noch ihre Stadtthore, wenn sie bittweise darum angegangen worden waren, oder wenn sie ihre Zustimmung zum Kriege gegeben hatten, oder wenn sie sonst wollten und es ihrem eigenen Interesse entsprechend fanden (§. 129 u. 427). Auch die Pflicht zur Beherbergung und Verpflegung des auf dem Marsch befindlichen landesherrlichen Heeres und zur Stellung von Heerwagen und Pferden und zu anderen Kriegsfronen gehörte zu den Verbindlichkeiten der Landstädte. Allein auch von diesen sehr lästigen Verbindlichkeiten, insbesondere von der Verbindlichkeit der Beherbergung und Verpflegung des landesherrlichen Heeres wurden viele Landstädte, z. B. Berlin, Brandenburg, Rathenau, u. a. m. frühe schon befreit [15].

---

11) Grimm, II, 562.

12) Urk. von 1243 bei T. u. St. p. 306.

13) Urk. von 1253 bei T. u. St. p. 331. vergl. oben §. 129 u. 130. Meine Gesch. der Fronh. III, 455 ff. u. 462 f.

14) Stadtordnung von 1345 bei Koenigsthal, I, 2. p. 6.

15) Meine Gesch. der Fronh. III, 505 ff., 509, 517 ff., 524 ff. und oben §. 128, 129 u. 390.

Mit der öffentlichen Gewalt sind auch die öffentlichen Steuern und Abgaben und das Besteuerungsrecht selbst, so weit es überhaupt in der öffentlichen Gewalt lag, auf die Lan= desherrn übergegangen. Die ursprünglich an die öffentliche Gewalt zu entrichtenden Abgaben und Steuern hatten sammt und sonders ihren Grund im alten Königsdienst und sie reichten nicht weiter als der Königsdienst selbst gereicht hat. Sie bestanden demnach einerseits in den Reichssteuern und Königszinsen und in den für den Reichsdienst und für den landesherrlichen Hof= und anderen Dienst nothwendigen landesherrlichen Abgaben, andererseits in den Kriegs= und Heerbannsteuern. Zu ihnen kamen späterhin noch die Schutz= und Schirmgelder, welche von jenen Städten entrichtet werden mußten, welche der landesherrlichen Vogtei unterworfen waren, und die vertragsmäßigen oder von den Landständen be= willigten Steuern [16]).

Die hergebrachten Reichssteuern und Königszinse mußten anfangs auch noch von den Landstädten entrichtet werden, z. B. von Soest [17]) u. a. m. Sie sollten jedoch ohne Zustimmung des Landesherrn nicht mehr erhoben werden, z. B. in Magdeburg nach einem von Kaiser Friedrich II ausgestellten Revers [18]). Nach und nach sind sie jedoch allenthalben, in einer Stadt früher in der an= deren später, auf die Landesherrn übergegangen, z. B. in Soest, Hamburg, Kiel, Magdeburg u. a. m. [19]).

An die auf die Landesherrn übergegangenen Reichssteuern reihten sich die für den Reichsdienst und für den landesherrlichen Hof= und anderen Dienst nothwendigen landesherrlichen Steuern an, welche auch von den Landstädten entrichtet werden mußten,

---

16) Meine Gesch. der Fronh. III, 527 ff., 534—538, 549 ff.

17) Stadtrecht von 1120 § 53 bei Seibertz, II, 1, p. 56. ut omnes in opido nostro commorantes — ad serviendum domino nostro Archiepiscopo vel Imperatori nostro. In der späteren Schrac von 1350 §. 143. fehlen diese Worte (vel Imperatori u. s. w.) weil die Reichssteuer bereits auf die Erzbischöfe übergegangen war.

18) Urk. von 1216 bei Meibom, II, 377. regales talliae, petitiones aut exactiones nulla unquam occasione, praeter ejusdem Archi- episcopi et successorum ipsius exerceant assensum.

19) Meine Gesch. der Fronh. III, 358 ff., 400 ff., 406 ff.

nämlich die Steuern, wenn der Landesherr an den Kaiserlichen Hof
reiste oder einen Römerzug mitmachte, oder wenn der Landesherr
seinen eigenen Hof hielt oder in den Angelegenheiten des Landes
umherreiste[20]). Auch zur Kriegssteuer oder Heerbannsteuer
waren alle nicht roßdienstpflichtigen Stadtbürger verbunden, z. B.
in Neuenburg[21]), in Höxter[22]), in Winterberg in der alten Graf=
schaft Spanheim u. a. m.[23]). Bei Heerfahrten des Landesherrn
mit dem König sei es über die Alpen oder sonst wohin, und bei
Reisen des Landesherrn an den Hof des Königs, mußten in man=
chen Städten auch die Handwerker und Gewerbsleute, z. B.
die Schuhmacher, Schneider, Tuchkaufleute, Schmiede, Sattler,
Schwertfeger, Kiefer u. a. m. eine bestimmte Anzahl von Hand=
werks= und Gewerbsartikel liefern, z. B. in Freiburg im Breisgau[24]),
in Freiburg im Uechtlande[25]), in Straßburg[26]) u. a. m.

Man nannte die erwähnten Steuern auch in den Landstädten
Bete, petitio z. B. in Bonn[27]), in Neuß[28]), in Höxter[29]) und
in Lechenich[30]), precaria, z. B. in den Städten der Mark Bran=
denburg[31]), und Bebe z. B. in Winterberg)[32]), sodann Orbete,
in den Städten der Mark Brandenburg orbeta[33]) und in Salz=

20) Meine Gesch. der Fronh. III, 413—419, 441 ff., 527 ff.
21) Freiheitsbrief von 1214 bei Walther. p. 18.
22) Urk. von 1265 bei Wigand, Gesch. von Korvei, I, 336. und bei Wi=
    gand, denkwürdige Beitr. p. 107. — petitiones pro subsidio fa-
    ciendo.
23) Stadtrecht von 1331 bei Walch, VI, 261. Meine Gesch. der Fronh.
    III, 511 u. 528 f. und oben §. 390.
24) Stiftungsbrief von 1120 §. 11. In dem Stadtrodel und in den spä=
    teren Stadtrechten war aber hievon nicht mehr die Rede.
25) Handfeste von 1249 §. 8.
26) Altes Stadtrecht bei Grandidier, §. 103, 104, 108, 109, 110, 111,
    112 u. 113.
27) Urk. von 1243 u. 1285 bei Lacomblet, II, 148 u. 471.
28) Urk. von 1259 u. 1310 bei Lacomblet, II, 264, III, 64.
29) Urk. von 1265 bei Wigand, Gesch. von Korvei, 1, 336.
30) Freiheitsbrief von 1279 §. 37 bei Kindlinger, Sammlung, I, 115.
    Grimm, II, 735.
31) Landbuch der Mark, p. 29 u. 250.
32) Stadtrecht von 1331 bei Walch, VI, 256.
33) Landbuch, p. 28—32.

webel urbura [34]), ferner Beihilfe (subsidium oder stipendium oder praesidium pecuniae) z. B. in Freiburg im Uechtlande [35]), in Burgdorf [36]) u. a. m., Steuer oder Bete (steura vel precaria) z. B. in Wiener Neustadt [37]), Beisteuer oder Steuer oder exactio, auch precaria exactoria, z. B. in den Städten der Mark Brandenburg [38]) oder petitio exactoria, z. B. in Stendal [39]), ferner exaccio originalis, z. B. in Drossen in der Mark [40]), tallia, z. B. in Magdeburg [41]), in Aachen [42]), in Wien [43]) u. a. m., Geschoß, Schoß, Schot oder collecta, z. B. in Münster [44]), in Höxter [45]), in Salzwedel [46]), in den Städten von Schlesien u. a. m. [47]), consagitatio, z. B. in Stendal [48]), Gewerf u. f. w.

Alle diese Beten und Steuern hafteten auf dem Grund und Boden. Sie waren daher eine Last der Grundbesitzer, z. B. in Höxter [49]), in den Städten der Mark Brandenburg u. a. m. [50]),

---

34) Urk. von 1282 bei Lenz, I, 98.

35) Handfeste von 1249 §. 8.

36) Handfeste von 1316 §. 17.

37) Stadtrecht, c. 102 u. 104.

38) Urk. von 1281 bei Gercken, vet. march. I, 16. petitionem sive precariam exactoriam —.

39) Urk. von 1282 bei Lenz, I, 108. exactio sive petitio exactoria —.

40) Landbuch p. 28. — pro orbeta, id est pro exaccione originali annuatim —.

41) Urk. von 1216 bei Meibom, II, 377. — talliae, petitiones aut exactiones —.

42) tallia vel precaria in Urk. von 1215 bei Quix, II, 94.

43) Freiheitsbriefe von 1237 u. 1278 bei Lambacher, II, 12 u. 159.

44) Urk. von 1184 bei Wilkens, p. 96. collecta quam Schot vocant

45) Urk. von 1337 bei Wigand, denkwürdige Beitr. p. 162. exactionibus que schot dicuntur. Urk. von 1347, eod. p. 163. exactiones et collectas —.

46) Urk. von 1273 bei Lenz, I, 73.

47) T. u. St. p. 190. Urk. von 1320 bei Guden, syl. p. 493.

48) Urk. von 1290 u. 1298 bei Gercken, vet. march. I, 3, II, 4. a precaria sive a consagittacione —.

49) arg. Urk. von 1337 u. 1347 bei Wigand, denkwürdige Beitr. p. 162 u. 163.

50) Urk. von 1281 bei Gercken, vet march I, 17 u. 18. Meine Gesch. der Fronh III, 529 ff.

während die gemeinen Leute, welche keinen Grundbesitz hatten, nur eine kleine Abgabe in Geld entrichteten [51]). Daher mußten jene Beten und Steuern von sämmtlichen in der Stadt ansäßigen Grund= besitzern, auch von den Edelleuten (Ministerialen, Vasallen u. f. w.) und von den Geistlichen entrichtet werden [52]). Nur von der Heer= bannsteuer waren die Edelleute frei, weil sie roßdienstpflichtig waren und den Roßdienst in Person leisten mußten. Da jedoch die mei= sten alten Beten und Steuern aus der Befreiung von dem Heer= dienste hervorgegangen sind, so warb ihre Steuerfreiheit bald zur Regel, wiewohl nicht alle Steuern ursprünglich Heerbannsteuern waren [53]). Und auch die Geistlichen erhielten frühe schon die Be= freiung von den öffentlichen Steuern, z. B. in Höxter u. a. m. [54]).

Die Zeit der Entrichtung und die Größe der Steuer war ursprünglich nicht bestimmt. Ihre Bestimmung hing vielmehr von dem jedesmaligen Bedürfnisse (necessitate compellente) [55]) und von der Gnade des Landesherrn ab. Und so ist es auch in spä= teren Zeiten noch in manchen Landstädten, z. B. in Gortzk in der Mark Brandenburg geblieben [56]). Meistentheils wurden aber jene Steuern durch das Herkommen oder auch vertragsmäßig in eine ständige jährlich zu entrichtende Steuer verwandelt und dann auch auf eine bestimmte Summe fixirt, z. B. in fast allen Städten der Mark Brandenburg [57]), in der Stadt Schongau in Baiern [58]), in

---

51) Urk. von 1281 bei Gercken, I, 18. Sed alii homines commu- nes — qui mansos non habuerunt dederunt sex denarios dc talento.
52) Stadtrecht von Soest, von 1120 §. 53. Urk. von 1279 bei Gercken, cod. dipl. Brand. II, 351. Urk. von 1302 bei Grasshof, p. 213.
53) Meine Gesch. der Fronh. III, 515 ff. u. 523. und oben §. 395.
54) Urk. von 1337 bei Wigand, denkwürdige Beitr. p. 162. und oben §. 395 u. 501.
55) Urk. von 1279 bei Gercken, cod. dipl. Brand. II, 351. — conven- tionem talem fecimus, de precario quam necessitate com- pellente in bonis eorum feodalibus petivimus —.
56) Landbuch, p. 29. Civitas non habet certam orbetam, sed secun- dum graciam dominorum dare consuevit.
57) Landbuch, p. 28—32.
58) Freiheiten von 1331 bei Lori, p. 49.

Lechenich, Freiburg u. a. m. [59]). Vertragsweise geschah dieses in fast allen märkischen Städten. Im Jahre 1281 haben sich die Markgrafen mit den Landständen dahin verglichen, daß die alten Beten losgekauft und dafür eine jährliche ständige Bete eingeführt werden solle [60]). Und in den Jahren 1279 und 1282 wurde in Stendal [61]) und im Jahre 1282 in Salzwedel vertragsmäßig mit dem Landesherrn die alte Bete erlassen und dafür eine jährliche ständige Steuer eingeführt [62]). Diese ständige Steuer mußte in vielen Städten jedes Jahr an einem bestimmten Tage entrichtet werden, z. B. in Lechenich am St. Remigius Tage [63]). Daher nannte man diese Steuer eine jährliche Abgabe (annua pensio) [64]). In Bonn pflegte sie im Herbst erhoben und daher Herbstbede genannt zu werden [65]). Eben solche Herbstbeden mußten auch von den Städten Beverungen und Driburg entrichtet werden [66]). Auch in Freiburg im Breisgau wurde vertragsmäßig jedes Jahr eine Steuer entrichtet, die mit dem steigenden Bedürfnisse des Landesherrn vermehrt worden ist. Bis zum Jahre 1282 bestand diese Steuer in einer jährlichen Abgabe von 100 Mark Silber, seit diesem Jahre aber in 200 Mark und, nach den Annalen von Kolmar, außerdem noch in der Erlegung einer weiteren Summe von 20000 Mark [67]), und seit dem Jahre 1300 in 300 Mark Sil=

---

59) Freiheit von 1279 §. 37 bei Kindlinger, Samml. I, 115. Meine Gesch. der Fronh. III, 530.

60) Urk. von 1281 bei Gercken, vet. march. I, 19. iste census subsequens instabat nomine precarie perhenniter dandus de manso —. Hujuscemodi census erit sempiternus.

61) Urk. von 1279 u. 1282 bei Lenz, I, 84, 85 u. 108 Urk. von 1279 bei Gercken, cod. dipl. Brand. II, 351.

62) Urk. von 1282 bei Lenz, I, 98.

63) Freiheit von 1279 §. 37. Grimm, II, 735.

64) Urk. von 1353, 1355 u. 1356 bei Gercken, cod. Brand. VI, 476, 499 u. 522.

65) Urk. von 1243 bei Lacomblet, II, 148. — semel in anno tempore autumpnali — pro petitione nobis.

66) Wigand, Provinzialrechte von Paderborn, II, 218.

67) Sühnebrief von 1282 und Verfassungs=Urk. von 1293 bei Schreiber, I, 93 u. 124. Annal. Colmar. ad 1282 bei Boehmer, font. II, 18.

ber [68]). In anderen Städten wurde jene Steuer zwei Mal im Jahre erhoben, z. B. in den meisten Städten der Mark Branden= burg am Martini= und Walpurgis Tage [69]). Neue öffentliche Steuern durften indessen nur mit Zustimmung der Bürger= schaft von den Landesherrn erhoben werden. Daher ließen sich die meisten Städte von ihrem Landesherrn versprechen und zusichern, daß er außer den hergebrachten oder vertragsmäßig stipulirten Beten ohne ihre Zustimmung keine neuen Beten und Steuern erheben wolle, z. B. Wien, Wiener Neustadt, München, Freiburg, Winterberg, Wesel u. a. m. [70]). Meistentheils wurden jedoch diese Versprechun= gen und Zusicherungen nicht gehalten. Daher kam es fast allent= halben zu einem mehr oder weniger heftigen Kampf. Aus dieser Veranlassung entstand z. B. im Stifte Hildesheim im Jahre 1485 die zwei volle Jahre dauernde Hildesheimer Fehde, in welche auch die Herzoge von Braunschweig verwickelt und dadurch Braunschweig und andere Städte veranlaßt worden sind ihm also zu schreiben, „Wir haben in Gnaden und alter Gewohnheit von Herrn zu „Herrn bis auf diese Zeit gehabt, daß wo wir nicht mitrathen, „also sollen wir auch nicht mit thaten. So wir dann nun „in dieser Sache nicht mitgerathen haben, sollen wir auch nicht „verpflichtet seyn, zu thaten" [71]). Zwar mußten sich viele Land= städte der neu entstandenen landesherrlichen Vogtei unterwerfen und die Stadtbürger wurden sodann wie andere landesherrliche Vogtleute besteuert [72]). Die meisten Städte haben sich jedoch gegen diese neuen Steuern gesetzt und auch ihren Widerspruch mehr oder weniger vollständig durchgesetzt. In vielen Städten wurden näm= lich die Fälle festgesetzt, in welchen neue Steuern erhoben werden durften, z. B. im Falle der Ausstattung einer Prinzessin (die so=

---

68) Sühnebrief von 1300 bei Schreiber, I, 155.

69) Landbuch, p. 28—31.

70) Privilegien von Wesel von 1277, c. 1. bei Wigand, Archiv, IV, 413. „Also dat wy geen schattinge in oer Stadt doen sullen off vm gheen „moyellicheit thegen oeren Wyll." vergl. eod. p. 408. und oben §. 428.

71) Lezner, Dasselsche Chron. II, c. 16, p. 32. Schuberth, Staats= und Gerichtsverf. von Bamberg, p. 86. Mehlmeier, Chron. p. 760.

72) Meine Gesch. der Fronh. III, 537 f. u 517 ff.

v. Maurer, Städteverfassung. III.   34

genannte Fräuleinsteuer oder Prinzessinsteuer), z. B. in den Mark
brandenburgischen [73]) und in den schlesischen Städten [74]), dann im
Falle der Versorgung eines Prinzen, z. B. in Stendal [75]), ferner
im Falle der Gefangenschaft des Landesherrn zu dessen Auslößung
(ad redemcionem), z. B. in den Städten der Mark Brandenburg [76]), in Schöneck in der Eifel [77]) u. a. m., anderwärts in allen
Nothfällen, insbesondere im Falle der Kriegsnoth, z. B. in Höxter [78]).
In den meisten Städten aber, wenn sie nämlich in einem Territorium lagen, in welchem die Ritterschaft, die Prälaten und die
Städte sich zu einem gemeinsamen Widerstand vereiniget hatten,
führten jene Kämpfe zur Bildung von Landständen, ohne deren
Zustimmung sodann keine neue Steuer mehr erhoben werden
durfte [79]).

Die Erhebung der landesherrlichen Steuern in den Landstädten geschah meistentheils von den städtischen Behörden (§. 429),
öfters aber auch von den landesherrlichen Beamten in der Stadt.
So wurden die Gülten und Beden in Winterberg in der alten
Grafschaft Spanheim von dem landesherrlichen Schultheiß erhoben [80]).

Endlich muß noch bemerkt werden, daß auch die landesherrlichen Steuern öfters verpfändet worden sind entweder einem
anderen Landesherrn oder der Stadt selbst. So wurde die Land-
steuer in der Stadt Hadamar im Jahre 1536 von den Landgrafen
von Hessen den Grafen von Nassau verpfändet [81]). Und in Eberswalde, in Stendal, Salzwedel, Königsberg und in Schönfließ in

---

73) Urk. von 1473 bei Gercken, cod. Brand, VIII, 516 ff. Lang, histor.
　　Entwickelung der Steuerverfassung, p. 189. Urk. von 1281 bei Gercken,
　　vet march. I, 26.
74) Tzschoppe und Stenzel, p. 49.
75) Urk. von 1282 bei Lenz, I, 109.
76) Urk. von 1282 bei Lenz, I, 108. Urk. von 1281 bei Gercken, vet.
　　march. I, 22—24. vergl. Meine Gesch. der Fronh. III, 541 ff.
77) Grimm, II, 561—562.
78) Sühnebrief von 1332 bei Wigand, Gesch. von Korvei, I, 336
79) Meine Gesch. der Fronh. III, 545 ff.
80) Stadtrecht von 1331 bei Walch, VI, 256.
81) von Ulmenstein, II, 20 u. 21.

der Mark Brandenburg ward die Orbete dem Stadtrath verpfändet [82]). Auch wurde die landesherrliche Steuer öfters von den
Landesherrn selbst ihren Städten für eine kürzere oder längere Zeit
oder auch für immer erlassen und deren Erhebung der Stadt
selbst überlassen, z. B. den Städten Landsberg [83]) und Rain von
den Herzogen von Baiern [84]).

4) Andere fiskalische Rechte und Einkünfte.

§. 521.

Mit den Rechten der öffentlichen Gewalt wurde auch das
Münzrecht und das Zollrecht auf die Landesherrn übertragen,
und nicht bloß die bereits schon bestehenden Münzen und Zölle,
sondern auch das Recht neue Münzen und neue Zölle in ihren
Landstädten anlegen zu dürfen, z. B. in München, Eichstädt, Stade
u. a. m. (§. 76). Als daher die Erzbischöfe von Köln im Jahre
1243 Bonn zur Stadt erhoben, vorbehielten sie sich ausdrücklich
die Erhebung des Zolles in der Stadt [1]). In München erhoben
die Herzoge im 15. Jahrhundert neben dem städtischen, also der
Stadt gehörigen Zoll, noch einen landesherrlichen Zoll an den
Stadtthoren [2]). Neue landesherrliche Zölle sollten übrigens nur
mit Zustimmung der Stadtbürger oder des Stadtraths angelegt
werden, z. B. in Freiburg im Uechtlande [3]), in Burgdorf [4]), in
Winterberg in der Grafschaft Spanheim [5]) u. a. m. Und noch
im Jahre 1400 ließen sich die Städte der Mittelmark von dem
Markgrafen von Brandenburg versprechen, daß sie ohne ihre Zu-
stimmung mit keinen neuen Zöllen belastet werden sollten [6]). Ein
Versprechen, das, weil es nicht gehalten worden ist, bekanntlich zu

---

82) Landbuch, p. 28, 30 u. 31.
83) Urk. von 1315 u. 1353 bei Lori, p. 54 u. 63.
84) Urk. von 1300, 1359, 1403 u. 1416 bei Lori, p. 64, 93 u. 100.
1) Urk. von 1243 bei Lacomblet, II, 148.
2) Bairische Annalen von 1833, p. 826.
3) Handfeste von 1249, §. 8.
4) Handfeste von 1316, §. 17 bei Gaupp, II, 84 u. 121.
5) Stadtrecht von 1331 bei Walch, VI, 258.
6) Urk. von 1400 bei Gercken, cod. Brand. VI, 583.

Aufständen geführt hat (§. 79). Zur Erhebung der landesherrlichen Zölle wurden meistentheils eigene landesherrliche Zöllner in den Landstädten angestellt, z. B. in Freiburg im Breisgau [7] u. a. m. Mit dem Rechte neue Zölle anzulegen erhielten die Landesherrn auch das Recht Zollfreiheiten zu ertheilen. Und sie benutzten dieses Recht, um den Handel ihrer Landstädte zu heben und freie Kaufleute zur Ansiedelung in ihren Landstädten, oder wenigstens zum Besuche der Märkte und Messen anzuziehen (§. 79). Uebrigens wurden öfters auch die landesherrlichen Zölle, die Gerichtsgefälle und das Münzrecht von den Landstädten, zuweilen sogar von einzelnen Bürgern erworben. So wurde unter Anderen der Zoll an dem Lechthore zu Landsberg [8] und das Münzrecht in Schongau von den Herzogen von Baiern jenen Städten übertragen [9]. Der Stadt Göttingen wurde die Münze im Laufe des 14. Jahrhunderts mehrmals verpfändet und wieder= käuflich überlassen [10]. Der Stadt Braunschweig wurde das Münz= recht verpfändet [11], und die Stadtzölle, Vogteigelder und anderen fiskalischen Einkünfte wurden öfters an einzelne Bürger veräußert [12]. Und die Markgrafen von Brandenburg verkauften ihren Straßen= zoll und den Floßzoll an die Städte Brandenburg, Berlin und Köln [13].

Auch das Recht Märkte anzulegen und das Recht die Gerichtsgefälle und die übrigen fiskalischen Einkünfte auf eigene Rechnung zu erheben ist, wie in den Bischofsstädten, mit der öffentlichen Gewalt auf die Landesherrn übergegangen (§. 75 und 502). Durch den Erwerb aller dieser nutzbaren Rechte wurden daher die Landstädte eine wahre Finanzquelle und ver=

---

7) Stadtrodel, §. 11 u. 12 bei Gaupp, II, 20.

8) Urk. von 1315 bei Lori, p. 54. — „das Umbgelt der Statt zue „Landsperg und den Wagenpfennig, den man nimbt an dem „Lechtor" —.

9) Urk. von 1331 bei Lori, p. 49.

10) Havemann, I, 625.

11) Urk. von 1345, 1348, 1357 u. 1360 in Braunschweig. Urkb. I, 42 ff.

12) Kronik der niedersächs. Städte, I, p. XXXIII. u. p. 56, 229 u. 277.

13) Urk. von 1298 bei Fidicin, I, 53. Urk. von 1424 bei Zimmermann, I, 296. Not. 121.

bunden mit ihrer Wehrkraft eine Hauptstütze für die Landesherrn und für die sich mehr und mehr ausbildende Landeshoheit (§. 18, 128 u. 167).

5) Huldigung.

§. 522.

Wie in den Bischofsstädten dem Bischof und in den Abteistädten dem Abte, so mußte in den Landstädten dem Landesherrn gehuldiget, ihm die sogenannte Erbhuldigung (Erbhuldunge, Erbhuldinge oder Erfhuldhinghe) geleistet werden, z. B. in Berlin [1]), in Salzwedel [2]) und in den übrigen Städten der Mark dem Markgrafen von Brandenburg [3]), in Höxter dem Abte von Korvei [4]), in Freiburg im Breisgau dem Erzherzog von Oesterreich [5]), in Bonn dem Erzbischof von Köln [6]), in Braunschweig dem neuen Landesherrn [7]), in Hildesheim dem Dompropst [8]), in München den Herzogen von Baiern [9]), in Brakel dem Bischof von Paderborn, in Soest dem Erzbischof von Köln u. s. w. Wenn daher eine Stadt mehrere Herren hatte, so mußte sie einem jeden huldigen. So in Brakel außer dem Grundherren (den Rittern von Brakel) auch noch dem Landesherrn (dem Bischof von Paderborn) (§. 168 u. 459). In Breden mußte dem Erzbischof von Köln und dem Bischof von Münster gehuldiget werden, indem die Stadt zur Hälfte dem Erzbischof und zur anderen Hälfte dem Bischof gehört hat [10]). In Höxter außer dem Abte von Korvei (dem Landesherrn) auch noch dem Herzog von Braunschweig, weil dieser der Stadt Schirmvogt war [11]).

---

1) Urk. von 1415 u. 1440 bei Fidicin, I, 252.
2) Urk. von 1352 bei Lenz, I, 303 ff.
3) Urk. von 1321 bei Fidicin, II, 21.
4) Urk. von 1359 bei Wigand, Gesch. von Korvei, I, 335. Urk aus 14. sec. bei Wigand, denkwürdige Beitr. p. 161.
5) Verfassungs Urkunde von 1368 bei Schreiber, I, 545.
6) Urk. von 1350 bei Lacomblet, Archiv, II, 314.
7) Havemann, I, 618.
8) Havemann, I, 622.
9) Urk. von 1395, 1399 u. 1403 in Mon. Boic. 35, II, p. 193, 217 u. 243.
10) Urk. von 1252 bei Niesert, I, 2, p. 502.
11) Wigand, I, 317.

Indeſſen huldigten auch die Landſtädte ihrem Landes= und Schirmherrn nur dann, wenn ihnen von dieſen die ſtädtiſchen Frei= heiten und Privilegien zugeſagt und beſtätiget worden waren. So geſchah es in Soeſt[12]), in Bonn[13]), in Berlin[14]), in Salzwedel[15]), in München während den Unruhen im Jahre 1398[16]), in Braun= ſchweig[17]), in Brakel (§. 168) u. a. m. Die Art wie die herge= brachten Freiheiten beſtätiget zu werden pflegten war ſehr verſchie= den. Meiſtentheils mußte ein ſchriftlicher Revers von dem Landes= herrn ausgeſtellt und dieſer der Bürgerſchaft vorgeleſen werden, z. B. in Berlin[18]). In Braunſchweig mußte ein ſogenannter Hulde= brief ausgefertiget, und darin die Rechte und Freiheiten der Stadt aufgezählt werden[19]). Zuweilen erfolgte die Beſtätigung auch mittelſt Handſchlags (Hanttaſtynge), z. B. in der Stadt Bocholb. Daſelbſt mußte der Biſchof von Münſter bei der Huldigung (Hul= dynge) den beiden Bürgermeiſtern mittelſt Handſchlags geloben die alten Gewohnheiten und Privilegien der Stadt halten zu wollen („inb hie bede webberom Hanttaſtynge an handen der Borger= „meiſteren, inb lavede be Stadt Bocholt tholden by oeren rechten „privilegien unb olben gewonten“)[20]). In Lüneburg mußte der Herzog in den Jahren 1517 und 1611 die Hand auf die Bruſt legen und den Satebrief Bernhards und Heinrichs beſchwören[21]). Wenn nun aber ein Landesherr ſein Verſprechen nicht hielt und dennoch gegen die Freiheiten und Privilegien einer Stadt handelte,

---

12) Aube Schrae, c. 1 bei Seibertz, III, 388 und bei Emminghaus, p. 138.
13) Urk. von 1350 bei Lacomblet, Archiv, II, 314.
14) Urk. von 1440 bei Fidicin, I. 253.
15) Urk. von 1352 bei Lenz, I, 303 ff. Verhandlungen von 1485 bei Zimmermann, II, 242.
16) Katzmair in oberbair. Archiv, VIII, 27. Nr. 80.
17) Ordinarius senat. Brunsv. von 1408 §. 48 bei Leibnitz, III, 461.
18) Urk. von 1440 bei Fidicin, I, 253.
19) Ordinarius cit. §. 48. Huldebriefe von 1318, 1323, 1345, 1361. 1367 u. a. m. im Braunſchw. Urkb. I, 30, 32, 37 u. ſ. w. Hulde= brief von 1569 bei Rehtmeier, p. 1000—2.
20) Urk. von 1523 bei Wigand, Archiv, III, 53.
21) Havemann, II, 542 f. u. 551 f.

so durften sich sodann die Bürger, wie in den alten großen Mar=
ken [22]), von ihm lossagen und sich einen anderen Landesherrn
wählen. Daher waren die Städte Stendal, Tangermünde und
Osterburg in der Mark Brandenburg [23]) und auch Berlin und Köln
berechtiget sich einen anderen Landesherrn zu wählen, wenn die
Markgrafen ihr gegebenes Versprechen nicht hielten [24]). Eben so
durften nach dem Satebriefe von 1392 die braunschweig=lüneburgi=
schen Städte im Falle der Rechtsverletzung einem fremden Landes=
herrn huldigen [25]). Und auch in Baiern hatten die Stände, also
auch die Städte, in einem solchen Falle das Recht Gewalt mit
Gewalt zu vertreiben oder sich an einen anderen Herrn zu
halten [26]). Dasselbe Recht hatten die Bürger von Soest. Und
im Jahre 1444 machten sie auch von diesem Rechte Gebrauch. Als
nämlich der Erzbischof Dieterich von Moers die Privilegien der
Stadt verletzt und ungewohnte Abgaben erhoben hatte, alle güt=
lichen Vorstellungen aber fruchtlos geblieben waren, verweigerten
die Bürger Treue und Gehorsam, wählten den Herzog von Cleve
zu ihrem Schutzherren und zu ihrem rechten Landes Erbherrn.
Es wurde über diese Unterwerfung im Jahre 1444 ein merkwür=
diger Vertrag abgefaßt, nach welchem die hergebrachten Rechte und
Freiheiten der Stadt bestätiget worden sind. Und alle nachfolgen=
den Landesherrn mußten diesen Vertrag und die hergebrachte Ver=
fassung der Stadt bestätigen. So kam Soest an das Herzogthum
Cleve und mit diesem späterhin an die Krone Preußen. Und auch
die Könige von Preußen bestätigten bei ihrem Regierungsantritt
die hergebrachten Freiheiten von Soest, Friedrich der Große im
Jahre 1741 und Friedrich Wilhelm III zuletzt noch im Jahre
1798 [27]).

---

22). Meine Gesch. der Markenverfassung, p. 154, 336 u. 390.

23) Urk. von 1282 bei Lenz, I, 109 u. 110. vergl. oben §. 516.

24) Urk. von 1348 bei Fidicin, III, 222 f. — „in so fern er ihnen dieses
„Versprechen nicht halten würde, sich mit den übrigen Städten einen
„anderen Landesherrn zu wählen."

25) Andreae, Chron. von Hannover, p. 61. vergl. jedoch die Huldigungs=
ordnung von 1345 im Braunschweig. Urkb. I, 38 ss. und Hänselmann
in Kronik. der niederf. Städte, I, p. XXXIV u. XXXV.

26) Meine Gesch. der Fronh. III, 546.

27) Die Verträge von 1444, 1481 u. 1522 mit den späteren Reversen und

Auch die Art der Huldigung war verschieden in den verschie=
denen Landstädten. Meistentheils pflegte dem neuen Landesherrn,
wenn er zum ersten Mal in die Stadt kam, von dem Rath und
der Bürgerschaft gehuldiget zu werden. Der Landesherr mußte
feierlich empfangen und ihm sodann, nachdem er die Freiheiten und
Privilegien der Stadt bestätiget hatte, gehuldiget und ihm öfters
auch noch ein Ehrengeschenk gemacht werden. So war es ursprüng=
lich in Soest [28]). In Coesfeld pflegte der neue Fürstbischof, nach=
dem er in der Stadt Münster die Huldigung empfangen, zu dem
Ende nach Coesfeld zu kommen. Er wurde daselbst feierlich em=
pfangen, nicht bloß von dem Stadtrath und der Bürgerschaft, son=
dern auch noch von der gesammten Geistlichkeit, und auch im 15.
Jahrhundert schon von der S ch ul j u g e nd. Die Huldigung selbst
erfolgte auf dem Marktplatze, nachdem der neue Landesherr die
Freiheiten und Rechte der Stadt bestätiget hatte [29]). Und in den
Städten der Mark Brandenburg erschienen die Bürgerschaften in
ihrer k r i e g e r i s ch e n R ü s t u n g als wenn es gegen den Feind
ging, in manchen märkischen Städten sogar noch im 17. Jahr=
hundert [30]).

5. Die Städte erwerben die öffentliche Gewalt.

§. 523.

Der freie Verkehr hat frühe schon, wie wir gesehen, zur Im=
munität von den Gau= und Landgerichten und zur Errichtung

Bestätigungs Urkunden bei Emminghaus, p. 21—98. und die Bestäti=
gungs=Urkunde von 1798 bei Geck, Beschr. von Soest, p. 105, 403 u.
404.

28) Aude Schrae, c. 1. „So wanne eyn Erßebißchop to Colne ghe korn
„vnde gestedighet is. wan he darna eyrst kumet in de stat van Sust.
„so sal man ene erliken vntfan. vnde he sal der stat bekennen. alle de
„Recht. de de stat van allen sinen vore varen behalden henet. Also he
„dat henet ghedan. so sol eme de Rayt hulden. vnd gheuen eme to
„wilfome hundert marc also ghedanes gheildes. also to Sust ghenge
„vnde gheue is. unde dar to twelf ame wines."

29) Sökeland, p. 43, 54, 55 u. 64.

30) Zimmermann, I, 325.

eigener Stadtgerichte geführt (§. 471). Durch die Immunität
allein wurde aber die öffentliche Gewalt noch nicht von den Städten
erworben. Die neu errichteten Stadtgerichte waren vielmehr
ihrem Grundcharakter nach sammt und sonders öffentliche Ge=
richte. Denn auch in jenen Städten, in welchen der Inhaber der
öffentlichen Gewalt einen grundherrlichen Beamten hatte und nun
diesem die öffentliche Gerichtsbarkeit ganz oder wenigstens theilweise
übertrug, waren die neu errichteten Stadtgerichte, eben wegen dieser
Uebertragung der öffentlichen Gerichtsbarkeit, ihrer Wesenheit nach
öffentliche Gerichte. Und sie blieben dieses auch späterhin noch bis
die Finanznoth und andere drängende Umstände die Kaiser und die
Landesherrn zur Veräußerung der öffentlichen Gerichtsbarkeit und
der übrigen Rechte der öffentlichen Gewalt genöthiget haben.

In den Königsstädten oder Reichsstädten waren dem=
nach sämmtliche Stadtrichter, die Stadt= und Burggrafen und
Stadtvögte eben sowohl wie die Reichsschultheiße und Ammanne,
Königliche von dem König ernannte Beamte. Erst die Ver=
äußerung der Reichsämter und der übrigen Rechte der öffentlichen
Gewalt an die Städte brachte die öffentliche Gewalt in die Hände
jener Städte selbst. Durch Verkauf oder Verpfändung oder Be=
lehnung kamen nämlich zuletzt sämmtliche Reichsämter in die Hände
der Reichsstädte, durch Verkauf z. B. in Nürnberg, Frankfurt,
Magdeburg, Nordhausen, Eßlingen, Kaufbeuern, vielleicht auch in
Lübeck, Dortmund, Bern, Kempten, Ueberlingen u. a. m., durch
Verpfändung aber oder auch durch Einlößung der an andere
verpfändeten Reichsämter, z. B. in Ulm, Ueberlingen, Lindau, Mem=
mingen, Nördlingen, Hailbronn, Landau, Regensburg u. a. m.,
endlich durch Belehnung z. B. in Dortmund, Nürnberg u. a. m.
(§. 474, 477, 478 u. 479). Auf diese Weise wurden denn jene
Aemter patrimonial in den Händen der Reichsstädte. Und wie
andere Gerichtsherren, so durften nun auch sie die richterlichen Be=
amten ernennen (§. 477). Oefters wurde nun einer der Schöffen,
gewöhnlich der älteste Schöffe, z. B. in Frankfurt[1]), oder ein
Mitglied des Rathes, z. B. in Nürnberg[2]), oder ein bloßer Amts=

1) Lersner, I, 267.
2) Stromer, Gesch. des Reichsschultheißenamtes zu Nürnberg, p. 98 ff.

verweser auf kürzere oder längere Zeit mit der Führung des
Schultheißenamtes beauftragt, z. B. in Nürnberg [3]). Meistentheils
wurden jedoch auch die richterlichen Aemter definitiv von den Städten
besetzt.　Und dann erhielten auch die richterlichen Beamten Be=
stallungsbriefe oder es mußten auch die richterlichen Beamten Dienst=
reverse ausstellen, in welchen ihre Rechte und Verbindlichkeiten auf=
gezählt waren.　Und es dienten sodann diese Dienstreverse zu glei=
cher Zeit als Bestallungsbriefe.　Solche Dienstreverse und Be=
stallungsbriefe der Reichsschultheiße findet man in Frankfurt [4]), in
Nürnberg u. a. m. [5]).　Und der Amtseid mußte nun dem Stadt=
rath oder der Gemeinde geleistet werden, z. B. in Nürnberg [6]).
Dem König blieb demnach nur noch das Recht der Bestätigung
der von den Städten getroffenen Wahl, oder eine Amtsinvestitur
und die Belehnung mit dem Amte, z. B. in Bern, in Ulm und in
Nürnberg.　In Regensburg und in der Vorstadt Stadtamhof
hatten die Deutschen Könige auch dieses Recht nicht mehr.　Denn
die Herzoge von Baiern hatten daselbst den Bann zu verleihen
(§. 477—479). Allein nicht bloß die Reichsämter, auch die übrigen
in der öffentlichen Gewalt liegenden Rechte und die Freiheit von
dem Reichsdienste wurden von den Reichsstädten erworben (§. 480
u. 481). Mit der öffentlichen Gewalt ging nun aber die Landes=
hoheit in den Reichsstädten mehr oder weniger vollständig auf jene
Städte über, und es mußte daher nun auch diesem neuen Inhaber
der öffentlichen Gewalt gehuldigt werden, was an den sogenannten
Schwörtagen zu geschehen pflegte (§. 435).　Die Abhängigkeit der
Reichsstädte von dem Deutschen König und von dem Reiche war
demnach nicht mehr sehr groß.　Denn es blieb dem König nichts
weiter mehr übrig als eine Oberaufsicht über die Stadt, welche
durch Königliche Kommissare ausgeübt zu werden pflegte, dann
das Recht der Bannverleihung und der Einsetzung der von der
Stadt ernannten Beamten in ihr Amt, sodann das Recht die stän=

---

3) Stromer, p. 97.

4) Dienstrevers von 1376 bei Böhmer, p. 747.

5) Bestallungsbriefe von 1458, 1497 u. 1561 bei Stromer, p. 93 u. 108
—119. vergl. oben §. 453 u 518.

6) Eine Eidesformel des Reichsschultheiß bei Stromer, p. 107—108.

bige Reichssteuer, wenn sie nicht veräußert oder erlassen worden
war, in den gemeinen Reichsstädten zu erheben, ferner das Recht
die nicht veräußerten Zölle und Münzen selbst zu erheben und zu
nutzen, endlich ein Recht auf die Huldigung (§. 463, 464, 480,
481 u. 504).   Die Deutschen Könige machten zwar öfters den,
wiewohl vergeblichen Versuch ihre alten in den Reichsstädten ver-
lornen Rechte wieder zu erwerben.   So versuchten sie z. B. in
Frankfurt a. M. im 17. Jahrhundert das Recht den Reichsschultheiß zu ernennen wieder dadurch an sich zu bringen, daß sie
zwar keinen Schultheiß, statt dieses aber einen Reichsstatthalter
ernannten.   Der Versuch ist jedoch mißlungen.   Das Recht den
Schultheiß zu ernennen blieb vielmehr nach wie vor der Stadt
selbst [7]).

Die Reichsstädte befanden sich demnach in einer den Schweizer
Kantonen und den anderen freien Landgemeinden in der Schweiz
ganz ähnlichen Lage.   Wie jene, so sind auch sie aus mehr oder
weniger freien Markgemeinden hervorgegangen, und seit dem Erwerbe der öffentlichen Gewalt zur reichsunmittelbaren Freiheit
emporgestiegen.   Dann sind sie aber natürlicher Weise etwas ganz
anderes, als sie ursprünglich waren, geworden [8]).   In einer den
Königsstädten sehr ähnlichen Lage haben sich nun auch die meisten
Bischofsstädte und mehrere Abteistädte befunden.   Daher konnten
auch sie sich zu reichsunmittelbaren Städten erheben.

§. 524.

Die Bischofsstädte und die Abteistädte waren ursprünglich ebenfalls Königsstädte.   Erst seitdem die Bischöfe und die Aebte
die Rechte der öffentlichen Gewalt in jenen Städten erworben hatten, wurden sie landesherrliche Städte.   Die sehr bedeutenden Rechte,
welche den Königen in den Bischofs- und Abteistädten geblieben
waren, machte es ihnen jedoch möglich sich ebenfalls zur reichsunmittelbaren Freiheit zu erheben (§. 487—504).   Wie die Reichsstädte so suchten nämlich auch sie die Rechte der öffentlichen Gewalt

---

7) Römer-Büchner, Stadtverf. p 121—130.
8) Meine Einleitung zur Gesch. der Mark-, Dorf- 2c. Verfassung, p. 289,
   292, 302 ff. u. 322.

an sich zu bringen und sich dadurch von den Bischöfen und Aebten
(ihren Landesherrn) unabhängig zu machen. Wie die Deutschen
Könige in den Reichsstädten so veräußerten nämlich auch die Bi=
schöfe und die Aebte nach und nach fast alle ihre Rechte in
ihren Städten, nicht bloß die grundherrlichen sondern auch die
öffentlichen Rechte. Und zuletzt kamen diese Rechte auch in den
Bischofs= und in vielen Abteistädten an die Stadt selbst. So
verkauften z. B. die Bischöfe von Augsburg ihren Grundbesitz in
der Stadt an Augsburger Bürger oder sie gaben ihn denselben zu
Lehen [1]). Auch den sogenannten Nachbann, d. h. eine gewisse
Gilte, welche die Weinwirthe und die Bierwirthe dem Bischof ent=
richten mußten, verkauften sie an die Bürger [2]). Eben so den
Burgfrieden mit allem was dazu gehörte [3]) u. a. m. Dasselbe
thaten die Bischöfe von Basel [4]) u. a. m. Allein nicht bloß die
grundherrlichen Rechte, sondern auch die öffentlichen nun landes=
herrlichen Rechte wurden veräußert und kamen zuletzt in die Hände
der Stadt selbst. Wie in den Reichsstädten, so wurden nämlich
auch in den Bischofs= und Abteistädten die öffentlichen nun landes=
herrlichen Aemter, in ihnen natürlich von den Bischöfen und Aeb=
ten, veräußert theils direkt der Stadt für eine Reihe von Jahren
oder für immer verpfändet oder verkauft, theils die bereits an an=
dere verpfändeten Aemter von der Stadt eingelöst. In derselben
Weise kamen die landesherrlichen Steuern, Zölle, Münzen, Mark=
nutzungen und anderen Gefälle an die Stadt. In Augsburg z. B.
wurde die Münzgerechtigkeit im Jahre 1277 auf vier Jahre der
Stadt käuflich überlassen [5]). Im Worms kaufte im Jahre 1490
der Stadtrath die alte Münze mit der Münzgerechtigkeit für 300
Gulden [6]). In Köln wurden die landesherrlichen Rechte des Erz=
bischofs, nicht bloß die landesherrlichen Steuern und Abgaben,
sondern auch die militärischen Rechte, nach und nach beschränkt

---

1) von Stetten, Gesch. der Geschlechter, p. 17.
2) Urk. von 1375 bei von Stetten, p. 17 u. 395.
3) Urk. von 1448 bei Stetten, p. 17, 403 u. 404.
4) Heusler, p. 333 ff.
5) von Stetten, Gesch. von Augsburg, I, 78.
6) Zorn, Chron. p. 196 u. 198. Not.

und großentheils von der Stadt selbst erworben⁷). Und wie in
den Reichsstädten so mußten nun auch in den Bischofs= und Abtei=
städten der Stadt selbst, das heißt der Bürgerschaft oder dem Stadt=
rath, an den Schwörtagen gehuldiget werden (§. 435, 500—503).
Den Bischöfen und Aebten blieben demnach nur noch sehr wenige,
meistentheils ganz unbedeutende und selbst nichts sagende landes=
herrliche Rechte. In manchen Städten blieb ihnen nämlich bei der
Besetzung der Aemter nur noch das Recht der Bestätigung, z. B.
in Augsburg, oder das Recht der Amtsinvestitur, z. B. in Speier,
oder das Recht der Belehnung mit dem Amte, z. B. in Magdeburg.
Sodann ein Recht auf die nicht veräußerten Steuern und Zölle
und ein Recht auf die Huldigung. Allein auch diese wenigen Rechte
haben sich in den meisten Bischofs= und Abteistädten späterhin noch
verloren, oder sie sind wenigstens bestritten und als eine leere For=
malität behandelt worden. So hat sich bei der Aemterbesetzung
in Augsburg das bischöfliche Bestätigungsrecht und das Recht der
Amtsinvestitur bereits im 15. Jahrhundert verloren⁸), und in
Speier wurde das Recht der Amtsinvestitur zu einer leeren Forma=
lität (§. 491). Von den hergebrachten landesherrlichen Steuern
und Zöllen waren in Augsburg bereits im 17. Jahrhundert nur
noch einige Zollgefälle dem Bischof geblieben⁹). Und auch die dem
Landesherrn geschuldete Huldigung ist in vielen Bischofs= und
Abteistädten seit dem 15. und 16. Jahrhundert unterblieben oder
sie wurde wenigstens bestritten, oder, wie z. B. in Köln, zu einer
leeren Form¹⁰). In Worms wurde der dem Bischof geleistete Eid
für etwas anderes als für einen Unterthaneneid erklärt. Dazu
kamen nun noch die dem Deutschen König gebliebenen sehr bedeu=
tenden Rechte in jenen Städten und die Unterstützung jener Städte
von dem König bei ihren fortwährenden Kämpfen mit ihren Lan=
desherrn. Daher konnten sich auch die meisten Bischofs= und Abtei=
städte wieder unabhängig von ihrem Landesherrn machen und sich
zu Reichsstädten, mehrere sogar zu freien Reichsstädten erheben

7) Ennen, Gesch. II, 413—421.
8) Jäger, Augsburg, p. 90. vergl. oben §. 492.
9) Jäger, Augsburg, p. 128.
10) Ennen, Gesch. II, 421.

(§. 461 ff. u. 504). Entscheidend hiebei war meistentheils das Besatzungsrecht. Wie jede andere Stadt so hatten nämlich auch die Bischofs= und Abteistädte mit der Pflicht ihre Stadt selbst zu vertheidigen das Recht eine eigene Besatzung zu haben erworben, und das Recht jede fremde Besatzung, selbst die landesherrliche Besatzung und den Landesherrn selbst, auszuschließen. Diejenigen Städte nun, welche das eigene Besatzungsrecht gegen den Bischof, ihren Landesherrn, zu behaupten vermochten, wurden reichsunmittelbare Städte, und sie haben sich sodann unter den übrigen Reichsstädten verloren. In vielen Reichsstädten, und zwar nicht bloß in den Bischofsstädten, sondern auch in einigen anderen Reichsstädten, haben sich jedoch auch in späteren Zeiten noch Spuren von ihrer früheren Abhängigkeit von einem Landesherrn erhalten. So z. B. in Aachen, wo die Herzoge von Jülich und zuletzt die Kurfürsten von der Pfalz Reichsvögte und Reichsschultheiße waren, und in Wetzlar, wo die Landgrafen von Hessen bis in die letzten Zeiten Reichsvögte waren und als solche gewisse Gerechtsame hatten (§. 473—478). Eben so in Straßburg, in Nordhausen und in Köln, wo sich auch in späteren Zeiten noch die Grafen von Hanau Lichtenberg Erbvögte zu Straßburg, die Grafen von Hohenheim Erbvögte zu Nordhausen und die Grafen von Bentheim Erbvögte zu Köln genannt und geschrieben haben[11]). Dann in Regensburg, wo die Herzoge von Baiern das Recht der Belehnung mit dem Blutbann noch bis auf unsere Tage ausgeübt haben (§. 479). Und in Ulm, wo den Grafen von Wirtemberg als ehemaligen Reichsvögten gewisse Rechte und einige Besitzungen auch in späteren Zeiten noch geblieben sind (§. 472). Eben solche historische Reminiscenzen waren die Ammanngelder, welche in Eßlingen, Reutlingen, Kaufbeuren, Memmingen, Buchorn, Weil, Donauwörth u. a. m., auch in späteren Zeiten noch an die Kaiserliche Landvogtei und an das Reich, und in Nördlingen an die Grafen von Pappenheim bezahlt werden mußten, nachdem jene Städte längst schon die Reichsämter selbst erworben hatten[12]).

---

11) Bernhard, antiquit. Wetteraviae, p 304. vergl. oben §. 478, 489 u. 490.

12) Wegelin, I, 100 u. 103. Freiheiten von Donauwörth von 1465, §. 4. bei Lori, p. 183. und oben §. 477.

§. 525.

Auch die Grafschaftsstädte waren ursprünglich Königsstädte. Erst seitdem die öffentliche Gewalt auf einen geistlichen oder weltlichen Landesherrn erb- und eigenthümlich übergegangen war, wurden sie Landstädte. (§. 466.) So wie nun die Reichsstädte und die Bischofsstädte die Finanznoth des Kaisers und des Bischofs in ihrem Interesse auszubeuten gewußt haben, so haben auch die Landstädte die finanziellen Verlegenheiten ihres Landesherrn dazu benutzt, um ihm ein Recht nach dem andern abzukaufen, oder pfand- oder lehenweise von ihm zu erwerben, oder ihm auch in einer Fehde abzutrotzen. Oefters erwarben nämlich auch die Landstädte die landesherrlichen Aemter in der Stadt, theils durch Kauf oder Verpfändung, die Städte Soest, Hörter, Coesfeld, Meppen, viele Städte in der Mark Brandenburg und in Schlesien u. a. m., insbesondere auch Hannover und Helmstedt [1]), theils durch freiwilligen Uebertrag von dem Landesherrn, z. B. Freiburg im Breisgau, Freiburg im Uechtlande, München und andere Städte in Baiern; theils auch, wiewohl seltener, durch Belehnung. So wurde in der Stadt Naumburg die Kriminalgerichtsbarkeit, welche bis zum Jahre 1679 von einem bischöflichen Richter verwaltet worden war, in diesem Jahre in Form eines Lehens auf den Stadtrath übertragen [2]). In jenen Städten nun, in welchen die landesherrlichen Aemter von dem Stadtrathe oder von der Stadt selbst erworben worden sind, wären die Städte selbst die Gerichtsherrn geworden. Daher hatten die Stadträthe oder die Stadtgemeinden selbst den Stadtrichter zu ernennen. Und es blieb sodann dem Landesherrn nur noch das Recht der Bestätigung des von der Bürgerschaft gewählten Beamten und das Recht der Einweisung in das Amt, oder die Amtsinvestitur, z. B. in Freiburg in Uechtlande und eine Zeit lang auch in Freiburg im Breisgau, in Meiningen, in München, in Braunschweig, (§. 513), in Winterthur [3]), in Aarberg [4]) u. a. m. Aber auch in

---

1) Havemann I, 628, 633 u. 637. Not.
2) Lepsius, kleine Schriften, I, 238.
3) Stadtrecht von 1264, §. 3 und von 1297 §. 3 bei Gaupp, I, 135 u. 139.
4) Handfeste von 1271 §. 1 bei Walther, Bern. Stadtr. p. 26.

vielen anderen Landstädten, in welchen die landesherrliche Gerichts=
barkeit nicht auf die Stadt übergegangen war, sollten die öffentli=
chen (die landesherrlichen) Aemter in der Stadt wenigstens gemein=
schaftlich mit der Bürgerschaft von der Landesherrschaft besetzt werden,
z. B. in Wiehe [5]), in Burgdorf [6]), in Innsbruck [7]) u. a. m.

Außer den landesherrlichen Aemtern wurden aber auch noch die
übrigen in der öffentlichen Gewalt liegenden Rechte, — die landesherr=
lichen Steuern und Zölle nebst der Freiheit von den meisten landesherr=
lichen Hof= und Kriegsdiensten, zumal Freiheit von der Verpflegung
des landesherrlichen Heeres und von den Kriegsfronen, von vielen
Landstädten erworben. Die meisten Landstädte waren demnach
ebenso unabhängig von ihrem Landesherrn, wie die Reichsstädte
vom Kaiser und Reich. Denn auch den Landesherrn war hinsicht=
lich der öffentlichen Aemter in der Stadt nur noch das Recht der
Bestätigung der von dem Stadtrath oder von der Bürgerschaft er=
nannten Beamten oder die Amtsinvestitur und die Belehnung mit
dem Blutbann, dann das Recht auf die nicht erlassenen Hof= und
anderen Dienste, auf die nicht veräußerten Steuern, Zölle und
Münzen und auf die Huldigung geblieben; in manchen Städten
sogar nichts weiter, als der Titel der Oberherrlichkeit und, als ein
schwaches Zeichen derselben, die Huldigung, z. B. in Höxter [8]).
Neue Steuern und neue Zölle durften die Landesherrn nur in
jenen Städten erheben, welche der landesherrlichen Vogtei unter=
worfen waren. Denn in den übrigen Landstädten war zu dem
Ende die Zustimmung der Bürgerschaft oder der Landstände noth=
wendig. Und wenn der Landesherr die hergebrachten Freiheiten
und Rechte nicht bestätigen wollte oder sie sogar verletzte, so durf=
ten auch die Landstädte die Huldigung verweigern und sich, wenn
sie wollten, einem anderen Landesherrn unterwerfen. (§. 508 und
522.) Die Freiheit und Unabhängigkeit der Landstädte war daher
von jener der Reichsstädte nicht sehr verschieden, der Werth der
Reichunmittelbarkeit demnach noch nicht so groß, als in späteren
Zeiten, seitdem die fester begründete Landeshoheit mehr und mehr

---

5) Statut aus 15. sec. bei Walch, III, 55.
6) Handfeste von 1316 §. 1—3. bei Gaupp II, 120.
7) Stadtrecht von 1239, §. 3 bei Gaupp, II, 254.
8) Wigand, Gesch. von Korvei I, 335.

auf die Landstädte drückte. Entscheidend hiebei war auch bei den Landstädten das Besatzungsrecht. Mit der Pflicht die Stadt selbst zu vertheidigen hatten nämlich auch die Landstädte das eigene Besatzungsrecht erworben. Auch sie duldeten daher kein fremdes Heer und keine fremde Burg mehr innerhalb der Stadtmauern, und auch keine fremde Burg in der Nähe der Stadt. Sogar die landesherrliche Burg in der Stadt wurde von der Bürgerschaft erworben oder zerstört, und dem Landesherrn selbst nur noch unter gewissen Bedingungen der Zutritt gestattet. Die freien der landesherrlichen Vogtei nicht unterworfenen Landstädte waren demnach eben so frei und ebenso unabhängig wie die freien Reichsstädte. Dieser Zustand der Dinge hatte bereits im 13. Jahrhundert begonnen. Im 14. und 15. Jahrhundert hatte die Freiheit der Landstädte und mit dieser der Wohlstand und die Blüthe jener Städte ihre höchste Höhe erreicht. Die Herrschaft in der Stadt (die Landeshoheit) war faktisch auf die Landstädte selbst übergegangen. Die freien Landstädte hatten demnach ihrem Landesherrn gegenüber etwa dieselbe Stellung, welche die Reichsstädte dem Kaiser und dem Reiche gegenüber gehabt haben. Erst seitdem das Besatzungsrecht wieder auf die Landesherrn übergegangen war, und seit dem Steigen der landesherrlichen Gewalt im 15. und im 16. Jahrhundert ward auch die Macht der Landstädte wieder gebrochen, damit aber auch der Grund gelegt zum Untergang aller städtischen Freiheit, und zur völligen Abhängigkeit der Landstädte. Ehe jedoch hievon die Rede sein kann, muß zuvor noch von den Stadtgerichten und von dem damit zusammenhängenden Stadtrechte gehandelt werden.

VIII. Stadtgerichte.

1. Sie waren öffentliche Gerichte.

§. 526.

Ursprünglich hat es in den Städten in der Regel nur herr=
schaftliche Richter (einen oder mehrere Fronhofbeamte) und in eini=
gen Städten einen Stadtmarkrichter gegeben, und nur ausnahms=
weise auch noch einen öffentlichen Richter. Hinsichtlich der öffent=
lichen Gewalt standen nämlich auch die Städte unter den Gau=
und Centgerichten oder Landgerichten. Nun pflegten zwar diese
öfters in den Städten ihren Sitz zu haben. Ihr Amtsbezirk war
jedoch nur sehr selten auf die Stadtmark beschränkt. Denn nur
ganz große Städte haben ausnahmsweise schon unter der fränki=
schen Herrschaft einen eigenen Grafen oder Centenarius oder Vi=
carius erhalten, wie dieses z. B. von Köln, Mainz, Trier und
Regensburg bekannt ist (§. 36 u. 89). Erst seit der von den
Gau= und Landgerichten erhaltenen Immunität der Städte entstand
das Bedürfniß einen eigenen öffentlichen Stadtrichter zu haben
(§. 471). Die Bildung der eigenen öffentlichen Stadtgerichte war
jedoch sehr verschieden in den freien, in den grundherrlichen und in
den gemischten Städten. In den freien Städten, insbesondere
auch in den freien Reichsstädten, waren die Stadtrichter sammt
und sonders, und in jenen freien Städten, in welchen zwei Beamte,
Einer für die hohe und ein Anderer für die niedere Gerichtsbar=
keit neben einander standen, beide Beamte öffentliche Beamte,
z. B. in Lübeck, Wismar, Mühlhausen, Dortmund, Bern, Fried=
berg u. a. m. (§. 472 u. 474). In den grundherrlichen,
insbesondere auch in den reichsgrundherrlichen Städten aber, und

in allen jenen gemischten Städten, in welchen sich ein Königs=
hof oder ein bischöflicher oder landesherrlicher Fronhof mit einem
Königlichen, bischöflichen oder landesherrlichen Schultheiß, Amtmann,
Ammann oder Burggraf befand, wurde meistentheils dem herrschaft=
lichen Beamten auch die öffentliche Gerichtsbarkeit ganz oder theil=
weise übertragen, die hohe und die niedere Gerichtsbarkeit z. B. in
Nürnberg, Goslar, Eßlingen, Kaufbeuren, Coesfeld, in Freiburg
im Breisgau, in Freiburg im Uechtlande u. a. m., nur allein die
niedere Gerichtsbarkeit (die Civilgerichtsbarkeit) aber in Frankfurt,
Aachen, Ulm, Köln, Mainz, Worms, Speier, Trier, Regensburg,
Soest, in den Städten der Mark Brandenburg und in Schlesien
u. a. m. (§. 472—474, 489—502, 510 ff.). Die Stadtgerichte
sind demnach in vielen Städten aus den öffentlichen Gerichten her=
vorgegangen, in den meisten Städten jedoch aus einer Vereinigung
der öffentlichen Gerichtsbarkeit mit der grundherrlichen. Nur in
wenigen grundherrlichen Städten wurde zur Ausübung der öffent=
lichen Gerichtsbarkeit in der Stadt ein eigener öffentlicher Beamter
neben dem bereits vorhandenen grundherrlichen ernannt, wie dieses
z. B. in Bonn geschehen ist. Als der Erzbischof Konrad jenen Ort
zu einer Stadt erhob behielt er sich nämlich die öffentliche Gerichts=
barkeit in der Stadt ausdrücklich vor[1]), und ernannte zu dem
Ende einen eigenen Stadtrichter (judex noster[2]) oder Amptmann)[3])
Sein grundherrlicher Beamter, der Meier (Meiger, der ebenfalls
officiatus, d. h. Amtmann genannt wurde) blieb neben jenem öffent=
lichen Beamten[4]), bis späterhin auch in Bonn die grundherrliche
Gerichtsbarkeit mit dem Stadtgericht vereiniget worden ist. Aus
der öffentlichen theils Königlichen theils landesherrlichen Gerichts=
barkeit sind unter Anderen hervorgegangen die Stadtgerichte in
Bremen, Lübeck, Hamburg, Regensburg, München, Straßburg,
Worms, Naumburg, Coesfeld, Münster u. a. m.; aus einer Mi=
schung der öffentlichen mit der grundherrlichen Gerichtsbarkeit da=
gegen in Augsburg, Ulm, Frankfurt, Nürnberg, Zürich, Basel,

---

1) Urk. von 1243 bei Lacomblet, II, 148.
2) Urk. von 1285 bei Lacomblet, II, 472.
3) Weisthum aus 14. sec. bei Lacomblet, Archiv, II, 318.
4) Urk. von 1325 und Weisthum aus 14. sec. bei Lacomblet, Archiv, II,
309 u. 317.

Magdeburg, Soest, Breslau, Lucern u. a. m. Einige Beispiele
werden hinreichen, um dieses Alles klar zu machen, wenn es noch
nicht klar genug sein sollte.

Ulm war ursprünglich eine Königliche Villa mit einem Pa=
latium oder Königshof. Zur Besorgung der Hofangelegenheiten
bestand daselbst ein Königliches Fronhofgericht mit einem Ammann
oder Schultheiß an seiner Spitze. Die öffentliche Gerichtsbarkeit
wurde von dem Gaugrafen gehandhabt, welcher sehr wahrscheinlich
in Ulm selbst seinen Sitz hatte [5]. Späterhin erhielt auch die
Abtei Reichenau in der Stadt und in der Umgegend von Ulm
Grundbesitz. Es bestand demnach daselbst auch ein klösterliches
Fronhofgericht zur Besorgung der Hofangelegenheiten des Abtes.
Ein Klostervogt besorgte aber die öffentliche Gerichtsbarkeit. Denn
in dem Gebiete des Klosters hatte der Gaugraf keine Gerichtsbar=
keit [6]. Es bestanden daher in Ulm zwei Fronhofgerichte und zwei
öffentliche Gerichte neben einander. Seit dem Untergang der
Gauverfassung trat ein Reichsvogt an die Stelle des Gaugrafen.
Und seitdem Ulm zu einer Stadt erhoben worden war und daher
eines eigenen öffentlichen Stadtrichters bedurfte, seitdem wurde dem
herrschaftlichen Ammann oder Schultheiß auch noch die niederi
öffentliche Gerichtsbarkeit übertragen. Das Königliche Fronhof=
gericht ward demnach nun zu gleicher Zeit ein öffentliches Stadt=
gericht. Die Abtei Reichenau konnte ihre Vogtei in Ulm nicht
behaupten. Die Vogtei hat sich bereits im 13. Jahrhundert wieder
verloren. Daher standen sodann auch die Hintersassen der Abtei
Reichenau unter dem Reichsvogt von Ulm [7]. Und seit der Ab=
schaffung der Hörigkeit hat sich auch das reichenauische Fronhofge=
richt noch verloren. Es blieben demnach nur noch das Gericht des
Vogtes und des Schultheiß, und seitdem die Vogtei nicht mehr be=
setzt wurde, nur noch ein einziges Stadtgericht übrig, dessen einziger
Vorstand nun der Schultheiß war (§. 472).

In Basel gehörte die Grundherrschaft in einem großen
Theile der Altstadt, vielleicht in der ganzen Altstadt, dem Bischof.

---

5) vergl. Jäger, Ulm, p. 27, 28, 40 u. 52.
6) vergl. Jäger, p. 36—38 u. 40.
7) Jäger, p. 109 u. 110.

Er ließ die grundherrliche Gerichtsbarkeit daselbst durch einen Villicus besorgen, welcher später Schultheiß genannt worden ist. In
den Vorstädten St. Alban und Kleinbasel gehörte die Grundherrschaft dem Stifte St. Alban, welches die grundherrlichen Angelegenheiten in der Vorstadt St. Alban durch einen Schultheiß, und
in Kleinbasel durch einen Villicus besorgen ließ. Die öffentliche
Gewalt in der ganzen Stadt, in der Altstadt sowohl wie in den
Vorstädten, gehörte ursprünglich (seit dem 11. Jahrhundert) dem
Bischof, und er ließ den Blutbann durch seinen Vogt, den späteren
Reichsvogt, in der Vorstadt St. Alban aber durch einen eigenen
Beamten ausüben. Mit der niederen öffentlichen Gerichtsbarkeit
(mit der Civilgerichtsbarkeit) beauftragte er aber in der Altstadt
seinen herrschaftlichen Schultheiß und in der Vorstadt St. Alban
den herrschaftlichen Schultheiß des Stiftes St. Alban. Denn der
Bischof hatte sich daselbst bei der Stiftung jenes Klosters nur den
Blutbann vorbehalten, und daher auch nur für diesen einen eigenen
Beamten in jener Vorstadt. In Kleinbasel ernannte der Bischof
zur Ausübung der niederen öffentlichen Gerichtsbarkeit einen eigenen Schultheiß. Späterhin wurden diese Aemter, wie wir gesehen,
mehrmals verpfändet. Sie kamen aber bereits im 14. Jahrhundert
sammt und sonders, die Vogtei ebensowohl wie die drei Schultheißenämter, an die Stadt. Und es wurden sodann zwei Schultheißengerichte für die Stadt, ein Gericht diesseits und eines jenseits des
Rheins, errichtet, und beide Gerichte mit ständigen Beisitzern besetzt. Sie hatten jedoch nur die Civilgerichtsbarkeit. Denn der
eigentliche Strafrichter blieb nach wie vor, auch nachdem er städtischer Beamter geworden war, der Vogt. Da jedoch die Strafgerichtsbarkeit bereits seit dem 13. Jahrhundert an den Stadtrath
gekommen war, so blieb dem Vogt nichts weiter mehr als der Vorsitz bei den Blutgerichten und der Vollzug des von dem Stadtrath
gefundenen Urtheils [8]). Seine selbständige Gerichtsbarkeit wurde
aber beschränkt auf die geringeren Frevel und Vergehen [9]). Und
so vegetirte denn der Vogt fort bis ins 17. Jahrhundert. Denn
erst im Jahre 1672 wurde die Stelle ganz abgeschafft und das

---

8) Urk. von 1366 bei Ochs, II, 355.
9) Gerichtsordnung aus 14. sec. bei Ochs, II, 371.

Amt des Vogtes dem Schultheiß übertragen (§. 120, 200, 484 u. 492).

Auch die Stadtgerichte in Straßburg, Speier, Worms, Mainz, Frankfurt, Nürnberg, Regensburg, Magdeburg, Bremen, Soest, Münster, München, Würzburg u. a. m. sind, wie wir gesehen, entweder aus der öffentlichen Gerichtsbarkeit, oder aus der grund= herrlichen jedoch mit der öffentlichen vereinigten Gerichtsbar= keit hervorgegangen. Das Letztere ist insbesondere auch in Augsburg und in Lucern der Fall gewesen. In Augsburg ist das Stadtgericht aus dem Burggrafengericht hervorgegangen, also aus einem ursprünglich herrschaftlichen Gerichte, mit welchem jedoch die niedere öffentliche Gerichtsbarkeit verbunden worden war. Nachdem aber im 16. Jahrhundert dem Burggrafen selbst der Zu= tritt zu dem Stadtgerichte untersagt worden war, wurde dem Stadt= gerichte ein eigener Oberrichter vorgesetzt [10]). In Lucern war der Ammann oder minister, der öfters auch Schultheiß und Meier genannt wird, ursprünglich der grundherrliche Beamte in der Stadt, wie dieses bereits Segesser sehr richtig bemerkt hat [11]). Allein späterhin ist ihm auch noch ein Theil der öffentlichen Gerichtsbar= keit übertragen worden [12]), so daß Kopp mit vollem Rechte sagen konnte, daß der Ammann mit dem Meieramte auch noch eine höhere Stellung vereiniget habe [13]), das heißt wohl, daß ihm zu der grundherrlichen auch noch ein Theil der öffentlichen Gerichts= barkeit übertragen worden sei. Denn die Urkunde von 1282 spricht keineswegs, wie Segesser behauptet, von einem einfachen Streite zwischen freien Leuten mit Gotteshausleuten, bei welchem die strei= tenden Theile freie Wahl zwischen dem Landgerichte und dem herr= schaftlichen Hofgerichte gehabt haben. Sie spricht vielmehr von dem Landfrieden. Die Angelegenheiten des Landfriedens haben aber niemals vor die grundherrlichen Hofgerichte gehört. Da nun der Stadtammann nach jener Urkunde dennoch kompetent sein sollte,

---

10) Jäger, Augsburg, p. 110. vergl. oben §. 492.

11) Segesser im Geschichtsfreund, I, 279, und Rechtsgeschichte von Lucern, I, 85 u. 86.

12) Urk. von 1282 bei Kopp, Urkunden, p. 26.

13) Kopp, Urkunden, p 150. und Gesch. der eidgenöss. Bünde, II, 1, p. 172 u. 183. Not. 1.

so muß ihm nothwendiger Weise außer der grundherrlichen auch öffentliche Gerichtsbarkeit zugestanden haben. Auch hätte, einen einfachen Streit zwischen Freien und Hörigen angenommen, gar keine Alternative zwischen einem grundherrlichen und öffentlichen Gerichte entstehen können, indem bekanntlich die Hörigen hinsichtlich des öffentlichen Rechtes wohl vor den öffentlichen Gerichten belangt werden konnten, in keinem Falle aber durften umgekehrt auch die freien Leute vor ein grundherrliches Gericht gezogen werden. Wie in vielen anderen Städten, so ist vielmehr auch in Lucern das Stadtgericht aus einer Mischung der öffentlichen mit der grund= herrlichen Gerichtsbarkeit hervorgegangen.

Die Stadtgerichte sind demnach sammt und sonders entweder aus der öffentlichen Gerichtsbarkeit oder aus einer Vereinigung der öffentlichen mit der grundherrlichen Gerichtsbarkeit hervorgegangen. Sie waren im einen wie in dem anderen Falle, eben wegen dieser Vereinigung der öffentlichen Gerichtsbarkeit mit der grundherrlichen, ihrer Wesenheit nach öffentliche Gerichte, entweder Königliche oder landesherrliche Gerichte (§. 509). Sie wurden daher wie andere öffentliche Gerichte unter Königsbann gehegt, z. B. in Magdeburg das Burggrafengericht ebensowohl wie das Schultheißen= gericht [14]). Eben so das Vogteigericht des Vogtes oder Gografen zu Herfort [15]). Und sie blieben auch dann noch wesentlich öffent= liche Gerichte, seitdem die Reichsstädte und viele Landstädte die öffentliche Gerichtsbarkeit käuflich oder pfandweise an sich gebracht hatten. Denn wiewohl dieselben in den Händen der Städte patri= monial geworden sind, so wurden sie doch nicht pratrimonialer, als die landesherrlichen Gerichte auch, welche im Laufe der Zeit, wie dieses ein anderes Mal in einer Geschichte der öffentlichen Ge= walt nachgewiesen werden soll, sammt und sonders ebenfalls herr= schaftliche Gerichte geworden sind.

---

14) Magdeburg. Schöppen Chron. ad an. 1292 bei Haltaus, p 107. — „so man unter königesban in des Greven vnd Schulteissen Gerichte „gebe" —.
15) Altes Schöffenbuch bei Meinders, de judic. centenar. p. 274. „Wan „de Gogreve wil sitten mit den Schepenen echte Vogettingh — dat „men sehe, dat hier Konniges=Bann iß, unde dat man hier mag „richten — unter Könniges Banne." vergl. oben §. 510.

2. Alle in der Stadt angesessenen Leute standen unter den
Stadtgerichten.

§. 527.

Die Stadtgerichte waren, wie wir gesehen, öffentliche Gerichte. Daher standen auch alle in der Stadt angesessenen Leute unter ihnen, die Vollfreien ebensowohl wie die freien und hörigen Hinter=saffen und die bloßen Schutzverwandten. Ein Grundsatz, welcher bereits schon im alten Stadtrecht von Straßburg u. a. m. klar und deutlich ausgesprochen worden ist (§. 122). Die Stadtgerichte sind nämlich für die Stadt und Stadtmark an die Stelle der alten Gau= und Centgerichte und der späteren Landgerichte getreten. Alle in der Stadt und in der Stadtmark angesessenen Leute, welche früher unter den Gau=, Cent= oder Landgerichten gestanden haben, standen daher nun unter den Stadtgerichten. Dies gilt von den vollfreien Leuten, den Edelleuten und Rittern ebensowohl wie von den Mi=nisterialen, den freien und hörigen Hinterfaffen und von allen schutzhörigen Leuten. Sie standen jedoch auch unter den Stadt=gerichten nicht weiter, als sie vorher unter den Gau=, Cent= und Landgerichten gestanden hatten. Sie standen demnach nur hinsicht=lich der öffentlichen Gerichtsbarkeit und so weit diese reichte, unter ihnen, nicht aber hinsichtlich ihres besonderen Dienst= oder Schutz=verhältnisses oder hinsichtlich ihres Hörigkeits= oder grundherrlichen Verbandes. Denn in dieser Beziehung hatten sie auch früher nicht unter den Gau=, Cent= und Landgerichten, vielmehr unter ihren Dienstmannen=, Fronhof= und anderen besonderen nicht öffentlichen Gerichten gestanden. Daher standen unter der so eben gemachten Beschränkung alle in der Stadt angesessenen Leute, gleichviel von welchem Stande und von welcher Nationalität sie waren, unter dem Stadtgerichte, z. B. in Salzwedel [1]), in Glogau [2]) u. a. m.

---

1) Urk. von 1247 bei Lenz, I, 43. und bei Beckmann, Beschr. der Mark Brandenburg, V. 1. 3. p. 96. — ut quicunque ad ipsam novam civitatem confluxerint, rustici teutonici sive sclavi sub nobis seu sub quocunque manentes, coram judice civitatis astent judicio —.

2) Weisthum von 1302, §. 1. bei T. u. St. p. 444.

Eben fo in Straßburg ³), in Lüneburg ⁴), in Augsburg ⁵), in Ueberlingen ⁵ᵃ) u. a. m. Dies gilt insbefonbere auch von ben vollfreien Leuten, von ben Edelleuten und Rittern, bann von ben Minifterialen und Dienftmannen, von ben freien und hörigen Zins= leuten, Vogtleuten und anderen Hinterfaffen und Schutzverwanbten, z. B. von ben Juben. Unter bem Stabtgerichte ftanben baher bie Edelleute in Amberg hinfichtlich ihrer binglichen Klagen ⁶). Eben fo bie Ritter und rittermäßigen Leute, bie Lehenmanne und ihre Dienerfchaft, bie Brobeffen (Brotezzen) in Görlitz hinfichtlich ihrer in ber Stadt begangenen Verbrechen ⁷). Die ebelen und unebelen Bürger in Meran hinfichtlich ber in ber Stadt begangenen Ver= brechen ⁸). Die Ritter und Ritters Söhne („Ritter abir Ritteres „Sune"), ihre Dienerfchaft (ir Gefinde), bie Lanbleute und bie Juben in Breslau und Glogau wegen ihrer in ber Stabt begange=

---

3) Stabtrecht, c. 10 bei Grandidier, II, 46. „Der Schultheiße ber rihte „umb biupftal, umb frevele, umb geltfchulb u b e r a l l e bie b u r g e r e „bire Stete, und uber alle bie har in koment" — vergl. cap. 39.

4) Urk. von 1365 in Orig. Guelf. IV, praef. p. 32.

5) Stabtrecht bei Freyberg, p. 84 u. 85. „Eʒ fol ein vogt — rihten „hinz allen burgern — er fi pfaffe, dienftman, ritter ober kneht" —. Walch, IV, 231.

5a) Mone, XXII, 25.

6) Urk. von 1294 bei Löwenthal, Gefch. von Amberg, II, 3. — , fchulʒ „bie Ebile Leute bie in ber fiat gefeffen fint, vor bem fiatrichter „bas recht tuen ume gulte," b. h. um Grundrenten, alfo um bing= liche Klagen.

7) Urk. von 1329 bei T. u. St. p. 529. „ob baʒ were, baʒ in ber Stat „ober als verre ber Stat Gerichte get, einen Ritter, ober ein ritter= „mezzig Man, ober keyner ihrer Lehenmanne, ober irer Brotezze ein „Unfug, ober ein Ungericht tet, — fo fol er antwurten in ber Stat „vor unferm Voyt und vor unferm Erberichter und fol ber Gefworn „Urteyl leiben."

8) Stabtrecht von Meran aus 14. sec. §. 21. bei Haupt, Zeitfchrift, VI, 429. „Swelher ouch ber liute bie in ber fiat gefeʒʒen fin, eʒ fin bur= „ger ober anber, ben anbern wunbet, ba von fol bem gerichte gevallen „fünfzig pfunt. fwer ouch eʒ fi, burger, ebel ober unebel ober fwie er „geheizen ift" —.

nen Verbrechen und wegen Geldſchulden [9]). Die Vaſallen in Bautzen
wegen ihrer in der Stadt begangenen Verbrechen [10]). Die Ritter
und Knechte, die Dienſtleute und Bauern in Magdeburg und
Breslau wegen ihrer Verbrechen und Geldſchulden. Nur diejenigen
Miniſterialen und Dienſtleute, welche ſelbſt wieder Ritter zu Mannen oder zu Dienſtleuten hatten, waren ausgenommen. Denn ſie
brauchten ſich nur vor ihrem Dienſtherrn und vor ſeinem Hofrichter
zu ſtellen [11]). Auch über den freien Grundbeſitz der Miniſterialen
wurde in Magdeburg im Stadtgericht verfügt und über die darüber
entſtandenen Streitigkeiten daſelbſt entſchieden [12]). In Bremen
ſtanden die Dienſtmannen wegen Geldſchulden und anderen mit
ihrem Dienſtverhältniſſe nicht zuſammenhängenden Klagen unter
dem Stadt- oder Vogteigerichte [13]). Denn nur die Angelegenheiten
des Dienſtmannenrechtes und der Dienſtmanngüter gehörten vor
den Dienſtherrn und vor deſſen Gerichtshof [14]). Auch in Augsburg ſtanden die Ritter und Knechte, die Dienſtmannen und die
Geiſtlichen unter dem Stadt- oder Vogteigerichte [15]). Und in Hagenau ſollten die Ritter und die übrigen Bürger einem Laien nur
in der Stadt ſelbſt vor dem Stadtgerichte zu Recht ſtehen [16]).

---

9) Weisthum von 1302 §. 1 u. 4 bei T. u. St. p. 444.

10) Urk. von 1382 bei T. u. St. p. 398.

11) T. u. St. p. 213. Weisthum von 1306 u. 1369 bei Gaupp, das
Magdeburgiſche u. Halliſche Recht, p. 348 u. 350.

12) Urk. aus 12. sec. bei Leuckfeld, antiq. Praemonstr. Magdeb. p. 99
u. 100.

13) Urk. von 1233 bei Caſſel, Sammlung, p. 124. Item ministeriales
ecclesiae Brem. si super debitis a civibus Brem. fuerint conventi,
stabunt juri coram advocato Bremensi. Reverſalien von 1246 bei
Assertio lib. Brem. p. 84 ministeriales — secundum quod jus
eorum requirit, de omni querela in praetorio respondebunt. Die
Darſtellung bei Donandt, I, 92. iſt nicht ganz richtig.

14) Statut von 1303, art. 5 bei Oelrichs, p. 24.

15) Stadtrecht von 1276 bei Freyberg, p. 85. „Swär auh in dem dinge
„vor dem vogte funden wirt, er ſi phaffe, dienſtmann, ritter, oder kneht
„oder gaſt den mak man wol beclagen vor dem vogte. vnde ſol im der
„vogt rihten"

16) Stadtrecht von 1255 bei Schoepflin, I, 412. und bei Gaupp, I, 102.
Neque milites neque cives civitatis extra civitatem ipsam ulli
Iayco — debeant stare juri, sed in ipsa civitate duntaxat.

Daher ſtanden auch die vollfreien und ritterbürtigen Geſchlechter und alle übrigen in der Stadt angeſeſſenen Leute, gleichviel von welchem Stande und von welcher Nationalität ſie waren, unter dem Stadtrechte, z. B. in Brieg und Neumarkt [17] u. a. m. In Greiffenberg in Pommern erhielten 10 ritterbürtige Geſchlechter ihre Güter (es waren 30 mansi) nur unter der Bedingung, daß ſie ſich dem Stadtrechte fügten [18]). Und in Freiburg u. a. m. mußten Fremde, wenn ſie ins Bürgerrecht aufgenommen wurden, verſprechen, ſich dem Stadtgerichte und Stadtrechte unterwerfen zu wollen [19]).

§. 528.

Die vollfreien Leute, die Edelleute und Ritter und auch die Miniſterialen und Dienſtleute ſtanden demnach unter den Stadtgerichten und unter dem Stadtrechte. Sie hatten daher Zutritt zu den Stadtgerichten und waren daſelbſt Urtheils= finder und Gerichtszeugen, z. B. in Hagenau Miniſterialen [1]), in Magdeburg Vollfreie und Miniſterialen [2]), in Baſel Ritter (milites) neben nicht ritterlichen Bürgern [3]), in Münſter Ritter (milites) und andere Bürger [4]), in Boppard Miniſterialen [5]) u. ſ. w. Sie ſtanden jedoch, wie bereits bemerkt worden iſt, nur hinſichtlich der zur öffentlichen Gerichtsbarkeit gehörigen Angelegenheiten unter den Stadtgerichten. Denn hinſichtlich ihrer beſonderen Dienſtver=

---

17) Urk. von 1250 bei T. u. St. p. 319. Polonus vel cujuscunque ydiomatis homo liber domum ibi habens, jus theutonicum pa- ciatur —.

18) Urk. von 1262 bei Dreger, cod. Pom. I, 457. contulimus decem militibus et famulis triginta mansos ita tamen quoadus ibidem manserint pareant juri civili

19) Urk. von 1321 u. 1326 bei Schreiber, I, 237 u. 259.

1) Stadtrecht von 1255 bei Gaupp, I, 102. scultetus — juxta mini- sterialium scabinorum juratorum sentenciam —.

2) Urk. aus 12. sec. bei Leuckfeld, p 100. — in presentia nostra et quam plurium tam liberorum, quam ministerialium hominum —.

3) Urk. von 1258 u. 1253 bei Ochs, I, 335 u. 337. vergl. oben §. 317.

4) Urk. von 1294, 1301 u. 1327 bei Wilkens, p. 142, 144 u. 148.

5) Urk. von 1291 bei Günther, II, 480 f. ministeriales dicent et sen- tentiabunt cum scabinis —.

hältnisse standen sie nicht unter den Stadtgerichten, vielmehr unter
ihren Hof = und Dienstmannen Gerichten (§. 122 u. 527). So
war es, wie wir gesehen, in Bremen. Eben so in Augsburg ⁶) und
in Straßburg. Denn die Vorschrift des alten Stadtrechtes, daß
die bischöflichen Ministerialen und Amtleute und das bischöfliche
Hofgesinde („dez Bischoves gesinde") von dem Stadtgerichte aus=
genommen sein sollten, ist offenbar nur von dem Dienstverhältnisse
zu verstehen. Daher schreibt jenes Stadtgericht selbst vor, daß
auch die Dienstleute unter dem Stadtgerichte stehen sollten, wenn
sie Handel trieben, indem die Handelsangelegenheiten allenthalben
zur Zuständigkeit der Stadtgerichte gehört haben ⁷). Erst seit dem
Siege der Zünfte, seitdem die Ritterschaft auf dem Lande die ritter=
bürtigen Stadtbürger nicht mehr für ebenbürtig halten wollte, zogen
sich viele freie und hörige Ritter aus den Städten und aus dem
städtischen Verbande zurück. Und dann standen natürlich auch sie
nicht mehr unter den Stadtgerichten, vielmehr wie die Ritterschaft
des ganzen Territoriums, unter den landesherrlichen Hofgerichten,
oder wie in Stendal unter den Landgerichten ⁸), oder in Schweid=
nitz unter dem Landvogt (advocatus provincialis) ⁹). Auch in
Winterberg in der Grafschaft Spanheim brauchten die Mannen,
Burgmannen und landesherrlichen Diener nur dann vor dem Stadt=
gerichte zu Recht zu stehen, wenn sie es freiwillig thun wollten.
Sie waren demnach nicht dazu verbunden ¹⁰). Um jedoch die Ent=
scheidung ihrer Streitigkeiten mit dem Stadtbürgern zu erleichtern,
verordneten die Markgrafen von Brandenburg, daß ihre Hofrichter
und Landrichter von Zeit zu Zeit in die Städte kommen und der=
gleichen Streitigkeiten in der Stadt selbst entscheiden sollten. So

---

6) Vergleich von 1251 bei Freyberg, Stadtrecht, p. X u. XI. Stadtrecht
§. 230 bei Walch, p. 231. bei Freyberg, p. 85.

7) Stadtrecht, c. 10, 38 u. 39. bei Grandidier, II, 46 u. 57. Stadtr.
von Augsburg bei Freyberg, p. 85. Walch, p. 231. und oben §. 81,
89 u. 141.

8) Urk. von 1344 bei Gercken, vet. march. I, 82. — „einen lantrichter,
„di en richten scal over ridbere und knappen, umme sculde phen=
„ninghe" — vrgl. noch Urk. bei Ludewig, rel. Mpt. VII, 80 s.

9) Urk. von 1285 bei T. u. St. p. 403.

10) Stadtrecht von 1331 bei Walch, VI, 258.

ſollte der markgräfliche Hofrichter alle 14 Tage nach Stendal reiten und daſelbſt wegen Geldſchulden über Ritter und Knechte richten. (Der „Houerichter — in die ſtad ſchall ryden, vnd ſal richten ouer „ridder vnd knechte vmme ſchulde") [11]).

§. 529.

Was von den Edelleuten Rittern und Miniſterialen gilt, gilt auch von den in der Stadt anſäßigen Geiſtlichen. Auch ſie ſtan= den, ſo weit ſie überhaupt der öffentlichen Gewalt und der öffent= lichen Gerichtsbarkeit unterworfen waren, unter den Stadtgerichten, z. B. in Magdeburg [1]), in Augsburg [2]) u. a. m. In demſelben Verhältniſſe jedoch, in welchem die Zuſtändigkeit der geiſtlichen Ge= richte mehr und mehr ausgedehnt ward, in demſelben Verhältniſſe wurde auch die Zuſtändigkeit der Stadtgerichte beſchränkt. Im An= fang des 14. Jahrhunderts ſollten in Bremen nur noch die nicht geweih= ten Geiſtlichen beim Stadtgerichte ihr Recht geben und nehmen [3]). Meiſtentheils blieben jedoch nicht bloß ihr Grundbeſitz ſondern auch ſie ſelbſt in dem Falle unter dem Stadtgerichte, wenn ſie Handel trei= ben, alſo Kaufleute ſein wollten (in causis pertinentibus ad mer- caturam, si volunt esse mercatores) [4]). Denn das Recht der freien Kaufleute oder die ſtädtiſche Nahrung war die Seele des Stadt= rechtes. Daher gehörten auch alle darüber entſtandenen Streitig= keiten vor das Stadtgericht. (§ 81, 88 und 89.) Zur Schlichtung der geiſtlichen Angelegenheiten wurden nun auch in den Städten geiſtliche Gerichte eingeſetzt, theils Synodalgerichte z. B. in Goslar [5]), in Soeſt [6]), in Worms, Mainz u. a. m., theils ſo=

---

11) Urk. von 1343 bei Ludewig, VII, 73 vrgl. noch Urk. von 1344 bei Gercken, vet. march. I, 82.

I) Stadtrecht von 1188 bei T. u. St. p. 269. cives quoque Magdebur- genses — et alii multi tam clerici quam laici.

2) Vergleich von 1251 und Stadtrecht von 1279 bei Freyberg, p. X u. XI und 85. vrgl. oben §. 527.

3) Statut von 1303, art. 34 bei Oelrichs, p. 89.

4) Stadtrecht von Straßburg, art. 38, bei Grandidier, II, 57. vrgl. oben §. 376.

5) Göſchen, p. 373.

6) Stadtrecht von 1120, §. 3.

genannte Officialgerichte, z. B. in Bafel, in Mainz u. a. m.
Allein die Anmaßungen dieser Gerichte führten zu fortwährenden
Streitigkeiten mit dem Stadtrath, z. B. in Bafel das ganze 15.
Jahrhundert hindurch bis zur Reformation im Anfang des 16. Jahr=
hunderts. Denn in Bafel wollte sich das bischöfliche Officialat nicht
bloß konkurrirende Gerichtsbarkeit mit dem Stadtgerichte beilegen,
sondern sich sogar als Berufungsinstanz geltend machen [7]). Seit
der Reformation traten in den proteftantischen Städten Ehege=
richte und Consiftorien an die Stelle der Officialgerichte, z. B.
in Bafel [8]), in Augsburg [9]), in Worms [10]), in Frankfurt [11]), in
Reutlingen [12]), in Mühlhaufen [13]), in Eßlingen [14]), in Goslar [15]),
in Magdeburg [16]), in Lübeck [17]) u. a. m. Allein auch vor der Re=
formation schon machten die Städte ihr Oberhoheitsrecht über die
Kirchen und Klöfter von Zeit zu Zeit geltend. Sie machten, wie
wir gesehen, Verordnungen über die geiftlichen Angelegenheiten und
reformirten sogar die Klöfter selbft. (§. 439.) Und wenn die geift=
lichen Gerichte nicht gegen sie einschreiten wollten, so durften und
sollten die weltlichen Stadtgerichte einschreiten, z. B. in Goslar [18]).
Aus diesem Grunde ließ der Stadtrath von Augsburg mehrere geift=
liche Herren, gegen welche der Bischof nicht einschreiten wollte, in
einen Käfig setzen, diesen am Perlachthurm aufhängen und die
geiftlichen Herren darin verhungern. (§. 425.)

---

7) Ochs, IV, 343, 344, 346, 359, 448. ff. u. V, 81—83. Heusler, p.
   212—220.
8) Ochs, V, 53 u. p. 700. Heusler, p. 220—23.
9) von Stetten, Gesch. I, 345. f.
10) Moritz, I, 570.
11) Jäger, Mag. III, 288.
12) Jäger, V, 283.
13) Altenburg, hiftor. Beschreibung von Mühlhaufen p. 296.
14) Pfaff, p. 558.
15) Vergleich von 1682, c. 4 bei Mofer, reichsft. Hbb. I, 811.
16) Rathmann, IV, 1. p. 101.
17) Dreyer, Einleitung, p. 336 u. 342.
18) Statut bei Göschen, p. 65, Nr. 39—41 u. p. 373.

§. 530.

Auch die freien und hörigen **Hinterſaſſen** und die **Schutz-juden** ſtanden unter den Stadtgerichten. In **Straßburg** die in der Stadt angeſeſſenen unter der biſchöflichen Vogtei ſtehenden Zins-leute (advocati, quorum subditi seu censuales infra civitatem domos habuerint aut manserint — coram judicibus civitatis) [1]). Die Dienſtmannen [2]), und die Hinterſaſſen (Hövefeſſen) der geiſt-lichen und offenbar auch der weltlichen Grundherren, wenn dieſe ihre Fronhöfe nicht ſelbſt bewohnten. („dainne ſiſelber nicht ſeßhaft „ſint") [3]). In **Baſel** die Hinterſaſſen (Hinterſäſſen) der Bürger und der Bürgerſchaft [4]). In **Speier** alle daſelbſt angeſeſſenen Leute („die ſeßhafft ſind in ihr eigen oder gelehnten Herbergen „oder Cammern") [5]). In **Augsburg** die Hinterſaſſen der geiſtli-chen und weltlichen Grundherren („die in chor-Herren Hofe oder „in der Dienſtmanne oder in der goteshuſer Hofe ſitzend") [6]). Da-her ſollte der Stadtvogt die Hinterſaſſen ſogar gegen ihre Grund- und Lehensherrn mit **der Bürger Hilfe** ſchützen und ſchirmen [6a]). Und wenn die Grundherrn kein Recht ſprechen wollten, ſo ſollte ſodann der Stadtvogt auch über die grundherrlichen Hinterſaſſen richten. Dieſe Beſtimmung iſt jedoch ein ſpäterer Zuſatz. Denn in der Faſſung bei Freyberg findet ſie ſich noch nicht [6b]). Ebenſo ſtanden in Regensburg die Hinterſaſſen der Stifter Obermünſter und Niedermünſter unter dem Schutze der öffentlichen Gewalt. Für das freie Geleit und für die Handhabung des öffentlichen Friedens mußten ſie jedoch an Weihnacht eine Abgabe an den öffentlichen

---

1) Urf. von 1129 u. 1219 bei Schoepflin, I, 207 u. 339.)
2) Stadtrecht von 1249, §. 19 bei Strobel, I, 556. „Ein ieglicher unſer „burger, er ſie gotzhus Dienſtman oder nüt, ſol zu rehte ſtân vor „dem meiſter und vor dem rate." —
3) Stadtrecht, c. 37 bei Grandidier, II, 57.
4) Rathsbeſchluß von 1499 bei Ochs, IV, 539.
5) Rathsordnung von 1328 § 53 bei Lehmann, p. 287.
6) Stadtrecht von 1276 bei Freyberg, p. 85.
6a) Stadtrecht bei Freyberg, p. 113. und bei Walch §. 341.
6b) Stadtrecht §. 336 bei Walch, IV, 325.

Richter, den Schultheiß, entrichteten [6c]). Auch in Bremen standen die Grundholden der geistlichen und weltlichen Grundherren und der Stadtbürger unter dem Stadtgerichten (omnes homines domini archiepiscopi, capituli, ecclesiarum, nobilium et ministerialium — homines burgensium) [7]). Ebenso in Breslau, Glogau und Magdeburg die Bauern [8]). In Nürnberg die Erbleute und Hinterseßen der Bürger [9]).

Eben so standen die Juden unter dem öffentlichen Gerichte in der Stadt, z. B. in Speier [10]), in Frankfurt [11]), in Basel [12]), in Breslau und Glogau u. a m. [13]). Eben so in den märkischen Städten entweder unter dem Vogt oder unter dem Schulze [14]). Die Juden standen jedoch nur bei Streitigkeiten eines Juden mit einem Christen, dann in Sachen des Blutbanns und der Schirmgewalt unter den öffentlichen Gerichten in der Stadt, entweder unter dem Stadtgerichte oder unter einem eigenen für sie errichteten Judengerichte (§. 300 und 486). Denn Streitigkeiten unter Juden durften in ihrer Synagoge von den Juden selbst entschieden werden (§. 299). In Köln mußten eine Zeit lang sogar die Christen, welche eine Forderung an einen Juden hatten, ihr Recht bei dem Judengerichte suchen. [15]). Und in Aßenheim bei Friedberg sollten bei Vergehen der Juden auch Juden als Urtheilsfinder beigezogen werden [16]).

6c) Altes Stadtrecht bei Freyberg, V, 41.

7) Reversalien von 1246 in Assert. lib. Brem. p. 84.

8) Weisthum von 1302 §. 1 bei T. u. St. p. 444. Weisthum von 1306 u. 1369 bei Gaupp, Magdeburg. Recht, p. 348 u. 350.

9) Nürnberg. Reformation, I, 5.

10) Rathsordnung von 1328, §. 53 bei Lehmann, p. 287.

11) Urk. von 1338 bei Olenschlager, Erl. goldne Bulle, II, 91.

12) Heusler, p. 262.

13) Weisthum von 1302, § 1, bei T. u. St. p. 444.

14) Zimmermann, I, 71.

15) Urk von 1331, 1335 und 1341 bei Lacomblet, III, 209, 240 u. 293. Mone, Zeitschr. IX, 263—264.

16) Urk. von 1372 bei Buri, Vorrechte der Bannforste, II, 76 — nisi suis excessibus — secundum quod communis nostrorum castrensium judeorum et scabinorum in Assenheym sententia ipsis dabit. —

Aber auch die in einer Stadt anſäſſigen hörigen Hinterſaſſen ſtanden nur ſo weit unter den Stadtgerichten als die Hörigen über-haupt unter der öffentlichen Gewalt ſtanden, alſo nur bei Streitig-keiten der Hinterſaſſen mit Fremden (d. h. nicht Hinterſaſſen) z. B. mit Geſchlechtern in Baſel [17]) und hinſichtlich des Königsbanns und des Blutbanns [18]). Und in jenen Städten, in welchen ſie Im-munität von der öffentlichen Gewalt hatten (§. 121.), ſtanden ſie auch hinſichtlich der öffentlichen Gerichtsbarkeit nicht direkt unter den Stadtgerichten, zunächſt vielmehr unter ihrer Herrſchaft und unter den herrſchaftlichen Gerichten, bei welchen ſie demnach zuerſt belangt werden mußten, z. B in Bremen [19]), in Augsburg [20]), in Straßburg [21]) u. a. m. Auch in Magdeburg ſtanden die Stiftshö-rigen zunächſt unter dem erzbiſchöflichen Villicus [22]). Eine Aus-nahme hievon trat nur dann ein, wenn die Hinterſaſſen, z. B. in Augsburg und Straßburg, Handel oder ein ſteuerbares Gewerb trieben, indem dergleichen Angelegenheiten gar nicht vor die Herr-ſchaftsgerichte gehörten [23]). In der Regel mußten demnach die hö-rigen Hinterſaſſen in Civilſtreitigkeiten bei ihrem Herrſchaftsgerichte belangt werden, und erſt wenn dieſes dem Kläger nicht binnen einer gewiſſen Friſt, z. B. in Bremen binnen Monatsfriſt, zu ſeinem Rechte verhalf, durften ſie vor das Stadtgericht [24]), oder wie in

---

17) Arnold, Geſch. des Eig. in d. Städten, p. 162.

18) Meine Geſch. der Fronh. IV, 397. ſſ.

19) Reverſalien von 1246 bei Aſſertio, p. 84.

20) Stadtrecht von 1276 bei Freyberg, p. 84—85.

21) Arg. Stadtrecht, c. 37 u. 38.

22) Urk. aus 12. sec. bei Leuckfeld, p. 110.

23) Stadtrecht von Augsburg bei Freyberg, p. 85. — „ez wäre danne als „verre. ob kain ir geſinde geſchäfte hant, davon ſi ſtivrent, „den mag man wol in vogtes Dinge — fürgebieten." Altes Stadt-recht von Straßburg, c. 38.

24) Reverſalien von 1246 in Aſſertio p. 84. omnes homines Domini — non debent in praetorio (ſo hieß das Stadtgericht) conveniri super debitis, nisi prius coram suo Domino sint conventi, et tunc conquerenti faciat Dominus justitiam infra mensem, alioquin ex tunc in praetorio poterunt conveniri. et e converso fiat de ho-minibus burgensium nostrorum, si aliquis contra eos aliquid ha-buerit quaestionis.

Augsburg, vor den Stadtvogt gezogen werden. Eben so durften
auch in Strafsachen die öffentlichen Gerichte, also auch die Stadt=
gerichte, den Fall der handhaften That ausgenommen, nicht direkt
gegen die hörigen Hintersassen einschreiten. Sie mußten sich viel=
mehr auch beim Strafverfahren zuerst an den Grundherrn oder an
den Herrschaftsrichter wenden und von diesem die Vorladung des
Beschuldigten und dessen Stellung vor Gericht begehren, z. B. in
Breslau, Glogau und Görlitz [25]). Die Grundherren mußten aber
sodann ihre Hintersassen, so wie alle übrigen bei ihnen wohnenden
Leute entweder vor Gericht stellen, oder selbst für sie haften und
dieselben gehörig vertreten [26]).

Seit der Abschaffung der Hörigkeit hat sich jedoch dieses Alles
geändert. Mit dem dadurch veränderten Schutzverhältnisse kamen
nun auch die Hintersassen in ein direktes Verhältniß zu den Stadt=
gerichten. Denn sie standen nun in allen Angelegenheiten der öf=
fentlichen Gerichtsbarkeit eben so direkt unter den Stadtgerichten,
wie die vollfreien Stadtbürger, z. B. in Speier [27]), in Basel [28]),
in Straßburg u. a. m. Und was von den Hintersassen im Allge=
meinen bemerkt worden ist, gilt insbesondere auch von den Hand=
werkern, welche insgemein Hintersassen der Stadtgemeinde oder
eines Stadtbürgers, oder einer geistlichen oder weltlichen Grund=
herrschaft waren. Daher standen seit dem 13. und 14. Jahrhun=
dert in Basel u. a. m. auch die Handwerker unter dem Schultheißen=
gerichte, während sie früher unter den herrschaftlichen Gerichten
gestanden hatten [29]). Die Vermittelung ihrer Grundherrschaft war
nun zu ihrer Vorladung vor das Stadtgericht und zu ihrer Ver=
tretung oder Stellung vor Gericht nicht mehr nothwendig. Die
Folge dieser Veränderung war, daß die grundherrlichen Gerichte
nun ihre alte Bedeutung verloren und sodann in fast allen Städ=
ten meistentheils schon im Laufe des 14. Jahrhunderts gänzlich
verschwanden oder doch zu bloßen Verwaltungsstellen zur Einnahme

---

25) Weisthum von 1302, §. 1 u. Urk. von 1329 bei T. u. St. p. 444
u. 529.

26) Stadtrecht von Straßburg, c. 39. und oben §. 238.

27) Rathsordnung von 1328 §. 53 bei Lehmann, p. 287.

28) Rathsbeschluß von 1499 bei Ochs, IV, 539.

29) Heusler, p. 182—185.

und Verrechnung der herrschaftlichen Gefälle herabsanken. (§. 39, 66, 67, 121 und 122.) Am frühesten haben sich die grundherrlichen Gerichte namentlich in jenen Städten verloren, in welchen der Grundherr zu gleicher Zeit Inhaber der öffentlichen Gewalt geworden war. Da nämlich in diesen Städten die öffentliche Gewalt dem grundherrlichen Beamten oder umgekehrt die grundherrliche Gewalt dem öffentlichen Beamten der Stadt übertragen zu werden pflegte, so übte sobann derselbe Beamte die grundherrliche und öffentliche Gerichtsbarkeit aus. Ein eigener grundherrlicher Beamter war demnach nun nicht mehr dort nöthig.

3. Kompetenz der Stadtgerichte.

§. 531.

Die Kompetenz der Stadtgerichte war verschieden in den verschiedenen Städten ebensowohl wie in den verschiedenen Zeiten. In jenen Städten, in welchen ursprünglich zwei öffentliche Beamte für die hohe und niedere öffentliche Gerichtsbarkeit neben und übereinander gestanden haben, sind die hohen Beamten (die Stadtgrafen, Burggrafen oder Stadtvögte) an die Stelle der Gaugrafen getreten, oder es sind auch die Gaugrafen, z. B. in Regensburg, Würzburg und Mainz, selbst Burggrafen geworden. Die niederen öffentlichen Beamten dagegen (die Schultheiße, Ammanne, Vögte u. a. m.) sind an die Stelle der Centenare und Vikare getreten. Die Einen und die Andern hatten demnach dieselbe Gewalt, die Ersten die Kompetenz der Gaugrafen, die Letzteren aber die Zuständigkeit der Centenare und Vikare. Die hohe Gerichtsbarkeit mit dem Blutbann hatten daher die Stadtgrafen zu Worms, zu Mainz u. a. m., die Burggrafen zu Köln, Magdeburg, Regensburg, Nürnberg und Würzburg und die Stadtvögte zu Ulm, Basel, Straßburg, Speier, Augsburg, Zürich, Soest, Goslar, in den märkischen und schlesischen Städten u. a. m. Zur hohen Gerichtsbarkeit gehörte auch der Vorsitz bei den Kampfgerichten, z. B. in Augsburg [1]) und in Freiberg dem Vogt [2]) und in Köln dem Burg-

---

1) Stadtrecht von 1156 in Mon. Boic. 29, I, p. 331.
2) Stadtrecht, c. 27 bei Schott, III, 226 u. 232.

grafen. (§. 489.) Zur hohen Gerichtsbarkeit gehörte ferner das
Verbrennen der Ketzer, z. B. in Worms dem Stadtgrafen (§. 491.),
dann das Erkenntniß über das freie Eigen und das Verfahren beim
Uebertrag dieses freien Eigen oder die gerichtliche Auflassung und
Einweisung in den Besitz des Grundstücks. Dieses gehörte in man=
chen Städten zur Zuständigkeit des Burggrafen, z. B. in Köln³),
in Magdeburg und in Regensburg, anderwärts aber, z. B. in
Lübeck, in Augsburg, in Basel u. a. m. zur Zuständigkeit des Vog=
tes, in Frankfurt und späterhin auch in Magdeburg zur Zuständig=
keit des Schultheiß und in Herfort zur Zuständigkeit des Gografen.
(§. 474, 492 und 510). Die niedere öffentliche Gerichts=
barkeit, also die Civilgerichtsbarkeit mit der niederen Strafgewalt
aber hatten die Schultheiße zu Ulm, Nürnberg, Speier, Straßburg,
Basel, Zürich, Frankfurt, Magdeburg, Goslar, Soest, Würzburg
u. a. m., dann der Vogt zu Köln, der Burggraf zu Augsburg,
der Schulze in den märkischen Städten, der Erbrichter oder Erbvogt
in den schlesischen Städten, und der Kämmerer zu Mainz. In
manchen Städten hatte der Schultheiß auch das Erkenntniß über
Erb und Eigen erhalten und dann wurden auch die gerichtlichen
Auflassungen und die Einweisungen in den Besitz des Erbes und
Eigens vor ihm vorgenommen, z. B. in Soest⁴), in Frankfurt und
Weißenburg. (§. 472 und 494.) In den grundherrlichen Städten
endlich und in den gemischten Städten wurde auch die grundherr=
liche Gerichtsbarkeit über die Grundholden des Inhabers der öffent=
lichen Gewalt von dem niederen öffentlichen Beamten verwaltet,
z. B. in Aachen, Goslar, Frankfurt, Nürnberg, Soest, Ulm und
Zürich von dem Schultheiß, in Köln von dem Vogt, in Mainz von
dem Kämmerer und in Augsburg von dem Burggrafen, bis seit
der Abschaffung der Hörigkeit die grundherrliche Gerichtsbarkeit selbst
verschwunden und sodann nur noch die öffentliche Gerichtsbarkeit
übrig geblieben ist. In jenen Städten dagegen, in welchen es
nur einen einzigen öffentlichen Beamten in der Stadt ge=
geben hat, hatte dieser entweder die gesammte öffentliche Gerichts=

---

3) Clasen, Schreinspraxis, p. 11 u. 55. Clasen, über die Investitur, §. 19
u. 23. vgl. oben §. 489.
4) Stadtrecht von 1120, §. 33 u. 34.

barkeit oder auch nur die niedere Gerichtsbarkeit zu besorgen. Die
hohe und die niedere Gerichtsbarkeit hatte z. B. der Vogt in Bre=
men, in Lübeck, in Wismar und in Münster, der Schultheiß in
Bern, in Mühlhausen, in Freiburg u. a. m., der Amtmann in
Konstanz und der Stadtgraf zu Dortmund. (§. 474, 495 und 513.)
Nur allein die niedere öffentliche Gerichtsbarkeit hatten aber die
Schultheiße zu Bamberg, Seligenstadt und Rheinau, und die Stadt=
richter hier zu München (§. 496 und 513). In den grundherrli=
chen und gemischten Städten hatte dieser Beamte auch die grund=
herrliche Gerichtsbarkeit über die Grundholden des Inhabers der
öffentlichen Gewalt zu besorgen, z. B. in Eßlingen, Ueberlingen,
Kaufbeuern, Kaiserslautern u. a. m. (§. 474.) Neben diesen öffent=
lichen Beamten in den grundherrlichen und gemischten Städten be=
standen nun auch die grundherrlichen Gerichte der in der Stadt
ansäßigen geistlichen und weltlichen Grundherren nach wie vor der
Errichtung der eigenen Stadtgerichte fort, bis das seit Aufhebung
der Hörigkeit veränderte Schutzverhältniß auch dort zum Untergang
der grundherrlichen Gerichte geführt und sodann aller Unterschied
zwischen öffentlicher und grundherrlicher Gerichtsbarkeit in den Städ=
ten aufgehört hat. Die Zeit hat jedoch nicht bloß den grundherr=
lichen Gerichten den Untergang, sondern auch der öffentlichen Ge=
richtsbarkeit selbst große Veränderungen gebracht.

§. 532.

In vielen Städten wurde nämlich die Gerichtsbarkeit der
höheren öffentlichen Beamten von dem Stadtrath untergraben. An=
derwärts hat sie sich auch aus andern Gründen verloren. In
einigen Städten wurde sie sogar ausdrücklich abgeschafft. Und es
wurden sodann entweder beide Aemter (die hohe und die niedere
Gerichtsbarkeit) mit einander vereiniget oder eigene Stadtgerichte
als Gerichte erster Instanz eingesetzt. In fast allen Städten wurde
aber die gesammte Gerichtsbarkeit erster Instanz in einem einzigen
Stadtgerichte in der Art vereiniget, daß entweder die gesammte
öffentliche (die hohe und niedere) Gerichtsbarkeit in erster Instanz
dem Stadtgerichte, z. B. in Frankfurt, Magdeburg und Regens=
burg, oder nur die niedere öffentliche Gerichtsbarkeit, also die ge=
sammte Civilgerichtsbarkeit und die Strafgerichtsbarkeit mit Aus=
schluß des Blutbanns in erster Instanz dem Stadtgerichte übertra=

gen, der Blutbann selbst aber dem Stadtrath oder dem landesherr=
lichen Obergerichte vorbehalten worden ist, wie dieses z. B. in Speier,
Worms, Basel, Straßburg, Augsburg, Soest, München u. a. m.
der Fall war. Einige Beispiele werden dieses Alles klar machen.

In Frankfurt wurde das Amt des Vogtes, wie wir gesehen,
bereits im 13. Jahrhundert abgeschafft und sodann mit dem Schult=
heißenamte vereiniget. In Nürnberg hörte seit dem 14. Jahr=
hundert die Amtsthätigkeit des burggräflichen Amtmanns auf und
sein Amt ging sodann auf den Reichsschultheiß über. In Regens=
burg haben die Herzoge von Baiern, als erbliche Burggrafen, die
gesammte öffentliche Gerichtsbarkeit dem Schultheiß übertragen. In
Würzburg ist das Burggrafenamt, weil die Grafen von Henne=
berg sich nicht mehr mit dem Amte belehnen lassen wollten, im
16. Jahrhundert erloschen. Und es wurde sodann auch die Straf=
gerichtsbarkeit mit dem Schultheißengerichte vereiniget, dem Stadt=
gerichte aber der Name Stadt= Saal= und Brückengericht gegeben.
In Ulm ist das Vogteiamt seit dem 14. Jahrhundert nicht mehr
besetzt und sodann mit dem Amte des Stadtammanns oder Schult=
heiß vereiniget worden. In Magdeburg wurde, nachdem die
Stadt das Burggrafenamt und das Schultheißenamt an sich ge=
kauft, dann aber dem Erzstifte überlassen hatte, der Vorsitz bei dem
Schöffenstuhl und bei dem Kriminalgerichte dem Schultheiß über=
tragen. In Basel wurde das Amt des Vogtes vom Stadtrath
untergraben und im 17. Jahrhundert ganz abgeschafft und mit dem
Schultheißenamte vereiniget. Auch in Bremen wurde das Amt
des Vogtes vom Stadtrath untergraben, so daß demselben in Straf=
sachen seit dem 16. Jahrhundert nur noch der Schein einer Amts=
gewalt geblieben ist. Als erste Instanz in Civilsachen wurde aber
im 16. Jahrhundert das Niedergericht errichtet, worauf sodann das
Vogteigericht im Laufe des 17. Jahrhunderts ganz eingegangen ist.
Wie in Bremen so ist auch in Lübeck im 16. Jahrhundert das
Niedergericht an die Stelle des Vogtdings getreten. In Straß=
burg wurden die verschiedenen Gerichte, nachdem die Stadt die
Vogtei, das Schultheißenamt und das Burggrafenamt erworben
hatte, zu einem einzigen Stadtgerichte, welches man den kleinen
Senat oder den kleinen Rath genannt hat, vereiniget. In Worms
wurde das Amt des Stadtgrafen vom Stadtrath untergraben, so
daß dem Grafen zuletzt nur noch der Vollzug des Straferkenntnisses

und in seiner Eigenschaft als erster Beisitzer des Stadtgerichtes das erste Votum geblieben ist. Der Schultheiß ward sodann der einzige Vorstand des Stadtgerichtes. In Augsburg ist das Amt des Vogtes von dem Stadtrath untergraben und dem Vogte zuletzt nur noch ausnahmsweise der Zutritt zu den peinlichen Gerichten im Stadtrath gestattet worden. Aus dem Burggrafengerichte aber ist daselbst das Stadtgericht hervorgegangen. Auch in Soest wurde die Vogtei von dem Stadtrath untergraben und die Kriminalgerichtsbarkeit in erster und letzter Instanz von dem Stadtrath ausgeübt, die gesammte Civilgerichtsbarkeit in erster Instanz aber dem Schultheiß übertragen, welcher sodann Großrichter und das Stadtgericht das Gericht der vier Bänke genannt worden ist. In Speier wurde frühe schon das Amt des Vogtes und des Schultheiß von dem Stadtrath untergraben, die Gerichtsbarkeit in erster Instanz sodann unter den Schultheiß und Kämmerer vertheilt, der Vogt aber zu einem bloßen Gehilfen des Schultheiß und des Kämmerers herabgedrückt. In Mainz ist die öffentliche Gerichtsbarkeit, nachdem die Stadtgrafschaft oder Burggrafschaft von dem Erzbischof erworben worden war, unter den Kämmerer und Gewaltboten (Waltboten) vertheilt worden. Der Kämmerer erhielt den Vorsitz beim Stadtgerichte und der Schultheiß wurde sein erster Beisitzer. In Höxter ist das Grafengericht zu einem städtischen Untergerichte, zu dem sogenannten Grasgerichte, herabgesunken, und der städtische Pfennigmeister erhielt als Stadtrichter den Vorsitz bei dem Stadtgericht. In Bamberg, Weißenburg und Zürich ist das Stadtgericht aus dem Schultheißengericht und in Münster aus dem Vogteigericht hervorgegangen. In Seligenstadt endlich hat der Vogt den Vorsitz beim Stadtgericht erhalten, das Schultheißenamt aber ist zu einem ganz unbedeutenden Amte, zu dem sogenannten Währungs- oder Fladengericht herabgesunken. (§. 472, 473, 490—496, 510, 514 und 526.)

Der Uebertrag von Erb und Eigen und das Erkenntniß darüber gehörte ursprünglich, wie wir gesehen, zur Zuständigkeit der Stadt- und Burggrafen und der Stadtvögte, wie in früheren Zeiten zur Kompetenz der Gaugrafen. Zwar hatte auch der Schultheiß in Soest, Frankfurt, Weißenburg und in Magdeburg frühe schon dieselbe Kompetenz (§. 493 u. 531). Allein der im Schultheißengericht zu Magdeburg gemachte Uebertrag

mußte im Burggrafengerichte bestätiget werden und dasselbe mußte
wahrscheinlich ursprünglich auch in den Vogteigerichten zu Soest,
Frankfurt und Weißenburg geschehen. Späterhin, seitdem es nur
noch ein Stadtgericht erster Instanz in der Stadt gegeben hat,
mußten alle Uebergaben von Grund und Boden und alle Verträge
und Testamente ohne weiter zwischen Erb und Eigen und anderem
Grundbesitz zu unterscheiden, vor dem Stadtgerichte gemacht werden,
also in Basel ¹) und in Zürich vor dem Schultheißengericht (§. 494),
in Breslau und Bautzen aber vor dem Erbvogte ²). Nur in
Speier hat sich noch der alte Unterschied zwischen Erb und Eigen
und anderem Grundbesitz erhalten. Denn über Erb und Eigen
sollte daselbst nur vor dem Kämmerer, über den übrigen Grund=
besitz aber vor dem Schultheiß verfügt werden (§. 491). Und in
Basel sollte das Schultheißengericht, wenn der Testator krank war,
vor seinem Hause gehalten werden ³). In vielen Städten wurde
jedoch späterhin die gerichtliche Auflassung und Einweisung in den
Besitz vor den Stadtrath gezogen, z. B. in Speier ⁴), in Lübeck ⁵),
in Bremen ⁶) und in Magdeburg (§. 493). Der über die gericht=
liche Einweisung ausgefertigte Gerichtsbrief wurde öfters Wehr=
brief genannt, z. B. in Speier ⁷). Und für den gerichtlichen
Uebertrag und die gerichtliche Einweisung mußte eine gewisse Taxe
an das Gericht oder an den Stadtrath, zuweilen auch an beide
entrichtet werden, welche in Bremen Friedewein (Vredewin) ⁸), in
Schwerin Weinkauf ⁹), öfters auch Friedeschilling, Friedepfenning,

---

1) Gerichtsordnung aus 14. sec. und Rathserkenntniß von 1386 u. 1390
   bei Ochs, II, 365, 373, 377 u. 381.
2) T. u. St. p. 212.
3) Rathserkenntniß von 1390 bei Ochs, II, 377.
4) Lehmann, p. 289 u. 303 ff.
5) Dreyer, Einleitung, p. 334.
6) Assertio lib. Brem. p. 752.
7) Lehmann, p. 298 u. 303 ff.
8) Statut von 1433, art. 52 bei Oelrichs, p. 524. — „de gift synen
   „vredewin den rade unde dem vogede.“ vergl. noch Statut von 1428,
   art. 42 bei Oelrichs, p. 360. und Assertio, p. 752.
9) Chr. Hövischen, Schwerinisches Recht von 1593, bei Westphalen, I,
   2032 s.

Veſtgelt oder Verlatungsgelt u. ſ. w. genannt worden iſt [10]). In Weißenburg nannte man die Entrichtung dieſes Weinkaufes für die gerichtliche Uebergabe und Einweiſung in den Beſitz das gerichtliche Weinen oder Beweinen oder auch die gerichtliche Beweinung [11]).

§. 533.

Die öffentlichen Beamten in den Städten waren Stellvertreter der Gerichtsherren, alſo die Reichsbeamten in den Reichsſtädten Stellvertreter des Deutſchen Königs und die öffentlichen Beamten in den landesherrlichen Städten Stellvertreter der geiſtlichen und weltlichen Landesherrn. Sie mußten daher, wenn der Gerichtsherr in die Stadt kam und ſelbſt zu Gericht ſitzen wollte, den Gerichts= ſtuhl verlaſſen. Und nicht ſelten haben zumal die Biſchöfe, aber auch die übrigen geiſtlichen und weltlichen Landesherrn ſelbſt den Vorſitz bei den Stadtgerichten geführt (§. 476, 499 u. 517). Dies änderte ſich nun, ſeitdem die Gerichtsämter von den Städten er= worben und ſodann die Stadtgerichte in den Händen des Stadt= raths und der Stadtgemeinde patrimonial geworden waren. Die von dem Stadtrathe oder der Gemeinde ernannten Stadtrichter waren zwar ebenfalls Stellvertreter ihres Gerichtsherrn (§. 523). Da jedoch ihr Gerichtsherr (der Stadtrath und die Stadtgemeinde) nicht ſelbſt zu Gericht ſitzen und nicht ſelbſt den Vorſitz führen konnte, ſo erhielten die Stadtrichter eine weit größere Selbſtändig= keit und eine Unabhängigkeit von ihrem Gerichtsherrn, welche man früher nicht kannte, und welche ſpäterhin auch auf die landesherr= lichen Gerichte zurückgewirkt hat. Die Stadtgerichte wurden näm= lich unabhängig nicht bloß von dem Stadtrath und der Stadt= gemeinde, ihrem jetzigen Gerichtsherrn, ſondern auch von dem Landesherrn, in deſſen Territorium die Stadt lag, indem dieſer nun ihr Gerichtsherr gar nicht mehr war. Daher konnte bereits im Jahre 1410 der Herzog Wilhelm von Baiern ſeinen Hofmaurermeiſter, der ſich hier in München beim Weintrinken etwas übernommen (— „ſich

---

10) Eſtor, Rechtsgel. II, §. 4166. Oelrichs, glossar ad statuta Bremens., p. 152.

11) Meine Abhandl. über das gerichtliche Weinen und Beweinen. München, 1846. p. 18—22.

„überweint — sich von Weins wegen vergessen, und etwas thöricht
„gegen euch (den Stadtrath) gehandelt") hatte, nicht anders von
der Strafe befreien, als daß er sich deshalb bittweise an den Stadt=
rath von München wendete. („Darum bitten wir euch mit ganzem
„Ernst und Fleiß, daß ihr von Unser wegen keine Gabe (Geld=
„strafe) von ihm begehrt") ¹). Die ersten Anfänge einer Selb=
ständigkeit und Unabhängigkeit der Gerichte finden sich
demnach ebenfalls in den Städten.

4. Richterliche Beamte, Urtheilsfinder und Gerichtsumstand.

§. 534.

An der Spitze des Stadtgerichtes stand bei allen und jeden
Gerichten ein Richter, an der Spitze des hohen Gerichtes der Stadt=
graf, Burggraf oder Vogt, an der Spitze des niederen öffentlichen
Gerichtes der Schultheiß, Stadtammann oder Stadtrichter. Der
Gerichtsvorstand hatte die Leitung des ganzen Verfahrens bis zum
Vollzuge des gesprochenen Urtheiles. Er hatte aber auch nichts
als die Leitung. Denn das Urtheil selbst durfte er nicht finden.
Auch durfte er, wie wir sehen werden, das bereits gefundene Ur=
theil nicht schelten. Der Richter hatte vielmehr nur nach dem
Recht zu fragen. Er war, wie man sagte, nur Frager des Rech=
tes. So der Stadtvogt in Augsburg ¹), in Basel ²), in Salz=
wedel ³), in Freiberg ⁴) u. a. m., der Stadtschultheiß in Ba=
sel ⁵), in Frankfurt a. M. ⁶), in Bamberg ⁷), in Selz ⁸) u. a. m.,

---

1) Schreiben von 1410 in Bairischen Annalen von 1833, p. 875.

1) Urk. von 1325 bei von Stetten, Gesch. der Geschl. p. 385. „darumb
„ward gevraget vnnd ertailt vf den ayt."

2) Gerichtsordnung aus 14. sec. bei Ochs, II, 371. „er sol umb Friden
„und frevel und alle die Besserungen, so davon vallent, fragen und
„richten" —.

3) Urk. von 1247 bei Beckmann, V, 1. 3, p. 96. quod advocatus noster,
quando judicio presidebit, secundum quod a consulibus
ejusdem civitatis sententiatum fuerit, judicabit easdem sententias omnimodis persequendo —.

4) Stadtrecht, c. 32 bei Schott, III, 258. und bei Walch, §. 177.

5) Gerichtsordnung aus 14. sec. bei Ochs, II, 366. „der Schultheiß
„sol umb ein jeclich Sach des ersten die Zehen fragen."

und der Gerichtsvorstand in Schweidnitz [9]). Auch der Bür=
germeister in Speier hielt, wenn er zu Gericht saß, nur die
Umfrage. Denn die Rathsherren hatten das Urtheil zu fällen [10]).
Selbst die Deutschen Könige und die Landesherrn waren, wenn sie
selbst zu Gericht saßen, bloße Frager des Rechtes. Denn kein
vorsitzender Richter hatte etwas zu entscheiden. Die Entscheidung
stand vielmehr bei den Urtheilsfindern. Von dem Erzbischof zu
Köln sagt deshalb Hagen: „Der buſſoff gienck zo gerichte ſitzen
„up den ſal —. Do bede der buſſoff eins vrbels vragen, dat
„ſolbe be van des apts hove ſagen" [11]). Daher durfte kein Richter,
selbst der König und der Landesherr nicht, allein zu Gericht
sitzen. Die Cabinetsjuſtiz gehört erst einer späteren Zeit an.
Sie ist ein späterer Mißbrauch, dessen Entstehung sich wohl erklä=
ren, aber nicht rechtfertigen läßt.

§. 535.

Nach dem auch in den Städten geltenden allgermanischen
Rechte durfte nämlich kein Richter allein ohne Urtheilsfinder
zu Gericht sitzen. Daher hatte der Burggraf von Magdeburg
ebensowohl [1]), als der landesherrliche Vogt in Görlitz [2]), der Schult=
heiß von Magdeburg [3]) und in Winterberg [4]), der Schulte in
Stendal [5]), der Erbrichter oder Erbvogt in Görlitz [6]), Schweidnitz

---

6) Urk. von 1333 bei Böhmer, p. 525. „daz unſer ſchultheizze — als ez
   „von alter her chomen iſt rihten ſol nah der ſchepphen ur-
   „tail" —.

7) Stadtrecht, §. 8 bei Zöpfl, p. 7.

8) Grimm, I, 760, §. 6.

9) Willkür von 1336 §. 2 bei T. u. St. p. 540 ,do vragete ge=
   „richte, wi her baz ſolbe beſſirn. bo wart geteilt."

10) Lehmann, p. 291, vergl. noch p 289 u. 290.

11) Hagen, Reimchron. v. 1450, 1461—1462.

1) Schöffenweisthum aus 13. sec. §. 7, 9 u. 10. bei T. u. St. p. 272.
   Urk. aus 12. sec. bei Leuckfeld, p. 103 u. 107.

2) Urk. von 1303 bei T. u St p. 447.

3) Schöffenweisthum aus 13. sec §. 7, 9 u. 10. Urk aus 12 sec. bei
   Leuckfeld, p. 64 u. 107.

4) Stadtrecht von 1331 bei Walch, VI, 256.

5) Urk von 1345 bei Gercken, vet. march. I, 93

6) Urk. von 1303 bei T. u. St. p. 446.

und Ratibor [7]), der Stadtrichter (judex) in Aachen [8]) und jeder
andere öffentliche Richter, wenn er im Stadtgericht zu Gericht saß,
Schöffen oder andere Urtheilsfinder zur Seite. Die Gerichtsherren
selbst waren, wenn sie in erster -oder in letzter Instanz zu Gericht
saßen, von dieser Regel nicht ausgenommen. Daher sprachen die
Schöffen von Köln das Urtheil, wenn der Erzbischof in der erzbischöflichen Pfalz zu Gericht saß [9]). In Breslau, in Glogau
u. a. m. sollten sieben Schöffen aus der Stadt das Urtheil finden,
wenn eine Sache an den Landesherrn oder an seinen Stellvertreter,
den Hofrichter, gezogen worden war [10]).   Auch in Regensburg
mußte der Herzog von Baiern, wenn er in der Stadt zu Gericht
saß, Bürger aus der Stadt als Urtheilsfinder zur Seite haben [11]).

Die Urtheilsfinder selbst waren nun sehr verschieden. Verschieden der Zeit nach und verschieden in den einzelnen Städten.
In vielen Städten hatten nämlich die umherstehenden Bürger (der
Gerichtsumstand), in anderen die Schöffen oder andere ständige
Urtheilsfinder, oder auch die Rathsherren das Urtheil zu finden,
die Rathsherren entweder allein oder als Gerichtsumstand gemeinschaftlich mit den umherstehenden Bürgern.

§. 536.

Ursprünglich hatte wohl das umherstehende Volk (der Gerichtsumstand) auch in den Städten, jedenfalls in jenen Städten,
in welchen es noch keine Schöffen gab, das Urtheil zu finden. Der
freie Verkehr in den Städten hat jedoch frühe schon zu vermehrten
Streitigkeiten und sodann zu häufigeren Gerichtssitzungen geführt,

---

7) Schöffenbrief von 1293 §. 1, Handfeste von 1328 §. 2 bei T. u. St.
p. 420 u. 519.

8) Urk. von 1215 bei Quix, II, 94.

9) Schiedsspruch von 1258, Nr. 13. Urtheil von 1264 bei Lacomblet,
II, 245 u. 318. sed idem archiepiscopus vel successores sui in
palacio suo Colonie presidere debeant, et ibi secundum quod scabinorum sententia dictaverit judicare. Urtheil von 1230 bei Clasen,
Schreinspraxis, p. 72 in f.

10) Weisthum von 1302 §. 7 bei T. u. St. p. 445, vrgl. p. 208, Not. 2.
und p. 209. Not. 5.

11) Privilegium von 1230, §. 9 bei Gaupp, I, 169.

und daher ständige Urtheilsfinder nothwenbig gemacht. Darum finbet man frühe schon in fast allen Städten Schöffen ober andere ständige Urtheilsfinder. Nach wie vor hat es jeboch auch in ben Städten einen Gerichtsumstanb gegeben. Denn einen solchen finbet man allenthalben, wo altgermanisches Gerichtsverfahren gegolten hat. Auch war dieser Gerichtsumstanb in ben Städten kein müßiger Zuschauer, wie bei unseren heutigen öffentlichen Gerichten, selbst bann nicht, wenn Schöffen zu Gericht saßen. In Magde= burg z. B., wo es jebenfalls bereits seit dem 12. Jahrhundert Schöffen gegeben hat, hatten bie übrigen Bürger nach wie vor Zutritt zu ben Gerichtssitzungen. Sie wohnten ben Sitzungen des Burggrafen öfters in großer Anzahl bei[1]). Unb sie waren auch nicht vom Urtheil Finden ganz ausgeschlossen. Denn sie hatten das Recht das von ben Schöffen gefundene Urtheil zu bestätigen ober zu widersprechen ober auch, wie wir sehen werden, das Recht das Urtheil zu schelten[2]). Auch burfte ber Richter die außerhalb ber Gerichtsbank stehenden Leute um das Urtheil fragen, z. B. in Frei= berg[3]). Unb wenn in ber Sitzung keine Schöffen anwesenb waren, so mußten sogar bie umherstehenden Bürger um das Urtheil unb Recht gefragt werden[4]). Auch bienten bie anwesenben Bürger als

---

1) Urk. aus 12. sec. bei Leuckfelb, p. 105. in placito Burchardi urbani comitis coram frequentia totius populi —.

2) Mehrere Urkunden aus 12. sec. bei Leuckfelb, p. 103. in placito Burchardi urbani comitis, et· in consensu scabinorum judicum universorumque burgensium — presentibus et assen-tientibus cunctis —. eod. p. 107. in placito schulteti Magde-burgensis et deinde in placito Burchardi Magdeburg. confirmata est, presentibus scabinis, judicibus et astantibus et collau-dantibus —. Hier muß statt Burchardi offenbar burggravii ge= lesen, ober wenigstens wie in anberen Urkunben (eod. p. 95, 103 u. 109) nach Burchardi beigesetzt werben urbani comitis. Urk. aus 12. sec. eod. p. 95. — in placito Burchardi urbani comitis, publica cunctorum attestatione stabilitum est.

3) Stabtrecht bei Schott, III, 256. „Wirbet ein man eines urteiles „genragit, der vzenwenbic den benken ist."

4) Stabtrecht von 1188, §. 8 bei T. u. St. p. 268. ut si scabini judices presentes non sint, a burgravio vel a sculltheto sentencia, a civibus requisita, justicie sortiatur effectum.

Gerichtszeugen und wurden als solche in den Gerichtsbriefen aufgeführt und zwar nicht bloß die vollfreien Bürger, sondern auch
die Ministerialen und Geistlichen.   Denn auch sie hatten, wie wir
gesehen, Zutritt zu dem Stadtgericht [5]).

Eben so wie in Magdeburg war es aber auch in anderen
Städten.   In Basel durfte der Schultheiß außer den zehen ständigen Urtheilsfindern auch noch den Vogt und die Vorsprechen um
das Urtheil fragen [6]).   Und wenn einige Urtheilsfinder verhindert
waren, so sollten sodann der Vogt und die vier Fronboten oder
Amtleute beigezogen werden [7]).   Auch in Bremen durfte der Vogt
einen beliebigen Mann aus dem Umstande zum Urtheilsfinder aufrufen [8]).   In Lübeck erhielt sich der Gerichtsumstand sogar bis
ins 18. Jahrhundert.   Es pflegten zu dem Ende am Tage vor
der Sitzung mehrere der wittigsten Bürger vor Gericht beschieden
oder, wie man es nannte, gebudet zu werden.   Dieser Gerichtsumstand sollte nun der ganzen Verhandlung beiwohnen und erst
dann abtreten, wenn zur Findung des Urtheiles geschritten wurde.
Das Urtheil selbst mußte von den sechs rechtsprechenden Prokuratoren gefunden, im Verhinderungsfalle Eines dieser Prokuratoren
jedoch seine Stelle aus den Umherstehenden Bürgern ersetzt oder
ein anderer anwesender Prokurator beigezogen werden.   Die Er-
öffnung des gefundenen Urtheiles sollte aber wieder in Gegenwart
des Gerichtsumstandes statthaben [9]).   Der Gerichtsumstand war

---

5) Urk. aus 12. sec. bei Leuckfeld, p. 100 u. 104.   Stadtrecht von 1188
bei T. u. St. p. 269. vrgl. oben §. 527 – 529.

6) Gerichtsordnung aus 14. sec. bei Ochs, II, 366. Rechtsquellen, I, 65.
„der schultheß sol — des ersten die zehen fragen, und darnach den vogt
„und die fürsprechen" —.   vrgl. noch p. 372.

7) Gerichtsordnung aus 14. sec. bei Ochs, II, 369.   Rechtsquellen, I,
68. „Und wenn die fünf Urteilsprecher, die der Räten sint, hinuff zu
„dem alten Rat berufft werdent, nochdeme söllent und mögent die
„andern fünf Urteilsprecher, der Vogt und die vier Ampt-
„lute Urteil sprechen."

8) Ord. 25 u. 101 bei Oelrichs, p. 79 u. 126.

9) Lübische Niedergerichtsordnung von 1680, c. 1, §. 3 in f. und c. 2.
§. 13. Niedergastgerichts Ordnung c. 9. Dreyer, Einleitung, p. 339.
vrgl. oben §. 474.

demnach bis in die letzten Zeiten kein müßiger Zuschauer bei der Verhandlung. Und in jenen Städten, in welchen es keine Schöffen und keine ständigen Urtheilsfinder gegeben, hatte der Gerichts= umstand auch das Urtheil zu finden. So war es in Regens= burg ursprünglich [10]), und auch späterhin noch bis zum Jahre 1391, in welchem Jahre das Schultheißenamt erst ständige Beisitzer erhalten hat [11]). Auch in Soest hatten die Bürger das Urtheil zu finden [12]). Eben so in Medebach, Speier, München (§. 385) und auch in Augsburg [13]).

Jeder um das Urtheil gefragte Bürger war zum Finden des Urtheiles verpflichtet. Wer sich weigerte wurde gestraft. In Freiberg wurde jedoch ein Unterschied gemacht unter den Bür= gern die außerhalb den Gerichtsbänken umherstanden und die auf den Bänken selbst saßen. Denn nur die Letzteren mußten bei Strafe das Urtheil finden, während die Ersteren sich ungestraft entfernen durften, wenn sie das Urtheil nicht finden konnten oder nicht finden wollten. Indessen durften auch die Letzteren sich zu= vor mit den umherstehenden Bürgern berathen oder sich anderwärts, insbesondere auch bei dem Stadtrath (bei den 12 Geschwornen) Raths erholen, und wenn sie kein Recht finden konnten, sich von der Strafe befreien, wenn sie beschworen, daß sie kein Recht finden könnten. („sweren daz he is nicht kunne vinden") [14]). Auch in Bremen durfte der um das Urtheil gefragte Bürger, wenn er beschwor das Recht nicht zu kennen und es auch von den Umher= stehenden nicht erfahren zu können, einen Termin begehren, um sich beim Stadtrath und bei anderen weisen Männern Raths zu er= holen [15]). Eben so durfte in Verden der um das Urtheil Gefragte,

---

10) Anamodi, lib. I. tradit. St. Emmeran., c. 27 bei Pez, thes. I, 3. p. 220. Actum hoc coram civibus urbis —. vrgl. oben §. 36.

11) Privilegium von 1230, §. 9 u. 10. Gemeiner, II, 112, 115 u. 281.

12) Stadtrecht von 1120, §. 49. — sententiam a burgensibus editam —.

13) Urk. 1325 bei Stetten, Gesch der Geschlechter, p. 384 f.

14) Stadtrecht, c. 31 bei Schott, III, 256 u. 257. und bei Walch, §. 172 u. 173.

15) Reversalen von 1246 in Assert. lib. Brem. p. 83. si is, a quo in- quiritur sententia, dubitat vel ignorat sententiae qualitatem,

wenn er nicht wußte, was Recht war, sich beim Oberhof in Bre=
men Raths erholen [16]).

§. 537.

In den meisten Städten findet man jedoch frühe schon
Schöffen oder andere ständige Urtheilsfinder. Man nannte
sie insgemein Schöffen (scabini), öfters aber auch Dingleute,
z. B. in Goslar [1]), in den Vorstädten von Köln [2]), in Hamburg
u. a. m., sodann Finder, wie noch in späteren Zeiten in Lübeck [3]),
zuweilen auch senatores, z. B. in Köln [4]) oder Ding War=
ten [5]) oder verderbt Dingwortten, Dingworden oder Dink=
warden, z. B. in Freiberg u. a. m. [6]). Auch die um das Urtheil
gefragten Schöffen durften sich, ehe sie ihr Urtheil abgaben, zuvor
mit den umherstehenden Bürgern berathen oder auch sich beim
Stadtrath oder anderwärts Raths erholen, z. B. in Prag [7]). Sie
hatten übrigens nicht bloß das Urtheil zu finden, sondern auch
noch über alle gerichtlichen Vorgänge Zeugniß abzulegen. Daher
wurden sie auch öfters zu gerichtlichen Botschaften verwendet und

---

primo juret quod ipsum nesciat invenire, et quod nemo praesens
sit, qui possit vel velit eum docere, ut inveniat sententiam ante-
dictam, et post suum juramentum petat inducias ad certum ter-
minum, infra quem consilium consulum et aliorum discretorum
valeat requirere —.

16) Privilegium von 1259 bei Vogt, monum. ined. I, 256. Item si
aliquis interrogatus ab advocato de aliqua sententia de qua forte
non poterit ad plenum ab aliquo suorum civium expediri —
debet habere recursum ad civitatem Bremensem.

1) Stat. bei Göschen, p. 58. „de (voghet) scal vraghen enne Dingman
„an enem ordele" —. vrgl. noch p. 92 u. 372.

2) Schreins Urk. bei Ennen, Gesch. I, 598. Not. coram sentionariis,
qui dicuntur dinclude.

3) Meiners, de judic. centenariis, p. 273. vrgl. oben §. 474.

4) Mehrere Urkunden bei Clasen, der kölnische Senat, p. 7. Clasen,
Schreinspraxis, p. 46 u. 53.

5) Urk. von 1445 bei Schöttgen et Kreysig, II, 342. Haltaus, p. 238.

6) Walch, III, 233 u. 248, u. VIII, 17.

7) Rechtsbuch §. 54 bei Rößler.

selbst Boten genannt, z. B. in Freiberg 8), in Freiburg im Breis=
gau, wo die Rathsherren zu gleicher Zeit Schöffen waren 9) u. a. m.
Die Schöffen und anderen Urtheilsfinder mußten allenthalben in
Grund und Boden angesessene Bürger (§. 372) und vor dem Siege
der Zünfte in den freien und gemischten Städten auch noch schöffen=
bar freie Leute, also Geschlechter sein, z. B. in Magdeburg 9a), in
Schweidnitz und wo sonst noch magdeburgisches Recht galt 10),
u. a. m. So war es insbesondere auch in Augsburg und in
Basel. Bis zum Siege der Zünfte hatten im Schöffenstuhl zu
Augsburg nur die Geschlechter Sitz und Stimme, seitdem aber auch
die Zunftgenossen. Und bereits im Jahre 1374 saßen unter den
27 Richtern oder Schöffen nur noch zwei aus den Geschlechtern 11).
In Basel aber wurden vor dem Siege der Zünfte Ritter und
Bürger als Urtheilsfinder beigezogen, seitdem aber nur noch zwei
Achtbürger und ein Ritter. Denn die übrigen sieben Urtheilsfinder
waren nun Zunftgenossen (§. 492). Das Schöffenamt befand
sich daher in den meisten alten Städten im Besitze weniger Fami=
lien, woher es sich erklärt, daß öfters die nächsten Verwandten,
im Jahre 1312 in Friedberg Vater und Sohn und zwei Brüder
zu gleicher Zeit unter den Schöffen sitzen konnten 12).

Die Schöffen und anderen ständigen Urtheilsfinder wurden
meistentheils entweder von der Stadtgemeinde, z. B. in Soest 13),
oder von dem Stadtrath, z. B. in Basel 14), in Magdeburg 15), in
Schweidnitz 16) u. a. m. gewählt, öfters nur auf ein Jahr, z. B.

---

8) Walch, III, 177 u. 178.
9) Freiburg. Stadtrodel, §. 40.
9a) Urk. von 1294 bei Rathmann, II, 492. „Scheppen kiesen von scheppen=
bahren fryen Lüden" —. Schöffenbrief von 1363 bei T. u. St.
p. 588.
10) Urk. von 1363 bei T. u. St. p. 588.
11) Langenmantel, p. 50. Jäger, Augsburg, p. 57.
12) Urk. von 1312 bei Baur, Urkb. Arnsberg, p. 280.
13) Stadtrecht von 1120 §. 5.
14) Ochs, II, 364.
15) Urk. von 1294 bei Rathmann, II, 492.
16) Urk. von 1293 §. 1. und Handfeste von 1328, §. 2 bei T. u. St.
p. 420 u. 519.

in Worms [17]), in Schweidnitz u. a. m., meistentheils aber auf
Lebenszeit, z. B. in Magdeburg, Görlitz und späterhin auch in
Schweidnitz [18]), dann in Stendal [19]), in Hainau [20]), in Andernach [21])
u. a. m. Wenn nun Einer der auf Lebenszeit gewählten Schöffen
starb, so hatten öfters die Schöffen das Recht sich selbst zu ergän=
zen, z. B. in Magdeburg und da, wo magdeburgisches Recht galt
(§. 493), dann in Andernach [22]), in Schwäbisch Hall [23]), in Köln [24])
u. a. m. Die auf die eine oder die andere Weise erwählten Schöf=
fen wurden von dem obersten öffentlichen Beamten in der Stadt
in ihr Amt eingesetzt oder investirt, z. B. in Köln, in Magdeburg
und in Halle von dem Burggrafen. In dieser Amtsinvestitur lag
eine Bestätigung der Wahl. Daher durften die Unfähigen in Köln
und offenbar auch in Magdeburg und Halle von dem Burggrafen
zurückgewiesen werden [25]). In vielen Städten wurde das Schöffen=
amt mit dem Schöffenstuhl erblich (§. 113). Daher konnte sich
in Köln eine Schöffenbruderschaft bilden (§. 62). In den meisten
Städten hat sich jedoch die Erblichkeit des Schöffenamtes frühe
schon wieder verloren. Denn sie hing offenbar mit den alten Ge=
schlechtergenossenschaften zusammen und hat sich daher mit diesen
auch wieder verloren. Und es wurde sodann insgemein das alte
Wahlrecht wieder hergestellt.

Die Anzahl der Schöffen war sehr verschieden in den
verschiedenen Städten. Sehr häufig findet man sieben Schöffen,

---

17) Alte Ordnung bei Schannat, II, 443.
18) Urk. von 1304, §. 1, von 1363 und von 1389 bei T. u. St. p. 449,
　　588 u. 608.
19) Urk. von 1345 bei Gercken, vet. march. I, 94.
20) Urk. von 1353 bei T. u. St. p. 570.
21) Urk. von 1171 bei Günther, I, 408.
22) Urk. von 1171 bei Günther, I, 409.
23) Wahlordnung von 1340 bei Koenigsthal, I, 2. p. 6.
24) Urk. von 1169 bei Lacomblet, I, 303. locare scabinos a scabinis
　　electos. vrgl. oben §. 62.
25) Urk. von 1169 bei Lacomblet, I, 303. burgravii — in sede scabi-
　　natus locare scabinos a scabinis electos et providere sibi debet
　　diligenter — tales vero personas burgravius refutare debet et
　　nullatenus in sede scabinatus locare. vrgl. oben §. 493.

z. B. in Breslau, Glogau, Ratibor, Löwenberg u. a. m. [26]), öfters
aber auch zwölf, z. B. in Magdeburg, wo ihre Anzahl jedoch öfters
gewechselt hat (§. 493.), anderwärts zehn, z. B. in Basel, wo
dieselben auch dann noch die Zehner genannt worden sind, als
ihre Anzahl erhöht worden war (§. 492.), in wieder anderen
Städten acht, z. B. in Stendal [27]), in Prenzlau sogar nur fünf [28]),
in vielen Städten aber vierzehn Schöffen, z. B. in Frankfurt a M.,
von denen aber in früheren Zeiten immer nur drei anwesend zu
sein brauchten [29]). Auch in Andernach vierzehn Schöffen, von
denen jedoch immer nur sieben in der Sitzung anwesend zu sein
brauchten [30]).

In manchen Städten waren die Rathsherren zu gleicher Zeit
auch die Urtheilsfinder bei dem Stadtgerichte (§. 161.). Und spä=
terhin, seitdem die Städte die öffentliche Gerichtsbarkeit an sich ge=
bracht hatten, wurde die frühere Ausnahme sogar zur Regel, indem
seitdem wenigstens die peinlichen Urtheile im Stadtrath von den
Rathsherren gefunden zu werden pflegten. Aber auch in früheren
Zeiten waren schon in manchen Städten die Rathsherren zu glei=
cher Zeit auch die Urtheilsfinder bei Gericht, und in jenen Städten,
in welchen der Gerichtsumstand das Urtheil zu finden hatte, findet
man sie wenigstens unter der mitstimmenden Bürgerschaft, z. B.
in Augsburg [31]), in Speier [32]) u. a. m. Auch in jenen Städten,
in welchen Schöffen oder andere ständige Urtheilsfinder statt des
umherstehenden Volkes das Urtheil zu finden hatten, verlor der
Gerichtsumstand noch nicht alle Bedeutung. Denn nach wie

---

26) Urk. von 1302, 1318 u. 1365 bei T. u. St. p. 445, 501 u. 589.

27) Urk. von 1272 bei Gerken, vet. march. I, 13.

28) Zimmermann, I, 158. Not. 52.

29) Statut von 1352 bei Senckenberg sel. jur. I, 2. — „Das allezeit die
„scheffen dri zu dem minnesten zu gerichte suln sitzen" —. Baculus
judicii aus 14. sec. art. 1. bei Thomas, Oberhof. p. 222. „Das des
„rychsgerichte zu Franckfort als von alter herekomen ist, besast sal
„sin mit XIV scheffen" —. vrgl. Meine Gesch. der Fronhöfe, IV, 122.

30) Urk. von 1171 bei Günther, I, 408 u. 409.

31) Urk. von 1325 bei Stetten, Gesch. der Geschl. p. 384. f.

32) Urk. aus 13. u. 14. sec. bei Lehmann, p. 303—306. und oben
§. 161.

vor war ihm das Recht des Gerichtszeugnisses und des Urtheils=
scheltens geblieben. Erst seitdem keine Zeugen aus dem Gerichts=
umstande mehr in das Urtheil aufgenommen zu werden pflegten,
was in Basel u. a. m. seit dem 15. Jahrhundert der Fall war [33]),
und seitdem das Urtheilschelten außer Gebrauch gekommen und nur
noch die Berufung der Parteien geblieben war, seitdem verlor auch
der Gerichtsumstand selbst seine alte Bedeutung, und ist sodann mit
ihm aber auch die Oeffentlichkeit selbst, gänzlich verschwunden.

5. Schreiber, Vorsprechen, Boten und Henker.

§. 538.

Wie bei anderen Gerichten so wurden offenbar auch bei den
Stadtgerichten die Schreibereien ursprünglich durch gewöhnliche
Notare besorgt. Seitdem es indessen Stadtschreiber gegeben hat,
seitdem hat man sich ihrer vielleicht auch bei Gericht bedient. Eigene
bei den Stadtgerichten angestellte Schreiber findet man erst seitdem
14. Jahrhundert, z. B. in Speier des "Schultheißen geschworen
"Schrieber" [1]), in München einen "schreiber des richters" [2]), in
Freiberg einen Schreiber bei dem Vogtgerichte, der früher "der bur=
ger schriber", späterhin aber Gerichtschreiber genannt worden ist [3]),
in Basel u. a. m. einen "Schriber des Gerichtes," welcher den
Schultheiß, so oft es nothwendig war, begleiten und Alles schreiben
mußte, was bei Gericht zu schreiben war, und der auch die Ge=
richtsbriefe zu siegeln hatte [4]). Wie die übrigen auf längere Zeit
angestellten städtischen Beamten, so erhielten auch die Gerichtsschrei=
ber Bestallungsbriefe, in welchen ihre Rechte und Verbind=
lichkeiten aufgezählt waren. Von Lübeck kennt man solche Bestal=
lungsbriefe oder Contracte des Rathes mit dem Richtschriver, dem

---

33) Heusler, p. 374 Not.

1) Gerichtsordnung von 1327 §. 1 bei Lehmann, p. 293.

2) Stadtrecht, art, 259 u. 270.

3) vrgl. Stadtrecht bei Schott, III, 264, mit Walch, III, 254.

4) Gerichtsordnung aus 14. sec. bei Ochs, II, 365 u. 370. Dienstordnung
§ 9, 24—27 in Rechtsquellen, I, 64 u. 68. vrgl. Meine Gesch. des
altgermanischen Gerichtsverfahrens, p. 144.

späteren Actuar, von den Jahren 1522, 1526 und 1528. Der Richtschriver hatte nach ihnen außer der Aufsicht über die Gerichts=protokolle auch noch die Nachtwachen zu visitiren und beim Wein Schenken zu helfen. Und noch im Jahre 1806 sah man ihn bei einer feierlichen Gelegenheit den mit Wein gefüllten silbernen Pokal umherreichen [5]).

Redner und Vorsprechen kommen seit den ältesten Zeiten bei allen Stadtgerichten vor, und jede Partei, der Kläger und An=kläger ebensowohl wie der Beklagte und Angeklagte hatte das Recht einen solchen von dem Gerichte zu begehren, z. B. in Soest [6]), in Augsburg [7]), in Basel [8]), in München [9]), in Freiberg [10]), in Ber=lin [11]), in Frankfurt an der Oder [12]), in Höxter [13]) u. a. m. Nur in sehr wenigen Fällen wurde ein Vorspreche nur mit Zustimmung des Gegners zugelassen, z. B. in Freiberg [14]). Jeder Bürger, gleichviel ob er auf der Gerichtsbank saß oder außerhalb den vier Bänken, oder an der Schranne oder an dem Gerichtsring bei dem umherstehenden Volk stand, mußte, wenn er dazu von dem Richter aufgerufen worden war, bei Strafe als Vorspreche auftreten und seiner Partei das Wort reden, z. B. in Magdeburg und Görlitz [15]), in München [16]), in Salfeld [17]) u. a. m. In Freiberg wurde jedoch ein Unterschied gemacht zwischen denen, die in den Bänken saßen und den außerhalb den Bänken umherstehenden Leuten. Die Einen und die Anderen konnten zwar als Vorsprechen begehrt und vom Richter gegeben werden. Allein nur die in den Bänken Sitzenden

5) Hach, Lüb. Recht, p. 145.
6) Stadtrecht von 1120 §. 50. Schrae, c. 55.
7) Urk. von 1325 bei Stetten, Gesch. der Geschl. p. 384.
8) Gerichtsordnung aus 14. sec. bei Ochs, II, 372.
9) Stadtrecht art. 5 bei Auer, p. 4.
10) Stadtrecht, c. 31. bei Schott, III, 251 ff.
11) Fidicin, I, 156.
12) Zimmermann, I, 171.
13) Zeugniß und Relation von 1605 u. 1650 bei Wigand, denkwürdige Beitr. p. 170, 171 u. 172.
14) Stadtrecht bei Schott, III, 251 u. 253. Walch, III, 239. f.
15) Schöffenbrief von 1304 §. 56 bei T. u. St. p 461.
16) Stadtrecht bei Auer, p. 4, 105 u. 277.
17) Stadtrecht aus 13. sec. §. 174 bei Walch, I, 57.

mußten dem Gebote des Richters gehorchen und den Parteien bei
Strafe das Wort reden, während die außerhalb Stehenden sich
ungestraft entfernen durften [18]). Ursprünglich erhielten die Vor=
sprechen keinen Lohn, z. B. in München [19]). Denn das für einen
Anderen das Wort Sprechen gehörte zu den Bürgerpflichten. Erst
späterhin ward von den Stadträthen ein bestimmter Lohn angeord=
net, z. B. in Basel [20]), in München [21]), in Regensburg [22]) u. a. m.
Sehr zweckmäßig war auch in Basel zur Abkürzung der Verhandlun=
gen vorgeschrieben, daß jeder Fürspreche nur ein Mal reden solle. („umb
„daß dest me Sachen vor Gerichte möchtent ußgetragen werden, so
„sol ein jeklich fürspreche fins Teiles des Rede er thut ein yeklich
„Stucke nüt me denne eynest ertzalen, und der andere fürspreche
„ouch nüt me denne eyneft dazu antwurten" [23]). Auch bildeten
die Vorsprechen ursprünglich keinen eigenen Stand. Späterhin
war man jedoch auch in den Städten genöthiget bei jedem Gerichte
eine bestimmte Anzahl von Vorsprechen anzustellen, z. B. in Speier
vier Fürsprecher bei dem Kammergerichte [24]) und in Lübeck beim
Niedergerichte eine bestimmte Anzahl von Prokuratoren, welche, wie
wir gesehen, auch zum Rechtsprechen beigezogen werden konnten
und sollten [25]).

Gerichtsboten hat es von jeher auch in den Städten ge=
geben, seitdem es überhaupt eigene Stadtgerichte gegeben hat. Sie
wurden genannt precones z. B. in Soest [26]), nuncii oder Bo=
ten in Straßburg [27]), lictores in Freiburg [28]), Amtmänner

---

18) Stadtrecht, c. 31 bei Schott, III, 252—256.
19) Stadtrecht, art. 273.
20) Gerichtsordnung aus 14. sec. bei Ochs, II, 373, Basler Rechtsquel=
len, I, 72.
21 Stadtrecht. art. 414—417.
22) Alte Rathsordnung bei Freiberg, V, 61 u. 62.
23) Gerichtsordnung bei Ochs, II, 372. Rechtsquellen I. 71.
24) Lehmann, p. 292.
25) Meine Gesch. des altgerman. Gerichtsverfahrens, p. 128. und oben
§. 536.
26) Stadtrecht von 1120 §. 11, 45 u. 57 ff.
27) Altes Stadtrecht, §. 27 u. 36 bei Grandidier.
28) Stadtrobel, c. 10.

ober Amtleute, oder precones civitatis und ammanni civitatis in Basel [29]), in München und in anderen bairischen Städten, Knechte in Speier [30]), Schergen oder Fronboten in München [31]), Büttel oder Butel in Freiberg [32]), Bobel in Goslar [33]), Bottel in Orlamünde [34]), Fronen oder Bronen in Soest [35]) und sehr häufig Fronboten. Sie hatten insgemein keine eigene Gerichtsbarkeit, vielmehr nur die Befehle des Vogtes, des Schultheiß und der Bürger zu vollziehen. Sie waren die eigentlichen Vollzugsbeamten, z. B. in Freiberg [36]) u. a. m. Daher sollten die Fronboten mit ihren Knechten hinter dem Gerichtstisch, an welchem das Gericht saß, stehen [37]). Allenthalben hatten sie die Vorladungen zu machen und auf Geheiß des Richters die Urtheile zu vollziehen. In Basel sollten sie sich schon vor dem Beginne der Sitzung einfinden und die Parteien zurecht weisen, damit nicht das Gericht „müsse sitzen und sin warten müsse [38]). Auch sollten sie z. B. in Freiberg bei Gericht die Eide staben, die Parteien, Zeugen und Eideshelfer aufrufen und den Leuten Stillschweigen gebieten [39]). Eben so in München [40]). In manchen Städten hatten sie jedoch auch noch eine Gerichtsbarkeit, worüber nun noch Einiges bemerkt werden muß.

---

29) Gerichtsordnung aus 14. sec. bei Ochs, II, 371 und 372, Heusler, p. 209. Grimm, I, 819.

30) Gerichtsordnung von 1327 §. 1 bei Lehmann, p. 293.

31) Stadtrecht, §. 3, 4, 24, 61, 244 u. 248.

32) Stadtr. c. 36, bei Schott, III, 265.

33) Göschen, p. 65.

34) Stadtrecht aus 14. sec. bei Walch, II, 72.

35) Schrae, art. 7 u. 40.

36) Stadtrecht, c. 36 bei Schott, III, 265. „Die buteln haben ouch keine „gewalt an nichte den daz si tun waz si di burger heizen vnde der „voit daz sullen si tun vnd anders nicht."

37) Dreyer, Einleitung, p. 428.

38) Ochs, II, 371. f.

39) Stadtrecht, c. 36 bei Schott, III, 265. „Die buteln sullen in dem Dinge sin — vnde sullen eide staben vnde di lute ineischen vnd sullen di lute heizen swigen.

40) Stadtrecht, art. 248. Urk. von 1294 bei Bergmann, II, 12.

Die Fronboten waren sehr angesehene gerichtliche Beamte [41]). In manchen Städten, z. B. in Basel noch im 14. Jahrhundert, nahm man sie ausschließlich aus den Geschlechtern oder Patriciern [42]). Die Idee im Verhinderungsfalle des Richters sich an sie zu wenden lag demnach sehr nah. Schon nach dem Sachsenspiegel war es erlaubt bei handhafter That in Abwesenheit des Richters seine Klage bei ihnen anzubringen [43]). Und auch in späteren Zeiten noch war in Soest der Frone der gesetzliche Stellvertreter des Großrichters [44]), in Goslar der Bodel der Stellvertreter des Vogtes und des Schultheiß [45]), und in den bairischen Städten der Buttel oder Amtmann, wenn der Vogt abwesend oder sonst verhindert war [46]). Seitdem nun die Burrichter, die Heimburger und die anderen alten Vorsteher der Stadtmarkgerichte in vielen Städten zu bloßen Gerichtsboten herabgesunken waren, ihnen aber in einigen Städten auch noch eine Gerichtsbarkeit in ganz geringfügigen Sachen überlassen worden war, seitdem übertrug man in anderen Städten dieselbe Gerichtsbarkeit den Fronboten selbst. Auf diese Weise sind denn die Fronbotengerichte entstanden mit derselben Kompetenz, welche die Burrichter in Soest, in Köln u. a. m. gehabt haben. Denn auch die Fronbotengerichte hatten nur über ganz geringfügige Sachen zu erkennen, z. B. in Lübeck bis zu sechs Pfennigen [47]), in Dortmund aber [48]) und in Herfort bis zu 6 Denaren [49]), in Nürnberg bis zu 6 Gulden [50]) u. s. w. Diese Fron-

---

41) Meine Gesch. des altgerman. Gerichtsvrf. p. 140.

42) Heusler, p. 209.

43) Sächs. Lr. I, 68 §. 2 u. 70 §. 3.

44) Schrae, art. 7—11 u. 40.

45) Göschen, p. 65 u. 110.

46) Stadtrecht von Rain von 1332 bei Lori, p. 51. — „und möchten sie „dez Vogtz nicht gehaben, so sol der Püttel in der Stat sizen, und sol „dem Gast richten als Gastez Recht ist."

47) Altes Stadtrecht bei Hach, I, §. 56 u. II, §. 230. und bei Westphalen, III, 628 u. 667.

48) Stadtrecht aus 13. sec. §. 7 bei Wigand, Gesch. von Korvei, II, 212. vgl. oben §. 474.

49) Urk. von 1226 bei Kindlinger, Hörigkeit, p. 265. vgl. ober §. 455.

50) Nürnberg. Reformation tit. 1, c. 2. p. 1.

botengerichte sind demnach in einigen Städten an die Stelle der
alten Burgerichte getreten [51]). Sie wurden hie und da auch Un=
tergerichte genannt, z. B. in Soest, in Nürnberg u. a. m.
(§. 455.) Und sie haben sich auch seit dem 16. Jahrhundert noch,
in manchen Städten sogar bis auf unsere Tage erhalten, z. B.
das Weibelgericht oder Wibbelgericht in Cleve [52]), und das Gericht
des Gerichtsdieners in Memmingen [53]). Und das Untergericht in
Nürnberg hat wenigstens seinen alten Namen Fronbotengericht noch
im 18. Jahrhundert geführt, wiewohl der Fronbot selbst nicht mehr
den Vorsitz gehabt hat [54]).

Seitdem die Städte die Kriminalgerichtsbarkeit erworben hat=
ten, seitdem hatten sie auch Henker, Scharfrichter und Nach=
richter, zum Vollzuge der von dem Stadtgerichte oder Stadtrathe
erlassenen Straferkenntnisse. Sie kommen unter sehr verschiedenen
Benennungen vor. Sie wurden in Trier und Frankfurt Stocker,
Stucker oder Sticker (§ 425.), in Frankfurt [55]), in Baiern u.
a. m. Züchtiger [56]), und in Görlitz Tortoren genannt. Zwar
hält Stenzel den tortor in Görlitz für eine von dem Henker ver=
schiedene Person und zwar für einen Vorstand der Marterkammer, der
also die Tortur vorzunehmen und zu besorgen gehabt habe. Allein
nach der von ihm selbst angeführten Rathsrechnung hatte der tortor alle Arten von peinlichen Strafen zu vollziehen, die Ohren
abzuschneiden, die Leute zu brennen u. dergl. m. Der Tortor war
demnach derselbe Vollzugsbeamte, den man anderwärts tormenta-
rius, Peiniger u. s. w. meistentheils aber Henker oder Nachrichter
genannt hat [57]). Der Nachrichter war im Grunde genommen bloßer

---

51) Meine Geschichte der Hofverfassung. IV, 475 u. 476.
52) Urk. von 1533 bei Haltaus, p. 2095.
53) Gerichtsordnung der Reichsstadt Memmingen, tit. 4 §. 12. „Diejenige
„Schuldsachen, so im Werth unter einen Gulden betragen, zu Entschei=
„dung des Gerichts Dieners dessen Erkänntniß ohne weitere Umstände
„vollenzogen werden soll."
54) Joh. ab Indagine, p. 817.
55) Lersner, II, 1. p. 680.
56) Schmeller, IV, 247.
57) Görlitzer Rathsrechnung von 1386 bei T. u. St. p. 244, Not. 2.
Tortori, bursicidas corrigenti et aures abscindenti et unam mu-

Stellvertreter oder Gehilfe desjenigen Beamten, welcher die Urtheile zu vollziehen hatte, also in Straßburg der Stellvertreter des Vogtes (vicarius advocati, — des Vogtes unbertan — der an des Vogetes stat) [58]). Dieser Stellvertreter des Vogtes zu Straßburg hatte jedoch nur die Strafen an Hals und Hand zu vollziehen, während ein anderer unter dem Schultheiß stehender Beamte, der Stockwart (cipparius), die Strafen an Haut und Haar zu vollziehen hatte [58a]). Das Geschäft des Nachrichters, das Rädern, Sieden, Brennen, Handabschlagen u. s. w. nannte man in Basel das Spiel [59]), ein Ausdruck, der wie das Verspielen und Gewinnen bei der Militärconscription und selbst bei gewonnenen oder verlorenen Schlachten auf das große Spiel mit Menschenleben hindeutet [60]).

6. Gerichtsort.

§. 539.

Meistentheils hatten die öffentlichen Gerichte, das heißt jedes einzelne hohe oder niedere öffentliche Gericht, nur eine einzige Malstatt in der Stadt. In den größeren aus mehreren Kirchspielen und Vorstädten bestehenden Städten hat es jedoch ursprünglich, wie es scheint, mehrere Gerichtsorte gegeben. In Köln z. B. wurde das Burggrafengericht oder das Witzigding noch im 13. Jahrhundert außer in der Altstadt auch noch im Kirchspiel St. Alban und in der Vorstadt Niederich gehalten [1]). In Mainz durfte der Kämmerer sein Gericht in der Stadt und im Burgbann halten wo er wollte. Der Schultheiß mußte es aber an der gewöhnlichen Gerichtsstatt halten [2]). In Basel wurde das Schultheißengericht, wie wir sogleich sehen werden, an verschiedenen Orten gehalten. Auch scheint der Stadtrichter zu Dortmund zuweilen seinen Gerichts-

---

lierem signanti cum cantorio ein halbes Schock Gl. vrgl. Diefenbach, glossar. German., v. tortor, p. 589.

58) Stadtrecht, c. 19, 20, 22 u. 23 bei Grandidier, II, 51.

58a) Stadtrecht, c. 21 u. 24 bei Grandidier, p. 51 u. 52.

59) Ochs, III, 170.

60) vrgl. Schmeller, III, 561.

1) Clasen, Schreinspraxis, p. 47 u. 54.

2) Rechte eines Camerers bei Guden, II, p. 461.

ort gewechſelt zu haben, da ihm dieſes im 13. Jahrhundert ver=
boten worden iſt ³). Ueberhaupt ſind in früheren Zeiten die Ge=
richte beweglicher geweſen als dieſes heut zu Tage der Fall iſt.
Denn die Gerichte pflegten, freilich nur ausnahmsweiſe, dahin ver=
legt zu werden, wo man ſie gerade nothwendig hatte, z. B. in
Baſel vor das Haus des Teſtators, wenn dieſer krank war (§. 532).
Eben ſo ſollte in Soeſt ein Nothgericht am Krankenbett gehegt
werden, wenn eine der Parteien ſo krank war, daß ſie nicht vor
Gericht kommen konnte ⁴). In Orlamünde mußten die Gerichts=
bänke vor die Hausthüre geſetzt und daſelbſt das Gericht gehegt
werden, wenn in einem Bürgerhauſe ein Verbrechen begangen
worden war oder wenn ein Verbrecher darin Zuflucht gefunden
hatte, indem der Thäter ohne Urtheil nicht aus dem Hauſe geholt
werden durfte ⁵). Und in Diepholz ſollte das Gericht, wenn der
Beklagte nicht vor Gericht erſchienen war, vor die Thüre des Be=
klagten gelegt („dat Richte leggh en vor ſine Döre") und dem Klä=
ger zu ſeinem Recht verholfen werden ⁶). Meiſtentheils hatte jedoch
jedes Stadtgericht nur eine einzige regelmäßige Malſtatt und zwar
urſprünglich nach germaniſcher Weiſe unter freiem Himmel,
z. B. im Städtchen Geſeke in Weſtphalen unter einer Linde ⁷).
Auch in der Vorſtadt St. Alban in Baſel ſaß der Schultheiß des
Probſtes von St. Alban unter der Linde vor dem Kirchhof zu
Gericht und nur bei ſchlechtem Wetter im Kreuzgang der
Kirche ⁸). Auf einer Anhöhe wurde gehalten, z. B. das eigel=
ſteiner Gericht zu Köln auf einem Bühel des Eigelſteins ⁹) und
das Schöffengericht das heißt das Schultheißengericht zu Halle auf
dem Berge vor dem Roland ¹⁰). Andere Stadtgerichte hatten

---

3) Stadtrecht aus 13. sec. §. 5 bei Wigand, Geſch. von Korvei. II, 211.

4) Ordnung des Gerichts vor den vier Bänken, tit. 13, bei Emminghaus, p. 414 ſ.

5) Stadtrecht aus 14. sec. §. 4 bei Walch, II. 71. und oben §. 119.

6) Stadtrecht von 1318 bei Pufendorf, I, 139.

7) Beſtand des Marſchallamtes um 1293 bei Seibertz, II, 1. p. 618. opidani ibidem convenientes sub quadam tylia.

8) Baſel im 14. Jahrhundert, p. 103.

9) Grimm, II, 744. — „up den buchgil up Eygelſteyne."

10) Urtheile aus 17. sec. bei Walch, VI, 323, 341 u. 342. — „vſu Berge „vohr den Rohelande zue Halle."

ihre Malstatt an einem Brunnen, oder an einer Brücke, oder
vor einer Kirche oder Kapelle. So saß der Schultheiß in der
Altstadt zu Basel bei schönem Wetter unter freiem Himmel vor
dem Richthause oder vor einer Kapelle, vor einem Brunnen, oder
auch vor einem Privathause, und nur bei schlechtem Wetter im
Richthause (domus judicii) selbst. Daher erhielt die Brücke in der
Nähe jenes Brunnens den Namen Richtbrücke[11]). Der erzbischöf=
liche Burggraf von Magdeburg hielt seine Sitzungen drei Mal im
Jahre vor der erzbischöflichen Pfalz in Magdeburg[12]).
Vor einer Kirche oder auch in der Kirche selbst saß das Stadt=
gericht, z. B. in Freiburg auf dem Münsterchor[13]). In Erfurt
sollte der Schultheiß im Bruel „in der Kirchen S. Severi öffent=
„lich sitzen, und einen Tisch vor sich haben"[14]). An der Brücke
das Gericht zu Tangermünde[15]), zu Salzwedel[16]), zu Berlin[17])
und das Brückengericht zu Würzburg (§. 494). An einer Staffel
oder Treppe das Staffelgericht zu Weißenburg[18]). Und sehr häu=
fig auf dem Marktplatze, z. B. in Straßburg auf dem Markte
bei St. Martin[19]), in Lübeck auf dem Markte unter dem blauen
Himmel[20]) und in Bremen an dem Markte vor dem Rathhause[21]).
Auch in Reutlingen wurde das Blutgericht bis ins Jahr 1495 auf
dem Marktplatze gehalten. Denn erst in diesem Jahre erhielt die

---

11) Basel im 14. Jahrhundert, p. 46 u. 65. Urk. von 1253 bei Ochs, I,
    334. vrgl. oben §. 492.
12) Urk. von 1221 bei Dreyhaupt, II, 461. — ante palatium nostrum
    consueverunt burggravii praesidere in loco, qui vulgo Palenze
    nominatur.
13) Urk. von 1356 bei Schreiber, I, 443. — „in dem Münster zuo Fri=
    „burg uf dem kor rihtet umb eigen und umb erbe."
14) Bibrabüchlein von 1332 bei Falckenstein, Histor. von Erfurt, p. 201.
15) Zimmermann, I, 166, Not. 75.
16) Urk. von 1273 bei Lenz, I, 67.
17) Urk. von 1365 bei Fidicin, II, 58.
18) Ungedrucktes Mundatrecht — „deß Staffelgerichts — an der Staffel
    „unter dem Himmel" —. vrgl. oben §. 494.
19) Stadtrecht, c. 15. bei Grandidier. vrgl. oben §. 490.
20) Reimar Kock bei Dreyer, Einleitung, p. 354. — „uppe dat Market
    „under den blauen Himmel." vrgl oben §. 474.
21) Assertio lib. Brem. p. 751 s.

Stadt von dem Kaiser das Privilegium bei verschlossenen Thüren über Blut-richten zu dürfen [22]).

Bis ins 13. und 14. Jahrhundert, hie und da sogar bis ins 15., wurden demnach auch in den Städten die Gerichte unter freiem Himmel, und nur bei schlechtem Wetter in bedeckten Räumen, entweder in einem Hause oder in einer Kirche, gehalten. Seit dieser Zeit fing man aber an die Gerichte regelmäßig in bedeckten Räumen zu halten, entweder an der alten Dingstätte in einer daselbst errichteten Laube, z. B. in Salzwedel [23]), in Hannover, Göttingen, Goslar, Mülhausen, Orlamünde und Hagenau [24]), oder in einem daselbst errichteten Dinghause, z. B. das eigelsteiner Gericht zu Köln [25]), oder zwischen den Rathhaus Pfeilern gegen den Markt, z. B. in Bremen [26]), oder in anderen öffentlichen Hallen, z. B. in Hagenau [27]), oder auch in dem meistentheils am Markte stehenden Kaufhause, z. B. in Schweidnitz [28]) oder im Rathhause, z. B. in Berlin [29]), in Herfort u. a. m. [30]), meistentheils aber in einem eigenen Richthause oder Dinghause, z. B. in Augsburg [31]), in Speier [32]), in Worms [33]), in München [34]), in

---

22) Gayler, I, 130.

23) Urk. von 1273 bei Lenz, I, 67. qui judicio presidebit hic veniet ante lobium juxta locum, qui Crute Brucke dicitur.

24) Meine Gesch der altgerman. Gerichtsverf. p. 164.

25) Grimm, II, 744 u. 745. „Dat dinkhuys is geleyghen up den buch-„gil up Eygelsteyne — in deme dinckhove up Eygelsteyn.“

26) Assertio, p. 751—52. — „an der Gassen zwischen deß Rahthauses „Pfeilern gegen dem Marckt gesessen“ —.

27) Urk. von 1444 bei Schoepflin, II, 381. vrgl. Meine Gesch. der altgerm. Gerichtsverf. p. 164.

28) Urk. von 1336 §. 1 bei T. u. St. p. 540.

29) Urk. von 1365 bei Fidicin, II, 58. — „up den Rathhuse bi der nyen „brugghen twischen beyden steden“ —.

30) Altes Schöffenbuch bei Meinders, de jud. centenar. p. 274. vergl. noch Haltaus, p. 107.

31) Urk. von 1325 bei Stetten, Gesch. der Geschl. p. 384. Stadtrecht von 1276 bei Freyberg, p. 85.

32) Lehmann, p. 291 u. 292.

33) Rachtung von 1519 §. 29 bei Schannat, II, 327. vrgl. p. 443.

34) Stadtrecht, art. 235.

Basel, Köln, Hannover u. a. m. (§. 187, 188 u. 492), oder in
dem pretorium oder teatrum z. B. in Soest, Gesecke u. a. m. [35]),
in den Reichsstädten öfters auch im Reichspalaste, z. B. in
Goslar der Vogt (§. 473), und in den Bischofsstädten in der bi=
schöflichen Pfalz oder im Bischofshofe, z. B. in Straßburg
der Burggraf und der Vogt [36]), in Worms der Kämmerer [37]), in
Augsburg der Vogt [38]) und in Köln der Vogt [39]) und auch der
Erzbischof, wenn er selbst zu Gericht saß [40]). Zuweilen wurden
indessen die öffentlichen Gerichte auch in den Städten in Privat=
häusern gehalten, z. B. das Vogteigericht in Erfurt [41]).

§. 540.

Die Einrichtung des Sitzungsortes war auch in den
Städten ursprünglich, so lange die Sitzungen noch unter freiem
Himmel gehalten zu werden pflegten, sehr einfach. Es standen da=
selbst meistentheils nur einige Bänke, Schrannen oder Stühle, auf
welchen die vorsitzenden Richter und die Schöffen und die übrigen
Urtheilsfinder saßen. Diese Bänke und Stühle waren anfangs be=
weglich. Daher konnte man sie von einem Gerichtsort an den
anderen tragen, z. B. in Orlamünde [1]). Späterhin wurden sie an
der ständigen Malstatt befestigt, und zwar so gestellt und befestigt,
daß sie für das Gericht einen geschlossenen Raum bildeten, in
welchen ohne Erlaubniß des Richters niemand hineintreten durfte,

---

35) Seiberz, Rechtsgesch. von Westfalen, III, 663. Not.
36) Stadtrecht, c. 42 u. 45 bei Grandidier. vrgl. oben §. 490.
37) Annales Worm. bei Boehmer, fontes, II, 210.
38) Stadtrecht bei Freyberg, p. 85.
39) Urk. von 1169 bei Lacomblet, I, 302.
40) Urk. von 1230 bei Clasen, Schreinspraxis, p. 72. Acta sunt hec in
   palatio D. nostri archiepiscopi. Urk. von 1264 bei Lacomblet, II,
   318.
41) Bibra Beschreibung der Gerechtigkeit von 1332 bei Falckenstein, Erfurt,
   p. 194. „in Voigts=Gerichte, welches öffentlich gehalten worden,
   „in krummen Hause" —.
1) Stadtrecht aus 14. sec. §. 4 bei Walch, II, 71. — „so magk der
   „richter nachfolgen vor die thür daselbist sal her dann bencke setzin vnd
   „eyn gerichte bestellin" —.

z. B. in Salfeld [2]). Wenn der Gerichtsort mit vier Bänken oder
mit Schrannen eingeschlossen war, so nannte man sodann den Ge=
richtsort, und von dem Ort auch das Gericht selbst das Gericht
der vier Bänke, z. B. in Soest, in Bremen u. a. m., oder die
Schranne z. B. in München [3]), in Freising [4]) und in Regens=
burg [5]). Auf diesen Bänken, Schrannen und Stühlen saßen nun
die Richter, die Schöffen und die übrigen Urtheilsfinder. Sie
saßen demnach in den vier Bänken, z. B. in Soest [6]), in
Bremen [7]), in Freiberg [8]), in Görlitz, Schweidnitz [9]) u. a. m., oder
innerhalb oder zwischen den Schrannen, z. B. in Bam=
berg [10]). Und von den Gerichts=Bänken und Stühlen nannte man
das Gericht selbst eine Gerichtsbank, einen Gerichtsstuhl
oder einen Schöffenstuhl, z. B. in Magdeburg, Schweidnitz
u. a. m. [11]). Um diese Bänke, Schrannen und Gerichtsstühle
herum stand nun das übrige Volk (der Gerichtsumstand), und
bildete demnach einen Ring oder einen Kreis um das Gericht
herum, z. B. in Freiberg [12]), in München [13]) u. a. m. Daher

---

2) Stadtrecht aus 13. sec. § 120. bei Walch, I, 42. „Wer da auch
„trete in daz gestule vor deme geheiten dinge ane loube dez rich=
„terz" —.

3) Stadtrecht, art. 4 u. 237.

4) Ruprecht von Freising, II, 95.

5) Stadtrecht bei Freyberg, V, 30 ff., 54 u. 56.

6) Schrae, art. 13.

7) Statut von 1303, c. 14, 31, 33, 44 u. 117 bei Oelrichs, p. 73, 81,
82, 94 u. 135.

8) Stadtrecht, c. 31 bei Schott, III, 253—256.

9) Urk. von 1303 u. 1336 bei T. u. St. p. 446, 447 u. 540. — in
banccis — in quatuor banccis civitatis — die vier Benke —.

10) Centgerichts Ordnung bei Schuberth, über die Staats= und Gerichts=
verfassung von Bamberg, p. 251 u. 252. und bei Zöpfl, p. 134.

11) Urk. von 1363 bei T. u. St., p. 588.

12) Stadtrecht, c. 31 bei Schott, III, 253 - 256. — „der man uzenwendic
„den benken stet —. Brenget ein man einen vorsprechen mit im zu
„dinge vor bi benke —. Wirdet ein man eines urtheiles gevragit
„der uzenwendic den benken ist" —.

13) Stadtrecht, art. 5. — „swelicher an dem ring oder an der schrannen
„stat oder der hinder, also daz man im geniessen mag" —. vergl.
Meine Gesch. des altgerm. Gerichtsverf. p. 168 u. 169.

wurde der Gerichtsort auch in den Städten ein Ring, Gerichts=
ring, Kreis und, von dem in dem Kreis aufgeworfenen Ge=
richtshügel, z. B. in Köln, Magdeburg u. a. m. ein Warf ge=
nannt [14]).

Vor dem Gericht stand gewöhnlich ein Tisch, auf welchem
das Richtschwert oder der Gerichtsstab lag und auf welchem die
Heiligen standen, auf welche die Eide geschworen zu werden pfleg=
ten, z. B. in Lübeck [15]), in Herfort [16]), in Bremen u. a. m. Die
Heiligen befanden sich in Lübeck in einer kleinen Kirche [17]) und in
Bremen in einem kleinen hölzernen Häuschen [18]). Daher wurden
daselbst die kleine Kirche und das Häuschen auf den Tisch vor den
Richter hingestellt. Zuweilen wurde auch noch eine Fahne, bei
Blutgerichten eine Blutfahne ausgesteckt [19]).

7. Gerichtszeit.

§. 541.

Ursprünglich wurden auch in den Städten gebotene und
ungebotene Gerichte gehalten, ungebotene jedoch in der Regel

---

14) Urk. von 1169 bei Lacomblet, I, 302. — in circulo quod Warf
dicitur. Magdeburg. Schöffenbrief von 1261, §. 70 und von 1304
§. 137 bei T. u. St. p. 361 u. 477. — „der Cleger soll aller erst
„in den Warf komen.“ vrgl. Sächs. Lr. I, 63 §. 4. Stadtrecht von
Freiberg, c. 27 bei Schott, III, 232. „Di voyte sullen alrest kumen
„in den creiz.“ Ruprecht von Freising, II, 100 u. 112. — „hinder
„dem ring“ —. Stadtrecht von München, art. 5, 284 u. 505. Stadt=
recht von Regensburg bei Freyberg, V, 31. vrgl. Meine Gesch. des
altgerm. Gerichtsverf. p. 166.

15) Reimar Kock bei Dreyer, Einleitung, p. 354. — „de Richte Herren
„samt den Richte Schriver sitten vnde sik hebben eine Tafel gedeckt
„und eine Kerke darup staende.“

16) Altes Schöpffen Buck bei Meinders, de judic. centenar. p. 274. —
„schollen enen Disch vor en setten, bedecket mit einer Dwellen. De
„Hilgen schollen sie darop setten, unde en Schwerdt darby leggen,
„dat men sehe, dat hier Königes Bann iß.“

17) Dreyer, Einleitung, p. 354 u. 359.

18) Assertatio, p. 752 u. 761 f.

19) Dreyer, Einleitung, p. 358.

nur bei jenen Gerichten, welche an die Stelle der Gaugerichte getreten waren. Denn Karl der Große hatte die ungebotenen Gerichte nur für die Gaugerichte eingeführt [1]). Daher findet man in
der Regel nur bei den Stadtgrafen= oder Burggrafengerichten und
bei den Vogteigerichten ungebotene Dinge. Man nannte diese Gerichte auch in den Städten insgemein ungebotene Dinge, echte
Dinge, placita legitima, placita legalia, oder auch
placita generalia civitatis z. B. in Frankfurt [2]), Echt-
dinge, Ettinge oder Ettink z. B. in Greifswald und Stralsund [3]), zuweilen auch Botdinge, z. B. in Magdeburg, Breslau,
Görlitz u. a. m. [4]) und Volldinge, z. B. in Selz [5]) und Weißenburg [6]). Sie sollten meistentheils drei Mal im Jahre gehalten
werden von den Burggrafen in Köln [7]), in Regensburg [8]) und in
Magdeburg, dann von dem Vogte in Soest [9]), in Aachen [10]), in
Ulm [11]), in Selz [12]), in Erfurt [13]), in Augsburg, in Lübeck, in
Bremen, in Herfort u. a. m. (§. 472, 473, 474, 492, 493 u. 510),
zwei Mal im Jahre von dem Vogte in Seligenstadt (§. 496),
und einmal im Jahre von dem Vogt in Greifswald [14]) und von
den Vögten in Braunschweig in allen fünf Weichbilden, aus denen
die Stadt bestand [15]). Erst seitdem das Amt der Stadt= oder Burggrafen oder des Vogtes in den Städten gesunken oder verschwunden

---

1) Meine Gesch. des altgerm. Gerichtsverf. p. 76 u. 156.
2) Urk. von 1219 bei Boehmer, Urkb. I, 26.
3) Dähnert, v. Ettink, p. 109.
4) Schöffenbrief von 1261 §. 7 und von 1304 §. 3 bei T. u. St. p 352
   u. 450.
5) Grimm, I, 760 §. 4, 5, 7 u. 36.
6) Mundatrecht in Meiner Abhandl. über das gerichtliche Weinen p. 16
   u. 17.
7) Clasen, Schreinspr. p. 54.
8) Privilegium von 1230 §. 10.
9) Stadtrecht von 1120, §. 7.
10) Noppius, p. 121
11) Urk. von 1255 bei Senckenberg, sel. jur. II, 264.
12) Grimm, I, 760, §. 5, 6 u. 36.
13) Bibra, Beschreibung der Gerechtigkeit von 1332 bei Falckenstein, p. 207.
14) Dähnert, p. 109.
15) Ordinarius senat. Brunsv. von 1408 §. 120 bei Leibnitz, III, 475.

und sodann der Schultheiß oder ein anderer Beamter an dessen Stelle getreten war, hielten auch diese Beamten ungebotene Dinge, und zwar insgemein drei Mal im Jahre. So der Schultheiß [16]) und Später der Kämmerer in Mainz drei Ungebotendinge (§. 485 u. 489), der Schultheiß in Weißenburg drei Vollbinge [17]), der Schultheiß in Goslar, wenn er unter Königsbann zu Gericht saß, drei echte Dinge [18]) und der Stadtrichter in Freising drei ellich Tading nach alter Gewohnheit [19]). Nur in Magdeburg hielt auch der Schultheiß [20]) und in Köln der Vogt, welcher früher auch Schultheiß genannt wurde, drei echte Dinge oder placita legalia neben dem Burggrafen [21]) und in Selz der Schultheiß drei Voll= binge neben dem Vogt [22]).

Späterhin haben sich jedoch die ungebotenen Dinge in den Städten gänzlich verloren oder sie wurden wenigstens in jenen Städten, in denen sie sich noch erhalten haben, zuletzt zu einer leeren Formalität. In Bremen wurden die Echtedingstage noch im Anfang des 17. Jahrhunderts, jedoch mehr zur Unter= haltung der schaulustigen Jugend, als zur Vornahme ernster Ge= schäfte, welche sie nicht mehr zu besorgen hatten, gehalten. Und bald nachher verschwand auch noch dieses zur Antiquität gewordene Schauspiel [23]). In Lübeck wurde das Echtding noch im 18. Jahrhundert gehalten. Es war jedoch nur noch eine fast von niemand mehr verstandene leere Formalität ohne alle Bedeutung [24]). Und in Stralsund nennt man heute noch den Tag, an welchem die erledigten Rathsstellen wieder besetzt werden, den Etting, wiewohl längst schon keine ungebotenen Gerichte mehr weder an

---

16) Urk. von 1316, 1332 u. 1348 bei Guden, II, 453, 457 u. 458.
17) Mundatrecht in Meiner Abhandl. über das gerichtliche Weinen, p. 16 u. 17.
18) Göschen, p. 73.
19) Stadtrecht §. 203 bei Freyberg, V, 218.
20) Schöffenbriefe von 1261 §. 9 und von 1304 §. 6 bei T. u. St. p. 353 u. 450.
21) Clasen, Schreinspr. p. 54.
22) Grimm, I, 760 §. 5, 6 u. 7.
23) Assertio lib. Brem. p. 751 u. 752. vrgl. oben §. 495.
24) Dreyer, Einleitung, p. 354 ff. vrgl. oben §. 474.

diesem Tage noch an einem anderen gehalten werden [25]). Der in den Städten entstandene größere Verkehr drängte nämlich allenthalben zu neuen Einrichtungen, indem die alten für die neuen Verhältnisse nicht mehr genügten. Die gebotenen Dinge wurden vermehrt und geregelt. Und sie haben sodann die dem neuen Leben nicht mehr zusagenden ungebotenen Dinge nach und nach verdrängt und ersetzt. Denn die neuen Stadtgerichte waren ihrem Grundcharakter nach sammt und sonders gebotene Gerichte [26]).

Der in den Städten entstandene Verkehr machte nämlich frühe schon für die Zwischenzeit von einem echten Ding zu dem anderen außerordentlich berufene, also gebotene Gerichte nothwendig zur Entscheidung der in dem täglichen Verkehr entstandenen Streitigkeiten. Es wurde zu dem Ende in vielen Städten angeordnet, daß 14 Tage nach jedem ungebotenen oder echten Ding ein sogenanntes Afterding gehalten werden solle zur Erledigung der bei dem echten Ding unentschieden gebliebenen Streitigkeiten. Dieses Afterding sollte in Magdeburg, Breslau und Görlitz [27]), in Frankfurt u. a. m. von dem Schultheiß gehalten werden [28]). Außerdem sollte der Schultheiß in Magdeburg u. a. m. noch in Geldschulden jeden Tag zu Gericht sitzen und zur Erleichterung des Geschäftsgangs auch noch anderwärts als an der gewöhnlichen Dingstatt zu Gericht sitzen und auch andere Bürger um das Urtheil fragen dürfen, wenn keine Schöffen anwesend waren [29]). In Basel wurde zur Entscheidung der Schuldsachen unter 5 Pfund und der kleineren Frevel ein sogenanntes Nachgericht, bestehend aus dem Schultheiß, Vogt und drei von den Zehn, angeordnet, welches zwei Mal in der Woche zu Gericht sitzen sollte [30]). In Straßburg durfte der Schultheiß zu seiner Erleichterung für die Entscheidung von Civilstreitigkeiten zwei Richter ernennen, welche zwar in der

---

25) Fabricius, Verfassung von Stralsund, p. 26.
26) Meine Gesch. des altgerman. Gerichts Verf. p. 155.
27) Schöffenbriefe von 1261 §. 8 u. 9 und von 1304 §. 5 u. 6 bei T. u. St. p. 353 u. 450.
28) Weisthum aus 15. sec. bei Koenigsthal, I, 2 p. 17.
29) Weisthümer von 1188, §. 8, von 1261, §. 12, von 1295 §. 3 und von 1304 §. 7 u. 44. bei T. u. St. p. 268, 353, 428, 450 u. 459
30) Ordnung des Nachgerichts von 1433 in Rechtsquellen, I, 115 ff.

Regel auf dem Markt bei Sanct Martin ihre Sitzungen halten
sollten, in dringenden Fällen aber die Parteien auch in ihre Woh=
nung vorladen durften [31]). In Augsburg sollte der Burggraf jeden
Tag zu Gericht sitzen (urbis praefectus cottidie in judicio sedere
debet) [32]). In Brakel sollte außer dem feierlichen ungebotenen
Vogteigerichte (judicium sollempne, quod vulgariter dicitur Vogething) auch noch .für´ die tagtäglich vorfallenden Streitigkeiten
ein tägliches Gericht (cottidianum judicium) gehalten werden [33]).
In Regensburg sollte wenigstens Einer der beiden Kämmerer jeden
Tag zu Gericht sitzen [34]).

Aus einem ähnlichen Grunde wurden zur Entscheidung der
geringfügigen Sachen in vielen Städten die alten Burgerichte bei=
behalten oder Fronbotengerichte eingeführt, welche die täglich vor=
fallenden kleineren Streitigkeiten entscheiden sollten [35]). Man nannte
die im Nothfalle außerordentlich berufenen Gerichte Nothgerichte,
Notgedinge oder das Notrecht, z. B. in Berlin u. a. m. [36]).
Ein solches Notrecht sollte in Hamburg und Breslau bei allen dem
Verderben ausgesetzten streitigen Gegenständen gehalten werden [37]).
In Soest sollte, wenn ein Kranker nicht vor Gericht erscheinen
konnte, an dem Krankenbette ein Nothgericht gehalten werden [38]).
In Hagen in Westphalen wurde selbst über eine Kundschaft ein
Noythgericht gehalten [39]). Beim Nothrecht sollte auf der Stelle
zu Recht erkannt und ein Pfand oder eine andere Versicherung
gegeben werden, z. B. in Bamberg [40]). In Magdeburg, Breslau
und Görlitz sollte das in einem Nothrechte erlassene Urtheil auch)

---

31) Stadtrecht, c. 8 u. 14—16 bei Grandidier, II, 49. vrgl. oben §. 490.
32) Stadtrecht von 1156 in Mon. Boic. 29, I, p. 331.
33) Urk. von 1259 bei Wigand, Archiv, IV, 179 f.
34) Stadtrecht bei Freyberg, V, 75 f.
35) Urk. von 1281 Nr. 8. bei Kindlinger, Hörigkeit, p. 265. Alias de
   causis quotidianis, que geruntur coram bedello civitatis —.
36) Hegungsformel des Nodtgedings in Berlin bei Fidicin, I, 85—87.
37) Haltaus, p. 1427.
38) Ordnung des Gerichts vor den vier Bänken, tit. 13 bei Emminghaus,
   p. 414 u. 415.
39) Urk. von 1542 bei Steinen, I, 1701 u. 1703.
40) Stadtrecht §. 160.

noch an demselben Tage vollzogen werden [41]). Zumal die Ent=
scheidung der Streitigkeiten mit Fremden, mit sogenannten Gästen
(hospites) sollte in jeder Weise beschleuniget werden, z. B. in
Magdeburg und Görlitz bereits seit dem 12. Jahrhundert [42]). Da=
her wurden die Gastgerichte selbst zuweilen Notgedinge genannt,
z. B. in Görlitz [43]).

Um nämlich den Verkehr mit den Fremden zu erleichtern
durften diese ohne Noth nicht aufgehalten werden. („daz recht ist
„darumb geseczt daz ein gast seiner tagwaid nicht versaumt werd") [44]).
Daher sollte in München und in anderen bairischen Städten die
Entscheidung noch an demselben Tage erfolgen, sonst durfte der
Fremde ohne weiters weiter reisen. („wolt er dann des tags von
„im nicht recht nemen, so mag der gast wol gen, varn, reiten, swo
„er hin vil, im selbst ân schaden") [45]). Eben so in Ulm [46]) und
in Wiener Neustadt [47]). In Freising sollte einem Fremden zu jeder
Tageszeit Recht gesprochen werden [48]), in Kassel von einer Sonne
zur anderen und in Freiberg so oft es nothwendig war [49]). In
Freiberg wurde bereits im 13. Jahrhundert im Interesse der Frem=
den und der Einheimischen verordnet, daß das Stadtgericht jede
Woche an drei verschiedenen Tagen (am Montag, Mittwoch und
Freitag), im Nothfalle sogar jeden Tag, also auch noch am Dienstag,
Donnerstag und Sonnabend, und, wenn es die Bürger begehrten,
früh oder spät an jedem Tage Sitzung halten solle. („wenne iz di
„burgere heizen oder wollen iz si spete oder vru so muz daz ge=
„schen") [50]). Da es indessen in Freiberg keine Schöffen gab, so

41) Schöffenbriefe von 1261, §. 24 und von 1304, §. 64 bei T. u. St.
p. 354 u. 462.
42) Weisthümer von 1188, §. 8 und von 1304, §. 7. bei T. u. St. p. 268
u. 450.
43) Haltaus, p. 1424.
44) Rechtsbuch Kaiser Ludwigs, c. 69.
45) Stadtrecht von München, art. 15. vrgl. noch art. 60. und Rechtsb.
Kaiser Ludwigs, c. 297.
46) Stadtrecht von 1296 §. 10 bei Jäger, Ulm, p. 731.
47) Stadtrecht, c. 45 bei Würth, p. 74.
48) Ruprecht von Freis., II, 69.
49) Haltaus, p. 587 u. 588.
50) Stadtrecht, c. 31 bei Schott, III, 251.

waren drei Sitzungen in der Woche den Bürgern zu viel. Es
wurde ihnen daher, auf ihr Begehren, bereits im Jahre 1344 wieder
gestattet, jede Woche nur eine regelmäßige Sitzung zu halten[51].
Seitdem jedoch ständige Beisitzer bei den Stadtgerichten angestellt zu werden pflegten, seitdem wurden auch regelmäßige Sitzungen
in jeder Woche angeordnet, je nach dem örtlichen Bedürfnisse an
jedem Tage oder doch an einigen bestimmten Tagen in der Woche.
Dann war aber bei den ungebotenen Gerichten nichts mehr zu
verhandeln. Diese kamen daher nach und nach außer Gebrauch,
oder sie vegetirten wenigstens nur als Ruinen einer längst untergegangenen Zeit, noch eine Zeit lang, in Lübeck sogar bis auf unsere Tage fort.

8. Gerichtsverfahren.

a. im Allgemeinen.

§. 542.

Ursprünglich hat hinsichtlich des gerichtlichen Verfahrens auch
in den Städten kein Unterschied zwischen dem Verfahren in Civilsachen und in Strafsachen bestanden. Wenigstens war der Unterschied nicht sehr groß und nicht wesentlich. Erst in den Städten
hat der größere Verkehr zur weiteren Ausbildung des Verfahrens
in Civilsachen und zuletzt zu einem eigenen Civilprozeß geführt.
So lange jedoch noch altgermanisches Verfahren gegolten hat, so
lange ist sich auch das Civil- und Strafverfahren sehr ähnlich geblieben. Das Verfahren begann, wenigstens bei den ungebotenen
echten Dingen, mit der Hegung des Gerichtes. Darauf wurde zum
Aufruf der vorgeladenen Parteien geschritten. Oder die Parteien
traten auch unaufgefordert vor Gericht auf. Sie konnten allein
oder auch in Begleitung ihrer Freunde und Verwandten vor
Gericht erscheinen. Denn diese sollten ihnen, wenn sie es begehrten,
auch bei Gericht beistehen und helfen. So die Freunde des Klägers
in Regensburg[1]. Eben so die Freunde des Beklagten in Bre-

---

51) Verordnung von 1344 bei Schott, III, 88. f.

1) Friedensgerichtsbuch bei Freyberg, V, 73. — „ vnd sullen jm sein
„freunt vor gericht rechtens helffen" —.

men ²). Selbst zum gerichtlichen Zweikampf durften die kämpfen=
den Parteien ihre Freunde und Verwandten mitbringen, z. B. in
Freiberg ³). ·Die Anzahl der mitzubringenden Freunde wurde je=
doch späterhin beschränkt. In Bremen durften die Parteien seit
dem 15. Jahrhundert nur noch selbst zehend, also mit neun Freun=
den vor dem Stadtrath erscheinen ⁴), in Lübeck nur noch mit sechs
Freunden, in Stolpe mit vier (also selbst fünft) und in Hanno=
ver nur noch mit drei Freunden, also selbst viert ⁵), und in Köln
mit vier Mann ⁶).

Vor Gericht begehrten und erhielten die Parteien vor Allem
einen Vorsprechen. Es war zwar jede Partei berechtiget ihr
Wort selbst zu sprechen. Allein, wenn jemand strandelte oder in
der Rede stecken blieb und dann erst einen Vorsprechen begehrte, so
erhielt er ihn nur noch in dem Falle, wenn es der Gegner gestat=
tete, z. B. in Freiberg ⁷). Es erheischte daher die Vorsicht gleich
anfangs einen solchen zu begehren. Und dann durfte er auch nicht
von dem Richter verweigert werden. Selbst die in handhafter
That ergriffenen und vor Gericht gebrachten Verbrecher erhielten,

---

2) Urk. von 1546 in Assertio lib. Brem. p. 714. — „auch seiner
„Freundschafft etzlichen, die ihme in solchen rechtlichen Sachen von nö-
then" —.

3) Stadtrecht, c. 27 bei Schott, III, 232. „Her richter he bitet uch ouch
„durch got daz ir im irloubit daz sine vrundichin mit im muzen her=
„ingehn —. daz sal im der richter irlouben zu rechte. So sal he geen
„in den creiz mit sinen vrunden uor den richter hin" —.

4) Kundige Rulle von 1489, 1450 u. 1756 §. 2 bei Oelrichs, p. 648,
717 u. 749.

5) Lübische Verordnung von 1418. Hannov. Statut von 1809. Statut
von Stolpe, art. 6. Dreyer, Einleitung p. 334 u. 145.

6) Eidbrief von 1341 §. 142 in Quellen, I, 34.

7) Stadtrecht c. 31 bei Schott, III, 251—52. „vnde wenne sich der rich=
„ter setzet an daz gerichte alse he Dingen wil so mac ein itlich man
„wol sin selbis wort sprechen ane buze der iz kan vnd iz tun wil. —
„Ist aber daz ein man sin wort selbe sprichit vnd beginnet strandelen
„daran also daz he eines uorsprechen wol bedorfte vnd bittet denen
„eines mannes der sin wort spreche. des mac nicht gesin zu rechte. —
„sin widersache wolle is im denne gunnen vnd gan is im der so mac
is im der richter nicht gewern" —. Ueber das Wort Strandeln vrgl.
Schmeller, III, 686.

wenn sie es begehrten, einen Vorsprechen, z. B. in Magdeburg, Breslau[8]) u. a. m., insbesondere auch in Bamberg. Nach der alten Centgerichtsordnung erhielt daselbst zuerst der Ankläger und dann auch der Angeklagte einen Vorsprechen, der sodann das Wort für den armen Mann sprach, und ihn so gut als möglich vertheidigte[9]). Ja sogar bei dem gerichtlichen Zweikampf wurde das über die Vorfrage zu führende Verfahren von Vorsprechen geführt, z. B. in Freiberg. Zuerst trat daselbst vor dem Vogte der den Kampf Begehrende (der Vorderer) mit einem Vorsprechen auf und ließ durch diesen seine kämpfliche Ansprache vortragen. Und der Geforderte ließ ihm sodann ebenfalls durch einen Vorsprechen antworten. („Nu der uorderer vnd sin uorspreche sal also teidingen. — „Der widersache vnd sin uorspreche mac teidingen. also" —)[10]). Auch der Richter selbst, wenn er von Amtswegen als Ankläger auftrat, pflegte sich eines Vorsprechen zu bedienen, z. B. der Vogt in Freiberg[11]).

Die Verhandlung selbst war öffentlich und mündlich. Daher nannte man die Gerichtssitzung selbst öfters ein colloquium[12]), eine Sprache oder Morgensprache. Die Gerichtssprache und die Eidesleistung insbesondere war voller Förmlichkeiten. Wer dabei strandelte oder strampelte, die Hand zu früh oder zu spät zum Schwur aufhob, einen Finger statt zweier aufhob,

---

8) Schöffenbrief von 1261 §. 74 bei T. u. St. p. 362. „Swar ein Man „des anderen Wort sprechen sol, dar her mit Urteilen zu gedwngen wirt „in einer hanthaften Tat, der spreche alsus:" vrgl. Sächs. Weichbild, „art. 41.

9) Cent. Gerichtsordnung §. 1. ff. u. §. 38 ff. bei Zoepfl, p. 129 u. 131 und bei Schuberth, p. 247 u. 249. „Her Richter derlaubt dem clager „ein vorsprechenn. — Man soll im (dem Verhafteten) einen vorspre- „chen derlauben. — „Her Richter wollt ir des armen maus wort ver- „horen. Er heißt mich (den Vorsprechen des Angeklagten) „reden vnd „spricht er hab sich vergessen vnnd sey vnschulldiglich zu den sachen kom- „men vnnd bit gnade" u. s. w.

10) Stadtrecht, c. 27 bei Schott, III, 226—228.

11) Stadtrecht, c. 30 bei Schott, III, 247—249. — „ so muz der richter „uffsten vnd sal einen anderen richter setcen vnd neme einen uorsprechen „der sal teidingen also" —.

12) Stadtrecht von Medebach von 1165 §. 21 bei Seibertz, II. 1, p. 75.

ein alt hergebrachtes Wort nicht richtig aussprach, oder sonst eine Wansprache führte, der wurde gestraft oder verlor sogar sein Recht selbst [13]). Diesen Rechtsnachtheil pflegte man in vielen Städten die Vare, Gefar oder Gefährbe zu nennen und als eine captio, cavillatio, juricapium u. s. w. zu bezeichnen, z. B. in Magdeburg [14]), in Goslar [15]), in Münden [16]), in Hildesheim [17]), in Stade [18]), in Bamberg [19]), in Memmingen [20]), in Soest, Hamburg, Lübeck, Frankfurt u. a. m. [21]). Die Abschaffung dieses Rechtsnachtheiles wurde jedoch frühe schon begehrt und auch theilweise und selbst ganz von den Landesherrn bewilliget.

Auch die Berathung der Urtheilsfinder und die Urtheilsfindung selbst war ganz gleich bei dem Civilverfahren wie bei dem Strafverfahren. Beides geschah auch bei den Stadtgerichten in altgermanischen Formen [22]). Es ist daher unrichtig, wenn Ennen glaubt, der Vorsitzende habe einen aus den Schöffen bestimmt, der sich mit der Ausarbeitung des Urtheils und mit dem Vortrag in der Sitzung zu befassen gehabt habe [23]). Ein solches Verfahren paßt wohl für das spätere schriftliche Verfahren, nicht aber für das altgermanische mündliche.

Wenn Schöffen zu Gericht saßen, so durften sie, ehe sie das Urtheil fanden, bei Seite treten, um sich zu berathen und die Sache zu überlegen und zu bedenken [24]). Man nannte daher das Berathungszimmer die Dank- (Denk-) stube. Und die Abtretenden

---

13) Bodmann, II, 659 u. 660. Rechtsbuch Kaiser Ludwigs §. 19. Stadtrechte von München art. 6. und von Freising von 1359 §. 13. Ruprecht von Freising, II, 76. Stadtrecht von Brünn, §. 202.

14) Stadtrecht von 1188 §. 1 bei T. u. St. p. 267.

15) Privileg von 1219 bei Göschen p. 115.

16) Urk. von 1230 bei Würdtwein, nova subs. IX, 72.

17) Stadtrecht von 1249 §. 39—41 bei Scheid, orig. Gulf. IV, 245.

18) Stadtrecht von 1209 u. 1259 bei Pufendorf, II, 152 u. 157.

19) Stadtrecht, § 274.

20) Stadtrecht von 1396 bei Freyberg, V, 280 f.

21) Tzschoppe und Stenzel, p. 267 Not. Wersebe, niederländische Kolonien, I, 166. Thomas, Oberhof zu Frankfurt, p. 89.

22) Meine Gesch. des altgerman. Gerichtsverf. p. 230.

23) Ennen, Gesch., I, 584.

24) Basler Gerichtsordnung aus 14. sec. bei Ochs, II, 369. „wenne ouch

Schöffen durften sogar, wenn sie es für nöthig hielten, die Für=
sprechen der Parteien mit sich in die Dankstube nehmen [25]). Auch
in Regensburg durfte der um das Urtheil Gefragte sich zuvor mit
den Umherstehenden bei der Schranne oder hinter der Schranne
berathen [26]). Eben so durfte sich in Freiberg der um das Urtheil
gefragte Schöffe („der in den benken sitzet") mit den umherstehenden
Bürgern berathen. Wenn diese ihn aber nicht berathen konnten
oder wollten, so mußte er dieses und daß er selbst das Recht nicht
wisse beschwören, sonst wurde er gestraft [27]).

Nach beendigter Verhandlung konnten die Parteien die Aus=
fertigung eines Gerichtsbriefes begehren. In Straffachen
pflegte dieses jedoch nur sehr selten und auch dieses meistentheils
nur bei Achterklärungen und bei Vergleichen zu geschehen. Daher
sind die Achtbriefe, die Söhnebriefe und die Urphedebriefe fast die
einzigen Urkunden dieser Art, welche wir kennen.

Eine bedeutende Verschiedenheit zwischen dem Civil= und Straf=
verfahren zeigte sich zumal bei dem Beweisverfahren. Und da die=
ses auch in anderer Beziehung noch sehr eigenthümlich war, so
werde ich von ihm erst später im Zusammenhang handeln. Hier
muß jedoch noch bemerkt werden, daß auch die Stadtgerichte öfters,
insbesondere die ungebotenen Gerichte, mit einem Trinkgelage
endigten, wie dieses auch bei den Märkerdingen und bei anderen
altgermanischen Gerichten der Brauch war [28]). Bei dem Voits=
dinge in Orlamünde pflegte noch im 14. Jahrhundert ein Faß Wein
oder ein Faß Bier leer getrunken zu werden. Und wer bei dieser
Gelegenheit Zank oder Streit anfing mußte, wie bei den Märker=

„die Zehen uß dem Gerichte trettend sich umb ein Sache ze beden=
„kende".

25) Ochs, II, 369.

26) Stadtrecht bei Freyberg, V, 57. — „wellen si sich gesprächen, sy sprä=
„chen sich hie pey der schrann oder wellen sie sich hinder der schrann
„gesprächen, ir schikt ewer Diener zu in dy sy in guter hut halten,
„ob sy ze lang sprächen wolten, man pring sy herwider zu der
„schrann" —.

27) Stadtrecht aus 13. sec. c. 31 bei Schott, III, 256 u. 257.

28) Meine Gesch. der Markenverfassung, p. 276 u. 277. und Meine Gesch.
des altgerman. Gerichts=Verf. p. 300 u. 301.

gerichten, zur Strafe das Faß wieder füllen laffen[29]). Und in Mainz begann jedes ungeboben Ding des Kämmerers mit einem Effen. (mit einer Supp und versotteneu Hünern daruf[30]).

b. **Civilverfahren.**

§. 543.

Ueber das Civilverfahren finden fich bereits in vielen alten Stadtrechten mehr oder weniger vollständige Vorfchriften, z. B. im Stadtrechte von Straßburg[1]), von Soeft, von Augsburg, von Brünn u. a. m., und in den magdeburgifchen Schöffenbriefen. In mehreren alten Städten findet man feit dem 14. Jahrhundert fchon eigene Gerichtsordnungen, z. B. in Speier[2]), in Bafel[3]), in Frank= furt[4]) u. a. m. In einigen Stadtrechten findet man fogar weit= läuftige Verhandlungen und Formeln über die Art und Weife wie verhandelt werden follte, die ein fehr klares Bild über die Verhand= lungsweife felbft geben, z B. in dem Stadtrechte von Freiberg aus dem 13. Jahrhundert[5]). Es ift hier natürlich nicht der Ort fich weitläuftig hierüber zu verbreiten. Auch kann ich in diefer Bezie= hung um fo kürzer fein, da ich bereits vor länger als 40 Jahren in meiner Preisfchrift umftändlich über das altgermanifche Gerichts= verfahren gehandelt habe.

Eine vorläufige Inftruktion der Sache vor der münd= lichen Verhandlung findet fich nirgends. Der erfte Fortfchritt in diefer Beziehung war die in den Gerichtsordnungen von Speier und Frankfurt befindliche Vorfchrift, daß die Klage auf Begehren des Klägers von dem Gerichtsfchreiber niedergefchrieben und fodann dem Beklagten mitgetheilt werden folle. Meiftentheils gefchah aber

---

29) Stadtrecht aus 14. sec. §. 17 bei Walch, II, 76.

30) Grimm, I, 533 u. 534.

1) Stadtrecht, c. 26—30 bei Grandidier, II, 52. ff.

2) Gerichtsordnung (des Schultheißen Gerichts Taffel) von 1327 bei Leh= mann, p. 292 u. 293. vrgl. oben §. 491.

3) Gerichtsordnung aus 14. sec. bei Ochs, II, 364—374.

4) Gerichtsordnung von 1376 bei Koenigsthal, I, 2. p. 9. ff.

5) vrgl. z. B. c. 12—18 u. 31. ff. bei Schott, III, 192 ff. u. 251 ff.

auch dieses nicht. Der Schuldner mußte vielmehr, wenn er zufäl=
liger Weise bei Gericht anwesend war, auf der Stelle antworten.
Nur dann, wenn er nicht anwesend war, mußte er vorgeladen
werden. Die Ladung geschah ursprünglich mündlich von dem Fron=
boten, je nach der Verschiedenheit und Wichtigkeit der Sache, mit
oder ohne Zeugen. Und auch vor Gericht ward die geschehene La=
dung wieder mündlich mit oder ohne Zeugen bezeugt. Merkwür=
dige Vorschriften über die Vorladung findten sich im alten Stadt=
recht von Soest⁶). Die Bürger mußten meistentheils, wenigstens
wenn von Grundbesitz die Rede war, in ihrem Hause oder Hofe
und zwar drei Mal vorgeladen werden, ehe gegen sie weiter ver=
fahren werden durfte. Bloße Beisassen oder Insassen und Fremde
durften vorgeladen werden, wo man sie fand. Auch war bei ihnen
nur eine einmalige Vorladung nöthig.

Waren beide Theile vor Gericht erschienen, so begann die Ver=
handlung damit, daß jeder Theil sich einen Vorsprechen von dem
Richter erbat, wenn er seinen Vorsprechen nicht gleich mitgebracht
hatte. Die Verhandlung selbst hatte sodann mündlich statt. Wenn
sie nicht in einer Sitzung beendiget werden konnte, so durfte sie
auch z. B. um Zeugen oder andere Beweise beizubringen, vertagt
werden. Ueber das gefundene Urtheil konnten die Parteien einen
Gerichtsbrief begehren. Wenn kein Gerichtsbrief vorhanden war,
mußte der Richter mit Schöffen oder mit anderen Dingleuten das
Urtheil bezeugen.

Seitdem es Gerichtsbücher oder Stadtbücher gab, seit=
dem wurde das bei Gericht Verhandelte in diese Bücher, und zwar
ursprünglich ganz kurz, niedergeschrieben. Solche Gerichts= und
Stadtbücher findet man bereits seit dem 13. und 14. Jahrhundert
in allen bedeutenderen Städten. Und sie reichen in manchen Städ=
ten wahrscheinlich noch weiter hinauf. In Hamburg beginnen die
jetzt noch vorhandenen Erbebücher, in welche alle Grundstücke
(Erbe) eingetragen werden mußten, im Jahre 1274⁷). Sie müs=
sen aber schon früher bestanden haben. Denn das Stadtrecht von
1270⁸) erwähnt des Eintrags des Erbes in das „Stadt erue

---

6) Stadrecht von 1120, §. 54 u. 57—60.
7) Schlüter, von denen Erben in Hamburg, p. 661. f.
8) I, art 6 bei Lappenberg, p. 4.

bock" als einer damals bereits schon bestehenden Einrichtung. Jene Bücher werden abwechselnd Erbebuch, Stadtbuch und Stadt= erbebuch genannt. Und jedes der fünf Kirchspiele, aus denen Hamburg bestand, besaß sein eigenes Erbebuch⁹). In Köln be= ginnen die Schreinsbücher im Jahre 1220¹⁰). Und die Schöf= fenbücher haben daselbst bereits im Jahre 1258 bestanden¹¹). In Augsburg beginnt das Stadtbuch im Jahre 1284¹²). Allein auch dort hat es schon früher bestanden, indem bereits das Stadt= recht von 1276 eines Stadtbuchs erwähnt¹³). In Bamberg be= ginnt das Gerichtsbuch, welches zuweilen auch Stadtbuch genannt wird, im Jahre 1306¹⁴). Das für Böhmens Rechtsge= schichte so wichtige Stadtbuch von Prag wurde im Jahre 1310 angelegt¹⁵). Das Stadtrecht von München aus dem 14. Jahr= hundert kennt bereits ein Gerichtsbuch¹⁶). Und die Gerichts= ordnung von Speier von 1327 kennt sogenannte Gerichtstafeln, in welche der Gerichtsschreiber die nöthigen Einträge machen mußte¹⁷). In manchen Städten wurden diese Gerichtsbücher Frie= debücher genannt. (§. 388.)

Diejenigen Parteien, welche zwar erschienen waren, aber das Gericht zu früh und ohne richterliche Erlaubniß wieder verlassen hatten, wurden gestraft, gleichviel ob sie der Kläger oder der Be= klagte waren, z. B. in Basel¹⁸). Hatte bloß der Kläger ohne seine Klage vorzubringen das Gericht wieder verlassen, so wurde der Beklagte von jeder weiteren Ansprache freigesprochen, z. B. in Augs= burg¹⁹). Eben so ward der Beklagte klaglos gesprochen, wenn der

9) Schlüter, p. 660. ff.
10) Clasen, Schreinspraxis, p. 28.
11) Schiedsspruch von 1258 Nr. 11 bei Lacomblet, II, 249. et si talia quandoque inscribuntur libris eorum (scil. scabinorum) —.
12) von Stetten, Gesch. der Geschl. p. 369.
13) Stadtrecht bei Freyberg, p. 115.
14) Zoepfl, I, 31 und II, 141. ff.
15) Rößler, Einleitung, p. 30 ff.
16) Stadtrecht, §. 31 u. 32. Urk. von 1406 in Mon. Boic. 19 p. 81. — „als daz in gerichtz Puch gescriben stet" —.
17) Lehmann, p. 292 u. 293.
18) Ochs, II, 367.
19) Gerichtsbrief von 1325 bei Stetten, Gesch. der Geschl. p. 384. f.

Kläger gar nicht erschienen war, z. B. in Speier. War dagegen der Kläger erschienen, der Beklagte aber nicht, so mußte sodann die Vorladung drei Mal, unter Bestimmung stets kürzerer Fristen, (z. B. von 14, 8 und 3 Tagen oder über Zwerchnacht) [20]) wieder- holt werden, ehe weiter gegen den Beklagten eingeschritten werden durfte. Und in jeder der drei Sitzungen mußte der Kläger bis ans Ende der Sitzung auf den Beklagten warten. Auch sollte der nicht erschienene Beklagte wegen seines Ausbleibens jedesmal mit einer Geldbuße belegt werden.

§. 544.

Außer dem gewöhnlichen Verfahren gab es auch noch ein b e - schleunigtes Verfahren, oder vielmehr mehrere Arten von beschleunigtem Verfahren, welche mehr oder weniger gleich mit dem Vollzuge begannen oder doch mit dem Vollzugsverfahren zusammen hingen. Die Einen hatten den Zweck den ungehorsamen Schuldner zur Beantwortung der Klage oder auch zur schleunigen Bezahlung seiner Schuld selbst zu nöthigen. Die Anderen sollten den späteren Vollzug einstweilen sichern und ihn möglich machen oder wenigstens erleichtern. Wieder Andere hatten den Vollzug der gesprochenen Urtheile selbst zum Gegenstand. Es gehören da- hin die gerichtliche und außergerichtliche Pfändung, dann die ver- schiedenen Arten der Beschlagnahmen der beweglichen Habe und des Erbes mit und ohne Einweisung in den Besitz, und die Be- schränkung der Freiheit des Schuldners durch das sogenannte In- nesitzen oder durch die Verhaftung des Schuldners selbst. Es ist hier natürlich nicht der Ort in diese schwierige Materie tiefer ein- zugehen. Einige Bemerkungen dürften aber dennoch auch hier an ihrer Stelle sein.

Das Pfändungsrecht oder das Recht der eigenmächtigen Pfandnahme, worüber wir eine vortreffliche Abhandlung von Wilda besitzen [1]), findet sich auch in den alten Städten. Am aller

---

20) Emerich bei Schmincke, II, 739. — „oder die Detwers nacht, das ist „oder die andern nacht." Stadtrecht von Frankfurt von 1297 §. 17 bei Thomas, p. 218. — ultra noctem, quod twernacht dicitur.

1) Zeitschrift für Deutsches Recht, I, 172. ff., vrgl. aber auch Meibom, das Deutsche Pfandrecht, p. 190. ff.

ausgedehntesten bestand dieses Recht hier in München. Nach dem hiesigen alten Stadtrechte hatten es die Gutsbesitzer wegen eines ihrem Grund und Boden oder den Früchten zugefügten Schadens (§. 66, 68, 70 u. 392.), die Hausbesitzer wegen des rückständigen Hauszinses (§. 292.), die Grundherren wegen rückständiger Gefälle (§. 100.) und die Wirthe wegen einer geschuldeten Zeche. (§. 110.) Und späterhin erhielten es auch noch die Ewiggeldgläubiger wegen rückständiger Zinsen [2]) und die Schulmeister wegen des rückständigen Schulgeldes [3]). In Augsburg hatten jenes Recht die Haus- und Gutsbesitzer wegen des rückständigen Zinses und die Wirthe wegen ihrer rückständigen Zechen [4]). In Goslar hatte es statt wegen rückständigen Zinses und wegen Schadens am Grund und Boden [5]). Eben so in Frankenberg [6]) und in Freiberg wegen rückständigen Zinses [7]). Das eigenmächtige Pfänden ohne Zuziehung des Richters oder des Fronboten war nur in den in jeder Stadt hergebrachten Fällen erlaubt, außerdem aber verboten [8]). Und späterhin hat sich das Recht der eigenmächtigen Pfandnahme selbst in den meisten Städten wieder verloren.

Die gerichtliche Auspfändung der beweglichen Habe, insgemein die Pfandnahme (Näma), das Pfänden, oder auch ein Bekümmern oder Fronen genannt, hatte statt, wenn der Schuldner nach dreimaliger Vorladung vor Gericht nicht erschien, oder nach dreimaliger Aufforderung seine Schuld oder die verwirkte Buße nicht bezahlte. Das von dem Richter oder Fronboten genommene Pfand wurde als Faustpfand dem Gläubiger übergeben, der dasselbe, nachdem er es dem Schuldner zur Einlösung angeboten hatte, zum Verkaufe aufbieten und unter Einhaltung der in der Stadt hergebrachten Termine verkaufen und sich aus dem Erlöße bezahlt machen durfte. So war es in Sal-

---

2) Grundbuchsordnung von 1572, art. 12 §. 4 bei Auer, p. 249.

3) Stadtrechtsätze §. 80 bei Auer, p. 286.

4) Stadtrecht von 1276 bei Freyberg, p. 132 u. 137, bei Walch §. 383, 400 u. 401.

5) Göschen, p. 408—418.

6) Emerich bei Schmincke, II, 747, 751 u. 752.

7) Stadtrecht aus 13. sec. bei Schott, III, 160.

8) Stadtrecht von München §. 57.

feld [9]), in Augsburg [10]), in München [11]), in Freising [12]), in Mem=
mingen [13]), in Wiener Neustadt [14]), in Goslar [15]), in Franken=
berg u. a. m. [16]).

§. 545.

Von der Pfandnahme verschieden war die Beschlagnahme
der beweglichen Habe. Sie war streng genommen doppelter
Art. Sie bestand entweder in einem Ergreifen und Festnehmen
der Habe selbst oder in einer bloßen Beschränkung der Dispositions=
befugniß des Schuldners. Das Ergreifen oder Festnehmen
der Habe konnte von dem Richter und, wenn dieser nicht zur
Hand war, von dem Gläubiger selbst vorgenommen werden. Es
hatte zumal bei flüchtigen oder der Flucht verdächtigen Schuldnern
und bei Fremden statt. Man nannte dieses Festnehmen das Gut
arrestiren (arrestare res ipsorum) z. B. in Köln [1]), das Gut
angreifen z. B. in München [2]) und in Freising [3]), das Gut
aufhalten z. B. in Goslar [4]), in Bremen [5]), in Amberg [6]) und
in Brünn [7]), das Gut bekümmern oder besetzen z. in Hildes=
heim [8]), das Gut festen (vesten) z. B. in Regensburg [9]), sich der

---

9) Stadtrecht aus 13. sec. §. 89 bei Walch, I, 35.

10) Stadtrecht von 1276 bei Freyberg, p. 130 u. 131, bei Walch, §. 377
u. 380.

11) Stadtrecht, §. 197.

12) Stadtrecht §. 173 u. 174.

13) Stadtrecht §. 1.

14) Stadtrecht aus 13. sec., c. 52.

15) Göschen, p. 406, 418 u. 419.

16) Emerich bei Schmincke, II, 738—740. vrgl. Albrecht, Gewere, p. 130.
ff. und Wilda in Zeitschrift, I, 179. ff.

1) Schiedsspruch von 1258 Nr. 46 bei Lacomblet, II, 247.

2) Stadtrecht, §. 14.'

3) Stadtrecht, §. 214.

4) Göschen, p. 426.

5) Statut §. 75 bei Pufendorf, II, 96.

6) Gerichtsbrief bei Schenkl, II, 46.

7) Stadtrecht, § 230.

8) Stadtrecht §. 17 u. 18 bei Pufendorf, IV, 288

9) Stadtrecht bei Freyberg, V, 74.

Habe unterwinden z. B. in Bamberg[10]). Die bloße Be=
schränkung des Dispositionsrechtes des Schuldners nannte
man insgemein das Verbot oder das Verbieten der Habe, z. B.
in Augsburg[11]), in München[12]), in Freifing[13]), in Memmin=
gen[14]), in Bamberg[15]), in Brünn[16]) und in Frankenberg[17]),
oder auch das Niederlegen des Gutes z. B. in München[18]),
das Befetzen des Gutes z. B. in Goslar[19]), in Bremen[20]) und
in Werden[21]) und das Kümmern oder Bekümmern der Habe
z. B. in Bremen[22]), in Werden[23]) und in Frankenberg[24]), oder
auch das Anefangen, welches mit Anfaffen, Befetzen und Ver=
bieten gleichbedeutend war, z. B. in Speier[25]). Dieses Verbieten,
Niederlegen oder Befetzen war nun von dem Aufhalten oder Ar=
restiren dadurch verschieden, daß das Gut im Besitze des bisherigen
Inhabers gelaffen und diesem nur anbefohlen wurde dafür zu forgen,
daß das Gut nicht von dem Orte, wo es sich bisher befunden,
entfernt werde, während die arrestirte Habe dem Gläubiger oder
einem Dritten übergeben, oder auch dem Schuldner selbst oder
dem bisherigen Inhaber der Habe gelaffen werden konnte. Beide
Arten von Beschlagnahmen waren von der Pfändung wesentlich
dadurch verschieden, daß bei ihnen der Gläubiger kein Pfandrecht

---

10) Stadtrecht §. 264.
11) Stadtrecht von 1276 bei Freiberg, p. 138. und bei Walch, §. 404
   u. 405.
12) Stadtrecht, §. 17 u. 60.
13) Stadtrecht, §. 210 u. 228.
14) Stadtrecht, c. XII u. XIII.
15) Stadtrecht, §. 261 u. 265. ff.
16) Stadtrecht, §. 230.
17) Emerich bei Schmincke, II, 715.
18) Stadtrecht, §. 35 u. 50.
19) Göschen, II, 420.
20) Statut §. 76 u. 77 bei Pufendorf, II, 96.
21) Stadtrecht, §. 82 bei Pufendorf, I, 105.
22) Statut §. 75.
23) Stadtrecht, §. 82—84.
24) Emerich bei Schmincke, II, 715.
25) Gerichtsordnung von 1327 §. 4 bei Lehmann, p. 293. „Uff ein jeglich
   „Gut, das man verbütet oder anevanget —".

an der in Beschlag genommenen Sache selbst dann nicht erhielt,
wenn ihm die arrestirte Habe eingehändiget worden war. Erst
wenn der Schuldner in einer gewissen Frist nicht bezahlt hatte,
pflegte die mit Beschlag belegte Habe dem Gläubiger übergeben zu
werden und er durfte sie sodann wie bei der Pfändung nach Ab=
lauf der für das An= und Aufbieten hergebrachten Frist und
unter Einhaltung der in der Stadt hergebrachten oder gesetzlichen
Fristen verkaufen und sich aus dem Erlöße bezahlt machen [26]).

§. 546.

Auch die Beschlagnahme der Immobilien war von
zwei wesentlich verschiedener Art, indem mit der Einen die Einwei=
sung des Gläubigers in den Besitz des mit Beschlag belegten Gutes
verbunden war, mit der Anderen aber nicht, so daß demnach der
Schuldner im Besitze des Gutes blieb. Das letzte Verfahren hatte
in Goslar statt bei der Kündigung in die Overhöre. Wenn
nämlich der säumige Schuldner daselbst mehrmals vorgeladen wor=
den aber nicht erschienen war, so wurde die Wohnung des Beklag=
ten von Seiten des Gerichtes mit einem Kreuze bezeichnet (bekreu=
zigt oder gefronet) und der Beklagte öffentlich als Ungehorsamer
(Overhörig) ausgerufen oder, wie man sagte, in die Overhore
gekündigt. Die Folge dieses Fronens oder dieser Bekreuzigung
war, daß nun der Beklagte das Recht über das mit Beschlag be=
legte Gut zu verfügen verlor und daß er allenthalben von dem
Kläger eigenmächtig oder mit Hilfe des Gerichtes aufgehalten,
das heißt arretirt und vor Gericht gebracht werden durfte. Eine
Ausnahme machten nur die vier Wände seiner bekreuzten Wohnung.
Denn die Wohnung eines freien Mannes war seine Freiheit und
seine feste Burg. (§. 119.) Der overhorige Beklagte war demnach
an sein Haus gebannt. Er hatte Hausarrest. Denn, wenn er
seine Wohnung verlies, so konnte er aufgehalten und mit ihm wie
bei jedem anderen Personalarrest verfahren werden. Man nannte
daher das Verhältniß des in die Overhore gekündigten Beklagten
ein Innesitzen (innesitten). Und dieser Zustand dauerte so lang

---

26) vrgl. hierüber Albrecht, p. 137. ff. Amberger Gerichtsbrief aus 14. sec.
　　bei Schenkl, II, 46. und die citirten Stadtrechte.

fort, bis der Beklagte freiwillig vor Gericht erschienen war und sich und sein Gut ausgezogen, das heißt sich gegen die Ansprache des Klägers gerechtfertigt oder den Kläger befriediget hatte. Wenn er dieses aber nicht binnen Jahr und Tag that, so wurde sodann sein Gut vertheilt, d. h. alles Recht an dem Gut aberkannt [1]. Ein ähnliches Verfahren wie in Goslar hatte nach dem sächsischen Weichbild (art. 54), dann in Hildesheim [2], in Hameln [3] und in Braunschweig statt [4]. Nach magdeburgischem Rechte nannte man die Kündigung in die Overhore ein ihn „zu „Mitebanne" Thun [5].

Eine eigene Art des Befronens kommt in Augsburg vor. Dort hatte nämlich der Zöllner bei rückständigen Burgzinsen das Recht dem zinspflichtigen Schuldner Thor und Thür niederzulegen. Und bei Strafe durfte sodann der Zinspflichtige das Thor und die Thüre erst dann wieder einhängen, wenn er den Zöllner zufrieden gestellt hatte [6]. Eine Einweisung des Gläubigers in den Besitz hatte demnach auch in diesem Falle nicht statt.

§. 547.

Weit verbreiteter als diese Kündigung in die Overhore und die Niederlegung des Thores und der Thüre war jedoch die mit der Beschlagnahme des Gutes verbundene Einweisung des Klägers in den Besitz des Gutes. Auch dieser Einweisung in den Besitz mußte allzeit eine mehrmalige Vorladung des Beklagten und in vielen Städten auch noch eine förmliche Beschlagnahme vorhergehen. Man nannte auch diese Beschlagnahme ein Fronen, Frönen oder in Gefröude Legen, z. B. in Freiburg im Breis-

---

1) Albrecht, p. 39—57 u. 150 ff. Göschen, p. 462—471.
2) Stadtrecht, §. 16, 22 u. 54 bei Pufendorf, IV, 288 u. 292.
3) Urf. von 1335 bei Pufendorf, II, 272.
4) Stadtrecht bei Scheid, orig. Guelf. IV, 108. und bei Rehtmeier. p. 466.
5) Schöffenbriefe von 1261 § 25 und von 1304 §. 64 bei T. u. St. p. 355 u. 462.
6) Stadtrecht bei Walch §. 22 und bei Freyberg, p. 20—21. — „so hat „der Zolner des gewalt, daz er Tor oder Tver niderlegen sol an dem „aigen. vnde sol sie iener wider anhenken, vnz er dem Zolner sin reht „davon git."

gau ¹), in Erfurt ²), in Magdeburg u. a. m. ³), anderwärts ein in
Frongewalt-Ziehen ⁴) oder ein **Ziehen in des Richters
Gewalt** (potestati judicis attrahere) z. B. in Wiener Neustadt⁵),
oder auch ein **Besetzen**, z. B. in Goslar⁶), eine **Besetzung**
(besettinge) oder ein **Bekümmern** z. B. in Hamburg⁷), ein **Verbieten** oder **Arrestiren** z. B. in München⁸), in Freising⁹),
in Bamberg ¹⁰), in Frankenberg ¹¹) u. a. m. Durch dieses Besetzen, Fronen, Verbieten oder Arrestiren wurde dem Beklagten das
Recht über das Gut zu verfügen entzogen. Ein Recht auf Verhaftung des Schuldners hatte der Kläger aber nicht. Der Beklagte brauchte darum auch nicht inne zu sitzen. Ob nun auch
diese Beschlagnahme mit einer Bekreuzigung des Hauses verbunden
war oder nicht kann ich mit Bestimmtheit nicht angeben. Im südlichen Deutschland kennt man die Aufsteckung eines Kreuzes überhaupt nicht. Außer dem Schwabenspiegel findet sich daselbst auch
nicht eine Spur. Die betreffende Stelle des Schwabenspiegels ist
aber offenbar aus dem Sachsenspiegel entlehnt ¹²). Aber auch im
nördlichen Deutschland hatte in diesem Falle, wie es mir scheint,
keine Aufsteckung eines Kreuzes statt. Denn alle die mir wenigstens bekannten Stellen, welche von einer Kreuzaufsteckung reden,
setzen ein Innensitzen voraus, die Stadtrechte von Goslar, Hildesheim, Braunschweig und Hameln eben sowohl wie das sächsische
Weichbild. Und auch der Sachsenspiegel setzt bei der Bekreuzigung
ein Vertheilen des Rechtes an dem Gute, also ein Inne-

---

1) Stadtrecht von 1275 u. 1293 bei Schreiber, I, 85 u. 137.
2) Rathsordnung von 1347 bei Walch, II, 41.
3) Schöffenbrief von 1295 §. 5 und von 1304 §. 46 bei T. u. St. p. 428 u. 459.
4) Oester. Landrecht, c. 12 bei Senckenberg, vision. p. 222.
5) Stadtrecht, c. 51.
6) Göschen, p. 421.
7) Stadtrecht von 1270, IX, 10
8) Stadtrecht, §. 14.
9) Ruprecht von Freis., II, 79. p. 328 u. 329. Not.
10) Stadtrecht, §. 257 bis 260.
11) Emerich bei Schmincke. II, 715.
12) Schwäb. Lr. W. c. 175. vrgl. mit Sächs. Lr. II, 41, §. 1.

ſitzen des Beklagten und keine Beſitzeinweiſung des Klägers vor=
aus [13]).

Wenn nun dieſe Beſchlagnahme des Gutes einige Zeit ohne
allen Erfolg fortgedauert hatte, ſo wurde der Kläger in den Beſitz
des mit Beſchlag belegten Gutes eingeſetzt, oder ihm das Gut an=
geweldiget. Und dann trat daſſelbe Verfahren ein wie bei dem
Pfandrechte. Der Gläubiger durfte das Gut, nachdem er es in
den hergebrachten Friſten An= und aufgeboten hatte, verkau=
fen und ſich aus dem Erlöße bezahlt machen [14]). Sehr ausführ=
lich handelt hievon das Stadtrecht von Freiburg. Auch dort
mußte der Schuldner vor Allem drei Mal vorgeladen werden.
Wenn er nun auf die dreimalige Vorladung ausgeblieben war, ſo
ſollte ihn der Schultheiß mit zwei Vierundzwanzigern (Rathsherren)
in ſeiner Wohnung auspfänden und, wenn er kein pfandbares
Gut fand, das Haus mit Beſchlag belegen („frönen“) und nachdem
es ſechs Wochen mit Beſchlag belegt war („in gefrönde ligen“) den
Kläger in den Beſitz des Hauſes einweiſen („ze angülte geben“)
und ihm ſodann in der darauf folgenden Gerichtsſitzung das Recht
das Haus zu verkaufen ertheilt werden. Bis zum Verkaufe des
Hauſes hatte jedoch der Beklagte das Recht ſich vor Gericht zu
ſtellen oder den Kläger zu befriedigen und ſodann wieder in den
Beſitz ſeines Hauſes zu gelangen [15]). Sehr intereſſant iſt auch das
Stadtrecht von Winterthur. Wenn der Beklagte daſelbſt auf die
dreimalige Vorladung nicht erſchienen war, ſo hatte der Kläger die
Wahl, ob er den Beklagten zu Gaſt nehmen oder in den Beſitz des
Gutes eingewieſen werden wollte. Wenn der Beklagte zu Gaſt
gegeben wurde, ſo war derſelbe in der Gewalt des Klägers und
dieſer konnte über ſein Vermögen verfügen. Wenn aber der Klä=
ger in den Beſitz des Gutes eingewieſen worden war, ſo erhielt er
ſodann nach drei Monaten das Recht das Gut zu verkaufen [16]).

---

13) Sächſ. Lr. II, 41. — „man verdelt yme ſin recht dar an.“

14) Albrecht, p. 150 ſſ. Stadtrecht von München, §. 44. und von Frei=
ſing, §. 176. und von Wiener Neuſtadt, c. 51. Die citirten Schöffen=
briefe von Magdeburg.

15) Stadtrecht von 1275 u. 1293 bei Schreiber, I, 84, 85 u. 137.

16) Stadtrecht von 1297, §. 5, 9 u. 10. Im §. 5 heißt es — „kumet
„er denne nüt für, ſo git der rihter dem eleger den man an den er

§. 548.

Endlich hatten die Gläubiger in gewissen Fällen auch noch das Recht ihren Schuldner zu verhaften, um ihn entweder zu nöthigen vor Gericht zu erscheinen oder ihn selbst vor Gericht zu bringen, z. B. in Augsburg [1]), in Salfeld [2]), nach sächsischem Weichbild (art. 27), in Brünn [3]) u. a. m., oder um ihn zur Privathaft zu bringen und ihn darin bis zur Bezahlung seiner Schuld zu behalten. Das Recht seinen Schuldner, wenn kein Richter zur Hand war, eigenmächtig verhaften zu dürfen, um ihn vor Gericht zu bringen, hatte jedoch in der Regel nur bei fremden Schuldnern [4]), bei Bürgern aber nur dann statt, wenn sie flüchtig oder der Flucht verdächtig waren, z. B. in Augsburg [5]), München [6]), Freising [7]), Brünn [8]), Goslar [9]), Braunschweig [10]), Zelle [11]), Schwelm [12]) u. a. m. Man nannte dieses Verhaften Arrestiren (arrêter) oder besetzen, z. B. in Köln occupare vel arrestare [13]) und in Goslar besetten [14]), sodann den

---

„claget, ob ter cleger wil ze gaste, oder er gat ime ze hufe und ze „hofe, und wirt der cleger gewifet uffe finü aigen, dü marctes reht „haint, dü fol er behalten drige manot und darnach verkofen nach der „flat reht."

1) Stadtrecht bei Freyberg, p. 113. — „vf haben rnde benoeten vnze an „die rihter" — bei Walch, §. 342.
2) Stadtrecht §. 48 bei Walch, I, 26.
3) Stadtrecht §. 230.
4) Stadtrecht von Salfeld §. 48 bei Walch und von Zelle §. 14 bei Pufendorf, II, 15. Schiedsspruch von 1258 Nr. 16 u. 46. Lacomblet, II, 245 u. 247. vrgl. oben §. 387.
5) Stadtrecht bei Freyberg, p. 113. bei Walch §. 342.
6) Stadtrecht §. 14.
7) Stadtrecht §. 214.
8) Stadtrecht §. 230.
9) Göschen, p. 110.
10) Stadtrecht bei Scheid, orig. Guelf. IV, 108.
11) Stadtrecht §. 27 bei Pufendorf, II, 17.
12) Grimm, III, 30.
13) Schiedsspruch von 1258 Nr. 16 u. 46 bei Lacomblet, II, 245 u. 247.
14) Göschen, p. 110 u. 420.

Leib angreifen z. B. in München [15]) und in Freising [16]), den Mann fangen oder anfallen („fachen noch annallen) z. B. in Memmingen [17]) und in Schwelm, ferner kummern oder bekummern z. B. in Köln [18]), in Schwelm [19]), in Frankenberg u. a. m. [20]), überwinden z. B. in Bamberg [21]) oder den Mann aufhalten (upholden, so viel als arrestiren oder arrêter) z. B. in Saalfeld [22]), in Braunschweig [23]), in Zelle [24]), in Goslar [25]), in Brünn [26]) u. a. m. Zur Privathaft wurde aber der Schuldner erst dann dem Gläubiger überantwortet, wenn der Schuldner kein Pfand geben und auch keine Bürgen stellen konnte, und selbst kein Vermögen besaß, z. B. in Augsburg [27]), in München [28]), Freiburg [29]), Magdeburg [30]), Braunschweig [31]), Lüneburg [32]), Goslar u. a. m. [33]). Auch in Frankfurt a. M. hat dieses Recht der Privathaft bestanden, und es durfte daselbst jeder Gläubiger zum Vollzuge der Schuldhaft in seinem eigenen Hause ein Gefängniß einrichten. Die Gläubiger durften aber auch, wenn sie kein eigenes Gefängniß einrichten wollten, ein anderes Privatgefängniß zu dem

---

15) Stadtrecht § 14.

16) Stadtrecht §. 214.

17) Stadtrecht, XXIX, 3 und XXX.

18) Stat. und Concord. c 55. — „fein leib noch gutt bekummeren" —. vrgl. noch c. 54, 56 u. 57.

19) Grimm, III, 30. — „den andern kummern offte fangen laten" —.

20) Emerich bei Schminde, II, 715.

21) Stadtrecht §. 264.

22) Stadtrecht aus 13. sec. §. 7 u. 51.

23) Stadtrecht bei Scheid, IV, 108.

24) Stadtrecht §. 14 u. 27.

25) Göschen, p. 424—426.

26) Stadtrecht, §. 230.

27) Stadtrecht bei Freyberg, p. 139. und bei Walch, §. 412.

28) Stadtrecht §. 29.

29) Stadtrecht von 1293 bei Schreiber, I, 128.

30) Schöffenbrief von 1304 §. 98 bei T. u. St. p. 468.

31) Scheid, IV, 108.

32) Stadtrecht, c. 53.

33) Göschen, p. 405 ff. u. 424—426. vrgl. noch Meine Gesch. des altgerman. Gerichtsverfahrens, p. 246 u. 247.

Ende miethen. Und man findet in der That mehrere Privatgefäng-
nisse in Frankfurt, welche als Schuldgefängnisse und außerdem auch
noch als Irrenanstalten benutzt worden sind.[34]) Eine Art von
Privathaft war übrigens auch das vorhin erwähnte zu Gast
Geben in Winterthur.

Aus dem altgermanischen Verfahren bei diesem Arrestiren
oder Aufhalten hat sich unser heutiger Arrestprozeß beim Real-
arrest ebensowohl wie beim Personalarrest, und aus der gemilderten
Privathaft unser heutiger Wechselprozeß, und zwar der Eine
wie der Andere zuerst in den Städten gebildet.

c. Strafverfahren.

§. 549.

Das altgermanische Strafverfahren hing mit dem öffentlichen
Frieden, das Strafverfahren in den Städten also mit dem Stadtfrieden zusammen. Neben dem Stadtfrieden konnte aber das Recht
der Selbsthilfe, der Fehde und der Privatrache nicht
mehr bestehen. Jene Rechte wurden daher mehr und mehr in den
Städten beschränkt und zuletzt ganz abgeschafft. Beschränkt
wurden jene Rechte sehr frühe schon auf gewisse Fälle, und ihre
Ausübung wurde an gewisse Formen gebunden, z. B. bei der
eigenmächtigen Pfandung, bei dem Todschlag aus Nothwehr, beim
gerichtlichen Zweikampf u. a. m. Ganz abgeschafft wurden
aber jene Rechte zuerst nur unter den Bürgern. So das Recht
der Fehde unter den Bürgern in Straßburg[1]), in Burgdorf[2]),
in Prag[3]) u. a. m. Und das Recht der Privatrache in Straßburg[4]), in Basel[5]), in Eßlingen[6]) u. a. m. Die Bürger sollten
vielmehr, wenn sie sich nicht vergleichen konnten, ihr Recht bei Ge-

---

34) Kriegk, Bürgerzwiste, p. 458—467.
1) Stadtrecht von 1270 §. 34 u. 35 bei Strobel, I, 326 u. 327.
2) Handfeste von 1316 §. 171.
3) Statut von 1342 bei Rößler, Einleitung, p. 79. Not.
4) Stadtrecht aus dem Anfang des 13. sec. §. 26 bei Strobel, I, 323.
5) Einigung von 1354 bei Ochs, II, 86.
6) Einigung von 1376 bei Pfaff, p. 101.

richt suchen, z. B. in Prag [7] u. a. m. Und nur dann, wenn ein
Bürger sich des Rechtsweges nicht bedienen konnte, oder wenn der
Gegner sich bei dem Stadtgericht nicht einlassen wollte, oder wenn
man sich an die Gerichte gewendet, von diesen aber kein Recht erhalten hatte, wenn also das Recht verweigert worden war [8]), nur
dann sollte das Recht der Fehde und der Selbsthilfe und der Privatrache auch unter den Bürgern erlaubt sein. Im ersten Falle
mußte jedoch das Bürgerrecht von den Bürgern aufgegeben werden
(§. 94, 110 u. 432). Und auch im letzten Falle war die Fehde
erst dann erlaubt, wenn zuvor bei Gericht geklagt, das Recht aber
von dem Beklagten oder von dem Gerichte selbst verweigert worden
war. Daher wurde im Jahre 1471 in Leipzig die Fehde der
Schusterknechte gegen die Universität vom Landesherrn nicht zugelassen, weil die Schusterknechte, ehe sie geklagt, einen Fehdebrief
gegen die Universität erlassen hatten [9]). Seit der Errichtung eines
allgemeinen Landfriedens hörte jedoch auch noch dieses Recht auf,
sintemal es seitdem keinen Ort mehr gegeben hat, an welchem ein
solches Recht noch ungestraft ausgeübt werden konnte. Da indessen der Stadtfrieden ursprünglich auf die Bürger und auf den
Burgfrieden beschränkt war, so dauerte anfangs das Recht der
Fehde und der Privatrache gegen die Fremden nach wie vor, aber
auch dieses nur unter gewissen Beschränkungen fort, ganz uneingeschränkt nämlich nur außerhalb des Burgfriedens, innerhalb des
Burgfriedens aber nur dann, wenn der Fremde sein Recht nicht
beim Stadtgericht nehmen wollte, oder wenn kein Richter zur Hand
oder das Recht von ihm verweigert worden war (§. 94 u. 110).
Daher sollte die Fehde und Privatrache in diesem Falle auch gegen

---

7) Statut von 1342 bei Rößler, Einleitung, p. 79. Not.

8) Sächs. Weichbild, art. 38. „ists auch, daß ein mann ein stadt vhebet,
„oder auff sie raubet oder brennet (vnbeklagter sach vor jren Herrn)
„da sie doch keins Rechtens geweigert hat."

9) Urk. von 1471 bei Zarncke, die Deutschen Universitäten im Mittelalter,
I, 210. — „dorumb sie sich vor vns, vnsern Amptleutin — ny be-
„clagt, sunder solch vehde vß eigen gwalt gein den vnsern furgenomen
„haben. Das wir nicht dulden." Auch bei den Angelsachsen mußte
man zuerst um sein Recht bitten, ehe man Rache that. Ine's Ges.
c. 9.

Fremde erst dann erlaubt sein, wenn zuvor beim Stadtgerichte oder beim Stadtrathe geklagt worden war, z. B. in Straßburg [10]) und in Kolmar [11]), oder wenn der Fremde zuvor wenigstens gewarnt worden war, z. B. in Lucern [12]). Und in Flensburg und Apenrade sollte wenigstens nur noch der nächste Blutsfreund (de Houetsake — verus exactor causae — der Vormann) zur Fehde oder Blutrache gegen einen Fremden berechtiget, jedem Anderen aber auch gegen Fremde die Selbsthilfe verboten sein [13]). Seit dem allgemeinen Landfrieden hatten aber auch die Fremden allenthalben Frieden. Es fiel daher seitdem auch bei ihnen das Recht der Fehde und der Privatrache ganz weg. Und es trat nun an die Stelle der Privatrache das Recht und die Pflicht der gerichtlichen Anklage.

Spuren des alten Rechts haben sich jedoch auch in den Städten noch lange Zeit erhalten, wie dieses aus den Anordnungen und Verordnungen des 14. und 15. Jahrhunderts hervorgeht. So war es z. B. noch im 14. Jahrhundert in Regensburg nothwendig zu verordnen, daß, wenn ein in seinen Amtsverrichtungen beleidigter Bürgermeister gegen den Thäter eingeschritten sei, keine Feindschaft und keine Privatrache gegen ihn zulässig sein solle [14]). Eben dahin gehört in Augsburg die Verordnung, daß bei einer erlaubten Nothwehr die Feindschaft der Freunde des Getödteten ausgeschlossen sein solle [15]). Auch in Freising galt bei erlaubten Todtschlägen noch im 14. und 15. Jahrhundert der Grundsatz, daß die Richter und Bürger die Verwandten des Erschlagenen zur Freundschaft nöthigen und den Todtschläger selbst gegen sie schützen sollten. („so sol sy der richter vnd dj purger nöttenn „das sy fründt sein. — darnach sullnn jn dj richter vnnd dy bur„ger fridnn von enes fründten den er·erslagenn hat") [16]). In den

---

10) Stadtrecht aus dem Anfang des 13. sec. §. 36 und von 1249 §. 11 bei Strobel, I, 327 u. 552.

11) Stadtrecht von 1293 §. 12.

12) Stadtrecht von 1252 im Geschichtsfreund, I, 184 u. 185.

13) Stadtrecht von Flensburg, art. 68. und von Apenrade, art 73. im Corpus stat. Slesvic· II, 203 u. 387. und Westphalen, IV, 1924.

14) Gemeiner, I, 513.

15) Stadtrecht von 1276 bei Freyberg, p. 73

16) Ruprecht von Freising, II, 13 u. 15.

Städten der Mark Brandenburg sollte bei stattgehabter Nothwehr
dem Thäter sogar noch im 16. Jahrhundert mit Zustimmung
der Verwandten des Entleibten sicheres Geleit gegeben
werden, um es ihm möglich zu machen mit Sicherheit vor Gericht
erscheinen zu können [17]). Und in Amberg mußte bei stattgehabten
Hinrichtungen dem Ankläger noch im 14. und 15. Jahrhundert ein
Gerichtsbrief ausgestellt werden, um ihn gegen die Rache der
Freunde und Verwandten des Hingerichteten sicher zu stellen [18]).
Ein Recht auf die Privatrache bestand jedoch meines Wissens seit
dem 15. Jahrhundert in keiner Stadt mehr. An die Stelle der
Fehde und der Privatrache war vielmehr allenthalben das Recht
und die Pflicht der gerichtlichen Anklage getreten.

Anklage.

§. 550.

Ein Verfahren von Amtswegen hat es ursprünglich auch in
den Städten nicht gegeben. Das Strafverfahren war vielmehr
allenthalben ein Anklageverfahren. Denn ohne Anklage, und
zwar ohne eine Privatanklage, sollte kein Strafverfahren eintreten,
z. B. in Speier [1]) u. a. m. Nach manchen Stadtrechten und bei
manchen Verbrechen war sogar eine bestimmte Frist zur Stellung
der Anklage vorgeschrieben. In Straßburg mußte die Klage binnen
Jahr und Tag vorgebracht werden [2]), in Speier sogar noch in
dem Monat der That, höchstens zwei Monate hernach [3]). Und
eine genothzüchtigte Frau, welche nicht auf der Stelle unmittelbar
nach der That ein lautes Geschrei erhoben hatte, und mit fliegen=
den Haaren und zerrissenem Gewand klagend vor Gericht aufge=
treten war, wurde späterhin nicht mehr gehört. Zur Stellung einer
Anklage waren aber nicht bloß die Verletzten und Beschädigten
selbst, sondern auch ihre Verwandten berechtiget, beziehungsweise

---

17) Polizeiordnung von 1540, c. 13 bei Mylius, V, 16.
18) Gerichtsbrief bei Schentl, Sammlung der Freiheiten der Stadt Amberg,
II, 57.
1) Strafordnung von 1328 §. 61 bei Lehmann, p. 288.
2) Stadtrecht aus Anfang des 13. sec. §. 23 bei Strobel, I, 323
3) Strafordnung von 1328 §. 62 bei Lehmann, p. 288.

fogar verpflichtet. Wenn daher der Verletzte gestorben oder sonst außer Stand war den Thäter zu verfolgen, so sollte ihm ein Vormund gesetzt und er durch diesen vertreten und gerächt werden (§. 110). Denn die gerichtliche Verfolgung war nur an die Stelle der Privatrache getreten. Alle diejenigen, welche früher zu dieser berechtiget und verpflichtet waren, waren daher nun auch zur Anklage berechtiget und sogar verpflichtet. Die gerichtliche Rache war gewissermaßen an die Stelle der außergerichtlichen Rache (der Privatrache) getreten. Die zur Anklage Berechtigten sollten jedoch nicht zur Stellung einer Anklage genöthiget werden, wie dieses in den Stadtrechten ausdrücklich vorgeschrieben war, z. B. in dem Stadtrechte von Freiburg [4]), Hamburg [5]), Kolmar [6]), München [7]), Freifing [8]), Rain [9]), Bamberg [10]), Lübeck [11]) u. a. m. Wenn daher in einem einzelnen Falle kein Privatankläger vor Gericht aufgetreten war, so sollte auch kein Strafverfahren und keine Bestrafung statthaben. Deshalb erkannte im Jahre 1354 der Stadtrath von Speier auf geschehene Anfrage mit vollem Recht, „daß die Richter, da „niemandt die Getadt geklagt, des nicht zu richten haben, und daß „kein Frevel oder Penn da verwürckt si," und daß der Beschuldigte „umbe di Getadte ane Ansprach sin solle" [12]). Ja sogar noch im 17. Jahrhundert wurde in Basel ein Todtschläger vom Gericht nicht verurtheilt, vielmehr bloß aus der Stadt verwiesen auf den Rathschlag der Dreizehen, „alldieweil des Entleibten Verwandt-„schaft nichts zu klagen begehrt, als achtet man für unnöthig, dem „Thäter den Prozeß im Hofe allhier zu machen" [13]). Und im Jahre 1632 wurde ebendaselbst, nachdem der Vater des Entleibten erklärt hatte, nicht klagen zu wollen, wenn ihm der Thä-

---

4) Stadtrodel, §. 37.
5) Stadtrecht von 1270, X, 3. und von 1292, M. 3.
6) Stadtrecht von 1293, §. 4.
7) Stadtrecht §. 1.
8) Stadtrecht §. 1.
9) Stadtrecht von 1332 bei Lori, p. 50—51.
10) Stadtrecht §. 207.
11) Noch im Stadtrecht von 1680, V, tit. 3, c. 2.
12) Urtheil von 1354 bei Lehmann, p. 290.
13) Urk. von 1635 bei Ochs, VI, 774.

ter 400 Pfund zahle, der Streit von dem Stadtrath vermittelt. Der Thäter blieb daher unbestraft. Und der Vater des Entleibten mußte mit 80 Pfund zufrieden sein [14]).

§. 551.

In den meisten Städten genügte jedoch das System der Privatanklage nicht mehr. Der vermehrte Verkehr mit Fremden und unter den Bürgern selbst drängte zur strengeren Handhabung des Stadtfriedens, und führte daher ganz Natur gemäß zu einem Verfahren von Amtswegen und später zu dem Inquisitionsverfahren selbst. In vielen Städten wurde es beim Mord und Todschlag und bei anderen Friedbrüchen den Stadtrichtern gestattet bei der Anklage mit den Verletzten und mit ihren Verwandten zu konkurriren, z. B. in Freising [1]), in Wien [2]), in Bamberg [3]), in Straßburg [4]), in Speier [5]), in Mainz [6]) u. a. m. Eben so in München und in anderen bairischen Städten wenigstens dann, wenn arme Leute verletzt worden waren, welche sich fürchteten selbst eine Anklage zu stellen [7]). In Hamburg durfte der Vogt, aber nur mit Zustimmung der Richtherren, seit dem Ende des 15. Jahrhunderts gegen Ehebrecher und bei anderen Sittenverletzungen, und seit dem 16. Jahrhundert auch noch bei anderen Verbrechen von Amtswegen einschreiten [8]). Die Stadtrichter sollten insbesondere auch dann von Amtswegen auftreten, wenn die Verletzten keine Freunde und Verwandten in der Stadt

---

14) Ochs, VI, 773.
1) Ruprecht von Freising, II, 14. — „so sullen ju der totnn frouen fründt „ansprechen ober der richtter." vrgl. noch II, 17 u. 19. Stadtrecht von Freising, §. 1.
2) Stadtrecht von 1278 bei Lambacher, II, 148.
3) Stadtrecht §. 162 u. 163.
4) Stadtrecht aus Anfang des 13. sec. §. 35 bei Strobel, I, 327.
5) Strafordnung von 1328 §. 61 bei Lehmann, p. 288.
6) Friedensbuch §. 1 bei Mone, Zeitschrift, VII, 9.
7) Stadtrecht von München, §. 1. Rechtsbuch Kaiser Ludwigs § 1.
8) Stadtrecht von 1497, M. 18 u. 19. Receß von 1529, art. 20. und von 1603, art. 9. Ordnung des Niedergerichts von 1560, 1, 4. Stadtrecht von 1603, I, 3. 3.

hatten oder wenn diese nicht klagen konnten oder nicht klagen wollten. In Regensburg sollte sogar der Richter noch vor den Verwandten und Freunden des Verletzten auftreten, also ihrer An= klage zuvorkommen [9]). Und allenthalben sollten die Stadtrichter dann auftreten, wenn ein Fremder getödet oder verwundet worden war, welcher keinen Freund in der Stadt hatte, der die Anklage übernehmen konnte oder wollte, z. B. in Freising [10]), in Bam= berg [11]), in Lüneburg u. a. m. [12]). Sogar zum gerichtlichen Zwei= kampf mußte in Freiberg der Vogt von Amtswegen auftreten, wenn ein Fremder verwundet oder getödet worden war, („wirdet ein man „irslagen der ellende ist vnd nimandes hat — der voit sol in vor= „dern" —), oder wenn ein in der Stadt wohnender Mann ver= wundet oder getödet worden war, der entweder keine Verwandten in der Stadt hatte, oder dessen Verwandten und Freunde ihn nicht anklagen konnten oder wollten. („wirdet ein man wunt der nicht „vordern hat vnd doch zu der stat gehort oder ioch geboren ist zu „der stat oder vrmt hat wizzeliche di in nicht vorderen wollen noch „en mugen der richter muz in vorderen") [13]). In Regensburg durfte kein Friedbruch verheimlicht werden. Daher sollte der Ver= letzte klagen oder, wenn er es unterlassen hatte, die Strafe selbst zahlen [14]). Allenthalben waren aber die Stadtbürger, auch wenn sie mit dem Getödeten oder Beschädigten nicht verwandt waren, zur Anklage berechtiget (§. 385) und, wenn sie z. B. in Frankfurt einen Friedbruch [15]) und in Speier eine Zusammen=

---

9) Friedbuch bei Freyberg, V, 78 ff. — „ju sol der Richter vor seinen „veinten für das recht pringen."

10) Ruprecht von Freising, II, 1, p. 237. Not. „Wär aber das ein ellende „fraw oder ein man den todfall. der niemant hiet der den cla= „gen wolt den der den schaden getan hat. den sol der richter „ansprechen" —. vrgl. noch II, 19.

11) Stadtrecht § 163.

12) Lüneburg. Stadtrecht, c. 95. Haltaus, p. 310—311.

13) Stadtrecht aus 13. sec. c. 30 bei Schott, III, 246 ff.

14) Rathsordnung von 1331 bei Freyberg, V, 111. „Swer der etweders „nicht tuen wil, der puzze für ienen, ob er in nicht wil schuldich oder „unschuldich machen." Gemeiner, I, 550.

15) Stadtfrieden von 1318 bei Boehmer, Urkb. I, 144.

rottung wahrgenommen hatten, zur Anzeige und zur Rüge sogar
verpflichtet [16]). In Bamberg durfte sogar im 14. Jahrhundert
schon zur Tortur geschritten werden, wenn schädliche Leute zu er-
forschen waren. („vmb rugsal von anderr schedlicher lewt wegen“) [17]).
Dies waren aber bereits die Vorboten des Inquisitionsver-
fahrens. Da jedoch das Anklageverfahren noch lange Zeit neben
dem Verfahren von Amtswegen fortbestanden hat, so mußte, wenn
der Verletzte und seine Verwandt- oder Freundschaft nicht selbst
klagen konnte oder wollte, entweder der Stadtrath von Amtswegen klagen und zu dem Ende einen Ankläger stellen, z. B. in
Memmingen [18]), in Nürnberg [19]), in Bremen [20]), in Freising [21]),
München, wo die beiden Bürgermeister mit der Anklage beauftragt
waren [22]) und in den Dänischen Städten [23]). Oder der Stadtrichter selbst mußte die Anklage übernehmen und daher, so oft ein
solcher Fall vorkam, den Richterstuhl verlassen und einem anderen
Richter den Vorsitz überlassen, z. B. dem Vogt in Freiberg [24]), in
Lüneburg [25]) und in Bremen [26]), oder dem Schultheiß oder seinem

---

16) Vertrag von 1376 bei Mone, Zeitschrift, VII, 9. Not. vergl. oben
§. 433.

17) Stadtrecht §. 186.

18) Stadtrecht von 1396, art 2. — „wan ain klager der von ainer ge-
„mainer stat klager ist“ —.

19) Halsgerichtsordnung von 1526 bei Will, historisch diplomatisches Magazin, I, 271, 272 u. 274.

20) Halsgerichts Formel in Assertio lib. Brem. p. 698—700.

21) Ruprecht von Freising, II, 24, p. 264. Not. und bei Westenrieder, I,
§. 58.

22) Urk. von 1400 in Mon. Boic. 35, II, p. 224 Urk. von 1575 bei Lipowsky, Gesch. des bairischen Kriminalrechts, p. 178.

23) Petrus a Höyelsinus, Regis Christiani V leges Danicae, lib. VII,
c. 6, §. 3, p. 478.

24) Stadtrecht aus 13. sec. c. 30 bei Schott, III, 247 ff. „So sal der
„richter ufften vnde sal einen anderen richter setcen vnd sal klagen, also
„sin vorspreche“ —.

25) Stadtrecht, c. 135 bei Dreyer, Nebenst. p. 408. „So unse Vageth
„yemandt beschuldigen will umme eine grote Sake, he schall upstahn
„van dem Richte und einen andern Richter ihn sine Rede setten“ —.

26) Reversalien von 1246 in Assertio lib. Brem. p. 85.

Stellvertreter in Nürnberg [27]), dem Schultheiß in Frankfurt [28]) u. a. m. In vielen Städten, zumal in den Landstädten, hatten die landesherrlichen Amtleute und Pfleger die Anklage von Amts= wegen zu besorgen [29]). Beim Stadtgericht in Nürnberg unterhielten die Markgrafen von Brandenburg sogar einen eigenen gemeinen Ankläger (also einen Staatsanwalt), der alle Friedbrecher ver= folgen sollte [30]). In anderen Städten wurde von dem Stadtrath selbst ein bestimmter Beamter ein für alle Mal mit der Anklage von Amtswegen beauftragt. In München hatten bis zum Jahre 1575 die beiden Bürgermeister die „mißthädigen Personen" zu verfolgen und anzuklagen [31]). Anderwärts wurde ein Finanz= beamter oder ein sogenannter Fiskal mit der Anklage von Amts= wegen beauftragt. Dies war z. B. in Basel der Fall. Daselbst waren die Ladenherren die öffentlichen Ankläger beim Blut= gerichte bis ins 17. Jahrhundert. Und sie ließen die Anklagen durch den Oberknecht vorbringen. Man übertrug diesen Finanz= beamten, welche die damals sehr häufigen Geldstrafen zu erheben hatten, das Recht der öffentlichen Anklage, wie anderwärts den Fiskalen [32]). Nach und nach ward jedoch die öffentliche Anklage selbst eine leere Formalität. Daher wurde sie sodann, wie ander= wärts auch, durch einen untergeordneten Diener besorgt, z. B. in Speier durch einen Heimburger [33]), in Bremen durch einen Raths= diener [34]), in München durch einen geschwornen Diener [35]) und in Basel, wie wir gesehen, durch den Oberknecht [36]).

Für diese Anklagen haben sich frühe schon gewisse Formeln

27) Urk. von 1323 u. 1370 in Histor. dipl. Norimb. II, 254 u. 793.
28) Urkunde bei Thomas, Oberhof, p. 484. f.
29) Meine Gesch. des altgerman. Gerichtsverfahrens, p. 151 u. 152.
30) Vollmacht von 1525 bei Will, Magazin für das Vaterland, I, 278 bis 281.
31) Urkunden von 1575 bei Lipowsky, Gesch. des bair. Kriminalrechts, p. 178 u. 179.
32) Ochs, VI, 375, 797 u. 799. vrgl. oben §. 429.
33) Lehmann, p. 291.
34) Halßgerichtsformel in Assertio lib. Brem. p. 698—700.
35) Urk. von 1575 bei Lipowsky, p. 178 u. 179.
36) Urk. von 1468 bei Heusler, p. 205. Ochs, VI, 785 ff.

gebildet, welche sodann in die Weisthümer und Stadtrechte überge=
gangen sind. Solche deutsche Anklageformeln findet man bereits
seit dem 12. Jahrhundert in Köln in einem Weisthum von 1169 [37]),
und seit dem 13. Jahrhundert in vielen Stadtrechten, z. B. in
Freiberg [38]) u. a. m. Sie geben ein mehr oder weniger klares
Bild von dem damaligen Verfahren in Strafsachen.

Flucht des Thäters.

§. 552.

Gegen die Blutrache und gegen die gerichtliche Anklage schützte
nur allein die Flucht und die Sühne.

Nach dem nordischen Recht durfte der Thäter, wenn er nicht
auf frischer That ergriffen worden war, fliehen. Die Flucht wurde
sogar begünstiget. Denn die Volksrechte pflegten bis zum Unter=
gang der Sonne, oder bis zum anderen Tag, oder sogar bis zu
einem Monat eine Frist zur Flucht zu gestatten. Die Folgen der
Flucht waren jedoch sehr verschieden je nach der strengeren oder
milderen Friedlosigkeit. Nach der ursprünglichen und strengeren
Friedlosigkeit durfte nämlich der Thäter nicht ins Ausland fliehen.
Er mußte demnach zu den Thieren des Waldes fliehen und durfte
daselbst wie jedes andere reißende Thier verfolgt und getödet wer=
den. Man nannte daher diese Flucht einen Waldgang und den
Flüchtigen einen Waldgänger, oder auch einen Wolf (Wargus)
oder einen Wolfshauptträger. Nach der späteren und milde=
ren Friedlosigkeit durfte aber der Thäter ins Ausland fliehen und
er war daselbst eben so sicher, als wenn er kein Friedloser wäre.
Die Flucht ins Ausland war daher eine Art Landesverweisung
entweder für immer oder für drei Jahre. Und sie hat auch frühe
schon die Natur einer Verbannung, entweder einer ewigen oder
einer dreijährigen Verbannung angenommen [1]). Spuren desselben
Verfahrens finden sich nun auch in Teutschland, nicht bloß in den

---

37) Weisthum von 1169 bei Lacomblet, I, 302.
38) Stadtrecht aus 13. sec., c. 19. ff. bei Schott, III, 205. ff.
1) Wilda, p. 284 u. 298. ff.

alten Marken und Fronhöfen²), sondern auch in den alten Städ=
ten. In mehreren süddeutschen Städten war nämlich die Flucht
noch im 13. Jahrhundert in gewissen Fällen erlaubt, z. B. bei der
Nothwehr, in Wien sogar bei der Nothzucht³) und in Neuenburg
bei der Vindikation höriger Leute⁴). Und der Thäter hatte zu
dem Ende noch die alte Frist von einem Tag und einer Nacht, z.
B. in Wien⁵), in Wiener Neustadt⁶), in Heimburg⁷) und in
Neuenburg. Der Flüchtige sollte zwar vorgeladen und, wenn er
nach dreimaliger Vorladung nicht erschienen war, in die Acht gethan
werden. Die Flucht war ihm aber dennoch von sehr großem Nutzen.
Denn er konnte sich während dieser Zeit mit seinem Verfolger ver=
gleichen und, wenn er sich später freiwillig vor Gericht stellte, sich,
wie wir sehen werden, leichter von dem Verdachte reinigen. (§. 566).
In einigen Städten findet man aber auch noch Spuren von einer
Flucht ins Ausland. Besonders merkwürdig sind in dieser Bezie=
hung die alten Stadtrechte von Straßburg. Nach dem Stadtrechte
von 1249, welches im Jahre 1270 ins Deutsche übersetzt worden
ist, sollte der Thäter in gewissen Fällen binnen drei Tagen die
Stadt verlassen und sodann über eine Meile entfernt von der Stadt
einen Monat lang bleiben, ehe er wieder in die Stadt zurückkehren
durfte⁸). In anderen Fällen sollte der Thäter die Stadt räumen
und über eine Meile von der Stadt entfernt ein Jahr lang oder

---

2) Meine Gesch. der Markenverfassung, p. 123. Meine Gesch. der Fronh.
und Hofverfassung, IV, 245.
3) Stadtrecht von 1221, §. 25. — si post inducias datas fugiendi deprehensus fuerit —.
4) Freiheitsbrief von 1214 bei Walther, p. 21—22.
5) Stadtrecht von 1221 §. 2. bei Gaupp, II, 239. Si non probaverit,
habeat licentiam fugiendi, quocumque velit, per diem et
noctem sequentem —. Es ist von Nothwehr die Rede.
6) Stadtrecht aus 13. sec. §. I. bei Würth, p. 56. — sed per diem
illum et noctem sequentem, quocunque velit, habeat licentiam fugiendi —. Spricht ebenfalls von Nothwehr.
7) Stadtrecht aus 13. sec. §. 2 bei Senckenberg, vision p. 269. —„hab
„Vrlaub zu fliehen wo er hin welle den tag vnd die andere nacht."
Handelt von Nothwehr.
8) Stadtrecht von 1249 und 1270 §. 18 bei Mone, Anzeiger, VI, 25
und 27.

sechs Wochen oder einen Monat bleiben und erst nach Ablauf jener Frist, und nachdem er gehörig gebessert und gebüßt hatte, wieder in die Stadt zurückkehren [9]). Aehnliche Bestimmungen finden sich in dem Stadtrechte aus dem Anfang des 13. Jahrhunderts [10]). Die Flucht aus der Stadt hatte jedoch in Straßburg bereits die Natur einer Verbannung angenommen. Daher sollte, wenn der Thäter die Stadt verlassen hatte, um dem Gerichte zu entweichen, diese Entfernung nicht in jene Frist eingerechnet oder wenigstens nur dann eingerechnet werden, wenn er geschworen hatte, dem Bürgermeister gehorsam zu sein. Und der Bürgermeister sollte ihm diesen Eid außerhalb des Burgbanns abnehmen [11]). Eine Andeutung an die Flucht bis zur Entrichtung der Besserung (satisfactio) findet sich auch im Stadtrecht von Hagenau vom Jahre 1164 (§. 16.) und in anderen Stadtrechten. In dem Städtchen Ilm hatte der Thäter sogar noch im 14. Jahrhundert die Wahl, ob er die Stadt räumen oder auf dem Thor sitzen wolle [12]). Von der Flucht des Missethäters in eine Freiung oder in eine andere Immunität ist bereits die Rede gewesen. (§. 119 u. 120.)

Sühne und Vergleich.

§. 553.

Auch die Sühne und der Vergleich schützte gegen die Blutrache und gegen die gerichtliche Verfolgung. Bei einem statt-

---

9) Stadtrecht von 1249 u. 1270 §. 5, 6, 7, 8, 9, 10, 12 u. 15 bei Mone, VI, 24 u. 27. — exibunt civitatem per unum miliare, unum annum nullatenus intrantes civitatem, quousque lese civitati et judicio satisfecerint. — vitabunt civitatem per unum annum usque ad satisfactionem lesi —. manebit extra civitatem per mensem unum usque ad condiguam satisfactionem. — rument die stat ein jar, bis gebezzert wirt dem rate, der stete vnd dem verserten. vrgl. das alte Stadtrecht bei Strobel, I, 548. ff.

10) bei Strobel, I, 321. ff., §. 17—36.

11) Stadtrecht §. 32 bei Strobel, I, 326.

12) Stadtrecht von 1350 bei Walch, VI, 17. — „der sal rumen abbir sitzen uf eyn thor verten tage."

gehabten Mord oder Todſchlag oder bei einem anderen Friedbruch, bei welchem die Privatrache zuläßig war, hatten die Verwandten des Getödeten oder Verletzten und der Verletzte ſelbſt urſprünglich die Wahl zwiſchen der Privatrache und der Sühne und ſpäter, ſeitdem das Recht der Privatrache abgeſchafft worden war, die Wahl zwiſchen der Sühne und der Verfolgung ihres Rechtes vor Gericht. Dieſer Grundſatz findet ſich bereits in allen Stadtrechten des 13. und 14. Jahrhunderts. Und auch im 15. Jahrhundert noch, in manchen Städten ſogar noch länger, wurde nach dieſem Grundſatze gehandelt [1]). Wenn jedoch der Ankläger die freiwillig angebotene billige Buße („buzze div rebelich vnde gefuge wäre") nicht anneh= men wollte, ſo ſollte in Augsburg die Buße von dem Stadtrath beſtimmt und ſodann von dem Gerichte der Ankläger zur Annahme der Buße genöthiget und der Angeklagte gegen ihn geſchützt und geſchirmt werden [2]). Eben ſo in Frankfurt [3]). In Freiſing ſollten die Richter und die Bürger den Angeklagten gegen die Ankläger (die Freunde des Verletzten) ſchützen („ſullen ju dj richter vnnd dy „burger friden von enes frůnbten den er erſlagenn hat") und beide Theile nöthigen wieder gute Freunde zu ſein („ſo ſol ſy der richter „vnd dj purger nöttenn das ſy frůndt ſein".) [4]). In vielen Städ= ten wurde der Ankläger, der die ihm angebotene Buße nicht anneh= men wollte, außerdem auch noch geſtraft, z. B. in Wien [5]), in Wiener Neuſtadt [6]), in Heimburg [7]), in Nördlingen [8]) u. a. m.

---

1) Zwei ſehr merkwürdige Mordſühnen von 1285 u. 1288 bei Haupt, Zeitſchrift, VI, 21—25. vrgl. über Hannover die Zeitſchrift des hiſto= riſchen Vereins für Niederſachſen Jahrgang 1858, p. 269—275.

2) Stadtrecht von 1276 bei Freyberg, p. 70. „Wolte aber der clager der „buzze niht nämen div rebelich vnde gefuge wäre. ſo ſol iener für die „ratgäben gen. vnde ſuln die ratgäben viere von in gäben. vnde ſwelhe „buzze die viere ſchepfen die ſol iener nämen. vnde ſol in niht fürbaz „noeten. Wolte er des den burgern wider ſin. ſo ſol der vogt vnde „die burger ienen noeten. daz er die buzze neme. vnde ſuln diſen die „wile ſchärmen." bei Walch §. 170.

3) Stadtfriede von 1318 bei Böhmer p. 443.

4) Ruprecht von Freiſing, II, 13 u. 15.

5) Stadtrecht von 1121, §. 22 u. 24. Stadtrecht von 1278 bei Lamba= cher, II, 151. ſ.

6) Stadtrecht, c. 61.

Nach sächsischem Recht verlor jedoch der Kläger nur seine Buße⁹).

Die gesetzlich oder vertragsmäßig festgesetzte Vergleichssumme wurde auch in den Städten compositio oder compositio amicabilis genannt, z. B. in Köln¹⁰), in Soest¹¹), in Ens¹²), in Wetzlar u. a. m.¹³), öfters auch Wergelt, z. B. in Goslar, Halle, Magdeburg, Frankenhausen u. a. m.¹⁴), seltener jedoch im südlichen Deutschland. Denn außer in Augsburg¹⁵), habe ich die Benennung Wergelt in keiner süddeutschen Stadt, und auch in Augsburg in späteren Zeiten nicht mehr gefunden. Die gewöhnliche Benennung in süddeutschen Städten. war Buße, z. B. in Augsburg¹⁶), emendatio oder emenda z. B. in Straßburg¹⁷), in Wiener Neustadt¹⁸) u. a. m., dann satisfactio, z. B. in Freiburg¹⁹), in Wien²⁰), in Wiener Neustadt²¹), in Straßburg²²), Söhnung z. B. in Nördlingen²³) oder Besserung, z. B. in Straßburg²⁴), in Heimburg²⁵), in Nördlingen²⁶). Sich mit dem

---

7) Stadtrecht, c. 7 bei Senckenberg, vision. p. 275.

8) Stadtrecht von 1318, §. 3 bei Senckenberg, vision. p. 355.

9) Sächs. Lr. II, 6 §. 1.

10) Urk. von 1169 bei Lacomblet, I, 302.

11) Stadtrecht von 1120 §. 26.

12) Stadtrecht von 1212 §. 21.

13) Urk. von 1285 u. 1288 bei Häupt, Zeitschrift VI, 21 u. 24.

14) Göschen, p. 85. Schöffenbriefe von 1235, §. 17, 18, 19 u. 31., von 1261, §. 37 u. 72 u. von 1304, §. 19, 27, 90 u. 112 bei T. u. St. p. 296, 362, 467 u. 472. Frankenhauser Stadtrecht von 1558, art. 12 bei Walch, I, 336. Haltaus, p. 2081.

15) Stadtrecht von 1156 in Mon. Boic. 29, p. 329.

16) Stadtrecht bei Freyberg, p. 79.

17) Stadtrecht von 1249, §. 8, 16 u. 18 bei Mone, Anzeiger, VI, 24.

18) Stadtrecht, c. 11.

19) Stiftungsbrief von 1120, §. 14 u. 17.

20) Stadtrecht von 1221, §. 22 u. 24.

21) Stadtrecht, c. 61.

22) Stadtrecht von 1249, §. 6, 7, 9 u. 15 bei Mone, Anzeiger, VI, 24.

23) Stadtrecht von 1318, §. 67.

24) Stadtrecht von 1270 §. 18 bei Mone, Anzeiger, VI, 28.

25) Stadtrecht, c. 7 bei Senckenberg, vision. p. 275.

26) Stadtrecht von 1318, §. 2 u. 3. bei Senckenberg, vision. p. 355.

Ankläger vergleichen, versöhnen oder sühnen [27]) wurde daher auch satisfacere oder Bessern [28]), oder sich vertragen genannt, z. B. in Ulm [29]), öfters auch den Kläger stillen oder ihm entgelten, z. B. in Augsburg [30]).

Die Vergleichssumme war auch in den Städten meistentheils gesetzlich oder durch das Herkommen fixirt. Daher ist öfters von einem ganzen und halben Wergelt [31]), von einer ganzen und halben Buße, von einer ganzen und halben Besserung u. f. w. die Rede. Oefters war indessen die Vergleichssumme nicht fixirt und dann sollte die Buße und die Besserung in jedem einzelnen Falle festgesetzt werden, entweder nach freiem Uebereinkommen von den Parteien selbst, oder nach billigem Ermessen von dem Stadtgerichte oder von dem Stadtrath, z. B. in Augsburg [32]), in Nördlingen [33]), in Heimburg [34]), u. a. m. Daher war es in Basel, wie wir gesehen, möglich, daß der Vater des Entleibten, der 400 Pfund begehrt hatte, sich mit 80 Pfund begnügen mußte.

Eine versöhnte oder verglichene Angelegenheit durfte nicht mehr vor Gericht gebracht, auch von dem Richter selbst nicht mehr dahin gebracht werden, z. B. in Bern [35]), in Altdorf [36]), in Frei-

---

27) Schrae von Soest, art. 131. — „mit der juncvrowen Vronden sünen." Schöffenbriefe von 1261 §. 34 u. 37 und von 1304, §. 27 bei T. u. St. p. 355 u. 455. Stadtrecht von Freiburg von 1275 bei Schreiber, I, 76.

28) Stadtrecht von Straßburg §. 5. ff. bei Mone, Frankfurter Stadtfriede von 1318 bei Böhmer p. 443.

29) Rothes Buch bei Jäger, Magazin, III, 525. — „vnd sich darzu mit „der, die er also geschwecht, vertragen, gütlich alb rechtlich,"

30) Stadtrecht von 1276 bei Freyberg, p. 50, 57 u. 70. — „er engelte „dem clager nah rehte — vnde suln beide den clager gestillen also „daz er iht mehr clage."

31) Schöffenbriefe von 1235, §. 17—19 und von 1304, §. 112 bei T. u. St. p. 297 u. 472.

32) Stadtrecht bei Freyberg, p. 70.

33) Stadtrecht von 1318, §. 3.

34) Stadtrecht aus 13 sec., c. 7 bei Senckenberg, p. 275.

35) Handfeste von 1218, §. 34. Si autem a vicinis suis, antequam causa ad judicium venerit, fuerint reconciliati, non tenentur judici super hoc respondere —.

36) Grimm, I, 17 § 61. — „vnd ist, das nachpuren, gesellen oder ander

fing ³⁷), in Köln ³⁸) u. a. m. Die Verletzten und ihre Freunde und Verwandten hatten zwar die Wahl zwischen der Anklage und der Sühne. Wenn sie aber gewählt und sich versöhnt hatten, so fiel sodann, wie früher das Recht der Blutrache, so nun auch das Recht der Anklage ganz weg. Aus demselben Grunde durften sich auch die Parteien nicht mehr vergleichen, wenigstens ohne Zustimmung des Richters nicht mehr vergleichen, wenn sie die Sache vor Gericht gebracht und daselbst eine Anklage gestellt hatten. Der Richter war in einem solchen Falle berechtiget, die Parteien zur Fortsetzung der Anklage zu nöthigen oder die Anklage selbst zu übernehmen, z. B. in Freiburg ³⁹), in Ens ⁴⁰), in Wien ⁴¹), in Heimburg ⁴²), in Bern ⁴³), in Kolmar ⁴⁴), in Bremen ⁴⁵) u. a. m. Denn der Richter hatte in diesem Falle ein Recht auf eine Buße oder auf eine Besserung erhalten, und dieses Recht durfte ihm ohne seine Zustimmung nicht wieder entzogen werden, z. B. in Basel „vmb „daß den Räten ihr Besserunge nüt engange" ⁴⁶), in Lübeck ⁴⁷), in München ⁴⁷ᵃ), in Wiener Neustadt ⁴⁸), in Wien, Heimburg u. a. m. Man nannte eine solche ohne Zustimmung des Richters zu Stand gebrachte Sühne einen heimlichen Vergleich (compositio occulta oder reconciliatio occulta) ⁴⁹), eine heimliche Sühne

----

„biberlüt das in früntschaft bringent vnd sie verrichtent, so hat im ein herr nüt nachzefragen."

37) Ruprecht von Freising, I, 191. bei Westenrieder, §. 28, p. 30. vrgl. Schwäb. Lr. W. c. 238.

38) Schiedsspruch von 1258 Nr. 15 bei Lacomblet, II, 245 u. 249.

39) Stadtrodel, §. 37.

40) Stadtrecht von 1212, §. 21.

41) Stadtrecht von 1221, §. 31.

42) Stadtrecht, c. 7. bei Senckenberg, p. 276.

43) Handfeste von 1218, §. 34.

44) Stadtrecht von 1293 §. 4.

45) Reversalien von 1246 in Assertio lib. Brem. p. 85.

46) Gerichtsordnung aus 14. sec. bei Ochs, II, 371.

47) Hach, I, §. 75, II, §. 70 u. III, § 19.

47a) Stadtrecht, §. 129.

48) Stadtrecht, c. 11.

49) Stadtrodel von Freiburg, c. 37. Gerichtsordnung von Basel bei Ochs, II, 371.

(haimlichen Sühenung) [50]), oder eine Halsüne [51]), oder Halesone [52]) das heißt eine heimliche Sühne von hal, helen oder verhehlen [53]). Mit Zustimmung des Richters durfte man sich aber auch vor Gericht noch, nachdem die Anklage bereits erhoben war, vergleichen. Denn die gerichtlichen Vergleiche waren natürlich eben so zulässig und giltig als die außergerichtlichen [54]). Daher heißt es öfters in den Stadtrechten und in den Gerichts= und Rathsordnungen, die Parteien sollten sich gütlich oder rechtlich vertragen oder vergleichen [55]). Und in Lübeck verglichen sich im 14. Jahrhundert die Verwandten des Erschlagenen zuerst außergerichtlich mit dem Thäter und bekannten sodann vor Gericht oder vor dem Stadtrath das Wergelt empfangen zu haben [56]). Eben so pflegten die Missethäter, welche in eine Freiung geflohen waren, sich von ihrem Asyle aus, je nach den Umständen mit oder auch ohne die Zustimmung des Richters, mit den Verletzten und mit ihren Verwandten und Freunden zu vergleichen, z. B. in Minden [57]). Ueber den zu Stand gekommenen Vergleich wurde öfters eine von Zeugen unterschriebene Urkunde ausgefertiget, welche man Sühnebrief nannte [58]).

Das Recht der Parteien sich zu vergleichen ist in manchen Städten, z. B. in Basel, bis zum dreißigjährigen Kriege geblieben. Daher wurde daselbst noch im Jahre 1639 ein Fremder, der einen

---

50) Stadtrecht von Heimburg, c. 7 bei Senckenberg, p. 276. Stadtrecht von Freiburg von 1275 u. 1293 bei Schreiber, I, 76 u. 126.

51) Stadtrecht von Wien von 1221 §. 31. occultam cum eo faciens compositionem que dicitur halsune. Stadtrecht von Ens von 1212 §. 21. occultam faciens compositionem que in vulgari dicitur halsune. Stadtrecht von Kolmar von 1293, §. 4. — Die halsüne.

52) in Iglau u. a. m. Tomascheck, Deutsches Recht in Oesterreich im 13. Jahrh. p. 157. Not.

53) Schmeller, II, 170.

54) Schöffenbriefe von 1261, §. 34—37 und von 1304 §. 27 bei T. u. St. p. 355 u. 455.

55) Ulmer rothes Buch bei Jäger, Magazin, III, 525.

56) Urk. von 1352 u. 1366 bei Pauli, Lüb. Zustände im 14. Jahrhundert, p. 127, 219 u. 220.

57) Privilegium von 1246 bei Scheid, orig. Guelf. IV, 202.

58) Stadtrecht von Nördlingen, §. 67.

Bäcker in der Stadt verwundet hatte, ohne bestraft zu werden ausgeliefert, nachdem er sich „mit dem Verwundeten abgefunden und den Balbierer und Thurmhüter befriediget" hatte [59]). Dem Stadtrath war jedoch damals schon, auch wenn ein Vergleich unter den Parteien zu Stand gekommen war, das Recht der Verfolgung von Amtswegen vorbehalten. Daher erkannte der Rath im Jahre 1635, „man möge wohl leiden, daß er sich mit des Entleibten „Freundschaft vergleiche, doch an des Raths Gerechtsame „unpräjubicirlich und unabbrüchig, und daß der Ruf vor sich „gehe" [60]).

Schon zur fränkischen Zeit konnten Missethäter nach dem Recht der Kirche (secundum canonicam institutionem) den von ihnen begangenen Todschlag durch Wallfahrten sühnen. Auf ihrer Pilgerfahrt durften sie freies Quartier, Feuer, Brod und Wasser in Anspruch nehmen (ut lege peregrinorum — mansionem illi et focum et panem et aquam largiri.) Und die Anweisung auf diese Verpflegung nannte man tractaturia in peregrinatione [61]). Im Jahre 1288 wurde die Absendung eines Pilgers über das Meer zum heiligen Kreuz vertragsmäßig zur Sühne eines Mordes bestimmt [62]).

Seit dem 14. und 15. Jahrhundert ist aber öfters sogar an die Stelle der Geldbuße eine geistliche Strafe [63]). oder auch die Verpflichtung zu einer Wallfahrt, zur Errichtung eines Kreutzes u. s. w. getreten. In diesem Sinne kommen z. B. in Amberg [64]) und anderwärts mehr in Altbaiern Wallfahrten nach Rom und nach Aachen, sogenannte Romfarten und Achfarten vor [65]), in Höxter eine Aachenfahrt und eine Heiligenblutfahrt (Akenvart und eyne hilgenbloidesvart) [66]), in Ulm drei Wallfahrten, eine nach Einsiedeln,

---

59) Ochs, VI, 777.

60) Ochs, VI, 774—75.

61) Salzburg Formelbuch, c. 20 vrgl. c. 55 u. 56 in Quellen für Bair. Gesch. VII, 81. app. Marculf. c. 10.

62) Urk. von 1288 bei Haupt, Zeitschrift, VI, 23.

63) Ruprecht von Freising, II, 15 u. 17.

64) Urk. aus 14. sec. bei Schenkl, Sammlung der Freiheiten, u. s. w. II, 44.

65) Urk. von 1473 im Oberbairischen Archiv, XVII, 212.

66) Urk. von 1493 bei Wigand, denkwürdige Beiträge für Gesch. p. 156.

eine andere nâch Aachen und eine dritte nach St. Johannisstern [67]), in Wien Romfahrten und Aachenfahrten (Rombart vnd Achvart), Pilgerfahrten nach Mariazell, St. Wolgang, zu dem lebendigen Kreutz (lemptigen Chreutz), zu dem heiligen Kreutz, zu dem heiligen Blut, zu dem heiligen Grab (mervart zu dem heiligen grab) u. s. w. [68]), in Pirna eine Romfart, eine Achtfart und eine Wallfahrt nach einem steinernen Kreutz [69]) und in Vach noch im Jahre 1523 eine Romfahrt und eine Rechfahrt [70]).

Wenn die gesetzliche oder vertragsmäßige Buße bezahlt und der Richter befriediget war, wurde auch in den Städten die Ur= phede beschworen. Daher wird öfters der Urphede neben der Sühne gedacht [71]). In Dänemark sollte, nachdem die Buße entrich= tet war, von den Verwandten des Getödeten eine cautio jura= toria oder ein juramentum juratorie cautionis geleistet werden. Sehr merkwürdig war in dieser Beziehung die Bestimmung, daß, wenn der dritte Theil der Buße bezahlt worden war, vier Verwandte des Erschlagenen schwören sollten, daß für dieses Dritt= theil die Blutrache cessiren solle, und daß erst dann, wenn die ganze Buße bezahlt war, jener Eid von zwölf Verwandten geschworen werden, dann aber auch alle Blutrache verboten sein sollte [72]). Et= was Aehnliches habe ich in den Deutschen Quellen nicht gefunden. Wohl aber wird auch in Deutschland der Urphede öfters Erwäh= nung gethan, z. B. in Amberg [73]). In Basel wird ihrer noch in den Jahren 1492, 1512 und 1525 gedacht. Im Jahre 1512 wur=

---

67) Jäger, Ulm, p. 305.

68) Viele Urk. von 1396 bis 1429 bei Schlager, Wiener Skizzen, p. 431 —434.

69) Anzeiger für Kunde der Deutsch. Vorzeit. Oktober 1861, Nr. 10 p. 347. Noch viele Beispiele aus dem Erzstifte Mainz bei Bodmann II. 618—619.

70) Jungens, Miscell. III, 393 u. 394.

71) Schöffenbrief von 1261 §. 34 bei T. u. St. p. 355. „Swar Liute „vorsunet werdent oder eine Orveide tunt vor deme gerichte". — vrgl. noch Schöffenbrief von 1304, §. 20, eod. p. 455.

72) Andreas Sunesen, V, c. 4. De sacramento iuratorie cautionis et iuramento equalitatis. Auch bei Westphalen, IV, 2048

73) Viele Urphedebriefe bei Schenkl, Sammlung der Freiheiten, II, 4, 5, 7, 18, 27, 37, 48, 51, 52, 60, 61, 67.

den Einem, der die Urphede gebrochen, zwei Finger an der rechten Hand abgehauen [74]).

Das Recht der Parteien sich mit den Missethätern zu vergleichen hat sich in vielen Städten bis ins 16. und 17. Jahrhundert erhalten. In Speier wurde dieses Recht (das Recht „sich „mit des Entleibten Wittiben in der Güte zu vertragen und ab= zufinden") noch im 16. Jahrhundert begünstiget. Und erst wenn kein Vergleich zu Stand kam schritt daselbst das Strafgericht, d. h. der Stadtrath, gegen den Thäter ein [75]). In Basel wurde noch im Jahre 1548 eine Nothzucht, nachdem die Frau um ihre Unschuld zu beweisen sich in den Rhein gestürzt hatte, mit Zustimmung des Ehemanns verglichen [76]). In den Städten der Mark Branden= burg war die Sühne noch nach der Polizeiordnung von 1540, c. 13. zuläßig. Und in Zelle haben sich die Parteien noch im Jahre 1600 über einen Todschlag verglichen [77]). Erst seitdem das Verfah= ren von Amtswegen zur Regel geworden war, kamen diese Ver= gleiche, da sie nun die Strafgerichte vom Einschreiten nicht mehr abhielten, außer Gebrauch, oder sie wurden auch ausdrücklich ver= boten. Das Letzte geschah in Dänemark, indem Christian V alle vor dem Straferkenntnisse mit den Freunden und Verwandten des Ermordeten eingegangenen Vergleiche verbot und verordnete, daß wenn auch ein solcher Vergleich vorliegen sollte, die Stadträthe den= noch einschreiten sollten [78]).

Richterliche Buße und Loskauf der Strafe.

§. 554.

Von dieser gesetzlichen und vertragsmäßigen Vergleichssumme (compositio) verschieden war nun die an den Richter, später an

---

74) Ochs, V, 178, 179, 367 u. 379.

75) Lehmann, p. 290.

76) Ochs, VI, 489.

77) Urk. von 1600 bei von Bülow und Hagemann, Erörterungen, II, 260. „Henr. Giesen hat Helmcke Meinecken Sone vendtleibet, gleibt erlanget, „mit der Freundschafft sich vertragen, giebt zu Straff 20 fl."

78) Höyelsinus, leg. Dan. lib. VI, c. 6 §. 20, p. 483.

den Landesherrn zu entrichtende Buße, welche öfters ebenfalls eine Besserung genannt worden ist, z. B. in Frankfurt [1]). Nachdem nämlich der Friede unter den Parteien hergestellt und die Parteien unter sich wieder versöhnt waren, mußte auch der öffentliche Frieden, den der Missethäter durch seine That verloren hatte, wieder hergestellt und der Thäter mit der öffentlichen Gewalt versöhnt werden. Dieses geschah mittelst Erlegung der richterlichen Buße, z. B. in Flensburg [2]), in Apenrade [3]), in Frankfurt u. a. m. Diese Buße durfte indessen der Richter erst dann nehmen, wenn der Verletzte befriediget, ihm also die gesetzlich oder vertragsmäßig bestimmte Vergleichssumme entrichtet worden war, z. B. in Augsburg [4]), in Frankfurt [5]) u. a. m. Denn vorher, ehe der Verletzte befriediget war, erhielt der Missethäter keinen Frieden. Der Richter durfte daher auch das für den wiederhergestellten Frieden zu entrichtende Friedgeld (fretum) noch nicht annehmen. Durch die Erlegung dieses Friedgeldes wurde nun der öffentliche Frieden erkauft und dadurch der Missethäter mit der öffentlichen Gewalt wieder versöhnt. Darum wurde das Friedgeld zuweilen auch ein Friedenskauf (fredkiöb, frithkaup) u. s. w. [6]) oder auch ein Sönegeld oder ein Wergelt genannt, z. B. in Flensburg [7]), in Apenrade [8]) u. a. m. Seitdem jedoch das Verfahren von Amtswegen

---

1) Stadtfriede von 1318 bei Böhmer, p. 443.

2) Stadtrecht, c. 66 im Corpus constit Slesvic II, 202. „Sleit eyn „Borger enen anderen Borger dot in der Stat, vnd mert vredelos „swaren vom VIII Santmans, sa scal he böten deme Landesheren 40 „Mark —"

3) Stadtrecht, c. 71 im Corpus const. cit. II, 385—86. Si quis in civitate hominem interfecerit et super hoc pace privatus fuerit per octo veridicos satisfaciat domino terrae in 40 marcas. — vrgl. noch c. 72, p. 386.

4) Stadtrecht von 1276 bei Freyberg p. 70. „onde sol auch der vogt „keine buzze nämen. e. daz der clager gestillet wärde." bei Walch, §. 170.

5) Stadtfriede von 1318 bei Böhmer, p. 443.

6) Schildener, Guta Lagh, p. 94.

7) Stadtrecht, c. 66 im Corpus Coest. II, 203. Stadtrecht, c. 72 bei Westphalen, IV, 1923.

8) Stadtrecht, c. 71 im Corpus constit. II, 386.

zur Regel geworden war, seitdem wurde auch die Erhebung der richterlichen Buße unabhängig von der den Parteien zu entrichtenden Vergleichssumme. Die richterliche Buße konnte daher nun von dem Richter erhoben werden, gleichviel ob der Verletzte befriediget war oder nicht. Diese Buße verlor jedoch seitdem ihren ursprünglichen Charakter. Sie hörte auf ein Friedgeld, ein Friedenskauf und ein Sönegeld zu sein und wurde vielmehr eine wahre Strafe. In manchen Städten trat frühe schon außer der richterlichen Buße auch noch eine Strafe ein, z. B. in Frankfurt eine Verbannung auf Jahresfrist [9]).

Wie die Parteien, so durften sich übrigens auch die Richter und die Inhaber der öffentlichen Gewalt, also in späteren Zeiten die Landesherrn mit dem Missethäter vergleichen, denn selbst die Leibes- und Lebensstrafen durften mit Geld gelößt werden. In Mainz durfte der erzbischöfliche Waltbot, wenn der Bestohlne sich mit dem Dieb versöhnt hatte, den Dieb entweder hängen oder sich mit ihm um eine gewisse Summe vergleichen (bingen) [10]). Eben so durfte der Waltbot daselbst den bei einer Christin gefundenen Juden entweder strafen oder sich mit ihm um eine Geldsumme vergleichen. („Auch wan ein waltpobe einen juden bei einer „christenfrauwen oder maide funde, — do sal man dem juden sein „Ding abesniden und ein aug usstechen, und sie mit ruben us ja= „gen, oder sie mogen umb eine summe darumb bingen [11]). Dasselbe Recht hatten das Stadtgericht in Hannover [12]), der Vogt in Augsburg [13]) und der Richter in Jsni [14]), in Köln [15]), in Eich=

---

9) Stadtfriede von 1318 bei Böhmer p. 443.

10) Grimm, I, 532. „ob es des klegers will ist, so muß ine der waltpob „tun henken. Sünet sich der dieb mit dem kleger, daß dem kleger genug „geschiet und dem waltpoben danket, so mag er in wol toben, ob er „will, oder mit ime darumb bingen das er lebendig bleibe."

11) Grimm, I, 533.

12) Brief und Rathsspruch von 1436 bei Grupen, observ. rer. et antiquit. p. 65. „also hefst he sin lif ghelöset myt gude — be ge= „loset hebbe hud unde har vor gerichte." —

13) Stadtrecht bei Freyberg, p. 75. und bei Walch, §. 193.

14) Urk. von 1365 bei Jäger, Magazin, III, 229. f. — „so ist dem Ge= „richt sin Hand gefallen abzeschlagen, es sye dann, daß er die Hand

ftätt [16]), in Wiener Neuftadt [17]), in Freifing [17a]), in Schleswig u. a. m. [18]). Aus diesem Recht die Leibes= und Lebensstrafen zu löfen ift späterhin, nachdem das Recht von dem Richter an den Landes= herrn übergegangen oder vielmehr von diesem vorbehalten worden war, das landesherrliche Begnadigungsrecht hervorgegangen. Nach den Rechtsbüchern sollten jedoch diejenigen, welche das ihnen mit Recht aberkannte Leben, oder die Hand löfeten, rechtlos fein [19]).

Verfahren bei handhafter That.

§. 555.

Das Strafverfahren war verschieden, je nachdem bei hand= hafter That oder bei übernächtiger That prozedirt ward. Auch trat bei der übernächtigen That wieder eine Verschiedenheit ein, je nach= dem gegen einen bis dahin unbescholtenen Mann oder gegen einen fogenannten schädlichen Mann eingeschritten werden follte. Ein eigenthümliches Verfahren trat endlich auch noch bei dem Inzicht= prozeß ein. Es muß daher von jedem einzeln gehandelt werden.

Handhafte That war vorhanden, wenn der Friedbrecher

"von mir löfe mit zehen Pfund Pfenning, das mag er wol thuen, von "uns, und nicht von dem gericht." Die Loskauffumme sollte demnach in Ißni an den Landesherrn, und nicht mehr an das Gericht entrichtet werden.

15) Schiedsspruch von 1258 Nr. 15 bei Lacomblet, II, 245 u. 249. dici- mus, quod sufficere debeat, si cum judice et actore compo- natur.

16) Grimm, III, 629. — "und leib und gut verlür mit recht, und unfers "herren wär, der mag sich ledig und los machen mit X pfund lands "uf gnab." Auch hier fiel demnach die Loskauffumme an den Landes= herrn.

17) Stadtrecht, c. 57 u. 93.

17a) Ruprecht von Freifing, I, 68, 185, 188, II, 59, 65 u. 99.

18) Stadtrecht, c. 3 u. 4 in Corpus constit. II, 4. — "verbricht feinen "Kopf und verlieret all fein Gut, oder er vertrage fich mit dem Her= "zoge und dem Rathe nach ihrer Gnade" — "den foll man die Hand "abhauen oder abschneiden, oder er mag es nach Gnaden (mit Geld) "beffern." vergl. Meine Gesch. der Markenverfaffung, p. 371 u. 372.

19) Sächf. Lr. I, 65 §. 2. Schwäb. Lr. W. c. 81. und Laßb. c. 100.

auf der That selbst oder auf der Flucht ergriffen worden war[1]). Man nannte daher das Ergreifen auf handhafter That ein Ergreifen auf frischer That[2]), in verscher Dat[3]), mit farscher Daht[4]), in recenti[5]), in ipsa actione maleficii, i. e. hanthaft deprehensus[6]), in ipsa actione, i. e. an der hanthaft[7]), in ipso actu cum gladio cruento deprehensus, oder „begriffen an der stat mit blutigem swert"[8]), „beholden up der „Stede"[9]), in opere et manufacto deprehensus[10]), in veritate facti deprehensus[11]), „in der woren Tat gefunden" — in facto deprehensus[12]), manifesta actione deprehensus[13]), „begrepen bi slapender bet"[14]), „an der warm Handt Getat"[15]), begreift man jn an der hanttat oder an der hantgetat[16]), de oppe der schinbaren Daet begrepen worde[17]), si palam in furto deprehendatur[18]).

Als handhafte That wurde es auch betrachtet, wenn

---

1) Sächs. Lr II, 35. Schwäb. Lr. W. c. 264.
2) Sächs. Weichbild, art. 38. Magdeburg. Schöffenbrief von 1304, §. 8 bei T. u. St. p. 451. Kölner Schöffenweisthum von 1375 bei Grimm, II, 747.
3) Goslar. Stadtrecht bei Göschen, p. 42.
4) Apenrader Stadtrecht, art. 72 in Corpus constit. Slesv. II, 386.
5) Stadtrecht von Dortmund §. 9.
6) Stadtrecht von Wiener Neustadt, c. 4.
7) Stadtrecht von Wien von 1221, §. 4 und von 1278 bei Lambacher, II, 148.
8) Stadtrecht von Brünn bei Rößler, p. 343.
9) Stadtrecht von Lüneburg, c. 3 bei Dreyer, p. 363. Bei Kraut habe habe ich diese Stelle nicht gefunden.
10) Stadtrecht von Ens, von 1212 § 4.
11) Stadtrecht von Eger von 1279 § 6.
12) Stadtrecht von Leobschütz von 1270 §. 17 bei T. u. St. p. 375.
13) Hall. Schöffenbrief von 1235 §. 13 bei T. u. St. p. 296.
14) Stadtrecht von Goslar bei Göschen, p. 36. Bremer Statut von 1303 bei Oelrichs, p. 96. — „bi slapender bhet". —
15) Stadtrecht von Rain von 1332 bei Lori, p. 51.
16) Ruprecht von Freising, II, 35. Stadtrecht von München, §. 249.
17) Gerhardi et Nicolai Ieges bei Dreyer, vrm. Abhl. II, 1011.
18) Urk. von 1014 und 1056 bei Schannat, II, 41 u. 57.

der Thäter zwar nicht auf frischer That, wohl aber im Besitze eines
sichtbaren Zeichens der That, d. h. eines von dem Verbrechen her=
rührenden Gegenstandes oder Werkzeuges, verhaftet worden, oder
wenn eine Spur der That vorhanden und diese vor Gericht gebracht
worden war. Es wurde demnach als handhafte That betrachtet,
wenn der Dieb oder Räuber mit dem gestohlnen oder geraubten
Gegenstande oder im Besitze dieses Gegenstandes [19]), oder der Mör=
der oder Todschläger mit dem blutigen Schwert oder mit der
sonstigen Waffe verhaftet und vor Gericht gebracht worden war [20]).
oder wenn der Leichnam des Erschlagenen [21]), oder die Hand, oder
eine Locke von den Haaren oder das Gewand des Ermordeten vor
Gericht gebracht worden war [22]). Dasselbe war der Fall bei einer
Verwundung, wenn der Verwundete selbst bei Gericht erschie=
nen war und seine Wunde vorgezeigt hatte [23]); bei einer Brand=
stiftung, wenn ein Brand vor Gericht gebracht worden war [24]);
bei einer Nothzucht, wenn die genothzüchtigte Frau mit zerrisse=
nem Gewand und mit fliegenden Haaren vor Gericht gekommen,
oder das mit Blut befleckte Gewand der Frau vor Gericht gebracht
worden war [25]) u. s. w. In allen diesen Fällen, in denen dem
Gericht ein sichtbares Zeichen gleichsam als Ueberführungsstück
vorgelegt werden konnte, durfte gegen den später ergriffenen Thäter
eben so verfahren werden, als wenn er in handhafter That verhaf=
tet und vor Gericht gebracht worden wäre. Denn das vor Gericht

---

19) Magdeburg. Schöffenurtheil, Cap. 4. dist. 1. bei Zobel, p. 501. Schö=
   fenbrief von 1304 §. 82 bei T. u. St. p. 465. Sächs. Lr. II, 35 u.
   64. Sächs. Weichbild, art. 114. Schwäb. Lr. W. c. 264.
20) Stadtrecht von Wien von 1278 bei Lambacher, II, 148. — „an der
   „Hantthafft aut sanguinolento gladio, cultello.“ Magdeburg. Schö=
   fenbrief von 1304 §. 18. bei T. u. St. p. 453. Sächs. Weichbild, art. 114.
21) Sächs. Lr. II, 64 §. 3. Stadtrecht von Memmingen, c. 4 u. 5.
22) Stadtrecht von Memmingen, c. 3. — „mag aber der klager des ermur=
   „ten haurs ain lok gehaben oder sins gewands“ —.
23) Schöffenbriefe von 1261, §. 64 u. v. 1304, §. 137 bei T. u. St. p.
   360 u. 476. Sächs Lr. I, 63. Sächs. Weichbild, art. 35.
24) Stadtrecht von Memmingen, c. 3. — „ist ez aber vmb brand, hat
   „denn der klager der bränd ain“ —. Stadtrecht von Bamberg, §. 144.
25) Stadtrecht von Bamberg, §. 145.

gebrachte Leib= oder Leichzeichen hatte dieselbe Kraft, als wenn der Leichnam selbst vor Gericht gebracht worden wäre[26]). Die Gerichtsordnung von Basel von 1639 schreibt daher vor, daß der „Ge= „richtsknecht das Wahrzeichen anstatt der Todtenbahr in „Recht stellen" solle[27]). Die That wurde alsdann als handhafte That betrachtet. (tamquam si injuria recens existeret)[28]). Man nannte daher dieses sichtbare Zeichen selbst Handhaft[29]) oder Hantschafft[30]), oder Handgetat[31]), handhaftige That[32]), farsche That[33]), factum manuale et manifestum[34]), oder auch bloß That[35]), wahre That (waren tat[36]) oder warentat)[37]), scheinbare That (schinbare Tat oder handhafte Dat, be bar schinbare is)[38]), blickende That (bliginde Dait[39]) „frysche

---

26) Elbinger Urk. von 1288 bei Wölky, monumenta historiae Warmiensis (Ermland, I, 169. „also daz ein Lichczeichen bracht wart, daz dieselbe „craft hatte vor gerichte als ob der tote man kegenwertig were."

27) Ochs, VI, 787.

28) Stadtrecht von Magdeburg von 1188 §. 5 bei T. u. St. p. 268.

29) Stadtrecht von Wiener Neustadt, c. 1. cum evidenti intersigno quod in vulgari dicitur hanthaft. Stadtrecht von Bamberg, §. 140 u. 144—147.

30) Ruprecht von Freising, II, 100. Stadtrecht von Regensburg bei Frey= berg, V, 80.

31) Schwäb. Lr. W. c. 82. „Swen man mit oer hantgetat begrifet" —.

32) Magdeburg Schöffenbrief von 1304 §. 17 bei T. u. St. p. 453. „Daz „mit der hanthaftigen Tat vor gerichte" — „die Bewisunge heizet hand= „haftege Tat" — vrgl §. 18 u. 116.

33) Stadtrecht von Apenrade, art. 72. in Corpus constit. Slesvic. II, 386 — „gegrepen mit der farscher Daht" —.

34) Stadtrecht von Minden von 1246 in Orig. Guelf. IV, 202.

35) Magdeburg Schöffenbrief von 1304 §. 18 bei T. u. St. p. 453. — „Da man einen Man mit der Tat, mit Dube oder mit Roube be= „greift". —

36) Stadtrecht von Brünn §. 217.

37) Stadtrecht von Prag bei Rößler, p. 25.

38) Herforter Schöffenbuch um 1350 bei Meinders, p. 292. — „hefft ge= „bracht gefangen und gebunden in dat Gerichte mit der schinbaren „Dait — und p. 291, 293 u. 294. — „ist in der handhafftegen Daet „begrepen, de noch schinbahr iß, und hefft eme mit dem Schine

„blychende daet"[40]) oder „eyne blijchrnde Dait iub offene won=
„den"[41]), Schein das heißt Augenschein[42]), blickeude Schein
(blichen schyn)[43]), blickeude Schyn, blychende Schyn u. f. w.[44]),
leibliche Schein[45]), Schuld-, rechte Schuld oder wahre
Schuld[46]), Schub[47]), rechte Schub oder waare Schub[48]),
Wahrzeichen oder Worzeichen[49]); oder leibliches Wahr=
zeichen (lislik wartelen), bestehend meistentheils in der Hand des

---

„gebracht in dat Gerichte" — Magdeburg. Schöffenbrief von 1304,
§. 18 u. 116. Sächs. Lr. II, 64 §. 3. Sächs. Weichbild, art. 36.

39) Kölner Urk. von 1169 bei Lacomblet, I, 302. Haltaus, p. 172.

40) Ennen, Gesch. I, 569. Not.

41) Quellen zur Gesch. von Köln, I, 185 u. 186.

42) Herforter Schöffenbuch bei Meinders, de jud. cent. p. 291. u. 293.
— „de daet betügen mit den Schine — Sint he ene hesft gebracht
„gefangen unde gebunden in dat gerichte mit deme Schine. — und
„hesft eine mit dem Schine gebracht in dat gerichte —. De kleger
„scholle ene vortügen (id est overtügen) mit dem Schine und mit
„seven Handen" —. Haltaus, p. 1607 u. 1608.

43) Kölner Schöffenweisthum bei Grimm, II, 747.

44) Haltaus, p. 172 u. 173.

45) Haltaus, p 1607.

46) Lindauer Urk. von 1321 u. 1332 bei Heider p. 651, 652 u. 653. —
„bey dem dui ware Schulde funden werde — vmb Schuld die bey ihm
„funden würt — mit rechter Schuld für ihr Gericht bracht würd" —.

47) Schub nannte man zumal den vor Gericht gebrachten gestohlnen oder
geraubten Gegenstand. Ruprecht von Freising, II, 33, p. 272. nach
dem Mpt. von 1328 — „sol in des raubs vberchommen mit dem
„schub. hat man des schubs nicht man sol vber in Zeugen mit
„siben mannen." Stadtrecht von Augsburg bei Freyberg, p. 57 u. 59.
„Swer den andern vf der strazze beraubet. wirt er an der Hantgetat
„begriesen. so bedarf man keins andern geziuges wan des schubes —
„vnde mag er des schubes niht gehaben. so sol er in selbe sibende
„vberziugen" — vrgl. das Stadtrecht bei Walch §. 114 u. 120. Stadt=
recht von Memmingen, c. 2 u. 3. — „wär denn der schub ze gagen
„vor gericht — ist aber der schub nit ze gagen" — vrgl. noch Stadt=
recht von München §. 249 a. E. Schwäb. Lr. W. c. 39.

48) Lindauische Urk. von 1321 u. 1332 bei Heider, p. 651 u. 653.

49) Basler Urk. von 1468 bei Heusler, p. 205. Gerichtsordnung bei Ochs,
VI, 784 ff.

Ermordeten [50]), oder in dem blutigen Schwert oder Messer [51]), sodann Leibzeichen [52]), Leichzeichen (Lichczeichen) oder auch bloß
sichtbares Zeichen [53]). Oefters nannte man aber auch dieses
sichtbare Zeichen, wenn von einem Diebstahl oder Raub, von einer
Fälschung, von einer Brandstiftung oder von einem Todschlag die
Rede war, selbst einen Diebstahl oder Raub [54]), eine Fälschung [55]), einen Brand [56]), oder einen Todschlag [57]), wiewohl
nur der gestohlne oder geraubte Gegenstand, der Leichnam des Ge-
töbteten, die verfälschte Urkunde oder ein Stück von dem angebrann-
ten Holze als das sichtbare Zeichen gemeint war.

§. 556.

Um nun bei einem Mord oder Todschlag den Beweis der
handhaften That zu erleichtern und ihn, wenn der Thäter
nicht auf der Stelle verhaftet und vor Gericht gebracht werden
konnte, für das spätere Verfahren zu sichern, war meistentheils vorgeschrieben, daß der Leichnam des Ermordeten vor Gericht
gebracht und ohne Erlaubniß des Richters nicht beerdiget werden
solle [1]); daß das Gericht, wenn der Ermordete nicht vor Gericht

---

50) Rugian. Landsbrauch, tit. 19 u. 22.

51) Ruprecht von Freising, II, 14.

52) Schöffenbrief von Brünn, §. 367. — pro homicidio querimonia
signum occisionis vulgariter dictum Leibzeichen coram judicio —.

53) Stadtrecht von Wiener Neustadt, c. 1.

54) Stadtrecht von Ulm von 1296 §. 35 bei Jäger, Ulm, p. 734. si sine
furto fuerit deprehensus fur. — Stadtrecht von Memmingen von
1396, c. 2. „wenn aber der schub vnd biubstal nit ze gagen ist" —.
Stadtrecht von Freiberg, c. 19 bei Schott, III, 206.

55) Stadtrecht von Freiberg, c. 7 bei Schott, III, 183. „den valsch in
„die hant binden" —.

56) Stadtrecht von Memmingen, c. 3. — „hat denn der klager der bränd
„ain" —.

57) Stadtrecht von Augsburg bei Freyberg, p. 74. — „daz der todslac da
„zegagen war." bei Walch §. 186. „daß der tod da endgagen
„stat" —.

1) Stadtrecht von Memmingen, c. 4. Stadtr. von Lüneburg, c. 56 u.
90. Stadtr. von Erfurt von 1306, §. 30 bei Walch, I, 112. Blutgerichtsformel in Assertio Brem. p. 701 u. 703.

gebracht werden konnte, die Todenschau vornehmen und sich zu dem Ende zum Leichnam begeben und ihm ein Wahrzeichen abnehmen solle [2]), daß die Hand des Ermordeten nicht vor stattgehabter Sühne beerdiget werden solle [3]); daß dem Ermordeten, wenn er vor Gericht gebracht worden, die Hand oder ein anderes Wahr- oder Leibzeichen noch vor Gericht abgenommen und dieses Leibzeichen sodann bei Gericht bewahrt, wenigstens nicht ohne Erlaubniß des Richters beerdiget werden solle, um es dem Thäter, nachdem er verhaftet worden, vor Gericht vorzeigen zu können [4]). Und man nannte die Besichtigung des Leichnams, eine Art von Leichenschau, das **Fahrrecht**, und die Ablößung der Hand eine **Handlößung**, eine **Lößung des Leibzeichens**, die **Hand abrichten**, die **Hand aflaten** oder **afleden**, oder auch die **Hand halen**. Zuweilen begnügte man sich auch mit einer **wächsernen Hand** und bewahrte diese sodann bei Gericht [5]). In Basel sollte noch im 17. Jahrhundert ein solches Wahrzeichen, bestehend in einer Haarlocke oder in einem Stück von der blutigen Wunde oder von dem Hemd des Entleibten, von dem Gerichte genommen, in ein kleines Kistchen („in ein neues Schindelládlein") gelegt und sodann bei Gericht verwahrt werden [6]). Auch nach der bamberger Halsgerichts Ordnung sollte noch ein solches Leibzeichen genommen und bei Gericht verwahrt werden [7]). Erst die peinliche Halsgerichts Ordnung Karls V erwähnt dieses Leibzeichens nicht mehr, verlangt vielmehr statt dessen die Aufnahme eines Besichtigungs Protokolls [8]). Aus demselben Grunde nun, um den Beweis der handhaften That zu erleichtern und die handhafte That zu bezeichnen, sollte dem Dieb und Räuber der gestohlne und geraubte Gegenstand, dem Todschläger und Mörder das blutige Schwert, dem

---

[2]) Basler Gerichtsordn. bei Ochs, VI, 782 ff.

[3]) Hannöversche Urk. von 1430 in Zeitschrift des historischen Vereins für Niedersachsen. Jahrgang, 1853, p. 275.

[4]) Basler Gerichtsordn. bei Ochs, VI, 784.

[5]) Stadtrecht von Lüneburg, c. 90. Rugian. Landsbrauch, tit. 19 u. 22. Dreyer, Einleit. Lübisch. Verordn. p. 416 u. 417.

[6]) Verordnung von 1639 bei Ochs, VI, 784—785.

[7]) Bamberg. Ordn. art. 229, 230 u. 232.

[8]) Peinliche Halsger. Ordn. art. 149.

Falschmünzer die falsche Münze, dem Fälscher die gefälschte Ur=
kunde, dem Brandstifter ein Stück von dem Brand, dem Noth=
züchtiger das mit Blut befleckte Frauenkleid, dem Landzwinger seine
Handhaft an den Hals, an die Hand oder auf den Rücken
gebunden, und er so vor Gericht gebracht und, wenn dieses
nicht möglich war, wenigstens von den Schöffen besichtiget und
beschaut und sodann dem Gericht darüber Bericht erstattet werden⁹).

Endlich wurde es auch noch als eine handhafte That
betrachtet, wenn zwar der Thäter nicht verhaftet, ihm auch kein
Zeichen der That abgenommen und auch keine Handgetat bei ihm
gefunden worden war, wenn er nur auf der Stelle, auf der
handhaften That, beschrien und das Gerüfte von den Leuten
gehört[10], und daß das Gerüfte erhoben später nachgewiesen wor=
den war[11]. Durch die Erhebung des Gerüftes wurde nämlich
die That offenkundig. Jeder, der das Nothgeschrei gehört hatte,
mußte herbeieilen und dem Thäter nacheilen, um ihn wo möglich
zu verhaften, und später bei Gericht über das was er gesehen und
gehört hatte Zeugniß abzulegen. Die Erhebung des Gerüftes hatte
demnach einen doppelten Zweck. Es sollte durch das erhobene Ge=
schrei das Verbrechen konstatirt und offenkundig gemacht und außer=
dem dadurch auch noch die Verhaftung des Verbrechers und der
Zeugenbeweis möglich gemacht oder doch erleichtert werden. Wenn
daher auch auf das erhobene Geschrei niemand herbeigeeilt und der
Verbrecher auch nicht verhaftet worden war, so reichte es, wenn das
Geschrei von den Leuten gehört worden war, und dieses nachge=
wiesen werden konnte, dennoch hin, das Verbrechen zu konstatiren

---

9) Stadtrecht von Ulm von 1296, §. 35 u. 36 bei Jäger, Ulm, p. 734.
   von Freiberg, c. 7 u. 19 bei Schott, III, 183 u. 206. von Lüneburg,
   c. 55. von Bamberg, §. 141—147, 152 u. 154. Ruprecht von Frei=
   sing, II, 50. Bamberger Centgerichts Ordnung bei Zoepfl, p. 130—
   135 Viele Beispiele bei Dreyer, Nebenstunden p. 124—126.
10) Sächs. Lr. III, 9. §. 5.
11) Stadtrecht von Magdeburg von 1188 §. 5 bei T. u. St. p. 268. —
   aut si aufugerit, si postmodum ille, qui lesus est, reum invenerit, et injuriam suam testibus idoneis se proclamasse probare
   potuerit, tamquam si injuria recens existeret ei satisfaciat. Sächs.
   Lr. III, 9. §. 5.

und offenkundig zu machen, und deshalb die That zu einer hand=
hafter That zu machen. (tamquam si injuria recens existeret,
wie es in dem alten Stadtrecht von Magdeburg heißt).

§. 557.

Das Verfahren bei handhafter That brachte dem An=
kläger sehr große Vortheile. Daher erklärt sich die Sorgfalt,
mit welcher die Ueberführungsstücke (die Hand des Erschlagenen,
eine Haarlocke von ihm, das blutige Schwert oder Gewand u. s. w.)
bei Gericht bewahrt und die Fälle der handhaften That und was
Alles als solche betrachtet werden solle in den Stadtrechten bestimmt
zu werden pflegten. Jede handhafte That setzte eine gewisse Offen=
kundigkeit voraus. Daher sollte die Anklage mit Gerüfte erhoben
werden. Es sollte das auf frischer That außergerichtlich erhobene
Geschrei bei Gericht wiederholt werden. Es sollte aber auch dann
mit Gerüfte geklagt werden, wenn außergerichtlich kein Geschrei
erhoben worden war, wenn nur die That als eine handhafte That
betrachtet werden konnte. Es sollte auch in diesem Falle, z. B.
wenn man ein Ueberführungsstück, einen Schuh oder ein anderes
sichtbares Zeichen in Händen hatte, mit Gerüfte geklagt werden.
Denn dieses war die Form der Anklage bei handhafter That [1]).
Und man nannte auch das gerichtliche Geschrei, mit welchem die
Anklage begann, wie das außergerichtliche Geschrei, ein Gerüfte,
Gerüchte oder auch Beruefft [2]), dann ein Zetergeschrei,
Waffengeschrei, Waffenruf, Waffengerüchte oder auch
Waffnat Ja, Waffennat Ja oder Waffnach jo, Morden
jo u. s. w. [3]), Waffenheiz [4]), tho Jobute [5]), tu Jobute [6])

1) Sächf. Lr. II, 64, §. 1—4. Magdeburg. Schöffenbrief von 1304,
§. 18 u. 114—116 bei T. u. St. p. 453 u. 472 Sächf. Weichbild,
art. 36.

2) Ruprecht von Freifing, II, 36.

3) Bamberger Centgerichts Ordnung bei Schuberth, p. 248. und bei Zoepfl,
p. 130, 133 u. 135. Bamberger Halsgerichts Ordn. art. 233.

4) Stadtrecht von Salfeld, art. 1. bei Walch, I, 13. Regensburger
Friedensgerichtsbuch bei Freyberg, V, 67.

5) Bremische Blutgerichtsformel in Assertio, p. 701.

6) z. B. in Berlin. Fidicin, I, 155.

ober Tojobute [7]), ein Benufft oder Binufft [8]), oder auch bloß das Geschrei [9]), oder den Schrei [10]), den Ruf, Ruef oder das Gerueff, zu gleicher Zeit in der Bedeutung eines schlechten Rufs oder eines Gerüchtes, in welches das gerichtliche Geschrei und Gerüfte brachte [11]).

Die Klage mit Gerüfte brachte große Vortheile. Daher durfte nur in den gesetzlich bestimmten Fällen, nur bei handhafter That, mit Gerüfte geklagt werden. Wer es in einem anderen Falle that, wurde gestraft [12]). Mit Gerüfte sollte indessen in allen Fällen der handhaften That, sogar beim gerichtlichen Zweikampf geklagt werden. Da nämlich der gerichtliche Zweikampf nur bei einer kampfwürdigen That zulässig war, so hatte, ehe der Zweikampf gestattet wurde, ein Vorverfahren über diese Vorfrage statt. Und auch dieses Vorverfahren sollte mit Gerüfte begonnen und in den Formen des Verfahrens bei handhafter That durchgeführt werden, wenn die kampfwürdige That selbst eine handhafte war [13]).

Bei der handhaften That trat nun ein sehr schleuniges Verfahren ein. Wenn der Thäter in handhafter That oder auf der Flucht verhaftet und vor Gericht gebracht worden war, so mußte, wenn es der Ankläger oder die Bürger verlangten, unverzüglich zur gerichtlichen Verhandlung geschritten werden, z. B. in Freiberg [14]), in Magdeburg, Görlitz u. a. m. [15]). Und wenn der

---

7) z. B. in Lübeck. Hach, p. 145. Not.

8) Lindauer Urk. von 1321 u. 1332 bei Heider, p. 651 u. 652.

9) Bamberger Centgerichtsordn. bei Zoepfl, p. 129 ff.

10) Hageformel von Witzenhausen bei Kopp, II, 238.

11) Bairische Gerichtsordnung von 1520, tit. 7, art. 7 u. 9. „durch einen „offenbarn leymat (d. h. Leimuth) vnd gemain gerueff vnd geschray." vrgl. Schmeller, III, 63.

12) Sächs. Lr. II, 64, §. 5. Haltaus, p. 2154—55.

13) Sächs. Lr. I, 63, §. 2. Sächs. Weichbild, art. 35. Magdeburg. Schöffenbrief von 1261 §. 65 und von 1304 §. 137 bei T. u. St. p. 360 u. 476. Stadtrecht von Freiberg, c. 27 bei Schott, III, 227.

14) Stadtrecht, c. 19 bei Schott, III, 206. — „ist abir daz di burger „wollen si mugen heizen richten zu hant oder uber twere nacht „oder wenne sie wollen."

15) Schöffenbrief von 1261 §. 11 u. 53. und von 1304 §. 8, 9 u. 13 bei T. u. St. p. 353 u. 451.

Richter, der Burggraf oder Schultheiß in Magdeburg u. a. m. nicht anwesend war, so durften die Bürger zur Aburtheilung der handhaften That einen anderen Richter wählen [16]), oder die An=klage wurde einstweilen vor den Fronboten gebracht [17]). Wenn übrigens der Ankläger keine so große Eile hatte, so mußte die Ver=handlung jedenfalls in der nächsten Gerichtssitzung vorgenommen und der Thäter einstweilen in gerichtliche Haft und das Ueber=führungsstück in Verwahrung genommen werden, z. B. in Frei=berg [18]).

Der Hauptvortheil bei dem Verfahren bei handhafter That bestand aber in dem für den Ankläger weit günstigeren Beweis=verfahren.

Wenn nämlich der Richter bei der handhaften That zu=gegen war, so war ein weiterer Beweis der Anklage gar nicht mehr nöthig [19]). Denn was der Richter mit eigenen Augen ge=sehen hatte, bedurfte keines weiteren Beweises [20]). Etwas Aehn=liches trat aber auch bei dem Verfahren bei handhafter That ein. Denn durch den Kläger wurde die That, wie Plank sehr richtig bemerkt hat, gewissermaßen in das Gericht gebracht. Der Kläger verfolgt den Thäter mit Geschrei, wodurch er alle Gerichtsumsassen sammt dem Richter herzulabet, er fängt ihn, er führt ihn mit dem wiederholten Gerüst in die Gerichtsversammlung ein. Die That selbst wurde dadurch gewissermaßen bis in das Gericht verlängert, so daß die Versammlung sie unmittelbar vor Augen hatte. Nur

---

16) Magdeb. Schöffenbrief von 1261 §. 8 u. 10 und von 1304 §. 4 u. 6. Sächs. Lr. I, 55 §. 2 u. 57.

17) Sächs. Lr. I, 70 §. 3.

18) Stadtrecht, c. 19 bei Schott, III, 206. „So sal im der richter be=„scheiden in daz neiste dinc. „vnd sal den Diep heizen behalden vnd „sal bi dube antwerten eime gemeinem manne.“

19) Stadtrecht von Salfeld aus 13. sec. art. 1. bei Walch, I, 13.

20) Stadtrecht von Jlm von 1350 bei Walch, VI, 17. „Was ein ra=„tisman gesehen vnde gehort habit do sal nymant vorstehen mit „syme rechte.“ Stadtrecht von Freiberg, c. 5. bei Schott, III, 173. „da darf man nicht keiner ander bewisunge zu. wen iz der richter „gehort hat vnd di zwene erhafte man.“ Albrecht, de probatio-nib. l, §. 12. Plank, in Zeitschrift, X, 224 ff.

rücksichtlich des Anfangs derselben, bei welchem noch nicht Alle zugegen waren, beburfte es noch einer ausbrücklichen Versicherung burch einen der zugegen war. Und diese wurde beschafft burch den Eid des Klägers mit oder ohne Eibhelfer oder Zeugen [21]. Darum wurde auch der Angeklagte, wie wir sehen werden, nicht zum Reinigungseib und in der Regel auch nicht zum Zeugenbeweis zugelassen. Denn gegen einen gleichsam richterlichen Augenschein hatte kein Gegenbeweis statt.

Das Beweisverfahren, welches bei der handhaften That eintrat, war jedoch verschieden, je nachdem der Thäter in der handhaften That mit oder ohne Ueberführungsstücke verhaftet und mit Geschrei vor Gericht gebracht worden, oder erst später verhaftet worden, aber ein Ueberführungsstück, ein Schub oder ein anderes sichtbares Zeichen vorhanden war, oder die That zwar auf der Stelle beschrieben, der Thäter selbst aber nicht verhaftet worden und auch kein Ueberführungsstück vorhanden war.

§. 558.

Wenn der Thäter mit den Ueberführungsstücken in handhafter That verhaftet und mit Gerüfte vor Gericht gebracht worden war, so war in manchen Städten ein weiterer Beweis gar nicht mehr nothwendig, war sogar der Eid des Klägers nicht mehr nothwendig. So in Augsburg, wenn ein Dieb oder Räuber mit den gestohlnen oder geraubten Gegenständen, b. h. mit dem Schub in handhafter That ergriffen und gefangen vor Gericht gebracht worden war. Der Beweis wurde in diesem Falle mit dem Schub geführt. Eines weiteren Beweises beburfte es demnach nicht. Nur sollte der Kläger außerbem noch beschwören, daß die Sache gestohlen worden sei [1]. Eben so in Augsburg

---

21) Plank, in Zeitschr. X, 225.

1) Stadtrecht bei Freyberg, p. 57 u. 59. vrgl. bei Walch §. 114 u. 120. „Swer den andern vf der strazze beraubet. wirt er an der Hantgetat „begriefen. kumt er gebunden vnde gevangen fur so bedarf man keins „andern geziuges wan des schubes. damit er in beraubet hat. „— Swär dem andern stilt sin gut tages oder nahtes swelcher Hande „daz ist. wirtt den daran begrifen. der bedarf kains geziuges „mer. wan des schubes. vnde sol auch vf dem schube bereden. daz „er ez im verstoln habe.“

dann, wenn ein Mörder an der Handgetat ergriffen worden war [2]). Auch in Freising konnte der Räuber mit dem Schub überführt werden [3]). Eben so in Bamberg, wenn ein Dieb, Räuber oder Mörder in handhafter That und mit den gestohlnen oder geraubten Gegenständen, und beim Mord mit dem Leichnam des Ermordeten und mit Geschrei vor Gericht gebracht worden war [4]). Desgleichen in Goslar, wenn der Friedbrecher alsbald verhaftet worden und vor Gericht gebracht worden war und der Ankläger Spuren der Verwundung an sich trug [5]). Eben so in Mainz, wenn sich der Dieb noch im Besitze der gestohlnen Gegenstände befand [6]). In anderen Städten konnte der auf handhafter That im Besitze der gestohlnen oder geraubten Gegenstände ergriffene Dieb oder Räuber ohne alle Eidhelfer und Zeugen durch den Eid des Anklägers allein (sola manu) überführt werden, z. B. in Ulm [7]). Der Ankläger mußte demnach zwar selbst die Wahrheit seiner Anklage beschwören. Sein Eid reichte aber auch hin, um den Angeklagten zu überführen.

In den meisten Städten reichte jedoch der Eid des Anklägers allein noch nicht hin. Die Anklage mußte vielmehr außer von dem Ankläger noch von einer mehr oder weniger großen Anzahl von Zeugen oder Eidhelfern beschworen werden. Dieses mußte allenthalben in dem Falle geschehen, wenn der Thäter, wenn auch auf handhafter That aber ohne Ueberführungsstücke (ohne Schub oder ohne Handhaft) verhaftet worden war, und in den meisten Städten selbst schon dann, wenn der Thäter mit Ueberführungsstücken auf frischer That verhaftet worden war. Meistentheils mußte der Ankläger den Angeklagten übersiebnen, d. h. selbstsiebend oder auch mit sieben Zeugen oder Eidhelfern überweisen beim Diebstahl und Raub, beim Todschlag und Mord,

---

2) Stadtrecht bei Freyberg, p. 52—53. bei Walch §. 109.

3) Ruprecht von Freising, II, 33, p. 272. Not. Mpt. von 1328. „man „sol in des Raubs vberchommen mit dem schub."

4) Centgerichtsordn. bei Zoepfl, p. 129 ff. bei Schuberth, p. 247 ff.

5) Stadtrecht bei Göschen, p. 50. — „of men de vredebrake bewise mit „wunden oder mit wartscare." vrgl. noch p. 41.

6) Grimm, I, 532.

7) Stadtrecht von 1296 §. 35 u. 36 bei Jäger, Ulm, p. 734.

bei schweren Verwundungen, bei Nothzucht, Brandstiftung und bei anderen schweren Verbrechen, z. B. in Augsburg beim Diebstahl und Raub und bei Nothzucht [8]), in München bei Nothzucht [9]), in Freising beim Raub, Todschlag und bei der Nothzucht [10]), in Ulm beim Diebstahl und Raub [11]), in Regensburg beim Meineid, Todschlag und bei der Nothzucht [12]), in Lüneburg beim Diebstahl [13]), in Ens bei Nothzucht [14]), in Wien beim Todschlag, falschen Zeugniß und bei der Nothzucht [15]), in Brünn bei Nothzucht [16]), in Magdeburg beim Todschlag und Mord, dann bei schwerer Verwundung, Nothzucht und Heimsuchung [17]), in Memmingen beim Diebstahl, Raub, Mord und bei der Brandstiftung [18]), in Lindau bei allen schädlichen Leuten [19]), in Prag beim Diebstahl und Raub [20]), in Wiener Neustadt beim Diebstahl, Raub, Mord und bei jedem anderen schweren Verbrechen [21]) und in Herfort bei jedem schweren Verbrechen [22]).

---

8) Stadtrecht bei Freyberg, p. 54, 57 u. 59. — „unde mag er des schu=
„bes nicht gehaben so sol er in selbe sibende vberziugen.“ —. vrgl.
das Stadtrecht bei Walch, §. 112, 114 u. 120.

9) Stadtrecht, §. 189.

10) Ruprecht von Freising, II, 13, 33, 51 und p. 272. Not Mpt. von
1328 — „hat man des schubs nicht man sol vber in zeugen mit siben
„mannen, hat er der nicht man sol in vberzeugen mit drein.“

11) Stadtrecht von 1296 § 35 u. 36 bei Jäger, Ulm, p. 734. Sed si
sine furto fuerit deprehensus fur cum septem viris est — convi-
ciendus.

12) Stadtrecht bei Freyberg, V, 57, 59, 67 u. 75.

13) Stadtrecht, c. 55.

14) Stadtrecht von 1212 §. 12.

15) Stadtrecht von 1221, §. 4, 25 u. 37. Nach dem Stadtrecht von 1278
bei Lambacher, p. 146. reichten zwei Zeugen hin.

16) Stadtrecht §. 21. bei Rößler, p. 349.

17) Schöffenbriefe von 1261 §. 11 u. 53, von 1295 §. 11, und von 1304
§. 8, 9, 13, 17 u. 50 bei T. u. St. p. 353, 429 u. 451. vrgl. Sächs.
Lr. I, 66, §. 1.

18) Stadtrecht, c. 2 u. 3. — „wenn aber der schub vnd diubstal mit ze
„gagen ist, so muoß der klager sechs erber man zuo im haben, die im
„dez helffent“ —.

19) Urk. von 1321 u. 1332 bei Heider, p. 651 u. 652.

20) Rechtsbuch §. 188 bei Rößler, p. 158

Anderwärts reichten aber auch weniger Zeugen und Eidhelfer schon hin, zumal bei geringeren Verbrechen, oder wenn Ueberführungsstücke vorhanden waren, oder auch bei besonders gefährlichen Verbrechen, um den oft sehr schwierigen Beweis zu erleichtern. Nach dem Schwabenspiegel sollte der Ankläger bei todeswürdigen Verbrechen („get ez im an den lip") selbstsiebend den Beweis führen („man sol in selbe sibende erziugen") und bei geringeren Verbrechen selbst dritt[23]). In Augsburg durfte derjenige, der zwar den Mord oder Raub nicht selbst begangen, wohl aber den Leib oder das Gut eines anderen zu dem Ende verrathen hatte, selbst dritt, also mit dem Eide des Klägers und mit zwei Zeugen überführt werden[24]). In München und in Freising wurden Diebe und Räuber, wenn die gestohlnen und geraubten Gegenstände bei ihnen gefunden worden waren, und Brandstifter, wenn man einen Brand bei ihnen gefunden hatte, selbst dritt überwunden[25]). Und beim Raub reichten in Freising drei Zeugen außerdem auch dann hin, wenn man die sieben nicht haben konnte[26]). Im Heimburg wurde der „an der Hand- „haft mit plutigem mezzer oder swerte begriffene" Todschläger mit zwei erbaren Mannen überwiesen[27]). Wenn in Freiburg der Dieb mit den gestohlnen Gegenständen in handhafter That verhaftet worden war, so reichte der auf die Heiligen geschworne Eid des Anklägers zur Verurtheilung hin, wenn der Ankläger (der Forderer) ein in der Stadt angesessener Bürger war. Wenn dagegen der Forderer ein Fremder (ein Ausmann) war, so mußte er mit sechs Eidhelfern, also selbst siebend den Beweis führen[28]).

---

21) Stadtrecht, c. 4   aut alio maleficio, quod personam ejus tangere vel honorem vocatur.

22) Schöffenbuch bei Meinders, de jud. cent. p. 293.

23) Schwäb. Lr. W. c. 82.

24) Stadtrecht bei Freyberg, p. 53 u. 54. und bei Walch, §. 110.

25) Münchner Stadtrecht, §. 75 u. 97. Ruprecht von Freising, II, 36 u. 50.

26) Ruprecht von Freising, p. 272—73. Mpt. von 1328. „hat man des „schubs nicht man sol ober in zeugen mit siben mannen. hat er „der nicht man sol in oberzeugen mit drein."

27) Stadtrecht, c. 3 bei Senckenberg, vision. p. 270.

28) Stadtrecht aus 13. sec. c. 19 bei Schott, III. 208 u. 209.

Eben dieses war daselbst beim Raub der Fall. Und wenn der Raub auf offener Straße („uf der vrien straze") statt gehabt hatte, so durfte der Räuber noch nach Ablauf eines ganzen Jahres wie bei handhafter That verhaftet und überwiesen werden [29]. Eben so durfte in Leobschütz der Ankläger einen mit den gestohlnen Gegenständen verhafteten Dieb oder Räuber mit drei Mannen überführen, wenn er (der Ankläger) ein Inländer war, wenn er aber ein Fremder war, nur mit sieben Mannen [30]. Bei der Nothzucht reichten, wenn der Thäter in handhafter That gefangen und vor Gericht gebracht worden war, in manchen Städten, z. B. in Wiener Neustadt [31], in Heimburg [32] und späterhin auch in Wien [33] zwei Zeugen hin und in Prag in gewissen Fällen sogar ein einziger Zeuge. Wenn nämlich in Prag die Nothzucht auf dem Felde stattgehabt hatte, so reichte das Zeugniß des Hirten oder eines anderen Mannes hin, bei einer Nothzucht in der Stadt dagegen waren zwei Zeugen nothwendig [34].

Die bisher angeführten Fälle setzen sammt und sonders eine handhafte That voraus. Da nun bei jeder handhaften That ein außergerichtliches Gerüfte erhoben werden sollte, und auch erhoben zu werden pflegte, so wurden die zum Beweise der Anklage nothwendigen Zeugen und Eidhelfer insgemein aus den auf das Gerüft herbeigeeilten Leuten, die das Geschrei gehört hatten, genommen [35]. Und man nannte daher diese Leute selbst Schreileute oder Schreimanne [36], oder Jodute Leute, von dem Jodute Schreien bei einer gerichtlichen Anklage [37].

---

29) Stadtrecht von Freiberg, c. 20 bei Schott, III, 210—213.
30) Stadtrecht von 1270, §. 43—45 bei T. u. St. p. 379.
31) Stadtrecht, c. 57.
32) Stadtrecht, c. 7. bei Senckenberg, p. 275.
33) Stadtrecht von 1278 bei Lambacher, II, 152.
34) Rechtsbuch §. 86 u. 88 bei Rößler.
35) Stadtrecht von Augsburg bei Freyberg, p. 54. — „vberziugen mit „mannen — die daz geschrai gehöret haben." Friedgerichtsbuch von Regensburg bei Freyberg, V, 67. — „selb sibent die den waffenheiz „gehort haben." Ruprecht von Freising, II, 51. — „vnd hört sy „yemand schreyenn mit dem mag sy by notnufft wol erzeugen."
36) Hallische und magdeburgische Schöffenbriefe von 1235, §. 10, von 1261

Die Anzahl der Zeugen und der Eidhelfer war dem=
nach verschieden in den verschiedenen Städten und selbst verschieden
in einer und derselben Stadt je nach der Gefährlichkeit und Schwere
des Verbrechens und nach der Schwierigkeit des herbeizuschaffenden
Beweises. Auch ward allenthalben Rücksicht darauf genommen, ob
Ueberführungsstücke vorhanden waren oder nicht. Denn wenn dem
Gericht durch das Beibringen des Ermordeten oder des blutigen
Messers oder des gestohlnen oder geraubten Gegenstandes u. drgl. m.
die handhafte That selbst augenscheinlich gemacht, die That selbst
gewissermaßen vor Gericht gebracht werden konnte, so bedurfte es
natürlicher Weise nur weniger Zeugen und Eidhelfer oder selbst
gar keiner.

Auch ward zur Erleichterung des Beweises bei manchen Ver=
brechen ein Unterschied gemacht, ob sie bei Tag oder bei Nacht
begangen worden, also offenkundig waren oder nicht, z. B. bei der
Nothwehr [38]), bei Verwundungen und Todschlägen [39]), bei Heim=
suchungen [40]) u. a. m. Aus demselben Grunde wurden öfters auch
Frauen als Mitschwörer zugelassen, z. B. bei der Nothzucht [41]),
bei der Nothwehr [42]), bei der Heimsuchung [43]), beim Mord [44])
u. a. m. Konnte aber der Ankläger gar keine Zeugen finden, so
wurde es in manchen Städten ihm selbst gestattet die vorge=
schriebenen Eide sammt und sonders allein zu schwören, z. B.

---

§. 11 u. 53 und von 1304 §. 8 u. 9 bei T. u. St. p. 296, 353,
358 u. 451. Stadtrecht von Freiberg, c. 27 bei Schott, III, 228 ff.
Stadtrecht von Braunschweig von 1233 bei Rehtmeier, p. 467.

37) Codex juris Lubecens. bei Dreyer, vrm. Abhl. I, 472. — wapen-
screinge to iodicte ludt. Offenbar Jobute Leute.

38) Stadtrecht von Ens von 1212, §. 9.

39) Stadtrecht von Wien von 1221 §. 16. Stadtrecht von München
§. 248. Magdeburg. Schöffenbriefe von 1261 §. 27 und von 1304
§. 10 bei T. u. St. p. 355 u 451.

40) Stadtrecht von Memmingen, c. 23. vrgl. Osenbrüggen, Hausfrieden,
p. 76.

41) Stadtrecht von Augsburg bei Freyberg, p. 54. von München, §. 189.
Bremer Statut von 1303 bei Delrichs, p. 33.

42) Ruprecht von Freising, II, 7.

43) Stadtrecht von Memmingen, c. 23.

44) Stadtrecht von Augsburg bei Freyberg, p. 52.

in München beim Diebstahl und Raub alle drei Eide, den soge=
nannten ein Drei Eid [45]), oder es wurden sogar Schein=
zeugen zugelassen, z. B. in Basel bei der Heimsuchung. Wenn
nämlich der Heimgesuchte kein Hausgesinde, also keine Zeugen,
hatte, so durfte er daselbst seinen Hund oder seine Katze oder seinen
Haushahn als Eideshelfer mit vor Gericht bringen [46]).

§. 559.

Der andere Fall der handhaften That war der,
wenn der Thäter zwar nicht in handhafter That selbst,
wohl aber später mit einem Ueberführungsstück verhaftet
worden, oder ein Schub oder ein anderes sichtbares Zeichen
der That zu seiner Ueberführung vorhanden war. Streng genom=
men war zwar in einem solchen Falle die That übernächtig ge=
worden. Es sollte aber dennoch auch in diesem Falle wie bei der
handhaften That verfahren, die That also als eine handhafte
That betrachtet werden. Klar und deutlich geht dieses aus dem
Stadtrecht von Wiener Neustadt hervor. Daselbst sollten, wenn
der Thäter entflohen war, zwei Zeugen zu dessen Ueberführung
hinreichen, wenn ein sichtbares Zeichen (ein Handhaft) gegen ihn
vorlag, außerdem aber 7 Zeugen nothwendig sein [1]). In Ulm
reichte sogar der alleinige Eid des Anklägers hin, wenn der Dieb
oder Räuber mit dem gestohlnen oder geraubten Gegenstand ver=
haftet worden war, außerdem waren aber sieben Zeugen nothwen=
dig [2]). In Memmingen durfte der Dieb, Räuber, Mörder und

---

45) Stadtrecht §. 75 u. 79. — „hat er der zwaier nicht, so sol er ain
„drey aid swern." Etwas Aehnliches findet sich bei den Angelsachsen.
Der Kläger durfte in manchen Fällen in 5 Kirchen schwören, und der
Beklagte sich durch einen Eid in 12 Kirchen reinigen. Aelfred, Gef.
c. 33. Ueber einen Eid in 9 Kirchen vrgl. Fleta, II, 63, §. 12. vrgl.
später §. 561.

46) Basler Landesordnung von 1611, art. 68. Ochs, III, 186. Ofen=
brüggen, Hausfrieden, p 19.

1) Stadtrecht, c. 1. et quidem duobus testibus idoneis cum evidenti intersigno, quod in vulgari dicitur hanthaft, vel
cum septem testibus idoneis praeter hanthaft juramentorum dis-
positionibus devincatur —.

2) Stadtrecht von 1296, §. 35 u. 36 bei Jäger, p. 734. Diese Stelle

Brandstifter selbstdritt von dem Kläger überführt werden, wenn beim Diebstahl oder Raub der gestohlne oder geraubte Gegenstand (der Schub), beim Mord eine Locke oder das Gewand des Ermordeten oder der Ermordete selbst und bei der Brandstiftung ein Brand dem Gericht vorgelegt werden konnte. Außerdem mußten die Thäter übersiebnet werden [3]. Auch in Augsburg durfte der Todschläger selbstdritt überführt werden, wenn der Getödete zugegen war [4]. Eben so reichten in Regensburg beim Mord und bei der Brandstiftung zwei Eidhelfer hin, wenn man den Brand oder die Handhaft vor Gericht bringen konnte [5] und in Prag beim Mord zwei Schöffen oder zwei andere Biedermänner, wenn der Mörder mit der Warentat ergriffen und vor Gericht gebracht worden war [6]. Auch die übernächtige Heimsuchung durfte noch als handhafte That behandelt werden, wenn Spuren der Gewaltthat entweder an dem Leibe des Heimgesuchten oder an dessen Wohnung vorhanden waren, die That selbst also eine scheinbare war, z. B. in Magdeburg, in Breslau u. a. m. [7], in Augsburg [8], in Bamberg [9], in Freiberg [10] u. a. m.

könnte jedoch auch von dem Falle der Verhaftung in handhafter That verstanden werden. Sie ist in dieser Beziehung nicht ganz klar.

3) Stadtrecht, c. 2, 3, 4, 6 u. 8. cap. 3. sagt: — „wär denn der schub „ze gagen vor gericht — so bedarff der klager nit mer denn zwayer „erber manne zuo jm —, ist aber der schub nit ze gagen, so muoss „der klager sechs erber man zuo jm haben —, ist ez aber vmb Brand, „hatt denn der klager der bränd ain, so bedarff er ouch nit mer denn „zwayer erber man zu jm, hat er aber dez nit, so muoss er ouch sechs „han —, wär ez aber vmb mort, mag aber der klager des ermürten „haurs ain lok gehaben oder sins gewands, so bedarff er ouch nit mer „denn zwayer man zuo jm, hat er dez nit, so muoss er sechs haben" —.

4) Stadtrecht bei Freyberg, p. 74. — „wirt er der waren schulde be- „wärt selbe dritte. vnde daz der totslac da zegagen stat." bei Walch, §. 186 u. 187.

5) Stadtrecht bei Freyberg, V, 80.

6) Stadtrecht c. 34 bei Rößler, p. 25.

7) Schöffenbrief von 1261 §. 40 bei T. u. St. p. 356. „Mach man die „Heimsuche bewiesen mit Wunden unde mit gewundeteme Gezimmere, „hat ein Man des den Richtere unde die Schreileute zu Geziuge" —. vergl. Osenbrüggen, p. 76 u. 77.

8) Stadtrecht bei Freyberg, p. 72. „Swär dem andern jagt mit gewä-

Um nun beim Mord und Todschlag das Verfahren bei handhafter That möglich zu machen und den Beweis der Anklage zu erleichtern, war meistentheils, wie wir gesehen, vorgeschrieben, daß der Leichnam des Getödeten oder ein Leibzeichen von ihm, ehe derselbe beerdiget ward, vor Gericht gebracht und auf diese Weise die That scheinbar gemacht werden sollte (§. 556). In manchen Städten war vorgeschrieben, daß der Leichnam drei, in anderen Städten sogar fünf Tage unbeerdiget liegen bleiben solle, um noch gegen den Thäter, wenn man ihn während dieser Zeit entdecken oder habhaft werden sollte, wie in handhafter That verfahren zu können, z. B. in Freising [11]), in Memmingen [12]) u. a. m. Wurde nun der Thäter während dieser Zeit ausfindig gemacht, so wurde gegen ihn, wenn er entweder vorgeladen und erschienen, oder verhaftet und vorgeführt worden war, verfahren wie bei handhafter That. Er durfte demnach selbstdritt von dem Ankläger überwiesen und sodann der Leichnam beerdiget werden, jedoch, wie bereits bemerkt worden ist, nur dann, wenn entweder der Leichnam des Ermordeten selbst vor Gericht gebracht [13]), oder wenn wenigstens eine Harlocke oder das Gewand des Ermordeten dem Gericht vorgelegt worden war [14]). Wenn dagegen der Thäter unentdeckt geblieben, wohl aber Verdacht gegen Einen oder gegen Mehrere vorhanden war, so hatte sodann der Inzichtprozeß statt, von welchem später noch gehandelt werden soll. Um jedoch den Unterschied des Verfahrens in Anwesenheit des Leichnams oder eines Leibzeichens, oder in dessen Abwesenheit, also das Verfahren bei handhafter That recht klar zu machen, muß bereits hier schon von dem mit

---

„senter Hant in eins mannes Hus swes daz ist sleht er nah im in daz „biſtal. oder in die tyr. oder in daz briſſchuſel. oder in baz vbertur. „mak man daz hinz im bringen ſelb dritte" —. bei Walch §. 184.

9) Stadtrecht §. 194—196.

10) Stadtrecht §. 142—144 bei Walch.

11) Ruprecht von Freiſing, II, 4 u. 112.

12) Stadtrecht, c. 5.

13) Stadtrecht von Memmingen, c. 4 u. 8.

14) Stadtrecht von Memmingen, c. 3 u. 8. Stadtr. von Bamberg, §. 152 u. 154.

dem Inzichtprozeß zusammenhängenden Bahrgericht gehandelt werden.

Bahrgericht oder Barrecht.

§. 560.

Wenn nämlich gegen jemand, gegen Einen oder gegen mehrere Leute, Verdacht aber nicht hinreichender Beweis vorhanden war, um sie übersiebnen oder selbst dritt überweisen zu können, so sollte dennoch gegen dieselben eingeschritten werden. Man nannte sie die Bezichtigten („welhy umb todschlag bezigen wurdent — die „bezigen werdent") [1], die Beschuldigten („Swer eins totsla= „ges gezigen wirt") [2], oder die Inzichter, indem Inzichten gegen sie bestanden [3]. Die Bezichtigten oder die Inzichter konnten zwar freiwillig vor Gericht erscheinen, um sich von der Bezichtigung zu reinigen, sie konnten aber auch zu dem Ende vorgeladen werden. Wenn sie nun entweder freiwillig oder auf Vorladung vor Gericht erschienen waren, so trat ein ganz verschiedenes Verfahren ein, je nachdem der Leichnam zugegen oder ein Leibzeichen vorhanden war oder nicht. Wenn nämlich der Leichnam oder ein Leibzeichen nicht mehr vorhanden oder wenigstens nicht vor Gericht gebracht worden war, so konnte der Inzichter den Reinigungseid mit oder auch ohne Eidhelfer schwören, z. B. in Memmingen mit zwei Eidhelfern [4]. War dagegen der Leichnam oder ein Leibzeichen noch vorhanden

---

1) Stadtrecht von Memmingen, c. 5.

2) Statut von Dinkelsbühl aus 14. sec. §. 6 bei Haupt, Zeitschr. VII, 95. Stadtr. von Nördlingen von 1318 §. 4 bei Senckenberg, vis. p. 356.

3) Brandenburgische Gerichtsordnung und Reformation des Burggraff= thumbs zu Nürnberg von 1539 (Mpt.). „Von Inzichtern. So ein „Inzichter für das Kayserlich Landgericht einer Bezichtigung oder „Leumbds begangener mißhandlung halben sein Unschuld, Noth oder „Gegenwehr auszuführen kommen wolt" —. vrgl. über das Wort Schmeller, IV, 241 u. 242.

4) Stadtrecht, c. 6. — „da diu baur (d. h. die Bahre oder Todtenbahre) „nit ze gagen ist, das er oder sy an dem selben Todschlag vnschuldig „sien mit Räten vnd mit getäten, vnd mag jr jeglicher zwen erber „onversprochen man zuo im gehabt, die bez nach im sweyrent" —. .

und vor Gericht gebracht worden, so hatte sodann das Bahrge=
richt statt. Auch dieses bestand zwar seinem Grundgedanken nach
in der Leistung eines Reinigungseides. Der Reinigungseid mußte
jedoch in diesem Falle auf den Leichnam oder auf das Leibzeichen
selbst und unter anderen den Eid noch erschwerenden Umständen
geleistet werden. Man nannte daher dieses Verfahren ein Richten
auf den Toden oder ein Todengericht[5]. Insgemein nannte
man es aber ein Bahrgericht oder Bahrrecht, weil der Leich=
nam, auf welchen der Eid geschworen werden sollte, auf einer Bahre
vor Gericht gebracht zu werden pflegte. Die Inzichter oder die
Bezichtigten sollten nämlich, während der Ermordete noch unbe=
graben war, vorgeladen werden, und zwar drei Mal an drei ver=
schiedenen Tagen vorgeladen und an jedem Gerichtstage der Leich=
nam auf einer Bahre vor Gericht gebracht werden. („so muoß
„man die toten dry tag ze gericht tragen, ob die bezigene dez ersten
„oder dez andern gerichtz da für nit richten went"). Wenn nun
die Bezichtigten auf die Vorladung nicht erschienen waren, so wur=
den sie des Todschlags oder des Mordes schuldig betrachtet und
verurtheilt[6]. Waren sie aber erschienen, so hatte sodann das
Bahrgericht statt, worüber uns in den Stadtrechten von Memmin=
gen und von Freising, sehr ins Einzelne gehende Beschreibungen
erhalten sind. Die erschienenen Bezichtigten erhielten nämlich an
beiden Orten, wie bei jedem Inzichtprozeß, sicheres Geleit vor
Gericht.

Das Gericht selbst begann in Memmingen mit der Er=
nennung von drei Männern, welche die Wunde zu beschauen hatten
und zu dem Ende beeidiget wurden. Dann mußten die Beinzich=
tigten an die Bahre, auf welcher der Leichnam lag, treten und mit
aufgehobenen Fingern schwören, daß sie an dem Todschlag unschul=
dig seien. („so sullen denn die oder der die da richten wend, an das
„gericht gän vnd sullen zuo der baur stän, dar vff der tod lichnam
„ist, vnd sullent darob swerren gelert aÿd zuo got vnd allen haiti=
„gen mit vffgebotten vingern, des sy an dem todschlag vnschuldig
„sigen" —). Erklärten nun die drei Wundebeschauer, daß die

---

5) Ruprecht von Freising, II, 4, 110 u. 112.
6) Stadtrecht von Memmingen, c. 5.

Wunden sich während der Leistung dieses Reinigungseides nicht ver=
ändert haben, („sagent sy yff jr ayd, das sich die wundan nit kunt=
„lich verändert händ“), so waren die Beinzichtigten des Todschlags
ledig und los. Erklärten aber die Wundebeschauer, daß die Wun=
den sich verändert haben („das sich die wunden kuntlich verändert
„hand“), so waren sie des Todschlags schuldig und wurden noch
an der Bahre selbst hingerichtet. („vnd sol man denn zuo jn rich=
„ten baur gen baur als vor ist geschrieben“.) [7]. Aus diesem schleu=
nigen Vollzuge der Todesstrafe erklärt sich auch der öfters, z. B.
auch in Basel vorkommende Ausdruck, Bar gegen Bar [8], oder
wie in Memmingen, Baur gegen Baur. Es wurde nämlich,
wie in Freising noch im 16. Jahrhundert [9], wahrscheinlich auch
anderwärts eine leere Bahre neben die bereits vor Gericht ste=
hende Todenbahre, auf welcher der Leichnam lag, gestellt und auf
diese nach der Hinrichtung der Verurtheilte gelegt, also ganz buch=
stäblich Bahre gegen Bahre gestellt.

In Freising sollte der Leichnam des Erschlagenen fünf Tage
lang unbegraben liegen gelassen und gewartet werden, ob ein An=
kläger auftrete oder nicht. Trat nun ein Ankläger auf, so mußten
die des Todschlags Geziehenen einen Reinigungseid auf den Leich=
nam in der gleich nachher anzugebenden Weise schwören. Trat
dagegen während jener Frist kein Ankläger auf, so sollte sodann der
Leichnam begraben werden und der Inzichter des Todengerichts
ledig sein. Wären jedoch die Freunde und Verwandten des Er=
schlagenen zur Zeit des Todschlags abwesend, so sollte auch dann
noch, wenn sie binnen Monatsfrist zurückkehrten und die Reinigung
begehrten, ein Todengericht statt haben. Der Erschlagene mußte
sodann ausgegraben und vor Gericht gebracht (auf den Ring ge=
tragen) werden. Dort sollten ihm nun die Wunden ausgewaschen
und getrocknet und diese sodann von einem Arzt oder in dessen

---

[7] Stadtrecht von Memmingen von 1396, c. 5.

[8] Ochs, III, 185.

[9] Proceß des Barrechtes von 1584 in Bairischen Annalen vom Mai 1835,
p. 231. „Volgendes am Sambstag zu Morgens solle auf offenem
„Markht ain Pin aufgemacht, vnd der Entleibt Cörpl in der Par oder
„Truhen darauf gestelt, gleichsfal noch ain lere Par dartzue ge=
„setzt werden.“

Ermangelung von zwei Sachverständigen besichtiget werden. („vnnd
„sol bye wundenn lassenn trucken vnnd sol babey habenn ainen
„artzt, vnnd sunst zwen weisman bye by wundenn erkennen kun=
nen"). Der Beinzichtigte mußte hierauf drei Mal auf die Bahre
knien, um die Bahre herumgehen, den Leichnam küssen, und ihn
beim Namen rufen und schwören, daß er an dem Todschlag unschul=
dig sei. („vnb ber bas gerichtt tuet ber sol breystund auf sein parn
„knyen vmb by par gen vnnd sol ben tobten küssen. vnnb sol in
„nennen vnb sol by wort sprechnn. ich zeug es an gott ben herren
„vnnb an bich bas ich an beinem tob vnschulbig pin.") Hatten
sich nun die Wunden nicht verändert („haben sich by wundenn
„nicht verkert"), so war der Beinzichtigte frei und lebig sowohl von
ben Freunden des Erschlagenen als von bem Gerichte. („so ist er
„lebig von ben fründtenn vnnd von bem gericht"), bas heißt er
war weder ben Freunden des Erschlagenen noch bem Gericht eine
Buße schulbig. Wurden aber die Wunden blutig ober bluttriefend
(„Habenn sy sich aber verchert bas sy pluetig sinb — baz sy tro=
rich sint"), so war sobann der Beinzichtigte bes Todschlags über=
wiesen und wurde alsbald hingerichtet. Kehrten jedoch die Freunde
des Erschlagenen erst nach einem Monat zurück, so sollte in biesem
Falle der Leichnam nicht mehr ausgegraben und kein Tobengericht
mehr gehalten werden. Dem bes Todschlags Bezichtigten blieb ba=
her nun, um sich zu reinigen, nur noch die Feuer= ober Wasserprobe
übrig, wenn er sich ihr unterziehen wollte. Denn auch zu ihr
durfte er nicht mehr genöthiget werden [10].

Dieser ganz eigenthümlichen Weise den Reinigungseid zu lei=
sten gebenken zum ersten Mal im 13. Jahrhundert unsere Dichter [11].
Die Sitte selbst scheint jedoch, wie bieses bereits Jakob Grimm
bemerkt hat, weit älter zu sein und auf altem Volksglauben zu be=
ruhen. Späterhin findet man sie über ganz Deutschland verbreitet.
Man nannte bas babei eingehaltene Verfahren, wie wir gesehen,
ein Richten auf den Toben ober ein Tobengericht, insge=
mein aber ein Bahrgericht ober ein Barrecht, zuweilen auch,

---

10) Ruprecht von Freising, II, 4, 110 u. 112. Das Stabtrecht von Frei=
sing von 1359 erwähnt bes Bahrrechtes nicht mehr.
11) Niebelunge, Not. 984—986. Iwein, 1355—1364.

dieſes aber offenbar erſt in ſpäteren Zeiten, ein Gottesrecht [12]) und ſehr häufig ein Gehen zum Schein oder ein Scheinge= hen. Denn unter dem Gehen zum Schein, b. h. zum Augenſchein, wurde zwar nicht ausſchließlich aber doch meiſtentheils das Gehen zum Erſchlagenen oder zur toben Hand und das Richten auf den Toben oder auf die Hand des Erſchlagenen verſtanden, z. B. in Herfort, Lübeck, Hadeln u. a. m. [13])

Das dabei beobachtete Verfahren war jedoch nicht allenthal= ben ganz gleich. In Nürnberg mußten die Inzichter an die Bahre hintreten und ihre Finger auf die Hand des Entleibten legen, oder die Hand des Entleibten in ihre Hand nehmen, oder auch ihre Hand auf die Bruſt des Leichnams legen, und dabei Gott anrufen, daß, wenn ſie an dem Tobe ſchuldig ſeien, „Gott ein Zeichen an ihm thun ſolle [14]." In Hadeln ſollte der Inzichter nackt drei Mal zum Schein, b. h. zu der bei Gericht aufbewahrten Hand des Erſchlagenen gehen, ſeine Finger auf den Schein (auf die tobe Hand) legen und knieend den Reinigungseid ſchwören [15]). In Weſtpha= len u. a. m. glaubte man, daß der Beinzichtigte ſchuldig ſei, wenn der Mund oder die Wunde des Erſchlagenen während der Eides= leiſtung blutigen Schaum auswerfe oder wenn die Wunde wieder anfange zu bluten [16]). Eben ſo war auch in Freiſing und Mem= mingen, wie wir geſehen, das Verfahren nicht ganz gleich.

Abgeſchafft wurde dieſes Verfahren am erſten, meines Wiſ= ſens, in Nördlingen und in Dinkelsbühl. Denn ſchon nach dem Stabtrecht von Nördlingen von 1318 ſollte ſich der Angeklagte daſelbſt mit ſeinen zwei Fingern ohne das Bahrgericht reinigen [17]).

---

12) Hadelnſch. Protokoll von 1566 bei Pufendorf, II, 22 u. 23.

13) Herforter Schöffenbuch bei Meinders, de jud. cent p. 291 — 294. Hadelnſches Protokoll von 1566 bei Pufendorf, II, 22. Dreyer, Ein= leitung, p. 418. vrgl oben §. 555.

14) Chronik zu den Jahren 1576 und 1599 bei Siebenkees, Materialien, II, 593—596.

15) Protokoll von 1566 bei Pufendorf, II, 22 u. 23.

16) Roſenmeyer bei Wigand, Archiv, III, 232 ff.

17) Stabtrecht §. 4 bei Senckenberg, vision. p. 356. — „und ſol ſih ſin „entſlahen mit ſinen zwain vingern und ſol vf der par niht rihten."

Eben so nach dem Stadtrecht von Dinkelsbühl aus dem 14. Jahr=
hundert mit seinen zwei auf die Wunde gelegten Fingern ohne
Bahrrecht [18]). Auch in Freising gehörte das Todengericht schon
seit dem 14. Jahrhundert zu den verbotenen Gerichten, zu denen
niemand mehr genöthiget werden sollte, denen man sich jedoch frei=
willig unterwerfen durfte. Denn diese Vorschrift findet sich schon
bei Ruprecht von Freising in der Handschrift von 1328 [19]). Das
Bahrrecht blieb jedoch daselbst nach wie vor das ganze 16. Jahr=
hundert hindurch im Gebrauch [20]). Auch in Bern, Hadeln, Lübeck,
Nürnberg und in anderen Theilen von Baiern und in Westphalen
wurde noch das ganze 16. Jahrhundert hindurch gebahrrechtet,
und in Flensburg und Mecklenburg sogar noch im 17. [21]). Seit
dem 16. Jahrhundert war jedoch die alte Grundidee eines Reini=
gungsverfahrens schon vergessen. Das Bahrrecht wurde seitdem
vielmehr, wie die Tortur, zur Erforschung des unbekannten Thäters
und zur Erpressung eines Eingeständnisses gebraucht. So in Frei=
sing, in Nürnberg, in Lübeck, in Flensburg u. a. m. [22]). In
Leipzig wurde im Jahre 1592 der eines Kindesmordes beschuldigten
Tochter eines dortigen Bürgers der Leichnam des Kindes vor der
Beerdigung „fürgetragen und sie hat uf Befehl des Vicerichters
„ihre zween Finger auf desselben Herzgrub gelegt und nachfolgende
„Wort gesagt, mein liebes Kind habe ich zu deinem Tode Ursache
„gegeben, so giebe dessen ein Zeichen von dir." Obwol sie nun
die Finger eine gute halbe Viertelstunde in der Kindes Herzgrüb=
lein liegen lassen „ist aber doch gar keine Anzeigung geschehn."
Damit war jedoch die Untersuchung noch nicht beendiget [23]). Die

---

18) Statut, §. 6, p. 95. „unde sol sich entslahen, mit sinen zwein vin=
     „gern uf der wunden swern unde sol uf der bare niht rihten."
19) Ruprecht, II, 110 u. 112.
20) Viele Beispiele bis ans Ende des 16. Jahrhunderts in den Bairi=
     schen Annalen vom April und Mai 1835, p. 222 ff. u. 231 ff.
21) Grimm, R. A. p. 931. Dreyer, Einleitung p. 418 ff. Wigand, Ar=
     chiv, III, 232.
22) vrgl. die angeführten Bairischen Annalen, Siebenkees und Dreyer, dann
     noch Schottelius, von unterschiedlichen Rechten in Teutschland, p.
     70 ff. u. 86 ff. und Gericken, Schottelius illustratus p. 16 ff.
23) von Weber, aus vier Jahrhunderten Mittheilungen, II, 453 u. 454.

Heſſiſche Landesordnung von 1639 ſchrieb noch vor, „da auch ein „Thäter ungewiß, doch gewiſſe Perſonen des Todſchlages halber „berüchtigt und verdächtig wären, ſoll man derſelben ſich bemächtigen, „ſie zu dem Entleibten führen und denſelben gewöhnlichermaſ= ſen anrühren laſſen“ 24). In mehreren Kriminal=Akten, welche im 17. Jahrhundert der Juriſtenfakultät in Tübingen 25), und aus Pommern der Juriſtenfakultät in Frankfurt an der Oder eingeſen= det worden ſind 26), wird noch erzählt, daß der Leichnam beim Er= ſcheinen des Thäters geblutet und deſſen Mund geſchäumt habe. Ja ſogar noch im 18. Jahrhundert wurde dieſes Bluten des Leich= nams als eine Anzeige betrachtet, um zur Tortur zu ſchreiten. Und die Schriftſteller jener Zeit begnügten ſich bloß damit, bei Anwen= dung jenes Mittels Vorſicht zu empfehlen, höchſtens in aller Be= ſcheidenheit davor zu warnen 27). Auch in Altbaiern wurde das Bahrrecht erſt im Jahre 1751 durch das Kriminalgeſetzbuch (II. c. 4. §. 8.) abgeſchafft.

Vertheidigung des Angeklagten.

§. 561.

Das bisher beſchriebene Verfahren bei handhafter That wurde, wir bereits bemerkt worden iſt, als eine Art von richterlichem Au= genſchein betrachtet, ſowohl in dem Falle, wenn der Thäter in der handhaften That ſelbſt verhaftet und mit Gerüfte vor Gericht ge= bracht worden iſt, als in dem anderen Falle, wenn der Thäter zwar nicht auf der That verhaftet worden, wohl aber ein ſichtba= res Zeichen von der That, ein Schub oder Schein oder ein anderes Ueberführungsſtück, vorhanden war. Es hatte demnach kein Ge= genbeweis ſtatt, weder ein Reinigungseid noch ein Zeugenbeweis (§. 557.). Daß der Angeklagte in dieſem Falle nicht zum Reini=

---

24) Heſſen Darmſt. Landesordnung von 1639, tit. 2.
25) Besold, thesaurus pract. p. 83.
26) Stryck, tr. de jure sensuum dissert., VII, de tactu. Majer, Geſch. der Ordalien, p. 114—118.
27) Kayſer, Anweiſung zum Inquiſitions= und Achtproceß. Altenburg, 1710, p. 146. Kress, ad C. C. C. Hanov. 1744, p. 109.

gungseid zugelassen werden solle, sagen unzählige Stadtrechte. Denn dieses war allgemein geltendes Recht, z. B. in Magdeburg[1]), in Minden[2]), in Goslar[3]), in Prag[4]), in Ens[5]), in Brünn[6]) u. a. m. Aber auch der Gegenbeweis mit Zeugen war meistentheils ausgeschlossen, z. B. in Augsburg[7]) u. a. m. Sogar zur Feuerprobe wurde der Angeklagte in manchen Fällen nicht mehr zugelassen. Wenn nämlich bei einer Nothzucht die genothzüchtigte Frau den Beweis der Anklage mit sieben Zeugen geführt hatte, durfte sich der Angeklagte sogar mit der Feuerprobe nicht mehr reinigen, z. B. in Ens[8]), in Wien[9]) und in Brünn[10]).

Die Angeklagten waren aber doch nicht ganz schutzlos. Sie erhielten auch bei dem Verfahren bei handhafter That, wenn sie es begehrten, einen Vorsprechen zu ihrer Vertheidigung. (§. 542.) Sie durften, wenn sie nicht auf der That selbst wohl aber später im Besitze eines Ueberführungsstücks oder unter anderen verdächtigen Umständen verhaftet worden waren, mit zwei Zeugen ihr alibi beweisen[11]). Auch bezog sich jene Regel, daß kein Gegenbeweis zulässig sein solle, nur auf den Fall, daß der Beweis von dem Ankläger in der vorgeschriebenen Weise geführt werden konnte. Wenn daher der Ankläger keine Zeugen und auch keine Eidhelfer finden konnte, so wurde sodann auch im Falle der handhaften That der

---

1) Schöffenbriefe von 1261, §. 11, von 1295, §. 11 und von 1304, §. 8, 9 u. 50 bei T. u. St p. 353, 429 u. 451.

2) Stadtrecht von 1246 in Orig. Guelf. IV, 202.

3) Stadtrecht bei Göschen, p. 31, 32 u. 34. „Were he aver in hanthaf-„tiger Dat upgheholden, so ne mach he sic also nicht untsculbighen.“

4) Stadtrecht, §. 86 u 88.

5) Stadtrecht, von 1212, §. 12.

6) Stadtrecht, §. 217.

7) Stadtrecht bei Freyberg, p. 52—53. „Vnde wirt aber er begriffen an „der Hantgetat. der daz mort ba hat getan. so sol man vber ihn rih-„ten als reht ist mit dem rabe. vnde gehoret davber chein gezivf „noch dechein dinch anders me.“ Stadtrecht bei Walch §. 109.

8) Stadtrecht von 1212 §. 12.

9) Stadtrecht von 1221 §. 25.

10) Stadtrecht, c. 21 bei Rößler, p. 349.

11) Ruprecht von Freising, II, 50. Stadtrecht von Wien von 1221, §. 18.

Angeklagte zum Reinigungseid mit oder ohne Eidhelfer und
ohne Zweifel auch zum Zeugenbeweis zugelassen. Zum Rei=
nigungseid wurde daher der Angeklagte zugelassen, wenn keine
Gerüftszeugen vorhanden waren [12]). Eben so dann, wenn es über=
überhaupt an Eidhelfern oder an Zeugen fehlte, z. B. in Magde=
burg [13]), in Straßburg [14]) und in Soeft [15]). Dieses war insbe=
sondere auch beim Reinigungseid auf die Todenbahre der Fall.
Denn jedes Bahrgericht setzte die Anwesenheit des Leichnams des
Ermordeten oder eines Leibzeichens, also ein Verfahren bei hand=
hafter That voraus. Und es hatte immer nur dann statt, wenn
es dem Ankläger an dem nöthigen Beweise für seine Anklage fehlte.
Zumal aber bei der Nothzucht kam es öfters zum Reinigungseid,
wenn der Thäter nicht auf der That verhaftet worden war und
niemand das Nothgeschrei gehört hatte. Denn die klagende Frau
hatte in einem solchen Falle nur die Wahl, den Angeklagten ent=
weder zum Reinigungseid zuzulassen, oder ihn kämpflich zu begrü=
ßen und zum gerichtlichen Zweikampf zu fordern, z. B. in Augs=
burg [16]), in München [17]), in Freising [18]), in Wien [19]), in Wiener
Neuftadt [20]), in Heimburg [21]) u. a. m. Auch in Prag wurde der
Angeklagte, wenn die genothzüchtigte Frau keine Zeugen hatte, zum
Reinigungseid zugelassen und zwar felbft dritt in dem Falle,
wenn die Klägerin noch mit zerriffenem und blutigem Gewand vor
Gericht erschienen war, und in jedem anderen Falle zum Reini=
gungseid ohne Eideshelfer [22]). Nach einer anderen Stelle im Pra=
ger Rechtsbuch sollte sich der Angeklagte in diesem Falle felbft

---

12) Schöffenbriefe von 1235, §. 10 und von 1270 §. 19 bei T. u. St. p.
    296 u. 375. Göschen, das Sächsische Landrecht, Uebersicht, p. 38.
13) Magdeburg. Schöffenbrief, c. 4 §. 3 bei Zobel, p. 501.
14) Stadtrecht, c 67 bei Grandidier, II, 70.
15) Stadtrecht von 1120, §. 19. Schrae, art. 18 u. 19.
16) Stadtrecht bei Freyberg, p. 55. und bei Walch, §. 112.
17) Stadtrecht, §. 188.
18) Ruprecht, II, 51.
19) Stadtrecht von 1278 bei Lambacher, II, 152.
20) Stadtrecht, c. 57.
21) Stadtrecht, c 7 bei Senckenberg, p. 275.
22) Prager Rechtsbuch, §. 86 u. 88.

neun reinigen, und wenn er keine Eidhelfer (keine Eidgenossen) finden konnte, alle neun Eide allein schwören [23]). Wenn nämlich der Angeklagte keine Freunde und keine Verwandte oder nicht in genügender Anzahl in der Nähe hatte und daher entweder gar keine Eidhelfer oder nicht in gehöriger Anzahl finden konnte, so durfte er an mehreren Orten, wenn er jenen Mangel durch einen Voreid beschworen hatte, seinen Haupteid so oft wiederholen als ihm an der nothwendigen Anzahl die Eidhelfer fehlten. So war es in Lübeck beim Todschlag [24]) und in Bamberg beim Mort und bei der Nothwehr [25]). Selbst in Civilsachen war dieses in manchen Städten erlaubt, wenn der Beklagte ein Fremder war. So durfte der Beklagte in Flensburg, wenn er ein Fremder war, nachdem er beschworen keine Eideshelfer zu haben, seinen Haupteid zwölf Mal wiederholen [26]). Den gerichtlichen Zweikampf durfte indessen auch die genothzüchtigte Frau begehren. Denn dieser war, wie wir sehen werden, bei kampfwürdigen Verbrechen, allzeit zulässig. (§. 577.) Auch durfte sich der Angeklagte mit der Feuer-

---

23) Rechtsbuch, §. 88, Abs. 3. „Inhat abir sy der geclagten sache kein ge= „zeugnuß, so gericht er ir selb IX, hat er der eytgenozen nich', die im „von den noten helfen, so sol er alleine sweren IX aybe —, gerichtet „er als recht ist, er soll sein ledig von ir vnd von dem richter" —.

24 Hach, I. §. 54. Habebit autem ad expurgandum se viros XI comprobatos se ipso XIIo existente. Si vero parentum vel amicorum carentiam habuerit, in quotcumque ei deficit, tot iuramenta iurabit. Jurare autem hoc debet quod parentes non habeat nec amicos qui ei astare possint.

25) Stadtrecht, §. 157 u. 158. „Wer er aber als wohl niht gefreunt zwi= „schen den vir welden, daz er der sechser zu im niht gehaben moht by „im zu dem selben rehten helfen wolten bez scholt er einen voreyt swe= „ren. vnd scholt by andern denn mit sein eins hant tun. Alz man= „gen er aber gehaben mag, by schol er in dem voreyt benennen. Vnd „als manig get im selber wider abe."

26) Stadtrecht bei Westphalen, IV, 1944. „dat he mit tween utgestrecke= „den Fingern to Gott und sinen Hilligen schweren schall, dat he neen „Fründ up veer Miel Weges hebbe, de ehm sinen Eed könen sterken „helpen. Darna schall he schweren —, und schall avermahl schweren, „und so lange und vaken bet he twelff mal na en ander geschwaren „hefft" — vrgl. noch §. 558 u. 562.

und Wasserprobe reinigen, z. B. in Freising [27]), in Ens [28]), in Wien [29]) und in Brünn [30]). Endlich durfte der Angeklagte auch, wenn er wegen Diebstahl oder Raub angeklagt und nicht auf hand=hafter That mit den gestohlnen oder geraubten Gegenständen ver=haftet worden war (denn in diesem Falle konnte die Angabe eines Gewährsmanns nicht von der Anklage befreien [31]), — er durfte seinen Gewährsmann nennen [32]). Und es trat sodann das Ver=fahren wie bei der Vindikation gestohlner oder geraubter Gegen=stände ein.

Vindication gestohlner oder geraubter Gegenstände.

§. 562.

Bei der Vindication gestohlner oder geraubter Gegenstände trat ein dem Strafverfahren bei handhafter That sehr ähnliches Verfahren ein. Das Vindicationsverfahren bei Mobilien war offen=bar dem Strafverfahren nachgebildet. So wie denn überhaupt ur=sprünglich kein Unterschied zwischen Strafverfahren und Civilprozeß bestanden hat. Die Vindication von Mobilien setzte nämlich allzeit einen Diebstahl oder Raub oder ein anderes Verbrechen und zwar eine übernächtige That voraus [1]). Denn bei der Vindication an=derer Mobilien trat der Grundsatz ein; Hand muß Hand wahren oder en fait de meubles la possession vaut titre. (§. 388.) Und

---

27) Ruprecht von Freising, II, 110 u. 112.

28) Stadtrecht von 1212 §. 12.

29) Stadtrecht von 1221 §. 18 u. 25.

30) Stadtrecht, §. 21.

31) Magdeb. Schöffenbrief von 1304, §. 97 bei T. u. St. p. 468. „Swer „so mit der hanthaftegen Tat gevangen wirt, mit Dube oder mit Roube, „des en mac her biecheinen Geweren cien."

32) Magdeburg. Schöffenurtheil, cap. 4. dist. 1. bei Zobel, p. 501. — „die handhafftige that ist, wenn einer vngerichts in der frischen that „der stadt gefangen wird, oder wenn man raub oder Dieberey in eins „mannes were findet, da er selbst den schlüssel zutregt, vnd solcher „hab kein geweren hat" —. vrgl. Schöffenbrief von 1304, §. 82 u. 97.

1) Sächs. Lr. II, 36, §. 1. Schwäb. Lr. W. c. 265. Distinct. IV, c. 42, §. 1 bei Ortloff, p. 256. Stadtrecht von Bamberg, §. 110 u. 130.

wenn der Thäter in handhafter That mit den gestohlnen Gegen=
ständen verhaftet worden, die That also nicht übernächtig war, so
ist nach dem vorhin Bemerkten ebenfalls von einer Vindication keine
Rede gewesen, indem sich der Inhaber eines gestohlnen oder ge=
raubten Gegenstandes in diesem Falle nicht durch die Angabe eines
Gewährsmannes von der Anklage befreien konnte. (§. 561.) Da
jedoch das Innehaben einer Handhaft oder eines Schubs gleichfalls
als handhafte That betrachtet zu werden pflegte (§. 555.), so trat
auch bei der Vindication von gestohlnen Gegenständen ein ähnliches
Verfahren ein wie bei dem Strafverfahren bei handhafter That.
Streng genommen sollte die Klage sogar mit Gerüfte angestellt[2])
und der unterliegende Kläger, wie bei einer Anklage, in Buße und
Wette verurtheilt werden, wie Ruprecht von Freising sagt, „das ist
„darumb das der man wol auff sehe ee das er sein guet anfall für
„demb oder für raub[3]). Auch endigte die gehörig durchgeführte
Vindication meistentheils mit der Verurtheilung des Diebes oder
des Räubers. Nichts desto weniger war doch die Vindication der
gestohlnen Gegenstände von einer gegen deren Inhaber angestellten
Anklage wegen Diebstahls wesentlich dadurch verschieden, daß der
Inhaber eines gestohlnen Gegenstandes sich von der Strafe befreien
konnte, wenn er entweder nachwies, daß die Sache ihm selbst ge=
höre, oder daß er sie auf einem öffentlichen Markt gekauft habe,
den Käufer selbst aber nicht kenne, oder wenn er seinen Gewährs=
mann nannte. Auch lag an und für sich in der Vindication noch
keine Anklage wegen Diebstahls oder Raubs, indem diese Klage
auch gegen den Besitzer in gutem Glauben, der die Sache selbst von
einem anderen gekauft hatte, ja sogar gegen den Dieb oder Räuber
selbst angestellt werden konnte, indem der Vindicant, auch wenn er
den Dieb oder Räuber kannte, berechtiget war, statt ihn selbst an=
zuklagen, denselben dem Richter heimlich zu nennen[4]).

---

2) Distinkt. IV. c. 42, §. 3 bei Ortloff, p. 256. „Wer icht anefangen
„wel, der sal is thun mit gerüffte". — vrgl. Sächs. Lr. II, 36 §. 2.
Schwäb. Lr. W. c. 265.

3) Ruprecht, p. 273. Not. Sächs. Lr. II, 36 §. 5. Schwäb. Lr. l. c. und
fast alle Stadtrechte.

4) Stadtrecht von München, §. 71. Ruprecht von Freising, p. 272.
Not.

Das Verfahren begann mit einer Beſchlagnahme des geſtohl=
nen oder geraubten Gegenſtands [5]). Man nannte dieſe Beſchlag=
nahme, welche gerichtlich aber auch außergerichtlich und eigenmäch=
tiger Weiſe vorgenommen werden konnte, ein Anfaſſen, ein
Aufhalten oder ein Anfangen [6]), ſobann ein Feſtnehmen
(veſten) [7]), ein Anfallen [8]), ein Fangen, Verfangen oder An=
fahen (d. h. Anfaſſen) [9]), ein Angreifen [10]), ein Kummern [11]),
ſich der Habe oder der Sache unterwinden [12]), ſich zu der Sache
ziehen [13]), oder auch ein Vindiciren (vendicare vel repetere,
was in den Deutſchen Terten des Freiburger Stadtrechtes mit ge=
anwarten und geanwarton überſetzt worden iſt) [14]). Und

---

5) L. Ripuar. 33. c 1. Si quis rem suam cognoverit, mittat manum
   super eam —.

6) Stadtrecht von Freiberg, c. 9 bei Schott, III, 188. „Welch man ein
   „pfert anvangen wil —. Das pfert ſal he ufhalden mit des rich=
   „ters bote. mac he des richteris boten nicht gehaben ſo halde he iz
   „ſelbe uf alſo lange biz he kumit —." vrgl. noch c. 10 u. 11 eod.
   p. 191. Goslar. Stadtrecht bei Göſchen, p. 98. Diſtinct. IV. c. 42
   §. 2 ff.

7) Ruprecht von Freiſing, p. 272. Not. bei Weſtenrieder, p. 73 u. 74.

8) Stadtrecht von Augsburg bei Freyberg p 60. „Swa ein man ſin reu=
   „biges oder ſin diubiges vihe vindet — daz ſol er anvallen mit des
   „rihters boten. Mag er des rihters boten niht gehaben. ſo ſol er ez
   „ſelbe anvallen vnzan den rihtern." bei Walch §. 121. Ruprecht von
   Freiſing, p. 273. — „ſein guet anfall für Dewb" —. Stadtrecht von
   Memmingen, c. 1.

9) Stadtrecht von Augsburg bei Freyberg p. 60 u. 62. — verfahen —
   wider vahen — vihe verfangen — an vahet ein ros —. bei
   Walch, §. 121 u. 124. Ruprecht von Freiſing, p. 273 u. 279. —
   „das ſol er veruahen — verfanngen" —. Stadtrecht von Re=
   gensburg bei Freyberg, V, 46. Stadtrecht von Brünn, §. 208.

10) Stadtrecht von Freiberg, c. 9 u. 11. bei Schott, III, 189 u. 191. Stadt=
    recht von Kolmar von 1293, §. 23.

11) Grimm, I, 533.

12) Stadtrecht von Freiberg, c. 9. bei Schott, III, 190. Stadtrecht von
    Bamberg, §. 110.

13) Stadtrecht von Freiberg, c. 10 bei Schott, III, 191.

14) Freiburger Stiftungsbrief von 1120 §. 28. Stadtrodel, §. 58 u. 59.
    Stadtrechte von 1275 u. 1293 bei Schreiber, I, 78 u. 128.

von dem Anfaſſen oder Angreifen wurde die Klage ſelbſt Anfang, Anfengung, Anfall, Angriff u. ſ. w. genannt.

Für die gerichtliche Beſchlagnahme (Fang) mußte der Kläger (der Vindicant) dem Richter eine nach dem Werthe der mit Beſchlag belegten Sache zu berechnende Gebühr entrichten, welche man für Fang [15]), oder Fürfang (fürvang [16]), vurvanc [17]), fürfangt [18]) oder furfankch) [19]) genannt hat.

Die außergerichtliche Beſchlagnahme oder das außergerichtliche Anfaſſen der geſtohlnen oder geraubten Sache mußte bei Gericht wiederholt werden. Es war dieſes offenbar ebenfalls wieder eine Nachahmung des Verfahrens bei handhafter That. So wie dort der Leichnam oder das Leibzeichen oder die ſonſtige Handhaft vor Gericht gebracht und darauf der vorgeſchriebene Eid geleiſtet werden mußte, ſo mußte auch bei der Vindication der zu vindicirende Gegenſtand vor Gericht gebracht und auf dieſen Gegenſtand der Eid geleiſtet werden. Es ſollte dadurch der Thatbeſtand ganz vollſtändig wie er war vor Gericht gebracht werden, wie dieſes auch in anderen Fällen, z. B. bei der gerichtlichen Auflaſſung durch die ſymboliſche Tradition des vor Gericht gebrachten Baumzweiges oder der Erbſcholle zu geſchehen oder wenigſtens angedeutet zu werden pflegte.

Die Art und Weiſe wie der zu vindicirende Gegenſtand vor Gericht angefaßt und darauf der Eid geleiſtet werden mußte, war in den meiſten Städten ganz genau vorgeſchrieben. Meiſtentheils ſollte der Kläger ſeinen linken Fuß auf den rechten Fuß des zu vindicirenden Pferdes ſetzen und ſodann mit ſeiner linken Hand das rechte Ohr des Pferdes angreifen, und in dieſer Stellung mit der rechten Hand ſchwören. Bei der Vindication von Kühen und anderem Rindvieh ſollte der Vindicant das Vieh mit dem Seil in

---

15) Stadtrecht von Augsburg bei Freyberg, p. 61. — „maz der für vanch iſt“ —.

16) Augsburger Stadtr. bei Freyberg, p. 62. Stadtrecht von Memmingen c. 1. u. von München §. 71 u. 75.

17) Stadtr. von Freiberg, c. 9 u. 10 bei Schott.

18) Ruprecht von Freiſing, p. 272 u. 274. Not.

19) Stadtr. von Regensburg bei Freyberg, p. V. 46. und von Wiener Neuſtadt, c. 94.

die linke Hand nehmen und in dieſer Stellung mit der rechten Hand
den Eid leiſten. Bei Gewändern aber und bei Kleinodien und bei
anderem ſogenanntem Plunder ſollte der Kläger die zu vindicirende
Sache in den linken Arm nehmen und mit der rechten Hand ſchwö=
ren [20]).

Der Kläger mußte meiſtentheils ſelbſt britt ſchwören, daß
die zu vindicirende Sache ihm gehöre, ihm aber geſtohlen oder ge=
raubt worden oder ihm ohne ſeinen Willen in anderer Weiſe ab=
handen gekommen ſei [21]). Wenn es an Eidhelfern fehlte, ſo durfte
der Kläger alle drei Eide allein alſo in München den ein drei
Eid ſchwören [22]). In manchen Städten mußte dieſer Eid ſelbſt
ſiebend geſchworen werden, z. B. in Freiberg, wenn der Kläger
ein Fremder (Uzmann) war [23]). In anderen Städten reichte aber
auch der Eid des Klägers allein ſchon hin, z. B. in Magde=

---

20) Stadtrecht von Freiberg, c. 9, 10 u. 11. bei Schott, III, 189, 191 u.
192. — „he ſal grifen mit ſiner linken hant dem pferde ubir den hals
„an ſin ore vnd ſal treten mit ſime linken vuze uf pferdis rechten vuz.
„vnd ſal ſweren mit der rechten hant. — daz he bi ku ſulle nemen mit
„deme ſeile in bi linke hant vnd ſulle ſweren mit der rechten hant alſo.“
— „he ſulle iz (— „daz gewant oder daz kleinote oder waz iz iſt wart
„mir abegeſtoln mit anderme mime gute —) nemen an den linken
„arm zu rechte vnd ſulle ſweren mit der rechten hant alſo.“ Stadt=
recht von Augsburg bei Walch §. 121. und bei Freyberg, p. 60. —
„alſo daz man im grifen ſol an daz zeſwe ore (zeſwe oder zeſme heißt
„rechts. vrgl. Schmeller, IV, 288.) vnde ſol zen Heiligen bereden vnde
„zwen mit im daz ez im diuplichen verſtoln ſi oder geraubet.“ Stadt=
recht von Memmingen, c. 1. — „iſt aber ez gwand oder ander blun=
„der, daz ſol man ju dez gericht legen vnd darvmb ſweren ſelb britt“
—. vrgl. noch Magdeburg. Schöffenbriefe von 1295, §. 6. u. 7. und
von 1304, §. 47 T. u. St. p. 429 u. 459. Diſtinct. IV, c. 42 §. 25.
Grimm, I, 533. Ein ähnliches Verfahren hatte bereits zur fränkiſchen
Zeit ſtatt nach L. Ripuar, tit. 33, c. 1. u. tit. 72, c. 8 u. 9.
21) Stadtrecht von Freiberg, c. 9 u. 10 bei Schott. von München §. 71
u. 75. von Memmingen c. 1. Augsburg, 1. c. von Goslar bei
Göſchen, p. 98. Freiburger Stiftungsbrief von 1120, §. 28. und
Stadtrodel §. 58. Stadtr. von Kolmar, §. 23. Ruprecht von Frei=
ſing, p. 272. Not. Diſtinct. IV, c. 42, §. 3.
22) Stadtrecht, §. 71 u. 75. vrgl. oben §. 558 u. 561.
23) Stadtrecht, c. 9 u. 10.

burg [24]), in Bamberg [25]), in Kolmar [26]), in Freifing dann, wenn der
Kläger ein angefeffener Mann war [27]) und in Freiberg bei der Vin=
dication von Gewändern und von anderem Kleinod [28]). Und diefe
Anficht ift auch in die Bamberger (art. 268.) und in die peinliche
Halsgerichtsordnung übergegangen. (art. 207 u. 208.).

Wenn das bei jemand gefundene geftohlne oder geraubte Gut
verfteckt [29]), oder der Inhaber des Gutes dingflüchtig war [30]), fo
follte derfelbe ohne weiters als Dieb betrachtet und als folcher be=
handelt werden. Wenn dagegen das geftohlne Gut ganz offen da
lag und der Inhaber anwefend war, fo hatte fodann der Beklagte
drei verfchiedene Wege zu feiner Vertheidigung. Er konnte erftlich
nachweifen, daß das Gut ihm felbft gehöre, oder zweitens, daß er
es auf einem öffentlichen Markt gekauft habe. Er konnte aber
drittens auch feinen Gewährsmann nennen, welcher fodann ihn
vertreten und für ihn antworten mußte.

Wenn der Beklagte felbft dritt nachwies, daß er das
vindicirte Zeug („it laken") felbft gewirkt, oder das vindicirte Vieh
felbft gezogen habe, fo hatte er nach dem Sachfenfpiegel fein beffe=
res Recht gegen den Kläger nachgewiefen und behauptet [31]). Nach
dem Schwabenfpiegel war jedoch auch der Kläger wieder berechtiget
mit fieben Zeugen fein befferes Recht gegen den Beklagten zu
zu beweifen [32]). In Augsburg follte zuerft der Kläger mit feinem

---

24) Schöffenbrief von 1295 §. 6 bei T. u. St. p. 429.
25) Stadtrecht, §. 110.
26) Stadtrecht, §. 23.
27) Ruprecht von Freifing, p. 272. Not.
28) Stadtrecht, c. 11.
29) Magdeb. Schöffenbrief von 1304 §. 82 bei T. u. St. p. 465. Magde=
burg. Schöffenurtheil, c. 4. dist. 1. bei Zobel, p. 501.
30) Sächf. Lr. II, 36, §. 2. Schwäb. Lr. W. c. 265. Ruprecht von Frei=
fing, p. 274. Not.
31) Sächf. Lr. II, 36, §. 3.
32) Schwäb. Lr. W. c. 265. — „er habe ez gezogen in finem ftalle. Der
„behabet ez mit bezerme rechte, der ez in der gewer hat, danne jener
„der ez da an fprichet. Der fol ez felbe dritte erziugen warhafter liute.
„Vermizet aber er fich hin wider fiben geziuge, fo hat er jenen geziuc
„verleit." Wenn man die verfchiedenen Ausgaben des Sachfenfpiegels,
z. B. von Senckenberg c 263., von Laßberg, §. 317. u. a. m., mit je=

alleinigen Eid ſein Recht an dem vindicirten Gegenſtand bewei=
ſen, dann aber der Beklagte ſelbſt dritt, dann wieder der Kläger
ſelbſt ſiebend, endlich der Beklagte mit 70 Mannen (nach einem
anderen Text ſelbſt dritt, ſelbſt ſiebend, ſelbſt 20 oder 21, und mit
70 Mannen) ſein beſſeres Recht nachweiſen dürfen [33]) In Frei=
ſing ſollte der Kläger ſelbſt dritt den Beweis, dann aber der Be=
klagte mit 7, der Kläger mit 20 und der Beklagte mit 72 Mannen
den Gegenbeweis führen [34]). Und in Brünn ging der Gegenbeweis
ſogar noch über die 72 Mannen hinaus [35]).

Wenn der Beklagte behauptete das geſtohlne oder geraubte
Gut auf offenem Markte von einem ihm unbekannten Manne
gekauft zu haben und dieſes mit ſeinem alleinigen Eid, anderwärts
ſelbſt dritt nachweiſen konnte, ſo verlor er zwar das Gut, wurde
aber nicht geſtraft, z. B. in Freiburg [36]), Kolmar [37]), Augs=
burg [38]), Freiſing [39]), Regensburg [40]), Amberg [41]), Magde=
burg [42]).

---

ner Stelle vergleicht, ſo iſt der Sinn jener nicht ganz klaren Stelle
offenbar der, daß zuerſt der Beklagte ſelbſt dritt zu beweiſen habe, dann
aber der Kläger mit 7 Zeugen den Gegenbeweis führen dürfe. Lahr,
cap. 161. §. 11 — 14. hat demnach dieſe Stelle nicht richtig ver=
ſtanden.

[33]) Stadtrecht bei Walch, §. 124. bei Freyberg, p. 62. „Iſt daz ein man
„an vahet ein ros oder ein rint. oder ander vihe. den ſol man vragen
„wenne er daz verlur. ſwelhe Zit er danne nennet daz ſol er beredene
„ſelbe dritt, daz brichet im iener wol ſelbe ſibend wil er ez tun. Wil
„ez aber iener danne imz hinwider brächen daz tut er wol ſelb ſibende.
(muß offenbar 20 oder 21 heißen.) „Wil ez im danne iener hinwider
„brächen daz muz er tun mit ſibenzik mannen daz iſt reht.“

[34]) Ruprecht von Freiſing, p 273. Not. „vnd mag der clager pringen
„ſelbdritt das es zu der zeit geweſen ſey. das es im raublich vnd deub=
„lich genomen iſt. vnd hat auch die des vichs mueter —. der ant=
„wurter mug dann mit ſiben pringn das es ſein ſey. ſo mueſs der
„clager zwaintzig haben ober di ſiben. mag aber der antwurtter zwen
„vnd ſibentzig haben damit er es bewär das es ſeyn aigen guet ſey ſo
„hat er es behabt.“

[35]) Stadtrecht, §. 208 bei Rößler, p. 397.

[36]) Stiftungsurkunde von 1120, §. 28. Stadtrodel, §. 59.

[37]) Stadtrecht, §. 23.

Kannte aber der Beklagte den Verkäufer, ſo durfte er ſich dadurch, daß er ihn nannte, von allen weiteren Anſprüchen des Klägers befreien. Er mußte jedoch ſeinen Gewährsmann (Geweren) wirklich ſtellen. Denn wenn er ſeinen Gewährs= mann bloß nannte, ihn aber nicht finden konnte, ſo wurde er den= noch als Dieb behandelt und beſtraft, z. B. in Freiburg [43]), in Kol= mar [44]) u. a. m. Nur dann, wenn er ihn wirklich ſtellte, wurde er frei. Denn ſein Gewährsmann mußte nun für ihn antworten. („Die gewere mut antwerden an ſiner ſtat vor it gut [45]). Und der „gewer ſol für in antwörten“) [46]). Man nannte daher das Nen= nen ſeines Gewährsmannes ſeinen Schub nehmen oder die Sache auf einen ſchieben [47]). Auch der Beklagte durfte wieder ſeinen Gewährsmann nennen oder ſeinen Schub nennen [48]). Und man nannte dieſen Schub einen Widerſchub und denjenigen, der den Schub führte, eeinen Schieber [49]). Aber auch der von dem Beklagten genannte Gewährsmann durfte wieder ſeinen Geweren nennen und dieſer den Seinen und ſo fort, bis man zuletzt auf

---

38) Stadtrecht bei Freyberg, p. 62 u. bei Walch, §. 123.
39) Ruprecht von Freiſing, p. 272. Not.
40) Stadtrecht bei Freyberg, V, 46.
41) Gerichtsbrief aus 14. sec. bei Schenkl, II, 58.
42) Schöffenbrief von 1261, §. 44, von 1295, §. 5 und von 1304 §. 47 bei T. u. St. p 357, 429 u. 460.
43) Stiftungsbrief von 1120, §. 28. Stadtrodel, §. 59. Stadtr. von 1275 u. 1293. bei Schreiber, I, 78 u. 128.
44) Stadtrecht, §. 23.
45) Sächſ. Lr. II, 36 §. 5.
46) Schwäb. Lr. W. c. 265.
47) Ruprecht von Freiſing, p 281. Not. und bei Weſtenrieder, §. 100, p. 74. „wil er es auf ieman ſchieben. daz mus er tun mit den leu= „ten. — Hat er auer des guts ſeinen ſchub. und mag es geſchie= „ben auf im —. und ſoll ienen haizzen veſten. do er es auf ſchie= ben wil.“ Stadtrecht von Augsburg bei Freyberg, p. 60. „Darnach „ſol er ez uf ienen ſchieben. in des gewalt er ez funden hat.“ Land= frieden von 1281, §. 17 bei Pertz, IV, 428.
48) Ruprecht von Freiſing, p. 274. — „der antwurter ſpricht er habe das guet kaufft er hab ſeinen ſchub.
49) Ruprecht von Freiſing, p. 274.

43 *

denjenigen kam, der entweder den Diebſtahl oder den Raub began=
gen, oder das geſtohlne Zeug gewirkt oder das geraubte Vieh ſelbſt
gezogen hatte [50]). Der Kläger mußte den Widerſchub, wenn es ·
begehrt wurde, wegen des aus dem Verfahren entſtehenden Scha=
dens verbürgen, und ein Schieber dem anderen Bürgſchaft
ſtellen. („vnb ſol der clager den widerſchub verporgen ob ſein der
„antwurtter begert. — bleibt aber er bei dem ſchub ſo ſol er dem
„ſchieber den ſchub vorporgen") [51]).

Am Ausführlichſten handeln über dieſen Rückgriff auf den
Geweren die Stadtrechte von Augsburg und von Freiſing. In
Augsburg ſollte der Gewährsmann, auf welchen das geſtohlne
Gut geſchoben worden war, dieſes mit denſelben Formalitäten vor
Gericht anfaſſen, mit welchen es der Kläger angefaßt hatte. Man
nannte daher dieſes Anfaſſen oder Anfahen des Gewährsmanns
ein Wiederanfaſſen oder Wiederfahen. („Darnach ſol er
„ez uf ienen ſchieben in des gewalt er ez funden hat. der ſol
„ez danne wider vahen auch mit gelerten worten. Diu wort
„ſprächent alſo. Ich widervahe daz ros oder daz rint oder daz
„vihe") [52]). In Freiſing wurde nicht die geſtohlne Sache ſelbſt,
ſondern nur ein Wahrzeichen von ihr für jenen Rückgriff (für den
Wiederſchub) verwendet. („vnb ſol im der richter den ſchopf
„oder den zagel antwurten oder des guets ein tail ob es an=
„ders guet iſt. vnb ſol der clager den widerſchub verporgen") [53]).
Daſſelbe ſcheint auch in Bamberg der Fall geweſen zu ſein, wo
das Wahrzeichen die Warheit oder die wahre That genannt
worden iſt [54]).

Aus dieſem Allem ergibt ſich nun das Verfahren von ſelbſt.

---

50) Sächſ. Lr. II, 36 §. 5 u. 6. Schwäb. Lr. W. c. 265. Stadtrecht von
Bamberg, §. 112.
51) Ruprecht von Freiſing, p. 274.
52) Stadtrecht bei Freyberg, p. 60. und bei Walch, §. 121.
53) Ruprecht von Freiſing, p. 274.
54) Stadtrecht von Bamberg, §. 112. — „dem clager der dy habe ange=
„uanget hat ſchol dy warheit hin heim erteilt werden dy habe zu
„vertreten". — vrgl. oben §. 555. Zoepfel, p. 203. hat dieſe Stelle
offenbar nicht richtig verſtanden.

Der Kläger (der Vindicant) hielt sich an denjenigen, bei welchem er sein gestohlnes oder geraubtes Gut fand. Er mußte das mit Beschlag belegte Gut auch bei Gericht wieder anfassen oder angreifen und allein oder selbst dritt beschwören, daß das Gut ihm gehöre und ihm gestohlen oder geraubt worden sei. Entwich nun der Beklagte, so sollte der Inhaber des Schubs oder der Schieber ("der "den schub dà fuert") den Schub, d. h. das Wahrzeichen an den Afenbaum in der Stube [55]) oder an den Thürnagel binden und sodann den Entwichenen mit drei Eiden berechten oder überführen. Der Schieber war sodann frei und ledig, und der Entwichene durfte nun als Dieb oder Räuber behandelt und bestraft werden [56]). Blieb aber der Beklagte bei dem Schub anwesend, so konnte er sich von der Ansprache befreien, wenn er seinen Geweren nannte, dem Schieber Bürgschaft stellte, und selbst die gerichtliche Besitzergreifung (das Anfassen) vornahm und seinen rechtmäßigen Erwerb beschwor. Und so konnte denn Einer die gestohlne Sache oder den Schub auf den Anderen schieben, bis man zuletzt auf denjenigen kam, der entweder das Zeug gewirkt und das Vieh selbst gezogen hatte, oder der keinen Gewährsmann mehr nennen konnte. Im ersten Falle hatte sodann der Kläger seinen Prozeß verloren. Er mußte daher den durch seine Klage entstandenen Schaden ersetzen und wurde dazu noch gestraft. Im letzten Falle dagegen wurde derjenige, der keinen Gewährsmann mehr nennen, die Sache also nicht weiter auf einen Anderen schieben könnte, als Dieb behandelt. Er wurde daher als Dieb gestraft und mußte den entstandenen Schaden ersetzen. ("bleibt aber er bei dem schub so sol er dem schieber den "schub verporgen als vor mer verschriben ist. bei wem der schub "zum letzsten pleibt der sol dem andern den schaden ablegen als "vorgeschriben ist. er verleust auch die vorgenannte pues gein dem "richter") [57]).

---

55) vrgl. Schmeller, I, 115.

56) Ruprecht von Freising, p. 274.

57) Ruprecht von Freising, p. 274. Stadtrecht von Augsburg bei Freyberg, p. 61. "Mag er danne — sins schubes niht gehaben so sol er "dem man sin vihe wider gäben ane schaden. vnde sol er im allen sinen "schaden abelegen swaz er sin schaden hat genomen. vnde sol dem rihtere buzzen nach genaden."

Verfahren bei handhafter Nothzucht und Nothwehr.

§. 563.

Der dritte Fall der handhaften That war der, wenn die That zwar auf der Stelle beschrien, der Thäter selbst aber nicht in handhafter That verhaftet worden und auch kein Ueberführungs-stück vorhanden war. Die Erhebung des Nothgeschreies machte nämlich die That offenkundig und hatte demnach die Folge, daß gegen den später ergriffenen Thäter eben so verfahren werden durfte, als wenn er in der handhaften That selbst verhaftet und vor Gericht gebracht worden wäre. Die That wurde auch in diesem Falle als eine handhafte That betrachtet (tamquam si injuria recens existeret), z. B. in Magdeburg beim Raub ebensowohl wie beim Todschlag und bei einer Verwundung [1]), und in Goldberg bei einer Verwundung [2]). Ganz besonders wichtig und folgenreich war jedoch dieser Grundsatz bei der Nothzucht und bei der Nothwehr.

Da nämlich die genothzüchtigte Frau nur bei handhafter That klagen durfte, später nicht mehr gehört wurde [3]), so war es wichtig für sie, daß es ein Mittel gab, die Zeit der handhaften That zu verlängern. Und dieses Mittel war die Erhebung des Gerüftes. Denn wenn das Gerüfte auf der Stelle erhoben worden war und die Erhebung des Nothgeschreies bewiesen werden konnte, so durfte die Genothzüchtigte in manchen Städten noch binnen drei Tagen klagen [4]), anderwärts sogar noch binnen vier-

---

1) Stadtrecht von 1188, §. 5 bei T. u St. p. 268 — aut si aufuge-rit, si postmodum ille, qui lesus est, reum invenerit, et injuriam suam testibus idoneis se proclamasse probare potuerit, tamquam si injuria recens existeret ei satisfaciat.

2) Magdeburg. Schöffenbrief §. 8 bei Gaupp, Magdeburg. R. p. 221.

3) Magdeb. Schöffenbrief von 1304 §. 114 bei T. u. St. p. 472. Stadt-recht von Prag §. 88 bei Rößler. Grimm, III, 892—98. „woe eine „genotzucht wurd, so soll sie lauff mit gestraubtem hare vnnd nasser „mautzen, iren schleyer an der hand drag, allermeniglich wer ir bege-„gent vmb hilf anschreyen vber den theter; schweygt sie aber dits-„mal, soll sie hinfuro auch styll schweygen.“

4) Ruprecht von Freising, II, 51. Stadtrecht von Ofen, §. 284.

zehen Tagen [5]). Und erst nach Ablauf dieser Zeit wurde die That übernächtig und die Genothzüchtigte daher nicht mehr gehört, bis unter König Adolf im Jahre 1293 im Königlichen Hofgerichte der Ausspruch erfolgte, daß die Klage auch nach 50 und 60 Jahren noch zulässig sein und diesem Königlichen Spruch auch kein Stadt= recht entgegen stehen solle [6]). Wenn nun die genothzüchtigte Frau binnen jener Frist eine Anklage erhob, so hatte sie dieselben Rechte wie bei der handhaften That selbst. Wenn sie daher selbst siebend, anderwärts sogar nur mit zwei Zeugen die Anklage beweisen konnte, so schloß sie den Angeklagten mit dem Reinigungseid aus, z. B. in Wien und Ens [7]), in Brünn u. a. m. [8]). Um jedoch die Rechte der handhaften That zu erhalten, mußte die genothzüchtigte Frau, wenn sie nicht gleich in handhafter frischer That vor Gericht ge= laufen war, vielmehr erst im Laufe jener Frist ihre Klage vorge= bracht hatte, wenigstens mit zwei Zeugen beweisen, daß sie auf der Stelle das Geschrei erhoben habe. Denn nur in diesem Falle verlor der Angeklagte das Recht den Reinigungseid zu schwören und wurde nur noch zur Feuerprobe zugelassen, z. B. in Ens, Wien, Brünn u. a. m. [9]). Anderwärts mußte sich der Angeklagte

---

5) Stadtrecht von Wien von 1221, §. 25 und von 1278 bei Lambacher, II, 152. Stadtrecht von Heimburg §. 7 bei Senckenberg, p. 275. und von Brünn §. 21 bei Rößler, p. 349.

6) Urk. von 1293 bei Pertz, IV, 460. Et quod nulla constitutio municipalis, vel civium ordinacio, in casu superius expresso regali sententie poterit aliquale preiudicium generare.

7) Stadtrecht von Wien von 1221 §. 25. Si autem illa infra 14 dies quando hoc fecit ei, testimonio VII credilium virorum illum convicerit, nulla sibi conceditur expurgatio. Dieselben Worte im Stadtrecht von Ens von 1212, § 12.

8) Stadtrecht von Brünn, c. 21. — „ist aber baz enen vrau oder iung= „vrau mit siben ersam mannen in den 14 tagen enen uber wint, so „let man im chain entretusse nicht." und im lateinischen Text: nulla sibi conceditur expurgatio. vrgl. noch oben §. 558 u. 561. und Hall. Schöffenbrief von 1235 §. 10 bei T. u. St. p. 296. und Bremer Stat. von 1303 bei Oelrichs, p. 33.

9) Stadtrecht von Ens §. 12. — et illa testimonio duorum se proclamasse probaverit, ille judicio ferri igniti se expurget. Eben so Stadtrecht von Wien von 1221, §. 25. Stadtr. von Brünn, §. 21.

in diefem Falle felbft fiebend reinigen, während außerdem, wenn der Nothfchrei gar nicht erhoben worden war, fein alleiniger Eid ohne Eidhelfer hinreichte, z. B. in Goslar dann, wenn der Angeklagte am feinen Rechten vollkommen war [10]). Die klagende Frau mußte demnach in dem gegebenen Falle einen doppelten Beweis führen, zuerft den Beweis des erhobenen Gerüftes und dann auch noch den Beweis der Schuld des Angeklagten, wie diefes auch bei anderen Anklagen gefchehen mußte, wenn die handhafte Thät ftreitig oder ungewiß war [11]). Wenn nun aber der Beweis des erhobenen Gerüftes nicht geführt werden konnte, fo wurde fodann die Thät als eine übernächtige behandelt und daher der Angeklagte, wie bei anderen übernächtigen Verbrechen, zum Reinigungs=eid mit oder ohne Eidhelfer zugelaffen [12]).

Eben fo wichtig wie bei der Nothzucht war die Erhebung des Gerüftes auch bei der Nothwehr. Denn auch die Noth=wehr mußte, urfprünglich gewiß allenthalben, auf der Stelle, auf noch frifcher handhafter Thät, geltend gemacht werden. Nach dem alten ripuarifchen Volksrechte follte der gerechtfertigte Todtfchläger den Erfchlagenen je nach den Umftänden 40 oder 14 Tage lang

---

— „und daz diefelbe vrau oder iuncvrau inner 14 tagen mit czain „erfam mannen daz peweren mack, daz fi gefchrieen hat, fo fol „fich einer unfchuldigen mit dem veurigen eifen." vrgl. noch Magdeb. Schöffenweisthum aus 13. sec. §. 11 bei T. u. St. p. 272.

10) Stadtrecht bei Göfchen, p. 42. — „kumt he en wech, fo mot he fic „felve fevede untfcülghen. Ne kündeghet men de not nicht „alfe hir vore befcreven is, fo untfculdiget he fich mit fines enes „hant, of he vulfomen is an fineme rechte."

11) In diefer Weife ift offenbar zu befchränken, was über diefen doppelten Beweis von Otto Göfchen, das Sächfifche Landrecht, Ueberficht, p. 38. und von Ofenbrüggen, Hausfrieden, p. 73 u. 74 gefagt worden ift. Daher erklärt es fich auch, warum in den Quellen fo felten von diefem doppelten Beweife die Rede ift. Denn in der Regel war wohl die handhafte Thät gar nicht ftreitig.

12) Stadtrecht von Wien von 1278 bei Lambacher, II, 152 Stadtr. von Heimburg, c. 7 bei Senckenberg, p. 275. Magdeburg. und Hallifche Schöffenbriefe aus 13. sec. §. 11, von 1295 §. 10 und von 1304, §. 13. und Stadtrecht von Leobfchütz von 1270 §. 19 bei T. u. St. p. 272, 296, 375 u. 452.

öffentlich ausstellen und bewachen, um zu warten ob ihn ein Freund oder Verwandter des Erschlagenen deshalb anklagen werde [13]). Und in ähnlicher Weise wurde in Hannover noch im 15. Jahrhundert verfahren. Als im Jahre 1430 daselbst ein Bürger bei einem Streite im Weinkeller einen anderen Bürger erschlagen hatte, betheuerte derselbe öffentlich unmittelbar nach der That, daß er sie in gerechter Nothwehr verübt habe, setzte sich neben den Erschlagenen, nahm ihm sein Messer ab und erklärte den Leichnam nicht eher verlassen zu wollen, bis die Verwandten des Erschlagenen sich erklärt haben, ob sie ihn gerichtlich verfolgen oder sich mit ihm versöhnen wollten. Auch mußte sich der Sohn des Thäters vor die Kellerthür stellen, um dem herbeiströmenden Volke zu erklären, daß die That in gerechter Nothwehr verübt worden sei [14]). In Augsburg sollte der gerechtfertigte Todschläger unmittelbar nach der That mit dem noch blutigen Schwert in der Hand zu dem Richter eilen und einen Rechtstag begehren, an welchem er die Nothwehr, wenn bei der That niemand zugegen war, mit seinem alleinigen Eid, und, wenn Leute zugegen waren, selbst dritt beweisen mußte, „mit den die die notwer gesähen hant" [15]). Auch nach magdeburgischem Recht mußte dem Richter auf der Stelle die Anzeige gemacht und ihm das Schwert übergeben werden [16]). In Bamberg sollte die Nothwehr selbst dritt bewiesen und, wenn der Thäter selbst verwundet worden war, auch die erhaltene Wunde bei Gericht gezeigt werden [17]). Auch in Memmingen [18]) und in Freising reichten zum Beweise der Nothwehr zwei Eidhelfer hin, unter denen sich sogar Frauen befinden durften [19]). In Wien und in Heimburg mußte die Nothwehr mit 20 von dem Richter benannten erbaren Leuten bewiesen werden [20]). Ob der gerecht-

---

13) L. Ripuar. tit. 77. vrgl. noch Chlodov. Reg. capit c 9. bei Pertz, IV, 4 und L. Sal. tit. 73 ed. Merkel. Wilba, Strafrecht, p. 159.

14) Urk. von 1430 in Zeitschrift des histor. Vereins für Niedersachsen. Jahrgang 1853, p. 270 ff.

15) Stadtrecht bei Freyberg p. 51 u. 69. und bei Walch, §. 102 u. 167.

16) Schöffenbuch von Brünn, Nr. 369 bei Rößler, p. 168.

17) Stadtrecht, §. 158.

18) Stadtrecht, c. 6.

19) Ruprecht von Freising, II, 7.

20) Stadtrecht von Wien von 1221, §. 3. — cum denominatis i. cum

fertigte Todschläger eine Auswahl aus ben zwanzig Genannten treffen durfte, ist einigermaßen zweifelhaft, indem fast alle Stellen, welche von einer solchen Auswahl reden[21]), nicht von der Nothwehr sprechen. Da jedoch in einer anderen Stelle des Stadtrechtes von Heimburg und von Wien, welche gleichfalls von der Nothwehr handelt, von einer solchen Auswahl die Rede ist[22]), so ist es doch wahrscheinlich, daß auch im Falle der Nothwehr jene Auswahl statt gehabt hat, womit auch das Oesterreichische Landrecht übereinstimmt, indem es diese Auswahl eine Landesgewohnheit nennt[23]).

Wie bei der Nothwehr, so sollten nach einem alten weit verbreiteten Herkommen[24]) auch dann verfahren werden, wenn ein Dieb oder Räuber[25]), ein Ehebrecher[26]) oder ein anderer schädlicher Mann, der sich nicht verhaften lassen wollte, in gerechtfertigter Weise erschlagen worden war[27]). Der gerechtfertigte Todschläger sollte nämlich auch in diesem Falle das Gerüfte erheben[28]);

XX personis honestis quas judex accusato denominabit. Stadtr. von Heimburg, c. 3 bei Senckenberg, p. 270. „Aber notwer vmb „ben wunten sol bewärt werden mit ben genanten. baz ist mit den „zwaintzigen erbern mann bie im ber richter dem geschuldigten er= „nenn."

21) Wiener Stadtrecht von 1221 §. 18 und von 1278 bei Lambacher, II, 148. und Stadtrecht von Heimburg, c. 6 bei Senckenberg, p. 273.

22) Heimburger Stadtrecht, c. 5 bei Senckenberg, p. 272. — „baz er „baz getan hab sich selb ze fristen vnd beschermen des bered sich mit „vier andern aus den zwaintzken bie von dem richter genant werden." Und mit dieser Stelle stimmt das Wiener Stadtrecht von 1221 §. 15 überein.

23) Oesterreich. Landrecht. aus 13. sec. §. 5 bei Senckenberg, vision. p. 217.

24) decret. Tassilonis, II, c. 4. — sed tamen ea genera trium homicidiorum debito signo vicinis suis, et his qui adsistunt, insignet. Wilda, p. 159 u. 160.

25) Sächs. Lr. I, 64. Magdeb. Schöffenbrief von 1261, §. 70 bei L. u. St. p. 362.

26) Ruprecht von Freising, II, 15. Stadtrecht von Memmingen, c. 8. a. E.

27) Ruprecht von Freising, II, 13, 21, 22 u. 24. Soester Schrae, §. 22 bei Seibertz und bei Emminghaus.

28) Ruprecht von Freising, II, 15. Soester Schrae, §. 22. a. E.

mit den blutigen Waffen zu dem Richter eilen und ihm die gerecht=
fertigte That anzeigen [29]), den Erschlagenen selbst vor Gericht brin=
gen [30]) und ihn daselbst übersiebnen oder selbst britt oder auch mit
zwei Zeugen überweisen. Denn der Erschlagene, der durch seine
Handlungsweise den Todschläger zur Nothwehr genöthiget oder doch
die gerechtfertigte That veranlaßt hatte, war in diesem Falle selbst
der Angeklagte, der also von dem Todschläger übersiebnet, oder selbst
britt oder auch mit zwei Zeugen überwiesen werden mußte [31]), für
welchen aber auch seine Freunde und Verwandten eintreten, den
Gegenbeweis führen [32]) und sogar den gerichtlichen Zweikampf zu
seiner Vertheidigung eingehen durften [33]). Dieses war, wie es mir
scheint, die alte Form der Vertheidigung eines gerechtfertigten Tod=
schlags. In der Ueberführung des Getödeten lag zu gleicher Zeit
die Rechtfertigung der eigenen gewaltsamen That. Späterhin, zu=
mal seit dem Emporkommen des Verfahrens von Amtswegen, hat
sich jedoch diese alte Form der Vertheidigung verloren. Schon der
Schwabenspiegel kennt nicht mehr jene Form. Man schritt viel=
mehr gegen den Todschläger ein und dieser hatte sodann zu seiner
Vertheidigung die gerechtfertigte That zu beweisen.

Verfahren bei übernächtiger That.

§. 564.

Wenn der Ankläger den Beschuldigten nicht auf frischer hand=
hafter That verhaftet und vor Gericht gebracht, vielmehr erst am
Tage nach dem Verbrechen oder noch später die Anklage erhoben
hatte, so war die That übernächtig (ubirnechtic [1]), overnach=
tig [2]), oder twere [3]), vernachtet [4]), vornachtet [5]), tagwendig) [6]). Und

---

29) Ruprecht, II, 15.
30) Ruprecht, II, 13.
31) Sächs. Lr. I, 64. Schöffenbrief von 1261 §. 70 cit. — „Sus sal
„man ouch vorwinden einen Toden —.. Mach aber her den Toten mit
„sieven Mannen vorziugen" —.
32) Ruprecht von Freising, II, 22.
33) Sächs. Lr. I, 64. Schöffenbrief von 1261 §. 70.
1) Stadtrecht von Erfurt von 1306 §. 30 bei Walch, I, 112.
2) Richtsteig Landr. c. 30 §. 1.

es trat sodann, wenn kein Ueberführungsstück vorhanden uud auch
das Gerüfte nicht erhoben worden war, ein anderes Verfahren, als
bei der handhaften That ein. Der Beschuldigte mußte nämlich in
diesem Falle vorgeladen werden. Und je nachdem er auf die Vorladung freiwillig oder gezwungen oder gar nicht erschienen war,
trat sodann ein von dem Verfahren bei handhafter That ganz
verschiedenes Verfahren ein.

Wenn der Beschuldigte nicht verhaftet und nicht vor Gericht
gebracht worden, auch nicht freiwillig erschienen war, mußte er natürlicher Weise vorgeladen werden. Und dieses mußte bei der übernächtigen That immer geschehen, z. B. beim Mord und Todschlag[7),
bei Verwundungen[8), beim Raub und Diebstahl[9), bei der Nothzucht[10) und bei allen anderen Verbrechen.

Wenn nun auf die verschiedenen Vorladungen, deren insgemein drei, öfters auch vier nothwendig waren, der Angeklagte
nicht erschienen war, so wurde er in manchen Städten als
schuldig betrachtet und verurtheilt, z. B. in Augsburg beim Mord[11),
in München bei Nothzucht[12), und in Murten bei jedem Ver-

---

3) Bremisch. Statut bei Delrichs, p. 33.
4) Magdeburg. Schöffenbriefe von 1295 §. 11 und von 1304, §. 12 u. 13
bei T. u. St. p. 430 u. 452.
5) Magdeburg. Schöffenbriefe von 1261, §.13 u. 53 und von 1304 §. 12
bei T. u. St. p. 353 u. 452. Richtsteig Landr. c. 33 §. 1.
6) Hegeformel von Witzenhausen bei Kopp, Hess. Gr. II, 238.
7) Stadtrecht von Erfurt, §. 30.
8) Magdeburg. Schöffenbrief von 1304 §. 31.
9) Stadtrecht von Freiberg, c. 21. bei Schott, III, 213. von Augsburg
bei Walch §. 113, 114 u. 120. und bei Freyberg, p. 57 u. 59 f.
Friedgerichtsbuch von Regensburg bei Freyberg, V, 78.
10) Stadtrecht von Augsburg bei Freyberg, p. 54 u. 55. und bei Walch
§. 112. Stadtrecht von München, §. 188.
11) Stadtrecht bei Walch §. 109. und bei Freyberg, p. 52. — „dem sol
„man driftunt furgebieten als reht ist. Vnde kumt er danne niht für.
„so ist er des mordes schuldic.“
12) Stadtrecht, §. 188. — „waer auch, ob man in für das recht fordert,
„und er hin für nicht chömen wolt, so sol er der notnuft schuldich
„sein.“

brechen (forefactum) [13]). Meistentheils wurde er aber in die Ver=
festung [14]), oder in die Acht gethan [15]) oder verzalt [16]), um
ihn dadurch zu nöthigen vor Gericht zu erscheinen. Denn die
Acht, Verfestung oder Verzalung ist von je her als ein Mittel den
Vorgeladenen zum Erscheinen vor Gericht zu zwingen betrachtet
worden [17]). Die Verfestung war bei dem Strafverfahren dasselbe
was bei dem Civilverfahren die Overhöre war (§. 546). Sie war
demnach gleichfalls eine Bannung in die Wohnung oder an einen
anderen bestimmten Ort, also eine Art von Hausarrest. Sie
war daher von der eigentlichen Acht durchaus verschieden [18]). Im
südlichen Deutschland habe ich jedoch den Ausbruck Verfesten in
dieser Bedeutung nirgends gefunden. Es scheint auch dafür, wie
im Schwabenspiegel [19]), das Wort Verachten und Acht gebraucht
worden zu sein. Zwar findet man auch im südlichen Deutschland
das Wort festen oder vesten [20]). Es pflegte indessen mehr in
der Bedeutung von Festnehmen oder Verhaften gebraucht zu wer=
den. Der Sache nach war jedoch auch im südlichen Deutschland
das Bannen in seine Wohnung bekannt. Dahin zielt unter An=
derem das Sperren der Wohnung eines vor Gericht nicht
erschienenen Verbrechers mittelst eines bloßen Fadens in Mur=
ten u. a. m. [21]).

---

13) Stadtrobel §. 20 bei Gaupp, II, 155. — et si tunc non comparue-
rit habetur pro convicto.

14) Magdeburg. Schöffenbriefe von 1261 §. 13 und von 1304 §. 12 bei
T. u. St. p. 353 u. 452.

15) Stadtrecht von Augsburg bei Freyberg, p. 50, 55, 57, 60 u. 74. und
bei Walch, §. 101, 112, 114, 120, 186 u. 187.

16) Stadtrecht von Freiberg, c. 21 bei Schott, III, 214. Haltaus, p. 1916.

17) Meine Geschichte des altgerman. Gerichtsverfahrens, p. 55.

18) vrgl. Osenbrüggen, Hausfrieden, p. 26—28.

19) Schwäb. Lr. W. c. 83.

20) Ruprecht von Freising, p. 272. Not. Landfriede von 1281, §. 2 u. 3.
bei Pertz, IV, 427.

21) Stadtrobel von Murten, §. 20. — protenditur ei filum ante ho-
stium domus suae. si intus fuerit qui forefactum fecit, non exi-
bit. si extra, non intrabit. vrgl. noch Freiheitsbrief von Murten
von 1377 §. 24 bei Gaupp, II, 155 u. 165. Ueber den Gebrauch
von Faden zum Festhalten der Gefangenen vrgl. Jakob Grimm, R. A.

§. 565.

Wenn der Angeklagte auf die verschiedenen Vorladungen zwar nicht erschienen, späterhin aber verhaftet und gebunden vor Gericht gebracht worden war, so wurde auch in diesem Falle, wie bei einer handhaften That gegen ihn verfahren. Der Ankläger durfte selbst dritt oder selbstsiebend den Angeklagten überweisen. In Augsburg reichten beim Mord drei Zeugen die es gesehen hatten hin, um ihn des Mordes zu überführen[1], beim Raub mußte aber der Thäter selbstsiebend von dem Ankläger überwiesen werden[2]. Zum Reinigungseid wurde aber der Angeklagte weder in dem einen noch in dem anderen Falle zugelassen. Eben dieses war bei einer behaupteten Nothwehr der Fall. Wenn der Thäter statt mit dem blutigen Schwert zum Richter zu eilen geflohen und auf der Flucht verhaftet und gebunden vor Gericht gebracht worden war. Zwar hatte der Thäter das Recht mit seinen zwei Fingern zu beschwören, daß er auf dem Wege zum Richter gewesen sei. Der Ankläger war jedoch berechtiget selbst siebend zu beweisen, daß dem nicht so sei und daß derselbe des Todschlags schuldig sei[3]. Auch in Regensburg sollte der gefangen vor Gericht gebrachte Dieb von dem Ankläger mit sieben Zeugen überwunden und der Angeklagte erst dann zum Reinigungseid mit Eidhelfern zugelassen werden, wenn der Ankläger die Sieben nicht hatte. („da man nicht siben „hat, die in vber windent")[4]. In den erwähnten Fällen hatte noch keine Aechtung oder Verfestung statt gehabt. Um so mehr war demnach der Reinigungseid dann ausgeschlossen, wenn der Thäter geächtet oder verfestet und in der Acht oder Verfestung verhaftet und gebunden vor Gericht gebracht worden war. Nach magdeburgischem und sächsischem Rechte hatte der Ankläger in die-

---

p. 182, 183 u. 810. und Wilhelm Grimm, der Rosengarte, p. VIII u. LXXVIII.

1) Stadtrecht bei Freyberg, p. 52 u. 59. und bei Walch §. 109 u. 120.

2) Stadtrecht von Augsburg bei Walch §. 114 in f.

3) Augsburger Stadtrecht bei Freyberg, p. 51. „Daz reht ist also. daz „er berede mit sinen zwain vingern daz er vf der verte wäre gen dem „vogte. man bezuge in danne selbe sibende daz des niht ensi. vnde „daz er auch schuldic si an dem totslage." Stadtrecht bei Walch, §. 102.

4) Stadtrecht bei Freyberg, V, 83.

sem Falle zuerst die Verfestung mit dem Richter und den Ding=
pflichtigen und auch die That selbst noch, wie bei der handhaften
That, selbstsiebend zu bezeugen [5]. Anderwärts brauchte bloß die
Verfestung nachgewiesen zu werden. Denn der in der Verfestung
Ergriffene ward sodann als überwiesen betrachtet und alsbald ge=
richtet [6]. So war es insbesondere auch in Freiberg und in Augs=
burg: In Freiberg durfte der Ankläger den verzalten Mann, wo
er ihn ansichtig wurde, verhaften und ohne Geschrei vor Gericht
bringen. Bei Gericht brauchte aber nur der gegen ihn erlassene
Verzalungsbrief (der Burgerbrief) vorgelesen zu werden, worauf
sodann das Erkenntniß vollzogen ward [7]. Eben so bedurfte es in
Augsburg, wenn der Geächtete verhaftet worden war, nur der
Vorlage des Achtbriefes. Und wenn sich kein Achtbrief vorfand,
so sollte die Acht selbstsiebend mit denen, die es gesehen und ge=
hört hatten, nachgewiesen werden [8].

Reinigungseid.

§. 566.

Wenn nun aber der Angeklagte auf die geschehene Vorladung
freiwillig, also nicht gefangen und gebunden, vor Gericht
erschienen und, wie dieses meistentheils der Fall war, die That ge=
leugnet hatte, so wurde er sodann zum Reinigungseid mit oder
ohne Eidheifer zugelassen. Der Angeklagte war in diesem Falle,
wie fast alle Stadtrechte sagen, dem Reinigungseid näher, als der
Ankläger dem Anklageeid, z. B. in Sachsen und insbesondere in
Magdeburg [1]), in Halle [2]), in Goslar [3]), in Hamburg [4]), in

---

5) Magdeb. Schöffenbrief von 1304 §. 102. bei T. u. St. p. 469. vrgl.
   Sächs. Lr I, 66 §. 2, 68 §. 5, III, 88 §. 2 u. 3.

6) Stadtrecht von Goslar bei Göschen, p. 59. Schlesisches Landrecht, III,
   c. 9 §. 9 u. 10 bei Böhme, p. 102.

7) Stadtrecht, c. 21 u 22 bei Schott, III, 214—216 — „so darf man
   nicht me tun wen daz man den brief lesen sal."

8) Stadtrecht bei Freyberg, p. 74—75. und bei Walch §. 187. vrgl. noch
   Albrecht, Gewere, p. 52.

1) Schöffenbriefe von 1261 §. 13 u. 27 und von 1304 §. 10, 12, 13 u.
   55. Sächs. Weichbild, art. 38.

Lübeck [5]), in Minden [6]), in Ulzen [7]), in Augsburg [8]), in Mün=
chen [9]), in Freiburg [10]), in Straßburg [11]), in Dortmund [12]), in
Hagenau [13]), in Wiener Neustadt [14]), in Regensburg [15]), in Am=
berg [16]), in Eger [17]) u. a. m. Und dasselbe galt auch dann, wenn
der Angeklagte verfestet oder geächtet worden war. Denn wenn
ein Verfesteter oder Geächteter freiwillig vor Gericht erschienen war,
so hatte auch er die Rechte eines noch nicht verurtheilten Mannes,
also auch das Recht sich mit oder ohne Eidhelfer zu reinigen, z. B.
in Freiburg [18]), in Magdeburg [19]), in Bremen [20]), in Goslar u.
a. m. [21]). Da dieser Reinigungseid den Beweis der Unschuld zum
Zweck hatte, so nannte man ihn öfters auch den Unschuldseid
oder auch die Unschuld selbst [22]).

Der Grund warum in diesem Falle der Angeklagte dem Rei=
nigungseid oder Unschuldseid näher war als der Ankläger zum
Beweise der Anklage, wird insgemein, selbst von Plank [23]), nicht

---

2) Schöffenbrief von 1235 §. 12 u. 15 bei T. u. St. p. 296.

3) Stadtrecht bei Göschen, p. 31 u. 32.

4) Stadtrecht von 1270, VI, 12 bei Lappenberg, p. 31.

5) Hach, I, §. 54, II, §. 91, III, § 172.

6) Stadtrecht von 1246 in Orig. Guelf. IV, 202.

7) Stadtrecht bei Pufendorf, I, 241.

8) Stadtrecht bei Freyberg, p. 52, 53, 55, 57 u. 59. und bei Walch,
   §. 109, 112, 114 u. 120.

9) Stadtrecht, §. 188.

10) Stadtrecht von 1275 u. 1293 bei Schreiber, I, 84 u. 136.

II) Stadtrecht, c. 65 bei Grandidier, II, 70.

12) Stadtrecht, §. 9 bei Wigand.

13) Stadtrecht von 1164 §. 13.

14) Stadtrecht, c. 4.

15) Stadtrecht bei Freyberg, V, 78 u. 83.

16) Gerichtsbrief aus 14. sec. bei Schenkel, II, 54 u. 56.

17) Stadtrecht von 1279, §. 6, 11 u. 13.

18) Stadtrecht von 1275 u. 1293 bei Schreiber, I, 83 u. 136.

19) Schöffenbrief von 1304 §. 10.

20) Statut von 1303 bei Oelrichs, p. 33.

21) Goslar. Stadtrecht bei Göschen, p. 62. vrgl. noch Albrecht, de prob.
    I, §. 23.

22) Soester Schrae, art. 21. Magdeburg. Schöffenbriefe von 1261 §. 39
    u. 40 und von 1304 §. 66. Göschen, sächs. Landrecht, p. 38.

23) in der Zeitschrift für Deutsch. R. X, 293 ff.

richtig verstanden. Der Grund dieser Bevorzugung des Reinigungs=
eides liegt nämlich in der bei einer übernächtigen That in der Re=
gel mangelnden Offenkundigkeit der That. Wenn nämlich kein
Gerüfte erhoben und der Angeklagte nicht in handhafter That ver=
folgt oder das erhobene Gerüfte von niemand gehört worden war,
so waren keine Schreileute, in der Regel also auch keine Zeugen
vorhanden und, wenn auch keine Ueberführungsstücke vorhanden
waren, so fehlte es an jedem Anhaltspunkte zur Zulässigkeit des
Anklageeides. Es stand in einem solchen Falle vielmehr der weder
durch das Gerüfte oder durch irgend ein Wahrzeichen unterstützte
Eid des Anklägers (mit oder ohne Eidhelfer) dem Eid des Ange=
klagten (mit oder ohne Eidhelfer) gegenüber. Und in einem solchen
Falle mußte natürlicher Weise der Eid des Angeklagten, wenn er
ein bis dahin unbescholtener Mann, ein Biedermann (biderve
Man [24]), unversprochen Man [25]), unberopen Man) [26]), oder ein
angesessener Mann war [27]), den Vorzug vor dem Eide des An=
klägers haben. Waren dagegen Zeugen, welche die That gesehen
hatten, oder andere Beweise vorhanden, so hatte sodann auch bei
der übernächtigen That der Beweis des Anklägers wieder den Vor=
zug vor dem Reinigungseid des Angeklagten. Denn jene Regel,
daß der Angeklagte dem Reinigungseid näher sei als der Ankläger
dem Anklageeid, bezog sich einzig und allein auf den Eid, wenn
der Eid des Angeklagten dem durch nichts weiter unterstützten
Eid des Anklägers gegenüberstand. Sämmtliche mir bekannte
Stadtrechte stimmen hierüber überein. Sie setzen sammt und son=
ders bei jener Regel voraus, daß die That von niemand gesehen
oder daß das Gerüfte (der Waffenheiz) von niemand gehört worden
und kein anderer Beweis vorhanden sei. In den magdeburgischen
Schöffenbriefen wird ausdrücklich als Grund jener Bevorzugung
des Reinigungseides angegeben, weil niemand die That ge=

---

24) Magdeburg. Schöffenbriefe von 1261 §. 27 und von 1304 §. 10
u. 55.

25) Stadtrecht von Augsburg bei Freyberg, p. 52 u. 53.

26) Stadtrecht von Hamburg von 1270, VI, 12 bei Lappenberg, p. 31.

27) Stadtrecht von Augsburg bei Walch §. 118.

v. Maurer, Städteverfassung. III. 44

sehen habe [28]). Eben so wird in Augsburg bei der Nothzucht [29]), und in Regensburg beim Diebstahl vorausgesetzt, daß die That von niemand gesehen [30]), bei der Nothzucht aber der Waffen= heiz von niemand gehört worden [31]) und kein anderer Beweis vor= handen sei. Daher war nach magdeburgischem Recht der Reini= gungseid auch bei einer übernächtigen That ausgeschlossen, wenn anderer Beweis vorhanden war [32]). Aber auch anderwärts wurde der Reinigungseid allzeit erst dann zugelassen, wenn der Ankläger den Beweis der Anklage nicht führen konnte, z. B. in Freiburg bei schweren Verwundungen [33]), in Soest bei Verwundungen und Tod= schlägen [34]), in Medebach bei schweren Verwundungen [35]), in

28) Schöffenbriefe von 1261 §. 27 und von 1304 §. 10 bei T. u. St. p. 451. „Geshiet ein Not oder ein echt Strit Nachtes oder Tages, „wolbe man einen biderben Man dar zu besecgen, her iz nar im zu „entgende selbe sitzende, dan iz jener uffe en gezugen muge, wenne en „an der Stat nieman en sach."

29) Stadtrecht bei Freyberg, p. 55. „Ist aber daz die notnumpht nie= „man gehoret noch gesähen hat. kumt diu frowe ce clage. so sol „man den manne, den si der notnumphte zihet dri stunt fürgebieten „als reht ist. kumt er danne für so ist reht daz er berede mit sin eines „Hant daz er vnschuldic si." Stadtr. bei Walch §. 112.

30) Stadtrecht von Regensburg bei Freyberg, V, 83

31) Stadtrecht von Regensburg bei Freyberg, V, 67. — „vnd wil die (d. h. die klagende Frau) pringen selb siebent, die den waffenheiz gehort „haben, so gehort chain laugen darüber (d h. der Reinigungseid wird nicht zugelassen), man richt es hin zu dem leib. Man aber sie der „siben nicht gehaben, die den Waffenheiz gehort haben, so „sol er das pringen mit siben" —, d. h. dann sol der Angeklagte selbst siebend sich von der Anklage losschwören."

32) Schöffenbrief von 1304 §. 17 bei T. u. St. p. 453. „Allerhande Un= „gerichte unde Clage, dar Bewisunge an ist, dar en mac niemant vor „geswern; en ist dar abir niechein Bewisunge an, so mac iz der Man „daz unschuldic werden mit Rechte" —.

33) Stadtrecht von 1275 u. 1293 bei Schreiber, I, 84 u. 136. „Ist aber „daz er kumt vnd lougent, vnd mit dem eide sin vnschulde bieten wil, „der kleger muoz ime abenemen dü hant, oder er wirt schuldig da, ez „si denne als offenlich getan, daz er ez wol bezügen muge."

34) Stadtrecht von 1120, §. 18 u 19. Si quis vero de homicidio — convinci nequiverit. tactis reliquiis. duodecima manu se expur= gabit. Schrae, art. 16 u. 18.

35) Stadtrecht von 1165 §. 6.

Lüneburg bei Beschuldigungen jeder Art [36]), in München beim Tod=
schlag und bei der Heimsuchung [37]), in Ens bei der Nothzucht [38]),
in Leobschütz bei Verwundungen [39]), in Prag beim Mord [40]). Wenn
daher der Ankläger seine Anklage mit Zeugen beweisen konnte, so
wurde der Angeklagte entweder gar nicht zum Reinigungseid zu=
gelassen, oder der Zeugenbeweis hatte wenigstens den Vorzug vor
dem Reinigungseid, z. B. in Dinkelsbühl und Nördlingen [41]).

Der Ankläger hatte demnach auch bei einer übernächtigen
That die Wahl, ob er den Angeklagten zum Reinigungseid zulas=
sen oder selbst den Beweis der Anklage, etwa mit Zeugen, welche
die That gesehen, führen wollte, z. B. in Soest [42]), in Augsburg [43]),
in Regensburg u. a. m. In Regensburg durfte nämlich der An=
geklagte wohl bei geringeren Diebstählen unter ½ Pfund Heller

---

36) Stadtrecht, a. c. 59 bei Dreyer und bei Kraut.

37) Stadtrecht, §. 249. „Swen man überzeugen mag mit siben zeugen,
„die es warz wizzent, daz er schuldich ist, des beredung und seiner
„helffer entschuldigung sol man nicht nemen nach dem landtfribbrief"
— vrgl. noch §. 13 u. 247.

38) Stadtrecht von 1212, §. 12. Si autem illa testimonio septem cre=
dibilium virorum illum convicerit, nulla sibi concedetur expur=
gatio.

39) Stadtrecht von 1270 §. 11 u. 16 bei T. u. St. p. 374. Si autem
fuerit aliquis ibi vulneratus, licet actor non possit probare, reus
se tamen expurgabit jure vulnerum supradicto.

40) Stadtrecht, §. 34 bei Rößler, p. 25.

41) Statut von Dinkelsbühl aus 14. sec. §. 6 bei Haupt, Zeitschrift, VII,
95. „unde sol sich entslahen, mit sinen zwein vingern uf der wunden
„swern, unde sol uf der bare niht rihten, ez si danne daz man in
„überziugen müge mit erbaeren lüten zwein oder mer, da mite man
„mit reht sulle erziugen. Dieselben sullen swern mit eibez daz sie ez
„haben gesehen unde gehört haben daz er tete." Fast dieselbe Worte
im Stadtrecht von Nördlingen von 1318 §. 4 bei Senckenberg, vis.
p. 356.

42) Stadtrecht von 1120 § 55. Quicumque autem hominum se per
iuramentum expurgare tenebitur. in arbitrio stabit actoris utrum
iuramentum accipere velit an non. Schrac, art. 21.

43) Stadtrecht bei Freyberg, p. 54. „des laugen sol man nemen mit si
„eines Hant. ob der clager wil. oder der clager sol in vberziugen mit
„mannen oder mit wiben swedes er danne baz gehaben mag, die vnve=

den Reinigungseid ohne Eidhelfer schwören. Bei größeren Dieb=
stählen dagegen sollte zuerst der Ankläger den Werth des gestohlnen
Gutes beschwören, dann aber hing es von dem Ankläger ab, ob er
den Angeklagten zum Reinigungseid selbst siebend zulassen, oder
ihn selbst siebend überweisen wollte. Im letzten Falle war jedoch
der Angeklagte berechtiget zu begehren, daß die Umherstehenden auf=
gefordert werden zu seinen Gunsten die Hände zu erheben. Und
wenn sodann mehr als die sechs die mit dem Ankläger geschworen
die Hände erhoben, so war er von der Anklage frei [44]).

Voreid oder juramentum calumniae.

§. 567.

Wer eines Verbrechens angeklagt worden war, der war bei
einer übernächtigen That zur Leistung des Reinigungseides nicht
bloß be rechtiget, sondern sogar verpflichtet. Der Angeklagte
mußte nämlich die ihm zur Last gelegte That entweder gestehen
oder leugnen („jehen oder laugen") [1]), und im letzten Falle, wenn
es der Ankläger begehrte, den Reinigungseid schwören. Er konnte
dazu selbst dann genöthiget werden, wenn der Ankläger ohne allen
Beweis war. Nur zum Reinigungseid auf die Todenbahr (zu dem
Bahrrecht oder Todengericht) sollte ein des Todschlags Beschuldigter
in Freising seit dem 14. Jahrhundert nicht mehr genöthiget wer=
den [2]). Auch durfte in Wien [3]) und in Heimburg der Reinigungs=
eid in dem Falle abgelehnt werden, wenn der Angeklagte mit Zeu=
gen nachweisen konnte, daß er sich zur Zeit der That an einem
anderen Ort befunden habe [4]). Daß ein solches ganz uneinge=

„sprochen sint, die daz geschrai gehoret haben." Stadtr. bei Walch,
§. 112.

44) Stadtrecht bei Freyberg, V, 47. — „und der gerecht wil werden, der
pit im urtail lassen werden ob mer heutt mit im aufhiellten, dane by
sechs". —

1) Stadtrecht von Bamberg, §. 206. .

2) Ruprecht von Freising, II, 110 ü. 112. vrgl. oben §. 560.

3) Stadtrecht von 1221 §. 18 und von 1278 bei Lambacher, II, 150.

4) Stadtrecht von Heimburg, c. 6 bei Senckenberg, p. 273.

ſchränktes Recht der Privatanklage mißbraucht werden konnte, auch wohl öfters wirklich mißbraucht worden iſt, bedarf wohl keines weiteren Beweiſes. Und der Mißbrauch dieſes Rechtes ſcheint frühe ſchon zur Abhilfe geführt zu haben. Um nämlich die Angeklagten gegen leichtſinnige Anklagen ſicher zu ſtellen wurde beſtimmt, daß derjenige, der einen Unſchuldigen anklage, geſtraft werden ſolle, z. B. in Köln [5]). Da jedoch nur derjenige, der den Beweis ſeiner Anklage übernommen und begonnen hatte, dabei aber ſachfällig war, geſtraft werden ſollte [6]), ſo war durch die angedrohte Strafe allein der Angeklagte noch nicht hinreichend geſichert. Denn wenn der Ankläger den Beweis ſeiner Anklage nicht ſelbſt übernommen, den Angeklagten vielmehr zum Reinigungseid zugelaſſen und dieſer ihn geſchworen hatte, ſo wurde ſodann der Ankläger nicht geſtraft, wiewohl er auch in dieſem Falle unterlegen, alſo ſachfällig war [7]). Der Ankläger hatte nämlich, wie wir geſehen, auch bei einer übernächtigen That die Wahl, ob er ſelbſt den Beweis führen oder den Angeklagten zum Reinigungseid zulaſſen wollte. Und wenn er ſeines Beweiſes nicht ganz ſicher war, ſo lag es, um beim Unterliegen der Strafe zu entgehen, in ſeinem eigenen Intereſſe, den Gegner zum Reinigungseid zuzulaſſen und ihn ſogar dazu zu nöthigen.

Um nun den Angeklagten gegen einen ſolchen Mißbrauch zu ſchützen führte man frühe ſchon den Voreid des Anklägers ein. In Deutſchland wird zwar erſt ſeit dem 13. Jahrhundert dieſes Voreides Erwähnung gethan. Da er jedoch nach dem angelſächſiſchen Rechte ſchon gebräuchlich und bereits ſehr häufig [8]), und auch in Deutſchland im 13. Jahrhundert offenbar nichts Neues mehr war, indem ſeiner in Köln bereits unter den Beſchwerdepunc-

---

[5]) Schiedsſpruch von 1258 Nr. 14 bei Lacomblet II, 245 u. 249. — et si innocentem nominaverit, graviter puniri debet.

[6]) Sächſ. Lr. I, 53 §. 1 und 69. Schwäb. Lr. W. c. 64. Kaiſerrecht, I, 3. Stadtrecht von Wiener Neuſtadt, c. 42. und von Augsburg bei Freyberg, p 51 u. 59. „Vahet er in aber vnde mag in nißt vber-„ziugen ſelbſt ſibende als reßt iſt. ſo muz er an ſine ſtat ſtan. gen dem „clager vnde gen dem rißter." Dann noch p. 128 u. 129.

[7]) Stadtrecht von Wiener Neuſtadt, c. 42.

[8]) Reinhold Schmid, die Geſetze der Angelſachſen 2. ed. p. 578 u. 579. Marquardſen, über Haft und Bürgſchaft bei den Angelſachſen, p. 15.

ten des Erzbischofs Konrad, wenn auch nicht dem Namen doch der Sache nach, erwähnt wird [9], so scheint jener Voreid auch in Deutschland auf altem Volksrecht zu beruhen. Der Ankläger sollte nämlich, ehe er den Angeklagten zum Reinigungseid mit oder ohne Eidhelfer nöthigen konnte, zuvor, in der Regel mit einem Eidhelfer (selbander) oder auch selbst dritt, ausnahmsweise indessen auch ganz allein, schwören, daß er die Anklage nicht aus Leidenschaft oder Muthwille, aus Neid oder aus Feindschaft gestellt habe, z. B. in Regensburg [10]), in Nürnberg [11]), in Ens [12]), in Wien [13]), in Eger [14]), in Heimburg [15]), in Brünn [16]), in Köln u. a. m. Dieser Voreid wurde öfters auch juramentum calumniae

---

9) Schiedsspruch von 1258, Nr. 14 bei Lacomblet, II, 245. Quod quicumque — querimoniam detulerit, ipse commonitus a judicibus iurare debet, quod non nominabit aliquem innocentem. —

10) Friedgerichtsbuch bei Freyberg, V, 66. „Darczu sol jn der clager selb „dritte pringen mit seinem vor aide, das er jn nicht an mut wil" — p. 67. „der swer auch selbander, das er nicht an mutwill" —. p. 71. „Darczu sol jn der chlager selbander pringen mit seinem vor aid, „das er jn nicht an mutwil" —. vrgl. noch p. 68, 70 u. 72, und Rathsordnung von 1331 u. 1390, eod. p. 63 u. 111. „und der an- „chlager sol bestäten mit seinem aid, daz er es weder durch neyd noch „has noch umb dheinerlay veintschaft nicht tu."

11) Stadtrecht aus 14 sec. bei Siebenkees, Beitr. zum T. St. V, 212. — „da man für gerihten vnd sweren muz selbe sibent. so sol der. der „ansprichet vor behaben mit seinem aide daz er mit im niht mut- „wille: vnd in durch käine rachsal noch vientschaft an spreche. vnd daz „er wene daz er zu der sache reht habe."

12) Stadtrecht von 1212 § 19. — eundem cum juramento quod in vulgari dicitur voreit ad hoc deducet quod sibi respondere tenebitur. —

13) Stadtrecht von 1221 §. 15—17. und von 1278 bei Lambacher, II, 150.

14) Stadtrecht von 1279, c. 7 bei Gaupp, I, 191.

15) Stadtrecht, c 6 u. 7 bei Senckenberg, p. 273 u. 276.

16) Stadtrecht §. 3 u. 13 bei Rößler, p. 342 u. 347. „der schol e selb- „ander sweren vor gericht, daz er weder durich neit, noch durch veint- schaft tue" —.

genannt [17]). Die Folge des von dem Ankläger geleisteten Voreides war, wie dieses die erwähnten Stadtrechte alle sagen, daß nun der Angeklagte zum Reinigungseid genöthiget war. Wenn er daher diesen Eid nicht leisten wollte oder, weil er keine Eidhelfer fand, nicht leisten konnte, so wurde derselbe als sachfällig bestraft [18]). Konnte dagegen der Ankläger selbst den Voreid nicht leisten, so sollte er nach dem Stadtrechte von Brünn seine Anklage wieder zurück= nehmen. [19]). Und dann war der Verdächtige nicht genöthiget den Reinigungseid zu leisten. Es hing vielmehr von seinem freien Wil= len ab, ob er sich durch jenen Eid von allem Verdacht reinigen wollte oder nicht. Der Ankläger brauchte demnach diesen Voreid nur in dem Falle zu schwören, wenn er den Angeklagten zum Rei= nigungseid nöthigen wollte. Der Voreid fiel daher in allen jenen Fällen von selbst weg, in welchen der Ankläger selbst den Beweis führen mußte, von einem Reinigungseid also keine Rede sein konnte, z. B. bei einer handhaften That, wie dieses klar und deutlich aus dem Stadtrecht von Eger (c. 6 und 7.) hervorgeht, auch schon aus der Natur des Anklageverfahrens selbst folgt. Nur dann, wenn bei der handhaften That niemand zugegen war und wenn auch kein Gerüfte geschrien und der Thäter nicht verfolgt worden und auch kein Ueberführungsstück vorhanden war, nur in diesem Falle mußte der Voreid auch bei handhafter That geleistet werden [20]). Denn in diesem Falle sollte ja, wie wir gesehen, wie bei übernächtiger That verfahren werden. Dieser Voreid (der Ka= lumnieneid) war demnach von dem anderen Eide, den der Ankläger vor den Eidhelfern zum Beweise seiner Anklage zu schwören hatte, wesentlich verschieden. Denn dieser andere Voreid war, wiewohl

---

17) Die citirten Stadtrechte von Wien und von Brünn im lateinischen Text, c. 13 bei Rößler, p. 347.

18) Stadtrechte von Ens von 1212 §. 19., von Wien von 1221 §. 15 u. 29., von Brünn, c. 3. bei Rößler, p. 343., von Regensburg bei Frey= berg, V, 67., von Nürnberg u. a. m., insbesondere auch die Stadtrechte von Schleswich, art. 23, von Flensburg, art. 116 und von Apenrade, art. 116 im Corpus Constit. Slesvic. II, 13, 219 u. 403.

19) Stadtrecht, c. 3 bei Rößler, p. 342.

20) Stadtrecht von Wien von 1221 §. 16, und von Heimburg, c. 6 bei Senckenberg, p. 273.

er ebenfalls vor einem anderen Eid (vor dem Eide der Eidhelfer) geschworen werden mußte, ein Haupteid des Anklägers, indem der Ankläger selbst beschwören mußte, daß der von ihm Angeklagte der Thäter sei, die Eidhelfer aber diesen Haupteid nur verstärken und unterstützen sollten. Auch war jener Kalumnieneid noch von einem anderen Voreid verschieden, den der Angeklagte, z. B. in Bamberg [21]), in Apenrade [22]), in Habersleben [23]), in Lübeck u. a. m. (§. 561.) schwören mußte, wenn er keine Freunde in der Nähe hatte, also aus diesem Grunde keine Eidhelfer finden konnte. Denn auch dieser Voreid war ja nichts weniger als ein Kalumnieneid. Der Kalumnieneid beim Strafverfahren hat sich späterhin gleichzeitig mit den Privatanklagen in ganz Deutschland verloren.

Dieser Kalumnieneid kam übrigens nicht bloß beim Strafverfahren, er kam auch bei Civilstreitigkeiten vor, z. B. in Regensburg [24]) u. a. m. Und diesen Kalumnieneid, der allgemeine Eid gegen Gefährde (juramentum calumniae generale) hat sich auch späterhin noch erhalten. Er ging vermengt und vermischt mit dem römischen Recht ins kanonische Recht und in die Reichsgesetzgebung über [25]), und kam erst in neueren Zeiten außer Gebrauch.

Verfahren gegen bescholtene Leute.

§. 568.

Das bisher beschriebene Verfahren bei übernächtiger That setzte unbescholtene Biederleute oder angesessene Leute voraus. (§. 566.) Denn bescholtene Leute, sogenannte schädliche Leute [1]), böse Leute [2]), ungerate Leute, die weder Haus noch Hof hat-

---

21) Stadtrecht, §. 157 u. 158.

22) Skrae von 1335, §. 14 im Corpus stat. Slesv. II, 419.

23) Stadtrecht, §. 23 im Corpus const. Slesv. II, 461.

24) Stadtrecht bei Freyberg, V, 76. „Wer den andern beclagt vmb welche „schulde das seye, der swer das er in nicht an mutwille" —.

25) De juramento calumniae im lib. II, cap. 7. X und im lib. II, tit. 4 in 6to. Reichsabschied von 1600, §. 43.

1) Stadtrecht von München §. 81 u. 82.

2) Stadtrecht von Augsburg bei Walch, §. 174.

ten [3]), ober **miffethätige** (misbebighe) Leute [4]) wurden nicht zum Reinigungseib zugelassen. Sie wurden bemnach, auch wenn sie nicht in handhafter That ergriffen, auch kein Gerüfte erhoben wor= ben und kein Ueberführungsftück vorhanden war, behandelt als wenn sie in handhafter That ergriffen worden wären. Jeder Bürger burfte sie daher verhaften, mit Gerüfte vor Gericht bringen und sie baselbst selbstsiebend überweisen, z. B. in Goslar [5]), in Lindau [6]), in München [7]), in Bamberg [8]), in Tirol u. a. m. [9]). Ihre Un= schuld aber burften schädliche Leute nur mit Zeugen, bie es gesehen und gehört hatten [10]), ober mit der Feuer= ober Wasserprobe be= weisen.

Inzichtprozeß.

§. 569.

Wenn jemand eines Verbrechens verbächtig ober geziehen, aber nicht verhaftet und auch nicht vorgelaben worden war, so konnte er sich dennoch von allem Verdachte reinigen, wenn er sich freiwil= lig bei Gericht stellte und selbst die Verhandlung der Sache be= gehrte. Er war in diesem Falle berechtiget vom Gericht sicheres Geleit [1]), Schutz gegen die Verwandten des Getöbeten ober Ver= letzten [2]) und die Festsetzung einer Gerichtssitzung zu begehren, in

---

3) Stabtrecht von Augsburg bei Freyberg, p. 52. unb bei Walch, §. 106.
4) Stabtrecht von Goslar bei Göschen, p. 36.
5) Stabtrecht bei Göschen, p. 36 u. 510.
6) Urk. von 1321 u. 1332 bei Heider, p. 651 u. 652 f.
7) Stabtrecht, §. 81.
8) Rathsordnung bei Zoepfl, II, 148.
9) Urk. von 1349 bei Heider, p. 654. Landfrieden von 1281 §. 10 bei Pertz, IV, 427.
10) Stabtrecht von Augsburg bei Walch, §. 174.
1) Stabtrecht von München §. 247. Ruprecht von Freising, II, 6. Stabtr. von Memmingen, c 32. Bremische Blutgerichtsformel in Assertio, p. 703.
2) Ruprecht von Freising, II, 6 Not. Mpt. von 1436 — „man sol aber „des manns freunt an bem ber todslag geschehen ist pittn umb ein fried. „das sie das gericht hörn verziehent sie ben friede. so mag ber richter

welcher alle diejenigen, die ihn anklagen oder des Verbrechens zeihen wollten, auftreten mußten, um hier ihre Anklage zu begründen[3]). In der Regel wurden zu dem Ende drei[4]), zuweilen auch nur zwei Sitzungen anberaumt[5]). Wenn nun· in einer der dazu anberaum=ten Sitzungen ein Ankläger auftrat, so wurde sodann zur Verhand=lung der Sache geschritten und dabei wie bei jeder anderen contra=diktorischen Verhandlung verfahren und entschieden[6]). Waren jedoch die Parteien- ausgeblieben, so wurde, wenn der Verdächtige (der Inzichter) erschienen, der Ankläger aber ausgeblieben war, der In=zichter je nach den Umständen entweder zum Reinigungseid zuge=lassen, oder auch ohne Eidesleistung von allem Verdacht frei und ledig gesprochen. („ledig gesagt mit Volge und Frag, Urtheil und Recht")[7]). So insbesondere auch bei dem Bahrgerichte. (§. 560.) Ueber die Freisprechung wurde eine Reinigungs=Urkunde oder ein sogenannter Ledigungsbrief ausgefertiget[8]). Wenn dage=gen der Inzichter selbst ausgeblieben oder aus der Sitzung entwi=chen war, so wurde er sodann, auch wenn kein Ankläger erschienen und gegen ihn aufgetreten war, der Inzicht schuldig betrachtet und

---

„vnd die burger sie wol nötten das sie frid muessen geben." Bei We=stenrieder I, §. 16. Stadtrecht von München §. 247 und von Mem=mingen, c. 32 §. 2.

3) Stadtrecht von München, §. 67 u. 247. und Stadtrecht von 1294 bei Bergmann, II, 11.

4) Stadtrecht von München, §. 67. und von Memmingen, c. 5. vrgl. oben §. 560.

5) Amberger Reinigungsurkunde bei Schenkl, II, 51.

6) Stadtrecht von München, §. 67 u. 247.

7) Amberger Reinigungsurkunde aus 14. sec. bei Schenkl, II, 12 u. 13. und Reinigungsurk. aus 14. sec. eod. p. 51. „Eitags vor St. Ma=„thiae. Erscheint Fr. Segenschmid Burger zu Amberg des 2ten Mal „ungenöht und ungezwungen vor dem Stadtrichter wegen In=„zwicht von Falsch sich zu reinigen dann das erstemal da war be=„rufft, als recht ist, ob jemand kämme auf 14 Tag der das Recht „darum von ihn nehmen wollte — da auf heute niemand kamm, so „sagt Folge, Frage, Recht und Urtheil, daß Segenschmied an derselben „Inzicht unschuldig ist." vrgl. Meine Geschichte des altgerman. Gerichts=verfahrens, p. 210 u. 211.

8) Amberger Urk aus 14. sec. bei Schenkl, II, 13.

verurtheilt [9]). Das Jnzicht= oder Reinigungsverfahren machte es
daher jedem, der unschuldiger Weise in Verdacht gerathen oder auch
absichtlich verdächtiget worden war, möglich sich von allem Verdacht
zu reinigen und über die Reinigung eine gerichtliche Urkunde zu
erhalten, welche ihn gegen jede weitere Anschuldigung sicher stellte.
Das Jnzichtverfahren gewährte aber außerdem auch noch den gro=
ßen Vortheil, daß der Jnzichter sich mit wenigen Eidhelfern oder
auch ohne Eidhelfer mit seinem alleinigen Eid oder mit seinen zwei
Fingern reinigen durfte, während bei dem gewöhnlichen Verfahren
bei übernächtiger That eine größere Anzahl von Eidhelfern noth=
wendig war. So durfte sich z. B. in Wiener Neustadt der Jn=
zichter, wenn er sich freiwillig vor Gericht stellte, mit seinem allei=
nigen Eid ohne Eidhelfer reinigen, während in der Regel vier
Eidhelfer nothwendig waren [10]). Auch in München reichten beim
Jnzichtprozeß zwei Eidhelfer hin [11]). Jn Amberg sollte der Reini=
gungseid bald mit Eidhelfern bald aber auch ohne Eidhelfer ge=
schworen werden [12]). Auch in Augsburg reichte in diesem Falle
der Reinigungseid ohne Eidhelfer hin. Es war jedoch dem Jnzich=
ter auch gestattet, sich freiwillig selbst dritt zu reinigen, wenn er
dieses um seine Unschuld ganz unbezweifelt nachzuweisen, seiner
Ehre wegen für nothwendig oder für zweckmäßig hielt [13]). Eben
so war es auch in Freising dem Jnzichter erlaubt, wenn er wollte,
sich auch noch der Feuer = und Wasserprobe zu unterwerfen [14]).
Nothwendig war dieses aber nicht. Er konnte demnach auch nicht
dazu genöthiget werden, oder, wie das alte Stadtrecht von Augs=
burg sagt: „ez en ist aber doch niht recht." Dieses Jnzichtverfah=

---

9) Stadtrecht von München, §. 67.

10) Stadtrecht, c. 4. vrgl. noch c. 5.

11) Stadtrecht, §. 247. Stadtrecht von 1294 bei Bergmann, II, 11.

12) Viele Reinigungs=Urkunden aus 14. sec. bei Schentl, II, 12, 13, 17,
32, 40, 51, 62 u. 67.

13) Stadtrecht bei Freyberg, p. 49—50. — „vnde sol bereden zen Heiligen
„mit sinen zwain vingern daz er der inzicht vnschuldic si. wil aber er
„durch sin selbes ere erziugen selb dritte daz er der inziht vnschuldic
„si. daz sol man wol von im nemen. ez en ist aber doch niht reht."
Stadtr bei Walch, §. 97.

14) Ruprecht von Freising, II, 112.

ren scheint sehr beliebt gewesen zu sein. Es hat sich daher noch
das ganze 16. Jahrhundert hindurch bis ins 17. erhalten. Die
Landgerichtsordnung für Ansbach und Baireuth enthält noch weit=
läuftige Vorschriften darüber. Eben so die Bamberger Landgerichts=
ordnung von 1503 im tit. 14. von Entnemung eines Leumunds.
Und nach der öfters erwähnten Blutgerichtsformel von Bremen
war sie auch dort noch lange Zeit im Gebrauch.

Ich habe mich über das altgermanische Strafverfahren in den
Städten etwas weiter verbreitet, wiewohl auch damit diese Materie
noch bei weitem nicht erschöpft ist, um einer richtigeren Ansicht,
zumal über das Beweisverfahren, Eingang zu verschaffen. Ich hätte
mich sehr gern eben so weit über das Civilverfahren verbreitet. Es
würde mich dieses jedoch zu weit von meinem eigentlichen Ziele ent=
fernt haben und dennoch auch diesen Gegenstand zu erschöpfen nicht
möglich gewesen sein. Auch ist dieses weniger nothwendig gewesen,
da dem Civilverfahren dieselben Ideen zu Grund liegen wie dem
Strafverfahren und das Eine offenbar dem Anderen nachgebildet
worden ist, wie ich dieses an einem Beispiele gezeigt habe. (§. 562.)
Ehe ich jedoch das Beweisverfahren verlasse, muß noch, wenn auch
nur übersichtlich, von den in den alten Städten gebräuchlichen Be=
weismitteln gehandelt werden.

d. **Beweismittel.**

1) Zeugen.

§. 570.

Die Hauptbeweismittel, deren man sich auch in den alten
Städten bedient hat, waren Zeugen, Eid der Parteien mit
und ohne Eidhelfer, Gottesurtheile und der gerichtliche
Zweikampf. Zu dem Zeugenbeweis gehörte auch der Beweis
durch Augenschein und durch Urkunden. Denn späterhin erst
ist dieser zu größerer Selbständigkeit gelangt [1].

Die Zeugen sollten bei Gericht aussagen, was sie gesehen

---

1) Ueber die hierher gehörige Literatur vrgl. Konrad Maurer in der kriti=
schen Ueberschau, V, 180 ff. und Osenbrüggen, der Hausfrieden, p. 71.

und gehört hatten, und was sie aus eigener Erfahrung wußten. Sie sollten Alles was sie wußten, die ganze Wahrheit, aber nichts als die Wahrheit bei Gericht aussagen. Daher sollten sie veritatem probare vel testificari, ein testimonium veritatis ablegen, wie es im lübischen Recht [2]), oder ein judicium veritatis abgeben [3]), oder veritatem dicere, wie es anderwärts heißt. Nach dem Stadtrecht von München sollten sie sagen, was sie „für war wizzen [4]). Nach dem Stadtrecht von Nördlingen und Dinkelsbühl sollten sie schwören, „daz ſi ez gesehen und gehoret haben" [5]). Allenthalben sollten sie jedoch lediglich die Thatsache aussprechen, kein Urtheil über die Thatfrage fällen. Denn sie waren keine Richter, also auch keine Richter der That. Da sie indessen nicht bloß über das was sie selbst gesehen, also aus eigener Wissenschaft erfahren hatten, aussagen sollten, sondern auch noch über das was sie nur von Hörensagen oder aus eigener längerer Erfahrung wußten, so hatte doch ihr Zeugniß einige wenn auch nur sehr entfernte Aehnlichkeit mit einem richterlichen Spruch über die That. Daher wurden sie zuweilen auch als Richter der That betrachtet und selbst so genannt, wiewohl dieselben, wie bemerkt, eigentlich keine Richter waren. So wurden in Eger die sieben zur Reinigung von einem Verbrechen beigezogenen Zeugen ein judicium septem virorum genannt [6]). In Freising sollten die Zeugen dijudicare [7]). Auch heißt es im Friedgerichtsbuch von Regensburg u. a. m. öfters „mit „VI wirten gerichten — mit VI wirten nicht gerichten —. „So sol er es pringen vnd richten selb sibent seiner genossen" — u. dergl. m. [8]). Allein dieses Richten bedeutet nichts Anderes als ein Ueberwinden oder Ueberführen. Daher heißt es denn

---

2) Hach, I, §. 67, II, §. 109.

3) Urk. von 783 bei Baluzius, II, 1395. Non habeo nullum judicium veritatis nec nulla testimonia.

4) Stadtrecht, §. 247 u. 249.

5) Stadtrecht von Nördlingen c. 4. bei Senckenberg, p. 356. Statut von Dinkelsbühl aus 14. sec. §. 6 bei Haupt, Zeitschr. VII, 95.

6) Stadtrecht von 1279, §. 6 u. 7 bei Gaupp, I, 191.

7) Urk. bei Meichelbeck, I, 2. p. 95. testes, qui praesentes fuerunt et hanc causam dijudicaverunt.

8) Freyberg, V, 70, 71, 72 u. 78.

auch von den Eidhelfern, sie sollten „im sein unschuld helffent
gerichten⁹)." Wiewohl auch die Eidhelfer keine Richter der That
waren. Die Zeugen waren indessen nicht bloß von den Richtern,
sie waren auch von unsern heutigen Zeugen wesentlich dadurch ver=
schieden, daß sie nicht bloß ein aus eigener Wissenschaft erlangtes
Privatzeugniß, sondern auch ein öffentliches Zeugniß abgeben
mußten. Sie sollten nämlich gleichsam als Stellvertreter der Ge=
meinde die Notorietät in ihrem Kreise, in ihrer Nachbarschaft oder
in ihrer Verwandtschaft, in der Gilde oder Gemeinde constatiren
und die außergerichtlich gewonnene Notorietät, wie bei dem Verfah=
ren bei handhafter That, bis in das Gericht verlängern und zu
seiner Kenntniß bringen. (§. 557 u. 558.) Klar und deutlich geht
dieses aus den Stadtrechten von München und von Regensburg
hervor. Denn die Zeugen des Anklägers, „die ez warz wizzent,
„daz er schuldich ist," sollten in München schwören, „daz sie wol
„vernommen haben an den steten, da die leut zu ainander cöment,
„daz er dem land als schedleich sey, daz man durch recht dem land
„über in richten sol" ¹⁰). Und in Regensburg sollten sie schwören,
„daz in daz wars wissent ist, daz der Pernger in der leweten ¹¹)
„herchomen sey, daz er dem land, der straß vnd der Stat ein[jsched=
„lich man sey" ¹²). Dieses öffentliche Zeugniß hatte demnach große
Aehnlichkeit mit dem Glaubenseid der Eidhelfer. Daher
konnte der Glaubenseid um so leichter später in einen Zeugeneid
übergehen und sodann die Eidhelfer selbst, wie wir sehen werden,
wahre Zeugen werden. Der ursprünglich in sehr enge Schranken
eingeengte Zeugenbeweis wurde übrigens in den Städten, als dem
freien Verkehr mehr zusagend, begünstiget. Es hat demnach auch
der freie Verkehr nicht wenig dazu beigetragen, die Eidhelfer nach
und nach zu verdrängen.

Die Zeugen wurden meistentheils von dem Kläger und An=
kläger zum Beweise ihrer Klage und Anklage beigebracht, z. B.

---

9) Stadtrecht von München, §. 248.
10) Stadtrecht, §. 249.
11) Das heißt in der Leuunten, Leumben, Leumut oder in einem üblen Ruf.
Schmeller, II, 465 u. 466.
12) Stadtrecht bei Freyberg, V, 59. vrgl. Konrad Maurer, in der krit.
Ueberschau, V, 188—195.

in Freiberg [13]), in Medebach [14]), in Ens [15]), in Wien [16]), in Regensburg [17]), in Freising [18]), in Nördlingen [19]), in Dinkelsbühl [20]), in Goslar [21]) u. a. m. In Frankfurt sollte der Kläger gleich bei der Anstellung der Klage die Zeugen nennen. [22]). Manche Verbrechen, wie der Meineid, pflegten immer mit Zeugen bewiesen zu werden, z. B. in Freiburg im Breisgau [23]), in Kolmar [24]), in Regensburg [25]), in Wien [26]). Auch die beigezogenen Schreileute waren meistentheils Zeugen, keine Eidhelfer. Ueberhaupt waren die Mitschwörer des Anklägers meistentheils Zeugen, Eidhelfer aber, wie wir sehen werden, nicht ausgeschlossen. (§. 573.) Allein nicht bloß der Kläger und Ankläger, auch der Beklagte konnte sich z. B. bei Besitzstreitigkeiten, des Zeugenbeweises bedienen [26a]). Eben so der Angeklagte, um sich von der Anklage zu reinigen [26b]) oder um sein alibi zu beweisen [27]). Bei einer Konkurrenz des Zeugenbeweises mit dem Reinigungseid hatte frühe schon der Zeugenbeweis den Vorrang, z. B. in Soest [28]), in München [29]), in Freising [30]), in Wien [31]), in Ens [32]) u. a. m., und später auch in

---

13) Stadtrecht, c. 7, 8, u. 21 bei Schott, III, 182, 186 u. 214
14) Stadtrecht von 1165, §. 6.
15) Stadtrecht von 1212, §. 1, 9, 11 u. 12.
16) Stadtrecht von 1221, §. 4.
17) Stadtrecht bei Freyberg, V, 59.
18) Ruprecht, II, 6.
19) Stadtrecht, c. 4 bei Senckenberg, p. 356.
20) Statut aus 14. sec. §. 6.
21) Göschen, p. 495
22) Stadtrecht von 1297 § 6 in Wetteravia, p. 253.
23) Stiftungsbrief von 1120 §. 42.
24) Stadtrecht von 1293 §. 29.
25) Stadtrecht bei Freyberg, V, 68.
26) Stadtrecht von 1221 §. 37.
26a) Ruprecht von Freising, II, 94 Stadtrecht von Freising, §. 139 u 151. Privileg von Nürnberg von 1219 §. 5.
26b) Stadtrecht von Ens von 1212 §. 9.
27) Stadtrecht von Wien von 1221 §. 18. Ruprecht von Freising, II, 50.
28) Stadtrecht von 1120 §. 42.
29) Stadtrecht, 247 u 249.
30) Ruprecht von Freising, II, 50.
31) Stadtrecht von 1221, §. 18.

Magdeburg [33]). Auch ist es eine merkwürdige Erscheinung, daß bereits in den ältesten Stadtrechten, auf welche das fremde Recht noch keinen Einfluß geübt hatte, der Grundsatz ausgesprochen war, daß zwei Zeugen zu einem vollständigen Beweise hinreichen sollten, z. B. in den Stadtrechten von Freiburg [34]), von Kolmar [35]), von Dortmund [36]), von Ens [37]), von Wien [38]), von Wiener Neustadt [39]), von Freiberg [40]), von Freising [41]) u. a. m. Selbst in den nordischen Städten, in welchen öfters noch Zeugen neben den Eidhelfern vorkommen, wurden meistentheils zwei Zeugen neben dem Zwölfereid erfordert [42]), wie auch in dem Oesterreichischen Landrechte aus dem 13. Jahrhundert zwei Zeugen neben den sechs Eidhelfern [43]). Oefters wurden jedoch, je nach der Schwere des Verbrechens oder nach der Wichtigkeit des Streitgegenstands oder nach der Schwierigkeit des Beweises, sogar sieben Zeugen erfordert, z. B. beim Meineid [44]), bei dem Todschlag und der Nothzucht [45]), bei Besitzstreitigkeiten [46]), bei Diebstahl und Raub [47]).

---

32) Stadtrecht von 1212, §. 12.

33) Magdeburg. Schöffen-Urtheile III, c. 1, §. 6 u. 7. bei Zobel, p. 499.

34) Stiftungsbrief von 1120 §. 16., Stadtrodel §. 39. Stadtrecht von 1275 bei Schreiber, I, 79.

35) Stadtrecht von 1293, §. 6.

36) Stadtrecht aus 13. sec. §. 10 u. 12.

37) Stadtrecht von 1212 §. 9.

38) Stadtrecht von 1278 bei Lambacher, II, 148.

39) Stadtrecht, c. 1.

40) Stadtrecht aus 13. sec. c. 8 u. 21 bei Schott, III, 186 u. 214.

41) Stadtrecht von 1359, §. 151. Ruprecht von Freising, II, 50.

42) Andreas Sunesen, I, 1. Stadtrecht von Apenrade, §. 17 und von Flensburg §. 12 u. 32 im Corpus stat. Slesvicens. II, 181, 189 u. 362. Stadtr. von Flensburg bei Westphalen, IV, 1904 u. 1910. vrgl. Kolderup Rosenvinge Dänisch. Rechtsgesch. §. 75. Not. d.

43) Landrecht, c. 8 bei Senckenberg, vision. p. 219.

44) Freiburger Stiftungsbrief von 1120 §. 42. Stadtrecht von Wien von 1221 §. 37. von Kolmar von 1293 §. 29. von Regensburg bei Freyberg, V, 68.

45) Stadtrecht von Ens von 1211, §. 1, 9 u. 12.

46) Stadtrecht von Freising von 1359 §. 139. Ruprecht von Freising, II, 94.

Auch siegte immer diejenige Partei, welche die meisten Zeugen bei=
bringen konnte. So konnte in Wien, wo die Heimsuchung selbst
dritt vom Ankläger bewiesen werden sollte, der Angeklagte sich
selbst fünf reinigen [48]). Und in Freising siegte allzeit derjenige,
der die meisten und erbarsten Zeugen für sich hatte [49]).

§. 571.

Meistentheils durften die Parteien ihre Zeugen selbst wählen
und sie nehmen, wo sie dieselben fanden. Oefters war aber auch
ihre Wahl beschränkt, beschränkt theils auf die vom Richter oder
von den Parteien Genannten, theils auf gewisse Geschäftsleute oder
auf gewisse Eigenschaften der zu nehmenden Zeugen. Eine solche
Auswahl aus 20 von dem Richter Ernannten (denominati)
hatte statt in Wien und Heimburg bei der Nothwehr [1]) und bei
den zur Nachtzeit oder unter anderen erschwerenden Umständen vor=
gefallenen Verwundungen und Todschlägen [2]). Es ist jedoch nicht
ganz klar, ob die denominati in dem gegebenen Falle Zeugen oder
vielmehr Eidhelfer waren. Und es scheint sogar, daß sie bloße
Eidhelfer gewesen sind. Bei Besitzstreitigkeiten hatte in Freising der
Beklagte 21 Leute zu nennen, aus welchen der Kläger, nach=
dem sie vom Fronboten aufgerufen worden, sieben nehmen und
mit ihnen den Grund seiner Klage beschwören sollte. Diese Sieben
waren aber wahre Zeugen und keine Eidhelfer. Denn sie sollten
schwören, „daz in daz wars wissen sey" [3]). Bei Verkäufen sollten

---

47) Stadtrecht von Ulm von 1296, §. 35 u. 36 bei Jäger, Ulm, p. 734.
    Ruprecht von Freising, p. 272—73. Not.
48) Stadtrecht von 1221, § 29.
49) Ruprecht von Freising, I, 185. „vnd hat jr ainer mer Zeugen vund
    „erber. der behabt daz guet gar."
1) Stadtrecht von Wien von 1221 §. 15. und von Heimburg, c. 5. vrgl.
    oben §. 563.
2) Stadtrecht von Wien von 1221, § 18 und von 1278 bei Lambacher,
    II, 148. Stadtrecht von Heimburg, c. 6. bei Senckenberg, p. 273.
3) Stadtrecht von Freising von 1359, c. 139. — „mag dann der da ge=
    „sprochen wirt ain vnd zwainczigk genennen — vnd die sol er fron=
    „poten nennen vnd der sol jn dann dieselben fur pringen vnd daraus
    „sol er siben nemen vnd sol er dann ain sbern, daz daz gut sein aigen

die Zeugen aus den Weinkaufsleuten oder Litkaufleuten, d. h. aus den Leuten genommen werden, welche den Weinkauf oder Litkauf mitgetrunken hatten, z. B. in Freiberg [4]), in Brünn [5]), in Schleswich [6]), in Flensburg [7]), in Magdeburg [8]) u. a. m. Bei manchen ehelichen Streitigkeiten wurden bloß solche Leute als Zeugen zugelassen, welche der Hochzeit beigewohnt hatten. Sie wurden daher Heirathsleute, homines nuptiales oder Ringleute genannt, z. B. in Brünn [9]). Bei gewissen Verkäufen waren Unterkäufler die Zeugen, z. B. in Brünn [10]). Oefters mußten die Zeugen aus der Verwandtschaft oder aus der Nachbarschaft genommen werden, wenn die Verwandten oder Nachbarn am Besten Auskunft geben konnten, aus der Verwandtschaft bei dem Beweise der Freiheit [11]) u. a. m.; aus der Nachbarschaft, z. B. bei Besitzstreitigkeiten [12]), beim Hausfriedensbruch [12a]), wegen der Beherbergung von geächteten Leuten [13]) u. drgl. m.

Auch das gerichtliche Zeugniß hing ursprünglich in so fern von der freien Wahl der Parteien ab, als die Parteien selbst

---

"gut sey, — vnd sullen auch dieselben sbern, daz jn daz wars wissen "sey" —. Ruprecht von Freising, II, 94. — "man sol jn XXI nen= "nen zu vnnd dar aus sol er siben zeugen nemenn" —.

4) Stadtrecht, c. 12 bei Schott, III, 192. — "der muz haben sine li= "kouflute bi den licouf getrunken haben" —.

5) Schöffenbuch, Nr. 57 bei Rößler, p. 30. duos probos viros, quos emtionis et venditionis equi praedicti mercipotum, quod vulgariter litkup, leichauf dicitur, biberant —.

6) Stadtrecht, c. 67 im Corpus stat. Slesv. II, 29. "drinket se ok in "eyn Teken der Kopenscup eynen Wynkop — so bescherme he sik myt "den Wynkopes Lüden."

7) Stadtrecht, c. 38 im Corpus stat. II, 191.

8) Schöffenweisthum aus 13. sec. §. 16 bei T. u. St. p. 273.

9) Schöffenbuch, Nr. 202 u. 682 bei Rößler, p. 99 u. 315.

10) Schöffenbuch, Nr. 707 bei Rößler, p. 322.

11) Stadtrodel von Freiburg, §. 51. Stadtrecht von Augsburg bei Freyberg, p. 43. Sächs. Weichbild, art. 4 Viele Beispiele oben §. 100.

12) Ruprecht von Freising, I, 185.

12a) Stadtrecht von Leobschütz von 1270, §. 14 bei T. u. St. p. 375.

13) Stadtrecht von Wien von 1221, §. 23 und von 1278 bei Lambacher, II, 151. von Heimburg, c. 7. bei Senckenberg, p. 274.

zu dem Ende die Zeugen aufzurufen pflegten, und die Parteien, wenn kein Gerichtsbrief vorhanden [14]), oder der Gerichtsbrief ver= loren gegangen war, selbst dritt oder selbst siebend mit Dingleuten, die es gesehen und gehört, den Inhalt desselben nachweisen muß= ten[15]). Erst später hat das Dingzeugniß eine bestimmte Form und Gestalt angenommen. Und es wurde sodann von dem Richter selbst mit Dingleuten oder mit Schöffen erbracht. Auch wurde das gerichtliche Zeugniß selbst mehr und mehr dadurch erleich= tert und erweitert, daß zur Besichtigung des streitigen Gegen= standes oder der That selbst von dem Gerichte Boten gesendet und zum Zweck des Zeugnißgebens gewisse Personen bestimmt worden sind, und ihr Zeugniß sodann dem gerichtlichen Zeug= niß selbst gleichgestellt worden ist. So pflegten Boten an Ort und Stelle gesendet zu werden zur Besichtigung der Wun= den [16]) oder zur Besichtigung der falschen Münzen [17]) u. drgl. m. In Baiern u. a. m. nannte man die Besichtigung und die Beaugen= scheinigung eines streitigen Gegenstandes durch sachverständige Zeugen eine Kundschaft [18]). Oefters wurde die Besichtigung und der Augenschein auch im Namen des Gerichtes von einigen Raths= herren [19]), oder von den Schöffen oder anderen Urtheilsfindern vorgenommen [20]), oder es wurden zu dem Ende Aerzte oder andere Sachverständige beigezogen (§. 560).

---

14) Stadtrecht von Augsburg bei Freyberg, p. 108. — „der muz die er= „ziugen selbe dritte mit den dinchleuten die des tages vor gerichte wa= „ren" —. bei Walch §. 325.

15) Stadtrecht von Augsburg bei Freyberg, p. 74—75. und bei Walch, §. 187.

16) Stadtrecht von Freiberg, c. 27 bei Schott, III, 228. Stadtrecht von Regensburg bei Freyberg, V, 71.

17) Stadtrecht von Freiberg, c. 7 bei Schott, III, 182—184.

18) Stadtrecht von München, §. 148. Bairische Gerichtsordnung von 1520, tit. 7, art. 7. — „beweysung durch kundtschafft vnnd besichtigung „des augenscheins" —. vrgl. Schmeller, II, 311. Haltaus, p. 1143 ff.

19) Freiburger Stadtrodel, §. 75. Stadtrecht von 1275 u. 1293 bei Schrei= ber, I, 83, 84 u. 136.

20) Bamberg. Centgerichtsordnung bei Zoepfl, p. 130, 133 u. 135. Blut= gerichtsformel von Bremen in Assertio lib. p. 703

Zum Zweck der Erleichterung des gerichtlichen Zeugnisses wurde das Zeugniß einiger Rathsherren oder Schöffen dem Gerichtszeugniß selbst gleichgestellt und gleiche Kraft beigelegt, z. B. dem Zeugniß zweier Rathsherren in Goslar [21]), in Hamburg [22]), in Köln, wo die Rathsherren auch officiales hießen [23]), in dem Städtchen Neuß, wo die Rathsherren abwechselnd consules, officiati oder Amtleute genannt worden sind [24]), u. a. m., dann dem Zeugniß zweier Geschwornen (Swarne) in Bremen [25]). Zuweilen wurde sogar das Zeugniß des Bürgermeisters, oder des Oberstzunftmeisters, oder eines Rathsherren oder eines Zunftmeisters dem Zeugnisse zweier Biedermänner gleichgestellt, z. B. in Basel [26]). Aus demselben Grunde, zur Erleichterung des gerichtlichen Zeugnisses, wurde gestattet, daß wichtigere Rechtsgeschäfte, welche früher vor dem gesammten Gerichte oder vor der versammelten Gemeinde vorgenommen werden mußten, vor einigen Rathsherren oder Schöffen oder Kirchspielleuten vorgenommen werden durften, z. B. in Goslar [27]), in Lübeck [28]) u. a. m. Und in Straßburg, wo es keine Gerichtsschöffen gegeben hat (§. 333) wurden zu dem Ende Zunftschöffen beigezogen. Und das Zeugniß zweier solcher Schöffen galt so viel als das Zeugniß zweier Rathsherren („vor birre zwein (vor zwei Schöffen) oder vor zwein dez „rates") [29]).

Auch wurde in vielen Städten eine gewisse Anzahl angesehener, glaubwürdiger und verständiger Männer ernannt, aus denen vorzugsweise die Bürgen genommen, und vor

---

21) Stadtrecht bei Göschen, p. 97. Z. 21 u. 22.
22) Stadtrecht von 1270, VI, 9 bei Lappenberg, p. 29.
23) Urk. von 1178 bei Lacomblet, I, 326. Schiedsspruch Nr. 32, eod. II, 246 u. 251. vrgl. §. 56 oben.
24) Urk. von 1259 u. 1310 bei Lacomblet, II, 263, u. III, 63.
25) Statut, I, 55 ff., II, 4, 7, 25, 26 u. 39 bei Pufendorf, II, 52 u. 71 ff.
26) Einungbrief in Rechtsquellen, I, 23.
27) Göschen, p. 97. 23 ff.
28) Hach, I, 50 u. 51, II, 44, 45, 46 u. 103, III, 7, 101, 103 u. 174.
29) Stadtrecht von 1270, §. 38—41 bei Strobel, I, 328—329. Heusler, Vrf. Gesch. von Basel, p. 474—475.

benen die wichtigeren Rechtsgeschäfte abgeschlossen werden sollten, und von denen zwei zu einem vollständigen Beweis hinreichten. Solche Vertrauensmänner waren in Wien und Wiener Neustadt die **hundert glaubwürdigen Männer**, welche man auch die **Genannten** (denominati testes) zu nennen pflegte[30]), in Ulm die **24 Genannten**[31]), in Heimburg die **Zwanziger**[32]), anderwärts die **Genannten** (denominati), z. B. in Regensburg[33]), in Prag[34]), in Bamberg[35]) u. a. m.

Auch wurden seit dem 13. Jahrhundert in den meisten Städten **Gerichtsbücher** und **Stadtbücher** angelegt und in diese die wichtigeren Verhandlungen und Rechtsgeschäfte eingetragen (§. 543). Dadurch gelangte denn der **Urkundenbeweis** zu immer größerer Selbständigkeit. Der freie Verkehr in den Städten, indem er zum häufigeren Gebrauche von Handschriften und von anderen Urkunden nöthigte, trug selbst zur Verbreitung und zur Ausbildung des Urkundenbeweises bei. Daher erschienen nun allenthalben Verordnungen über die öffentlichen Urkunden und über die sich mehrenden Privaturkunden, über die sogenannten Handfesten, z. B. in Augsburg[36]), in Freising[37]), in München[38]), in Goslar u. a. m.[39]). Und allenthalben erhielt nun der Urkundenbeweis

---

30) Stadtrecht von Wien von 1221, §. 40. und von 1278 bei Lambacher, II, 154 u. 155. und von Wiener Neustadt, c. 73.

31) Jäger, Ulm, p. 297 u. 298.

32) Stadtrecht, c. 7. bei Senckenberg, p. 278.

33) Privileg. von 1230, §. 2. vrgl. oben §. 320.

34) Stadtrecht, c. 41 u. 129. bei Rößler, p. 28 u. 86.

35) Stadtrecht, §. 244 u. 370. und Verordnung von 1306 bei Zoepfl, II, 141. Ohne allen Grund und allen Nachweiß hält Zoepfl (I, 65—67 u. 78) die Genannten in Bamberg für Geschlechter, aus denen der Stadtrath gewählt worden sei, und die geschwornen Genannten für Rathsherren oder Rathsverwandte. Auch die große Anzahl der Genannten (es werden gegen Hundert mit Namen genannt) beweißt nichts für jene Ansicht. Denn auch in Wien und Wiener Neustadt kommen 100 Genannte vor.

36) Stadtrecht bei Freyberg, p. 114. uud bei Walch, §. 349 u. 350.

37) Ruprecht von Freising, II, 52 u. 53.

38) Stadtrecht, §. 94 u. 95.

39) Göschen, p. 488 ff. vrgl. noch Kaiserrecht, II, 27.

den Vorzug und den Vorrang vor dem Zeugenbeweis, z. B. in Hamburg [40]), in München [41]), in Freising [42]), in Regensburg [43]), in Bamberg [44]), in Augsburg u. _a. m. In Augsburg beruhte jene Bestimmung, wie wahrscheinlich auch in den übrigen so eben genannten Städten, auf einer späteren Verordnung. Denn in der älteren Fassung des Stadtrechtes bei Freyberg findet man sie noch nicht [45]). Und so wurde denn der Urkundenbeweis erst späterhin unabhängig von dem Zeugenbeweis und zu einem selbständigen Beweismittel.

2) Eid der Parteien mit und ohne Eidhelfer oder Zeugen.

Alleiniger Eid der Parteien.

§. 572.

Der Eid der Parteien mit und ohne Eidhelfer oder Zeugen war ein sehr wichtiges und weit verbreitetes Beweismittel.

Der Eid ohne Eidhelfer und ohne Zeugen kommt in Civilsachen und in Straffachen sehr häufig vor, meistentheils jedoch nur bei vorbereitenden Handlungen, bei bloßen Nebenpunkten, bei minder wichtigen Angelegenheiten oder wenn es an anderem Beweise fehlte [1]). Der alleinige Eid der Parteien reichte in Civilsachen hin, z. B. bei Vorladungen, um sich wegen nicht Erscheinens zu entschuldigen [2]), bei Pfändungen von Mobilien, zum Beweise fast aller Incidentpunkte [3]), zum Beweise von sonstigen Einreden, z. B. daß eine Frist gestattet worden sei [4]), daß der Ein-

---

40) Stadtrecht, VII, 3 bei Lappenberg, p. 39.

41) Stadtrecht, §. 106.

42) Stadtrecht von 1359, §. 137 u. 162.

43) Stadtrecht bei Freyberg, V, 48.

44) Stadtrecht, §. 15. vrgl. Zoepfl, p. 231 u. 232.

45) Stadtrecht bei Walch, §. 351.

1) vrgl. Plank in der Zeitschrift, X, 218 ff.

2) Stadtrecht von Soest von 1120, §. 60   Rathsordnung von Regensburg von 1359 bei Freyberg, V, 152.

3) Stadtrecht von München, §. 197. von Augsburg bei Freyberg, p. 131. bei Walch, §. 377.

4) Stadtrecht von Augsburg bei Freyberg, p. 129. und bei Walch, §. 372.

nehmer einer Gülte sein Dienstbote sei [5]), daß der eingeklagte Lohn
bereits verdient sei [6]) u. drgl. m. Aber auch einen Haupteid
durfte die Civilpartei öfters allein schwören, wenn auf die Heraus=
gabe eines Pfandes gegen den Inhaber des Pfandobjectes geklagt
ward [7]), wenn jemand der bloß Bürge war als Selbstschuldner be=
langt worden war [8]), wenn jemand die eingeklagte Schuldforderung
oder Gülte leugnete [9]), wenn eine Wittwe wegen einer von ihrem
verstorbenen Ehemann contrahirten Schuld angesprochen wurde [10]),
wenn bei ungetheilter Gemeinschaft ein Gesellschafter dem Anderen
leugnete [11]) u. s. w.   Insbesondere durfte auch ein von einem
Fremden in Anspruch genommener Bürger mit seinem alleinigen
Eid (sola manu) seine Freiheit beweisen, z. B. in Lübeck [12]). Auch
hatte der Kläger die Wahl, ob er den Beklagten den alleinigen Eid
schwören lassen oder selbst dritt ihn überführen wollte [13]). Wie in
Straffachen der Ankläger, so hatte demnach auch in Civilfachen der
Kläger das Recht den Beweis seiner Klage selbst zu übernehmen.
Es kam daher zum alleinigen Haupteide des Beklagten erst dann,

---

5) Stadtrecht von Augsburg bei Freyberg, p. 130. und bei Walch,
    §. 377.
6) Stadtrecht von Augsburg bei Freyberg, p. 133. und bei Walch,
    §. 386.
7) Stadtrecht von Augsburg bei Freyberg, p. 132. und bei Walch,
    §. 382.
8) Stadtrecht von Nördlingen, c. 15. bei Senckenberg, vision. p. 358.
9) Stadtrecht von Augsburg bei Freyberg, p. 128 u. 130. und bei Walch,
    §. 372 u. 377.
10) Stadtrecht von Augsburg bei Freyberg, p. 129. und bei Walch,
    §. 373.
11) Stadtrecht bei Freyberg, p. 138 u. 139. und bei Walch, §. 408.
12) Privileg von 1188 in Lüb. Urkb. I, 11. Si quisquam extraneorum
    superveniens aliquem civium de sua libertate pulsaverit, civis
    uicinior est ad obtinendum suam libertatem sola manu, quam
    extraneus ad ipsum convincendum.
13) Stadtrecht von Augsburg bei Freyberg, p. 128. „Swa aber ein bur=
    „ger dem andern laugente der gülte darumbe er in anspricchet da sol
    „er sinen eit vmbe nemen. oder er sol in beziugen selbe dritte mit vn=
    „versprochen luten" —. vrgl. noch p. 129, 130, 132 u. 133. und
    bei Walch §. 372, 373, 377, 383 u. 386.

wenn der Kläger den Beweis seiner Klage nicht selbst führen konnte oder wollte.

Allein nicht bloß in Civilsachen, selbst in Strafsachen reichte öfters der alleinige Eid der Parteien hin. Zuweilen reichte der alleinige Eid des Anklägers zum Beweise der Anklage hin (§. 558). Zumal aber der Reinigungseid durfte sehr häufig allein ohne Mitschwörer von dem Angeklagten geschworen werden, bei geringeren Vergehen fast allenthalben, z. B. in Lübeck [14]), in Goslar [15]), in Regensburg [16]), in Wien [17]), in Wiener Neustadt [18]), in Heimburg [19]), in Straßburg [20]) u. a. m., aber auch beim Todschlag, bei der Nothzucht und bei anderen schweren Verbrechen dann, wenn kein Beweis gegen ihn vorlag oder wenn er sich bei übernächtigen Verbrechen freiwillig bei Gericht gestellt hatte, z. B. in Nördlingen [21]), in Wien [22]), in Wiener Neustadt [23]), in Heimburg [24]), in Augsburg [25]) u. a. m. Auch der beim Bahr-recht zu leistende Eid war, wie wir gesehen, ein Reinigungseid ohne Eidhelfer. Und bei Beleidigungen und Lästerungen durfte der Thäter, also der Angeklagte selbst, mit seinem alleinigen Eid sogar die Strafe bestimmen, wenn er beschwor, daß die Beleidigung nicht mehr werth sei. (jurans eum non validius offendisse. — „swer, daz er in nicht mer gelastert hab, denn daz gut wert sey" —), z. B. in Wiener Neustadt [26]).

---

14) Hach, III, 383.
15) Privileg von 1219 bei Göschen, p. 115.
16) Stadtrecht bei Freyberg, V, 63.
17) Stadtrecht von 1221, §. 23.
18) Stadtrecht, c. 58.
19) Stadtrecht, c. 7. bei Senckenberg, p. 274.
20) Stadtrecht, c. 35 u. 52. bei Grandidier, II, 56.
21) Stadtrecht von 1318, §. 4 bei Senckenberg, p. 356.
22) Stadtrecht von 1278 bei Lambacher, II, 152.
23) Stadtrecht, c. 57.
24) Stadtrecht, c. 7 bei Senckenberg, p. 275.
25) Stadtrecht bei Freyberg, p. 54 u. 55. und bei Walch, §. 112. vrgl. noch oben §. 566.
26) Stadtrecht, c. 32 bei Würth, p. 70.

Eid mit Eidhelfern.

§. 573.

Die Eidhelfer oder Eidgenoffen (eytgenozen), wie fie fehr be=
zeichnend manchmal genannt werden [1]), waren kein eigenes felbftän=
diges Beismittel, wie die Zeugen. Der Eidhelfereid fetzte vielmehr
allzeit einen Haupteid voraus. Er follte den Haupteid der Partei
verftärken und unterftützen [2]), und wurde daher immer nur
bei wichtigeren Angelegenheiten, in denen man dem alleinigen Eid
der Partei nicht recht traute, begehrt. Die Eidhelfer waren dem=
nach bloße Helfer und fie wurden auch Helfer genannt [3]). Sie
follten ihrer Partei zur Erlangung ihres Rechtes und ihrer Un=
fchuld helfen [4]) und fie zu dem Ende mit ihrem Eid fchirmen,
befchirmen, wehren, defendere [5]). Die Eidhelfer follten
kein Zeugniß über ihr Wiffen abgeben, wie die Zeugen, fondern
über das, was fie glaubten, einen Glaubenseid fchwören.
Nach dem Stadtrecht von München follten fie fchwören, „daz fie
„an zweifel veftifleich gelauben, daz fein aid fey rain und
„nicht main," und „die baz veftigleichen gelauben, daz er un=

---

1) Rechtsbuch von Prag, §. 88 bei Rößler, p. 126.

2) Capit. Childeberti von 593, c. 5 bei Pertz, III, 8. de electis aliis
tres dabit, qui sacramenta firment. c. 13 X. de purgat can.
(V, 34.) tenentur iuramento firmare —. Stadtrecht von Flens=
burg bei Westphalen, IV, 1944. — „fchweren fchall, dat he neen
„frünb up veer Miel Weges hebbe, de ehm finen Eed können fter=
„fen helpen."

3) Stadtrecht von München, §. 249. Das Wort Eidhelfer habe ich
aber in keinem Stadtrecht und auch in keiner Urkunde gefunden.

4) Stadtrecht von Bamberg, §. 157 u. 159. — „dy im zu dem felben
„rehten helfen wolten" —. Stadtrecht von München, §. 248. und
Auer, p. 271 §. 6. — „die im fein unfchulb helffent gerichten" —.
Stadtrecht von Augsburg bei Walch, §. 135.

5) Stadtrecht von Schleswich, art. 23, von Flensburg, art 116 und von
Alpenrade, art. 116 im Corpus stat. Slesvic. II, 13, 219 u 403. —
„de 5 fchölen ehm wehren mit ehren Eybe. Oft ein ebber 2 van
„diffen nicht wehren willen" —. Si unus vel duo ipsorum de=
fendere noluerint —.

„ſchuldig ſey an der getat" [6]). Dieſer Glaubenseid ſtützte ſich jedoch nicht auf ein völlig vages Glauben und Meinen der Eidhelfer über die Moralität des Hauptſchwörers, ſondern ganz vorzüglich auch auf ihre eigene Kenntniß der objektiven Wahrheit der Thatſache, welche dem Haupteide zu Grunde lag, alſo auf Alles was ſie in dieſer und jener Beziehung ſelbſt geſehen und gehört hatten. Klar und deutlich geht dieſes aus einer Vergleichung des Stadtrechtes von München mit dem Freiheitsbriefe von 1294, aus welchem die erwähnte Beſtimmung in das Stadtrecht übergegangen iſt, hervor. Denn in dem Freiheitsbriefe heißt es von den Eidhelfern, „die daz „geſehen vnd gehöret haben, daz er vnſchuldig ſi an der tat," während jene Stelle im ſpäteren Stadtrecht alſo lautet, „die daz „veſtigleichen gelauben, daz er unſchuldig ſey an der getat" [7]). Der Glaubenseid hatte demnach große Aehnlichkeit mit dem öffent= lichen Zeugniß, welches die Zeugen abzulegen hatten. Auch die Zeugen waren nämlich, wenn die Parteien mit ihnen zu ſchwören hatten, in einem gewiſſen Sinn, wie wir geſehen, ſelbſt Eidhelfer, und wurden auch Mitſchwörer oder conjuratores genannt. Eben ſo ſind aber auch die Eidhelfer in einem gewiſſen Sinn Zeugen geweſen, und öfters auch Gezeugen (Getüch) [8]) und testes genannt worden [9]). Daher konnten die Eidhelfer um ſo leichter in wirkliche Zeugen übergehen, bis zuletzt mit dem Aufkommen des neuen Pro= zeſſes das öffentliche Zeugniß der altgermaniſchen Zeugen und der Glaubenseid der Eidhelfer durch das moderne Privatzeugniß verdrängt und erſetzt worden iſt.

---

6) Stadtrecht von München §. 247 u. 248. und Auer p. 271 §. 6. Nach c. 13 X, de purgat. can. (V, 34.) id solum tenentur iuramento firmare, quod veritatem credunt eum dicere —.

7) Freiheitsbrief von 1294 bei Bergmann, II. 11. Stadtrecht, §. 247. vrgl. Konrad Maurer, in krit. Ueberſchau, V, 197—213.

8) Sächſ. Lr. III, 88, §. 3 u. 4. „Dar na ſal ſveren ſin getüch, dat „ſin eid ſi reine vnbe vnmeine."

9) Schöffenbuch von Brünn, Nr. 446 bei Rößler, p. 202. testes jurare tenerentur, quod juramentum C. mundum esset vel salvum vel justum et verum. c. 13 X, de purgat. can. (V, 34). De testibus, qui — tenentur iuramento firmare, quod veritatem credunt —.

Der Glaubenseid der Eidhelfer setzte, wie bemerkt, allzeit einen Haupteid voraus, was bei dem Zeugeneid nicht immer der Fall war. Wenn daher der Haupteid ausgeschlossen war, so waren es auch die Eidhelfer. Da nun der Reinigungseid in der Regel erst dann zugelassen wurde, wenn kein anderer Beweis, insbesondere kein Zeugenbeweis vorhanden war, so kam es auch zum Eidhelfer= eid erst dann, wenn es an anderem Beweis fehlte[10]). Der Glau= benseid der Eidhelfer war demnach ein bloßer Vertrauenseid für denjenigen, der den Haupteid zu leisten hatte, und eine Bürg= schaft für die Reinheit des Haupteides. Daher sollten die Eid= helfer erst nach dem Hauptschwörer, und zwar bloß schwören, daß der Haupteid rein und nicht mein oder unmein sei[11]).

Eidhelfer waren übrigens in Civilsachen ebensowohl wie in Strafsachen zulässig. Bei der Vindication von gestohlnen oder ge= raubten Gegenständen mußte der Vindicant insgemein mit zwei oder sechs Eidhelfern, also selbst dritt oder selbst siebend beschwören, daß das Gut, ehe es gestohlen worden, sein gewesen sei und ihm auch jetzt noch gehöre, oder daß ihm das Gut gestohlen worden sei, z. B. in Memmingen[12]), in Freiberg[13]), in Goslar u. a. m.[14]). Und wenn der Vindicant keine Eidhelfer finden konnte, so sollte er selbst alle Eide allein schwören, z. B. in München alle drei

---

10) Rechtsbuch von Prag. §. 88. „Inhat abir sy der geclagten sache kein „gezeugnuss, so gericht er ir selb IX" —. vrgl. oben §. 566.
11) Stadtrecht von Freiberg, c. 9, 10, 19 u. 20 bei Schott, III, 190, 191, 209 u. 213. — „so muzen denne di sechse nachsweren mit einander „also. den eit den heinrich gesworn hat der ist reine vnd vn meine" —. „den eit den her cunrat vor gesworn hat der ist reine vnd vnmeine „baz in got so helfe vnd alle heiligen." Urk. von 1332 u. 1349 bei Heider, p. 653 u. 654. — „Darnach sond sechs glaubhafft Mann, „die zegegen vor Gericht seynd, schweren, daß der Aid rain vnd nit „main." vrgl. noch Stadtrecht von Augsburg bei Walch, §. 135.
12) Stadtrecht, c. 1 bei Freyberg, V, 250 „wil denn der klägel beheben „mit sinem aid, daz jm daz selb guot entwert sie biupplich oder röpp= „lich wider rechtz vnd mag er zwen erber vnversprochen man zuo jm „gehaben, die gelert ayd swerent, daz der ayd rain sie vnd nit main."
13) Stadtrecht, c. 9 u. 10 bei Schott, III, 190 u 191.
14) Stadtrecht bei Göschen, p. 98. Distinct. IV, c. 42 §. 3.

Eide, den sogenannten ein Drei Eid [14a]). Aber auch in Straf=
sachen wurde öfters der Eid des Anklägers und noch öfter der Rei=
nigungseid des Angeklagten durch Eidhelfer verstärkt und unter=
stützt. In Augsburg mußte der Ankläger bei Leibes und Lebens=
strafen mit 6 Eidhelfern, also selbst siebend seine Anklage bewei=
sen [15]). Eben so sollte mit 6 Eidhelfern, also selbst siebend, be=
wiesen werden die Anklage eines missethätigen Mannes in Lindau
und in Tirol [16]) und in Goslar [17]), dann die Anklage eines ver=
festeten Mannes, z. B. in Magdeburg [18]) und die Anklage wegen
Diebstahl und Raub in Freiberg dann, wenn der Ankläger ein
Fremder war [19]). Mit zwei Eidhelfern, also selbst dritt mußte
aber der Ankläger seine Anklage beweisen in Regensburg beim
Mord, Brand, Raub und Diebstahl [20]). Eben so in Memmin=
gen [21]) beim Mord und Diebstahl und in Nördlingen bei dem Be=
weise der Nothwehr [22]). Noch häufiger kommen aber Eidhelfer
beim Reinigungseid vor. So mußte der Angeklagte selbst
dritt schwören in München bei Leibes= und Lebensstrafen [23]) und
in Memmingen beim Todschlag [24]), selbst viert in München bei
Todschlägen zur Nachtzeit [25]), selbst fünf beim Raub, Todschlag,
Mord u. a. m. in Brünn [26]) und in Wiener Neustadt [27]), selbst
siebend beim Mord in Bamberg [28]), und in Brünn bei der Heim=

14a) Stadtrecht, §. 71 u. 75. vrgl. oben §. 562.

15) Stadtrecht bei Walch, §. 135. — „daß er in überfibenden muß so soll
    „er schweren — und sollen denn die Sechs die ihm da helffen wellent
    „nach im schweren daß der aid rein sey und nit mein" —.

16) Urk. von 1332 u. 1349 bei Heider, p. 653 u. 654.

17) Stadtrecht bei Göschen, p. 36.

18) Schöffenbrief von 1304, § 102 bei T. u. St. p. 469.

19) Stadtrecht, c. 19 u 20 bei Schott, III, 209, 212 u. 213.

20) Stadtrecht bei Freyberg, V, 80 u. 81.

21) Stadtrecht, c. 2 u. 8.

22) Stadtrecht, c. 7 bei Senckenberg, p. 356.

23) Stadtrecht, §. 247.

24) Stadtrecht, c. 6.

25) Stadtrecht, §. 248.

26) Schöffenbuch, Nr. 446 bei Rößler, p. 209.

27) Stadtrecht, c. 5.

28) Stadtrecht, §. 157.

suchung und bei dem falschen Zeugniß [29]), und selbst neun bei der Nothzucht in Prag [30]).

Die Anzahl der Eidhelfer war demnach sehr verschieden in den verschiedenen Städten und nach Verschiedenheit der Fälle. Sie richtete sich meistentheils nach dem Werthe und nach der Wichtig= keit des Streitgegenstandes und nach der Schwere der in Aussicht stehenden Strafe oder auch nach der Schwierigkeit des Beweises. So durfte sich in Regensburg der eines Friedbruchs Angeklagte mit seinem alleinigen Eid reinigen (sola manu expurgabit), wenn zur Zeit des Friedbruchs kein besonders beschworner Friede bestand. Wenn dagegen ein solcher Friede bestand, so mußte er sodann, weil die Handlung so viel strafbarer war, den Reinigungseid selbst dritt (tertia manu) schwören [31]). Eben so konnte sich daselbst der Angeklagte bei geringen Diebstählen mit seinem alleinigen Eid ohne Eidhelfer reinigen, bei größeren Diebstählen aber · nur selbst sie= bend [32]). Auch scheint es, daß in früheren Zeiten mehr Eidhelfer nothwendig waren, als in späteren Zeiten, und daß insbesondere der Zwölfereid auch in den Deutschen Städten sehr verbreitet gewesen ist, wie in den nordischen Städten noch in späteren Zeiten. Man findet diesen Zwölfereid z. B. noch in den alten Stadtrechten von Soest [33]), von Medebach [34]), von Dortmund [35]), von Lübeck [36]) u. a. m., insbesondere auch in Hamburg [37]), während man später= hin, wenige Fälle ausgenommen, nicht leicht mehr als sechs Eid= helfer, also den siebener Eid finden dürfte. Auch kann nachgewiesen werden, daß die Anzahl der Eidhelfer in manchen Städten von Zeit zu Zeit herabgesetzt worden ist, bis zuletzt die Eidhelfer sich

---

29) Stadtrecht, §. 3 u. 86 bei Rößler, p. 342 u. 362.
30) Rechtsbuch, §. 88.
31) Privileg von 1207 bei Gemeiner, Ursprung von Regensburg, p. 69. Privileg von 1219 §. 2.
32) Rathsordnung von 1390 bei Freyberg, V, 63.
33) Stadtrecht von 1120, § 19. Schrae, art 18 u. 19.
34) Stadtrecht von 1165, §. 6.
35) Stadtrecht §. 9 bei Wigand.
36) Hach, I, §. 54.
37) Die Hamburger mußten noch im Jahre 1264 den Zwölfmanneneid in Norwegen schwören. Urkde. bei Lappenberg, Hamb. Urkb. I, 557.

gänzlich verloren haben. So sollte z. B. in Soest der Ankläger den Angeklagten nach dem alten Stadtrechte selbstsiebend überführen, während nach der späteren Schrae zwei Biederleute hinreichten [38]). Und wie bei den Zeugen so siegte auch bei den Eidhelfern immer die Mehrzahl auf der einen Seite über die Minderzahl auf Seiten der anderen Partei, z. B. bei der Vindication gestohlner oder geraubter Gegenstände (§. 562), bei der behaupteten Nothwehr (§. 564) u. a. m. So durfte in Augsburg der Angeklagte mit der Mehrheit der Umherstehenden den Ankläger mit seinen sechs Eidhelfern überbieten (§. 566). Und in Wien, wo die Heimsuchung selbander vom Ankläger bewiesen werden sollte, konnte der Angeklagte sich selbst fünf reinigen [39]).

Wie ihre Zeugen so durften die Parteien auch ihre Eidhelfer meistentheils selbst wählen und sie nehmen, wo sie dieselben fanden. Oefters mußten sie dieselben aber auch aus bestimmten Kreisen nehmen, aus ihrer Freundschaft oder Verwandtschaft [40]), aus ihrer Zunft oder Gilde [41]), aus der Nachbarschaft [42]) oder zum Theil aus der Nachbarschaft und zum Theil aus der Gilde (5 Nachbarn und 6 Gildebrüder) [43]), oder auch theilweise aus den Schöffen [44]) oder aus den Rathsherren [45]), oder sie wurden ihnen auch von dem Richter oder von dem Fronboten genannt. So hatte in Wien der Richter 20 Personen zu nennen, aus welchen der Angeklagte vier auswählen und sich sodann selbst fünf

---

38) Stadtrecht von 1120, §. 19. vgl. mit Schrae, art. 18 u. 19.

39) Stadtrecht von 1221, §. 29.

40) Stadtrecht von Bamberg, §. 157 u. 158. Stadtrecht von Flensburg, art. 8, von Apenrade, art. 9 und von Hadersleben, art. 23 im Corpus stat. Slesv. II, 179, 360 u. 461.

41) Stadtrecht von Schleswich art. 8, von Flensburg, art. 69, 78, 115, 116, 119 u. 121. und von Apenrade, art. 74 u. 79.

42) Stadtrecht von Schleswich art. 23, von Flensburg art. 58 u. 60 und von Apenrade art. 63.

43) Stadtrecht von Flensburg art. 110 und von Apenrade art. 116.

44) Stadtrecht von Brünn, c. 2, 4, 8 u. 10 bei Rößler, p 342 ff.

45) Stadtrecht von Nördlingen, c. 6 u. 14 bei Senckenberg, p. 356.

reinigen durfte [46]). Eben so in Heimburg [47]). In München sollte der Fronbot 21 Personen mit lauter Stimme aufrufen, aus welchen der Angeklagte drei auszuwählen und mit ihnen selbst viert den Reinigungseid zu schwören hatte [48]). Man nannte die auf diese Weise ernannten Eidhelfer die Genannten oder denominati. Auch zum Voreid (juramentum calumniae) pflegten die Eidhelfer in dieser Weise ernannt zu werden, wenn der Verwundete so schwach war, daß er nicht vor Gericht erscheinen konnte. In diesem Falle sollte nämlich der Richter zwei Personen zu ihm schicken, aus welchen er sodann Einen auszuwählen und mit ihm selbander den Voreid zu leisten hatte [49]).

In dieser Auswahl aus den von dem Richter oder Fronbot Ernannten lag eine Verwerfung der Uebrigen. Auch hatten die Parteien das Recht die von der Gegenpartei gewählten Eidhelfer zu verwerfen, sie wie bei den Geschwornen Gerichten zu rekusiren. Und der Beweisführer war sodann berechtiget für den Verworfenen einen Anderen zu stellen [50]). Es wird zwar dieses Verwerfungsrechtes nur selten Erwähnung gethan. Nichts desto weniger scheint dasselbe sehr verbreitet gewesen zu sein. Denn das Recht Eidhelfer zu sein war allenthalben an gewisse Eigenschaften gebunden. Es muß demnach auch ein Mittel gegeben haben, diejenigen zu entfernen, welche jene Eigenschaften nicht hatten. Ein von dem Verwerfungsrecht verschiedener Fall war der, wenn Einer oder der Andere der von den Parteien gewählten Eidhelfer den Eidhelfereid verweigerte. Denn in diesem Falle durfte der Beweisführer nur dann einen Anderen wählen, wenn er beschwor, daß

---

46) Stadtrecht von Wien von 1221, §. 3, 15 u. 18. und von 1278 bei Lambacher, II, 148.

47) Stadtrecht, c. 3 u. 6 bei Senckenberg, p. 270 u. 273. vrgl. oben §. 571.

48) Freiheitsbrief von 1294 bei Bergmann, II, 12. Stadtrecht, §. 248.

49) Stadtrecht von Wien von 1221 §. 16. von Heimburg, c. 6 bei Senckenberg, p. 273. von Brünn, c. 14. bei Rößler, p. 347.

50) Stadtrecht von Bamberg, §. 157 u. 158. — „vnd wurd im der seher „einer oder mer verworfen so mag er ye einen andern an dez selben „stat stellen." vrgl. noch Sächs. Lr. II, 22. §. 4. und Meine Gesch. des altgerman. Gerichtsverfahrens, p. 109.

der sich Weigernde nicht um der Wahrheit willen, sondern aus Feindschaft und Haß ihn mit seinem Eid nicht beschirmen und nicht wehren wolle [51]).

Eid mit Zeugen.

§. 574.

Außer den Zeugen als einem eigenen selbständigen Beweis= mittel kommen öfters auch Zeugen als Mitschwörer bei der Leistung eines Parteieides vor, und zwar in Civilsachen ebensowohl wie in Strafsachen. In Civilsachen kommen solche mitschwörende Zeugen vor in Augsburg bei der Auspfändung des Schuld= ners [1]), bei der Zurückforderung von anvertrautem Gut [2]), bei Klagen der Gesellschafter gegen einander [3]) u. drgl. m. Eben so bei Geld= und anderen Forderungen in München [4]), in Freising [5]) u. f. w. Aber auch in Strafsachen waren die Mitschwörer öfters wahre Zeugen und keine Eidhelfer. Die Mitschwörer des Anklägers waren sogar sehr häufig Zeugen, z. B. in Nörd= lingen [6]), in Augsburg bei Friedbrüchen und bei der Nothwehr [7]),

---

51) Stadtrecht von Schleswig, art. 23. von Flensburg, art. 60 u. 116. und von Apenrade, art. 116. vrgl. oben §. 573. Not. 5.

1) Stadtrecht bei Freyberg, p. 131. — „oder selbe dritte vnferworfener „lute mit den die ez gehoert habent vnde gesähen." bei Walch §. 377.

2) Stadtrecht bei Freyberg, p. 103. — „der uzman selbe dritte mit pur= „gärn, die ez warz wizzen, vnde auch dabi wären, da er in sin gut „enphalh." bei Walch, §. 297.

3) Stadtrecht bei Freyberg, p. 139. — „swes darnach einer dem andern „laugent. daz beziuget einer hinz dem andern wol selbe dritte. mit den „die es gehört hant vnde gesehen." bei Walch, §. 408.

4) Stadtrecht, §. 8, 11, 12, 96 u. 99.

5) Stadtrecht von 1359, §. 151, 155, 157, 166, 178, 180, 186 u. 211.

6) Stadtrecht, c. 4 bei Senckenberg, p. 356. „dieselben suln ez helfen „mit starken aiden. daz si ez gesehen und gehoret haben daz er ez habe „getan."

7) Stadtrecht bei Freyberg, p. 51, 69 u. 74. — „mak der daz bringen „selbe dritte mit den die die notwer gesähen hant —. mac man in „des beziugen selbe dritte mit den die ez gehoeret vnde gesähen ha- „bent" —. bei Walch, §. 102, 167 u. 186.

in Herford beim Mord und Todschlag, beim Verrath und bei jedem anderen Ungericht [8]). Auch die zum Beweise der Anklage beigezogenen Schreileute waren meistentheils wirkliche Zeugen, denn sie sollten bezeugen, was sie gesehen und gehört hatten (§. 558 u. 570). In den nordischen Städten kamen sogar neben dem Zwölfereid noch zwei Zeugen vor, also neben dem Parteieneid und 11 Eidhelfern auch noch zwei Zeugen. Im übrigen Deutschland habe ich jedoch dieses außer in dem alten Oesterreichischen Landrechte nirgends gefunden (§. 570).

In den meisten Deutschen Städten wurde der Eid der Parteien als Haupteid mit und ohne Eidhelfer frühe schon beschränkt oder auch gänzlich verdrängt. Schon nach dem Kaiserrecht sollte der Beweis in der Regel mit Zeugen geführt und der Eid der Parteien nur noch dann zugelassen werden, wenn es an Zeugen fehlte. („hat aber der, der bezugen sal, dreier „manne nit, so mag er selber der dritte sin") [9]). In sämmtlichen Stadtrechten wurde aber der Zeugenbeweis mehr und mehr begünstiget. Daher findet man frühe schon den Zeugenbeweis als ein selbständiges Beweismittel ohne einen Eid der Parteien und demnach auch ohne Eidhelfer (§. 570 u. 571). Auch behielt der Zeugenbeweis den Vorzug vor dem Reinigungseid und vor jedem anderen Beweismittel (§. 566). Die Folge dieser Begünstigung war, daß die Eidhelfer mehr und mehr in den Hintergrund getreten und zuletzt von den Zeugen verdrängt und ersetzt worden sind.

Mit den Eidhelfern hat sich aber auch der alte Haupteid der Parteien verloren, oder er hat wenigstens eine andere Bedeutung erhalten. In Straffachen war nämlich neben dem Zeugenbeweis ein Eid des Anklägers nicht weiter mehr nöthig, seit dem Untergang des Anklageverfahrens sogar nicht mehr möglich. Der Eid des Verletzten (des früheren Anklägers) nahm viel

---

8) Schöffenbuch um 1350 bei Meinders, de jud. cent. p. 293 u. 294. „De Kleger scholle ene vorlügen mit dem Schine und mit seven Han„den. De Kleger schall schweren, datt de sulve N. N. de de Daet heset „gedaen, be dar noch schinbar iß. — Darna sollen schweren sesse, dat „en dat wittlich und kundig sye, dat de N. be daet heset gedaen, be „hier noch schinbahr iß" vrgl. noch oben §. 570.

9) Kaiserrecht, I, 20.

mehr nun die Natur eines Zeugeneides an. In einigen Städten
wurde er auch durch einen Amtseid erſeßt, z. B. in Brünn und
Prag durch den Eid eines Schöffen, ſo daß demnach ſtatt des
Anklägers ein Schöffe mit 6 anderen erbaren Leuten den Ange=
klagten zu überſiebnen hatte[10]). Aber auch der Reinigungseid
des Angeklagten konnte ſich neben dem Zeugenbeweis, und ſeitdem
man die Eingeſtändniſſe mittelſt der Tortur zu erpreſſen pflegte, in
die Länge nicht mehr halten, wiewohl der Reinigungseid ohne Eid=
helfer bei zweifelhaftem Beweis noch lange Zeit zugelaſſen worden
iſt. In Civilſachen dagegen nahm nun der alte Haupteid der
Parteien die Natur eines vom Richter aufgelegten Eides an, ent=
weder eines Erfüllungseides oder eines Reinigungseides,
im einen wie in dem anderen Fall jedoch ohne Eidhelfer.

Formalitäten bei der Eidesleiſtung.

§. 575.

Die Eide wurden meiſtentheils auf die Heiligen geſchworen
und zu dem Ende wurden dieſe ſelbſt vor Gericht gebracht (§. 540).
Oefters wurden aber die Eide auch auf ein Kreuß geſchworen (in
cruce jurare — in cruce demonstrare — crucem tangens u.
ſ. w.)[1]). In vielen Städten ſollten die Eide auf das vor Gericht
gebrachte corpus delicti oder auf den Angeklagten ſelbſt geſchworen
werden. Und man pflegte im leßten Falle die Heiligen auf das
Haupt des Angeklagten zu ſeßen und darauf ſodann zu ſchwören,
z. B. in Goslar („ſo ſwere de ſakwolde uppen hilleghen uppe des
„beklagheden mannes hövede“)[2]). Beim Bahrrecht wurde auf den
Leichnam oder auf das Leibzeichen (§. 560). Auch bei der Vin=
dication geſtohlner oder geraubter Gegenſtände mußte der Gegen=
ſtand berührt und in dieſer Stellung der Eid geleiſtet werden

---

10) Stadtrecht von Brünn, c. 3 bei Rößler, p. 343. probare poterit
cum VI idoneis et honestis personis et uno jurato. Gemeinde=
beſchluß von Prag von 1331 bei Rößler, p. 25.

1) Schöffenbuch von Brünn, Nr. 101, 429 u. 721 bei Rößler, p. 54, 200
u. 329.

2) Stadtrecht bei Göſchen, p. 36.

(§. 562). In Tirol sollte der Ankläger seine zwei Finger auf den Schopf des angeklagten Mannes oder auf den Scheitel der ange= klagten Frau und die sechs Eidhelfer ihre Hände auf den Arm des Anklägers legen und in dieser Stellung den Eid schwören [3]). An= derwärts hatten wieder andere Formalitäten statt. Auch Miß= bräuche hatten sich hie und da eingeschlichen, z. B. in Aachen der Mißbrauch, daß der sich Reinigende sich während der Handlung auf die Erde neigen und eine dort liegende festuca in die Höhe heben mußte, ein Mißbrauch der schon von Friedrich I abgeschafft und statt dessen verordnet worden ist, daß der Reinigungseid stehend und ohne eine körperliche Bewegung jedoch in einer solchen Stel= lung geleistet werden solle, daß der Schwörende ein Stückchen von seinem Kleide abreißen konnte [4]). Ganz besonders merkwürdig sind indessen die Formalitäten bei Ableistung eines Reinigungseides in Hadersleben und Apenrade gewesen. Wenn daselbst der Angeklagte ein Fuhrmann (ein Fuhrkerl oder Wagen=Karl) war, so sollte er seinen Fuß auf ein Rad setzen und alsdann schwören, daß er keine angeborne und auch keine anderen Freunde in der Nähe habe, mit welchen er sich selbst zwölf wehren könne. War er ein Reiter, so sollte er seinen Fuß in einen Steigbügel setzen und also seinen Eid leisten. War er ein Schiffer, so sollte er mit seinem Steuermann oder Schiffer seine Hand oder seinen Fuß auf den Schiffsbord setzen und in dieser Stellung den sogenannten Schiffseid (Skipper= Eedt) schwören [5]).

Der Haupteid der Partei mußte immer zuerst geschworen werden. Nach ihm folgten erst die Eidhelfer, indem sie gemein= schaftlich die Hände erhoben, oder sie miteinander auf die Hei= ligen oder auf den Arm der schwörenden Partei legten, z. B. in Freiberg [6]), in Tirol u. a. m. [7]). In Goslar sollten die 6 Eid=

---

3) Urk. von 1349 bei Heider, p. 654.

4) Urk. von 1166 bei Quix, I, 38.

5) Stadtrecht von Hadersleben, art. 23 und Apenrader Skrae, art. 14 im Corpus stat. Slesvic. II, 419 u. 461.

6) Stadtrecht, c. 19 bei Schott, III, 209. „der vorderer (d. h. Ankläger) „— muz ouch zume ersten sweren also. —. So muzen de sechse ouch „sweren hinden nach. So sal der vorderer einis urteilis biten ab di „sechse mit einander sweren sullen oder al enceln. so sal man teilen

helfer, nachdem der Haupteid auf das Haupt des Angeklagten ge=
schworen war, je drei mit einander, drei vorher und drei nachher,
schwören daß der Eid rein und nicht unmeineidig sei [8]). Auch die
Zeugen wurden öfters gemeinschaftlich beeidiget, z. B. in
Regensburg („Nu habt all auf mit einander ieder man zwen Vin=
„ger mit der rechten hant" —). Vernommen wurden sie aber
immer einzeln, Einer nach dem Anderen [9]). Bei den Eidhelfern
war eine einzelne Vernehmung natürlich nicht nothwendig, weil sie
nur die Reinheit des Eides des Hauptschwörers zu beschwören, nichts
auszusagen hatten.

3) Gottesurtheile.

§. 576.

Auch die Gottesurtheile kommen noch lange Zeit in den
Städten vor. Wie anderwärts so wurde auch in den Städten nur
die Feuerprobe und die Wasserprobe, nicht aber der Zweikampf und
das Bahrrecht zu ihnen gerechnet, z. B. in Brünn u. a. m. [1]).
Es sollte zur Feuer= und Wasserprobe erst dann geschritten werden,
wenn keine Eidhilfe und auch kein anderer Beweis vorhanden oder
jede andere Entscheidung unzuläßig war. Man stellte sodann Gott
selbst die Entscheidung anheim in der Ueberzeugung, daß er der

---

„daz ſi alle mit einander ſullen ſweren. So mac he vregen eines ur=
„teiles wende ſi mit einander ſweren ſullen ab ſi ouch mit einander
„icht ſullen uf di heiligen legin." vrgl. noch c. 9, 10 u. 20 bei Schott,
p. 190, 191 u. 212—213.

7) Urk. von 1349 bei Heider, p. 654. „der ſoll bargehen vnd ihm zween
„Finger in den Schopff legen, vnd der Frawen in die Schaidlen, vnd
„ſoll ein Eyd ſchweren, — da ſollen ſechs bargehen, vnd ſollen ihre
„Händ legen auff deß erſten Arm vnd ſollen ſchwören, daß der Eyd
„rain ſey vnd nicht main" —. vrgl. oben §. 573.

8) Stadtrecht bei Göſchen, p. 36. — „dar na ſweren ſes man, dre vore
„unde dre na, dat de ed reyne ſi unde unmenedich" —.

9) Stadtrecht von Regensburg bei Freyberg, V, 59 u. 60.

1) Stadtrecht von 1243, c. 1 u. 7 bei Rößler, p. 342 u. 345. — per
dei justiciam id est per aquam. — per dei justiciam, id est per
iudicium aque, si vero in aqua processum non habuerit, — per
ignitum ferrum.

Unschuld beistehen und der Wahrheit zum Siege verhelfen werde. Als ein solches subsidiares Beweismittel kommen die Gottesurtheile noch vor in Ens [2]), in Wien [3]), in Freising [4]), in Braunschweig [5]), in Berlin [6]), in Brünn u. a. m. [7]). Auch in Mainz kommt noch der Kesselfang vor bei dem Münzerhausgenossen Gerichte, welches die Münzfälscher zu bestrafen hatte. Und der Münzmeister mußte den Kessel dazu kaufen („und ist er darum schuldig den Kessel zu „kauffen, das man richte über den Felscher") [8]). Nach manchen Stadtrechten hatte jedoch der Angeklagte die Wahl zwischen dem Reinigungseid und der Feuer= oder Wasserprobe, z. B. in Ens [9]), in Hannover [10]) und ursprünglich auch in Regensburg [11]). Allein schon in dem Stadtrecht von 1219 wird der Wasserprobe nicht mehr gedacht [12]).

Da nämlich die Feuer= und Wasserprobe wie der Reinigungs= eid ein Mittel war sich von einer Verdächtigung zu reinigen, so konnte man es wohl den Verdächtigten erlauben sich sogleich dieser

---

2) Stadtrecht von 1212, §. 12 u. 19.

3) Stadtrecht von 1221, §. 18 u. 25.

4) Ruprecht von Freising, I, 185, u II, 112.

5) Stadtrecht bei Leibnitz, script Bruns. III, 439.

6) Fidicin, I, 154.

7) Stadtrecht, c. 1, 7 u. 20 bei Rößler, p. 342, 345 u. 449. vrgl. L. Ripuar. 31, §. 5. Sächs. Lr. I, 39. u. III, 21 §. 2. Schwäb. Lr. W. c 39, 232 u. 335. Konrad Maurer, in der krit. Uebersich, V, 213—222.

8) Joannis, rer. Mog. III, 458. vrgl. Schwäb. Lr. Laßb. c. 192.

9) Stadtrecht von 1212, §. 19. ipse suam probet innocentiam, semet tercio ydoneorum virorum, vel judicio aque, vel ferri igniti, ita quod unum istorum sibi eligat —.

10) Rathsspruch von 1436 bei Grupen, observat rer.- et antiqu. p. 65. „Sunder he mocht sek des entslan drierleye wiis. Jnt erste: to bre= „ghende dat glögende jsern, eber jn eynen wallenben Ketel to gripende „wende an den Ellenbogen, eber he mochte sek bis entlebigen uppe be „hilligen sülv sevende alße to sek to nemende unbrüchtegeb seker bebrue „lübe. Jn besen bren stücken mochte he ben Kore hebben" —.

11) Privilegium von 1207 bei Gemeiner, Ursprung von Regensburg, p. 69. reus tercia manu denominatorum se expurgabit vel exa- mine frigide aque innocenciam suam probabit —.

12) Privileg von 1219 §. 2.

aller gefährlichsten Probe zu bedienen, um durch sie ihre Unschuld um so glänzender zu bewähren. Der Gottesurtheile bedienten sich hauptsächlich diejenigen, welche eines Verbrechens angeklagt oder verdächtiget worden waren, um ihre Unschuld zu beweisen und sich von allem und jedem Verdacht zu reinigen. So war es in Regens=burg, Freising, Ens, Wien, Brünn, Hannover u. a. m. Auch die Handwerker, z. B. die Bäcker in Augsburg, bedienten sich dieses Mittels, wenn sie einer unerlaubten Handlung in ihrem Gewerbe verdächtig waren [13]). Zum Beweise einer Anklage konnte sich jedoch kein Ankläger der Gottesurtheile bedienen. Nur die Nothwehr machte hievon eine Ausnahme. Wiewohl nämlich die alte Form des Beweises der Nothwehr in einer Anklage des in der Nothwehr Getödteten bestanden hat (§. 563), so wurde doch frühe schon eine Ausnahme von jener Regel in dem Falle gemacht, wenn der ge=rechtfertigte Todschläger wegen Tödung belangt worden war, z. B. in Wien [14]), in Brünn [15]) u. a. m. Denn in diesem Falle gehörte der Beweis der Nothwehr zu seiner Vertheidigung. Er durfte sich demnach wie jeder andere Angeklagte, auch der Feuer= und Wasser=probe zu seiner Rechtfertigung und Vertheidigung bedienen. In manchen Fällen konnte man sich sogar in Civilsachen des Wasser=urtheiles bedienen, z. B. in Freising u. a. m. [16]).

Wie bei dem Reinigungseid (§. 567), so mußte öfters auch bei der Feuer= und Wasserprobe, ehe der Angeklagte zu ihrer Vor=nahme genöthiget werden konnte, ein Kalumnieneid von dem Ankläger geschworen werden [17]), welchen man bei den Angelsachsen

---

13) Stadtrecht von 1156 in Mon. Boic. 29, I, p. 331. — decoqui pro-baticios panes. secundum judicium frigide aquae.

14) Stadtrecht von 1221 §. 2 u. 3. Si vero homicida confessus fuerit, se homicidium perpetrasse vim vi repellendo i. notwernde probet hanc notwer cum ignito ferro.

15) Stadtrecht von 1243, §. 7. bei Rößler, p. 344.

16) Ruprecht von Freising, I, 185. — „unnd ist es den umbsässenn nicht „wissenlich so sol es schaidnn ein wasser urtail." vrgl. Sächs. Lr. III, 21 §. 2. Schwäb. Lr. W. c. 232.

17) Urk. des Königs Ildefons von Aragonien von 1187 bei Henschel, I, 344. accusans praestabit sacramentum de calumnia, quod credit illum accusatum forefactum, de quo eum accusat, fecisse, et exinde accusatus recipiet judicium aquae frigidae.

einen Boreib (forath) [18]) und bei den Dänen einen Zuschwö=
rungseid (Aasuoren Eed) genannt hat [19]).

Ueber das bei den Gottesurtheilen beobachtete Verfahren findet
man in den Stadtrechten keine besonderen Aufschlüsse. Das Ver=
fahren war offenbar verschieden, je nachdem die Feuerprobe in einem
Anfassen oder in einem Tragen des glühenden Eisens, und die
Wasserprobe in einem Greifen in einen mit siedendem Wasser an=
gefüllten Kessel oder in einer Kaltwasserprobe bestand. Und es
hatten dabei auch in den Städten die anderwärts gebräuchlichen
Gebete, Einsegnungen und Beschwörungen statt, über welche wir
durch Rockinger so interessante Mittheilungen erhalten haben. Be=
sonders merkwürdig ist unter Anderem auch die Bestätigung der
Ansicht, daß auch bei der Feuer= und Wasserprobe eine Stellver=
tretung durch einen Anderen zulässig war [20]).

Der Gebrauch der Feuer= und Wasserprobe wurde in den
Städten frühe schon beschränkt, in manchen sogar ganz abge=
schafft. Nichts desto weniger finden sich noch im 17. Jahrhundert
Spuren von dieser jedenfalls sehr bedenklichen Unschuldsprobe.
Schon seit dem 13. Jahrhundert wurde die Feuerprobe nicht mehr
zugelassen, wenn eine genothzüchtigte Frau mit sieben Zeugen den
Beweis ihrer Anklage führen konnte, z. B. in Ens [21]), in Wien [22])
und in Brünn [23]). In Freising gehörte die Feuer= und Wasser=
probe schon seit dem 14. Jahrhundert zu den verbotenen Ge=
richten, zu denen man nicht mehr genöthiget werden sollte, denen
man sich jedoch freiwillig unterwerfen durfte [24]). In Passau wurde
die Feuer= und Wasserprobe bereits schon im 12. Jahrhundert aus=

---

18) Dreyer, de usu gen. juris Anglo-Sax. p. 175. Reinhold Schmid,
    die Gesetze der Angelsachsen, 2te ed. p. 578—79.

19) Andr. Sunesen, V, 15 u. VII, 15.

20) Rockinger, drei Formelsammlungen aus der Zeit der Karolinger, p. 331,
    356 u. 358. vrgl Osenbrüggen, Hausfrieden, p. 80.

21) Stadtrecht von 1212 §. 12.

22) Stadtrecht von 1221 §. 25.

23) Stadtrecht, c. 21 bei Rößler, p. 349.

24) Ruprecht von Freising, II, 110 u. 112. Schon das Mpt. von 1328
    enthält diese Vorschrift.

drücklich abgeschafft [25]) und in Hamburg im 13. Jahrhundert [26]). Meiftentheils geschah dieses jedoch stillschweigend dadurch, daß ihrer in den Stadtrechten nicht mehr erwähnt ward. In Regens= burg waren sie, wie wir gesehen, noch im Jahre 1207 im Gebrauch. Das Privilegium von 1219 aber kennt sie nicht mehr. Auch dem Wiener Stadtrecht von 1221 waren sie noch bekannt. Das Stadt= recht von 1278 aber spricht nicht mehr von ihnen [27]). Auch das Stadtrecht von Brünn von 1243 spricht noch von ihnen. In der späteren Deutschen Uebcrarbeitung werden sie aber mit Stillschweigen übergangen [28]). Eben so war noch die Kaltewasserprobe dem Augsburger Stadtrechte von 1156 bekannt. Das Stadtrecht von 1276 kennt sie aber nicht mehr. Und in den meisten Stadtrechten wurden die Ordalien stillschweigend dadurch abgeschafft, daß ihrer nicht mehr erwähnt ward, z. B. in den Stadtrechten von Soest, Medebach, Freiburg, Augsburg, München, Wiener Neustadt, Heimburg u. a. m. Nichts desto weniger haben sie sich doch noch, wenn auch in einer etwas veränderten Form und Gestalt, bis ins 17. und 18. Jahrhundert erhalten, z. B. in Basel und wahrschein= lich auch in Worms, in der Form einer Wasserstrafe und in Osna= brück u. a. m. als Hexenbäder.

Nach einer Beschreibung dieser Wasserstrafe von 1541 sollte in Basel der Uebelthäter, den man „mit dem Wasser richten „und ertränken" wollte, gebunden von dem Nachrichter in den Rhein geworfen, an einer bestimmten Stelle aber von den dazu bestellten Fischern wieder herausgezogen und den Todengräbern übergeben werden, die sodann bei Strafe alles anwenden mußten, um den Uebelthäter zu retten, der wenn er mit dem Leben davon gekommen war, seine Strafe glücklich bestanden hatte [29]). Aus den Jahren 1567, 1602, 1608 u. 1634 find viele Fälle bekannt, in welchen die Verurtheilten wieder lebendig aus dem Wasser hervor=

---

25) Privilegium von 1159 bei Gengler, p 410.
26) Urk. von 1257 bei Staphorst, Hamburg. Kirchengesch. Th. I, Bd. 2. p. 34—35.
27) Lambacher, II, 148.
28) Stadtrecht von 1243, c. 1 u. 7. vrgl. mit dem deutschen Text bei Rößler, p. 342 u. 345.
29) Ochs, VI, 482 u. 483.

gekommen und sodann in Gnaden entlassen worden sind [30]). Einer Kindsmörderin, welche im Jahre 1602 mit dem Wasser gerichtet werden sollte, die aber frisch und gesund aus dem Wasser wieder herausgekommen war, eröffnete die Juristenfakultät, „daß sie ihre „Probe bestanden habe.“ Und sie wurde sodann mit der Ermahnung sich ehrlich zu betragen, in ihre Heimath entlassen [31]). Als jedoch im Jahre 1634 wieder eine Kindsmörderin lebendig aus dem Wasser gezogen worden war, wurde sie zwar ebenfalls entlassen und nur aus der Stadt gewiesen. Die beiden Stadträthe erkannten jedoch, daß künftig „dergleichen malefizische Weibspersonen“ nicht mehr mit dem Wasser, sondern mit dem Schwert hingerichtet werden sollten [32]). Und damit war denn auch dieser Rest der alten Wasserprobe in Basel verschwunden. Denn seit dieser Zeit wurden die Kindsmörderinnen enthauptet und ihr Körper der Anatomie übergeben. Eine ähnliche Wasserstrafe scheint auch in Worms die im Jahre 1421 erkannte Kesselstrafe gewesen zu sein [33]). Noch weit länger als diese Wasserstrafen haben sich aber die sogenannten Hexenbäder, hie und da sogar bis in das aufgeklärte 18. Jahrhundert erhalten. Im Jahre 1636 erließ noch der Magistrat von Osnabrück eine weitläuftige Verordnung über den Gebrauch dieser Probe des kalten Wassers bei den damals sehr häufigen Hexenprozessen. Und in Preußen u. a. m. kamen die Hexenbäder noch in der Mitte des 18. Jahrhunderts vor [34]).

4) Gerichtlicher Zweikampf.

§. 577.

Der gerichtliche Zweikampf hängt mit dem Rechte der Fehde zusammen, und er ist seiner Grundidee nach selbst nichts anderes als eine in gesetzlichen Formen und unter gewissen Beschränkungen erlaubte Selbsthilfe oder eine in gesetzlich geregelter Form vor

---

30) Ochs, VI, 485, 762, 765 u. 773.
31) Ochs, VI, 762.
32) Ochs, VI, 773
33) Urtheil von 1421 bei Schannat, II, 444 „so urteilen wir in zum „Kessel“ —.
34) Majer, Gesch. der Ordalien, p. 100—106.

Gericht ausgeübte Fehde¹). Der gerichtliche Zweikampf war dem=
nach ursprünglich und seiner Grundidee nach kein eigentliches Be=
weismittel. Er wurde jedoch frühe schon, jedenfalls bereits seit dem
späteren Mittelalter, als ein Beweismittel betrachtet und als ein
solches auch in den Städten gebraucht. In den Stadtrechten wird
der Zweikampf neben und mit den anderen Beweismitteln genannt²).
Auch nach der Kampfgerichtsordnung von Nürnberg sollte der An=
kläger bei seiner kämpflichen Ansprache erklären, „er wolle ime (d. h.
seinem Widertheil) das bewei**ß**en mit **fi**nen Kolben auff fein
„Haupt nach Kampffsrecht"³). Daher wurde auch derjenige, der
im Zweikampfe unterlag, gestraft, wie jeder andere Ankläger oder
Angeklagte, welcher den Beweis nicht geführt hatte und daher fach=
fällig war, z. B. in Magdeburg⁴), in Dortmund⁵), in Freiberg⁶),
in Freiburg im Breisgau⁷), in Bern⁸), in Kolmar⁹), in Basel¹⁰)
u. a. m.¹¹). Und der Angeklagte hatte, wenn er im Kampf siegte,
wie bei einem geleisteten Reinigungseide und bei einer glücklich
überstandenen Feuer= und Wasserprobe, seine Unschuld bewiesen¹²).

Der gerichtliche Zweikampf findet sich übrigens noch, wenn
auch unter gewissen Beschränkungen, in allen alten Städten. Die
herrschende Bürgerschaft in den alten Städten hatte nämlich die=
selben Sitten und Gebräuche, wie die freien Landsassen. Erst seit
dem Siege der Zünfte hat sich dieses geändert. Und seitdem kam

---

1) vrgl. über den gerichtlichen Zweikampf Konrad Maurer, in der krit.
   Ueberschau, V, 222 ff.
2) vrgl. auch Richtsteig, Landr., c. 40 §. 3.
3) Histor. Norimb. dipl. II, 24.
4) Schöffenbriefe von 1261, §. 70 und von 1304, §. 137 bei T. u. St.
   p. 361 u. 477.
5) Stadtrecht, §. 10 bei Wigand.
6) Stadtrecht, c. 27 bei Schott, III, 234.
7) Stadtrobel, §. 74.
8) Handfeste von 1218 §. 32.
9) Stadtrecht von 1293 §. 1.
10) Ochs, III, 186.
11) Sächs. Weichbild, art. 35. Sächs. Lr. I, 53, §. 1 u. 69. Schwäb. Lr.
    W. c. 64.
12) Zwein, v. 5433—35, p. 170 f. „mit kampfe vor geri**ß**te sprach, ob
    „ez also geschach daz er mit kampfe unschuldec wart."

auch der gerichtliche Zweikampf unter den Stadtbürgern außer Gebrauch. Man findet daher den gerichtlichen Zweikampf noch in Köln [13]), in Freiburg [14]), in Bern [15]), Straßburg [16]), Kolmar [17]), Basel [18]), Soest [19]), Dortmund [20]), Lübeck [21]), Hildesheim [22]), Augsburg [23]), München [24]), Bamberg [25]), Magdeburg [26]), Halle, Freising, Wien u. a. m.

Des Zweikampfs konnte man sich zur Anklage, aber auch zur Vertheidigung bedienen. Von dem Zweikampf zum Beweise der Anklage reden die erwähnten Stadtrechte von Freiburg, Bern, Straßburg, Kolmar, Dortmund, Hildesheim, Magdeburg, Freiberg, Augsburg, München, Freising, Wien u. a. m. Aber auch der Angeklagte durfte sich des Zweikampfes zu seiner Vertheidigung und zur Erprobung seiner Unschuld bedienen, z. B. in Neuenburg [27]) u. a. m. Selbst die Verwandten eines Erschlagenen durften denselben noch mit dem Zweikampf vertheidigen, z. B. bei einer behaupteten Nothwehr oder wenn es bei gegenseitigen Verwundungen oder sonst nothwendig war, z. B. in Magdeburg [28]), Augsburg [29]), Freising u. a. m. [30]). Auch hatte der Zweikampf

---

13) Urk. von 1169 bei Lacomblet, I, 302.

14) Stiftungsbrief von 1120, §. 21 u. 22. Stadtrodel, §. 43, 44 u. 74.

15) Handfeste von 1218, §. 30—32.

16) Stadtrecht, c. 35 bei Grandidier, II, 56.

17) Stadtrecht, §. 1 u. 39.

18) Ochs, III, 186 u. 187.

19) arg. Stadtrecht von 1120, §. 41.

20) Stadtrecht, §. 10 bei Wigand.

21) Hach, I, §. 53. und Westphalen, III, 627 u. 628.

22) Urk. bei Grupen, antiquit. Hannov. p. 235.

23) Stadtrecht von 1276 bei Freyberg, p. 68. bei Walch, §. 165 u. 166.

24) Stadtrecht, §. 188.

25) Stadtrecht, §. 184.

26) Schöffenbriefe von 1261 §. 64 und von 1304 §. 137.

27) Freiheitsbrief von 1214 bei Walther, p. 22. At si fugitivus negare vult, quod non spectet ad requirentem, duello firmato se personaliter defendet —. vrgl. Richtsteig Landr. c. 40, §. 3.

28) Schöffenbriefe von 1261, §. 70 und von 1304, §. 71.

29) Stadtrecht bei Freyberg, p. 52 und bei Walch, §. 109.

30) Ruprecht von Freising, I, 152. Sächs. Lr. I, 64.

ursprünglich zu jeder Zeit und in jeder Lage des Verfah=
rens statt. Und es mußte ihm, so oft man sich seiner bediente,
jedes andere Beweismittel weichen. Zwar pflegte man erst dann
zu dem Zweikampf zu greifen, wenn es an Zeugen und an an=
deren Beweismitteln fehlte, z. B. in Bern [31]), in Basel [32]), in
Freising u. a. m. [33]). Da jedoch der Reinigungseid mit und ohne
Eidhelfer und jedes andere Beweismittel dem Zweikampf weichen
mußte [34]), so war derselbe zu jeder Zeit und in jeder Lage des
Verfahrens zulässig, sogar bei handhafter That [35]), gegen die Schrei=
leute [36]), und gegen andere Zeugen [37]), selbst gegen ein gerichtliches
Zeugniß [38]). Denn der Zweikampf verwehrte jedes andere
Zeugniß [39]).

§. 578.

In den Städten fing man jedoch frühe schon an den Zwei=
kampf zu beschränken und ihn wenigstens nur noch unter ge=
wissen Beschränkungen zu dulden. Denn so wenig, wie das
Recht der Fehde überhaupt, eben so wenig konnte sich auch diese
gesetzlich geregelte Fehde (der gerichtliche Zweikampf) neben dem
freien Verkehr in den Städten erhalten (§. 110). Bereits die älte=
sten Stadtrechte enthalten die Vorschrift, daß die Stadtbürger mit
Fremden, d. h. mit nicht Bürgern, nicht mehr zu kämpfen brach=
ten, wenn sie es nicht freiwillig thun wollten. Die Stadtrechte

---

31) Handfeste von 1218, §. 31.
32) Ochs, III, 187
33) Ruprecht von Freising, II, 5. Schwäb. Lr. c. 81 u. 82.
34) Stadtrecht von Straßburg, c 35 bei Grandidier, II, 56. Stadtrecht
    von Augsburg bei Freyberg, p. 55 und bei Walch, §. 112. Hallischer
    Schöffenbrief von 1235 §. 15 bei T. u. St. p. 296. Landfriede von
    1158 §. 2. bei Pertz, IV, p. 107.
35) Magdeburg. Schöffenbrief von 1261, §. 21 und von 1304, §. 63 bei
    T. u. St. p. 354 u 462.
36) Magdeburg. Schöffenbrief von 1261, §. 40.
37) Freiburg. Stiftungsbrief von 1120 §. 22. und Freiburg. Stadtrodel,
    §. 44. Stadtrecht von 1275 u. 1293 bei Schreiber, I, 77 u. 126 f.
38) Magdb. Schöffenbriefe von 1261 §. 39 und von 1304 §. 66.
39) Magdb Schöffenbrief von 1261 §. 70. — „mit Kampfe, die vorleget
    „allen Geziuch." Sächs. Lr. I, 64.

dulbeten zwar noch bergleichen Kämpfe. Es hing jedoch von dem
freien Willen der Bürger ab, ob sie einen solchen Kampf eingehen
wollten oder nicht. So war es in Freiburg[1]), in Kolmar[2]), in
Dattenried[3]) u. a. m. Auch in Nürnberg durfte kein Fremder
mehr einen Bürger zum Kampf fordern[4]). Eben so in Dort=
mund[5]), in Stade[6]), in Frankfurt[7]), in Eger[8]) u. a. m. Umge=
kehrt durften jedoch die Bürger, wenn sie wollten, die Fremden zum
Kampfe fordern, z. B. in Freiburg[9]), in Eger[10]) u. a. m. Da
das Recht der Fehde nur unter den Bürgern abgeschafft und der
Stadtfriede auf den Burgfrieden beschränkt worden war (§. 94),
so mußte natürlicher Weise auch die gesetzlich geregelte Fehde gegen
Fremde erlaubt bleiben. Ehe jedoch ein Bürger einen Fremden
kämpflich ansprach, sollte er sich zuvor an das Stadtgericht oder
an den Stadtrath wenden und die Sache dort untersuchen und ent=
scheiden lassen, ob sie gerecht sei oder nicht, z. B. in Nürnberg[11]).

Unter den Bürgern selbst dauerte indessen der gerichtliche
Zweikampf noch lange Zeit fort. Er wurde jedoch frühe schon ge=

----

1) Stiftungsbrief von 1120, §. 21. Extraneus cum burgensi duellum
non habebit nisi ad voluntatem burgensis. Stadtrodel, §. 43.
Stadtrechte von 1275 u. 1293 bei Schreiber, I, 82 u. 135. „Enhein
„gaſt ſol kempfen mit eime burger, ez ſi denne deſ burgerſ wille." vrgl.
noch p. 84 u. 136.

2) Stadtrecht von 1293, §. 10. „Dekein lantman mac bekeinen burger
kemphen niwan mit des burgers wille."

3) Stadtrecht von 1358 §. 10 bei Schoepflin, II, 220. und Gaupp, II,
178.

4) Privilegium von 1219, §. 3.

5) Stadtrecht, §. 25.

6) Privilegium von 1209 u. 1259 bei Pufendorf, II, 156 u. 159.

7) Privilegium von 1291 und Stadtrecht von 1297 §. 3. in Wetteravia,
p. 252. vrgl. noch Datt, de pace pbl. I, c. 1, §. 35–38.

8) Stadtrecht von 1279 §. 4 bei Gaupp, I, 190.

9) Stadtrecht von 1275 u. 1293 bei Schreiber, I, 84 u. 137.

10) Stadtrecht von 1279, §. 4.

11) Stadtrecht aus 14. sec. bei Siebenkees, Beitr. zum t. Recht, V, 214.
„daz kain burger kainen gaſt ſol kempflichen ane ſprechen er kome denne
„vor zu dem burgern in den Rat vnd laz verhören ſein ſache ob ſi
„gerecht ſei."

wissen Beschränkungen unterworfen, in manchen Städten auch schon ganz abgeschafft. Und späterhin hat er sich in allen Städten ver= loren. In fast allen Städten wurde er nämlich nur noch bei peinlichen Sachen[12]), und auch bei diesen nur noch bei kampf= würdigen Verbrechen zugelassen, also beim Mord und Todschlag, bei kampfwürdigen Wunden, d. h. bei schweren Verwundungen, bei der Nothzucht, beim Mordbrand, beim Straßenraub u. drgl. m., so oft also ein kampfwürdiges Gut in Frage war, z. B. in Magde= burg, Breslau und Görlitz[13]), in Freiburg[14]), in Augsburg[15]), in Freiberg[16]) u. a. m. In Lübeck wurde die Ansprache zum Zwei= kampf nur noch in dem Falle zugelassen, wenn an dem Ort der That das Gerüste erhoben und dieses mit zwei angesessenen Leuten bewiesen worden war[17]).

Zur Erschwerung des gerichtlichen Zweikampfes wurde in vielen Städten ein Voreid eingeführt. Beide Parteien sollten nämlich, ehe sie zum Kampf zugelassen wurden, schwören, der An= kläger, daß die Schuld wahr sei, darum er jenen angeklagt habe, und der Angeklagte, daß er unschuldig sei, z. B. in Magdeburg, Breslau und Görlitz[18]), in Freiberg[19]) u. a. m.[20]). Dieser von beiden Theilen zu leistende Voreid ist zwar kein wirklicher Ka= lumnieneid gewesen, wie der bei dem Reinigungseid und bei der Feuer= und Wasserprobe von dem Ankläger zu leistende Eid

---

12) Glosse zum Sächs. Weichbild, art. 35. „Denn kempfflich grüssen ist „als viel, als einen mann peinlich ansprechen."

13) Schöffenbrief von 1261, §. 4 und von 1304, §. 28, 42, 137 u. 140. vrgl. Sächs. Lr. I, 63 §. 1 u. 68, § 3.

14) Stadtrodel, §. 74. In den Stadtrechten von 1275 u. 1293 bei Schrei= ber, I, 83 u. 136. findet sich jedoch diese Vorschrift nicht mehr. Es scheint sich demnach in der Zwischenzeit der Zweikampf unter den Bür= gern verloren zu haben.

15) Stadtrecht bei Freyberg, p. 68 u. 69. und bei Walch, §. 165 u. 166.

16) Stadtrecht aus 13. sec., c. 26 u. 27 bei Schott, III, 222 u. 225.

17) So verstehe ich die etwas dunkle Stelle des Stadtrechtes bei Hach, I, §. 53. und bei Westphalen, III, 627 f.

18) Schöffenbrief von 1261 §. 65 u. 70 und von 1304 §. 137.

19) Stadtrecht aus 13. sec., c. 27 bei Schott, III, 231 u. 233.

20) Sächs. Weichbild, art. 35. Sächs. Lr. I, 63 §. 4. Reinecke Fuchs, IV, c. 7.

(§. 567 und 576.) Große Aehnlichkeit mit einem solchen Eid hat er aber dennoch gehabt.

In anderen Städten konnte man sich von dem Zweikampfe befreien, wenn entweder der Ankläger den Angeklagten selbst siebend überführen [21]), oder der Angeklagte sich selbst siebend, z. B. in Wien [22]), in Hannover u. a. m. [23]), oder selbst zwölf losschwören konnte, z. B. in Regensburg [24]), oder wenn der zum Kampf Geforderte mit sieben Zeugen beweisen konnte, daß er persönlich gar nicht betheiliget, bei dem Todschlag oder bei der Verwundung gar nicht anwesend gewesen sei, z. B. in Hamburg [25]). Und in einem von Rudolf von Habsburg präsidirten Hofgerichte wurde sogar der Grundsatz ausgesprochen, daß der Angeklagte sich bei allen und jeden Verbrechen mit einem Reinigungseid von dem Zweikampf befreien könne. Nur allein die Majestätsverbrechen sollten hievon ausgenommen sein [26]).

In vielen Städten wurde übrigens frühe schon der gerichtliche Zweikampf selbst nicht bloß mit den Fremden, sondern auch unter den Bürgern abgeschafft, z. B. in Soest [27]) in Worms [28]), in Goslar [29]), in Braunschweig [30]), in Stade [31]), in Minden [32]),

---

21) Magdeburg. Schöffenbrief von 1261 §. 70 a. E. bei T. u. St. p. 362. vrgl. Sächs. Lr. I, 64. und Glosse dazu. Schwäb. Lr. W. c. 81.

22) Stadtrecht von 1237 u. 1278 bei Lambacher, II, 12 u. 160. und von 1296 §. 9 bei Senckenberg, vision. p. 285. Handfeste Rudolfs bei Senckenberg, sel. jur. IV, 445.

23) Rathsspruch von 1436 bei Grupen, observ. rer. et antiquit. p. 65 u. 66. vrgl. Richtsteig Landr. c. 40 §. 3.

24) Privilegium von 1230 §. 1.

25) Urk. von 1255 bei Staphorst, Hamb. Kirchengeschichte, Th. I, Bd. 2, p. 34.

26) Sententia an 1290 bei Pertz, IV, 455—456.

27) Stadtrecht von 1120 §. 41. Schrae, art. 117.

28) Privilegien von 1156, 1220 u. 1236 bei Moritz, II, 148, 158 u. 171.

29) Göschen, p. 87.

30) Braunschw. Urkb. I, 2.

31) Privilegien von 1209 und 1259 bei Pufendorf, II, 156 u. 159.

32) Stadtrecht von 1246 in Orig. Quell. IV, 202.

in Nürnberg [33]), in Brünn [34]), in Freiberg, in Freising u. a. m. In Freiberg, wo der gerichtliche Zweikampf noch im 13. Jahrhundert nach dem Stadtrechte erlaubt war, hatten die Verwundungen und Todschläge binnen wenigen Jahren so sehr überhand genommen, daß die Bürger zu ihrer eigenen Sicherheit bereits im Jahre 1305 den gerichtlichen Zweikampf ganz abschaffen und statt dessen den alleinigen Eid des Anklägers zulassen mußten. Auch wurde damals verordnet, daß der Angeklagte, wenn er nicht erschienen war, auf 100 Jahre und einen Tag, d. h. also auf ewige Zeiten, in die Acht gethan werden solle [35]). In sehr vielen Städten wurde der Zweikampf stillschweigend dadurch abgeschafft, daß seiner in den Stadtrechten nicht mehr erwähnt ward, z. B. in Medebach [36]), in Hamburg u. a. m., späterhin auch in Freiburg.

Mit der Abschaffung des gerichtlichen Zweikampfes war meistentheils das Gebot sein Recht vor Gericht zu suchen verbunden, z. B. in Worms [37]), in Goslar [38]) in Emmerich u. a. m. Als Emmerich zur Stadt erhoben wurde, wurde daselbst der gerichtliche Zweikampf abgeschafft und verordnet, daß alle Streitigkeiten vor Gericht gebracht und von diesem entschieden werden sollten [39]). Es hat sich demnach auch in den Deutschen Städten wiederholt, was sich in ähnlicher Weise weit früher schon im aller weitesten Norden, in Island, zugetragen hatte, wo bereits im Anfang des 11. Jahrhunderts an

---

33) Privileg von 1219, c. 3 und Statut von 1360 bei Will, hist. dipl. Magazin, II, 266.

34) Schöffenbuch Nr. 27 u. 28 bei Rößler, p. 15.

35) Verordnung von 1305 bei Schott, III, 87 u. 88.

36) Stadtrecht von 1165 bei Seibertz, II, 1 p. 73. Späterhin wurde er aber in zwei Fällen wieder erlaubt. Stadtrecht von 1350, art. 29 u 35 bei Seibertz, III, 2 p. 384.

37) Privilegien von 1156, 1220 u. 1236 bei Moritz, II, 147, 148, 157, 158 u. 171.

38) Göschen, p 87.

39) Urk. von 1233 bei Lacomblet, II, 100. nullus civis Embricensis — duello poterit convinci, sed quamcunque actionem habuerit actor, recurret ad judicem, qui ad consilium scabinorum totam questionem decidet —.

die Stelle des abgeschafften Zweikampfes das fünfte Gericht (fimtardomr) getreten ist [40]).

Die Abschaffung des gerichtlichen Zweikampfes in den Deut=
schen Städten hatte indessen keineswegs die Bedeutung eines gänz=
lichen Verbotes bei Strafe gegen die Zuwiderhandelnden. Mir
wenigstens sind nur wenige Ausnahmen von dieser Regel bekannt [41]).
Es sollte damit vielmehr nur der bis dahin bestehende Zwang sich
demselben unterwerfen zu müssen aufgehoben werden. Wer sich
ihm daher freiwillig unterwerfen wollte, hatte dazu in der Regel
nach wie vor ein ganz unbestrittenes Recht. Klar und deutlich
geht dieses aus den Stadtrechten von Stade [42]), von Minden [42a]),
von Lübeck [43]) u. a. m., ganz vorzüglich aber aus dem Stadtrecht
von Freising hervor. In Freising gehörte nämlich schon seit dem
14. Jahrhundert der gerichtliche Zweikampf zu den verbotenen
Gerichten, das heißt, wie Ruprecht von Freising sagt, zu denje=
nigen Gerichten, zu welchen niemand mehr genöthiget werden sollte,
denen man sich aber freiwillig unterwerfen durfte. („Nyemandt
„ist gepunden vnnd dem annderen schuldig kampfes zue laistenn.
„wann es der verpotnn gerichts ains ist. vnnd ein yeblich man
„dem annderen wol widerstet er well es dann gernn tuen") [44]).
Ruprecht mißbilligt auch anderwärts noch den Kampf („wan kampf

---

40) Konrad Maurer, Beiträge zur Rechtsgeschichte des germanischen Nordens,
    I, 179. ff.

41) So verordnet das Nürnberger Statut von 1860, Nr. 7 bei Will, hist.
    dipl. Mag. II, 266. „Es soll kein Burger den andern oder Fremde
    „kämpflich ansprechen, bei Straf 10 Pf. Heller." Und nach dem Schöf=
    fenbuch von Brünn aus dem 14. sec. (Nr. 27 u. 28 bei Rößler, p. 15)
    sollte der Zweikampf nicht mehr als Beweismittel gelten, und daher
    derjenige, der damit seinen Beweis führen wollte, gestraft werden.

42) Privileg. von 1259 bei Pufendorf, II, 159. nullus civis suum con-
    civem aut extraneus civem aliquem ad judicium duelli aut vocet
    aut compellat.

42a) Stadtrecht von 1246, in Orig. Quell. IV, 201—202. Nullus civium
    prehabite civitatis concivem suum duello poterit impugnare,
    nisi de pari elegerint voluntate.

43) arg. Hach, I, §. 125.

44) Ruprecht von Freising II, 110. Schon die Handschrift von 1328 ent=
    hält diese Bestimmung.

„muetwill ist"). Nichts desto weniger dauerte derselbe nach wie
vor fort, wie dieses Ruprecht selbst sagt. [45]). Und da es auch auf
dem Lande nicht verboten zu sein pflegte, sich ihm freiwillig zu un=
terwerfen, so konnte der Zweikampf auch anderwärts, zuletzt wenig=
stens außergerichtlich, bis auf unsere Tage fortdauern. In den
Städten hörte der Zwang sich ihm unterwerfen zu müssen mei=
stentheils seit dem 14. Jahrhundert auf. Daher wurde seitdem die
Freiheit von der kämpflichen Ansprache zu den städtischen
Freiheiten gerechnet [46]). Die Folge hievon war, daß nun die
Bürger nicht bloß mehr vor fremden Kampfgerichten nicht mehr zu
erscheinen brauchten, wie dieses den meisten Städten, z. B. Nürn=
berg, Rotenburg, Frankfurt u. a. m. in früheren und späteren Zei=
ten ausdrücklich zugesichert worden war [47]), sondern daß auch in
den Städten selbst die Kampfgerichte verschwanden und die alten
Kampfhöfe eine andere Bestimmung erhielten, wie dieses bereits
im 15. Jahrhundert in Köln der Fall war. (§. 208.) Und seit
dem Siege der Zünfte, spätestens seit dem Ende des 14. Jahrhun=
derts und seit dem Anfang des 15., kam der Zweikampf auch noch
in jenen Städten außer Gebrauch, in denen er sich bis dahin er=
halten hatte, und der Zeugenbeweis trat sodann an dessen Stelle [48]).
Die letzten Spuren des gerichtlichen Zweikampfes in den Städten
habe ich im Anfang des 15. Jahrhundert in Augsburg [49]), in Ba=
sel [50]) und in Köln gefunden [51]).

---

45) Ruprecht, II, 5, 51 u. 111.
46) Kaiserrecht, II, 69 u. IV, 1.
47) Privileg. Friedrichs II für Nürnberg von 1219, §. 3. Und Privile=
    gien von 1274, 1291, 1299, 1353 u. 1442 bei Datt, de pace publ.
    I, c. 1. §. 34—38, p. 5
48) Glosse zum Sächs. Weichbild, art. 35. „ir solt wissen, dieser kampff
    „in solcher weis, als der text spricht, ist abgethan," —. Glosse zum
    Sächs. Lr. I, 48 §. 3 „Du solt aber wissen, daß alle artikel so von
    „dem kampff melden, zu nichts mehr nütz sein. Dann worumb man
    „vor alters hat kempffen mögen, solches mag man jetzt einen überweisen
    „mit sieben menner gezeugnis."
49) Chron. Augustan. eccles. ad 1409 bei Pistorius, III, 684. Anno
    1409 fuit duellum hic inter marschalcum et Hachsenaker. —
50) Ochs, III, 186—187.
51) Materialien zur Statistik des niederrhein. Kreises, II, 1 p. 66.

§. 579.

Nur freie waffenfähige Männer waren ursprünglich zum ge=
richtlichen Zweikampf berechtiget. Daher gehörte der Zweikampf
allenthalben zur Kompetenz der öffentlichen Gerichte und zwar zur
Kompetenz der höchsten, also der Grafschaftsgerichte oder der an
ihre Stelle getretenen obersten Gerichte in den Städten. (§. 531.)
Leute, welche wegen eines körperlichen Gebrechens nicht selbst käm=
pfen konnten, wurden von ihren Verwandten vertreten oder sie er=
hielten zu dem Ende einen eigenen Kampfvormund [1]). Eben
so die Verwundeten, die Kranken und die Toben [2]). Frauen,
Minderjährige und Unfreie wurden auch beim Kampfe ganz
in derselben Weise von ihrem Vormund oder Herrn vertreten, wie
beim Eide, oder sie erhielten zu dem Ende einen eigenen Kampf=
vormund [3]). Die Sitte auch die Frauen selbst und gemie=
thete Kämpfer statt der streitenden Parteien kämpfen zu lassen,
gehört offenbar einer späteren Zeit an. Man findet sie aber be=
reits in den meisten Städten. Der gemietheten Kämpfer wird
zwar seltener in den Stadtrechten Erwähnung gethan. Sie kom=
men indessen doch vor. In Hildesheim durfte bei der Anklage eines
misthätigen Mannes (criminosus qui dicitur Misdaber) der An=
kläger einen bezahlten Stellvertreter (pugil) stellen, welcher sodann,
wenn er besiegt wurde, allein zu haften hatte [4]). Meistentheils wur=
den jedoch die bezahlten Kämpfer nur in dem Falle zugelassen, wenn
die Parteien selbst lahm oder verstümmelt waren, also nicht selbst
kämpfen konnten [5]). Fürsten und Herren hatten öfters einen eige=
nen Stellvertreter (vicarius) für den Kampf, z. B. in Worms [6]).

---

1) Sächs. Weichbild, art. 35. vrgl. Sächs. Lr. I, 48 § 2.
2) Magdeburg. Schöffenbrief von 1304, §. 140 bei T. u. St. p. 478.
   Sächs. Lr. I, 49. vrgl. oben §. 110.
3) vrgl. Sächs. Lr. I, 48.
4) Urk. bei Grupen, antiquit Hannov. p. 235. si autem pugil suus vin-
   citur ille solus debet satisfacere comprehenso —.
5) Magdeburg. Schöffenbriefe aus 13. sec. §. 15 und von 1261 §. 65
   und von 1304 §. 137 bei T. u. St. p. 273, 360 u. 476. vrgl. Sächs.
   Lr. I, 63 §. 2.
6) Leges familiae S. Petri von 1024, §. 19 bei Grimm, I, 806.

In Ratingen kommt ein eigener landesherrlicher Kämpfer vor [7]). In Oesterreich verordnete noch Kaiser Karl V im Jahre 1522, daß die Erzherzoge „durch einen unverleumdten Man kempffen" sollten [8]). Und in England gibt es heute noch einen erb= lichen Kronkämpfer, dessen Amt darin besteht, daß er bei der Krönung des Königs sich erbieten muß, alle diejenigen, die das Recht des Königs zur Krone bestreiten, mit Waffen zu widerlegen.

Die Frauen wurden in allen Städten selbst zum Kampfe zugelassen und zu ihren Gunsten wurde eine eigenthümliche Kam= pfesart eingeführt. Meistentheils sollte der Mann bis an den Gür= tel oder bis an den Nabel eingegraben werden und einen Stab oder einen Kolben in die rechte Hand erhalten, mit welchem er ohne die Grube zu verlassen nach der kämpfenden Frau schlagen durfte. In Freising sollte dem Manne sogar die linke Hand auf den Rücken gebunden werden. Die Waffe der Frau war ein Faust großer oder ein Pfund schwerer Stein. Dieser Stein wurde in ihren Schleier (Stauchen oder Stuchen) gebunden und sie durfte damit nach dem Manne schlagen [9]).

Wenn ein Fremder verwundet oder getödtet worden war, oder wenn ein Getödteter keinen Verwandten und auch keinen Freund in der Stadt hatte, oder wenn dieser die Anklage nicht übernehmen wollte, so mußte der Richter von Amtswegen auftreten und nöthigenfalls auch den Zweikampf selbst übernehmen. Und es hatte sodann der Kampf ganz in derselben Weise statt, wie bei Pri= vatanklagen, z. B. in Freiberg [10]).

Der, insgemein mit einem Zaun oder mit einem Pfalwerk umgebene, Kampfplatz war bei den Friesen viereckig und bestand aus einem Feld oder aus einer Wiese [11]). Anderwärts hatte der= selbe, wie jeder andere Gerichtsring, eine runde oder ovale Gestalt

---

7) T. u. St. p. 273, Not. 4.
8) Constitution von Gerechtigkeit des Hauß Oesterreich von 1522 bei Melch. Goldast, Reichs=Satzungen, I, 315.
9) Stadtrecht von Augsburg, p. 55. bei Walch, §. 112. Ruprecht von Freising, II, 51. vrgl. Majer, Gesch. der Ordal. p. 270—74.
10) Stadtrecht, c. 30 bei Schott, III, 249—251. vrgl. oben §. 551.
11) Wiarda, Willküren der Brockmänner, p. 119 u. 120.

und wurde daher Kreis, z. B. in Freiberg [12]), oder Ring oder
Warf genannt, z. B. in Köln [13]), in Magdeburg u. a. m. [14]).
Und in jeder Stadt, welche ein eigenes Kampfgericht hatte, findet
man auch einen solchen Kampfplatz oder einen Kampfhof, z. B. in
Halle in Schwaben, in Würzburg, in Fürth bei Nürnberg, in Köln,
Freiberg, Augsburg u. a. m. In Köln bestand der Kampfhof noch
im 15. Jahrhundert [15]).

§. 580.

Der gerichtliche Zweikampf hatte zwar in jeder Lage der
Sache, aber doch nur dann statt, wenn ein kampfwürdiges Verbre=
chen vorlag, und wenn die Beschuldigung begründet war. Ehe
daher zum Kampf geschritten werden konnte, hatte ein Vorverfah=
ren über diese Vorfrage statt. Es findet sich eine sehr ausführ=
liche Beschreibung sowohl dieses Vorverfahrens als des Hauptver=
fahrens beim Kampfe selbst im Stadtrecht von Freiberg aus dem
13. Jahrhundert, womit das sächsische Weichbildrecht, der Sachsen=
spiegel und die magdeburgischen Schöffenbriefe zu vergleichen sind [1]).
Aus ihnen allen ist zu entnehmen, daß man in den Städten be=
müht war, den gerichtlichen Zweikampf möglichst zu erschweren oder
auch ganz zu verhindern.

Wenn ein kampfwürdiges Verbrechen vorgefallen war, so
mußte der Ankläger (der Forderer) die Sache alsbald bei Gericht
anzeigen und sodann in der nächsten Sitzung die kämpfliche Ansprache,
die proclamatio ad arma [2]) oder die kämpfliche Begrüßung vor=
bringen [3]). Kannte der Forderer den Thäter nicht, so mußte er

---

12) Stadtrecht, c. 27 bei Schott, III, 232—33.
13) Urk. von 1169 bei Lacomblet, I, 302. in circulo quod Warf dicitur —.
14) Schöffenbrief von 1261 §. 70 und von 1304 §. 137. Sächs. Lr. I,
 63 §. 4. Meine Gesch. des altgerman. Gerichtsverfahrens, p. 166.
15) Clasen, Schreinspraxis, p. 51. Not. und oben §. 208. Majer, Gesch. der
 Ordalien, p. 295—305.
1) Stadtrecht von Freiberg, c. 27 bei Schott, III, 224 — 234. Sächs.
 Weichbild, art. 35. Magdeburg. Schöffenbriefe von 1261, §. 64—70
 und von 1304, §. 137. Sächs. Lr. I, 63.
2) Stadtrecht von Dortmund §. 10 u. 25 bei Wigand.
3) Auch die Ansprache wegen Diebstahl und Raub wurde zuweilen ein

in der nächsten Sitzung zur Erforschung des Thäters um eine Frist bitten, sodann aber in der dazu anberaumten Sitzung seine kämpfliche Ansprache vorbringen. Denn, wenn er in der nächsten Sitzung geschwiegen hatte, so verlor er sein Recht der kämpflichen Ansprache und er konnte nur noch mit einer schlechten Klage seine Ansprache verfolgen. Hatte er nun aber in der nächsten Sitzung seine kämpfliche Ansprache vorgebracht und mittelst Vorzeigung seiner Wunden oder Narben wahrscheinlich gemacht, oder zur Besichtigung der Wunden um Boten gebeten, so konnte ihm sodann der Richter die Erlaubniß ertheilen, seine Ansprache durch den Zweikampf entscheiden zu lassen. Und es wurde zu dem Ende eine Sitzung anberaumt, in welche der Angeklagte (der Geforderte) vorgeladen werden müßte.

War nun der Angeklagte auf die geschehene Vorladung nicht in der Sitzung erschienen, so wurde derselbe in die Acht erklärt. War er dagegen erschienen, so mußte in Freiberg der Angeklagte (der Forderer) vor allen Dingen zwei angesessene Leute als Bürgen stellen und es begann sodann die Verhandlung über die Vorfrage. (§. 557.) Der Ankläger (der Forderer) trat zuerst auf und brachte seine kämpfliche Begrüßung mit Zetergeschrei oder Waffengeschrei vor, („he schriet cetar oder wafen"), d. h. er nannte die kampfwürdigen Verbrechen, welcher er den Geforderten anklagte, beschrie ihn und erbot sich zum Beweise für den Fall, daß der Angeklagte leugnen sollte. Der Forderer mußte, wenn er die kämpfliche Ansprache mit Zetergeschrei vorbrachte, den Geforderten anfassen, in ähnlicher Weise wie bei der Vindication von gestohlnen Gegenständen. (§. 562.) Die Art und Weise des Anfassens war verschieden an den verschiedenen Orten und in den verschiedenen Zeiten. Nach dem sächsischen Weichbild sollte er ihn „angreifen mit zweien „Fingern bey dem Hauptkoller;" nach dem Sachsenspiegel „bei seinem Hauptgate („bi ime houetgate")", d. h. oben

---

Gruß („gruze") oder eine Begrüßung genannt und daher von einem Diebesgruß u. drgl. m. gesprochen („daz ist der rechte dibesgruz vnd „ansprache"). Auch wurde der Ankläger wegen eines Diebstahls oder Raubes öfters, wie beim Zweikampf, der Forderer genannt. Stadtrecht von Freiberg, c. 19 u. 20 bei Schott, III, 208 u. 212.

am Halse an seinem Kleide. Nach dem Stadtrecht von Freiberg sollte er ihn „angrifen mit zwen Vingern in sin obirste Kleit." Bei den Friesen und Franken am Saume seines Gewandes u. drgl. m. [4]). Auf dieses Anfassen beziehen sich auch die in den Rechtsbüchern öfters vorkommenden Ausdrücke zum Kampfe vehen, vahen oder fangen [5]).

Wenn der Geforderte leugnete, so wurden auf Begehren des Forderers die zur Besichtigung der Wunden gesendeten Boten und die Schreileute, welche dem Gerüfte beigewohnt hatten, vernommen und die offenen Wunden oder die noch sichtbaren Narben vorgezeigt. Auch der Geforderte durfte seine Einwendungen und Einreden vorbringen, daß der Forderer in der Acht, also zur kämpflichen Ansprache nicht berechtiget sei, daß kein kampfwürdiges Verbrechen vorhanden sei, daß der Forderer ihm nicht ebenbürtig sei u. drgl. m. Auch ein Vergleich durfte vor Gericht noch versucht werden. Und es durfte über dieses Alles entweder sogleich in derselben Sitzung verhandelt oder auch zu dem Ende eine spätere Sitzung anberaumt werden. Hatte nun, nach beendigter Verhandlung über die Vorfrage, das Gericht entschieden, daß der Kampf statthaben könne, so mußte sodann der Zweikampf, wie bei jeder anderen Ansprache die Vollführung der Klage [6]), feierlich angelobt und verbürgt, also eine cautio de lite et duello prosequendo geleistet werden.

Diese feierliche Angelobung oder die Verbürgung des Zweikampfes war verschieden in den verschiedenen Städten und Ländern. In den Deutschen Städten mußte zuerst der Forderer Gewere leisten, d. h. sich zum Zweikampf eidlich verpflichten und mittelst Stellung eines Bürgen oder mittelst Erlegung einer gewissen Geldsumme, des sogenannten Kampfschatzes oder der Kampfwedde,

---

4) L. Fris. tit. 14 §. 4. tenens eum per oram sagi sui —. Fränkisches Formular zum Kampfeid bei Majer, Gesch. der Ordation, p. 260. adversarium, quem in conspectu habeo et manibus teneo. vrgl. das Bild bei Grupen, teutsche Alterthümer, p. 83.

5) Sächs. Lr. I, 53 §. 1. — „oder euen man to kampe ved." I, 65 §. 1. „to kampe gevangen vnde gegrot is." III, 36 §. 1. „to kampe vat." Schwäb. Lr. W. c. 64. „einen man zekampfe an sprichet oder vehet." Statt vehet in anderen Mpt. vachet.

6) Stadtrecht von Bamberg, §. 205 u. 207.

sich dazu verbürgen, z. B. in Freiberg. („So sal der uorderer mit
„der anderen hant ufrecken einen vinger damite sal he den kampf
intphahen.") Am ausführlichsten beschreibt diese Verbürgung zum
Kampf die Kampfgerichts=Ordnung von Nürnberg: „nach erkandt=
„nuß des kempflichen furbets, soll der Landrichter an dem Kempffer
„gesinnen, im zu geloben und anzurürende an den stab, dem kampff
„nachzukommen, und ime der Richter den Kampff schäze, nemlich
„20 gulben, ob er dem kampff nicht nachkomme, zu verbürgen, dar=
„auff der Kämpffer an dem Gerichtsstab anrüren und globen soll,
„dem kampf in obgeschribener maß nachzukommen, und dem Richter
„solches umb den Kampfschaz, wie er dem nicht nachkeme, verbür=
„gen, und nach seinem willen vergwisen soll" [7]). Auch mußte der
Forderer einen Eid leisten, daß seine Anklage wahr sei.

Nachdem der Forderer den Kampf in der angegebenen Weise
verbürgt und den vorgeschriebenen Eid geleistet hatte, mußte sich
auch der Geforderte zu dem Kampfe verpflichten. Er mußte näm=
lich zuerst seine Unschuld beschwören und sich sodann zum Kampfe,
um seine Unschuld zu beweisen, erbieten, z. B. in Magdeburg u.
a. m. („Swanne diu Gewere getan ist, so biutit jene Man sine
„Unschult, daz ist ein Eit, den muz her sweren unde ein echt
„Kamph"). In Frankreich und in den Niederlanden geschah die
Verbürgung zum Kampfe durch Darreichung eines Pfandes. Der
Forderer warf nämlich dem Geforderten seinen Handschuh zu. Der
forderte hob ihn auf und gab dagegen den seinigen, zum Zeichen,
daß er in den Kampf willige [8]).

Nun erst, nachdem der Zweikampf verbürgt und feierlich an=
gelobt war, wurde der Tag zu dem Zweikampfe selbst von dem
Gerichte bestimmt.

---

7) Ordnung des Kampfgerichts in Hist. Norimberg. dipl. II, 24.
8) Matthaeus Parisiensis ad an. 1245. statim miles more Francorum
   chirothecam suam ei porrexit se offerens in propatulo coram
   curia id corporaliter secundum consuetudinem curiae regalis pro-.
   baturum, quam chirothecam quasi duelli vadium ostensam comes
   recipit, spondens, se defendendo dimicaturum contra eum. vrgl.
   Reinecke Fuchs, IV, c. 5. mit dem Bilde dazu.

§. 581.

An dem zum Kampfe bestimmten Tage und an der dazu fest=
gesetzten Stunde erschien zuerst das Kampfgericht an den Schran=
ken des Kampfplatzes, und nach dem Gerichte die Bürger, welche,
wenn sie wollten, ihr Gefolge (ihr Gesind) mitbringen durften, z.
B. in Freiberg. („Die vögte sullen alrest kumen in den creiz. vnd
„die burger darnach. di mugen an tun waz fi wollen unde ir ge=
„finde vnd weme fi iz irlouben durch den vride") [1]. Wenn beide
Parteien auf dem Kampfplatze erschienen waren, so erhielt auf ihr
Begehren jede Partei von dem Gerichte zwei Boten, welche darauf
zu achten hatten, daß beide Theile gehörig bewaffnet und gerüstet
seien, wie dieses bei dem Gerichte hergebracht war [2]. Auch erhielt
jede Partei zu ihrer Unterstützung bei dem Kampfe und zur Be=
wahrung der Ordnung auf dem Kampfplatz einen sogenannten
Kreisbewahrer oder Kreiswärter (Greiswertel, Grieswärtl,
Grizwarten, Kreytward u. f. w.) Diese Grieswärtel hatten Stan=
gen oder Bäume in der Hand. Sie wurden daher in Freiberg
Baumträger (Boumtregere) genannt. Mit diesen Stangen oder
Bäumen sollten sie auf Geheiß des Richters die Kämpfenden tren=
nen, wenn Einer gefallen oder verwundet war, oder wenn Einer
der Kämpfer aus einem andern Grunde um den Baum bat [3]. In
manchen Städten sollten noch eigene Kampfrichter von dem Gerichte
ernannt werden, z. B. in Freiberg vier sogenannte Siegewarten,
welche zu entscheiden hatten, wann der Kampf beginnen, und wann
er ruhen oder gänzlich beendiget sein solle, wann also die Bäume
zum Kampfe von den Grieswärtel zurückgezogen und während des

---

1) vrgl. das Bild zum Reinecke Fuchs, IV, c. 8.

2) Die Bewaffnung war allenthalben genau vorgeschrieben Sie war je=
doch verschieden in den verschiedenen Städten. Auch das Verfahren bei
den Kampfgerichten war nicht allenthalben gleich. vrgl. Grupen, von
der Herausforderung zum Duell, in dessen teutschen Alterthümern, p.
79—93.

3) vrgl. über diese Grieswärtel außer den angeführten Quellen noch J. Halt=
aus, p. 753—755. Ruprecht von Freifing, II, 51. und Reinecke Fuchs,
IV, c. 7.

Kampfes wieder vorgeschoben werden sollen u. a. m. („vnd wenne „si (die sigewarten) heizen - di boume uzzihen so sullen di boumtre= „ger uzzihen"). Nachdem nun noch dem Kampfplatz Friede gewirkt und jedermann der Zutritt verboten worden war, so wurde sodann den beiden Kämpfern der Zutritt zu dem Kampfplatz gestattet.

Der Ankläger (der Forderer) durfte zuerst den Kreis (das Kampffeld) betreten. Er erschien in Begleitung seiner Freunde und seiner Dienerschaft z. B. in Freiberg („mit im muzen heringehn sin „creizbrenger sin stultreger vnd andere sine vrunt —"). Mit diesem Gefolge zog er im Kreise herum bis zum Gericht. Dort ließ er durch seinen Vorsprechen fragen, ob er seinen Verbindlichkeiten nach= gekommen sei und ob nicht sein Bürge nun freigesprochen werden könne. Und nachdem dieses von dem Gerichte bejahet worden war, bat er noch die umherstehenden Leute (den Gerichtsumstand), Gott zu bitten, daß er ihm helfen wolle nach Gnade und nach Recht. Dann ließ er sich auf dem Kampfplatze nieder und zwar in Frei= berg, wo er wollte und wo ihm die Sonne am günstigsten war. („vnde mac sich denne setcen in deme creize vnde na der sunnen „wo he wil oder wi he wil".) In Magdeburg, Breslau, Görlitz und nach sächsischem Rechte sollte jedoch die Sonne beiden Theilen gleich vertheilt werden. Nach dem Ankläger erhielt auch der An= geklagte (der Geforderte) Zutritt in den Kreis. Auch er zog mit seinen Freunden und Verwandten im Kreise herum vor das Ge= richt [4]), ließ durch seinen Vorsprechen dieselbe Frage wegen seines Bürgen an das Gericht thun wie der Ankläger, bat sodann gleich= falls die Umherstehenden, daß sie Gott ihm zu helfen bitten möch= ten und setzte sich hierauf ebenfalls in dem Kreis nieder, wo er wollte. Nun mußten die beiden Boten nochmals untersuchen, ob die Kämpfer vorschriftsmäßig bewaffnet und gerüstet seien. Dann hatten die Kämpfer den bereits erwähnten Eid zu leisten, der An= kläger, daß die Anklage wahr, und der Angeklagte, daß er unschul= dig sei. Unmittelbar nachher erfolgte das Zeichen zum Kampf. Nachdem der Kampf begonnen hatte, durfte er nur noch auf Ge= heiß des Richters oder der Kampfrichter (der Siegwarten) unter= brochen werden. Aber auch diese sollten den Kampf erst dann un=

---

4) vrgl. Reinecke Fuchs, IV, c. 7.

terbrechen, wenn sich Einer der Kämpfer siegelos bekannt und des=
halb den Baum begehrt hatte. Denn erst wenn Einer der Kämpfer
getödet oder siegelos geworden war, sollte der Kampf endigen. Das
Stadtrecht von Freiberg schreibt in dieser Beziehung vor: „vnd so
„vechten si denne vor sich hin. Si stechen oder slahen sich si bizen
„(beißen) oder crimmen sich oder waz· si tun da sal nimant zu
„kumen. ist aber daz ir einer des boumes gert alse recht ist. den
„sal man dar stozen. di sigewarten sullenz aber heizen. — ist aber
„daz ir einer uellet bi da vechten der mac keines boumes nicht ge=
„gern (begern) zu rechte bi wile he lit. man sal is im ouch nicht
„geben. biz muzen si triben also lange biz ir einer sigelos wirdet.
„aber getotet wirdet in dem creize.“ Wenn nun nach dem Aus=
spruch der Kampfrichter (der Siegewarten) der Ankläger siegelos
geworden war, so hatte er sodann, da er den Beweis seiner An=
klage nicht geführt hatte, eine Geldbuße zu entrichten. Ward da=
gegen der Angeklagte siegelos, so wurde derselbe als nun überwie=
sener Verbrecher bestraft, und ihm je nach der Schwere der Anklage
die Hand oder der Kopf abgeschlagen.

War endlich an dem zum Kampfe bestimmten Tage nur der
Ankläger, nicht aber der Angeklagte (der Geforderte) erschienen, so
mußte dieser wiederholt vorgeladen werden. Denn erst nach der
dritten Vorladung durfte sich der nun abermals vor Gericht erschie=
nene Ankläger erheben, sich nochmals zum Kampfe erbieten und zu
dem Ende zwei Hiebe und einen Stich in die Luft thun. Und
dann wurde die Anklage als erwiesen betrachtet und der nicht er=
schienene Angeklagte eben so verurtheilt, als wenn er im Kampfe
selbst siegelos geworden sei.

§. 582.

Der gerichtliche Zweikampf dauerte in manchen Städten, wie
wir gesehen, bis ins 14. und 15. Jahrhundert fort. Zu Regens=
burg wurde selbst noch im Jahre 1504 ein Schneider von seinem
Mitmeister zum Zweikampf gefordert [1] Dann kam er aber allent=
halben außer Gebrauch. Er paßte nicht mehr zu der durch den
freien Verkehr in den Städten entstandenen bürgerlichen Nahrung,

1) Gemeiner, IV, 91.

zu den bürgerlichen Gewerben und zu den anderen friedlichen Geschäften der Stadtbürger. Er hat sich daher seit dem Siege der
Zünfte und seit der Bildung eines eigenen Bürgerstandes, meistentheils ohne ausdrücklich abgeschafft oder verboten worden zu sein,
in den Städten und unter dem Bürgerstande gänzlich verloren.
Zwar dauert der Zweikampf als außergerichtlicher Kampf
bis auf die jetzige Stunde, großentheils sogar in den alten Formen
noch fort. Denn was früher die Grieswärtel und im Norden die
Schildhalter, das sind heutiges Tages die Sekundanten. Und was
früher die Kampfrichter und das umherstehende Volk, das sind heute
die beigezogenen Zeugen. Allein dieser Rest einer längst untergegangenen Zeit hat sich nur noch unter den Ritterbürtigen und unter
denen erhalten, die sich, wie die Offiziere und Studenten, für ritter-
bürtig halten. Aber auch unter ihnen wird sich dieser Rest des
alten Faustrechtes nach und nach verlieren, wenn es einmal unserer
Gesetzgebung gelungen sein wird, eine wirkliche Genugthuung für
die verletzte Ehre bei Gericht zu verschaffen. Da es in Island
bereits im 11. Jahrhundert gelungen ist ein eigenes ständiges Gericht an die Stelle des gerichtlichen Zweikampfes zu setzen, so wird
es doch auch in dem gebildeten Deutschland und zwar noch im
Laufe dieses Jahrhunders möglich werden, etwa durch Einführung
von Ehrengerichten mit den geeigneten Ehrenstrafen diesem einer
untergegangenen Zeit angehörigen Misbrauch zu steuern. Bereits
im 13. Jahrhundert wurde der Zweikampf in Hamburg ein unver-
nünftiger Gebrauch (irrationabilis consuetudo) [2]) und von dem
Kaiserrecht und von Ruprecht von Freising ein Muthwille unwissen-
der Leute genannt. („der kampfe ist ein mutwille vnwizenhafter
„lute") [3]). Man sollte demnach in unseren Tagen wenigstens nicht
mehr in Schutz nehmen, was schon unsere Altvordern so entschieden
verdammt haben.

---

2) Urf. von 1255 bei Staphorst, Hamburg. Kirchen=Gesch. Th. I, B. 2
    p. 34.
3) Kaiserrecht, II, 69. Ruprecht von Freising, II, 5. — „wan kampf muet=
    „will ist."

9. Urtheil Schelten. Oberhof. Appellation. Holung.

§. 583.

Das bei einem Stadtgerichte gefundene Urtheil konnte allent=
halben widersprochen [1]) oder auch gescholten, oder gestraft werden.
Jeder aus dem Umstand, b. h. jeder anwesende Bürger, die anwe=
sende Partei nicht ausgenommen [2]), hatte dazu das Recht. Er
mußte es jedoch auf der Stelle thun [3]), unmittelbar nach dem von
dem Urtheilsfinder gefundenen Urtheil, ehe die übrigen Urtheilsfin=
der beigestimmt hatten, ehe also das Urtheil, wie man zu sagen
pflegte, die Folge erhalten hatte. So war es in Freiberg [4]), in
Speier [5]), in Köln [6]), in Prag u. a. m. [7]). Konnte nun kein bes=
seres Urtheil gefunden werden, so wurde derjenige, der das Urtheil
gescholten hatte, gestraft, z. B. in Freiberg [8]), in Salfeld [9]), in Teu=
chel [10]) u. a. m. Dies ist der Ursprung der Succumbenzgelder.
Wurde dagegen ein besseres Urtheil gefunden, so sollten die Ur=

---

1) Sächs. Lr. II, 12 §. 10. Meine Gesch. des altgerman. Gerichtsverf.
   p. 236 u. 237. Ueber den Unterschied zwischen Urtheil Schelten und
   Widersprechen. vrgl. Meine Gesch. der Fronhöfe, IV, 224 ff.

2) Magdeburg. Schöffenurtheil, cap. 4, Dist. 10 bei Zobel, p. 478. „Ein
   jederman der geschefft hat zu klagen in einem andern Gericht. oder be=
   „klaget, er hab da Erb oder eigen in dem Gericht oder nicht, der mag
   „ortel schelden, vnd sich der ziehen zu rechter Zucht auff sein Recht,
   „welch ortel ihm da funden wird" —.

3) Im Schöffenbuch von Brünn, §. 68 bei Rößler, p. 37 wird dieses,
   weil man den tieferen Sinn und die Bedeutung nicht mehr begriff, eine
   üble Gewohnheit (mala consuetudo) genannt.

4) Stadtrecht, c. 31. bei Schott, III, 257. bei Walch, §. 174 u. 175.

5) Mandatum von 1193 in Mon. Boic. 31, I, p. 443. und bei Pertz,
   IV, 568. — post latam sententiam, antequam approbata fuerit.

6) Urk. in Quellen, I, 191. „So we eyn vrdel beroeft, dat der scheffen
   „gedeilt hait, ee ib vmb gevraigt werde —.

7) Rechtsbuch, §. 27 u. 28 bei Rößler. vrgl. Meine Gesch. des altgerman.
   Gerichtsverf p. 236.

8) Stadtrecht, c. 31 bei Schott, III, 256 u. 257. bei Walch, §. 170, 171
   u. 174.

9) Stadtrecht aus 13. sec. §. 68 bei Walch, I, 30.

10) Stadtrecht von 1611, art 4 §. 4 bei Walch, V, 171.

theilsfinder, welche ein unrechtes Urtheil (vnrecht vrteil, injusta sententia, unrecht ordel) gefunden hatten, gestraft werden, wenn sie
nicht schwören konnten, kein besseres Recht gewußt zu haben, z. B.
in Freiberg [11]), in Lübeck u. a. m. [11a]). Nur allein die Rathsherren (die Geschwornen), welche ein unrechtes Urtheil gefunden hatten, sollten keine Strafe erleiden. Sie sollten vielmehr mit der
Schande und Schmach davon kommen, z. B. in Freiberg [12]). Dieses Recht das Urtheil zu schelten hatten jedoch nur allein die umherstehenden Bürger, nicht aber die vorsitzenden Richter. Denn der
Richter hatte nur den Vorsitz bei Gericht. Er war bloß Frager
des Rechtes. So wenig er daher in das Rechtsprechen einreden
durfte [13]), eben so wenig durfte er das gefundene Urtheil schelten.
So war es in Goslar [14]), in Freiberg [15]), in Hamburg [16]), in Hildesheim [17]) u. a. m. Von dem Urtheil Schelten verschieden war
jedoch das Widersprechen. Und dieses Recht hatte öfters auch
der Richter [17a]).

Die Verhandlung über ein beim Stadtgerichte gescholtenes
Urtheil war jedoch verschieden, verschieden in den verschiedenen Städten und zu den verschiedenen Zeiten. Derjenige, der das Urtheil

---

11) Stadtrecht, c. 31 bei Schott, III, 256.

11a) Hach, I. §. 59 u. II, §. 59.

12) Stadtrecht bei Schott, p. 256. — „aber schembe vnd smaheit hat he
„vildran men he zume rechten gesworn hat vnd vnrecht geteilet hat vnd
„mochte lieber zwir buzen." bei Walch, §. 171.

13) Stadtrecht von Bamberg, §. 8. „was die schopfen sprechen vnnd tei-
„len für ein recht, do hat der schulthes noch nymandt ein zu reden."
vrgl. oben §. 534.

14) Privilegium von 1219 bei Göschen, p. 114. und bei Heineccius, antiquit. Goslar. p. 219. eandem sententiam ipse advocatus non
reprehendet nec repellet, sed unus tantummodo burgensis,
et idem invenire debet meliorem.

15) Stadtrecht, c. 32 bei Schott, III, 258. „vnd wenne he (d. h. der
Vogt) „gerichte sitzet he sal nichein (keyn) vrteil teilen. he ne sal ouch
„keinez strafen zu rechte. he sal vrteil vregen." bei Walch, §. 177.

16) Stadtrecht von 1292, B. art. 9 u. von 1497, B. art. 6 bei Lappenberg, I, 104 u. 197.

17) Vogtrecht bei Grupen, antiquit. Hannov. p. 233.

17a) Meine Gesch. der Fronh. IV, 226.

gescholten hatte, mußte nämlich allenthalben ein besseres Urtheil finden und zwar auf der Stelle, ehe die übrigen Urtheilsfinder bei=gestimmt hatten. Daher sollte über ein gescholtenes Urtheil nicht weiter abgestimmt werden [18]. Der Urtheilsschelter durfte zwar auch noch nach der Abstimmung (nach der Urtheils Folge oder nach des Urtheils Volwortung) das gefundene Urtheil schelten. Dieses hatte jedoch für ihn den Nachtheil, daß er, wenn er kein besseres Urtheil finden konnte, nicht bloß einem Schöffen, sondern allen Urtheilsfindern, welche das Urtheil gesprochen hatten, büßen mußte [19].

Der Urtheilsfinder, dessen Urtheil gescholten worden war, mußte den Richterstuhl verlassen und der Urtheilsschelter ihn ein=nehmen, um ein besseres Urtheil zu finden [20]. Ueber das von dem Urtheilsfinder gefundene Urtheil konnte nun zwar auf der Stelle berathen, Umfrage gehalten und abgestimmt werden. („Das vrtel „schalb der frawen vorsprech, vnd kam mit vrtel auff die banck, „vnnd sprach ein vrtel —. Hierauff sprechen wir für Recht, das „vrtel, das der schöppe funden hat, ist recht, vnd die straffung ist „machtloß, von Rechts wegen“) [21]. Meistentheils pflegte aber der Urtheilsschelter das Urtheil nur im Allgemeinen zu schelten und so=dann, statt selbst ein besseres Urtheil zu finden, die Entscheidung an ein höheres Gericht zu ziehen. („der sol jn straffen mit diesen „worten, Herr der Richter, das vrteil, das der Schöp gefunden hat, „das ist vnrecht, — vnd wil mich des ziehen an die stadt, do wir „vnser recht holen solen [22]. Das vrtel das mir gefunden ist, das „schild ich, vnd ist vnrecht, vnd bitte der banck ein besser vrtel zu „finden —. dann sol er ein ander vrtel finden, vnd ziehe sich mit „dem vrtel, da er sich beß von Recht hinziehen sol, das ist an den

---

18) Sächs. Lr. II, 12 §. 14. Magdeb. Schöffenbrief von 1304 §. 86 bei T. u. St. p. 466. Fidicin, I, 93
19) Sächs. Weichbild, art. 73 und Glosse zu art. 74. Magdeburg. Schöffen=urtheil, cap. 4. dist. 2 bei Zobel, fol. 475.
20) Magdeburg. Schöffenurtheil, cap. 4. dist. 1 u. 5. bei Zobel, fol. 475 u. 476.
21) Schöffenurtheil, cap. 4, dist. 5 bei Zobel, fol. 476.
22) Sächs. Weichb. art. 74.

„höhern" —) [23]). So war es in allen Städten des magdeburgi=
schen und sächsischen Rechtes [24]), in Goslar [25]), in Berlin [26]), in
Freiberg [27]), in Frankenberg [28]), in Eltwill [29]), in Brünn u. a. m. [30]).
An welches höhere Gericht nun aber das gescholtene Urtheil ge=
zogen werden solle, war verschieden in den verschiedenen Städten
bestimmt. ·

§. 584.

Da mit jeder Erhebung eines Ortes zu einer Stadt die Im=
munität von den auswärtigen öffentlichen Gerichten verbunden war,
so konnte bei ihnen über das gescholtene Urtheil nicht mehr ver=
handelt werden. Zwar durfte man sich im Falle des verweigerten
Rechtes, wie wir sehen werden, nach wie vor an die öffentlichen
Gerichte des Territoriums oder des Reiches wenden. Aus diesem
Grunde konnten jedoch die gescholtenen Urtheile nicht an die öffent=
lichen Gerichte des Landesherrn oder des Reiches gezogen werden,
weil bei einem gescholtenen Urtheil in der Regel von keinem ver=
weigerten Rechte die Rede war. So lang indessen die Deutschen
Könige in den alten Königsstädten, die Bischöfe und Aebte in den
Bischofs = und Abteistädten und die übrigen Landesherren in den
Landstädten die Gerichtsherren waren (§. 476, 488, 498 u. 517),
so lang konnten auch die Stadtbürger die bei dem königlichen oder
landesherrlichen Stadtgerichte gescholtenen Urtheile, zwar nicht an
die königlichen oder landesherrlichen Gau= und Landgerichte, wohl
aber an den König oder Landesherrn selbst, nämlich von dem Stell=

---

23) Magdeb. Schöffenurtheil, cap. 4, dist. 1 bei Zobel, fol. 475. vrgl.
Meine Gesch. der Fronh. IV, 227.

24) Sächs. Lr. II, 12 §. 4, 11, 13 u. 14. Sächs. Weichbild, art. 74.
Magdeb. Schöffenbrief von 1304, §. 68. Magdeburg. Schöffenurtheil,
cap. 4, dist. 1, 3 u. 7. bei Zobel, p. 475 u. 476.

25) Privilegium von 1219 bei Göschen, p. 114.

26) Fidicin, I, 93 u. 162 ff.

27) Stadtrecht, c. 31 bei Schott, III, 257.

28) Emmerich bei Schmincke, II, 747—48.

29) Bodmann, II, 664 u. 675.

30) Schöffenbuch, §. 68 bei Rößler. Schwäb. Lr. W. c. 96.

vertreter an den Gerichtsherrn selbst ziehen [1]). So ging der Zug in Köln von dem Stadgericht an den Erzbischof selbst, so lang dieser noch oberster Richter (summus judex) in der Stadt war [2]). In Bremen ging der Zug von dem Vogtei= oder Stadtgericht an den Bischof. Daher durfte auch bei ihm das Recht geholt werden, wenn niemand bei dem Stadtgericht wußte, was Recht war [3]). In Breslau und Glogau ging der Zug an den Landesherrn oder an dessen Hofrichter [4]). Eben so in Freiburg [5]), in Goldberg und Hainau [6]), in Görlitz, in Liegnitz u. a. m. in Schlesien [7]). In den Königsstädten aber ging der Zug von dem Stadtgerichte an den König selbst oder an das königliche Hofgericht, z. B. in Magde= burg [8]), in Speier u. a. m. Das Ziehen der Urtheile von dem Stadtgerichte zu Speier an den König wurde im Jahre 1193 von ihm nur deshalb mißbilligt, weil die Bürger von Speier sich schon

---

1) Schwäb. Lr. W. c. 96. „von swelcher herren hant daz gerichte ist, „da mac man eine urteil wol hin ziehen."

2) Schiedsspruch von 1258 Nr. 1 u 40 bei Lacomblet, II, 244 u. 246. Quod si in curia appelletur a sententia scabini ad Archiepisco- pum. vrgl. noch p. 249 Nr. 40. Es wird hier von einer Appellation gesprochen. Allein eine wirkliche Appellation hat es damals noch nicht gegeben. Es war dieses vielmehr ein Ziehen des gescholtenen Urtheils an den Gerichtsherrn. vrgl. Schreinsurkunden in Quellen, I, 179 u. 192.

3) Revers von 1246 in Assertio lib. Brem p. 83. — si is, a quo in- quiritur sententia, dubitat vel ignorat sententiae qualitatem, primo juret —, si est appellandum immediate ad praesentiam Domini nostri Archiepiscopi appelletur —.

4) Urk. von 1302 §. 7 bei T. u. St. p. 445. „Wer Burger czu Glogau „ist und wirt geczogen aber her czie sich vor unsers Herren Antlitze, „des Fürsten, abir vor synen Hoverichter" —. Urk. von 1323, eod. p. 208. Not. 2. — ad nostram faciem seu presentiam sive curiam — trahitur —.

5) Urk. von 1337 bei T. u. St. p. 546.

6) Urk. von 1357 bei T. u. St. p. 576 u. 577.

7) T. u. St. p. 208.

8) Urk. von 978 §. 4 bei Goldast, const Imp I, 226. Si contingat scabinales sententias reprehendi, illos non posse propterea ad ulla alia loca protrahi, praeterquam ad palatiam nostram ante principes nostras.

vor dem gefundenen Urtheil, also noch ehe ein Urtheil gescholten
war, an ihn gewendet hatten, während der Zug nur dann zuläßig
war, wenn ein Urtheil gescholten worden, und zwar unmittel=
bar nach dem von dem Urtheilsfinder gefundenen Urtheil, ehe
die übrigen Urtheilsfinder abgestimmt hatten, gescholten worden
war. (ne aliquis — ad nostram presenciam appellare presumat
ante latam sentenciam, sed post latam sentenciam, antequam
approbata fuerit). Es wurde demnach damals nur der Mißbrauch
dieses Rechtes, keineswegs das Recht selbst bestritten⁹).

Wenn nun ein Urtheil gescholten und an den Gerichtsherrn
gezogen worden war, so mußte sodann dieser selbst und zwar auch
in diesem Falle, sintemal die Städte Immunität von den auswär=
tigen Gerichten hatten, in der Stadt selbst und zwar mit Urtheils=
findern aus der Stadt zu Gericht sitzen. Klar und deutlich war
dieses ausgesprochen in den schlesischen Städten. In Breslau und
Glogau sollte der Landesherr oder sein Stellvertreter, der Hofrichter
oder ein anderer Bevollmächtigter, in der Stadt selbst mit sieben
Schöffen aus der Stadt über die an ihn gezogenen Urtheile ent=
scheiden¹⁰). Eben so in Goldberg und Hainau¹¹), in Görlitz,
Liegnitz u. a. m.¹²). Aber auch anderwärts wurde es eben so ge=
halten. So saß z. B. der Erzbischof von Köln allzeit mit Schöffen
aus der Stadt Köln zu Gericht, so oft er daselbst in dem erz=
bischöflichen Palast zu Gericht saß. Nur sollten nicht wieder die=
selben Schöffen, deren Urtheil gescholten worden war, in zweiter
Instanz zu Gericht sitzen, wie dieses von den übermüthigen Schöf=

---

9) Mandatum von 1193 bei Pertz, IV, 568. vrgl. oben §. 583.

10) Urk. von 1302 §. 7 bei T. u. St. p. 445. — „den Burger sal man
    „nicht czihen buzzen der Stat Glosse, sunder in der Stat sal her ant=
    „worten und der Stat syeben Scheppfen sullen volgen und im deme
    „gerichte siczczen" —.

11) Zwei Urk. von 1357 bei T. u. St. p. 576 u. 577. — „so sal der
    „Czog in der Stat Muwer do selbist und nicht borus, do sal unser
    „Anewalden eyner czu komen und by Statschepfin mit den Lantschepfen
    „sullen do der Stat Recht teylen und geben" Nach einer anderen
    Urkunde (von 1329 eod. p. 532) durfte jedoch auch in dem Hofgericht
    zu Liegnitz über die Urtheile von Goldberg verhandelt werden.

12) T. u. St. p. 208 u. 209.

fen begehrt worden war [13]). Späterhin hörte jedoch dieses Ziehen
der gescholtenen Urtheile an die Deutschen Könige und Landesherrn
in allen jenen Städten auf, in welchen die Städte selbst die öffent=
liche Gerichtsbarkeit erworben hatten. Ein Rekurs an die Reichs=
gerichte und an die landesherrlichen Hofgerichte hatte seitdem nur
noch im Falle des verweigerten Rechtes statt. Denn die bei dem
Stadtgerichte gescholtenen Urtheile mußten nun an den neuen Ge=
richtsherrn, das heißt an die Stadt oder an den Stadtrath gezogen
werden.

§. 585.

Ursprünglich konnten die gescholtenen Urtheile n i c h t an den
S t a d t r a t h gezogen werden, weil dieser ursprünglich selbst noch
keine öffentliche Gerichtsbarkeit gehabt hat. Nur zur Rechtsbeleh=
rung waren die Stadträthe gleich anfangs befugt. So durften
z. B. in Speier die vier Monatrichter, wenn sie sich nicht vereini=
gen konnten oder nicht wußten was Recht war, die Sache vor den
Rath bringen und sodann nach des Raths Urtheil das Recht
sprechen [1]). Eben so durften die Schöffen des Stadtgerichtes zu
Worms, wenn sie nicht wußten was Recht war, das Recht bei dem
Rath holen [2]). Desgleichen bei dem Schultheißengericht zu Basel
die Zehner und die Fürsprechen, wenn sie nicht wußten was Recht
war [3]). Selbst im 15. Jahrhundert pflegten sich noch die Urtheils=
finder bei dem Stadtrath Raths zu erholen, wenn ihnen die Sache
zu schwer war [4]). Eine Berufung von dem Stadtgericht an den
Stadtrath hatte aber ursprünglich auch in jenen Städten nicht
statt [5]). Daher hatte in jenen und in einigen anderen Städten

---

13) Schiedsspruch von 1258 Nr. 40 bei Lacomblet, II, 246 u. 249. Eben
    so Schreinsurkunde von 15. sec. in Quellen, I, 179. vrgl. oben
    §. 535.

1) Rathsordnung von 1328 §. 60 bei Lehmann, p. 288.

2) Alte Urk. bei Schannat, II, 443. „Waz si (die Scheffen) nit finden
    „kunnen, die sollent sie in dem Rat holen."

3) Verordnung und Urtheilsspruch aus dem 14. sec. bei Ochs, II, 368,
    372 u. 374—76. Dienstordnung aus 14. sec. §. 19 u. 37 in Rechts=
    quellen, I, 67 u. 71.

4) Ochs, V, 52.

5) Basler Gerichtsordnung aus 14. sec. und Urtheilsbriefe von 1387 u.

lana. Zeit gar keine Berufung von dem Stadtgericht statt, z. B.
in Worms [6]), in Wiener Neustadt [7]), in Basel [8]) u. a. m. In
Basel wurde jedoch seit dem 15. Jahrhundert für Fremde und
für Geistliche eine Ausnahme gemacht. Da man sich nämlich
wegen verweigerter Justiz an auswärtige öffentliche Gerichte wen=
den durfte und da auch der geistliche Rath und der Bischof selbst
fortfuhr Appellationen von dem Stadtgerichte anzunehmen, so wurde,
um ihnen den Vorwand zu nehmen sich an fremde Gerichte wenden
zu müssen, zu ihren (der Fremden und Geistlichen) Gunsten und
bei Streitigkeiten der Bürger und Hintersassen mit ihnen, im Jahre
1472 eine Berufung an den Stadtrath gestattet, und zu dem Ende
ein Ausschuß von drei Rathsherren niedergesetzt (die Dreierherren
über die Appellationes verordnet). Hinsichtlich der Streitigkeiten
unter Bürgern und Hintersassen blieb es aber bei dem Verbote
der Appellation [9]). An diese Appellationsrichter durften indessen
auch die armen Leute in den von der Stadt erworbenen Land=
ämtern appelliren [10]). Den Bürgern selbst wurde aber bei Rechts=
händeln von Bürgern gegen Bürger erst im Jahre 1676 unter
dem Titel einer Revision eine Berufung an den Rath zuge=
standen [11]).

Wie in Basel, so hat sich nun auch in anderen Städten, in
manchen Städten sogar schon seit dem 13. und 14. Jahrhundert,
aus dem Rechte sich bei dem Stadtrath Raths zu erholen eine
wirkliche Berufung an den Stadtrath gebildet. Seitdem nämlich
die Städte und mit ihnen auch die Stadträthe selbständiger und
unabhängiger geworden waren, und seitdem sie auch noch die öffent=
liche Gerichtsbarkeit ganz oder theilweise erworben hatten und da=
durch die Gerichtsherren geworden waren, seitdem kamen auch die

---

1481 und Bürgereid bei Ochs, II, 372, 376, V, 48 u. 168. Dienst=
ordn. §. 19 u. 37 in Rechtsquellen, I, 67 u. 71.

6) Urk. von 1156, 1220 u. 1236 bei Moritz, II, 147, 157 u. 171. —
et non appellent ad majorem audientiam.

7) Stadtrecht, c. 113.

8) Rathsordnungen von 1387 u. 1454 in Rechtsquellen, I, 46 u. 148.

9) Ordnung von 1472 in Rechtsquellen, I, 200—201. Ochs, V, 48—49.

10) Rathserkenntniß von 1485 bei Ochs, V, 52 u. 53.

11) Verordnung beider Räthe von 1676 bei Ochs, VII, 289 u. 290.

Stadtgerichte in größere Abhängigkeit von ihnen. Die Stadtgerichte, früher öffentliche, entweder Reichs= oder landesherrliche Gerichte in der Stadt, wurden nun städtische unter dem Stadtrath stehende Behörden. Nichts war demnach natürlicher, als daß man da, wo man bisher sein Recht geholt hatte, nun auch über die beim Stadtgerichte gescholtenen Urtheile verhandelte, und daß sich aus dieser Verhandlung nach und nach eine wirkliche Berufung bildete. Schon nach dem Stadtrechte von Freiberg aus dem 13. Jahrhundert sollte das bei dem Stadtgerichte gestrafte oder gescholtene Urtheil an den Stadtrath oder an die zwölf Geschwornen gezogen und von diesen darüber erkannt werden. Die Bürger hatten demnach das zweifache Recht sich beim Stadtrath Raths zu erholen und eben daselbst über die gescholtenen Urtheile zu verhandeln [12]). Eben so wurde in Hamburg seit dem 13. Jahrhundert beim Stadtrath über das beim Stadtgericht gescholtene Urtheil verhandelt und entschieden [13]). Es war dieses Ziehen des gescholtenen Urtheiles an den Stadtrath eine Art von Berufung. Und in den Prozeßakten von 1336 und in der Glosse zu dem Stadtrecht von 1497 wurde es auch schon eine Berufung genannt und als eine solche behandelt [14]). Eben so wurde das gescholtene Urtheil in Lübeck und in allen Städten, in denen lübisches Recht galt, von dem Stadtgericht an den Stadtrath gezogen [15]). Auch in Speier bildete sich eine Berufung von dem Schultheißen= und Kämmerergericht an den Stadtrath [16]). Eben so in Wien [17]), in Bremen [18]), in Goslar [19]) u. a. m. Die Stadtgerichte nahmen seitdem die Natur von

---

12) Stadtrecht, c. 31 bei Schott, III, 256 u. 257. bei Walch, §. 172 u. 174. vrgl. oben §. 536.

13) Stadtrecht von 1270, art. 10, von 1292, art 9 u. von 1497, art. 20 bei Lappenberg, I, 29, 128 u. 190.

14) Lappenberg, I, 189. Not. zu art. 18 und Einleitung, p. 23 u. 24.

15) Hach, II, 60 u. 61, III, 50. Dreyer, Einleitung, p. 334.

16) Rechtsordnung von 1351 u. 1512 bei Rau, II, 26 u. 38. vrgl. oben §. 491.

17) Stadtrecht von 1278 bei Lambacher, II, 163. Das Stadtrecht von 1221 wußte noch nichts von einer solchen Berufung an den Stadtrath.

18) Assertio lib. Brem. p. 738 u. 768—69.

19) Göschen, p. 86 u. 402.

städtischen Untergerichten an und seit dem 16. Jahrhundert wurden
sie auch öfters Untergerichte oder Niedergerichte genannt,
z. B. in Hamburg, in Bremen und in Lübeck.

In allen jenen Städten nun, in welchen sich eine Berufung
an den Stadtrath gebildet hatte, hörte die Berufung an den Landes=
herrn auf. Dies war insbesondere auch in jenen Bischofsstädten
der Fall, welche Reichsstädte geworden waren. Zwar versuchten
es die Bischöfe auch in den Reichsstädten wieder eine Berufung
von dem Stadtgerichte und von dem Stadtrathe an ihr Hofgericht
einzuführen. Dies führte zu fortwährenden Kämpfen mit der Bür=
gerschaft jener Städte, bei denen jedoch die Bischöfe meistentheils
unterlagen. So nahm in Basel noch im 15. Jahrhundert das
geistliche Gericht und der Bischof selbst die oberste Instanz fort=
während in Anspruch. Dem Stadtrath blieb aber allzeit der
Sieg [20]). Eben so war es in Speier. Als im Jahre 1480 der
Bischof eine Berufung von dem Stadtrath angenommen hatte er=
hob der Stadtrath dagegen eine Beschwerde und der Bischof ver=
zichtete sodann auf das von ihm in Anspruch genommene Recht [21]).
Auch in Bremen wurde noch im 16. Jahrhundert der vergebliche
Versuch gemacht die alte Berufung an den Bischof wieder einzu=
führen [22]). Nur in Worms siegte nach langen Kämpfen der Bi=
schof. Auch in Worms hatte zwar bis ins 15. Jahrhundert keine
Berufung an das bischöfliche Hofgericht bestanden. Erst Bischof
Johann machte im Anfang des 15. Jahrhunderts den Versuch eine
solche Berufung einzuführen. Und dieser Versuch wurde später
noch mehrmals wiederholt [23]). Allein erst die Rachtung von 1519
führte zum Ziel. Und seit dieser Zeit ging denn auch von dem
Stadtgericht und von dem Stadtrath zu Worms eine Berufung an
das bischöfliche Hofgericht, jedoch unter fortwährendem Widerspruch
der Stadt und der städtischen Behörden [24]).

---

20) Ochs, IV, 343, 344, 346 ff., 359, V, 82 u. 83.

21) Lehmann, p. 951 u. 952.

22) Assertio, p. 836. Noch im 16. sec. wurde zuweilen vom Rath an
den Erzbischof appellirt. Donandt, I, 165. Not.

23) Zornius, p. 265 u. 266. Moritz, I, 551, II, 54—61.

24) Rachtung von 1519, §. 28 bei Schannat, II, 327. vrgl. noch p. 445.
und Moritz, II, 61 ff.

In vielen Städten nun, in welchen sich eine Berufung an den Stadtrath gebildet und die Berufung an den Landesherrn verloren hatte, durfte auch das von dem Stadtrath gefundene Urtheil wieder angefochten werden. Und dann mußte entweder in dem Stadtrath selbst über das angefochtene Urtheil verhandelt und entschieden werden, oder das Urtheil wurde an den Rath oder an den Schöffenstuhl einer anderen Stadt gezogen.

In manchen Städten durfte nun zwar das von dem Stadtrath erlassene Urtheil nicht mehr gescholten, wohl aber eine Art von Läuterung desselben begehrt werden. Die mit dem Urtheil unzufriedene Partei konnte nämlich von dem Stadtrath verlangen, daß ihr das Buch aufgeschlagen, verlesen und erläutert werde. Und man nannte dieses Rechtsmittel ein Ziehen des Urtheils an das Buch. Es hatte auch in diesem Falle eine neue Verhandlung vor dem Stadtrath statt. Denn nach einer Bestimmung des Stadtrechtes von Hamburg sollten die Parteien selbst ihr besseres Recht aus dem Buch nachweisen [25]). Ohne eine neue Verhandlung war dieses aber nicht möglich. Die Entscheidung hatte übrigens wieder der Stadtrath und, wenn dieser uneinig war, die Mehrheit des Rathes. Ein solches Ziehen des Urtheils an das Buch hatte statt in Hamburg [26]), in Lübeck [27]), in Goslar [28]), in Stade [29]), in Wismar u. a. m. Von dieser Entscheidung des Raths hatte kein weiterer Zug mehr statt. Denn das Buch galt als das oberste Gericht über den Rath [30]).

---

25) Stadtrecht von 1270, VI. 30, von 1292, G. 25, und von 1497, A. 23 bei Lappenberg, I, 37, 133 u. 192. — „deme dat ordel nicht behaget, „de mot it wol wedder teen in dat bock —, vnde he schal to deme „negesten dinge, also be rad vppe deme hus is, dat bock lesen la= „ten, vnde bewisen eyn recht ordel."

26) Stadtrecht von 1270, pr. und VI, 11 u. 30, von 1292, G. 10 u. 25 und von 1497, A. 22 u. 23 bei Lappenberg, I, 1, 30, 37, 128, 133 u. 192.

27) Hach, III, 306 u. 325. Lübisches Rechtsbuch, §. 249 bei Cronhelm, corpus stat. provinc. Holsatiae, p. 60.

28) Stadtrecht bei Göschen, p 87 u. 402.

29) Stadtrecht von 1279, art. 10 bei Pufendorf, I, 193.

30) Glosse zum Hamburg. Stadtrecht von 1497, A. 23 bei Lappenberg, I, 192. „Duth boeck — is dat ouerste gherichte bouen den Stadt" —.

Von diefem Ziehen des Urtheiles an das Buch verfchieden war das Auffchlagen des Buchs um zu erfahren was Recht fei, ehe noch ein Urtheil gefunden worden war, wiewohl auch diefes öfters ein Ziehen des Urtheils an das Buch genannt worden ift, z. B. bei dem Stadtgericht zu Augsburg [31]).

In vielen anderen Städten durfte auch das von dem Stadtrath gefundene Urtheil wieder gefcholten werden. Und dann hatte in manchen Städten eine abermalige Verhandlung in dem Stadtrath felbft ftatt, z. B. in Salfeld [32]), in Teuchel [32a]) u. a. m. In den meiften Städten wurde jedoch das bei dem Stadtrath oder auch bei einem Stadtgericht gefcholtene Urtheil an den Rath oder an den Schöffenftuhl einer anderen Stadt, alfo an einen auswärtigen Oberhof gezogen.

Oberhof.

§. 586.

Der Urfprung der Oberhöfe ift immer noch nicht ganz im Klaren, wiewohl in neueren Zeiten auch in diefer Beziehung Bedeutendes geleiftet worden ift [1]). Die Oberhöfe haben, wie ich glaube, einen fehr verfchiedenartigen Urfprung, fo wie fie denn felbft auch von fehr verfchiedener Art find. Hier ift natürlich nur von den ftädtifchen Oberhöfen die Rede, und ihr Urfprung ift theils in der grundherrlichen Gerichtsbarkeit zu fuchen, theils und hauptfächlich aber in der Uebertragung des Rechtes einer Stadt auf eine andere, oder auch in der freien Wahl eines auswärtigen Oberhofes, theils auch in kaiferlichen oder landesherrlichen Verfügungen.

Sehr viele Oberhöfe haben nämlich in einer grundherrlichen Gerichtsbarkeit ihren Urfprung. Wie in jeder anderen

---

vrgl. über diefe Berufung auf das Buch Homeyer, Richtfteig Landrecht, p. 517—519. und Haltaus, p. 1720—21.

31) Urf. von 1281 in Mon Boic. 33, I, p. 152. „Daz wart gezogen an „daz buch daz fait alfo" —.

32) Stadtrecht aus 13. sec. §. 68 bei Walch, I, 30.

32a) Stadtrecht von 1611, art. 4 §. 4 bei Walch, V, 171.

1) Michelfen, der Oberhof zu Lübeck, p. 1—15. Thomas, der Oberhof zu Frankfurt am Main, p. 53 ff.

Grundherrschaft das gescholtene Urtheil an den Grundherrn selbst oder an den grundherrlichen Oberhof gezogen und dort das Recht geholt werden durfte [2]), so auch in vielen Städten, wenn diese entweder selbst grundherrlich oder der Sitz eines grundherrlichen Oberhofes waren. So ging in Dürkheim der Zug von dem Stadtgerichte an den Grundherren (den Abt von Limburg) oder an dessen Stellvertreter [3]). Und da der oberste Fronhof der Abtei sich in Dürkheim befand, so war er der Oberhof für alle übrigen Fronhöfe der Abtei, wie dieses das grüne Buch von Dürkheim ausdrücklich sagt. „Alle die Frohnhöff deß Gottshaußes zu Schieferstatt, zu Wachenheim, zu Sultzbach, zu Fürbach, zu Eichen vnd „alle deß Gottshuse gesind were, daß sie vmb ein Vrtheil oder vmb „ein Recht nit welten, die sollen vnd mögen sich beruffen in den „Frohnhof zu Dürckheim, vnd sollen da hören vnd nehmen Recht, „Vrtheil vnd ande Recht deß Hoffs, vnd waß man da thetiget, das „sollen sie steet hallten.“ Eben so sind aus den erzbischöflichen Oberfronhöfen (curtes majores) zu Eltvill, Rüdesheim und Lorch die drei Oberhöfe des Rheingaus hervorgegangen [4]). Desgleichen in vielen Bischofsstädten die Oberhöfe des Stiftes. Jeder Bischof pflegte nämlich an seinem Bischofssitze einen Fronhof zu haben, welcher der Sitz der obersten herrschaftlichen Verwaltung und Rechtspflege der ganzen Herrschaft war. Das daselbst zu haltende Fronhofgericht war demnach der Oberhof für das ganze Stift, d. h. für die gesammten grundherrlichen Lande des Stiftes. Nachdem nun das oberste Fronhofgericht ein Stadtgericht geworden oder mit dem Stadtgerichte vereinigt worden und dieses von der Stadt selbst erworben worden war, so trat nun dieses Stadtgericht oder der Stadtrath selbst an die Stelle des früheren bischöflichen Oberhofes und des obersten Fronhofgerichtes. Die Immunität der Stadtgerichte und der Stadträthe von fremden Gerichten steht dem keineswegs entgegen. Denn die Immunität bezog sich bloß auf die öffentliche Gewalt. Die grundherrliche Gerichtsbarkeit ward dadurch gar nicht berührt. Auf diese Weise wurde denn der Stadt-

---

2) Meine Gesch. der Fronh. IV, 228 ff.
3) Meine Gesch. der Markenverfassung, p. 299 u. 303.
4) Bodmann, II, 663 u. 665.

rath von Speier der Oberhof für Kaiserslautern, Annweiler,
Lauterburg, Bruchsal (Bruffel) und für noch andere im Stifte ge=
legene Dörfer, wo diese ihr Urtheil und Recht, das sie nicht kann=
ten und nicht verstanden, suchten und fanden [5]). Auf dieselbe Weise
wurde der Stadtrath von Straßburg der Oberhof der im Stifte
liegenden Städte und Dörfer, wie dieses späterhin in dem Vertrage
mit dem Bischof von 1263 auch anerkannt worden ist [6]). Aus
demselben Grunde dürfte wohl auch der Stadtrath von Mainz
der Oberhof der im Rheingau liegenden Städte und Dörfer ge=
worden sein [7]). Auch die berühmten Oberhöfe zu Köln und zu
Magdeburg hatten vielleicht einen ähnlichen Ursprung. Daher
sprachen die Schöffen von Magdeburg von einem Ziehen des ge=
scholtenen Urtheiles auf den Königshof oder auf die Pfalz, d. h.
auf den königlichen Fronhof und an das königliche Fronhofgericht
zu Magdeburg [8]), zu einer Zeit noch als es in Magdeburg keinen
Königshof mehr gab. Jedenfalls war dieses aber bei dem Ober=
hofe zu Frankfurt der Fall. In Frankfurt am Main bestand
schon seit dem 10. Jahrhundert ein Pfalzgericht, d. h. ein könig=
liches Fronhofgericht, für die um die Stadt herumliegenden herr=
schaftlichen Reichslande, zu denen auch die in der Grafschaft des
Bornheimer Berges gelegenen Ortschaften gehört haben. Nachdem
nun das Pfalzgericht ein Stadtgericht geworden war, so wurde
dieses der Oberhof für die in den Reichslanden liegenden Ort=
schaften. Und es blieb auch ihr Oberhof nachdem das Gericht von
der Stadt erworben worden war [9]). Auch der Oberhof zu Dort=

---

5) Lehmann, p. 275, 575 u. 805.
6) Vertrag von 1263, §. 9 bei Schilter zu Königshoven, p. 730. und
   Wencker, von Außburgern, p. 25.
7) Bodmann, I, 23, II, 675
8) Schöffenurtheil, cap. 4. dist. 7 bei Zobel, p. 476. — „vnd zöge sich
   „deß auff deß Königes hoff, auch in ein gehegt Ding in Magdeburgi=
   „schem Recht." Sächs. Weichbild, art. 12. (oder 13). „So ziehen sie
   „— gen Magdeburg vor den Pfalentz auff den hoff"—. Dieses Fron=
   hofgericht des Königs ist von dem Reichshofgerichte verschieden, welches
   ebenfalls in dem königlichen Fronhofe gehalten zu werden pflegte. vrgl.
   oben §. 584.
9) vrgl. von Fichard, Entstehung von Frankfurt, p. 54—56. Thomas,
   Oberhof zu Frankfurt, p. 72, 122 u. 123. und oben §. 472.

mund scheint einen ähnlichen Ursprung zu haben. Denn auch
Dortmund hatte einen Reichshof mit einem dazu gehörigen Fron=
hof= oder Pfalzgericht. Der Oberhof verbreitete sich späterhin zwar
auch noch über andere Städte und Dörfer, welche ursprünglich
nicht zum Reichshof gehört haben, wie dieses auch bei Köln, Frank=
furt, Magdeburg und wahrscheinlich auch bei Speier und Straß=
burg der Fall war. Die erste Entstehung des Oberhofes hängt
aber bei allen diesen Städten, wie es mir scheint, mit dem alten
Reichshof oder mit dem landesherrlichen Oberhof zusammen.

Bei weitem die meisten Städte hatten jedoch ihren Oberhof bei
einer anderen Stadt, mit welcher sie weder durch eine grundherr=
liche noch durch eine öffentliche Gerichtsbarkeit verbunden waren.
Und sie hatten ihren Oberhof entweder bei dem Stadtrathe selbst
oder bei dem Stadtgerichte das heißt bei dem Schöffenstuhl dieser
Stadt, wie dieses für viele Städte z. B. in Frankfurt und in Mag=
deburg der Fall war. (§. 493.) Der tiefere Grund dieser ganz
eigenthümlichen Erscheinung liegt in der ersten Entstehung und Aus=
bildung des Stadtrechtes selbst. Das alte Stadtrecht war näm=
lich ursprünglich ein Recht der freien Kaufleute oder ein Marktrecht,
welches erst nach und nach zu einem eigentlichen Stadtrecht erwei=
tert worden ist. Aus demselben Grunde nun, aus welchem die
Märkte nicht unter den Gau= und Landgerichten gestanden haben,
nicht unter ihnen stehen konnten, aus demselben Grunde konnte
daher auch das an einem Marktorte gefundene Urtheil nicht an ein
Gau= oder Landgericht gezogen werden. Der Marktort konnte viel=
mehr nur bei einem anderen Marktorte seinen Oberhof haben, an
welchen man die gescholtenen Urtheile ziehen und dort sein Recht
holen konnte. (§. 51 u. 91.) Die meisten Oberhöfe dieser Art hän=
gen nun mit der Mittheilung des Stadtrechtes an eine andere Stadt
zusammen. Denn nichts war natürlicher, als sein Recht an jenem
Orte, wo man es erhalten hatte, auch ergänzen und in streitigen
Fällen entscheiden zu lassen. Sehr viele Städte wählten übrigens
auch irgend eine berühmte Stadt zu ihrem Oberhof, wenn sie auch
ihr Recht nicht von ihr erhalten hatten, oder sie erhielten einen sol=
chen städtischen Oberhof durch eine königliche oder landesherrliche
Verfügung. Die öffentlichen Gerichte, also auch die in einer Stadt
befindlichen Reichsgerichte, waren aber dabei ohne allen Einfluß,

wiewohl man dieses insgemein glaubt, z. B. Eichhorn [10]), Tho=
mas [11]), Michelsen [12]) u. a. m. Durch die Erhebung eines
Ortes zu einer Stadt wurde nämlich wegen der damit verbundenen
Immunität von den Gau= und Landgerichten die Kompetenz des in
der Stadt befindlichen öffentlichen Gerichtes auf die Stadt selbst
beschränkt, und an die Stelle des Gau= oder Landgerichtes ein eige=
nes Stadtgericht eingesetzt. Damit hörte aber aller Zusammenhang
des öffentlichen Gerichtes in der Stadt mit den nicht im städtischen
Gebiete liegenden Orten von selbst auf. Auch haben sich die städti=
schen Oberhöfe gerade deswegen gebildet, weil man den Einfluß
der öffentlichen Gerichte außerhalb der Stadt (der Gau= und Land=
gerichte) nicht wollte. Sie bildeten sich meistentheils sogar erst seit=
dem die Stadträthe eine gewisse Unabhängigkeit und Selbstständig=
keit von der öffentlichen Gewalt erlangt oder auch die öffentliche
Gerichtsbarkeit selbst schon erworben hatten. Auch konnte sich nur
auf diese Weise ein von dem Landrecht unabhängiges und selbstän=
diges Stadtrecht bilden.

Die meisten Oberhöfe hängen nun mit der Mittheilung des
Stadtrechtes zusammen. Die Mutterstadt, von welcher man das
Stadtrecht erhalten, wurde der Oberhof der Tochterstadt. So
erhielt bereits in 12. Jahrhundert Freiburg im Breisgau sein Recht
von Köln und zu gleicher Zeit dort seinen Oberhof. Eben so Sten=
dal sein Recht von Magdeburg und ebendaselbst seinen Oberhof.
(§. 51.) Viele Städte machten es gleich bei der Mittheilung des
Stadtrechtes zur Bedingung, daß die Mutterstadt auch der Oberhof
der Tochterstadt sein solle, z. B. Frankfurt am Main [13]). Auch
Breslau, welches vielen schlesischen Städten das magdeburgische
Recht mitgetheilt hatte, ließ sich von diesen Städten versprechen, daß
sie ihre Rechtsbelehrungen nirgends anders als in Breslau holen
wollten, z. B. von der Stadt Liegnitz [14]), von Olmütz [15]), von

---

10) Staats= und Rechtsgesch. §. 291, p. 390.
11) Der Oberhof zu Frankfurt, p. 55 ff. u. 69 ff.
12) Der Oberhof zu Lübeck, p. 8.
13) Stadtrecht von 1297, §. 21 in Wetteravia, p. 255, und bei Thomas,
p. 219.
14) Urk. von 1302 bei T. u. St. p. 448.
15) Urk. von 1352 bei T. u. St. p. 568—69.

Ramslau [16], von Großstrehlitz [17], von Oberglogau [18], von Te=
schen [19] u. a. m. Auch die zahlreichen Städte, welche lübisches
Recht erhalten hatten, erhielten mit diesem zu gleicher Zeit das Zug=
recht an den Rath zu Lübeck, also den Rath von Lübeck zum Ober=
hof. Die ältesten Handschriften des lübischen Rechtes enthalten
bereits diese Bestimmung [20]. Und dieselbe Bestimmung findet sich
noch in dem lübischen Stadtrechte von 1680, V, tit. 10 §. 1.
Eben so sollten die Städte in der Wetterau, welche ihr Recht von
Frankfurt erhalten hatten, beim Stadtrath zu Frankfurt ihren Ober=
hof haben [21]. Auch Aichach hatte sein Recht von München und
den Rath von München als Oberhof erhalten [22]. Eben so hatte
die Reichsstadt Buchhorn ihr Recht von der Reichsstadt Ueberlingen
erhalten und dort auch ihren Oberhof [23]. Breslau und Görlitz
hatten ihr Recht von Magdeburg erhalten. Daher holten sie dort
auch ihr Recht [24]. Auf einer eben solchen Mittheilung des mag=
deburgischen Rechtes an die Stadt Brandenburg und von dieser
Stadt an Spandau und von Spandau an andere Städte der Mark
Brandenburg beruhte wahrscheinlich auch das Zugrecht vieler bran=
denburgischen Städte nach Spandau, von Spandau nach Branden=
burg und von Brandenburg nach Magdeburg [25].

Sehr viele Städte wählten aber auch irgend eine berühmte
Stadt zu ihrem Oberhof, ohne ihr Recht von dieser Stadt erhalten
zu haben, oder sie erhielten einen solchen Oberhof durch eine Kö=
nigliche oder landesherrliche Verfügung. Auf diese
Weise erhielten viele Städte in der Wetterau, in Hessen u. a. m.

---

16) Urk. von 1359 bei T. u. St. p. 580—81.
17) Urk. von 1362 bei T. u. St. p. 581.
18) Urk. von 1372 u. 1373 bei T. u. St. p. 593 u. 594.
19) Urk. von 1374 bei T. u. St. p. 595.
20) Codex von 1240, c. 111 bei Westphalen, III, 652. Hach, II, 61 u.
III, 50. Michelsen, p. 12 ff.
21) Urk. Karl IV von 1366 in Wetteravia, p. 258.
22) Stadtrecht von Aichach von 1347 bei Lori, p. 59.
23) Privileg von 1275 bei Moser, Reichsstädt. Handb. I. 262.
24) T. u. St. p. 115. Theodor Neumann, Magdeburger Weisthümer aus
dem Görlitzer Rathsarchive. Görlitz. 1852.
25) Riedel, Die Mark Brandenburg im Jahre 1250, II, 548.

ben Rath von Frankfurt als ihren Oberhof ohne das frankfurter
Stadtrecht erhalten zu haben[26]). Auch Erfurt holte sein Recht
aus freiem Antrieb in Frankfurt[27]). So hatten z. B. jene hess=
schen Städte, welche nach fränkischem Recht lebten, offenbar aus
diesem Grunde ihren Oberhof beim Stadtrath zu Frankfurt. Denn
ihr Stadtrecht hatten sie nicht von Frankfurt erhalten[28]). Eben
so haben sich viele in den Stiftern Straßburg, Speier und Mainz
gelegene Städte, dem Stadtrath von Straßburg, Speier und Mainz
offenbar freiwillig unterworfen, indem sie in keinem grundherrlichen
Verband mit den landesherrlichen Fronhöfen gestanden und auch
ihr Recht nicht von jenen Städten erhalten haben. Dasselbe war
offenbar auch in Köln und Dortmund der Fall. Viele von den
Ortschaften und Städten, welche ihren Oberhof in Köln oder Dort=
mund hatten, haben wohl ursprünglich zu dem erzbischöflichen Fron=
hof in Köln oder zu dem Reichshofe in Dortmund gehört und sind
später mit dem herrschaftlichen Oberhof an die Stadt übergegangen.
Andere Städte haben wohl auch ihr Recht von Köln oder Dort=
mund erhalten. Viele Städte haben sich aber ganz gewiß auch frei=
willig jenen Oberhöfen unterworfen. Dies gilt zumal von dem
Oberhofe zu Dortmund. Denn Dortmund hatte einen weit verbrei=
teten Oberhof, unter welchem nicht bloß die Stadt Höxter und die
ganze Abtei Korvei, sondern auch noch alle zwischen Weser und
Rhein gelegenen Städte Paderborn, Herford, Minden, Wesel u. a.
m. standen[29]). Und nach dem alten Stadtrechte sollte Dortmund
sogar für alle Deutsche Städte, welche im römischen Reich auf
jener Seite der Alpen lagen, der Oberhof sein[30]). Nun wird aber

---

26) Thomas in der Wetteravia, p. 257 bis 273. Thomas, Oberhof, p.
    117 ff.

27) Urk. von 1261 bei Lambert, Gesch. von Erfurt, p. 122.

28) Thomas in Wetteravia, p. 270.

29) Wigand, Archiv, II, 1 p. 54, III, 3, p. 15 u. 19 ff. Mehrere Dort=
    munder der Stadt Wesel ertheilte Rechtssprüche bei Wigand, IV, 422
    — 429.

30) Stadtrecht, §. 22. bei Wigand. Omnes sententie de quibus dubita-
    tur requirende sunt apud nos de omnibus civitatibus teutonicis
    que sunt in Romano imperio ex ista parte alpium.

doch niemand behaupten wollen, daß alle diese Städte ihr Recht von Dortmund erhalten oder in einem reichsgrundherrlichen Verbande mit jenem Reichshofe gestanden haben. Oefters mußten sich auch die Rechtsuchenden Gemeinden durch schriftliche Reverse zum Wiederkommen verpflichten, ehe sie eine Rechtsbelehrung erhielten [31]).

Andere Städte erhielten ihren Oberhof durch eine König=liche oder landesherrliche Anordnung oder Bestätigung. So erhielt die Stadt Limburg an der Lahn das Zugrecht an den Oberhof zu Frankfurt von dem Herren von Limburg [32]) und von dem Kaiser Karl IV wurde es später bestätiget [33]). Auch der Reichs=stadt Gelnhausen bestätigte Kaiser Ludwig der Baier das Zugrecht an einen städtischen Oberhof [34]). Viele schwäbische Reichsstädte erhielten ihren Oberhof bei einer anderen Reichsstadt durch eine Kai=serliche Anordnung [35]). Und auch die Verfügungen hinsichtlich des Schöffenstuhls zu Aachen rechne ich dahin. Denn die Ansicht von Thomas, welcher diesen Schöffenstuhl für ein Kaiserliches Hofge=richt oder Reichsgericht hält [36]), kann ich aus den angegebenen Grün=den nicht theilen. Eben so ertheilte der Bischof von Münster der Stadt Bocholt das Zugrecht an das Stadtgericht von Münster [37]), dann der Bischof von Paderborn der Stadt Driburg das Zugrecht an den Rath von Paderborn [38]), der Markgraf von Brandenburg allen brandenburgischen Städten das Zugrecht an den Stadtrath (an den Schöffenstuhl) zu Brandenburg [39]), und in der Neumark der Städten Küstrin, Berlinchen, Landsberg, Zelle und Bärwalde das Zugrecht an den Stadtrath (Schöffenstuhl) zu Soldin [40]). Eben so die Herzoge von Oppeln Ratibor allen in ihrem Lande mit flämischem Rechte begabten Ortschaften das Zugrecht an die

---

31) Bodmann, II, 664, 675 u. 677.
32) Urk. von 1279 in Wetteravia, p. 264. und Thomas, Oberhof, p. 145.
33) Urk. von 1356 bei Wenck, Heff. Gesch. I, p. 327 Not.
34) Urk. von 1332 bei Bodmann, II, 887.
35) Thomas, Oberhof, p. 64.
36) Thomas, Oberhof, p. 55 u. 56.
37) Urk. von 1221 bei Wigand, II, 348. und Statute, eod. III, 1.
38) Urk. von 1345 bei Wigand, II, 364.
39) Urk. von 1315 bei Zimmermann, V, 164—165. Not.
40) Zimmermann, I, 166.

Stadt Ratibor [41]), der Bischof von Breslau allen ihm gehörigen Städten und Dörfern das Zugrecht an die Stadt Reisse [42]), der Herzog von Schlesien allen im Bezirke von Goldberg liegenden Ortschaften das Zugrecht an die Stadt Goldberg [43]) u. s. w.

Auf diese Weise entstanden denn sehr viele Oberhöfe in Deutschland, von denen das neue Stadtrecht über ganz Deutschland und selbst noch weiter ausströmte und sich verbreitete. Der Strom ging zwar ursprünglich nur von einigen wenigen alten Städten aus, in denen sich der freie Verkehr und das damit zusammenhängende Recht zuerst gebildet hatte, von Köln, Soest, Lübeck, Magdeburg, Frankfurt u. a m. Allein auch die Tochterstädte theilten das von ihrer Mutterstadt empfangene Recht wieder anderen Städten mit und wurden sodann selbst wieder die Oberhöfe dieser Städte. Freiburg im Breisgau, welches sein Recht von Köln erhalten hatte, theilte es wieder vielen anderen Städten in der Schweiz, im Elsaß und in Schwaben mit. Daher war Freiburg noch im 15. Jahrhundert der Oberhof von 32 Städten und Dörfern, unter denen sich auch Tübingen, Reutlingen, Ueberlingen, Ehingen, Fürstenberg u. a. befanden [44]). Gelnhausen, welches sein Recht von Frankfurt erhalten und daselbst seinen Oberhof hatte, wurde seinerseits wieder der Oberhof von Hammelburg, Hünfeld, Mergentheim, Steinau, Yphoven, Salmünster, Haselach und Schmalkalden [45]). Heilbronn, das seinen Oberhof in Frankfurt hatte, war wieder der Oberhof von Hall in Schwaben und Hall selbst wieder der Oberhof von Ullenshoven, Eppingen und Schefflenz [46]). Halle hatte sein Recht von Magdeburg erhalten und theilte es selbst wieder Neumarkt [47]) und diese Stadt wieder anderen Städten in Schlesien mit. Breslau, Görlitz und Schweidnitz hatten ihr Recht von Magdeburg erhalten und theilten es wieder vielen anderen Städten in Schlesien und diese wieder anderen Städten mit. Breslau hatte

---

41) Urk. von 1286 bei T. u. St. p. 403—404.
42) Urk. von 1290 bei T. u. St. p. 409—410.
43) Urk. von 1292 bei T. u. St p. 415 u. 416.
44) Schreiber, II, 182.
45) Wetteravia, p. 261—262.
46) Wetteravia, p. 263.
47) Schöffenbrief von 1235 bei T. u. St. p. 294.

sich aber, wie wir gesehen, als Oberhof anerkennen lassen und wurde daher die Hauptstadt von Schlesien [48]). Auch Kassel wurde der Oberhof (Ueberhof) der Städte Wolfhagen [49]), Witzenhausen u. a. m. [50]), Eisenach der Oberhof für die thüringischen Städte [51]), Stettin der Oberhof der meisten Städte in Pommern, Brandenburg der Oberhof der brandenburgischen Städte [52]), Aschaffenburg der Oberhof von Seligenstadt [53]), Brünn der Oberhof für viele Städte in Böhmen und Mähren [54]), München der Oberhof der bairischen Städte u. s. w.

Mehr oder weniger unvollständige Verzeichnisse der über ganz Deutschland verbreiteten zahllosen Oberhöfe findet man bei Grupen [55]), Dreyer [56]) und Thomas [57]), auch bereits schon im sächsischen Weichbild (art. 10.) und ein vollständiges Verzeichniß der mit lübischem Rechte bewidmeten Städte bei Michelsen [58]) und der mit Frankfurter Recht bewidmeten Städte bei Thomas [59]). Wie wenig vollständig aber die oben erwähnten Verzeichnisse sind, beweißt unter Anderem das Stadtrecht von Tübingen. Denn, während Tübingen nirgends als Oberhof genannt wird, steht auf der inneren Seite der vorderen Decke des alten auf Pergament geschriebenen Stadtrechtes von 1493 mit alter Handschrift: „Nota „diß hernach geschriben stett. märckt vnnd dörff hollentt ir urttel „vnnd rechtt allhie zu tüwingen: Brach, Minesingen, plawpuren, „harenberg, nagbtt, wildperg, bulach, Calw, böblingen, Sindelfingen, „Löwenberg, Brunigen, Vaihinngen, Asperg, Hainittssen, Hayter-

---

48) T. u. St. p. 115—117 217 u. 218.
49) Salbuch von 1555 bei Kopp, Heff. Gr. II, 159.
50) Salbuch bei Kopp, II, 153. vrgl. noch Kopp, I, 343.
51) Stadtrecht von 1283, §. 17 bei Gaupp, I, 201.
52) Zimmermann, I, 162 ff.
53) Grimm, I, 507. Stadtordnung von 1527 bei Steiner, Gesch. von Seligenstadt, p. 370. vrgl. noch p. 144 u. 349.
54) Rößler, Einleitung, p. 90.
55) Grupen, discept. forens. p. 759—760.
56) Dreyer, Einleitung, Lüb. BrO. p. 272—277.
57) Thomas, Oberhof zu Frankfurt, p. 194—202.
58) Michelsen, Oberhof von Lübeck, p. 47—82.
59) Thomas, p. 117 bis 162.

"bach, Elbingen, Rottenburg am necker, Horw, Brechttelfingen, Be-
"ringen stat vnd dorf, Gammertingen, Hachingen, kellmuntz, Aichach,
"Vnderrot vnd Osterberg, Zwinaltten, Hättingen, Dornstatten, Bon-
"dorff, Jemmingßhain, Hutzen im schainbuch, wyttingen, Gennckin-
"gen, Vnbinden, Oberndorff, Bolttringen, Jesingen, Lustnow, wyl
"im schainbuch, Alttorff, Tußlingen, Nera, Mößingen, Eschingen,
"Talhain, Bodeshusen, Binuigen, Jettenbruck, Mörinngen, kuster-
"tingen, walttorff, haßlach, Binbel, Dornach, schlaittorff, Ziett, Of-
"fertingen, Alttenburg, Sichenhusen, Kummelspach, Tegerschlatt,
"Cunnttingen, Braittenholtz, Terendingen, wyla, kilperg, wannkey,
"pfeffingen, rysten, Rallingßhen, Kebgardt, hagenloch, Offertingen
"mit dem hechgericht."

<h2 style="text-align:center">§. 587.</h2>

Diese Oberhöfe hatten eine doppelte Bestimmung. Sie
bienten einerseits zur Berathung der Parteien[1] oder der Urtheilsfinder, welche bei ihnen ihr Recht holten, wenn sie nicht wußten was Recht war.   Andererseits dienten sie aber auch als eine
Art von Berufungsinstanz, wenn ein gescholtenes Urtheil an
sie gezogen worden war.   Manche Oberhöfe dienten nun bloß als
Berufungsinstanz, andere aber und zwar die meisten für beides.
Einen Oberhof, der nur zur Rechtsbelehrung gedient hätte, kenne
ich nicht.   Bloß als Berufungsinstanz für die gescholtenen
Urtheile diente, wenigstens seit dem 15. Jahrhundert, der Stadtrath zu Lübeck allen jenen Städten, welche nach lübischem Recht
lebten.   Es wurden zwar auch Rechtsbelehrungen zu Lübeck gesucht.
Sie bildeten jedoch nur eine Ausnahme von der Regel.   Denn der
Rath von Lübeck pflegte die Rechtsbelehrungen entweder gänzlich
zu verweigern oder sie wenigstens nur mit dem Bemerken zu ertheilen, daß es aus besonderer Gefälligkeit geschehe[2].   In der Regel entschied der Rath zu Lübeck nur über Sachen, welche urtheils-
weise (ordelswise) an ihn gebracht, nachdem vorher ein Urtheil
gefunden und dieses gescholten worden war.   Daher wurde auch
der Zug nach Lübeck frühe schon eine Appell oder Berufung (Appell

---

1) Urk. von 1261 bei Lambert, Gesch. von Erfurt, p. 122.
2) Urtheile von 1464, 1500 u. 1502 bei Michelsen, p. 104, 314 u. 318.

off Berope) und seit dem 16. Jahrhundert eine Appellation ge=
nannt ³). Die meisten Oberhöfe dienten aber für beides,
für die Rechtsbelehrung ebensowohl wie für die Berufung,
z. B. der Oberhof zu Köln, zu Frankfurt, zu Kassel u. a. m.
Einen Oberhof, der bloß zur Rechtsbelehrung gedient hätte,
kenne ich nicht. Es kommt zwar öfters vor, daß man sein Recht
freiwillig ohne dazu verpflichtet zu sein bei einem Oberhof holte.
Dann war aber das Gericht, bei welchem man sein Recht suchte,
kein eigentlicher Oberhof, vielmehr ein gewillkürter Schiedsrichter,
der das bei ihm gesuchte Recht weisen konnte, wenn er wollte, der
aber die Weisung auch ablehnen und die Sache an den ordentlichen
Richter weisen konnte ⁴). Die eigentlichen Oberhöfe dagegen waren
gleichsam die ordentlichen Gerichte für die Recht Suchenden,
welche das bei ihnen gesuchte Recht ertheilen mußten, und bei
welchen auch die Recht Suchenden ihr Recht suchen mußten, in=
dem sie dahin malpflichtig waren ⁵). Als daher im Jahre 1377
ein Graf von Katzenelenbogen gegen die Stadt Limburg bei dem
Kaiserlichen Hofgericht klagte, wurde er mit seiner Klage an den
Stadtrath von Frankfurt gewiesen, indem dieser der Oberhof jener
Stadt sei ⁶). Alle Oberhöfe nun aber, bei welchen man sein Recht
holen mußte, hatten nicht bloß das Recht zu lehren, sondern auch
zu weisen, wenn gescholtene Urtheile dahin gezogen worden waren.
Wenigstens ist mir, wie bemerkt, kein Oberhof bekannt, welcher bloß
zur Rechtsbelehrung gedient hätte. In mehreren Stadtrechten wird
zwar bloß von dem Recht Holen bei dem Oberhof, nicht aber von
dem Ziehen des gescholtenen Urtheils an den Oberhof gesprochen.
So heißt es von dem Oberhofe zu Breslau ⁷), von dem Oberhofe

---

3) Urtheile von 1450, 1500, 1502, 1640 u. 1663 bei Michelsen, p. 17,
18, 314 u. 318.

4) Bodmann, II, 663 u. 675. Not. † †.

5) Urk. bei Bodmann, II, 665. Not. †. — „vnd darymb, bwyle wir ma=
leypflichtig sin, recht vor vch zu N. zu holen" — vrgl. noch p.
663 u. 667.

6) Urtheil von 1377 bei Wenck, I, 327—28.

7) Außer den angeführten Stellen vrgl. noch Magdeb. Schöffenurtheil
cap. 1. Dist. 5 bei Zobel, p. 465.

zu Dortmund [8]), zu Tübingen, zu Aschaffenburg, zu München u. a. m. immer nur, daß die Städte, welche dahin ihren Zug haben, ihre Rechtsbelehrungen daselbst suchen oder ihr Recht dort holen sollten. Daß aber auch die gescholtenen Urtheile an denselben Ober=hof gezogen werden sollten, geht klar und deutlich aus den Schöf=fenbriefen und Schöffenurtheilen [9]) und auch schon aus jenen Stadtrechten selbst hervor, wenn man sie genauer betrachtet [10]). Unter dem Recht Holen wurde allzeit auch das Recht Suchen bei einem gescholtenen Urtheil verstanden. Denn auch die Weisung auf ein gescholtenes Urtheil war ja eine Rechtsbelehrung, nur in einer etwas anderen Form.

§. 588.

Das Verfahren bei einer zu suchenden Rechtsbelehrung (beim Recht Holen) war nämlich nur wenig verschieden von dem Verfahren bei einem gescholtenen Urtheil. Wenn ein Urtheilsfinder um ein Urtheil gefragt worden war, so durfte er sich, ehe er sein Urtheil sprach, zuvor mit den umherstehenden Bürgern berathen oder auch das Recht, das er nicht kannte, bei einem Oberhofe holen, sich von dem Oberhof belehren lassen. (§. 536.) Dasselbe Recht hatte aber auch das gesammte Gericht, wenn es sich nicht einigen konnte oder nicht wußte was Recht war. Im einen wie in dem anderen Falle schickte nun der vorsitzende Richter zwei Schöffen oder zwei Rathsherrn an den Oberhof, und ließ daselbst das Recht holen. Denn nicht die Parteien, sondern die Urtheilsfinder, die noch kein Urtheil gefunden hatten und keines finden konnten, weil

---

8) Stadtrecht, §. 22.

9) Schöffenbrief von 1304 §. 86 bei T. u. St. p. 466. Magdeb. Schöf=fenurtheil, cap. 1. Dist. 3. u. cap. 4, Dist. 4. bei Zobel, p. 465 u. 475.

10) So ist z. B. in dem Stadtrecht von Dortmund, §. 22. anfangs bloß vom Rechtholen die Rede (Omnes sentencie de quibus dubitatur requirende sunt apud nos —). Daß darunter aber auch das Recht Suchen bei gescholtenen Urtheilen mit begriffen sein sollte, geht aus den Worten: in scripto debet ad nos transmittere sentenciam illam ut ipsam diffinitivam feramus hervor

sie nicht wußten, was Recht war, suchten das Recht. Daher muß=
ten die Richter und nicht die Parteien das Recht holen lassen. Es
geschah dieses jedoch auf Kosten der unterliegenden Partei [1]. Die
an den Oberhof gesendeten Boten referirten daselbst ursprünglich
mündlich über den zu entscheidenden Fall und brachten auch die
von dem Oberhofe mündlich erhaltene Weisung (die Rechtsbeleh=
rung) mit sich zurück. Späterhin, seit dem 15. Jahrhundert,
erhielten diese Boten eine schriftliche Anfrage, welche sie dem
Oberhofe überbrachten und dafür auch wieder eine schriftliche
Rechtsbelehrung als Antwort zurückbrachten [2]. Ganz dasselbe Ver=
fahren trat nun auch bei einem gescholtenen Urtheil ein. Nachdem
derjenige, der das Urtheil gescholten und ein besseres Urtheil gefun=
den, dieses sodann an den Oberhof gezogen und zu dem Ende um
Boten gebeten hatte, schickte auch in diesem Falle der vorsitzende
Richter zwei Schöffen oder zwei Rathsherren an den Oberhof.
Denn auch in diesem Falle waren es nicht die Parteien, die das
bessere Recht bei dem Oberhofe suchten, sondern die Urtheilsfinder,
welche das Urtheil gescholten hatten, was aber auch die Parteien
selbst sein konnten, wenn sie das Urtheil gescholten hatten. Das
Gericht hatte demnach beide Urtheile, das gescholtene und das von
dem Schelter gefundene dem Oberhofe zu überschicken, und dieses
um die Entscheidung zu bitten, welches von beiden Urtheilen das
bessere sei [3]. Eben so ging auch diese sogenannte Hoffahrt auf
Rechnung der unterliegenden Partei. Daher durften die Parteien,
wenn sie wollten, die von dem Gerichte gesendeten Boten beglei=
ten [4], und späterhin mußten sie sogar in der von dem Oberhofe

---

1) Magdeb. cap. 3., Dist. 10 bei Zobel, p. 473.

2) Bobmann, II, 663—64 und 665 ff. Stadtrecht von Freiberg bei Schott,
III, 256—57.

3) Zwei Schreiben von Munderchingen (Mundertingen) und von Ensslin=
gen aus dem 15. sec. an den Oberhof zu Freiburg bei Schreiber, II,
183. — „vns by dem botten in geschrift wissen ze lauffent, welche der
„vrtailen das minder oder das merer üch die rechter vnd bestentlicher
„bedunke, vns darnach wissen ze richten. — vnd welche vrtail ewch die
„best vnd dem rechten die geleichest beduncke, dero ir volg thuen, vns
„dasselbig widerumb verschlossen zuo schicken."

4) Freiburger Stadtrodel, §. 40. Stadtrecht von Freiberg von 1275 u.

zur Verhandlung festgesetzten Sitzung erscheinen [5]). Die an den
Oberhof gesendeten Boten referirten auch in diesem Falle ursprüng=
lich mündlich über die stattgehabte Verhandlung und brachten die
mündliche Weisung des Oberhofes an das Stadtgericht zurück.
Nur das angefochtene Urtheil sollte in manchen Städten frühe schon
schriftlich eingeschickt werden [6]).

Späterhin, seit dem 15. Jahrhundert, wurde aber die ganze
Verhandlung schriftlich geführt. Es wurde, wenn ein Urtheil
gescholten worden war, die Klage und die Antwort niedergeschrieben
und dieses sodann nebst den beiden getheilten Urtheilen, das heißt
mit dem gescholtenen und dem von dem Schelter gefundenen Urtheil
von dem Richter an den Oberhof gesendet, welcher hierauf ebenfalls
seine Weisung schriftlich ertheilte. Schöffen oder Rathsherren
brauchten nun aber keine mehr an den Oberhof zu reisen. Denn
zur Uebersendung der Schriften reichten nun auch gewöhnliche Bo=
ten hin [7]). An die Stelle der abgesendeten Boten trat nun ein
Schreiben des Gerichtes, dessen Urtheil gescholten worden war, in
welchem über die stattgehabte Verhandlung Bericht erstattet zu wer=
den pflegte. Und aus diesen Schreiben sind später die Apostel
des gemeinen Prozesses, sowohl die Reverentialapostel als die
verwerfenden und die zustimmenden Apostel hervorgegan-

1293 bei Schreiber, I, 82, 135 u. 136. Stadtrecht von Freiberg bei
Schott, III, 257. Magdeb. Schöffenbrief von 1304 §. 86. Sächs. Weich=
bild, art. 74. Bodmann, II, 664.

5) Urtheil von 1474 bei Michelsen, p. 155.

6) Stadtrecht von Dortmund aus 13. sec. §. 22. in scripto debet
ad nos transmittere sententiam illam ut ipsam diffinitivam feramus.

7) Magdeb. Schöffenurtheil, cap. 4, Dist. 3. bei Zobel, p. 475. „Der
„Richter mit wissen vnd bekenntnis der Schöppen sol klag vnd antwort vmb
„die getheilten vrtel, die gestrafft, gescholden sind, beschreiben lassen,
„vnd senden die an das höchste Gericht, da man sich hinziehen sol, vnd
„das Recht pfleg zu halten, vnd vmb das vrtel, das so bescholden wird,
„dürffen die Schöppen selber nicht hin folgen.“ vrgl. noch Schöffen=
urtheile, cap. 4, Dist. 5 und 7. bei Zobel, p. 475 u. 476. Die zwei
Schreiben von Mundchingen und Enslingen an den Oberhof zu Freiburg
aus 15. sec. bei Schreiber, II, 183.

gen. Diesen Schreiben wurden nun seit dem Ende des 15. Jahr=
hunderts und im 16. die schriftlichen Eingaben der Parteien, die
Klag= und Einredeschrift, die Replik und Duplik mit den Beweis=
documenten beigelegt. Es trat demnach an die Stelle des früheren
sehr einfachen mündlichen Verfahrens eine sehr weitläuftige schrift=
liche Prozedur [8]).

Das Verfahren bei dem Oberhof war demnach in beiden Fäl=
len, bei dem Recht Holen ebensowohl wie bei einem gescholtenen
Urtheile, nur wenig von einander verschieden. Es war nur dadurch
verschieden, daß im Falle des Unterliegens der Urtheilsschelter ge=
straft werden sollte (§. 583.), während der bloß Recht Suchende
nicht gestraft wurde, sintemal sogar derjenige, der einem Urtheil
widersprach ohne es zu schelten, nicht gestraft werden sollte [9]). Das
Verfahren selbst war aber in beiden Fällen ganz gleich, und die
Weisung des Oberhofes in einem Fall wie in dem anderen eine
Rechtsbelehrung. Die Oberhöfe hatten nämlich ursprünglich keine
wahre Gerichtsbarkeit, also auch keine Obergerichtsbar=
keit. Sie hatten vielmehr bei allen an sie gezogenen, auch bei den
gescholtenen, Urtheilen nur eine Rechtsbelehrung zu ertheilen, wie
späterhin die Juristenfakultäten. Auch wenn der König selbst in
einer Stadt zu Gericht saß und sein Urtheil gescholten ward, so
konnte das gescholtene Urtheil an den gewöhnlichen Oberhof der
Stadt gezogen werden [10]). Man wird aber doch nicht behaupten wol=
len, daß der städtische Oberhof in diesem Falle ein Obergericht des
Königs gewesen sei. Darum konnte auch Magdeburg der Oberhof
von Halle, und umgekehrt Halle wieder der Oberhof von Magde=
burg sein [11]). Im Elsaß ging der Rechtszug bei allen Städten,
welche kolmarsches Recht hatten, immer von einer Stadt zu der
andern, so daß demnach dieselbe Stadt bald Oberhof bald Unterhof

---

8) Dreyer, Einleitung, Lüb. BrO. p. 263—265. Bodmann, II, 664. Mi=
chelsen, p 23—27.
9) Sächs. Lr. II, 12 §. 10.
10) Magdeb. Schöffenurtheil, cap. 4, Dist. 4 bei Zobel, p. 475. „Sitzt
„der König Gericht in einer Stadt, da Weichbilden Recht ist, so mag
„man da für jhm vrtel finden vnd schelten, vnd ziehen sich des an das
„öberst Weichbilden Recht, da die Stadt jhr Recht pflegt zu holen.“
11) Sächs. Weichbild, art. 10 u. 13.

war [12]). Eben so war es in Böhmen. Die böhmischen Städte, welche nach magdeburgischem Recht lebten, hatten ihren Oberhof meistentheils in Königgräz. Aber auch Königgräz suchte wieder sein Recht bei einer jener Städte, welche selbst ihren Oberhof in Königgräz hatten [13]). Wäre der Oberhof ein wahres Obergericht und das Ziehen des Urtheils eine wahre Berufung gewesen, so würde dieses nicht möglich gewesen sein.

Und so war es offenbar ursprünglich auch in Lübeck und in den Städten des lübischen Rechtes. Erst seit dem 15. Jahrhundert hat sich dieses geändert. Das Ziehen des gescholtenen Urtheiles wurde nämlich unter dem Einfluß des fremden Rechtes zu einem Instanzenzug und zu einer wahren Berufung ausgebildet. An die Stelle des Scheltens des Urtheils stehenden Fußes trat seitdem eine Berufungsfrist von 10 Tagen und die Einreichung einer Berufungsschrift binnen jener Zeit. Die Schreiben des Gerichtes an den Oberhof gingen nun in Abschiedsschreiben (in Apostel) über. Es wurden Inhibitorialien und Compulsorialien erlassen. Und die Oberhöfe wurden sodann wahre Appellationsgerichte, bei denen in den Formen des fremden Rechtes prozedirt ward. So war es späterhin in Lübeck [14]) in Hannover [15]), im Rheingau [16]) u. a. m. In Lübeck wollte man sogar, wie wir gesehen, keine bloße Rechtsbelehrungen mehr ertheilen. Und dieser Zustand dauerte bis zum Untergang der Oberhöfe selbst, bis ins 16. Jahrhundert, in manchen Städten sogar bis ins 17. und 18. Jahrhundert.

§. 589.

Seitdem die Landeshoheit fester begründet war, seitdem wurde das Zugrecht an die Oberhöfe beschränkt, oder auch gänzlich verboten und statt dessen eine Berufung an die Landesherrn oder an ihre Hofgerichte eingeführt. Schon die Schöffen von Magdeburg hatten erkannt, daß das Zugrecht bei gescholtenen

---

12) Stadtrecht von Kolmar von 1293, §. 7.
13) Gaupp, D. Stadtrechte, II, 258.
14) Dreyer, Einleitung, p. 265— 266. Michelsen, p. 27—29.
15) Grupen, discept. forens. p. 737.
16) Bodmann, II, 664.

Urtheilen nur mit Zuſtimmung des Erbherrn, d. h. des
geiſtlichen oder weltlichen Landesherrn ausgeübt werden dürfe [1]).
Sie hatten demnach jedem Landesherrn das Recht dieſes zu ändern
zugeſtanden. Und ſeit dem 14. und 15. Jahrhundert machten auch
die Landesherrn von dieſem Rechte Gebrauch, meiſtentheils aber
erſt ſeit dem 16. Jahrhundert oder auch noch ſpäter. In Sarbrücken ſollten die Schöffen ſchon nach dem Freiheitsbriefe von
1321 ihr Recht nicht mehr auswärts („vnd nit vſs baſs“) vielmehr
nur noch bei dem Grafen von Sarbrücken ſelbſt oder bei ſeinem
Stellvertreter ſuchen [1a]). Die heſſiſchen Städte, welche nach
fränkiſchem Recht lebten, hatten, wie wir geſehen, ihren Oberhof
bei auswärtigen Reichsſtädten, und zwar meiſtentheils in Frankfurt
am Main. Bereits im Jahre 1355 wurden ſie aber auf Betreiben
des Landgrafen von Kaiſer Karl IV von dieſem Zugrecht befreit
und mit ihren Berufungen an den Landesherrn oder an deſſen
Obergerichte gewieſen. Nur im Falle des daſelbſt verweigerten
Rechtes ward ihnen noch der Zug an ihren ehemaligen Oberhof
geſtattet [2]). Auch von Kaſſel, welches keinen Oberhof hatte,
ſollte nach einer landesherrlichen Verordnung von 1384 das ge-
ſcholtene Urtheil an den Landesherrn oder an ſeine Räthe gezogen
werden. Und nach der Landesordnung von 1455 ſollten auch in
den übrigen Städten die Berufungen in Civilſachen an den
Landgrafen oder an ſeine Räthe gehen [3]). Nach den Salbüchern
dauerten jedoch die Oberhöfe bis ins 16. Jahrhundert fort. Dann
trat die Verſchickung der Akten an eine Juriſtenfakultät an ihre
Stelle, bis auch dieſe im Jahre 1732 beſchränkt, im Jahre 1747
ganz verboten, in den Jahren 1764 und 1767 aber wieder erlaubt
worden iſt [4]). In den hannöverſchen Landen war es bereits
ſeit dem 14. und 15. Jahrhundert ſtreitig, ob die geſcholtenen Urtheile an die Oberhöfe nach Hannover und nach Minden oder an
den Landesherrn ſelbſt, als an den rechten Oberherrn (Overman)
gezogen werden ſollten. Erſt am Ende des 15. Jahrhunderts wurde

---

1) Magdeb. Schöffenurtheile, cap. 1. dist. 3. bei Zobel, p. 465.
1a) Grimm, II, 1—2.
2) Urk. von 1355 bei Schmincke, III, 261 u. 262.
3) Kopp, Heſſ. Gr. I, 344 u. 345.
4) Kopp, I, 346.

aber die Berufung an das landesherrliche Hofgericht zur Regel [5]). Meistentheils wurden jedoch die Oberhöfe erst im 16. Jahrhundert oder auch noch später aufgehoben, und verordnet, daß die Berufungen in Civilsachen an die landesherrlichen Hofgerichte gehen, die Rechtsbelehrungen aber bei unparteiischen erfahrnen Rechtsgelehrten gesucht werden sollten, an deren Stelle nach und nach die Juristenfakultäten getreten sind. Im Erzstifte Mainz wurde der Zug an die Oberhöfe durch die Hofgerichts Ordnung von 1516 und durch die Untergerichts Ordnung von 1534 als ein bestehender Mißbrauch (vermeynter Gebrauch) abgeschafft und eine Berufung an das neu errichtete Hofgericht eingeführt [6]). Da jedoch das Hofgericht bloß mit Doctoren der Rechte besetzt war, so hatte es kein Vertrauen. Der Zug an die Oberhöfe dauerte daher nach wie vor im 16. Jahrhundert noch fort. Auch erlaubte die neue Untergerichts Ordnung das Urtheil bei einer unparteiischen Juristenfakultät einzuholen [7]). Im Erzstifte Trier wurde durch die Untergerichts Ordnung von 1539 das Hoffahren an auswärtige Oberhöfe ganz abgeschafft. Von den erzstiftischen Oberhöfen wurden aber zwei, die Stadtgerichte zu Trier und zu Koblenz beibehalten, jedoch bloß um sich bei ihnen als bei verständigen und erfahrnen Rechtsgelehrten Raths zu erholen [8]). Auch im Erzstifte Köln und in Westphalen wurde das Rechtholen bei den Oberhöfen, das sogenannte Hauptfahren (das ze Heupt Faren und die Heuptfartten) abgeschafft, und an die Stelle des Rechtholens der Untergerichte die Appellation an das Obergericht gesetzt [9]). Das Rathserholen bei unparteiischen rechtserfahrenen Leuten und das Hauptfahren in dieser beschränkten Weise blieb aber nach wie vor erlaubt [10]). Eben so wurde im Stifte Münster eine Berufung

---

5) Grupen, discept. forens. p. 732—738.

6) Hofgerichts Ordnung von 1516 und Untergerichts Ordnung von 1534 bei Saurius, I, fasc. 1. p. 12 und p. 26.

7) Untergerichts Ordnung, tit. 1. §. 3. Bodmann, II, 664 u. 665.

8) Untergerichts Ordnung von 1539 bei Saurius, I, fascic. 1, p. 76 u. 77.

9) Abschied gemeiner Kölnischer Landschaft von 1537 §. 9 u. 10 bei Kindlinger, Münster. Beitr. II, 376.

10) Gerichts Ordnung des Erzstifts Köln von 1538 bei Saurius, I, fasc. 1, p. 51 u. 52.

an das landesherrliche Hofgericht eingeführt, den Schöffen aber ge=
stattet, wenn sie kein Urtheil finden konnten, die Akten auf Kosten
der Parteien an unparteiische und verständige Rechtsgelehrte zu
versenden [11]). Auch in der alten Grafschaft Solms und in der
Herrschaft Münzenberg wurde das Rechtholen bei den Ober=
höfen abgeschafft, den Schöffen aber gestattet, wenn sie sich nicht
vereinigen konnten oder wenn der Handel so schwer war, daß er
über ihren Verstand ging, das Recht bei unparteiischen erfahrnen
Rechtsgelehrten zu holen [12]). In Seligenstadt wurde das Recht=
holen beim Obergericht zu Aschaffenburg im Jahre 1527 verboten,
bei schweren Sachen jedoch gestattet, sich bei dem Landesherrn oder
bei dem landesherrlichen Vitzthum oder bei Rechtsgelehrten Raths
zu erholen [13]). In der Mark Brandenburg kamen zwar die
Berufungen an die städtischen Oberhöfe im Laufe des 16. Jahr=
hunderts außer Gebrauch, Rechtsbelehrungen durften aber auch noch
im 16. Jahrhundert bei ihnen gesucht werden. Im Jahre 1551
erhielt die Stadt Crossen sogar noch das Privilegium anstatt in
Magdeburg bei den Schöffen zu Leipzig Rechtsbelehrungen zu holen.
Und im Landtagsabschied von 1611 wurde dieses nochmals und zu
gleicher Zeit auch noch für Züllichau und Kotbus bestätiget [14]).
Auch bei dem berühmten Schöffenstuhl zu Brandenburg wurde das
Recht seit dem 16. Jahrhundert nicht mehr geholt. Das Recht
dazu ist aber auch späterhin noch geblieben. Denn noch im 17:
Jahrhundert beschwerten sich die Schöffen von Brandenburg bei
dem Kurfürsten, daß man statt bei ihnen das Recht bei den Uni=
versitäten zu Frankfurt, Helmstädt und Rostock hole [15]). In
Frankfurt a. M. wurde das Rechtholen bei dem Oberhof erst
durch den Bürgervertrag von 1612 abgeschafft. Und es traten so=
dann auch dort die Juristenfakultäten an die Stelle des Oberhofes.
Daher gingen die Berufungen an den Oberhof zu Frankfurt noch

---

11) Münsterische Landgerichts Ordnung von 1571, tit. 29 u. 30 bei Saurius, II, fasc. 6. p. 242 u. 243.
12) Solmser Gerichts= und Landordnung von 1571, tit 32 §. 5 und
tit. 33.
13) Stadtordnung von 1527 bei Steiner, Seligenstadt, p. 370.
14) Mylius, VI, 1. p. 91 u. 216.
15) Zimmermann, III, 186—188.

das ganze 16. Jahrhundert hindurch fort bis in den Anfang des
17. [16]). Die butzbachische Gerichtsordnung von 1578 weiß die
Schöffen sogar ausdrücklich noch an das Reichsstadtgericht zu Frank=
furt als an ihren Oberhof, wenn ihnen der Handel so schwer sei,
daß er über ihren Verstand gehe [17]). Aber auch nach dem Bürger=
vertrage von 1612 dauerten die Berufungen an den Oberhof zu
Frankfurt noch fort. Von Wetzlar findet sich noch in den Jahren
1624 und 1625 eine Berufung dahin. Sie war aber wahrscheinlich
die letzte [18]). Am aller längsten dauerten jedoch die Berufungen
an den Oberhof zu Lübeck. Zwar kamen die Berufungen dahin
seit dem 15. und 16. Jahrhundert in vielen Städten des lübischen
Rechtes außer Gebrauch. Für die schleswig=holsteinischen
Städte, welche nach lübischem Recht lebten, wurde das Zugrecht
nach Lübeck bereits in den Jahren 1496 und 1498 abgeschafft und
dafür das Vierstädtegericht als Appellationsgericht errichtet, bestehend
aus Deputirten der Stadträthe von Kiel, Rendsburg, Itzehoe und
Oldesloe. Streitigkeiten unter diesen Städten führten aber gegen
Ende des 17. Jahrhunderts zum Untergang des Vierstädtegerichtes.
Es kam außer Gebrauch. Und im Jahre 1737 wurde diese still=
schweigende Abschaffung bestätiget und die Berufung an die beiden
Justizkanzleien zu Glückstadt und Kiel gewiesen [19]). Nichts desto
weniger dauerten die Berufungen der schleswig=holsteinischen Städte
nach Lübeck noch bis ganz an das Ende des 16. Jahrhunderts
fort [20]). Auch in Mecklenburg und Pommern wurde bereits
im 15. Jahrhundert eine Berufung an die landesherrlichen Hof=
gerichte eingeführt. Die Berufungen der mecklenburgischen und
pommerschen Städte nach Lübeck dauerten jedoch nach wie vor fort,
so daß es sich manchmal ereignete, daß der eine Theil an das Hof=
gericht und der andere an den Oberhof nach Lübeck appellirte [21]).

---

16) Thomas, Oberhof, p. 114, 120—159 u. 202.

17) Butzbach. Gerichtsordnung von 1578, tit. 31 bei Saurius, II, fasc. 8,
	p. 98.

18) Thomas, p. 158 u. 202.

19) Dreyer, Einleitung, p. 270 u. 280. Falck, Handb. des schleswig=holst.
	Rechts, III, 1. p. 220. Rescript von 1737 im Corpus const. Holsat.,
	I, 45.

20) Michelsen, p. 32, 348 u. 349.

21) Stettin= und Wolgastische Gerichtsordnung von 1566 bei Saurius, II,

Die Berufungen nach Lübeck wurden zwar mehr und mehr be=
schränkt und erschwert, den Städten Colberg, Stralsund und Wis=
mar jedoch die Wahl zwischen dem landesherrlichen Hofgericht und
dem Rath von Lübeck gelassen und dem Ermessen des Raths von
Rostock überlassen, der Appellation nach Lübeck entweder zu beferiren
oder sie zu verwerfen. Und so dauerten denn die Berufungen jener
Städte nach Lübeck fort bis in die Hälfte des 18. Jahrhunderts[22]).
Der Grund dieser bis ins 17. und 18. Jahrhundert fortdauernden
Berufungen an die Oberhöfe war die allenthalben bestehende Ab=
neigung gegen die neu errichteten Hofgerichte, welche ausschließlich
mit Doctoren des römischen und kanonischen Rechtes besetzt waren,
und allen ihren Entscheidungen das fremde Recht zu Grund legten,
indem sie das einheimische nationale Recht gar nicht kannten. Wie
die wirtembergischen und andere Städte[23]) so beschwerten sich daher
auch die Städte Anklam, Parchim, Treptau, Wolgast u. a. m. noch
das ganze 16. Jahrhundert hindurch über die landesherrlichen Hof=
gerichte und über die Vernachläßigung des einheimischen Deutschen
Rechtes durch sie[24]). Zuletzt mußten aber auch sie sich in das
Unvermeidliche finden.

Auf diese Weise haben sich denn in Civilsachen die Ober=
höfe in ganz Deutschland verloren. Und es ist sodann an die Stelle
des Ziehens der geicholtenen Urtheile an die Oberhöfe eine Be=
rufung an die landesherrlichen Hofgerichte, und an die Stelle des
Rechtholens bei den Oberhöfen das Rechtholen bei den Universi=
täten getreten[24a]), und dieser Zustand in vielen Städten bis auf
unsere Tage geblieben. In peinlichen Sachen haben sich je=

---

fasc. 7. p. 129. „Als sich auch vielmaln zuträget, daß in vnsern
„Stedten, so mit Lübischem Rechte bewidmet, von außgesprochnen Vr=
„theiln ein theil an vnser Hoffgerichte, vnd die ander Parthey gegen
„Lübeck appelliert" —.

22) Stettin= und Wolgastische Gerichts Ordnung von 1566 bei Saurius,
p. 129. Gerichts Ordnung von Rostock von 1586, tit. 27, p. 29.
Dreyer, Einleitung, p. 267—270. Michelsen, p. 32—35.

23) Gerstlacher, Einleitung in die Verfass von Wirtemberg, §. 22, i,
p. 73.

24) Dreyer, p. 268 u. 269.

24a) vrgl. Stobbe, Gesch. der Rechtsg. II, 63—82.

doch die Oberhöfe in etwas anderer Weise verloren. Auch die peinlichen Gerichte wurden zwar seit dem 16. Jahrhundert allenthalben reformirt und auch in peinlichen Sachen die Berufungen an die Oberhöfe abgeschafft. Da jedoch die peinliche Halsgerichts Ordnung Kaiser Karls V (art. 219) zur Belehrung der Schöffen die Oberhöfe beibehalten und für jene Gerichte, welche keinen Oberhof hatten, das Rechtholen bei der Obrigkeit oder bei den Juristenfakultäten oder bei anderen Rechtsgelehrten angeordnet hatte und diese Anordnung in die meisten Landesordnungen und Gerichtsordnungen, z. B. in der Mark Brandenburg [25]), in Hessen [26]), in Münster [27]) u. a. m. übergegangen ist, so haben sich die Oberhöfe in peinlichen Sachen, in manchen Städten länger als in Civilsachen erhalten. In der Landgrafschaft Hessen z. B. blieb das Rechtholen bei dem Oberhofe in peinlichen Sachen nach wie vor im Gebrauch. Der Stadtrath von Kassel war der Oberhof für das ganze Land, bis seit dem Ende des 16. Jahrhunderts auch die Schöffen von Kassel anfingen die Kriminalakten an die Juristenfakultäten zu versenden, statt selbst in der Sache zu sprechen [28]). In den meisten Territorien und Städten trat jedoch die Obrigkeit, d. h. das landesherrliche Hofgericht oder der Stadtrath an die Stelle des Oberhofes. Daher sanken die Schöffen der peinlichen Halsgerichte seit dem 17. Jahrhundert allenthalben zu bloßen Figuranten herab, die weiter nichts mehr zu thun hatten, als der Publikation des bereits von anderen (von den Hofgerichten oder Juristenfakultäten) gefundenen Urtheiles im hochnothpeinlichen Halsgerichte beizuwohnen.

Berufung an die öffentlichen Gerichte.

§. 590.

Die Städte, die Stadtgerichte und die Stadträthe standen,

---

25) Polizeiordnung von 1540, cap. 13 bei Mylius, V, 16.
26) Hess. peinliche Gerichtsordnung von 1535, c. 58 u. 103 bei Saurius, II, fasc. 8. p. 52 u. 68.
27) Landgerichts Ordnung von 1571, III, c. 1. §. 2 bei Saurius, I, fasc. 6. p. 248.
28) Kopp, I, 346—348.

wiewohl sie Immunität von den öffentlichen Gerichten erhalten hatten, nach wie vor unter der öffentlichen Gewalt und unter den öffentlichen Gerichten. So lang die Deutschen Könige in den alten Königsstädten, die Bischöfe und Aebte in den Bischofs- und Abtei- städten und die übrigen Landesherrn in den Landstädten die Ge- richtsherrn waren, so lang konnten auch noch die bei den Stadt- gerichten gescholtenen Urtheile an den König oder Landesherrn, oder an das Königliche oder landesherrliche Hofgericht gezogen werden (§. 584). Die Stadtgerichte waren nämlich durch die erhaltene Immunität nur von den Gau- und Landgerichten befreit worden. Sie standen demnach nun direkt unter dem König oder Landesherrn, oder unter dem Königlichen oder landesherrlichen Hofgericht. So waren z. B. in der Mark Brandenburg im Jahre 1344 alle Städte von dem Landgerichte befreit worden. Daher standen sie seitdem, nach derselben Urkunde direkt unter dem landesherrlichen Hofge- richte [1]. Und in jenen Landstädten, in welchen die öffentliche Ge- richtsbarkeit nicht von der Stadt selbst und von dem Stadtrath erworben worden ist, blieb dieses auch so noch in späteren Zeiten. Das Ziehen des gescholtenen Urtheiles an das landesherrliche Hof- gericht ist jedoch, seit der Anwendung des fremden Rechtes, in eine wahre Appellation oder Berufung übergegangen. In jenen Land- städten dagegen und in den Reichsstädten, in welchen die Stadt und der Stadtrath die öffentliche Gerichtsbarkeit erworben hatte, mußten nun, wie wir gesehen, die bei dem Stadtgerichte gescholtenen Urtheile an den Stadtrath gezogen werden, aus welchem Zugrecht seit der Anwendung des fremden Rechtes gleichfalls eine wahre Be- rufung geworden ist. Und dasselbe war auch, wie wir gesehen, in jenen Städten der Fall, welche einen auswärtigen Oberhof er- halten hatten, an welche die entweder beim Stadtgerichte oder beim Stadtrathe gescholtenen Urtheile gezogen werden mußten. Denn auch dieses Zugrecht ist seit der Anwendung des fremden Rechtes in eine wahre Appellation übergegangen. Aber auch die Städte

---

1) Urk. von 1344 bei Gercken, cod. dipl. Brand. III, 240. si aliquando, quempiam consulum civitatum excedere contingeret, hic coram judice curie nostre astare judicio debebunt responsuri —. vrgl. p. 239.

dieser Art wurden nicht ganz frei von der öffentlichen Gewalt und von den öffentlichen Gerichten. Es blieb vielmehr auch in diesen Städten, wie bei den Fronhofgerichten [2]), ein Rekurs gegen die von dem Stadtrath oder von dem Oberhof erlassenen Urtheile, in den Reichsstädten ein Rekurs an den König oder an das königliche Hofgericht oder an das Reichskammergericht und in den Landstädten ein Rekurs an den Landesherrn oder an das landesherrliche Hofgericht, ursprünglich jedoch beschränkt auf den Fall des verweigerten Rechtes.

So ging denn bei dem in den Städten verweigerten Rechte in den Reichsstädten der Rekurs an den Deutschen König und Kaiser oder an das Kaiserliche Hofgericht, z. B. in Goslar [3]), in Speier [4]), in Worms [5]), in Regensburg [6]), in Frankfurt [7]), in Basel [8]), in Ulm [9]), in Lübeck [10]) u. a. m. Und wenn sich außer diesem Falle jemand an ein Kaiserliches Hofgericht berufen hatte, so durfte das Stadtgericht seine Bürger abfordern und versprechen, z. B. in Basel [11]), und das Hofgericht mußte sodann die Sache zurückweisen und an das zuständige Gericht hinweisen. Dieses Recht galt in Speier [12]), in Worms [13]), in Frankfurt [14]) u. a. m. Als daher um das Jahr 1459 in Speier einige Mal von dem Stadt-rath an die Reichsgerichte appellirt worden war, legte dieser Ver-

---

2) Meine Gesch. der Fronhöfe, I, 509 ff., IV, 414 ff.

3) Urk. von 1219 bei Heineccius, p. 219. vrgl. oben §. 471.

4) Urk. von 1297 bei Lehmann, p. 585.

5) Urk. von 1297 bei Moritz, II, 180 und bei Ludewig, rel. Mpt. II, 243.

6) Privilegium von 1230 bei Hund, I, 159—160.

7) Urk. von 1356 bei Wenck, Hess. Gesch. I, 327. Not.

8) Urk. von 1357 bei Ochs, II, 198.

9) Privilegien von 1359, 1397, 1401 u. 1479 in der Stadt Ulm Ord-nungen vom gerichtlichen Proceß, p. 87—100.

10) Lübisches Recht, V, tit. 10.

11) Urk. von 1372 bei Ochs, II, 217.

12) Urk. von 1299 bei Lehmann, p. 624.

13) Urk. von 1285 u. 1299 bei Moritz, II, 177 u. 181.

14) Stadtrecht von 1297 §. 2. Urk. von 1356 u. 1377 bei Wenck, I, 327 u. 328.

wahrung dagegen ein. Und der Berufung wurde sodann keine
Folge gegeben [15]). In Straßburg hatte jedoch auch wegen ver=
weigerten Rechtes keine Berufung an die Reichsgerichte statt. Die
Stadt hatte vielmehr eine Art von privilegium de non appellando,
welches ich bei keiner anderen Reichsstadt gefunden habe. Es be=
stand nämlich daselbst ein eigenes Stadtkammergericht, welches
zu dem Ende vom Reichskammergericht belegirt worden und daher
auch das belegirte kaiserliche Cammergericht genannt
worden ist. Und das geheime Collegium der Dreizehner bildete
dieses höchste Reichsgericht für die Stadt, bis seit der französischen
Herrschaft der hohe Rath in Kolmar an dessen Stelle getre=
ten ist [16]).

Bei dem in den Landstädten verweigerten Rechte ging der
Rekurs an den Landesherrn oder an das landesherrliche Hofgericht,
z. B. in München [17]), in Prag [18]), in Brünn [19]), in Feldkirch [20]),
in Freiberg u. a. m. Und wer außerdem einen Rekurs an den
Landesherrn oder an dessen Hofgericht ergriffen hatte, wurde ge=
straft, z. B. in Freiberg [21]), in Prag [22]) u. a. m. Seitdem jedoch
die Landeshoheit fester begründet war, seitdem nahmen die Hof=
gerichte auch noch in anderen Fällen Berufungen (ein Geding gen
Hof) an, z. B. in München [23]), in Freising [24]) u. a. m., insbeson=
dere auch in Wien. Auch in Wien hatte sich nämlich, wie wir
gesehen, eine Berufung an den Stadtrath gebildet (§. 585). Wenn
jedoch dem Stadtrath die Sache zu schwer war, so durfte er sich
bei dem Landesherrn und bei dessen Räthen Raths erholen, und
die Sache wurde sodann von dem landesherrlichen Hofgerichte ent=

---

15) Lehmann, p. 850.
16) Heiß, Zunftwesen, p. 5 u. 6.
17) Freiheitsbrief von 1294 bei Bergmann, II, 9.
18) Rechtsbuch §. 55.
19) Schöffenbuch, §. 68.
20) Urk. von 1328 bei Wegelin, Reichsvogtei in Schwaben, II, 192.
21) Stadtrecht, c. 34 bei Schott, III, 264.
22) Rechtsbuch §. 55.
23) Stadtrecht, §. 310. Die Berufung an den herzoglichen Hof wird ganz
allgemein gestattet.
24) Ruprecht von Freising, II, 102.

schieben [25]). Seit der Handfeste von 1296 war aber daraus schon eine wirkliche Berufung an das Hofgericht in dem Falle geworden, wenn der Stadtrath die an ihn gebrachte Sache nicht binnen einem Monat entschieden hatte. Denn diese Verzögerung wurde als eine Rechtsverweigerung betrachtet[26]). Um jedoch den Mißbrauch dieser Berufungen möglichst zu verhindern, ließ man den Appellant einen Eid (ein juramentum calumniae) leisten, daß die Berufung nicht frivol sei, z. B. in Wien [27]), in München [28]), in Freising [29]) u. a. m. Man wendete demnach den vor dem Reinigungseid, vor der Feuer- und Wasserprobe und vor dem gerichtlichen Zweikampf zu leistenden Eid auch auf die Berufungen an (§. 567, 576 u. 578). Und sämmtliche seit dem 15. [30]) und 16. Jahrhundert erschienenen Ge- richtsordnungen wiederholen diese Bestimmung für die Berufungen und dehnen sie auch noch auf die Untergerichte aus, indem sie die Leistung des Eides für Gefährde gleich nach der Kriegsbefestigung anordnen. So die Hofgerichtsordnung von 1516 und die Unter- gerichtsordnung von 1534 des Erzstiftes Mainz, die Gerichtsord- nung des Erzstiftes Köln von 1538, die Untergerichtsordnung des Erzstiftes Trier von 1539, die Reformation des Bairischen Land- rechtes von 1518 und die Gerichtsordnung von Ober- und Nieder- baiern von 1520, die kurpfälzische Untergerichts- und Hofgerichts- ordnung von 1582, die kursächsische Hofgerichtsordnung zu Leipzig von 1550 und zu Wittenberg von 1550, dann die Gerichtsordnun- gen der Städte Worms, Frankfurt, Ulm u. a. m. Seit der An- wendung des fremden Rechtes und seit der Errichtung ständiger mit rechtsgelehrten Richtern besetzter Hofgerichte im 15. Jahr- hundert wurden diese Berufungen an die landesherrlichen Hofgerichte immer häufiger und häufiger, und zuletzt zu einer regelmäßigen

---

25) Stadtrecht von 1278 bei Lambacher, II, 163.

26) Handfeste von 1296 § 36 bei Senckenberg, vision. p. 293.

27) Stadtrecht von 1278 bei Lambacher, II, 163. Handfeste von 1296, §. 38.

28) Stadtrecht, §. 310

29) Ruprecht von Freising, II, 102.

30) Schon die Gerichtsordnung des Klosters zu St. Egidien in Nürnberg von 1478 bei Will, histor. dipl. Magazin, II, 304. enthält diese Be- stimmung.

Inſtanz. Die Entſtehung dieſer Berufungsinſtanz hängt demnach auch der Zeit nach mit dem Untergang der Oberhöfe zuſammen (§. 589). Wie ſehr übrigens dieſe Berufungen mit dem fremden Recht zuſammenhängen beweißt zumal das Schöffenbuch von Brünn, nach welchem es damals ſchon zweierlei Arten von Berufungen ge= geben hat. Wenn nämlich die Schöffen nach Deutſchem Recht geurtheilt hatten, ſollte ihr Urtheil in den Formen des Deutſchen Rechtes geſcholten und von dem Urtheilsſchelter ein beſſeres Urtheil gefunden werden. Hatten ſie aber nach dem geſchriebenen Recht, offenbar nach fremdem Recht, geurtheilt, ſo ſollte ſodann, offenbar in den Formen des fremden Rechts, an den Landesherrn (an das landesherrliche Hofgericht) appellirt werden [31]). Auf dieſe Weiſe wurden denn ſeit dem 15. und 16. Jahrhundert alle Landſtädte wieder den landesherrlichen Hofgerichten unterworfen, von welchen jedoch noch ein Rekurs an die Reichsgerichte ſtatt hatte. Denn erſt ſeitdem die landesherrlichen Territorien durch ein Privilegium de non appellando von den Reichsgerichten befreit worden waren, ſeitdem ſtanden auch die Landſtädte unter den neu errichteten Ober= hof= oder Appellationsgerichten. Und es hatte ſodann kein weiterer Rekurs mehr an die Reichsgerichte ſtatt. Nur allein die Reichs= ſtädte blieben nach wie vor direkt unter den Reichsgerichten, ſeit dem 16. Jahrhundert alſo unter dem neu errichteten Reichskammer= gericht, z. B. Bremen [32]), Lübeck [33]), Worms [34]), Ulm [35]), Mühl= hauſen [36]), Baſel [37]) u. a. m.

---

31) Schöffenbuch, §. 68 bei Rößler, p. 37. — dicat sic: Domine judex: sententiam a juratis contra me latam arguo offerens me melio-rem ab illo loco a quo de jure teneor illaturum —. Si autem fertur de jure scripto, sic dicat: Domine judex, sententiam, quam jurati ex jure scripto contra me tulerunt, credo salva eorum reverentia ex malo scripturae juris intellectu processisse: unde ab ipsa apello petens eam instanter ad principis, a quo jus scriptum est editum, audientiam —.

32) Urf. von 1541 u. 1554 in Assertio lib. Brem. p. 380, 397 u. 836 f.

33) Lübiſches Stadtrecht von 1680, V, tit. 10.

34) Rachtung von 1519 §. 28 bei Schannat, II, 327.

35) Privilegium von 1621 in der Stadt Ulm Ordnung vom Proceß, p. 80.

36) Prozeß Ordnung von 1730, tit. 35.

37) Heusler, p. 405 u. 415.

Holung.

§. 591.

Ein eigenes Rechtsmittel, dessen jedoch nicht oft Erwähnung geschieht, ist die Holung, Hollung oder Erholung, welche auch zuweilen eine restauratio juris, revocatio verborum, iteratio juris und eine reiteratio juris genannt worden ist. Sie war eine Art von restitutio in integrum, um das Versäumte nachzuholen oder zu verbessern oder einen gemachten Fehler wieder gut zu machen, z. B. in Brünn [1]), in Prag [2]), in Freiberg [3]), in Leipzig, Zittau u. a. m. [4]). Da die Geschäftssprache, insbesondere das bei Eidesleistungen zu beobachtende Verfahren voller Förmlichkeiten war (§. 542 u. 575), so war dieses Rechtsmittel sehr wichtig und gewiß auch weiter verbreitet, als man nach dem Inhalte der Stadt=rechte glauben sollte. Das Recht sich dieses Rechtsmittels bedienen zu dürfen mußte jedoch bei jeder Verhandlung ausdrücklich von dem Vorsprechen seiner Partei vorbehalten werden, z. B. in Brünn [5]), in Freiberg u. a. m. [6]).

---

1) Schöffenbuch, §. 59. Revocationem verborum quae vulgariter ho-lunge dicitur. — Dann §. 67, 367, 423, 429, 442 u. 717. bei Rößler.

2) Stadtrecht, §. 84 und Rechtsbuch §. 88. bei Rößler.

3) Stadtrecht, c. 27 bei Schott, III, 227. Haltaus, p. 950.

4) Haltaus, p. 395, 949 u. 950.

5) Schöffenbuch, § 59 u. 67.

6) Haltaus, p. 395, 949 u. 950.

Anhang Nr. III.

Formalitäten, welche bei Vergebung der Aemter der freien Reichsstadt Speier im Mittelalter stattgehabt haben [1a].

Handlung von wegen meines gnedigsten Churfl vnd Herrn
als Bischoven zu Speyer, so durch Dero Statthalter vnd Rethe
vff den zwölfften Epiphaniae Domini, so man die Aempter in der
Statt Speyer hinleyhet, zuethuen pflegt.

Erstlich leütet man ein Glockh in dem Münnster, datz be-
deüt die zeit datz man die Gerichts Ambt, die in der Statt Speyer
sindt leyhen solle.

Darnach so khombt ein Rath zue Speyer, erscheint vor
Statthaltern vnd Rethen, die auch bey Jhnen Praelaten Dom
Herrn, Pfaffen, Ritter vnd Edlen sitzen haben, vnd pflegt ein ade-
licher Fauth des Stiffts, deme es befohlen wirdt, dißen Vortrag zuethun.

Der Hochwürdigste Chur=Fürst vnd Herr Philips Christoff
ErtzBischoff zu Trier 2c. 2c. Bischoff zu Speyer vnd Probst zue
Weißenburg 2c. mein gnedigster Herr hat dem Wolehrwürdig vnd
wohledlen Herrn . . . . [1] alhie zuegegen, gewaldt gegeben,
im nahmen vnd von wegen jhrer Churfürstl. Gn., die Recht, so
Jhre Churfürstl. Gn. vnd Dero Stifft alhie zue Speyer haben, zu
empfahen, vnd die fürter nach zueverrichten.

1a) vrgl. oben §. 484 u. 491.

1) Hier ist im Original eine freie Stelle zum Ausfüllen der Namen. Es
scheint daher, daß doselbe ein Formular ist, das noch zum wirklichen
Gebrauch unausgefüllt war.

Hierauf wirdt der gewaldt vbergeben, vnd wann derselbe ab=
geleßen worden, so pflegt ein Landtschreiber, secretarius, oder
weme es befohlen wirdt, anzuefahen vnd sagen.

Es sollen vor meinen Gnedigsten Churfl. vnd Herrn gesetzt
werden zwen kupfern Keßel, der eine mehr, der annder minder,
vnnd so daß beschehen, spricht Er, diße Keßel bedeütten die rechte
Maß Weins vnd Oels.

Item es solle vor meinen gnedigsten Herren gesetzt werden ein
Waag die der Zöller hat, so in der Statt Speyer von meines gne=
digsten Herrn wegen den Zoll offhebt.

Der Schultheiß soll legen einen weißen Stab uff den
großen Keßel.

Der Vogt oder Fauth einen weißen Stab uff den kleinen
Keßel.

Der Zöller auch einen weißen Stab off die Waag.

Der Müntzmaister dergleichen.

Der Cämerer auch einen weißen Stab off das Tuech vor den
Herrn.

Vnd so daz beschehen, sagt ein Landtschreiber oder secretarius, dise stäb bedeütten das die Ambt ledig sein. Vnd kheret sich
zum Rath, vnnd fragt erstlichs also.

Ihr Herrn von dem Rath, mein gnedigster Chur Fürst vnd
Herr, als Bischoff zu Speyer, thuett euch fragen, ob Ihr hie seyet
als der Rath von Speyer, vnd von der Stette wegen, also das
Ihr ihme sollent vnd mögent seine Rechte sprechen, vnd wer hie
nit seye, was seines Rechtens darumb sye?

Antwortt.

So solle Ihme einer vnter den Herrn von dem Rathe ant=
worten, einen andern berathe, ob die Herrn wöllent, doch stehet
es baß, daß sie sich vntereinannder berathendt, vnd soll sprechen von
Ihr aller wegen [2]).

----

2) Die Urkunde ist offenbar ein Weisthum. Es wird daher, wie bei an=
deren gerichtlichen Verhandlungen, die Frage an den Umstand gerichtet.
Und Einer von den Umherstehenden antwortet, nachdem er sich mit
den Umherstehenden berathen, für Alle.

Ja Herr wir seind hie von des Raths vnd von der Stette wegen vnd sollent vnd mögent Euch eure rechte sprechen.

Nota, handt sie auch etwann damit geantwort, wer nit da were, daz der V ℔ Speyrer heller verlohren hete.

Die annder Frag.

Ihr Herrn von dem Rathe, mein Herr thuett euch fragen, wann vnd zu welcher Zeit, seine ambt, die er hat, in Statt zu leyhen, ledig worden sein, vnd wann, weme vnd zu welcher Zeitt er sie leyhen solle vnd möge?

Antwortt.

So sollen sich die Herren von dem Rath ziehen an ein ennde, vnd zu berathe, vnnd berathen widerkhommen, vnnd Einer für die annbern sprechen vnd antwort also geben.

Herr füre Ambte, die Ihr handt züleyhen in der Statt zu Speyer, warent ledig gestern zu None, vnd sollent vnd mögent ihr die heütt zu None leyhen, vnser Bürger einem, wem Ihr wöllent, die eüch als lieb gerebt hant.

Die britte Frag.

Ihr Herrn von dem Rathe, mein Herr thuett euch fragen ob Ihr Chur vnd Fürstl. Gn. Ambte, vnd maſſen daß Jahr das zu nechſt hinwecks ist, gehaltten sein in rechter vnd gewöhnlicher Huette, vnd in den Rechten, als man sie bisher von alter pflage zu haltten vnd zubehuetten?

Antwortt.

So sollen die Herren von dem Rathe aber Sith ziehen, an ein ennde zuberathen, vnnd sollent für sich heischen Ihren Heymburger, vnd des Zollers Knecht in der Huet auch sein geweſſen biß jahr, die maß, vnd die waag, vnd sollent die darumb fragen, vff Ihr Ayde, die antwortent ihnen auch ja auf ihr aybt, darnach sollen die Herrn zuehandt wider gehen für den Bischoff vnd sollent sprechen also, Herr wir sprechen Euch das Eure maßen vnd Ewer ambt, biß jahr gehalten, vnd behaltten seind als es von alters her-kommen ist.

Die viertte Frag.

Jhr Herrn von dem Rath, mein Herr thuett euch fragen, ob ihr kheinen gebresten wissent, an den obgeschribnen dingen vnd puncten?

Item ob man kheine Satzung, Statuta oder wandlung an den Gerichten vnd zunfften möge gemachen, wider seinen willen vnd verhengnus?

Item ob man seine Gericht, gehstlichs vnd welttlichs, halte vnd behaltten habe, als man sie von Recht, vnd von alter billich halten solle?

Item ob man Jhrer Churfürst. Gn. Ampt= vnd Dienst= leuth Dero Stiffts ³) an kheinen Dingen vnd Freyheitten vber Recht bringe oder gedrenget habe?

Item ob man Seine Gericht vnd Ambt mit kheiner Satzung geschwecht, oder gewandelt habe, in dem Rath oder in den Zünff= ten, vnd an welchem stücks, heimblich oder offentlich?

Item was seines Rechten sey, vnd was er rechts habe, an der Müntz zu Speyer vnd an den Haußgenossen, vnd ob mann jhme das halte?

Item vmb sein Freuel vnd Schlahegeldt, ob man jhme das halte, als es von alter herkhommen ist, vnd ob es ietzt an= derst gemacht vnd verennderst seye?

Item ob man seinem Ambtmann den Schultheißen halte, alle seine Recht, als sie von alters herkommen sind, vnd sonderlich wer ein Bronnentregel oder ein Metzler werden will, das der Bürger von jhme werden solle, vnd sein Handtwercks von Jhme empfahen?

Item wer sein Freyheit vnd Recht breche, vnd Jhme das nit stets hielte, was Jhme der darumb schuldig seye, vnd was seines rechten darumb seye?

Item ob Er sein Gericht vnd ambt möge bestellen, nach nutz armer vnd Reichen?

Antwortt.

Ja Herr, wir haben Vnnßerm Herrn zu Speyer gesprochen seine Recht, die Er dann in der Statt Speyer hat.

---

³) Die Ministerialen werden bekanntlich auch Amtleute genannt.

Die fünffte Frag.

Ihr Herrn von dem Rath, mein Herr thuet Euch fragen, welche Ambt Er vor vnd welche er nach leyhen solle?

Antwortt.

So sollent die Herren von dem Rath aber zusammen gehen an ein ennde vnd sollen mit berath herwider khommen, vnd sprechen also: Herr Wir sprechen Euch, daß Ihr von erst leyhen sollent das Schultheißen Ambt mit dem großen Keffel vnd Stab. Darnach das Fauthambt mit dem kleinen Keffel vnd Stab. Darnach das Müntzmeisterambt mit eim Stab sonnderlich. Darnach das Zöllcrambt mit der Waag vnd dem stab. Darnach daß Cämerer=Ambt mit dem Stab.

Nachdem so hebt zuehandt der Bischof yf den Stab, der yf den großen Keffel ligt, vnd reichet ihne dann dem bar, der Schultheiß werden soll, vnd spricht also, ich leyhe dir das Schultheißen Ambt, als Ich von recht solle. Ist dann derselbe Schultheiß das fordern jahr auch Schultheiß gewesen, so befilhet ihme der Bischoff yff den aydt, den Er Ihme des fordern Jahrs gethan hat, daß Er dem Ambt genueg thue vnd halt, daß Er des fordern jahrs zue dem Ambt geschworen hat, ist aber ein newer Schultheiß so schweerrt Er also.

Des Schultheißen Aydt.

Daß ich meinem Herrn zue Speyer getrew vnd holdt seye, vnnd daß ich recht richte, ohne mueth vnnd muethwon [4]) den armen, alß den Reichen, nach der Bürger vrtheil vnd alß mich der Rath weiset vngefehrlich, alß bitte ich mir Gott helffen vnd die Heyligen vnd schweeret gen den Himmel an andere Heyligen, also thuen auch die annbern Ambtleuth.

Deß Fauths Aydt.

Daß ich meinem Herrn zue Speyer getrew vnd holdt sey vnd daz ich recht richte, ohne mueth vnd muethwan [5]), den armen, alß

---

4) Die zwei anderen Mspt. „on myet vnnd myetwann" —.
5) Die 2 anderen Mpt. „one myet vnnd myetwan" —.

den reichen, wo es an mich gefordert wirdt, alß recht vnd von alter herkhommen ist, alß bitte ich, mir Gott helffe vnnd alle Hey-
igen.

Des Müntzmaysters ayd.

Daß ich meinem Herrn zue Speyer getrew vnd hold sehe vnd
daz ich recht richte, ohne mueth vnd muethwohn, den armen, alß
den Reichen, nach der Haußgenoßen vrtheil, alß recht vnd
von alters herkhommen ist, als bitte ich mir Gott helffe, vnnd die
Heyligen!

Der Zollers aydt.

Daß ich meinem Herrn zue Speyer getrew vnd holbt sey,
vnnd daß ich den Zoll zue Speyer vfhebe vnd nemme, alß von
alter herkhommen ist, vnd nit mehr vngefehrlich, alß bitte ich mir
Gott helffe, vnd die Heyligen.

Des Camerers ayd.

So der Camerer sein ambt empfangen hat, daß auch ein Bischoff leyhen solle, so solle Er schweeren vff vnnßer Frawen Altar
in dem Münster, vnd soll vff dem altar haben, vnter seiner handt
zwo taffeln, eine roth vnd die ander weiß, vnnd solle schweeren also.

Daß ich meinem Herrn zue Speyer vnd dem öbristen Cammerer getrew vnd holt sehe vnd daz ich recht richte ohne mueth
vnd muethwan [6]) den armen, alß den reichen, nach der Burger
vrtheil vnd alß mich der Rath weiset, vnnd daß ich die Camer-
tafeln getreülich behüte vnnd bewahre, vnd niemand daran, noch
darab taffele, noch heiße tafeln, es were dann mit dem vrtheil vnd
mit den Rechten gewunnen, vnd auch daß ich dieselbe tafeln, niemandt befehle zu behalten, dann meinem geschwornen Knecht, daß
bitte ich mir Gott helffe vnnd die Heyligen!

---

6) Die 2 anderen Mpt. — „ane myete vnd myetwan" —.

Das auf einem alten zusammengerollten Pergamentblatte ge=
schriebene Original befindet sich im Kreisarchive zu Speier.

Ueber denselben Gegenstand befinden sich aber im Speirer
Archive noch zwei andere alte Urkunden, beide geschrieben auf zu=
sammengerollte Pergament Blätter.   Beide stimmen dem Inhalte
nach überein, ausgenommen die oben schon gelegentlich bemerk=
ten Abweigungen, und ausgenommen der Anfang der Urkunde.
.   Die beiden anderen fangen also an:

Registrum als man jars die Ampte zu Spire verlyhet.

An dem zwolfften tage nach morgen Imbiss, so ludet man
ein gross glocken zue dem Munster, die bezeichet die zytt das
man die gerichte, Ampte die in der Stadt sint lyhen soll, vnd
sollen auch dan der Rate zu Spyre der dan ist byeinander kommen vnd sollent geen zu dem Bischoff von Spire an die Stadt
da er dan ist in der Stadt, vnd so der Bischoff sich dan gesetzt hat an die Stadt da er die ampt verlyhen will, da by
jme sitzent sin prelaten sin pfaffen vnd sin Rittere, so werdent
fur jne gesetzt vff ein duch an die erde zween kupfern kessel
der ist eyner meer, der ander mynner, vnnd sint dieselben kes-
sele die rechten massen wyns vnd oleis, dartzu setzet man auch
fur sin fuss uff das duche die wage die da hat der zoller, das
ist der der den zoll vffhebet zu Spire von des Bischoffs wegen,
vnd legt der Schultheiss uff den grossen Kessel ein wyssen stab,
so der kessel von erst dargesetzt wirt vnnd der vogt ein wyssen stab uff den cleyn kessel, vnnd vff die wage legt auch der
Zoller zum ersten so sie dargesetzt wirt einen wyssen stab vnd
der Muntzmeister vnd der Camerer jglicher legt ein wyssen
stab uff das duche, die stebe bezeichent das die Ampte ledig sint.

Die erste Frage.

Darnach so das also geracht ist, so fragt der Prelaten
oder Ritter eyner von des Bischoffs wegen die Herrn von dem
Rate die dan zugegen sint vnd spricht jr herrn von dem Rate
myn herr von Spire tut euch fragen, ob jr hie sint als der Rate
von Spire vnd von der Stette wegen, also das jr yme sollent
vnd mogent sine Rechte sprechen, vnd wer hie nit sy, was sins
Rechten darumb sy.

Antwurte.

So sol yme eyner vnder den herren von dem Rate ent-
wurten, eynen andern berate ob die herrn wollent, doch steet
ez bass, das sie sich vnder ynander beraten, vnd sol sprechen
von jr aller wegen, ja herre wir sint hie von des Rates vnd von
des Rates vnd von der Stette wegen vnd sollen vnd mogent
euch alle rechte sprechen.

Nota hant sie auch ettwan damit geentwurt, wer nit da
wer das der V Schilling Spirer heller verloren hette.

Die 2 Frage.

So die antwurt also geschicht von den herrn, so fregt
anderwerb der prelaten oder der Ritter eyner von des Bischoffs
wegen vnd sprachet alsus, jr herren von dem Rate, myn herr
tut uch fragen, wan vnd zu welcher zyt sine Ampte die er hat
in der Statd zu lyhen u. s. w. Im Ganzen stimmen die Urkun=
den überein. Jedoch scheinen die beiden letzten Urkunden älter zu
sein, als die zuerst und vollständig gegebene, theils weil die Schrift
älter, und auch das Pergament, worauf sie stehen, schon älter und
verbrauchter ist, theils wegen der Zusätze, die offenbar eine spätere
Umarbeitung verrathen, theils endlich weil die Schreibart selbst in
der ersten Urkunde schon moderner ist.